SPICILEGII FRIBURGENSIS SUBSIDIA

HERAUSGEGEBEN VON

G. G. Meersseman – A. Hänggi – P. Ladner

Vol. 14

1983
ÉDITIONS UNIVERSITAIRES FRIBOURG SUISSE

JEAN DESHUSSES – BENOIT DARRAGON
Moines bénédictins d'Hautecombe

CONCORDANCES ET TABLEAUX POUR L'ÉTUDE DES GRANDS SACRAMENTAIRES

TOME III, 4
CONCORDANCE VERBALE
(Q–Z)

1983
ÉDITIONS UNIVERSITAIRES FRIBOURG SUISSE

Publié avec l'aide du Fonds national suisse de la recherche scientifique
et du Conseil de l'Université de Fribourg

Tirage: 700 exemplaires

QUADRAGENARIUS
et qui hoc QUADRAGINARIO curricolu... suo dedicavit ieiunio...   357
qui QUADRAGENARIUM numerum in moysi et heliae... ieiunio consecravit...
  347

QUADRAGESIMA
Quatenus praesentis QUADRAGESIMAE diebus devotissime celebratis...   2249

QUADRAGESIMALIS
et ut nobis ieiunium QUADRAGESIMALE proficiat...   532
Sacrificium, dne, QUADRAGESIMALI initii sollemniter immolamus...   3154
Ds qui ecclesiam tuam annua QUADRAGESIMALI observatione purificas...   969
per annua QUADRAGESIMALIS exercitia sacramenti...   455
Sacrificium dne QUADRAGESIMALIS initii solemniter immolamus...   3154
VD. Qui ieiunii QUADRAGESIMALIS observationem in moyse et helia dedicasti
  ...   3940
Deus qui vos ad praesentium QUADRAGESIMALIUM dierum mediatatem dignatus
  est perducere...   1241

QUADRAGESIMUS
usque in QUADRAGENSIMUM diem manifestus apparuit...   3998

QUADRAGINTA
VD. Qui continuatis QUADRAGINTA diebus et noctibus hoc ieiunium non
  esuriens dedicavit...   3880
... Ille tibi imperat qui ieiunavit QUADRAGINTA diebus et QUADRAGINTA
  noctibus...   1852
ut eas sociare digneris inter illa centum QUADRAGINTA quattuor milia
  infantum...   3465
quae et linteamina fieri famulo tuo Moysi per QUADRAGINTA dies docuisti
  ...   1318

QUADRANS
dones (deleas eius) delicta atque peccata usque ad novissimam QUADRANTEM
  ...   3462

QUADRIFIDUS
genusque humanum QUADRIFIDA peccatorum mole obrutum ad vitam reducit...
  3917

QUADRIFORMIS
et in trinitate QUADRIFORMIS evangelii constare mysterium...   3943

QUADRIVIUM
non adgrediens in bivio, non in trivio, non in QUATRIVIO...   394

QUADRUPEDUS
umanu generi QUADRUPEDIA munda haedere permisisti...   1257

QUAERO
neopem sanis de infirmorum lisione QUERAMUS - absit...   3674
ne his retenti caelestia QUAERAMUS et tunc eadem...   3938
ut eadem percipiendum te QUAERANT...   1627
et QUERENDO sine fine percipiant.   390, 1622, 1627
Converte ad te QUERENDUM corda fidelium...   1175
nihil amplius, nihil minus, nossemus esse QUAERENDUM.   3943
nec impidias QUERENTEM vitam aeternam.   2180
Auxiliare dne QUAERENTIBUS misericordiam tuam et da veniam...   243
Propitiare, dne, QUAERENTIBUS misericordiam tuam et statum romani...
  2868

opem tuam piaetate QUERENTIS clementissimus exaudire... 3918
aeternae promissionis gaudia QUAERERE et quaesita... 625
VD. Te in ieiunii observatione QUERERE qui sanctificator... 4190
ne gaudia QUAERERE superna cessemus... 3845
ut qui sine te esse non possumus, secundum te QUAERERE valeamus. 1993
dum anxietate prolem (anxietatem prole) QUAERERET, meruit fecundare... 1145
dum propria integritate fidendo praesidia divina non QUAERERET viperea... 4079
et magis QUERIMUR quam (que) rogamus... 4135
... QUAERITE et invenietis, pulsare et aperietur vobis... 829
et QUAESITA citius invenire. 625
... QUAESITA sub conspectu (conspectum) nostro manibus diripiantur alienis ... 3598
regnum... a deo nobis promissum, Christi sanguinem (sanguine) et passionem QUAESITUM. 865
Sicut qui invitatus renuit, QUAESITUS refugit, sacris est altaribus removendus... 3290
et illis praemium caeleste QUAESIVIT et nobis patrocinia... 4063
et peccatorum veniam quam QUAESIVIT inveniat. 3267

                QUAESO
una mecum QUAESO dei omnipotentis misericordiam invocate... 1564
Sacrificii praesentis QUAESO dne oblatio mea expurget facinora... 3145
ds indulgentiae indulge QUAESO et miserere mei... 856
Fac me QUAESO o. ds ita in iustitia indui... 1567
Doce me dne QUESO paciencia ad sustinendum adversa... 1296
... QUAESO placatus accipias, maiestatem tuam suppliciter depraecans... 1753
te QUAESO ut facinorum meorum squalores abstergas... 815
... Simul eciam illud supplex QUAESO ut haec sacrificia... 4050
... QUAESUMUS, benignus efficias, et tua in eis dona prosequaris. 1776
populum tuum QUAESUMUS caelesti dono prosequere... 1212
... QUAESUMUS clementiam tuam, ut eorum... 3341
Repleti dne benedictione caelesti QUAESUMUS clementiam tuam ut interceden-te... 3066, 3067
... QUAESUMUS clementiam tuam, ut per ea quae sumpsimus... 254
... QUAESUMUS clementiam tuam, ut quod prestas. 2433
Sumentes dne caelestia sacramenta QUAESUMUS clementiam tuam ut quod temporaliter... 3325
... QUAESUMUS clementiam tuam, ut salutaria... 3553
... QUAESUMUS clementiam tuam, ut sicut... 2410
... QUAESUMUS ds noster : quod pia devotione gerimus... 543
... QUESUMUS dignanter intende, ut aulam... 1734
... QUAESUMUS, dne, clementiam tuam, ut quod... 3135
QUAESUMUS, dne, ds noster, diei molestias noctis quiete sustenta... 2956
QUAESUMUS, dne ds noster, ne aput iustitiam tuam... 2957
QUAESUMUS, dne ds noster, quos sacramentis reficis... 2959
... QUAESUMUS, dne ds noster, ut cuius exsequimur cultum... 3043
QUAESUMUS, dne ds noster, ut divina mysteria... 2960
Caelesti munere satiati (saginati) QUAESUMUS, dne ds noster, ut haec nos dona... 380, 381
... QUAESUMUS, dne ds noster, ut in huius semper participatione vivamus. 1295
QUAESUMUS, dne ds noster, ut interius nobis exteriusque conferant... 2961

QUAESUMUS, dne ds noster, ut intervenientibus sanctis tuis... 2962
QUAESUMUS, dne ds noster, ut mensae tuae sancta libantes... 2963
QUAESUMUS, dne ds noster, ut non desinant sancti tui pro nostris suppli-
    care peccatis... 2964
Repleti substantia reparationis et vitae QUAESUMUS, dne ds noster ut per
    ea quae nobis... 3075
QUAESUMUS, dne ds noster, ut per haec caelestis vitae commercia... 2965
QUAESUMUS, dne ds noster, ut propitiationis tuae nobis... 2966
QUAESUMUS, dne ds noster, ut quod nobis ad inmortalitatis pignus esse...
    2967
... QUAESUMUS dne ds noster, ut quod pia devotione gerimus... 458, 543
Refecti vitalibus alimentis QUAESUMUS dne ds noster, ut quod tempore...
    3044
QUAESUMUS, dne ds noster, ut quos divina... 2968
QUAESUMUS, dne, ds noster, ut quos divinis reparare non desinis sacramen-
    tis... 2969
QUAESUMUS dne ds noster, ut sacrosancta mysteria... 2970
... QUAESUMUS dne ds noster ut sicut adorare meruimus... 1851
Corporis sacri et praetiosi sanguinis repleti libamine QUAESUMUS dne ds
    noster uti gratiae tuae... 542
Te QUAESUMUS, dne, famulantes, praece humile auxilium implorantes...
    3469
QUAESUMUS, dne, ne nos talis patiaris exsistere... 2971
QUAESUMUS, dne, nostris placare muneribus... 2972
Hanc igitur oblationem... QUAESUMUS dne placatus accipias. 1771
Refecti vitalibus alimentis QUAESUMUS, dne : quod tempore... 3044
QUAESUMUS dne salutaribus repleti mysteriis... 2973
Maiestatem tuam QUAESUMUS, dne, sanctae pater, omnipotens aeternae ds...
    2055
... QUESUMUS dne ut auxilium aeius tua beneficia capiamus... 258
Tua sancta sumentis QUAESUMUS, dne, ut beati magni... 3530
QUAESUMUS, dne, ut beatorum martyrum tuorum Nerei et Achillei deprecacio-
    nibus... 2974
... QUAESUMUS, dne, ut contra nostrae conditionis errorem... 2168
Muneris divini perceptis, QUAESUMUS dne ut devotionem famuli tui... 2155
... QUAESUMUS dne ut dignanter suscipias... 1751
QUAESUMUS, dne, ut famulo tuo cuius septimum obitus sui diem commemoramus
    ... 2975
Divina libantes mysteria QUAESUMUS dne ut haec salutaria... 1294
Redemptionis nostrae munere vegetati QUAESUMUS, dne, ut hoc nobis...
    3037
te QUAESUMUS, dne, ut mittere digneris sanctum angelum tuum... 737
Supplices QUAESUMUS, dne, ut munus... 3367
laetantes, QUAESUMUS, dne, ut paschalibus actionibus inherentibus...
    2219
... QUAESUMUS, dne, ut per ea quae sumpsimus aeterna remedia capiamus.
    3242
... QUAESUMUS, dne, ut per haec semper emundemur (mundemur) a vitiis, et
    periculis exuamur. 3131, 3132
Hanc igitur oblationem... QUAESUMUS dne ut placatus accipias (suscipias)
    ... 1723, 1737, 1741, 1745, 1747, 1765, 1767, 1769, 1770, 1771, 1773,
    1774
... QUAESUMUS, dne, ut quod est nobis in praesenti vita mysterium... 390
... QUAESUMUS, dne, ut quod frequentamus actu, conpraehendamus effectum.
    2539

Immortalitatis alimoniam (alimonia) consequuti, QUAESUMUS dne, ut quod ore
    ... 1858, 1930
... QUAESOMUS, dne, ut quod tempore nostrae mortalitatis exequimur...
    3044
... QUAESUMUS, dne, ut quorum honore geminantur... 1639
QUAESUMUS, dne, ut salutaribus repleti mysteriis... oracionibus adiuvemur.
    2976
... QUESUMUS aeidem proficiam ad salutem. 1646
... QUAESUMUS, eorum nobis praecibus dent medellam... 1441
... QUAESUMUS ergo clementiam tuam ut... 3692
... QUESUMUS (hergo) inmensam clementiam tuam... 2291, 2292
Unde QUESUMUS famulus ill. beatorum tabernaculis spirituum constitutus...
    3862
O. et m. ds QUAESUMUS inmensam pietatem tuam... 2277
supplices QUAESUMUS ineffabilem clemenciam tuam... 769
Misericordiam tuam dne nobis QUESUMUS, interveniente... 2102
QUESUMUS itaque, dne, ut famulus tuos... 3666
cuius suffragiis, QUAESUMUS, largitatis... 3339
Munera, dne, QUAESUMUS offerentes... 2124
QUAESUMUS o. ds afflicti populi lacrimas respice... 2977
QUAESUMUS o. ds clementiam tuam ut inundantiam coherceas imbrium... 2978
QUAESUMUS, omnipotens ds, aeclesiae tuae tempora clementi gubernatione
    dispensa... 2979
QUAESUMUS o. ds familiam tuam propitius respice... 2980
QUAESUMUS, omnipotens ds : iam non teneamur obnoxiis... 2981
QUAESUMUS, omnipotens ds, instituta providentiae tuae... 2982
QUAESUMUS, omnipotens ds, ne ad dissimulationem... 2983
QUAESUMUS, omnipotens ds, ne multitudinem nostrae pravitatis adtendas...
    2984
QUAESUMUS, omnipotens ds, ne nos mundanis sauciari patiaris incursibus...
    2985
QUAESUMUS o. ds ne nos tua misericordia derelinquat... 2986
QUAESUMUS, o. ds, praeces nostras respice... 2987, 2988
... QUESUMUS, o. ds, pro famula tua deprecati sumus... 383
... QUAESUMUS, o. ds, quod pro famula tua illa... 391
... QUAESUMUS, omnipotens ds, ut ab hoste maligno defendas... 3063
QUAESUMUS o. ds ut beatus andreas apostolus pro nobis imploret auxilium...
    2989
QUAESUMUS o. ds, ut de perceptis muneribus... 2990
QUAESUMUS, omnipotens ds, ut et mentes nostras caelestibus corrigas
    institutis... 2991
QUAESUMUS o. ds ut et reatum nostrum munera sacrata purificent... 2992
QUAESUMUS o. ds, ut famulum tuum illum tua miseratione suscepit regni
    gubernacula... 2993
QUAESUMUS o. ds ut hoc in loco quem nomini tuo indigni dicavimus... 2994
QUAESUMUS omnipotens ds, ut illius salutaris capiamus effectum... 2995
QUAESUMUS, omnipotens ds, ut inter eius membra numeremur (numeremur
    membra)... 2996
QUAESUMUS, o. ds, ut munere divino quod sumpsimus... 2997
QUAESUMUS, omnipotens ds, ut nostra devocio (nostram devotionem)... patro-
    cinia nobis eius accomulet. 2999
QUAESUMUS, o. ds, ut plebs tua toto tibi corde deserviens... 3000
QUAESUMUS omnipotens ds, ut qui caelestia alimenta... 3001
QUAESUMUS o. (ds) ut qui divina... 3002
QUAESUMUS o. ds, ut qui nostris fatigamur offensis... 3002, 3003
QUESUMUS o. ds ut quorum nos tribuis communicare memoriis... 3004

QUAESUMUS o. ds ut quos divina tribuis participatione gaudere...   2968
QUAESUMUS, omnipotens ds, ut sancti nos Iacobi laetificet ac Philippi...
  solemnitas...   3005
QUAESUMUS, omnipotens ds, ut sanctorum tuorum... sollemnitas...   3006
QUAESUMUS omnipotens ds, vota humilium respice...   3007, 3008
Sanctorum praecibus, dne, confidentes QUAESUMUS per ea quae sumpsimus...
  3242
inde tuam ds piissime pater lacrimabiliter QUAESUMUS pietatem...   3470
... QUESUMUS pro famulo tuo ill. ut des aei partem...   745
... QUESUMUS te, angelo tuo visitante aeas custodias...   1924
... QUAESUMUS te, dne : inmitte in eum paraclytum spiritum tuum sanctum...
  3192
... QUESUMUS te, ut quod tua piaetas largienter aeis tribuat...   2290
... QUAESUMUS te, ut sicut tres puaerus...   884
... QUAESUMUS ut auxilio eius tua beneficia capiamus...   258
Haec hostia... QUAESUMUS ut beata caecilia... nos propitiatione dignos
  semper efficiat.   1688
... QUESUMUS ut beatus andreas nobis imploret apostolus...   971
... QUAESUMUS, ut bonis quibus per tuam gratiam nunc fovemur...   1436
... QUAESUMUS, ut celerem (caelebrem) nobis tuae propitiationis abundan-
  tiam...   2430
... QUAESUMUS, ut contra nostrae condicionis errorem...   2168
te humiliter QUAESUMUS ut cordibus famulorum tuorum...   2282
Sumptis muneribus, dne, QUAESUMUS, ut cum frequentacione...   3348
... QUAESUMUS, ut donis nobis diem hunc sine peccato transire...   1667
... QUESUMUS ut aea intercendete pro nobis...   758
... QUAESUMUS, ut eandem sacris mysteriis expiati dignis caelebremus.
  1645
... QUAESUMUS, ut effectibus nos eorum veraciter aptare digneris.   3033
... QUAESUMUS ut eidem proficiat ad salutem.   1646
... QUAESUMUS, ut eius optemptu nobis proficiant ad salutem.   2143, 2144
... QUAESUMUS, ut eius praecibus et praesentis vitae...   4253, 4254
... QUAESUMUS ut et cor nostrum ad expurgandas delates passionis...   1049
Oblatio, qs, tuis aspectibus immolanda QUAESUMUS, ut et nos in omnibus...
  2193
... QUAESUMUS, ut exercere, quae tibi sunt placita...   56
... Unde QUAESUMUS ut famulus tuus ill. beatorum tabernaculis constitutus
  ...   4099
te humiliter QUESUMUS, ut hoc potionario...   2293
... QUAESUMUS, ut hos famulos tuos, quos ad officium levitarum vocare
  dignaris...   762
te supplices QUAESUMUS ut hunc fructum novum benedicere et sanctificare
  digneris...   1357
... QUAESUMUS, ut intercidente beato martyre tuo Ypolito ad redempcionis
  ...   3347
... QUAESUMUS, ut martyrum interventione sanctorum...   2022
cuius intercessione QUAESUMUS, ut mortem...   3586
te QUAESUMUS ut omnes habitantes vel convenientes in ea, careant...
  infidelitatis frigore...   2322
... QUAESUMUS, ut per ea quae sumpsimus aeterna remedia capiamus.   3242
... QUAESUMUS, ut per eam gratiam, per quam tibi reconciliatus est mundus
  ...   4133
... QUAESUMUS, ut per intercessionem sancti Viti...   3041
te QUAESUMUS ut ponas omnes fines domus istius sancti illi pacem...   1330
... QUAESUMUS, ut praesenti famulo tuo a nobis egrediente...   897
... QUAESUMUS, ut pro nobis eorum non desit oratio...   3220, 3222

... QUAESUMUS, ut quae in praecum vota detulimus...   1410
... QUAESUMUS, ut quae tuorum nobis sunt instrumenta praesencium...   284
... QUESUMUS, ut sanctae Iulianae martyrae tuae intervencionibus...   2022
... Unde QUAESUMUS, ut secundum multitudinem miseracionum tuarum...   2297
Caelestibus, dne, pasti deliciis QUAESUMUS, ut semper...   385
... QUESUMUS ut serenis oculis tuae piaetatis haec vascula ita inlustrare
   ...   2907
te humiliter QUAESUMUS, ut sicut ad petitionem famuli tui...   2280
... QUAESUMUS, ut vestram praesenciam nobis admonentibus non negetis.
   1286
... QUAESUMUS : vel illis correctionem suppliciter exorando subvenire
   possimus...   3922
QUAESUMUS, virtutum caelestium ds, ut...   3009, 3010

QUALIS

illuc luce plebs radiat QUALE vita fulsit in carcere...   546
... QUALEM hominem creasti sine crimine per naturam.   1059
Sit nobis regendi QUALEM iosuae in castris...   924
... QUALES facti sumus in lavacri salutaris felicissima regeneratione...
   3949
... QUALES nunc processerunt ex baptismo.   1073
... QUALIS fons regenerationis aemisit.   947
... QUALIS laevita aelaectus ab apostolis sanctus sthephanus meruit
   perdurare.   2303

QUALISCUMQUE

Exi, inmunde... QUALECUMQUE vobis nomen sit.   1888

QUALITAS

non solum operum QUALITAS indicabat...   4193
vel fructum QUALITAS vel prospera quaeque proveniunt...   3652
ut qui de meritorum QUALITATE diffidimus (deferimus)...   1510, 2360, 2457
ex operum QUALITATE fructus intellegi praecipis voluntatum...   3902
tamen quia non solum diem mortis, sed et QUALITATE peccatoris...   2297
ut proventus exterior de internorum QUALITATE procedat...   3888
ut quod ex his pro nostrae conversationis QUALITATE subtrahitur...   2427
ut dum de QUALITATE vite aeius deffidemus...   2273
Ds, qui ad mutandam aeris QUALITATEM operis caelum nubibus...   895
tamen quia non solum diem mortis, sed et QUALITATEM pectoris ignoramus...
   2297
preces iuxta QUALITEM vitaeque meritum parva poscentes...   2305

QUALITER

... QUALITER a fidelibus tuis falsos fratres discerneremus ostendis...
   3879
... QUALITER ad aeternam remunerationem pervenire mereatur.   2342
... QUALITER ad caeleste regnum illo interveniente, te opitulante perveni-
   re mereamur.   3655
... QUALITER ad hoc ut fiat heredicus promovetur.   3290
... Adnuntia fidem ipsorum QUALITER credunt.   1631
... QUALITER hac oblatione placatus...   3710
... QUALITER in tremendi iudicii die, sententiam damnationis aeternae
   evadat...   823
... QUALITER intervencionibus tibi placencium...   1555
... QUALITER nos culpis omnibus emundatos, inveniat secundus eius adventus.
   3700
... QUALITER pietatis tuae subsidia non negabis...   230
et QUALITER possit inpetrare quae poscit ostendas...   4025

... QUALITER tecum et cum spiritu sancto ad nos veniat nobiscum perpetim
permansurus.   3871
... QUALITER tunc eadem in sanctorum tuorum... digna commemoracione
deferimus...   3294

QUAMDIU
te miserante fragile in corpore QUAMDIU subsistere...   2475

QUAMVIS
... QUAMVIS enim (a divitiis) (ad vitiis) bonitatis et pietatis Dei nihil
temporis vacet...   58, 59
VD. QUAMVIS aenim humani generis mortis inlata condictio pectora nostra
contristit...   3862
... QUAMVIS enim illius sublimis gloriosaeque substantiae sit habitatio
semper in caelis...   4170
... QUAMVIS aenim mortis humani generis inlata conditio...   3915, 3916
... QUAMVIS enim natura nostra peccati vitiata sit vulnere...   3640
... QUAMVIS enim nobis sit omnis angelica veneranda sublimitas...   4128
... QUAMVIS esset caduca posteritas...   2541
nec ullum sibi finem in tam braevi termino, QUAMVIS essent caduca,
proponerent (ponerent)...   2542
VD. Quoniam QUAMVIS humano generi mortis inlata conditio pectora nostra
contristet...   4099
et QUAMVIS incessabiliter delinquentibus continua poena debeatur...   2531,
2532
sed QUAMVIS peccantibus pro penitencia piae miserationis placaris...
1138
fidelem QUAMVIS peccatis squalentem sacerdotii dignitate donasti...   3893
ut QUAMVIS tanta sint nostra facinora...   3860

QUANDO
... QUANDO ab (hominis nativitate) (hominibus nativitatis) initium
conpraehendit...   1633, 1634
Ubi ergo tu latebis, QUANDO dominus... discendit cum multitudinem
angelorum ?...   3563
ut QUANDO aei extrema dies advenerit...   3914
... QUANDO enim animus mortali carne circumdatus (circumdat)...   758, 759
QUANDO aenim (vel) humana fragilitas sufficerit passione...   4168
iniuriam non facias... neque in lingua QUANDO favellat...   1551
... QUANDO in vinia domini sabaoth sic novorum plantatio facienda est...
58
Deus namque noster QUANDO non regnat, maxime cuius regnum est inmortale ?
...   865
... QUANDO non secundum nostra desideria vel fructum qualitas vel prospe-
ra quaeque proveniunt...   3652
... QUANDO nullius maculae nebula fuscata...   3635
... QUANDO pars clamidis sic extetit gloriosa.   4148
Hic si QUANDO populus tuus tristis mestusque convenerent...   3828

QUANDOQUE
ut QUANDOQUE angelica pocius voce fecundaretur...   794
et ad tuae QUANDOQUE beatitudinis visionem pervenire mereatur.   3768
et ad corpus QUANDOQUAE reversuram...   1289

QUANDOQUIDEM
... QUANDOQUIDEM per spiritui est infusio purgatum.   782
et perennibus QUANDOQUIDEM suppliciis depotandus...   782

QUANTITAS

dum ad te non pro sui operis QUANTITATE, sed per offerentum fuerat
devocione suscepta.   1734
qui pro QUANTITATE vestis exiguae et vestire deum meruit et videre.   4148

QUANTO

... QUANTO clementius expectas (spectas) benignus ut parcas.   4135
... QUANTO devotio humana exegit...   862
et QUANTO eminentiora sunt ceteris...   1557
et QUANTO fragiliores sumus, tanto magis necessariis adtolle suffragiis.
2580
quoniam QUANTO fragiliores sumus, tanto tibi placentium (placentium tibi)
praesidiis indigemus.   2899, 2902
ut QUANTO fragiliores sumus, tanto validioribus auxiliis foveamur.   209
... QUANTO frequencius martyrum benedictionibus confovemur.   3252
... QUANTO fuerimus aeorum (primis) institutionibus gratiores.   3732,
4140
quia tanto nobis salubrius aderit, QUANTO id devotius sumpserimus.   3305
... QUANTO ieiuniis et orationibus expiemur...   4144
... QUANTO in eius participationem (participatione) proficerint.   4011
... QUANTO in his (hoc) constare principium nostrae redemptionis ostende.
3456
... QUANTO magis ab ipsius mentis debemus excessibus abstinere...   3964
ut QUANTO magis dies salutiferae festivitatis accedit...   3798
... QUANTO magis duriora certamina sustenentes...   3897
qui QUANTO magis fragiliores sumus, tanto his pluribus indigemus...
1348, 1349, 1350, 2549
... QUANTO maiestati tuae fit gratior, tanto donis potiora augeatur.
2855
... QUANTO nobis eius sine cessacione praedicanda sunt merita.   4106
... QUANTO nos memores facit esse beneficii...   3591
... QUANTO sacrandas nomini tuo has specialiter hostias indidisti...
3458
... QUANTO sanctis haec meritis intercedentibus martyr...   3266
... QUANTO sanctorum martyrum... tibi grata sunt merita.   3457

QUANTOCIUS

cum omni gaudio ad nos QUANTOTIUS facias remeare.   1716

QUANTOCUMQUE

... QUANTOCUMQUE etiam bonae conversationis adnisu fieri tribuas sectatorem.   3670

QUANTUS

... QUANTA aput te sit praeclara vita sanctorum...   3629
cum peccatoribus ista prestentur, QUANTA possis ministrare correctis.
3948
QUANTA putamus aerit glorificatio passionis...   4148
... QUANTA toto tibi corde subiectis conferre possis, ostendis...   3883
et lumen quod in te est tenebrae sunt, ipsae tenebrae QUANTAE sunt ?...
3879
... QUANTI sancti martyris georgii... tibi gratia sint merita.   3457
... QUANTIS nostra civitas laboratura esset incommodis...   4002
tibi conscientia nostra in QUANTUM a te corregitur famuletur...   4184
... QUANTUM ab aequitatis tramite deviamus...   3885
... Et QUANTUM de humanae condicionis excessibus formidamus...   3670
... QUANTUM de nostro merito formidantes...   2138

... QUANTUM de nostro merito trepidi...   2227
... QUANTUM debeant de confirmata in Christo renascentium glorificatione
gaudere.   2332
... QUANTUM devotio humana exigit...   861
... QUANTUM aeum ad imaginem tuae similitudinis bonitatem ineffabilem
condedisti...   3918
... QUANTUM magis duriora certamina sustinentes...   3897
ut QUANTUM maius dies salutifere festivitatis accedit...   3798
conversatio ill. QUANTUM mihi nos sed videor.   3021
... QUANTUM non dibellimur ab ordine veritatis.   3885
... QUANTUM populo possit sufficere...   4228, 4231
Sed nos in QUANTUM possimus, miseri, teriti...   3662
horum vitam QUANTUM possumus aestimamus...   136, 137, 138, 156

          QUANTUSLIBET
et QUANTALIBET exsistat errantium multitudo...   4020, 4021

          QUAPROPTER
... QUAPROPTER adstantibus vobis fratres carissimi...   1564
... QUAPROPTER fidem vestrae dilectionis hortamur...   1682
QUAPROPTER huius famulae tuae, pater, rudimenta sanctifica...   2542
... QUAPROPTER huiusmodi declinantes actu...   3653
... QUAPROPTER inmensam pietatem tuam humiliter exposcimus, ut...   3854
... QUAPROPTER infirmitati nostrae, quoque, (quoque nostrae), dne, qs,
haec adiuventa largire...   1348, 1349, 1350, 2549
... QUAPROPTER martyrum tuorum marcellini et petri gloriosa recensentes
natalitia...   3602, 3629
... QUAPROPTER omnipotentiam tuam, dne, humiliter imploramus...   4008
... QUAPROPTER profusis gaudiis totus in orbem terrarum mundis exultat...
3876

          QUARE
et QUARE Matheus in se figuram (figura) hominis habeat...   1633, 1634
et QUARE quattuor sint qui haec iesta scripserunt...   203

          QUARTANUS
... Non facies cotidianas, non tercianas, non QUARTANAS...   394

          QUARTUS
ut eadem QUARTA et sexta feria solitis processionibus exsequentes...
1682
ut QUARTA (et) sexta vel septima feria ieiunemus...   1832, 1853
... QUARTA igitur et sexta feria, solliciti convenientes occursu...   179
... QUARTA igitur et sexta feria succedente...   182
et videant filios filiorum suorum usque in terciam et QUARTAM progeniem...
1711, 1719
ut QUARTI vel septimi feria ieiunemus...   1853
et QUARTUM diem Lazarum de monumento suscitavit...   1852

          QUASI
... QUASI ipsi tua praecepta studeamus implere.   3652
Sic age QUASI redditurus deo racionem (ratione)...   3288
... QUASI tenera firmitate nascentia in se plenissima contenebat.   2031
reducite victorem QUASI uno ore laudent...   4143

          QUASSO
foetus non QUASSANT, nec filii destruunt castitatem...   3791
quia sicut illius est sollidum perfectumque QUASSARE, ita et...   841
fetus non QUASSAT, nec filii distruunt castitatem.   4206
tellusque tremit QUASSATA, subnixe...   2475

QUATENUS

... QUATENUS a cunctis adversitatibus liberatus...   3660

... QUATENUS a cunctis adversitatibus tuam opitulationem defensus...
1458

... QUATENUS a tuae veritatis tramite non recedat.   2393

... QUATENUS ab omnibus adversitatibus tua opitulatione defensus...   1457

... QUATENUS ab omnibus possimus semper abstinere peccatis.   1139

... QUATENUS ad aeterna gaudia pertingere mereamur.   3744

... QUATENUS ad sancta sanctorum fideliter salubriterque capienda...
3732

... QUATENUS ad vesperum (tibi) gratias referamus.   741, 1667

... QUATENUS adoptionem (adoptionis) tuam possit cum gaudio (gaudium)
sanitatis percipere...   1931

... QUATENUS aeternam ad gloriam, te auxiliantem, cum omnibus introeat
laeta...   1317

... QUATENUS angelorum tuorum presidium (praesidio) fulti...   3590, 4008

... QUATENUS apostolicis suffragantibus meritis...   1682

... QUATENUS adpropinquante unigeniti filii tui passione...   4163

... QUATENUS beatae genetricis integritate (integritati) probata dilecti
virginitas deserviret...   3608, 3609

... QUATENUS centesimi fructus dono virginitatis decorari...   760

... QUATENUS divinis inherendo mandatis...   1832

QUATENUS divinis monitis parentes...   337

... QUATENUS dum et hanc oblationem tuae piaetatis offero...   3381

... QUATENUS dum per alterutrum pietatem (piaetate) se reperiunt communes
in singulis...   3923

... QUATENUS emundatus ab omnibus sordibus peccatorum...   1567

... QUATINUS et ecclesiasticae pacis obtineat tranquillitatem...   1685

QUATENUS et exsequenda intellegentes, et intellecto exsequentes...   2260

QUATENUS et in praesenti saeculo mortalis vitae solatia capiatis...   2240

... QUATENUS fecunditatis tuae alimoniis omnis terra laetetur.   2320

... QUATENUS fidei eius augmentum (augmento) multisquae annorum curriculis
...   1202

... QUATENUS haec devocio ipsius, sicut nobis est necessaria...   2509

... QUATENUS humanum genus de profundo istius mundi preceptorum retibus
liberaret.   3823

... QUATENUS illius nos a malis omnibus defendat sublimitas...   3650

... QUATENUS inpetrare clementiam tuam valeamus supplicis...   3501

... QUATENUS in fundamento spei fidei caritatis que fundatus...   3912

... QUATENUS in his omnium vitiorum sordibus careamus.   3753

... QUATENUS in illo tremendum tuae maiestatis examine...   634

... QUATENUS in octavo resurrectione renovati.   2242

... QUATENUS invitare valeant in templo sancto tuo suis obsequium...   308

QUATENUS ipsius agni quem ille digito ostendit...   342

QUATENUS mentes vestrae sinceris purgatae ieiuniis...   2248

... QUATENUS nos adiuvari apud misericordiam tuam...   3692

QUATENUS oratio vestra ieiunii et elemosinae alis subvecta...   18

... QUATENUS per te et sanctum ill. tuum militem munera te...   4227

QUATENUS petrus clave, paulus sermone... ad illam vos certent patriam
introducere...   348

QUATENUS praesentis quadragesimae diebus devotissime celebratis...   2249

... QUATENUS purificati ieiuniis, cunctis purgati a vitiis...   3870

ita tuo fulciatur adiutorio, QUATENUS quibus potuit praeesse valeat et
prodesse.   1207

... QUATENUS quorum sollemnia agimus, etiam actus imitemur.   476

... QUATENUS reseratis oculis (oculus) cordis sui te unum deum... 3460
QUATENUS sic per viam salutis devota mente curratis... 722
... QUATENUS sit semper, dne, spiritu fervens... 875
QUATENUS spei fidei et caritatis gemmis ornati... 2245
... QUATENUS te auxiliante et ab humanis semper retrahamur excessibus...
3679
... QUATENUS, te opitulante, dne, apostolicis iugiter fultuas doctrinis...
561
... QUATINUS tuis monitis parentes... 4198
QUATENUS virtutum oleo ita peccatorum vestrorum lampades... 2264
QUATENUS vosmetipsos abnegando crucemque gestando... 346

QUATIO
nulla mundi perturbatione QUATIATUR... 968

QUATRIDUANUS
et QUATRIDUANUM Lazarum de monumento (monumentum) suscitavit. 1550

QUATUOR
Coniuro te, diabuli super QUATUOR candelabra sedias... 1860
... Occurrunt te a QUATTUOR cardinibus mundi. 1852
Tibi coniuro per QUATTUOR aevangelia per sanctos apostolos... 3474
... QUATUOR evangelia quasi tenera firmitate nascentia... 2031
et in QUATTUOR fluminibus (dividens) totam terram rigare praecepit...
1045, 1535, 3565
... Hii QUATTUOR has figuras habentes evangelistas esse non dubium est...
203
ut eas sociare digneris inter illa centum quadraginta QUATTUOR milia
infantum... 3465
et QUATTUOR pedum ungulas QUATTUOR evangelii... 2031
vel qui sunt ipsi QUATTUOR qui divino spiritu adnuntiante propheta signati
sunt... 203
vel qui sint hii QUATTUOR qui per prophetam ante monstrati sunt... 203,
204
et inter vinginti QUATTUOR seniores cantica canticorum audiat... 3391
et quare QUATTUOR sint qui haec iesta scripserunt... 203
Effuge... de cruribus, de QUATUOR talonibus, de pedibus... 1888
... QUATTUOR tubae canebunt a QUATTUOR cardinibus mundi... 3563

QUEMADMODUM
... QUEMADMODUM doceat discipulos suos orare deum patrem omnipotentem...
1373
... QUEMADMODUM es pollicitus, sentiamus. 109
... QUEMADMODUM fecisti cum patribus nostris in tua misericordia
sperantibus... 1335
ut QUEMADMODUM nos purgari desideramus a vitiis... 4025
discipulis suis petentibus, QUEMADMODUM orare deberent... 1373
... QUEMADMODUM patribus nostris Abraham Isac et Iacob... 304
... QUEMADMODUM perpetuae virginitatis est filius... 758, 759
et QUEMADMODUM sanctificasti officia tabernaculi testimonii olim cum
arca... 1283
... QUEMADMODUM se celare posse confidunt... 3653
et QUEMADMODUM vestimenta pontificalia sacerdotibus et laevitis ornamenta
... 1318

QUERELLA
que per contemptibilem lignum iustum gubernans, conservavit sine
QUERILLA. 3666

QUICUMQUE

ut CUIUSCUMQUE viscera penitraverit, fugiat... 3191
ex QUACUMQUE tribulatione ad te clamaverint... 1048
perveniant ad te praeces de QUACUMQUE tribulatione clamantium... 2354
ut QUAECUMQUE benedixerint benedicta sint... 512, 513
ut proterva dispiciens QUAECUMQUE matura sunt libera exerceat caritate.
  571
et QUECUMQUE sanctificaverint sanctificentur. 512, 513
sit in aeo... mansuitudo et cetera QUECUMQUE sunt sancta... 298
... QUICUMQUE ad sonitum aeius convenerint... 2378
Exi, inmunde, QUICUMQUE es, aut unus aut plures... 1888
in cuius virtute praecipio tibi, QUICUMQUE es, spiritus inmundi, ut exias
  ... 2174, 2175, 2177
ut QUICUMQUE ex ea sumpserint, incolumes esse valeant. 998
... QUICUM(QUE) ex aea sumpserit, accipiat... 301
ut QUICUMQUE ex ea sumpserit, corporis sanitatem et animae tutelam
  percipiat. 301
ut QUICUMQUE ex eo ab hinc hauserit biberitve... 717
ut QUICUMQUE ex aeo sapone lotus fuaerit... 298
ut QUICUMQUE ex populis tuis fidelibus commederent... 1257
Exorcizo te, coniuro tibi QUICUMQUE inimico habet in se. 1860
ut QUICUMQUE intra templi huius (cuius anniversarium) ambitum continemur
  ... 193
ut QUICUMQUE intra templi huius, cuius natalis est odiae... 186
Et QUICUMQUE meruaerunt purgare unda baptismi... 955
Inveniat apud te, dne, locum veniae QUICUMQUE satisfaciens confugierint...
  3828
Ut QUICUMQUE sunt ex aqua et spiritu sancto renati... 1327
et QUICUMQUE tua replent altaria sacris... 3832
... QUODCUMQUE ligaverint super terram, sint ligata et in caelis... 820
et QUODCUMQUAE solverint super terram, sint soluta et in caelis... 820
... QUOCUMQUE fideliter invocentur... 3865
sequantur agnum QUOCUMQUE ierit, prestante. 1317
sed QUOCUMQUE loco ex huius aliquid sanctificationis fuerit mysterio
  deportatum... 3588
ut QUOSCUMQUE fons iste lavaturus est... 1744, 2345

QUIDAM

et tu, adam caelestis, QUADAM similitudinem... 950
etiam hoc donum in QUASDAM mentes de largitatis tuae fonte defluxit...
  759
sed etiam ad experienciam QUORUNDAM bonorum... perducas... 759

QUIDEM

Prodest QUIDEM, dne, continuata censura peccantibus... 2852
VD. Te QUIDEM dne omni tempore... laudare... 4162
Temeritatis QUIDEM est dne, ut homo hominem... tibi domino... audeat com-
  mendare... 3470
quam nostris QUIDEM meremur operibus... 1959
VD. Quia tu QUIDEM nobis ieiunia salubriter indidisti... 4072
VD. Qui das escam omni carni nos QUIDEM non solum carnalibus... 3794
VD. Te QUIDEM omni tempore, sed in hac potentissimam (hanc potissimum)
  noctem gloriosius praedicare... 4159, 4160, 4161
VD. Te QUIDEM omni tempore, sed in hac potissimum die gloriosius
  praedicare... 4161
VD. Te QUIDEM omni tempore, sed in hoc praecipue die laudare... 4162

et si QUIDEM quam incolomitatem habitantium invidit... 896
Quod QUIDEM sacramentum in aecclesiae figura intelligimus... 3918
Propteraea ipsi QUIDEM sumimus conmunionem... 4181
... Et nos QUIDEM tamquam homines divini sensus et summae rationis ignari
    ... 136, 137, 138
cuius pauca QUIDEM verba sunt sed magna mysteria... 1287
Praeco QUIDEM veritatis que christus est... 4000

          QUIES
per noctem amica QUIES ipsa gratia relatura confoveat... 2905
ut sicut per QUIETE noctis ad lucem veniamus... 741
Dne ds noster, diurno labore fatigatos soporis QUIETE nos refove... 1292
Quaesumus, dne ds noster, diei molestias noctis QUIETE sustenta... 2956
ut nos... QUIETE temporum concessa, in his paschalibus gaudiis conservare
    digneris. 3791
et si quidem quam incolomitatem habitantium invidit aut QUIETEM,
    aspersionem... 896
refrigerii sedem, QUIETEM beatitudinem, luminis claritatem. 811
et quos per singula diei momenta servasti, per noctis QUIETEM custodire
    dignare. 1448
salutem conferat, QUIAETEM nutriat... 340, 356
diei molestias noctis QUIAETEM sustenta... 2956
et salutare temporibus nostris propitius da QUIETEM. 424
et si quid est quod incolomitate habitancium invidet aut QUIETI aspersione
    ... 896
et regio devinctis hostibus valeat obtinere QUIAETI. 3501
... QUIETIS ac lucis aeternae beatitudine perfruatur... 3390
refrigerii sedem, QUIETIS beatitudinem, luminis claritatem... 811, 840,
    2306
et QUIETIS celebremus mentibus et devotis. 4137
optatae QUIETIS consequatur gaudia repromissa. 746
ad locum refrigerii et QUIETIS in sine transferatur Abrahae. 2493
ut digneris, dne, dare ei locum lucidum, locum refrigerii et QUIETIS
    liceat ei... 3462

          QUIESCO
ut famulus tuus ille et in perpetua luce QUIESCAT. 813
famulos tuos huic domui (in hac domo) QUIESCENTES post laborem... 314,
    315
pro inmortalibus et bene QUIESCENTIBUS animabus sine dubio caelebramus...
    3668
famulis tuis illis et illis vel omnibus hic QUIESCENTIBUS da propitius...
    789
Istis et omnibus (dne) in christo QUIESCENTIBUS locum refrigerii...
    1958, 2074, 2075
et omnium fidelium... in hac basilica in Christo QUIESCENCIUM et qui in
    circuitu... 1743
animae famulorum famularumque tuarum omnium in Christo QUIESCENCIUM
    lucis aeternae... 1952
et animabus famulorum famularumquae tuarum omnium in Christo QUIESCENCIUM
    offerimus... 2136
Adesto, qs, dne, pro animabus... et omnium hic QUIESCENCIUM ut si que
    carnales... 129
si etiam terrena condicione mitigata, mens ab iniquitatibus non QUIESCIT
    ... 4072
et da omnibus quorum corpora hic QUIESCUNT refrigerii sedem... 811
die sacro sabbati ab omnibus operibus QUIEVISTI, volens... 1162

QUIETUS
et in abitaculis nostris pax iugiter QUIETA permaneat.   357
per quam tanti doni particeps devotio QUIETA proficiat...   3625
ut remoto terrore bellorum et libertas securae (et) religio sit QUIETA.
   1070
ut ipse ei tribuere dignetur placitam et QUIETEM mansionem...   2583, 2584
da nobis dne noctem hanc dominicam QUIAETAM tranquillam et securam...
   852
detque nobis tranquillam et QUIETEM vitam...   2507, 2508
subrii simplices et QUIETI gratis sibi datam gratiam fuisse cognoscant...
   1195
a bellorum (illorum) nos, qs, turbine fac QUIETOS...   2265
sopore QUIAETUS nos fove...   1300
adque hos omnes concordes, QUIETUS, patificus...   311

QUILIBET
et QUAELIBET eius infirmae portiones ad suam quoque pertinere non
   ambigunt dignitatem...   3632
VD. Inter QUELIBET enim mundi pericula...   3790
et QUAELIBET infima per te docerentur esse sublimia...   4055
nec nos QUAMLIBET innumeris gravari patiaris erroribus...   2957
nisi ex tua inspiratione proveniunt QUARUMLIBET incrimenta virtutum.
   2473
ut QUIBUSLIBET alternationibus temporum...   80
vel in QUIBUSLIBET necessariis usibus hausta aqua usus fuerit...   717

QUINGENTI
Noe vero cum QUINGENTORUM essit usque odoratusque est.   697

QUINQUAGINTA
qui pascale sacramentum QUINQUAGINTA dierum voluisti mysterio contineri...
   2436

QUINQUE
qui pavit in heremo QUINQUE milia virorum... de quinque panibus et duobus
   piscibus...   1881
Benedico te, sicut benedixit dominus QUINQUE millia virorum...   2180
sicut benedixisti QUINQUE panes in deserto...   300
qui ex QUINQUE panibus et duobus piscibus QUINQUE milia hominum satiasti
   ...   1335
qui pavit in heremo quinque milia virorum... de QUINQUE panibus et duobus
   piscibus...   1881
Effuge... de totis QUINQUE sensibus, de genitalibus locis.   1888

QUINUS
Ds qui famulo tuo ezechiae ter QUINOS annos ad vitam donasti...   988

QUIPPE
... Inopia QUIPPE culparum prestat redundantiam prosperorum...   3827
... Flammae lux QUIPPE dicenda est...   861
VD. Hodie QUIPPE, dne, et tuo munere celebratur magnifica mater et martyr
   ...   3764
... Dicendo QUIPPE erat, perpetuitatem sine initio demonstravit...   3613
... Longe aliud QUIPPE est contumeliam praeterire...   3981
VD. Ille QUIPPE festa remaneant quibus nostri mortalitati...   4088
... Nullis QUIPPE forinsecus miseriis adfligemur...   3888
VD. Tu es QUIPPE mirabilis in sanctis tuis...   4188
... QUIPPE qui fecisti quae non erant, potes reparare quae fuerant... 3668

... Tuo QUIPPE respectu satisfaccionis sumpsit inicium... 2297
... De Liae QUIPPE sunt stirpe progeniti... 3603
VD. Sacrificium QUIPPE suum hodie frequentat aeclesia... 4124
preco QUIPPE veritatis, quae christus est... 4000

QUISQUE
ut nec alteri QUISQUE molere infligere... 3924

QUISQUIS
ut QUICQUID ab aeo postulaveritis clementer concedat. 356
quia QUICQUID benedicturi sumus, benedicas... 2291
Renova in aeum... QUICQUID diabolica fraude volatum est... 859
et QUICQUID eo tactum vel respersum fuerit, careat omni inmunditia...
1929
et QUICQUID aeorum ignorantiae, necessitas... 1007
et QUICQUID aeorum retributionem mereamur averte. 2548
fugiat ex aeis adque depellat QUICQUID erroris... 3191
ut ab aecclesia tua QUIDQUID est noxium tu repellas... 3834
... QUIDQUID excellit partium in eadem conpagem magnarum... 3632
ut QUICQUID hic divinis scripturis (divinarum scripturarum) ab aeis
lectum vel scriptum fuaerit... 364
et QUICQUID ignorante opsius heretica pravitas inrepsit... 1007
et QUICQUID ignorantiae ipsius necessitas hostilitatis fluxit... 825
ut QUICQUID in domibus vel in locis fidelium haec unda resperserit...
896
... QUICQUID in aeum per originalis peccati transgressione... 1611
... QUICQUID in hoc mundo proprius error adtollit... 2583
... QUICQUID in hoc saeculo proprio reatu deliquid... 2584
ut QUICQUID in locis vel in domibus fidelium haec unda resperserit...
896
... QUICQUID in morte terribile, nominis tui facis confessione superari...
4083
... Et QUICQUID in persecutionibus sevum est... nominis tui facis
confessione superari... 4083
... QUICQUID in rota contenit mundi... 742
... QUICQUID in sacerdoti pro laude tui nominis amplectuntur. 1176
ut QUICQUID in tuo nomine digne perfecteque agitur... 2291
ut QUIDQUID iniuste vel nequiter... admisimus... 3379
ut reportit per hoc praemium QUICQUID intullerit votum... 3997
et sub opem dexterae tuae, QUICQUID iusto expetierint desiderio... 844
ut QUICQUID modo visitamus visites, QUICQUID benedicimus benedicas...
2292
impetrent QUICQUID petiaerint pro necessitatibus suis... 4227
ut QUICQUID sacrum ritum super hoc immolabitur... 3997
Et QUICQUID sancti ill. martyris tui... profuit ad beatitudinem... 1319
ut QUICQUID sperantes a te poscimus te donante consequi mereamur. 2807
renova in eo piissime pater QUICQUID terrena fragilitate corruptum...
859
et QUICQUID vitiorum fallente diabolo contraxit... 771
... QUISQUIS ab aea gustaverit, tibi inmensas refferat gratiarum
actionis. 331

QUODAMMODO
et QUODAMMODO cordibus sauciati (saciati)... 1289

QUOLIBET
vel a QUOLIBET potatum, divine benedictionis tuae opolentiae repleatur...
1335

ubicumque aspersa fuerit, vel a QUOLIBET potestate...   313

QUOMINUS
non diutius esurire permittas, QUOMINUS cibo expleatur caelesti...   875

QUOMODO
... Angustiaris QUOMODO angustiatur saeculus...   225
Exi ab eo, QUOMODO exivit corvus de arca Noe...   1529
... QUOMODO percussisti duas civitates Sodomam et Gomorram...   755
... Sepera te ab hanc plasma, QUOMODO seperatum est caelum a terra...
394

QUONDAM
hodiernum QUONDAM diem profuit ad beatitudinem...   1319
... Et cum mundi crimina diluvio QUONDAM expiarentur effuso (effusio)...
3945, 3946
... Tibi hominem diabolica QUONDAM fraude prostratum...   3788
qui CONDAM lapidias legem scripsit in tabulis.   3292
Et qui CONDAM misericors misertus es turbae tecum triduo permanenti...
3102
devitrici suae QUONDAM naturae redderetur obnoxius...   4203
et ille QUONDAM Petrus piscator exiguus, repente factus apostolus...
4055
Requiescat in istis propitius qui CONDAM requievit in apostolis gloriosus.
1327
sententia, quam superbae QUONDAM turris extructio meruit, solveretur...
3762

QUONIAM
QUONIAM beneficiae gratiae tuae fidelibus vita non tollitur...   3862
... QUONIAM conplacuit Christo, ut in hominem habitaret.   142
QUONIAM, dilectissimi fratres, rectoris navem...   3021
... QUONIAM dominus noster... eum ad suam graciam et benedictionem vocare
dignatus est.   2175
... QUONIAM et ipsum, quod praecepturi estis, baptismi sacramentum...
1706
... Beati qui lugent, QUONIAM ipsi consolabuntur...   58
... QUONIAM quicquid sanctis honoris inpenditor, tuae respicit insignia
maiestatis.   2482
Gr(a)tias tibi, dne, QUONIAM sanctum laurentium...   1669
... QUONIAM scriptum est : Quodquot crediderunt in eum...   1695
Ita, pater, QUONIAM sic fuit placitum ante te.   1446
... QUONIAM sicut eius praeteriuntes tramitem deviamus...   2267
QUONIAM sicut fonte vitae praeterire causa moriendi est...   4040
... QUO(NIAM) tu eadem tribuis ut placeris.   2972
VD. QUONIAM tu magnificaris in tuorum laudes sanctorum...   4109
... QUONIAM tuis donis atque muneribus beati martyris georgi passione...
3720

QUOQUE
... Beatum QUOQUE apostolum Paulum, dne, simili dignatione glorificas...
4055
... Agathen QUOQUE beatissimam virginem victrici patientia coronares...
3856
... Huic QUOQUE beatum apostolum Paulum ad salutem gentium...   4169
a peccatis QUOQUE benignus absolvas...   2039
veste QUOQUE caelesti et stola inmortalitatis indui...   1263
cum subsidiis corporalibus profectum QUOQUE capiamus animarum.   3717

ut temporalibus QUOQUE consolari digneris...   3734
cuius providentia in hoc QUOQUE creatura... caelaesti igne solidasti...
  3191
nos QUOQUE delictis omnibus expiati remediis tuae pietatis aptemur...
  4027
ut in ipsa QUOQUE depraecationis diuturnitate proficiant...   3935
ut quos ieiunia votiva castigant ipsa QUOQUE devotio sancta laetificet...
  2788
... Quapropter infirmitati nostrae, QUOQUE, dne, qs, haec adiuventa
  largire...   1350
nobis QUOQUE eo suffragante emundationem ac veniam concede peccati...
  3729, 4163
ut eorum QUOQUE et perpetuo adgregetur consorcio.   1040
cerubin QUOQUE et syraphyn incaessabile voce proclamant dicentes...   4004,
  4176
hos QUOQUE famulos tuos nostri speciali dignare inlustrare aspecto...
  1372
... Super hos QUOQUE famulos tuos, qs, dne, placatus intende...   136, 137
hunc QUOQUE famulum tuum ill. spitiale dignare inlustrare aspectum...
  1372
per muliebrem QUOQUE fragilitatem mutuo deiceretur obtritus.   4125
nostrae QUOQUE fragilitati divinum praetende subsidium...   2450
ligna QUOQUE fructifera laudare hac benedicere non cessant...   2321
eius QUOQUE gaudiis in caelo perfruamur.   1000
tuae QUOQUE gratiae largitate...   1775
ut usque ad promissum gloriae praemium ipso QUOQUE gubernante perveniant.
  1167
regio et sacerdotali propheti QUOQUE honore perfusi...   3627
ita nunc QUOQUE humilium tuorum sacerdotum...   4143
vitae QUOQUE imitemur exempla.   909
Conlatis QUOQUE in me per gratiam tuam propitiare muneribus...   1165
de habitu QUOQUE indumenti (indumentum) sacerdotalis instituens...   819,
  820
venientem QUOQUE iudicem securi videamus.   1127
severitate QUOQUE iudicii tui ab aeum clementer suspendas...   3920
agnus QUOQUE legalis ostendit...   4194
fletus QUOQUE lugentium non recuses...   940
sancti (sanctae felicitatis) QUOQUE martiris (Prisci) praecibus
  adiuvemur.   2670, 2734
ipsi QUOQUE mente in caelestibus habitemus...   489
senceris QUOQUE mentibus ad tua sancta ventura facias pervenire.   659
ab hostibus QUOQUE mentis expedias...   3628
sed nos QUOQUE mirando consortio reddit aeternos.   4093
qui per Moysen famulum tuum nos QUOQUE modolatione sacro carminis
  erudisti...   817
Ds, qui bonis tuis infantium QUOQUE nescia sacramenti corda praecedis...
  918
sed affectum QUOQUE nobis quo gratias referamus inspirat...   4104
tuo QUOQUE nomini munera iussisti dicanda constitui...   1306
et extrinsecus humanos QUOQUE non vitamus aspectus...   3653
te QUOQUE nos dne depraecamur ut quos sacro sanguine tuo redemisti...
  2065
Quapropter infirmitate QUOQUE nostra, dne, qs, haec adlumenta largire...
  2549
mens QUOQUE nostra sensus declinet inlicitos...   3731, 3732
ut cum ab corporale mens QUOQUE nostra si inlecitus...   4140

... Quapropter infirmitate QUOQUE nostrae, dne, (qs), haec adiumenta
  largire...   1348, 1349
purificationem QUOQUE nostris mentibus inploramus.   3134
ita sensos QUOQUE nostros a noxio retrahamus excessu.   539
Hanc QUOQUE oblacionem, quam offero ego tuus famulus et sacerdos...   1777
pia QUOQUE opera nitamur imitari.   3672
ut cuius natalicia colimus, virtutem QUOQUE passionis imitemur.   1098
sed ipsorum QUOQUE patrociniis erigis angelorum.   3960
Nobis QUOQUE peccatoribus famulis tuis de multitudine miserationum tuarum
  sperantibus...   2178
nunc QUOQUE per credentium corda defunde.   1199
nos QUOQUE per partes dierum facias adimplere.   1116
in nostra QUOQUE perfice propitius infirmitate virtutem...   1029
ad bona QUOQUE perpetua piae devotionis crescamus accessu.   1210
ut aeorum QUOQUE perpetuo adgregetur consortio.   1040
et quaelibet eius infirmae portiones ad suam QUOQUE pertinere non
  ambigunt dignitatem...   3632
... Fidelem QUOQUE populum tuum potentiae tuae muniat invicta defensio...
  4030
ostendens, QUONIAM potens es ex omnibus liberare...   3666
et bona... haec eidem ipse QUOQUE prestaret...   3923, 3924
hoc QUOQUE praestetit martiribus...   1286
fidem QUOQUE proficiendo sectemur.   2669, 2787
ipsi QUOQUE proximis (propriis) remittamus.   2026
sacrificium QUOQUE quod piaetatis tuae gratiae humiliter offero...   856
quam tibi offerimus pro his QUOQUE, quos regenerare dignatus es...   1773,
  1774
ad tuae QUOQUE retribucionis munus invitas.   3897
in huius QUOQUE saeculi transeuntes excursu...   1028
Ds cuius antiqua miracula in praesenti QUOQUE saeculo coruscare sentimus
  ...   778
ut hanc abundantiam in nostra QUOQUE salvatione defensas.   1792
comitati QUOQUE sanctorum muniti...   3590, 4008
ut eorum perpetua QUOQUE sede potiatur.   1041
animarum QUOQUE suarum salute perpetua (salutem perpetuam) consequatur.
  3844
veniam QUOQUE substantiam habundantem...   1369
ipsorum nunc QUOQUE suffragiis divinae pareat unitati.   2330
hoc QUOQUE suis prestetit martyribus pro nominis aeius confessione...
  1286
adque in membris QUOQUE suis victoria sequeretur...   3873, 3874
praces QUOQUE supplicum libenter exaudi...   852
etiam si id quod digne agimus digne agerimus, id QUOQUE tibi deberimus...
  3792
sic QUOQUE tribuas rationabilis obsequii propitius incrementum...   4213
Ds, qui bonis tuis infantum QUOQUE tui nescia sacramenti corda praecedes
  ...   918
Per cuius QUOQUE umbram aspera mors populis lignum deducta cucurrit...
  3846, 3847
... Nobis haec QUOQUE unianimiter et crebrae petentibus ipse praestabis,
  (praesta) o. ds.   1720
mentes QUOQUE virtutibus et caelestibus institutis exornentur.   4199
Ds, cuius misericordiam caelestium QUOQUE virtutum indigent potestates...
  792
a noxiis QUOQUE viciis cessare concede.   2612, 2895, 2896
a noxiis QUOQUE voluptatibus temperemur.   3154

QUOTIENS

et QUOTIENS fuaerint tuis repleta donis... 1315
quia QUOTIENS hostiae tibi placatae commemoratio celebratur... 597
quia QUOTIENS huius hostiae caelebratio commemoratur... 447
quia QUOCIENS huius hostiae commemoracio caelebratum (celebratur)... 447
... QUOTIENS illis honor impenditur, in quibus tu mirabilis praedicaris.
2536
et QUOTIENS illorum festa recolimus, te mirabilem confitemur. 4051
QUOTIENS in aeclesia tua horum dierum festa celebrantur... 4201
oculus intuaemur QUOTIENS mente recolemus. 634
... QUOTIENS sanctorum martyrum sollemnia recoluntur... 4193
ut QUOTIENS triumphum devinae humilitatis... oculus intuaemur... 634

QUOTIESCUMQUE

... Haec QUOTIENSCUMQUE feceretis, in mei memoriam faciaetis. 3014

QUOTQUOT

... QUODQUOT crediderunt in eum dedit eis potestatem filios dei fieri.
1695
ut QUOTQUOT ex hac altaris participatione (participationem)... 3375
ut QUODQUOD hic oblatum sacrum fuaerit nomini tuo adsurgat... 871

RABIES

illa meruit et sexus fragilitatem et persequentium RABIEM devincere...
341
et virtute feminea RABIEM diabolicae persecutionis elidens... 3783

RACHEL

Ds, qui obprobrium sterilitatis a RACHEL auferens... 1145
quod RACHEL plorans filios suos noluerit consolari, quia non sunt...
3603
... Sit amabilis ut RACHEL viro (suo), sapiens ut Rebecca... 1171, 2541,
2542

RADICITUS

Adque omnia amputare RADICITUS vitia... 2441

RADICO

Et sicut ab illo RADICAVERAT nostre mortis exordium... 950

RADIO

illuc luce plebs RADIAT quale vite fulsit in carcere... 546

RADIUS

et caeli ac terrae dominum corporaliter natum RADIO suae lucis ostenderet.
4058

RADO

cum torriret ignis, cum ungula RADERENT, cum aculeus flagellaret. 3216

RADIX

VD. Qui genus humanum praevaricatione sua (prevaricationem suam) in ipsius
(ipsis) originis RADICE dampnatum... 3930
planta aeos RADICIBUS firmis in sinum matris ecclesiae... 1932
Planta aeos in sinu matris aecclaesiae RADICIBUS firmis quo possent...
316
malorum RADIX, fomes vitiorum, seductor hominum... 744

RAGUEL

exorcizo te per angelum rafahel, per amgelum RAGUHEL... 1950

RAMUS

ut sicut ei cum RAMIS palmarum ceterarumque frondium praesentari studuistis... 343

per olivae RAMUM pacem terrae redditam nuntiavit. 3945, 3946

RAPHAEL

sicut misisti famulo tuo Tubiae RAFAHEL angelum... 1714

exorcizo te per angelum RAFAHEL, per angelum raguhel... 1950

RAPIDUS

et miles invictus RAPIDI hostis insaniam, interritus adiit... 3855

RAPIO

per hunc (ad) invisibilium amore (amorem) RAPIAMUR... 4061

et RAPIAT de proposito virginum, quod etiam moribus decet inesse nuptarum (nupciarum)... 758, 759

RAPTOR

generis humani mortis RAPTOR, iustitiae declinator... 744

ut lupus nullus pateat in praeda RAPTORI. 1044

RATIO

VD. Qui cum summa sis RATIO nosque rationales efficeris... 3885

aeadem est vel securitatis RATIO vel timoris... 3021

sed vera divinitus RATIONE disposita... 1706

per ordinem congrua RATIONE dispositum... 1348, 1349, 1350

VD. Qui curam nostri ea RATIONE moderaris... 3888

da nobis qs contra oblectamenta peccati mentis RATIONE persistere... 1067

quasi redditurus deo RATIONE pro his rebus... 3288

ne forte sine ac ordines RATIONE vel causa stuporem vobis in mentibus relinquamus... 203

ut bonam RATIONEM dispensationis sibi creditae reddituri (redditurus)... 1350

exponamus vobis, quam RATIONEM et quam figuram unusquisque in se conteneat... 1633

Sic age quasi redditurus deo RACIONEM pro his rebus... 3288

quod cuntis animantibus summae RATIONES participatione praetuleris... 4090

ut veterem cum suis RATIONIBUS hominem deponentes... 501

... Et nos quidem tamquam homines divini sensus et summae RATIONIS ignari (ignare)... 137

VD. Quia tuae RATIONIS imaginem mundanis regionibus constitutam... 4074

RATIOCINATIO

quod sine humana RATIOCINATIONE mirabile tuae pietatis editum sacramentum ... 4115

RATIONABILIS

et RACIONABILE inditus intellectum te nosse voluisti que fecisti. 3792

Quam oblationem... ratam RATIONABILEM acceptabilemquae facere digneris... 3011

VD. Qui RATIONABILEM creaturam... ea dispensatione dignaris erudire. 4010

nosque contra superbos spiritos humilitate tribuas RATIONABILEM custodire ... 3834

VD. Qui sic RATIONABILEM non deseris creaturam... 4025

Da nobis, dne, RATIONABILEM, qs, actionem... 592

si per RATIONABILEM regulam praesidendi populus tuus et numero cura
    regentium...   4172
a quo RATIONABILES conscientiae bonaeque famae...   3879
ut RATIONABILES voluntates aut inter ista proficiant ad salutem...   4200
et omnes homines RATIONABILI diligamus affectu.   436
... Et qui loco ceteris praesidemus, cunctis RATIONABILI subdamur affectu
    ...   4171
quae animae nostrae conveniunt RATIONABILIA exequamur.   453
Praesta, qs, o. ds, ut semper RATIONABILIA meditantes...   2793
Ds o., universarum rerum RATIONABILIS artifix...   871
amplificatis semper in melius naturae RATIONABILIS incrementis...   1350
sic quoque tribuas RATIONABILIS obsequii propitius incrementum...   4213
O. s. ds, aput quem, cum totius RATIONABILIS pia merita creaturae semper
    accepta sint...   2307

        RATIONALIS
VD. Qui cum summa sis ratio nosque RATIONALES efficeris...   3885
amplificatis semper in melius naturae (naturale) RATIONALIS incrementis...
    1348, 1349, 2549

        RATIONABILITER
... In quo... RATIONABILITER credimus et prudenter, quae promittuntur
    esse ventura.   4100
quod RATIONABILITER et convenienter exposcit.   1399
quae domui tuae conveniunt, RATIONABILITER exsequamur.   2665
totumque servitium delegatum RATIONABILITER exsequentes...   3796
ut semper RACIONABILITER meditantes...   2793

        RATUS
etiam sine RATA quis aquis sedead.   3666
Quam oblationem... RATAM rationabilem acceptabilemquae facere digneris...
    3011

        REATUS
ut (a) (et) nostris REATIBUS absoluti (a) cunctis etiam periculis
    eruamur (exuamur).   294, 971, 2989
ut a cunctis REATIBUS absolutis sine fine laetentur.   789
a cunctis REATIBUS emundari mereamur...   3730
Cunctis nos, (qs), dne, REATIBUS et periculis propitiatus absolve...   560
et propriis REATIBUS indesinenter expediat...   576, 1703
et nos (nos et) a REATIBUS nostris semper expediant (expediat)...   1850,
    2169
per quam et nostris REATIBUS possimus absolvi...   3489
qui nos ab humanis REATIBUS retraat semper excessibus...   2553
Haec hostia, dne, qs, et ab occultis ecclesiam tuam REATIBUS semper
    expediat (expedita)...   1691
ut qui a REATU conscientiae constringitur...   2943
VD. Magnum etaenim, dne, REATU constringimur...   3795
ut quos (quia) constientia REATU constringuntur...   2943
quicquid in hoc saeculo proprio REATU deliquid...   2584
Sicque vos ab omni REATU inmunus (inmunes) efficiat...   2296
... fieret eis de REATU iustitia...   3956
et fac nos sine ullu REATU matutinis tibi laudes praesentare.   2882
cuius pro eiusdem REATU naturae possis immolatione placari.   4081
Ab omni REATU nos, dne, sancta quae tractamus absolvant...   8
qui culpe suae REATU tristi torquebatur in poena.   2298
ut dum REATUM conscientiae meae recognusco (nostrae recognuscimus)...
    4003

ut qui conscientiae REATUM constringitur...   2943
non REATUM de neglecto domini subeamus aumento...   3796
et REATUM nobis ingerentia desideria respuamus...   2711
ut qui REATUM nostrae infirmitatis agnoscimus tua consolatione liberemur.
   2977
ut et REATUM nostrum munera sacrata (sacra) purificent...   2992
quo peccatis vitae prioris abluti REATUQUE deturso (deterso)...   1336
(ut) quos (propriae) conscienciae REATUS accusat...   792, 1060, 1455,
   1465, 3657
et non plus ei noceat conscientiae REATUS ad paenam quam indulgentia...
   2313
ut hoc tuum, dne, sacramentum non sit nobis REATUS ad poenam sed fiat...
   1668, 2361
nec REATUS mortalitatis reddat indignos...   3180
ut REATUS nostri confessio indulgentiam valeat percipere dilictorum.
   984, 2387
quem REATUS propriae conscientiae gravat.   1567
Ds, a quo et Iudas REATUS sui (proditor) poenam... sumpsit...   731

REBECCA
sapiens ut REBECCA, longeva et fidelis ut Sarra...   1171, 2541, 2542
et conceptum REBECCAE donare dignatus es...   990

REBELLIS
et ad te nostras etiam REBELLES conpelle propitius voluntates.   2208

RECEDO
ne diabolica sectando vestigia a Christi consortio RECEDAMUS...   4215
Caticumini RECEDANT. Omnes cadicuminis exeat foris.   392
ut ab his muneribus non RECEDANT quibusquae...   535
ut exeas et RECEDAS ab his famulis dei...   1549, 1550, 2174, 2175, 2177
impera diabolo, qui hunc famulum tuum illum detenet, ut ab eo RECEDAT et
   libera eos...   2275
ut sicut ille tecum est meritis, ita a nobis non RECEDAT exemplis.   989
ut ubicumque latet, audito nomine tuo velociter exeat vel RECEDAT ipse
   tibi...   744
longe RECEDAT virtus inimicorum...   308
velociter exiat et RECEDAT.   744
quatenus a tuae veritatis tramite non RECEDAT.   2393
et RECEDE ab his famulis (et famulabus) dei...   1411, 2176, 3566
... RECIDE ergo nunc adiuratus in nomine eius ab homine quem ipse plasma-
   vit...   1355, 1859
... RECEDE in nomine patris et filii et spiritus sancti...   744
ut ab inprobis voluntatibus RECEDENTES...   452
RECEDO ergo a capite, a capillis...   2180
ut cum hic (hinc) advenientes RECESSERENT, de exemplo...   2282
sola est a te non RECESSISSE prosperitas...   3790

RECENSEO
ut sui reparationis affectum (effectum) et pia conversatione RECENSEAT...
   474
ut quae conlata nobis honorabiliter RECENSIMUS, devotis mentibus
   adsequamur.   147
VD. RECENSEMUS enim diem beatae agnetis martyrio consacratum...   3686
ut sicut eos, quorum natalicia RECENSEMUS per tuam gratiam...   200
beatorum Petri et Pauli desiderata sollemnia RECENSEMUS praesta qs ut
   eorum...   211

Magnifica, dne, beati Laurenti solemnia RECENSIMUS quae prumptis...
   2033, 2248
Beati apostoli tui bartholomei cuius solemnia RECENSIMUS, quesumus...
   258
Beati (apostoli Andreae, dne) (menae martyris tui), sollemnia RECENSEMUS
   ut eius auxilio...   257, 279
eorum nos gaudere suffragiis, quorum sublimia merita RECENSEMUS.   1880
Hac ebdomade nobis mensis decimi sunt RECENSENDA ieiunia...   1682
nulla possit iteratione RECENSENDI...   2297
et observationis antiquas iugiter RECENSENDO proficiat in futurum.   1671
et observationes antiquas iugiter RECENSENDUM proficiat in futurum.   1671
Paschale mysterium RECENSENTES, apostolorum, dne, beatorum praecibus
   foveamur...   2537
VD. RECENSENTIS enim diem beate agnetis martyrio consecratum...   3686
VD. Beati cypriani natalicia RECENSENTES et qui in conspectu...   3611
quo beatae Agnes caelestem victoriam RECENSENTES et tua magnalia...   1793
ut beatae felicitatis martyris tuae sollemnia RECENSENTES meritis ipsius
   ...   2749
Sancti Felicis et Adauti natalicia RECENSENTES munus offerimus...   3196
marcellini et petri gloriosa RECENSENTES natalitia...   3602, 3629
Hostia dne qs (haec qs dne) quam in sanctorum tuorum natalicia RECENSENTES
   offerimus...   1798
Beatorum apostulorum... desiderata sollemnia RECENSENTES praesta qs ut
   aeorum...   287
Paschalis hostias RECENSENTES qs, dne, ut...   2539
VD. Hodiernae festivitatis laetitiam RECENSENTES quam nobis sanctae...
   3765
VD. Beati Iohannis apostoli gloriam RECENSENTES qui ab unigenito tuo...
   3613
VD. Beati apostoli tui evangeliste iohannis veneranda natalicia RECENSEN-
   TES qui domini nostri...   3608, 3609a
da cunctis qui christiana professione RECENSENTUR...   978
ut aeum in numerum tibi placentium RECENSIRE facias sacerdotem.   1759
VD. Et diem beatae agnetis martyrio consecratam sollemniter RECENSERE
   quae terrenae...   3686
Haec nos beata mysteria, ds, principia sua aptos efficiant RECENSIRE.
   1699
munera, quibus sanctae Agnetis magnifica solemnitas RECENSETUR...   1651
RECENSISTI offerentium nominibus, deum indulgentiae deprecemur...   3035
ut caelestis mensae participacio... tribuat aeclesiae tuae RECENSITA
   laeticia...   3304
Da nobis dne qs unigeniti filii tui RENCENSITA nativitate respirare...
   590
Da nobis, dne, qs, ipsius RECENSERA nativitate vegetari...   586
tribuat ecclesiae tuae RECENSITAM laeticiam.   3304

        RECEPTACULUM
ut huius tabernaculi RECEPTACULUM placatus accipias...   782

        RECEPTIO
et inter parentum vel inquisitione vel RECEPTIONE mirabilis...   4097

        RECEPTOR
Ds, fidelium RECEPTOR animarum, praesta, qs, ut famulus tuus...   813

        RECIDO
in diabolicam non RECCIDANT servitutem.   1488

RECIPIO

Illut gloriaetur RECEPERE praemium...   4126
ut anime sue RECEPERIT quam perdiderat sanitatem.   59
vel quorum elemosinas RECEPIMUS... misericordiam tuam ubique praetende...
   3247
ut RECIPISSE nos venia peccatorum cessante iam correpcione laetemur.   895
ut filii promissionis... gaudeant se RECIPISSE per graciam.   1017
ut nativitatis tuae beneficiis et perdida RECEPIT et que non.   1090
et eodem RECEPIT nescente sermonem...   3754, 3755
ut nuptiale veste RECEPTA ad regalem mensam... mereatur intrare.   2042
pristinum sanitatis (pristina sanitate) animae corporisque RECEPTA,
   gratiarum...   2277
RECAEPTA itaque dispensatione dei sacerdoto et vestro...   3281
ut ad altaribus sacris RECEPTA veritatis tuae communione (conmunionem,
   conmunio) reddatur.   1007
adnectasque tuis laudis iustis caeloque RECEPTIS.   3832
Quid erit pro oblatione integri corporis RECEPTURUS qui pro...   4148
Populum tuum... paterne RECIPE pietate (pietatem)...   2617
ut animae suae RECIPERET quam perdiderat sanitatem...   58
et instituta bona RECIPIANT, et restaurata custodiant.   550
in pace sanctorum RECIPIANT, ut locum...   3035
ut huius famuli tui illius animam... abrahae amici tui sinu RECIPIAS et
   refrigerii...   3470
spiritum eciam famuli tui ille ac cari nostri... in pace sanctorum tuorum
   RECIPIAS uti locum...   3507
ut in tua veritate consistens nulla RECIPIAT consortia perfidorum.   2383,
   3904, 4202
ut factorum suorum in poenis non RECIPIAT vicem qui tuam in votis...
   1584
tu eas gratiae mitissimae lenitate indulge, nec peccati RECIPIAT vicem
   sed indulgentiae...   3470
... RECIPIATQUAE pro parvis magna...   1008
sicque tota effecta in aeterna RECIPIATUR tabernacula.   3392
et summam RECIPIT civitatis propriae dignitatem...   3616
dum RECIPIT gratiam, revertatur ad gloriam.   782
non quod amiserunt baptismum RECIPIUNT...   2297

RECITO

quarum ante sanctum altarem tuum oblata nomina RECITANTUR...   1709a

RECLUDO

redditurus deo racionem pro his rebus, quaeque istis clavibus RECLUDUNTUR.
   3288

RECOGITO

... Sed quid nunc, turbolente, RECOGITAS ; quid, temerarie, retractas ?...
   574, 1355

RECOGNOSCO

te unum deum patrem in filio et filium in patre cum sancto spiritu
   RECOGNOSCAT...   3460
(Ergo) (Unde) maledicte diabule, RECOGNUSCE sententiam tuam...   1411,
   3566
ut dum reatum conscientiae nostrae RECOGNUSCIMUS...   4004
ut dum reatum conscientiae meae RECOGNUSCO...   4003

RECOLO

et ut eam sufficienter RECOLAMUS efficiat.   273

et pro sollemnitate RECOLENDA primordii sacerdotalis offerimus...   3426
et ad beneficia RECOLENDA quibus nos instaurare... tribue (tribuas) venire
    gaudentes.   144, 145
pro filio nostro illo, qui RECOLENS divina mandata...   2509
et sacra solemnitate RECOLENTEM caelestis...   3535
ut observationes sacras (observationis sacrae) annua devotione RECOLENTES
    et corpore...   2730
ut sacramentorum tuorum gesta RECOLENTES et temporali...   199
nos tamen beatae confessionis initia RECOLENTES frequenti tribuis...
    3599, 3600
... Cuius hodie natalem passionis diem, annua devotionis RECOLENTES
    hostias tibi dne...   3907
Quorum gloriam hodierna festivitate RECOLENTES hostias tibi laudis
    offerimus.   4023
VD. Sanctorum martyrum gloriam cum exulatione RECOLENTES in quibus
    mirabilis...   4130
oblacionem... quam tibi offerunt annua RECOLENTES mysteria...   1735
Sancte Caeciliæ festa RECOLENTES praeces offerimus...   3185
quo beati (andreae) (apostoli) solemnia RECOLLENTES purificationem...
    3134
Beati Sixti, dne, tui sacerdotis et martyris annua festa RECOLENTES qs ut
    quae tuorum...   284
VD. Natalem diem sancti... Xysti devita festivitate RECOLENTES qui
    apostolici...   3810
VD. Beati Stefani levitae simul et martyris natalicia RECOLENTES qui
    fidei...   3617
quo beati Andreae sollemnia RECOLENTES quo beati andreae...   3134
VD. Venerabilium martyrum praeconia RECOLENTES quoniam tui operis...
    4218
VD. Sancte martyris Eufymiae natalicia RECOLENTES rerum diversitate...
    4125
ut RECOLENTIBUS huius nativitatis (nativitatibus) insignia plenam
    adoptionis gratiam largiaris.   1193
et devotius RECOLERE principaliter inquoatas.   1578
VD. (et) Redemptionis nostrae festa RECOLERE quibus humana...   3712,
    4118, 4119
cum et salutis nostrae vota RECOLIMUS et eorum qui...   3121
quibus sancti confessoris tui damasi depositionem (depositione) RECOLIMUS
    et praesta ut in...   622
ut paschalis muniris sacramentum... quod fide RECOLIMUS et spe desideramus
    intenti.   402
qua beatae eufemiae martyris tuae passionem venerando RECOLIMUS et tui
    nominis...   3693
beatae Agnes... cuius diem passionis annuae devocione RECOLIMUS etiam
    fidei...   2655, 2718
ut quorum memoriam (memoria) sacramenti participatione RECOLIMUS fidem
    quoque...   2669, 2787
ut aeius dum merita in presente festivitate RECOLIMUS patrocinia in
    augmentum...   3562
ut dum eorum merita RECOLIMUS, patrocinia sentiamus.   482, 3214
ut cuius natalicia sine intermissione RECOLIMUS perpetua defensione...
    2923
ad sanctorum tuorum annua festa RECOLIMUS singulare suffragium...   2550
votiva RECOLIMUS sumptae primordia dignitatis...   2492
et quotiens illorum festa RECOLIMUS, te mirabilem confitemur.   4051
famuli tui ill. cuius diem deposicionis RECOLEMUS ut mereatur...   3837

quo beatae aeufemiae... passionem consummata RECOLIMUS venerando...
   3781a
et cum propriae RECOLIT salvationis exordia...   1640
con felicitatis aeterna RECOLUNTUR exordia.   3759
quotiens sanctorum martyrum sollemnia RECOLUNTUR quia tu in aeis...   4193

RECONCILIATIO
non dicit Dominus vobiscum, et RECONCILIATIO paenitentis.   2332
VD. Per quem humani generis RECONCILIATIONEM mirabili despensatione
   operatus es...   3831
Ds, qui per verbum tuum humani generis RECONCILIATIONEM mirabiliter
   operaris...   1161
ad sacramentum RECONCILIATIONIS admitte.   858, 859
ut ad sacramentum RECONCILIATIONIS ammissum (admissas, admissus)...   1368
sic eum ad spem RECONCILIATIONIS amittimus...   2297
per divinae RECONCILIATIONIS gratiam fac hominem proximum deo...   58
O. s. ds qui paschale sacramentum in RECONCILIATIONIS humanae foedere
   contulisti...   2435
et ob hoc non audemus reverventi atquae pulsancti RECONCILIATIONIS
   ianuam claudere...   2297
... Da eis, dne, ministerium RECONCILIACIONIS in verbo...   820
qua et nostrae RECONCILIATIONIS processit perfecta placatio...   2199,
   2200

RECONCILIO
patri RECONCILIATUM, boni (bonus) pastoris humeris reportatum...   701
quos per id quod nostri est similis RECONCILIATUR...   1183
per eam gratiam, per quam tibi RECONCILIATUS est mundus...   4133
qui per filium tuum RECONCILIAVIT amicus, (inimicus) Iesum Christum
   dominum nostrum.   1955
nos per id quod nostri est similis RECONCILIET...   1183

RECONDO
invenias in illis quod RECONDAS in oreo...   1090, 3109
sancti Iohannis et Pauli victricia membra RECONDERES...   3865
mereatur RECONDI caelestibus apothycis.   1960

RECORDATIO
et RECORDATIO beata nos incitet...   2416
... Et pro eorum solemni RECORDATIONE ecclesia religiosis exultat
   officiis.   3857
et mysterium... principalis RECORDATIONE muneris adsequamur.   4133
ut quod RECORDATIONE percurrimus, semper in opere teneamus.   877
Donis caelestibus cum sanctorum tuorum RECORDATIONE satiati gratias tibi
   referimus.   1379
et pro aeorum RECORDATIONE solemni...   3676
... RECORDATIONE tamen martyrum tuorum munus nostrum non sit ingratum.
   3365
quorum RECORDATIONIBUS exhibentur.   1441
Pio RECORDATIONIS affectu (affectum)... commemoratione faciamus (facimus)
   cari nostro illo...   2583, 2584

RECREO
O. s. ds, cuius munere elimenta omnia RECREANTUR...   2320
per aeondem filium tuum deum et hominem RECREARIS...   3930
et tu clementissime pater RECRAEASTI per baptismum...   3837
et quos tuis mysteriis RECREASTI, perpetuis defende praesidiis.   116
cuius nos sapientia creat, pietas RECREAT, et providentia gubernat...
   3751

de sancto spiritali benedicto puculo RECREATA crescat...   2003
Repleti alimonia caelesti et spiritali poculo RECREATI qs o. ds...   3063
RECREATI sacri muneris gustu qs, dne...   3036

RECTE
Obsequias autem RAECTE caelebrantes...   2216
da nobis RECTE conversationis effectum...   883
tuis fidelibus ministremus RECTE conversationis exemplum...   627
ut et securitatem tribuat RECTE curata religio...   4192
ut RECTE facienda cognoscant...   4046
ut RECTE faciendi voluntatem cognoscant...   4046
qua et RECTE poscenda cognoscant et postulata percipiant.   163
ac tunc potius RECTE sentire cognoscimur (cognuscimus)...   4022
et quia sine ipso nihil RECTE valemus efficere...   3747, 3849
et RECTE vivendo (vivendi) nobis operentur effectum.   2992

RECTITUDO
et qui faciles a tua RECTITUDINE discrepamus...   4211
Nulla aeos a RECTITUDINE aecclaesiasticae dogmatis...   329
nec saeculi blandimentis a sui status RECTITUDINE potuit inmutari...
   3683
praeceptorum tuorum RECTITUDINE subsequamur...   452
ut hoc quod devote agimus etiam RECTITUDINE vitae teneamus.   836
et tuorum praeceptorum RECTITUDINEM adimplere.   1025
O. s. ds, da cordibus nostris illam tuarum (tuorum) RECTITUDINEM
   semitarum...   2326
praeceptorum tuorum RECTITUDINEM subsequamur...   452
ut et morum nobis adsit et fidei RECTITUDO, qua pietatis...   2421

RECTOR
Ds mundi creator et RECTOR, ad humilitatis...   863
Aspiciat in vos RECTUR aeternus...   218, 319
Populi tui, ds, defensor et RECTOR, concede propitius...   2604
Ds qui humani generis reparator et RECTOR da qs aecclesiam tuam...   1014
Esto protector, dne, populi tui propitiatus et RECTOR eique depraecantibus
   ...   1423
Benedicat vos dominus caelorum RECTOR et conditor et det vobis...   354
Ds rerum omnium RECTUR et conditur qui omnia quae...   1248
ds, populi fidelis institutor et RECTOR in familia...   2372
ut sicut ecclesiae tuae beatus andreas... extitit (stetit) praedicator
   et RECTOR ita apud te sit...   2052
ut sicut aeclesiae tuae sanctus Andreas apostolicus extitit praedicator
   et RECTOR ita sit perpetuus...   2053
Populi tui, ds, institutor et RECTOR peccata quibus...   2605, 2606
Omnipotens sempiterne ds mundi creator et RECTOR qui beatos...   2365
Ds mundi creatur et RECTUR qui hunc diem...   864
tu vitae praesentis sustentator et RECTOR, tu conlator aeternae.   3504
Respice nos, rerum omnium ds creator et RECTOR ut et tuae propitiationis
   ...   3108
ut sicut ecclesiae tuae beatus andreas... extetit praedicator et RECTOR.
   2052
ut te RECTORE, te duce sic transeamus per bona temporalia...   2915
et aeisdem semper praecantem te mereantur (mereamur) habere RECTOREM.
   2601, 2602
et tantos dignae studeris celebrare RECTORES nulli te hostes...   4002
ut haec piae devotionis obsequia et RECTORES sanctificent et regendos.
   1353a

protege Romani nominis ubique RECTORES ut eorum votiva...   2347

Protege, qs, dne, Romani nominis ubique RECTORES ut his tua virtute...
2936

O. s. ds, Romani nominis defende RECTORES ut in tua dextera...   2468

et propter nomen tuum (romani imperii) (christiani nominis) defende
RECTORES ut salus...   2866, 2867

ut et regendi oboedientes, et probabiles possint esse RECTORES.   2281

ut hisdem RECTORIBUS dirigantur...   4138

ut hisdem RECTORIBUS gubernetur...   1677, 4146

Da, qs, dne, familiae tuae cum suis pacem habere RECTORIBUS ut quorum
honore...   639

et romani imperii adesto RECTORIBUS ut tuis consiliis...   835

Quoniam... RECTORIS navem et navigium deferendis aeadem est...   3021

       RECTUS

ds, a quo (sola) sancta desideria, RECTA consilia et iusta sunt opera...
734, 2300

... RECTA corda advocet...   351

... Ut et scientiam te miserante RECTA faciendi...   3900

Ut ipsis intercedentibus sit in nobis fides RECTA, imitabilis caritas...
1319

et ambulare in via RECTA, in mandatis tuis...   3468

medicinalis operatio... et ad ea quae sunt RECTA perducat.   3514

et si quis sanctis tuis aeorum fides RECTA pervenit ad coronam...   3920

... Et sicut sanctos tuos fides RECTA provexit ad coronam...   3710

da nobis in eodem spiritu (spiritum) RECTA sapere...   1001

... Ut in eo qui gratiarum largitor est RECTA sapiamus...   3839

Fac nos, qs, dne, quae sunt RECTA sectari...   1577

sed per tua pietate in via RECTA semper disponas...   3750, 4216

et quae RECTA sunt agere valeamus.   2086

tua misericordia largiente quae RECTA sunt adpraehendant...   248

eadem gubernante quae RECTA sunt cautius exequamur.   2667

Ds, a quo sancta desideria et RECTA sunt consilia et iusta sunt opera...
734

et desiderare quae RECTA sunt, et desiderata percipere.   3488

et intellegendi que RECTA sunt, et exsequendi tribuas facultatem.   4212

da nobis, qs, et amare quae RECTA sunt, et perversa vitare.   1054

da nobis, qs, et exercere quae RECTA sunt, et praedicare quae vera.   2367

ut cogitemus te inspirante quae RECTA sunt et te gubernante eadem
faciamus.   730

Da nobis, dne, qs, (qs dne) ambire quae RECTA sunt et vitare quae noxia...
584

Largire nobis, dne, qs, semper spiritum cogitandi quae RECTA sunt
propicius...   1993, 1994

et ad ea quae RECTA sunt tuorum dirige voluntates.   2984

et prestet nobis amare, quae RECTA sunt.   675

da fidem RECTAM, caritatem perfectam...   1932, 1933

ut converso ad viam RECTAM famulo suo illo...   724

et ad omnem RECTAM observantiae plenitudinem totius onestatis instituat.
359

Exultemus, qs, dne ds noster, omnis RECTI corde in unitate fidei
congregati...   1562

Presta, qs, dne, cum accessu temporum RECTI moderaminis incrementum...
2708

... Dum enim sine te nihil RECTI velle possimus aut agere aut perficere...
3665

et RECTI vivendi nobis operentur effectum.   2992

Ds, qui te RECTIS ac sinceris manere pectoribus adseris...   1221
RECTISSIMUM catholice fidaei tramite teneant...   329
Haec est generatio RECTORUM. Hic accipiet et gloria.   1687
Ds, celsitudo humilium et fortitudo RECTORUM.   761
... Teneant firmam spem, consilum RECTUM, doctrinam sanctam...   165
ex tua inspiratione nos facias postulare quod RECTUM est...   3697
da familiae tuae spiritum RECTUM et habere cor mundum...   2420
... RECTUM iudicium tuum...   850

     RECUBO
... RECUBANS dormivit ut leo et sicut catulus leonis, quis excitavit
  eum ?   2059
super ipsum vitae fontem aeternum pectus scilicet (scilicet pectus)
  RECUBUERAT salvatoris...   3608, 3609

     RECUMBO
in ipsius RECUMBERET pectore salvatoris...   3610

     RECUPERATIO
remuneratio gentium, RECUPERATIO confitentium.   1509

     RECUPERATOR
ut hinc ad te RECOPERATOREM suum sensum semper adtollat intentus.   920

     RECUPERO
nisi per filiorum regenerationem possit RECUPERARE salutem.   3918
Ds qui genus humanum vulneratum protoplaustu novo RECUPERASTI, medicator
  ...   996
et amissa RECUPERETUR aeternitas (aeterna).   2454

     RECURRO
et ab huius possessione anima liberata ab auctore (ad auctorem) suae
  salutis RECURRAT.   2299
... RECURRENS una dies in aeternum et una corona sociavit.   3666
Famulum tuum, dne, ad tui baptismi gratiam RECURRENTEM.   1611
Gloriam dne apostolorum perpetuam RECURRENTES qs ut eadem...   1645
VD. Veneranda Clementis sacerdotis et martyris solemnia RECURRENTES qui
  fieri...   4219
ad altare tuum RECURRENTES tibi deo gratias referamus.   1024
VD. Beati cybriani natalis gloriam RECURRENTES ut qui in...   3611
sic integro tellore diricamur ad illius semper ordinem RECURRENTES.   2267
quam RECURRENTIBUS data lege temporibus...   4098
Fac, omnipotens ds, ut quae veraciter facta RECURRIMUS in nostrum...
  1580
Annua martyrum tuorum, dne, vota RECURRIMUS maiestatem...   181
quia ad tua praeconia RECURRIT ad laudem, quod vel talis adsumpta est.
  33
quia ad excellentiam tuam RECURRIT et gloriam cum angelica...   3809
ad tuam laudem RECURRIT et gloriam qui in eorum...   4080
quia ad tua praeconia RECURRIT et laudem...   27

     RECURSIO
cuius honorabilis annua RECURSIONE solemnitas et perpetua (perpetuae)
  semper et nova est...   3759
quam annua RECURSIONE venerantes hostias tibi laudis offerimus.   3597

     RECURSUS
... Nobis tamen eorum festa annuis RECURSIBUS tribuis frequentare...
  3601
quam mensis septimi sollemnis RECURSUS indicit...   182

RECUSO
fletus quoque lugentium non RECUSES... 940

REDDO
suffragiis eius REDDAMUR accepti (acceptis). 46
Ut sacris dne REDDAMUR digni muneribus... 3581
pariterque REDDAMUR et intenti caelestibus disciplinis... 483
sed etiam per quorum praeces his digni REDDAMUR. 2035
et perpetuae (vitae) participes huius operacione (operationis) REDDAMUR.
　1844
hymnum tibi debitum iure meritoque REDDAMUS. 884
et gratias pro nostra salvatione REDDAMUS. 401
(..) obstaculis, illius meritis REDDANT accepta. 2151
ut quae conscientiae nostrae praepedimus obstaculis, illius meritis
　REDDANTUR accepta. 2151
et ut tibi REDDANTUR acceptae... 1815
cunctis REDDANTUR eius muneribus aptiores. 618
sic nostrae servitutis accepta REDDANTUR officia. 1891
Tibi, dne, sacrificia decata REDDANTUR quae sic ab honorem... 3477
illius meritis grata REDDANTUR. 2152
eorum salutaris (salutaria) nobis intercessione REDDANTUR. 2652
et nobis salutaria te miserante REDDANTUR. 2140
ut eius suffragiis apud te semper REDDAR acceptus... 4213
ad id peragendum REDDAR strenuus... 815
ut exias et recidas ab hoc famulo dei illo ut eum deo suo REDDAS... 2175
quae munera nostra depraecante (beatae Eufimiae) (deprecantibus sanctis)
　tibi REDDAT accepta... 369
ut tibi et mentes nostras REDDAT acceptas... et continentiae... 3151
Hostias nostras, qs, dne, Iuvenalis nomine tuo REDDAT acceptas qui eas
　tibi... 1813
sanctorum tuorum commendatio REDDAT acceptas. 1478
Sancti Marcelli... qs, dne, annua solemnitas pietati tuae nos REDDAT
　acceptos... 3203
nosque eius veneracio tuae maiestati REDDAT acceptos. 1947
et tuo nomini REDDAT acceptos. 3161
et tibi nos REDDAT acceptos. 1982, 4256
supernis promissionibus REDDAT acceptos. 3228
et intercessio sancte martyris Eufymiae tibi REDDAT acceptos. 3229
et intercessione sanctorum tibi REDDAT acceptos. 3229
sed potius ad cultum nominis tui REDDAT acceptos. 3076
ds, sacrificium nostrum REDDAT acceptum... 1956
pia supplicatio REDDAT acceptum. 60
haec benedictio et sanctificatio tua inlesa REDAT, et ab omne... 849
nos a peccatorum nostrorum maculis purgatos REDDAT et ad supernorum...
　3752
ut oblatio tibi nostra sacrificium pariter REDDAT et actio. 2939
Maiestatem tuam nobis, dne, qs, haec hostia REDDAT immolanda placatum...
　2054
a cunctis praesentis et futurae vitae adversitatibus vos REDDAT indemnes.
　2261
nec reatus mortalitatis REDDAT indignos... 3180
nos devotione (devotio) REDDAT innocuos. 3398, 3442
ita eius merita venerantium accepta tibi REDDAT oblatio. 2699
et tuo dignos REDDAT obsequio. 3273
ventura solemnitas, ita nos qs tibi placitos REDDAT ut cum fructu...
　3869

et ad regendum secundum tuam voluntatem populum idoneum REDDAT ut hoc
   salutari...   1686
futuram ita sibi placitam REDDAT ut sicut...   1241
ut superventure noctis vigiliarum suarum ita pervigelis REDDAT, ut
   sinceris...   3647
et ad peragendum iniunctum officium, me idoneum REDDAT.   1834
et in sanctis operibus perseverabiles REDDAT. Amen.   2258
et caelestis patriae gaudiis REDDATUR acceptus.   457
purior atque tranquillior appetitus... fidelium REDDATUR animarum.   4040
ut oblatio tibi nostra sacrificium pariter REDDATUR et actio.   2939
ut ecclesiae tuae... admissorum veniam consequendo REDDATUR innoxius
   (innoxiis).   2716
ut hoc salutari ministerio contra visibiles et invisibiles hostes
   REDDATUR invinctus...   1686
et compos REDDATUR iustorum votorum...   3590
Eius tibi praecibus, dne, qs, grata REDDATUR oblacio pro cuius est
   festivitate immolanda.   1402
quae humiliter REDDATUR oblatio, pro cuius est immolanda festivitate.
   3067
ita sicut merita venerantium accepta tibi REDDATUR oblatio.   2699
ut ad altaribus sacris recepta veritatis tuae communione (communio,
   communionem) REDDATUR.   1007
... REDDE animae sanitatem ; non temptabis aeam...   2180
REDE ergo fortitudinem in menbris...   2180
ab omni cruciatu inferorum REDDE extorrem...   1013
iustis operibus REDDE fecundos.   1279
... REDDE mihi laeticiam salutaris tui et...   58
omnibus REDE perfectis...   1713
a cunctis hostibus REDDE securos.   2924, 2925
et ab omnibus quae meremur adversitatibus (meremur adversis) REDDE
   securum...   520, 525
propensius tibi REDDE subiectam...   3546
Exaudi dne famulos tuos vespertina nomini tuo vota REDDENTES...   1448
numquam REDDERE desinamus.   4104
per florem virginalis utero REDDERE dignatus es absolutum...   3930
vota REDDERE, hostias aemulare...   3821
et illi non pro bonis mala REDDERE moliantur.   1016
si vellis REDDERE quod meremur...   1209
ut bona pro malis REDDERE tuo incitentur exemplo...   1344
sanctos suos spiritus veritatis armatos REDDERET fortiores...   4023
substantiae spiritalis inimico fortior REDDERETUR deceptionemque...   3788
devitrici suae quondam naturae REDDERETUR obnoxius...   4203
... REDDES beneficia (munera) libertatis.   3977
aeternae vitae felicitati REDDI...   3917
quos tuae dulcidinis REDDIDERUNT innotius baptismatis flumina medicata.
   2298
vascula que indulgentiae piaetatis... humanis usibus REDDEDISTI gratiae
   tuae...   899
Ds qui beatum petrum ita REDDEDISTI praeputium...   913
ut quem incolomem propriis laboribus REDDIDISTI, tua facias protectione
   securum.   2366
per divinitatis potentiam vitae REDDIDIT genusque humanum...   3917
incarnationis suae mysterio REDDIDIT inluminatum...   3949
Qui clausus in utero REDDEDIT obsequium dominum...   910
quod deposito corpore animam tibi creatori REDIDIT quam dedisti...   1721
huic iure devitam REDDIDIT servitutem...   3774

quod piae REDDEDIT, tua gratia consequatur.   1452
cui iacob votum vovit et REDDEDIT.   4126
ut dum haec praesentia vota REDDIMUS, ad aeterna proemia te adiuvante
   venire mereamur.   186, 193
maiestati tuae iugiter et REDDIMUS et debemus.   2228
Intende, praecamur, altissime, vota quae REDDIMUS et tibi placita...
   1936
Debitum (dne) nostrae REDDIMUS servitutis suppliciter exorantes (exoranter)...   700, 703
sed omnibus REDDIS magna pro parvis...   4126
quos terrenae generationis amiserat, divinae REDDIS naturae participes...
   4126
sed nos quoque mirando consortio REDDIT acceptos.   4093
per ministrorum munus de operibus apum sacrosancta REDDIT eclesia...
   3791, 4206
... REDDIT gratiae, socia (sociat) sanctitati.   3791, 4206
culpas lavat, et REDDIT innocentiam lapsis...   3791
ob hoc igitur REDDIT tibi vota sua deo vivo et vero...   1719a
et nunc REDDITA prestas libertate venerari.   3630
ut REDDITA sibi sanitate...   2470
per olivae ramum pacem terrae REDDITAM nuntiavit.   3946
quod maiestati tuae semper et REDDITUR et debetur.   29
dum te iubente (iubentem) pulvis pulveri rursum (pulvere rursus)
   REDDITUR tu imaginem...   2236, 2401
O. et m. ds cui REDDITUR votum in hyerusalem...   2269
atque hanc eandem laudes tibi cum ceteris REDDITURAM...   1289
ut bonam rationem dispensationis sibi creditae REDDITURI...   1349, 1350
atque in hanc aeadem laudis tibi caeteris REDDITURUM, et ad corpus...
   1289
ut bonam (bonum) rationem dispensationis (dispensationem) sibi
   creditae REDDITURUS aeternae...   1348, 2549
Sic age quasi REDDITURUS deo racionem (ratione)...   3288
secretorum scrutator REDDITUS divinorum...   3610
pro hoc REDDO tibi vota mea deo vero et vivo...   1724
sed ore legentes concepti faetus REDDUNT examina...   861
... Ob hoc igitur REDDUNT tibi vota sua deo vero et vivo...   1719
Ab hoc igitur REDDUNT tibi vota sua, verum deo et vivo...   1719
tibi REDDUNT vota sua aeterno Deo vivo et vero.   2068
... REDDUNTUR saeculi examinatores et iudices.   3678

          REDEMPTIO
REDEMPTIO animarum, ds, aeternitatem concede defunctis...   3038
sit... profectus bonorum operum, REDEMPTIO animarum perfectio...   3120
et divina supplici REDEMPTIO non negetur.   1985a
cuius nos vinculis haec REDEMPCIO paschalis absolvit.   2981
Cybus aenim (namque) aeius est REDEMPTIO populorum.   3880
quos tua REDEMPTIO prestat innocuos.   3180
et passione REDEMPTIO procurata est hominis procreati...   3650
fides sancta succrescat, REDEMPTIO sempiterna firmetur.   3354
sed REDEMPTIO tuae miserationis obtineat.   933
Ds, per quem nobis et REDEMPTIO venit et praestatur adoptio...   878
pro se suisque omnibus, pro REDEMPTIONE animarum suarum...   2068
ne inimicus de anima huius sine REDEMPTIONE baptismatis incipiat
   triumphare...   2064, 3463
quod pia devotione gerimus, certa REDEMPTIONE capiamus.   543, 3135
ut quod participatione sumpsimus, plena REDEMPTIONE capiamus.   2084
dignus fieri sempiterna REDEMPCIONE concede.   3026

et tibi sine cessatione devotam perpetua REDEMPTIONE confirma.   2183
pro cuius REDEMPTIONE dignatus es nasci de virgine.   3109
et sanguinem tuum pro REDEMPTIONEM nostram fuduisti...   756
ad earum REDEMPCIONE proficiant.   2136
ut familia tua... eius etiam sit perpetua REDEMPTIONE secura.   2707
tua REDEMPTIONE sint digni, tua semper gratia sint repleti.   524
quam agnus inmaculatus REDEMPTIONE suae fuso sanguine liberavit.   1059
et passionem suam pro saeculi REDEMPTIONE suppleret...   3867, 3868
ne REDEMPTIONE tuae inferas damnum...   3463
sine REDEMPTIONEM baptismatis incipiat triumphare.   3463
qui dum hora sexta pro REDEMPTIONEM mundi crucis ascendisti lignum...
    1328
propicius REDEMPTIONEM nasci dignatus es nasci de virgine...   996
et ad REDEMPTIONIS aeternae pertingat te docere (docente, ducente)
    consortium.   241, 242
ad REDEMPCIONIS aeternae (qs) proficiamus (proficiat) augmentum.   3344,
    3346, 3347
per haec sacrificia REDEMPTIONIS aeternae remissionem...   177
Sumpsimus, dne, pignus REDEMPTIONIS aeternae sit nobis qs...   3336
et nullum REDEMPCIONIS aeternae susteneant detrimentum.   922
tuae nobis fiat praemium REDEMPTIONIS aeternae.   3443
et unitate corporis aeclesiae membrum tuae REDEMPTIONIS adnecte...   858
ut non solum hoc in ipso nostrae REDEMPTIONIS auctore...   4096
percipiat sempiternae REDEMPTIONIS aumentum...   1385
perpetuae nobis REDEMPTIONIS conferat medicinam.   2733
Familia tua, ds, et ad caelebranda principia suae REDEMPTIONIS desideran-
    ter occurrat (adquirat)...   1586
Adesto, dne, qs, REDEMPTIONIS effectibus (affectibus)...   88
et tuae REDEMPTIONIS effectum et mysteriis capiamus et moribus.   1797
Ds, qui populo tuo plene prestitisti REDEMPCIONIS effectum ut non solum...
    1167
Per haec, (qs), veniat, (qs) dne, sacramenta (qs dne) nostrae REDEMCIONES
    effectus...   2553
et sacramentum nostrae REDEMPTIONIS efficias.   171
et nobis sacramentum REDEMPTIONIS efficiat.   369
Ds qui... vobis contulit et bonum REDEMPTIONIS et decus adoptionis...
    1157
opus nostrae REDEMPTIONIS exeritur (exercitum, exercitur, exercitatur).
    447, 597
et causa nostrae REDEMPTIONIS exhorta est.   1561
suffragia nobis perpetuae REDEMPTIONIS exsistant.   2575
et tuae REDEMPTIONIS fatias esse participes.   175
perpetuae (REDEMPTIONIS) gaudiis adsequamur.   2683
Suscipe, qs, dne (dne qs) hostias (hostiam) REDEMPTIONIS humanae...   3440
et graciam sempiternae REDEMPTIONIS inveniat.   534
Inter nostrae REDEMPTIONIS miranda beneficia...   1941
et nostrae REDEMPTIONIS mysterium celebratur...   3669
Ds, qui nos REDEMPCIONIS nostrae annua expectacione laetificas...   1127
signum illud glorificum REDEMPTIONIS nostrae apparuaerat in caelo...   634
VD. (et) REDEMPTIONIS nostrae festa recolere...   3712, 4118, 4119
REDEMPTIONIS nostrae munere vegetati quaesumus...   3037
ut REDEMPTIONIS nostrae sacra sancta commercia...   1473
ut REDEMPCIONIS nostrae ventura solempnitas et praesentis nobis vitae
    subsidia conferat...   2789
et sanctificationem tuae nobis REDEMPTIONIS opereris.   3395

quanto in his (hoc) constare principium nostrae REDEMPTIONIS ostendis.
   3456
ut anima famuli tui illius... in tuae REDEMPTIONIS parte numeretur.   775
tua gratia promissae REDEMPTIONIS perficiatur hereditas.   15
ut cuius mysterium in terra cognovimus, eius REDEMPCIONIS praemia
   consequamur (consequi mereamur).   1119
in tuae REDEMPTIONIS sorte requiescat.   2382
illi sint REDEMPTIONIS tuae filii...   4020
illi tamen REDEMPTIONIS tuae sint filii...   4021

                    REDEMPTOR
Omnipotens sempiterne ds, animarum conditor et REDEMPTOR animarum
   conditor...   2305
REDEMPTOR animarum, ds, aeternitatem concide defunctis...   3038
Fidelium ds omnium conditor et REDEMPTOR animarum famulorum...   1629
VD. Inluminator et REDEMPTOR animarum nostrarum...   3787
VD. Qui es REDEMPTOR animarum sanctarum...   3915, 3916
Ds, aeclesiae tuae REDEMPTOR atque perfector...   809
Ds humani generis conditor et REDEMPTOR da qs ut...   824
Ds humani generis conditor et REDEMPTOR deus qui facturam...   825
in quo pendens REDEMPTOR factus maledictum...   3847
Fidelium, ds, animarum conditor et REDEMPTOR famulo tuo...   1628
misericordiam tuam, mundi REDEMPTOR, flevilibus vocibus inploramus...
   1289
Fragmenta panis... REDEMPTOR humani generis benedicat et multiplicit...
   1637
REDEMPTOR noster aspice ds, et tibi nos iugiter servire concede.   3039
et da mentibus nostris, quo REDEMPTOR noster conscendit adtolli...
   1498, 4173
qui nobis est adpositum REDEMPTOR omnium benedicat.   3184, 3186
que nobis aditum est REDEMPTOR omnium benedicat.   2490
laetatur quod edidit REDEMPTOREM dominum nostrum.   3974
ut unigenitum filium tuum quem REDEMPTOREM laeti suscipimus...   1127
laetatur quod REDEMPTOREM mundi edidit iesum christum dominum nostrum.
   3989
solusque omnium profetarum REDEMPTOREM mundi quem praenuntiavit...   3772
ut REDEMPTOREM mundi quem superius digito demonstraverat...   4000
ut qui... unigenitum tuum REDEMPTOREM nostrum ad caelos ascendisse
   credimus...   489
virgene Maria qui REDEMPTOREM nostrum genuit...   2417
ut quem REDEMPTOREM nostrum laeti suscipimus...   1031
ita in praesentis vitae stadio REDEMPTOREM nostrum possitis sequi...   346
... O felix culpa, quae talem ac tantum meruit habere REDEMPTOREM o beata
   nox...   3791
Ut te REDEMPTOREM suum semper intellegat...   2616
quae sine simine humanum (humano) REDEMPTOREM virginis (virginalis)
   firmavit in hutero.   805, 945
et in tuorum sede laetantium constituas REDEMPTOREM.   3366
procreandum novissimis temporibus humani generis disseruit REDEMPTOREM.
   3754
laetatur quod edidit REDEMPTOREM.   4062
per inlustratione unici filii tui REDEMPTORIS dei ac domini Iesu Christi
   ...   3459
Quo eius documento de divinitate nostri REDEMPTORIS edocti...   2246
ut nostri REDEMPTORIS exordia purificatis mentibus celebremus (caelebramus).   558

et sue coheredibus REDEMPTORIS iam nunc supernae pignos hereditatis
   inpendis...   4011, 4012
qui adventum REDEMPTORIS mundi necdum natus cognovit...   342
Adsit REDEMPTORIS mundi piaetas exorata...   3997
Et qui ad celebrandam REDEMPTORIS nostri caenam... convenistis...   353
sed ad REDEMPTORIS nostri consortia transferamur.   1021
per virtutem et signum sancti crucis REDEMPTORIS nostri iesu christi...
   1888
ab incarnationem simul et passionem REDIMPTORES nostri iesu christi...
   23
Et qui hanc... noctem REDEMPTORIS nostri resurrectione voluit inlustrare
   ...   948
sed eiusdem unigeniti tui REDEMPTORIS nostri resurrectione...   3668
Ut qui de adventu REDEMPTORIS nostri secundum carnem... devota mente
   laetamini...   2261
da plebi tuae REDEMPTORIS sui plenum cognuscere fulgorem...   1151, 1175
in tuorum numero REDEMPTORUM sorte perpetua censeantur.   1743
VD. In cuius resurrectione mirabili mors occidit REDEMPTORUM et orta est
   ...   3771
et in tuorum sede laetantium constituas REDEMPTORUM.   3366

          REDEO
ad aeternae beatitudinis REDEAMUS accessum (accensum, ascessum)...   188
sic ad aeternam patriam per abstinentiam REDEAMUS sicque moderetur...
   3636
per crucis lignum ad paradisi gaudia REDEAMUS.   3992
ad aeundem nunc ieiunando REDEAMUS.   4182
ut (ad) paradisum... ieiunando solemnius REDIAMUS.   3794, 3889
et ad veritatis tuae REDEANT firmitatem.   2434
et ad veritatis tuae REDEANT unitatem.   2449
ad gratiarum tuae clementiae REDEAT actione.   3058
Hic piaetas absoluta REDDEAT, hic iniquitas...   3828
ut status conditionis humanae... ad aeterna gaudia REDEAT per merorem
   (merore).   3767, 4088
tui muneris aspiratione resipiscentes apostate REDEUNT...   2297
sic exiit et non REDIIT, sic tu exi, maledicte satanas...   1529
ne nos ad illum sinas REDIRE actum cui iure dominatur inimicus...   3735,
   4142
ut in viam possint REDIRE iustitiae...   978, 979
et per ipsum REDIRE omnia in integrum, a quo sumpseret principium.   837
... Ipse tibi imperat qui te retrorsum REDIRE praecepit...   744
ad aeternam patriam REDIRE valeatis per viam virtutum.   853
Ds, qui errantes in via posse REDIRE veritatis lumen ostendis (ostende)...
   978
ut dudum perditi adque prostrati ad eam nunc gloriam REDIREMUS...   3651
dum gratior REDIT post adversa tranquillitas...   3656

          REDIGO
ut eam secum in turpem REDIGANT servitutem...   3879
donec omnis caro in suam REDIGATUR originem...   3470
dum ad ultionem tuae REDIGUNTUR iniuriae...   3948

          REDIMO
in eam indulgentiam hominum, ut etiam illum ab impietatibus REDEMERIS,
   condedisti...   943
eiusque passionis mysterio REDEMISTI benedicere...   2342
quos REDEMISTI caelesti protectione pius defende.   2097

Ds, qui nos unigeniti tui clementer incarnatione REDIMISTI da nobis
    patrocinia...   1136
Ds qui mirabiliter creasti hominem et mirabilius REDEMISTI da nobis qs...
    1067
per sanguinem unigeniti tui... REDEMISTI de duro servitio inimici...
    3837
et oves, quas praetioso sanguine (filii tui) REDEMISTI diabolica...   1676
cuius sanguine omnia primogenita tibi de mundo REDEMISTI, et in nocte...
    1257
te quoque nos dne depraecamur ut quos sacro sanguine tuo REDEMISTI nec
    consimiles...   2065
et per aeius passionem genus humanum REDEMISTI, tu hanc aquam...   850
qui hominem... unici filii tui sanguine REDEMISTI vivifica...   822, 823
de interitu perpetuae mortis... misericorditer REDEMISTI.   1297
quos praetioso (preciosum) filii tui sanguine REDEMISTI.   2535
mors a perpetua morte REDEMIT ascensio...   3829
poena REDEMIT, crux salvificat, sanguis emaculat...   3658
qui REDEMIT de tenebris infernorum...   3650
qui vos a morte REDEMIT et ad regno caelorum perducit.   3568
VD. Qui per passionem crucis mundum REDEMIT et antiquae...   3992
et praesentiae corporalis misterii (mysteriis) non deserat quos REDEMIT
    (et) maiestatis tuae...   3811
ds qui... genus REDEMIT humanum.   343
... Iustificetque in adventu secundo, qui nos REDEMIT in primo...   3650
quo pro eius confessione vel nomine, qui eam sanguine suo REDEMIT
    inpenso...   4124
VD. Cuius bonitas hominem condidit, iustitia damnavit, misericordia
    REDEMIT te humiliter...   3636
vincat misericordia quae REDEMIT.   831
... Quia nostrorum omnium mors cruce Christi REDEMPTA est...   4162
ut REDEMPTA vasa sui domini passione...   2937, 2941
cuius immolatione estis REDEMPTI ita virtutum...   342
ut corpore eius (in) (et) sanguine quo a peccatis REDEMPTI sumus ad
    aeternam...   3622, 3760
Dne sanctae pater o. aeterne ds qui per te REDEMPTI sumus, et per gratiam
    ...   1366
et qui per te REDEMPTI sunt ad spem vitae aeternae...   1322
ut et qui tua gratia sunt REDEMPTI tua adoptione sint filii (tui).
    2404, 2405
ut quia tua sunt passione REDEMPTI, tua resurrectione laetentur.   3307
Ut qui tuo sanguine sunt REDEMPTI, tua semper...   2461
ut qui tua gratia sunt REDEMTI, tua sunt adoptione securi.   2405
intellegant REDEMPTI tui non fuisse excellentius...   2408
conversis, REDEMPTIS ad vitam.   903
quanto se sciunt ab eo REDEMPTOS...   3427
quemque morte REDEMPTUM, debitis solutum...   701
nova merce(de) intellegat se REDEMPTUM.   431, 950
et aeterna miseratione REDEMPTUS agnoscat.   2894
per quod mundus est divina dispensatione REDEMPTUS.   1686
... Non vult habere quod perimat, sec cupit invenire quod REDIMAT...
    3596
quam se in altare crucis nobis REDEMENDIS obtullit inmolandum...   3292
... Qui sicut venit ad nos REDIMENDUM occultus...   3869
Et quo REDIMENTE percepistis donum perpetuae libertatis...   1157
Ds qui unigeniti tui... praetioso sanguine humanum genus REDEMERE dignatus
    es...   1232

quos dignatus es morte REDEMERE, et liberare...   1233
... Releva quem REDEMERE gloriaris...   1931
vos venire dignatus es REDEMERE in terris.   3109
Deus qui per beatae mariae virginis partum genus humanum dignatus est
  REDIMERE sua vos...   1149
ut quos per lignum sanctae crucis filii tui pio cruore es dignatus
  REDEMERE tu qui es...   769
... O inestimabilis dilectio caritatis, ut servum REDIMERES filium
  tradidisti...   3791
... Nihil enim nobis nasci profuit nisi REDIMI profuisset...   3791

        REDINTEGRO
... REDINTEGRA in eo apostolicae pontifex, quicquid diabulo scindente
  corruptum est...   58, 59

        REDITUS
peregrinantibus REDITUM, infirmantibus sanitatem... indulgeat.   2505

        REDIVIVUS
ut officium suum REDIVIVUM corpus accipiat.   3668
sed perenni timore (tempore) continua lamentacione REDEVIVUS...   2297

        REDOLESCO
sanctum uniuscuiusque templum acceptabilis vitae innocens odor
  REDOLESCAT...   3627

        REDUCO
qui habit potestatem... deducere ad inferus et REDUCERE...   2481
et humanam REDUCERET ad superna dona substantiae (substantiam).   3692,
  3784, 3785
... REDUCI eum faciat in tua sancta aecclesia...   1714
inveterata renovari et ad culmen subacta REDUCI sicut veteres...   4042
et ducis curam agat et REDUCIS.   2905
genusque humanum quadrifida peccatorum mole obrutum ad vitam REDUCIT...
  3917
... REDUCITE victorem quasi uno ore laudent...   4143
sed a tua REDUCTI semper tramite veritatis...   4210
sed ad tuae REDUCTI semper tramitem veritatis...   4210
... Qui humeris tuis ovem perditam REDUXISTI ad caulas...   2837
et suscepitur ille qui REDUXIT ad vitam...   1706

        REDUNDANTIA
... Inopia quippe culparum prestat REDUNDANTIAM prosperorum...   3827

        REDUNDO
et semper hic tue benedictionis copia REDUNDANTE laudes tibi...   742
... Quem sancto spiritu REDUNDANTE non solum operum...   4193
cunctisque donis gratiae REDUNDANTES...   762
sic eodem iugiter REDUNDARE effectus (affectus) est sine fine vivendi.
  4040
REDUNDET in aeis caritas diffusa per spiritum sanctum...   1327

        REFECTIO
ut eorum nobis indulta REFECTIO vitam conferat sempiternam.   1132
qui famulis tuis abis REFECTIONE carnale...   2283
Sacrosancti corporis et sanguinis domini nostri I. C. REFECTIONE vegetati
  ...   3172
quam de viride ligno producere dignatus es ad REFECTIONEM (mentis et)
  corporis...   1404, 1407

REFERO
... REFERAMUS deo gratias et presentium...   359
sed affectum quoque nobis quo gratias REFERAMUS inspirat...   4104
ad inpetrandi fiduciam REFERAMUS.   1410
ad altare tuum recurrentes tibi deo gratias REFERAMUS.   1024
quatenus ad vesperum (tibi) gratias REFERAMUS.   741, 1667
gratiarum tibi in aecclesia tua REFERANT actionem.   2277, 2470
et de suorum votorum plenitudinem gratiarum REFERANT actiones.   3062
ut sufficiente pasto habitantes repleti semper tibi laudes REFFERANT,
   christe...   742
et sanctificationis gratiam REFERANT et quae piae...   1606
et de aeclesiae praesolum et de suo REFERANT gaudia votiva profectu...
   3061
ut laetantes in aeis REFERANT omnipotenti laudis et gratias.   1357
servi dei gratias perenni deo REFERANT semper...   222
laudes tibi REFERANT servi tui qui das escam omni carni...   742
ut laetantes in eis, REFERANT tibi deo omnipotenti laudes et gratias.
   1357
tibi domino gloria REFFERANT triumphantes...   4143
gratiarum tibi REFERAT actionem.   1458
atque intrare regna caelorum claustra gratias tibi REFERAT, choris...
   1728
sed victori domino gratias REFERAT de triumpho...   2640
Gratias tibi REFERAT, dne, corde subiecto tua semper aecclesia...   1671
REFERAT, dne, populus christianus... sancte gratulationis effectus...
   3045
per quam et sanctificationem (sanctificationis gratiam) REFERAT et quae
   piae...   93, 1654
et indulgentiam nobis REFERAT, et remedia procuret aeterna.   2197
eorum piis adiuta praesidiis et consolationem REFERAT et salutem.   2847
quibus et sanctificationem REFERAT et subsidia...   1565
tibi inmensas REFFERAT gratiarum actionis.   331
tibi REFERAT gratias sempiternas...   1371
et laetus tibi serviat et nomine tuo gratias REFERAT.   1714
et cum prima mulier viro suo dux fuisse REFERATUR ad labsum...   4079
et in prosperitate gratiarum tibi REFERENS actionem...   3591
da, ut tibi gratias REFERENTES efficiamur et meriti.   2424
VD. REFERENTES gratiarum de preteritis muneribus actionem...   4120
VD. REFERENTES gratias et praecantes, ut...   4121
et praesentibus REFERENTES praefoveamur auxiliis.   4102
et praesentibus REFERENTES praemiis et futuris.   4085
pro concessis beneficiis gracias REFERENTIS et pro concedentis...   2224
VD. REFERENTIS graciarum de praeteritis muneribus devocionum...   4122
et gratias tibi REFERIMUS, dne ds noster...   3264
Gratias tibi REFERIMUS, dne qui nos a temporalibus facis...   1672
Gratias tibi REFERIMUS, dne, qui nos et caelestis participatione
   sacramenti...   1673
Gracias tibi REFERIMUS, dne, sacro munere vegitate...   1674
gratias tibi REFERIMUS, (dne), sancte pater, omnipotens aeternae deus.
   1442, 3327
laudes tibi REFERIMUS, et magnificentiam tuam supplices exoramus...   3602
Percipientes, dne, gloriosa mysteria REFERIMUS gratias...   2570
Gratias tibi REFERIMUS omnipotens ds...   1675
laudis tibi dne REFFERIMUS.   3629
Donis caelestibus cum sanctorum tuorum recordatione satiati gratias tibi
   REFERIMUS.   1379

caelestia dona sumentes gratias tibi REFERIMUS.   3072
et caelestis mensae dulcedine vegetati gratias tibi REFERIMUS.   3074
laudes tibi REFERIMUS.   3629
nec inter gaudia gratias REFERRE desistat.   4005, 4006
honorem tibi gratiasque REFERRERE per christum dominum nostrum...   3828
et beneficia (beneficiis) REFERRE suffragiis (suffragia).   451
ut de utroque tibi gratias semper REFERRE valeamus.   958
per abstinentiam tibi gratias REFERRE voluisti...   3969
super famulum tuum illum, cuius operibus tibi graciae REFERUNTUR...   1170
per noctem amica quies ipsa gratia RELATURA confoveat...   2905

          REFERTUS
non tam REFERTI sunt ossibus mortuorum, quam magis ipsi sunt mortui...
   3879

          REFICIO
quia REFACTA sunt viscera nostra de sancto spiritali...   2003
ut per haec veneranda misteria pane caelesti REFECI mereamur.   1387
Quae REFICISTI, dne, caelesti mysterio propriis alienisque...   3031, 3032
corpore et sanguine tuo nos REFECISTI qs dne...   259
sed solido cibo REFECTA, proficiat in preceptis.   355
ut qui divino munere sunt REFECTI caelestibus...   1902
REFECTI cibo potuque caelesti... ds noster, te supplices exoramus...
   3040
REFECTI, dne, benedictione solemni...   3041
REFECTI, dne, panae caelesti, ad vitam, qs, nutriamur aeternam.   3042
REFECTI participatione (participationem) muneris sacri...   3043
Caelestibus REFECTI sacramentis et gaudiis...   387
REFECTI vitalibus alimentis qs, dne : quod...   3044
REFICE dne cibo potoque celeste...   3040
mentem nostram operibus tuorum REFICE mandatorum.   134
ut per haec veneranda misteria pane caelesti REFICAE mereamur.   1387
REFICE nos, dne, (de) donis tuis...   3046
Et quam divinis tribues REFICERE sacramentis...   3110
et tuorum REFICES celebritate iustorum.   1673
Quos munere caeleste REFICES dne divino tuaere presidio...   3029
Hos quos REFICES dne sacramentis...   1797
Venite ad me omnes qui laboratis et honerati estis, et aego REFICIAM vos.
   1446
REFICIAMUS, (REFICIAMUR) dne, de donis et datis tuis...   3047
Tua nos, dne, dona REFICIANT et tua gratia consoletur.   3515
per fructum boni operis REFICIANTUR in mente.   1266
Ut aeorum interventu, haec turba illius REFITIATUR dulcedine...   1229
ut necessaria temporum vicissitudine succedente nostra REFICIATUR
   infirmitas.   2956
Perpetuo, dne, fabore prosequere, quos REFICIS divino mysterio...   2581
Quos munere, dne, caelesti REFICIS, divino tuere praesidio...   3030
et quos caelestibus REFICIS sacramentis a terrenis...   65
Hos quos REFICIS, (dne), sacramentis adtolle benignus auxiliis...   1797
ut quos tuis REFICIS sacramentis, et tibi placitis moribus dignanter
   informaes.   3372
ut quos tuis REFICIS sacramentis tibi etiam...   3377
quos sacramentis REFICIS, sustenta praesidiis...   2959
et nos non solum carnalibus sed etiam spiritalibus escis REFICIS ut non
   in solo...   3889
VD. Pascunt enim tua sancta ieiunia et esuries sacrata nos REFICIT...
   3827

REFORMATOR

Ds, qui humani generis ita es conditor, ut sis eciam REFORMATOR
   propiciare...   1017
Ds... et misericordissime REFORMATOR qui hominem...   822, 823
sicut humani generis es conditor, ita benignissimus REFORMATOR.   3424
0. s. ds, creator humanae REFORMATORQUI naturae...   2315

REFORMIDO

et hostes anticus ad REFORMIDINIS horore circumvolat...   763

REFORMO

mundatum ad pristinam sanitatem REFORMA puritatem.   1363
Vos itaque, dilectissimi, ex vetere homine in novum REFORMAMINI...   1706
et humanis non desinis fovere subsidiis et REFORMARE divinis...   4074
ut per eum quem similem nobis foras agnovimus intus REFORMARE mereamur.
   803
mirabiliter condedisti et mirabilius REFORMASTI da qs nobis (nobis qs) ut.
   1010, 1011, 1032
... Hic natura ad imaginem ruam condita et ad honorem sui REFORMATA
   principiis cunctis...   720, 1045, 1046
et quod gratia tua contulit et quod misericordia REFORMAVIT.   822, 823
et quod eius hominis facti gloriosa nativitas REFORMAVIT.   1196
medicinalis parssimoniae studio REFORMEMUR.   2754
Tua sacramenta nos, ds, (qs) circumtegant et REFORMENT...   3528
ut dignitate pristinae... per tuam gloriam REFORMENTUR.   638
sed membrorum aeclesiae catholicae remissiones tua clemencia REFORMETUR
   ut ad altaribus...   1007
spei rursus aeternae et caelestis gloriae REFORMETUR.   2837
medicinali parsimoniae studiis REFORMETUR.   2754
medicinalibus parsimoniis studio REFORMETUR.   2754

REFOVEO

et clementer REFOVAS castigatus...   4009a
... Eius, qs, semper interventione (interventionem, intercessione) nos
   REFOVE, cuius sollemnia celebramus.   3260
benigno REFOVE miseratus auxilio.   1419
supernorum nos, qs, praesidiis REFOVE propitius ministrorum.   1027
et animam REFOVE quam creasti...   3085
Beati laurenti martyris tui dne geminata gracia nos REFOVE quam
   glorificationis...   272
sic praesentibus REFOVE ut ad gaudia...   3822
Dne ds noster, diurno labore fatigatos soporis quite nos REFOVE ut
   adiuti...   1300
ipsa mutabilium rerum varietate nos REFOVE.   1507
Beati Laurenti martyris tui, dne, geminata gracia nos REFOVEAT...   272
VD. Qui nos castigando sanas et REFOVENDO benignus erudis...   3967
Sancta tua, dne... et solempnia quam praeimus nos REFOVENT...   3179
quia REFOVERE curabis, quos in honore tuo perseverare concesseris.   602
et omnem sensum est dignare tuis visitationibus REFOVERE quatenus
   adoptionem...   1931
... Sic praesentibus REFOVERE, ut ad gaudia nos mansura perducas.   3734,
   3822
ita nobis eorum tribuas intercessione REFOVERI.   3859
et clementer REFOVIS castigatos...   4009
VD. Qui nos sanctorum tuorum et commemoratione REFOVES et oratione
   defendes.   2840
qui nos et temporalibus subsidiis REFOVIS et pacis aeternae.   2056

et quos beneficiis temporalibus REFOBIS, pasce divinis (perpetuis).   2959
Ds, qui diligendo castigas et castigando nos REFOVES praesta ut quod...
   958
Beati laurenti martyris tui dne geminata gracia nos REFOVET...   272
ut quia sine his non potest constare, quibus REFOVETUR alterutrum...
   4033

       REFRENATIO
ut cum REFRENATIONE (REFRENATIONEM) carnalis alimoniae sancta tibi
   conversatione placeamus.   600
ut carnalis alimoniae REFRENATIONE castigati...   3657

       REFRENO
et terrenae delectationis insolentia REFRENATA...   4039

       REFRIGERIUM
ad locum REFRIGERII et quietis in sinu transferatur Abrahae.   2493
ut digneris, dne, dare ei locum lucidum, locum REFRIGERII et quietis
   liceat ei...   3462
locum REFRIGERII, lucis et pacis indulgeas deprecamur.   1725
locum REFRIGERII lucis et pacis indulgentiam deprecamur.   2075
locum REFRIGERII lucis et pacis ipsis et omnibus...   2074
Ipsis et omnibus in Christo quiescentibus locum REFRIGERII, lucis et
   pacis ut indulgeas...   1958
et REFRIGERII rore perfundas...   3470
locum lucis et REFRIGERII se adeptum esse gaudeat...   2215
... REFRIGERII sedem, quiaetis (quietem) beatitudinem, luminis claritatem.
   811, 840, 2306
ad REFRIGERIUM animarum meorum te miserante perveniat.   2874, 3385, 3387
... REFRIGERIUM de habundantia miserationum tuarum sentiatur.   2273
ad indulgentiam et REFRIGERIUM sempiternum pervenire mereatur.   1784
... Hic locum non habebis nec REFRIGERIUM tibi tormenta...   1529

       REFRIGERO
... Sit nobis, dne, hanc aquam adsparsiones aqua virtutis, aqua
   REFRIGERANS...   1346
et REFRIGERARE dignare animam famuli tui illius...   1684

       REFUGA
qui illum REFUGAM tyrannum gehennae deputasti...   1354, 1355
nulla REFUGIIS (REFUGIS) virtutibus sit facultas...   838, 839, 1240

       REFUGIO
Sicut qui invitatus renuit, quaesitus REFUGIT, sacris est altaribus
   removendus...   3290

       REFUGIUM
nulla REFUGII virtutibus sit facultas...   839
adeptura perpetui (adepturis perpetuis) regni REFUGIUM coram suo...   57,
   2217
Ds REFUGIUM nostrum et virtus, adesto piis ecclesiae tuae precibus...
   1244
Ds, REFUGIUM pauperum, spes humilium salusque miserorum...   1245
miseris esto, dne, REFUGIUM singulare...   3248

       REFULGEO
ut non solum sacrificium... luminis tui admixtione REFULGEAT sed
   quocumque...   3588
melioribus ornamentis studio eorum locus iste REFULGEAT.   1777
ut sicut homo genitus idem REFULSIT deus...   2130

sacerdos REFULSIT egregius et martyr insignis.   4097
et martyr insignis, et sacerdos REFULSIT egregius.   3690
et memorande passionis REFULSIT martyrio sublimis.   3685, 4220
et memoranda REFULSIT passione sublimis.   3848, 4220
que sacris virtutibus veneranda REFULSIT (REFULGIT).   3197

REFUTO

et ideo cuncta REFUNTANDA docuisti quae praepediunt aequitati...   3934
ut quae tibi non placent REFUTANTES...   1299
ut huius oblationis effectus et tibi nos placita REFUTARE...   675
et horationis nostrae, te propitiante, non REFUTENTUR, sed omnibus...
    1500
amore tui nominis REFUTENTUR...   4059

REGALIS

quia nunc genus electum sacerdotumque REGALE populus adquisitionis...
    3645
hac REGALE potentiae tueas...   3736
genus electum, REGALE sacerdotium,populus adquisitionis et gens sancta
    vocaremur.   3651
... REGALEM ianuam cum sapientibus virginibus licenter introeat...   759
ut nuptiale veste recepta ad REGALEM mensam... mereatur intrare.   2042
Ut dum REGALES non defecit de sterpe successio...   395
mysteria quibus eos adoptasti REGALIBUS institutis...   1735
famulum tuum illum quem REGALIS dignitatis fastigio voluisti sublimari...
    3912
ut famulus tuus ill. ad peragendum REGALIS dignitatis officium inveniatur
    semper idoneus...   457

REGAMINA

terrena REGAMINA a vobis pondere regaminum.   351
terrena REGAMINUM a vobis pondera offerat.   351

REGENERATIO

ut quod generatio mundi aedidit ad ornatum, REGENERATIO ad ecclesiae
    perducat augmentum.   3926
... REGENERATIONE ad aecclaesia perducat augmentum.   3925
ut qui sunt generatione terreni, fiant REGENERATIONE caelestis.   894,
    2338
quales facti sumus in lavacri salutaris felicissima REGENERATIONE ut
    eius...   3949
nisi per filiorum REGENERATIONEM possit regenerare salutem.   3918
... Perduc eum ad novae REGENERACIONI lavacrum...   875
et multiplica in aea REGENERATIONIS tuas...   1046
ut per lavacrum REGENERATIONIS accepta...   2513
et salus REGENERATIONIS adhibetur, et imputatur corona martyrii.   3696
per quem suae REGENERACIONIS cognovit auctorem.   3324
qualis fons REGENERATIONIS aemisit.   947
et salutem REGENERATIONIS exhibet...   3851
VD. Per quem nobis REGENERACIONIS exortus est (es)...   3836
et salus REGENERATIONIS expletur...   3851
ut quem in finem (fine) istius vitae REGENERACIONIS fonte mundasti...
    2858
eumque REGENERACIONIS fontem purgatum et pericolis vitae huius exutum...
    1742
ita REGENERATIONIS humanae consecrasti mysterium...   2297
ut fiat eius templum per aquam REGENERATIONIS in remissionem...   2174,
    2177

ut omnis homo hoc sacramentum REGENERATIONIS ingressus...   720, 1045
ut venturis ad (a) beatae REGENERATIONIS lavacrum tribuas.   838, 1240
Perduc aeum ad nove REGENERATIONIS lavacrum ut cum fidelibus tuis...   875
ut quos REGENERATIONIS mysterii dignatus es innovare...   1012
et quos REGENERATIONIS mysterio innovare dignatus es...   2400
quam etiam (per) caelestis REGENERATIONIS nativitatem (nativitate)...
    838, 1240
id in salute (salutem) gentium per aquam REGENERATIONIS operaris...   777
et vos qui ad fidem curretis ad lavacrum aquae REGENERATIONIS perducat...
    3310
ad REGENERACIONIS pervenire gloriam mereantur.   2825
ut quorum nunc REGENERATIONIS sacrae diem caelebramus octavum...   1192
... REGENERATIONIS speciem in ipsa diluvii effusione signasti...   1045,
    1047
dignum REGENERATIONIS suae mentes ornatum.   947
quae in finem istius vitae REGENERACIONIS unda mundavit...   1141

          REGENERATRIX
ut ministraturos REGENERATRICI gratiae tuae nulli esse obnoxios patiaris
    offendi.   967
ut ministraturos REGENERATRICIS gratiae tuae, nulli esse obnoxios
    patiaris offensae.   967

          REGENERO
totamque huius substantiam REGENERANDI fecundet effectu...   1045, 1046
ut quidquid hic novum REGENERANDI per spiritum sanctum acceperint...
    3447
et pro REGENERANDIS benignos exoret.   504
... Augemur REGENERANDIS, crescimus reversis...   58
et totam huius aquae substantiam REGENERANDIS fecundet effectu...   720
... Qui hanc aquam REGENERANDIS hominibus praeparatum (praeparatam)...
    1045, 1046, 1047
Dne ds, qui in REGENERANDIS plebibus tuis ministerium uteris sacerdotum...
    1325
ut paternae protectionis auxilio et REGENERANDOS munias et renatos.   944
ut omnes in hoc fonte REGENERANDOS universali adopcione (adoptionem)
    custodi.   2859
... REGENERANS eum deo patri et filio et spiritui sancto...   1535
... Sit fons vivus, aquae REGENERANS, unda purificans...   1045, 1046,
    1047
ut qui REGENERANTIBUS aquis gaudeant (gaudent) renatos...   1324
quos REGENERARE dignatus es ex aqua et spiritu sancto...   1773, 1774
O. s. ds qui REGENERARE dignatus es hos famulos et famulas tuas...   2445
quos ex aqua et spiritu sancto REGENERARE dignatus es tribuens eis...
    1752
quos fecisti baptismo REGENERARE, facias beata inmortalitate vestiri.
    888
quos salutare lavacro spiritali et in vitam aeternam REGENERARI dignatus
    es.   854
quos fecisti baptismo REGENERARI facias beata...   888
qui REGENERASTI (hos) famulos tuos ex aqua et spiritu sancto...   867,
    868, 869, 2446
ut omnes REGENERATI adprehendant meritis...   1160
ut ministraturi REGENERATI gratiae tuae...   967
purum sancto spiritui habitaculum (in) REGENERATIS procuret.   1336
qui te REGENERAVIT ex aqua et spiritu sancto...   870
ut omnes gentes... spiritus tui participatione REGENERENTUR.   1178

REGIMEN

et famulum tuum ill. vel illam quem ad REGIMEN animarum eligimus...   473,
479

da spiritum sapientiae quibus dedisti REGIMEN disciplinae ut de profectu
...   1166

Da nobis, qs, dne, sancte REGIMEN disciplinae ut per tuam gratiam...
620

VD. Qui, ut hanc sedem REGIMEN aeclesiae totius efficeris...   4035

da protectionis tuae munimen et REGIMEN ne hostis...   758, 759

ut principibus nostris famulis tuis illis REGIMEN tuae adpone sapientiae
...   830

ut de aelectionem aeorum qui ad REGIMINEM altaris adbibendi sunt...   3021

... REGIMINI ferventes in caritate.   879

REGIO

illi possitis in caelesti REGIONE adiungi.   2263

et animam famuli tui illi... in vivorum REGIONE aeternis gaudiis iubeas
sociare.   2870

in caelesti REGIONE aeternis perfruuntur gaudiis...   3857

adiungi mereamini in caelesti REGIONE bene vivendo.   1157

ut animae famulorum famularumquae tuarum in pacis ac lucis REGIONE
constituas...   1899, 1901

ut sicut per inlicitos appetitus a beata REGIONE decidimus sic ad
aeternam...   3636

ut sicut per inlicitos adpetitos de indultae (indulgentiae) beatitudinis
REGIONE decidimus sic per alimoniam...   2454

magno in lumine, in REGIONE, in regno vivorum.   2217

et a servientibus tibi in nulla es REGIONE longinquus...   961

quorum adhuc latentem gloriam iam tamen etiam in huius vitae REGIONE
manifestas.   3971

et si quid de REGIONE mortali tibi contrarium contraxit fallente diabulo
...   747

Ds qui in deserti REGIONE multitudinem populi tua virtute satiasti...
1028

parentes, quos in genitali solo perdiderat, in externa REGIONE restitues
...   4126

et lucis ei laeticiaeque in REGIONE sanctorum tuorum societate concide.
791

gehenne ignem flammamquae tartari in REGIONE vivencium evadat.   3505,
3507

nunc iam placere se domino in REGIONE vivorum...   58

magno (magne) in lumine, in REGIONE vivorum.   57, 2217

VD. Quia tuae rationis imaginem mundanis REGIONIBUS constitutam...   4074

... In exteris REGIONIBUS humiles Christi secutus est gloriam...   3616

REGIUS

ut et dignitas REGIA fulgiat gentium de subiectione...   3501

illorum nulla supersunt REGIAE potestatis insignia...   3951

Ds qui... martyribus REGIAM caelestis aule potenti dextera pandis...
1227

et REGIO devinctis hostibus valeat obtinere quiaeti.   3501

... REGIO et sacerdotali propheticoquae (propheti quoque) honore perfusi
...   3627

Ds qui omnes in christo renatos genus REGIUM et sacerdotale fecisti...
1142

ut REGIUM thalamum non solum virgo sed etiam martyra intraret.   3605,
3606, 3607

REGNATOR
et hunc nocturnum splendorem, invisibilis REGNATOR, intende... 3588
da aeis... de inimicis triumphum, de lumbis sobolem REGNATOREM. 395

REGNO
qui filio tuo tecum aeterna claritate REGNANTE, cum de... 4129
ut nullo in nobis REGNANTE peccato... 1036
Ds ad quem respicit sacerdotum solertia, REGNANTUM victoria... 740
quem nosse vivere, cui servire REGNARE est... 749
cuius meritum cerneret toto orbe venerandum REGNARE post mortem... 4055
... REGNAS cum patre et spiritu sancto, salvator mundi. 742
vivis (dominator) et REGNAS deus in unitate spiritus... 404, 3465
qui cum patre et spiritu sancto vivis et REGNAS deus, per omnia saecula
    saeculorum. 3261
cum co vivis et REGNAS ds semper cum spiritu sancto... 867
qui regna regis et REGNAS in secula seculorum. 395
miserere qui REGNAS in secula. 404
cum quo vives et REGNAS in unitate spiritus sancti in saecula. 869, 2818
... Qui es deus benedictus et REGNAS per omnia saecula saeculorum. 332
qui REGNAS semper cum patre et spiritum sancto... 3017
dominum nostrum, cum quo vivit et REGNAT cum spiritu sancto... 2519
qui cum eo (tecum semper) vivit et REGNAT deus in unitate spiritus
    sancti... 727, 729, 850, 2498
cum quo (eo) vivit et REGNAT deus in unitate spiritus sancti. 848, 2518,
    3588, 3946
vivit et REGNAT deus per omnia saecula saeculorum. 179, 511, 2522, 2584
iesu christo qui cum patre et spiritu sancto vivit et REGNAT deus. 702
qui cum patre et filio vivet et REGNAT in saecula saeculorum. Amen. 2275
ubi lux permanet et vita REGNAT in secula seculorum. 756
... Sive, quia REGNAT invinctus, huius leonis multifariae invenimus exem-
    pla... 2059
Deus namque noster quando non REGNAT, maxime cuius regnum est inmortale ?
    ... 865
vivit et REGNAT per omnia secula seculorum. 180, 345
... Et quia tui est muneris quod REGNAT, tuae sit pietatis quo id
    feliciter agat... 3912
qui REGNAT una cum spiritu sancto per infinita secula seculorum. Amen.
    1637
absolvat, Iesus Christus dominus noster, qui tecum vivit et REGNAT. 1183
in Christo Iesu Domino nostro, qui vivit et REGNAT. 513
quem misisti filio tuo domino nostro qui tecum vivit et REGNAT. 2732

REGNUM
secum ad REGNA caelestia cui fuaerat nupta perduxit. 3995
et nos... una vobiscum ad REGNA caelestia faciat pervenire. 1706, 1707
ut cum fructu bonorum operum ad REGNA caelestia introducat... 3869
... Ita REGNA caelestia mente iam penetrans... 4193
valeatis... et ad REGNA caelestia pervenire. 341
et cum illis omnibus REGNA caelorum adeptus... 561
atque intrare REGNA caelorum claustra gratias tibi referat... 1728
singolis in REGNA caelorum necteret et corona... 3595
unde se evangelica veritas per tota mundi REGNA diffunderet... 2413,
    3947
ad caelestia REGNA faciat pervenire. 3310
fac nos (qs) in caelestia REGNA gaudere. 1115
dum tuo moderamine regum REGNA gobernas... 4143

promissa tui muneris REGNA percipiat.   829
ut ad caelestia REGNA perducas.   3928
et ad caelestia REGNA perducat.   1840
vos ad caelestia REGNA perducat.   345
sed etiam per haec nos ad caelestia REGNA perducens.   942
ascensio ad caelestia REGNA perducit...   3829
ad caelestia REGNA pergendi ducatum praebuit...   3655
et ad beatorum requiem adque ad caelestia REGNA perveniat.   1171, 2541,
    2542
et tibi placeant et super omnia REGNA praecellant.   797, 799, 830
ad caelestia REGNA praesenti sacrificio celebramus.   3815
qui REGNA regis et regnas in secula seculorum.   395
qui in caelestis REGNA super caerubin sedens universa...   395
ut caelestia REGNA virgo pariter et martyr intraret.   3716
ad aeternam iubeas perducere REGNAM.   2461
et romani REGNI adesto principibus...   1190
ad caelestis REGNI beatitudinem facias pervenire.   2858
Ds, qui (beato) apostolo (tuo) Petro conlatis clavibus REGNI caelestis
    (animas) ligandi...   907
et ianua REGNI caelestis aperitur...   3269
et via veritatis et vita REGNI caelestis apparuit.   2200
fidelibus REGNI caelestis atria reserantur...   4162
usque (utique) in finem saeculi capiat REGNI caelestis aumentum.   3909,
    4067
quod possint palacia REGNI caelestis intrare...   316, 1932
... REGNI caelestis mereantur introitum.   937
effici mereantur REGNI caelestis participes.   329
et confirmet vos in spe REGNI caelestis.   2117
... Da eis, dne, clavis REGNI caelorum...   820
ut cum exultantibus sanctis tuis in caelestis REGNI cubilibus gaudia
    nostra subiungas...   3626, 3682
Ds, qui praedicando aeterni REGNI evangelio romanum imperium praeparasti
    ...   1172
et celestis REGNI faciat esse consortes.   3946
qui famulum tuum illum ad REGNI fastigium dignatus es provehere...   2309
O. s. ds qui famulum tuum ill. REGNI fastigio dignatus es sublimare...
    2393
et solium REGNI firma stabilitate conecti.   842
... In cuius REGNI gloria cum coronis virginitatis et palmis florentibus
    ...   3853
adipisci mereantur REGNI gloriam sempiterni.   879
et transitorii REGNI gubernacula inculpabiliter teneat...   3912
Qs o. ds, ut famulum tuum illum tua miseratione suscepit REGNI
    gubernacula virtutum...   2993
et caelestis vobis REGNI ianuas dignetur aperire.   802
Omnipotens ds, istius REGNI inimicus virtute...   2257
aeterni REGNI inter sanctos et electus capiunt praemiam.   3736
et securitas huius REGNI laetetur et catholica semper exultet aecclaesia.
    991
cuius REGNI non erit finis...   554, 555
Ds, qui caelestis REGNI nonnisi renatis pandis introitum...   919
Ds, qui renatis per aquam et spiritu sancto caelestis REGNI pandis
    introitum...   1194
Ut fructum REGNI potiantur haeredes...   541
gubernatur imperii, conservator REGNI, qui ex utero...   842
adeptura (adepturis) perpetui REGNI refugium...   2217

Ut sicut illi... caelestis REGNI sunt sortiti hereditatem...   338
Thronum REGNI tui iugiter firmit...   874
mirabilem deum in omnibus operibus tuis, quibus (sacratissima) REGNI tui
  mysteria revelasti...   3726, 4157
ad REGNI tui praemia perveniat.   2475
ut aeam non solum ad premio REGNIS innocentia revocis...   759
O. s. ds, qui REGNIS omnibus (et) aeterna potestate dominaris...   2447
Ds, qui REGNIS omnibus aeternis dominaris imperio...   1190
similis in REGNO caelorum necteret et corona.   3782, 4084
qui vos a morte redimit et ad REGNO caelorum perducit.   3568
... Adeptus in REGNO caelorum sedem apostolici culminis...   3609
ut aeius dextere sotiati REGNO mereantur possidere caelesti.   667
  ... REGNO perpetuae libertatis consortes efficias.   3065
Pax perennis in REGNO, quod ipse praestare digneris...   395
... REGNO tibi deo patri in resurreccione tradendos.   2108
magno in lumine, in regione, in REGNO vivorum.   2217
ut maiestatis tuae protectione confidens et evo augeatur et REGNO.   1713
et quos vult mittat cives in REGNO.   913
ut illum gracia tua sicut donavit baptismo, ita donet et REGNO.   783
qui pro te interemptus in argaustulo, tecum exultat in REGNO.   3048
Ds, qui sub tuae maiestatis arbitrio omnium REGNORUM contines potestatem
  ...   1216
VD. Sub cuius potestatis arbitrio omnium REGNORUM continetur potestas...
  4134
Ds, REGNORUM omnium et romani (christiani) maximae protector imperii...
  1246
O. s. ds, in cuius arbitrio REGNORUM omnium iura consistunt...   2347
Ds, REGNORUM omnium regumque dominator (regnumque dominantur)...   1247
Ds, servientium tibi fortitudo REGNORUM propicius romani...   1250
O. s. ds in cuius manus sunt... et omnia iura REGNORUM respice...   2348
talium dixisti esse REGNUM caelorum.   396
ad REGNUM conscendere mereantur...   297, 3556
tecumque inmortalitatis vitam et REGNUM consequatur aeternum.   202, 3462
da spiritum sapientiae quibus tradedisti REGNUM discipline...   1165
et pacis non erit finis super solium David, et super REGNUM eius...   3677
Deus namque noster quando non regnat, maxime cuius REGNUM est inmortale ?
  ...   865
Ds, cuius REGNUM (REGNUM) est omnium saeculorum...   797, 799
cuius REGNUM et imperium sine fine permanet in saecula saeculorum. Amen.
  337, 343, 2254
Quod ipse praestare dignetur cuius REGNUM et imperium.   348, 349, 361,
  1243, 2260, 2263, 2264, 3232
Ds, qui omnes in Christo renatos genus REGNUM et sacerdotale fecisti...
  1142
tecumque inmortalitatis suae vitam et REGNUM aeum sequatur.   3462
et perducat in REGNUM gloriae suae.   319, 320
et da ei requiem et REGNUM id est Hierusalem caelestem...   3433
... Qualiter ad caeleste REGNUM illo interveniente... pervenire mereamur.
  3655
et da aei requiem et REGNUM in hyerusalem caelaeste...   3433
direge francorum REGNUM in tua voluntate...   2250
Ds cuius humana corda sunt REGNUM, inclina...   830
ut REGNUM maiestati (maiestatis) tuae deditum tua semper sit virtute
  defensum.   2861, 2862
et eius dexterae dociati REGNUM mereantur possidere caelesti.   667

Ds, qui ad caeleste REGNUM nonnisi renatis ex aqua et spiritu sancto
   pandis introitum...   890, 891
Ds, cuius REGNUM nulla saecula praevenerunt, nulla conclaudunt...   798
cumque finito mundi termino supernum cunctis inluxerit REGNUM omnium
   sanctorum...   3470
ut nos de tenebris et umbra mortis REGNUM perpetuae lucis efficeret.
   3763
ut ad caeleste REGNUM pervenire possitis securi.   722
et romanorum (christianorum) REGNUM tibi subditum protege principatum...
   797, 798, 799
qui te expoliavit, qui REGNUM tuum distruxit...   574, 1355
ut spiritu sancto renatos REGNUM tuum facias introire...   2333, 2334
Da nobis, dne, qs, REGNUM tuum iustitiamque semper inquirere...   589
ut et REGNUM tuum nobis per ieiunium panderet...   3785
... Sed cum dicimus : Veniat REGNUM tuum : nostrum REGNUM petimus advenire
   ...   865
per ipsum ceteris ad REGNUM tuum pateret introitus...   4169
ut spiritu sancto renatos REGNUM tuum tribuas introire...   2334
Adveniat REGNUM tuum.   865
et in ovium tibi placitarum benedictione numerentur ad REGNUM.   3915
Quod ipse praestare dignetur cuius REGNUM.   275, 338, 339, 341, 347, 722,
   853, 1002, 1268, 1903, 2243, 2249, 2258
Ds, regnorum omnium REGNUMQUE dominantur...   1247
... REGNUMQUE domini salvatoris nondum consummato certamine palam solus
   aspiceret...   4185

           REGO
tuis REGANTUR aucta praesidiis.   2492
tu viscera REGAS, tu corda confirmes...   764
tuaque aeos piaetas per iustitia REGAT, per misericordia custodiat...
   326
 si qui REGAT subditus conmendatus...   561
mentem REGAT, vias diregat...   218, 319
et iter famulum tuum ill. inter vitae huius pericula tuo semper REGATUR
   auxilio.   1491
ut te largiante REGATUR in corpore...   2980
REGE dne corda plebis tuae per arma iustitiae...   3048
REGE (qs), dne, populum tuum, et gratiae tuae, (qs), in eo dona
   multiplica...   3049
REGE, dne, qs, tuorum corda fidelium...   3050
REGE aeam de superioribus tuis, et ubertatem...   3102
REGE nostras, dne, propitius voluntates...   3051
... Tribuas eis cathedram episcopalem (pontificalem) ad REGENDAM aeclesiam
   tuam...   818, 819, 820
ad gubernandum REGENDAMQUE aecclesiam fideliter...   2303
ut et REGENDI oboedientes, et probabiles possint esse rectores.   2281
ut famulo tuo ill. cui concessisti REGENDI populi curam...   3913
Sit nobis REGENDI qualem iosuae in castris...   924
ut cum pontifices summos REGENDIS populis (populus) praefecisses...
   1348, 1349, 1350
Ds qui nos REGENDO conservas parcendo iustificas...   1128
ut haec piae devotionis obsequia et rectores sanctificent et REGENDOS.
   1353a
ad REGENDUM populum sanctum dei.   2512, 2515
et ad REGENDUM secundum tuam voluntatem populum idoneum reddat...   1686
ut quod nostrum est REGENDUM servitio tuo impleatur auxilium.   113

cernens et REGENS cuncta... 2475
si per rationabilem regulam praesidendi populus tuus et numero cura
  REGENTIUM... 4172
aecclesia... quam pacificare custodire adunare et REGERE digneris...
  3464
VD. Qui sempiterno consilio non (desinis) (des in his) REGERE, quod
  creasti... 4022
quorum REGIMUR principatu. 211, 287
qui regna REGIS et regnas in secula seculorum. 395
qui REGIS gentes, exaltas reges... 395
Ds, cuius spiritu totum corpus aecclesiae multiplicatur et REGITUR
  conserva... 801
O. s. ds, cuius spiritu totum corpus ecclesiae sanctificatur et REGITUR
  exaudi nos... 2323
Ds, sub cuius imperio nihil non verbo REGITUR nihil non oratione mutatur
  ... 1252
a quos sancta REGITUR vel gobernaretur aecclesia... 3501
VD. Cuius et potentia sunt creata et providentia REGUNTUR universa
  ideoque hac... 3641
Ds... et cuius nutu REGUNTUR universa qui etiam... 742

       REGRESSUS
tuum munere de perdiccionis se iam senciat longinquitatem (longinquitate)
  REGRESSUM... 2297
... Ille qui REGRESSUS ab inferis, humano generi serenus inluxit... 3791

       REGULA
et illam perseveranter REGULAM custodire... 2741
si per rationabilem REGULAM praesidendi populus tuus et numero cura
  regentium... 4172

       REGULO
oves REGOLAS, intromissas introducas. 1366

       REINSTAURO
et in semitas eum iusticiae placatus REINSTAURA... 850a

       RELATIO
VD. Tu enim nos per evangelicae RELATIONIS exemplum... 4187

       RELATOR
Accipe et esto verbum dei RELATOR, habitaturus... 31

       RELAXO
... RELAXA nobis qui clemens adit misereris... 3736
peccata que nobis adversantur RELAXA, qui pluis... 3824
ac benedicendo peccata RELAXA, sanctique... 1845
O. s. ds, confitenti tibi huic famulo tuo pro tua pietate peccata RELAXA
  ut non plus... 2313
sic fatentibus RELAXARE delictum... 670
et praeteritorum criminum debita RELAXARE digneris... 2837
sic doces illorum iugiter RELAXARE qui nobis adversantur... 3981
quem immolando totius mundi tribuisti RELAXARI delicta. 190
concede, ut quae nobis poscimus RELAXARI ipsi quoque... 2026
per quod totius mundi voluisti RELAXARI peccata... 3145
et reis non tantum poenam (poenas) RELAXAS, sed donas (dona) et praemia.
  3962a
etiam nostris offensionibus RELAXATIS, expectata... 3824
et peccatum quod mundus commiserat RELAXAVIT... 3867, 3868

nisi prius nos in nobis delinquentibus aliis RELAXEMUS... 1791
ut offensae nostrae per eos qui in conspectu tuo digni RELAXENTUR. 1273
ut offensae nostrae per eos qui tibi sunt placiti RELAXENTUR. 1274

RELEVO

contritum RELEVA, invalidum robora... 3081, 3082
... RELEVA quem perducas ad baptismi sacramenti... 3463
... RELEVA quem redemere gloriaris... 1931
qui nobis ad RELEVANDOS istius vitae labores... 4131
Concede, qs, dne, morum nos correctione RELEVARI... 464
ut interius exteriusque RELEVATI et pia tibi devotione... 691
ut tua protectione RELEVATI, et pia tibi devotione conplaceant... 692
et benedictione sanctorum et securitatis munere RELEVATI. 3077
et temporali securitate RELEVEMUR... 199
ut omni tempore in hoc loco supplicantes tibi familiae tuae auxilietates
    RELEVES... 866
in infirmitate RELEVIT, in anxiaetate laetificit... 360
suffragio RELEVETUR optato. 1566

RELIGIO

quibus te laetari RELEGIO christiana non ambigit. 861
per corum doctrinam fides chatolica et RELEGIO christiana subsistit...
    3281
ut et securitatem tribuat recte curata RELIGIO et sacris... 4192
ut remoto terrore bellorum et libertas securae RELIGIO sit quieta. 1070
ut aeclesia tua iugiter et RELIGIONE crescat et pace. 1305
ut semper felices semperque tua RELEGIONE laetantes constanter... 1249
ut semper in tua RELEGIONE laetantes instanter... 1718, 1720
quia nihil in vera RELEGIONE manere censitur. 3906, 3908a
... Et sicut nihil in vera RELIGIONE manere dinoscitur quod non eius
    condierit disciplina... 3703
ut quodquod hic oblatum sacrum fuaerit nomini tuo adsurgat RELEGIONE
    proficiat... 871
Concede, dne, populo tuo veniam peccatorum et RELIGIONIS aumentum adque
    ut ei... 428
ut et nobis RELEGIONIS augmentum (augmento) quae sunt bona nutrias...
    1259
ut et securitatem nobis temporum tribuas et RELIGIONIS aumentum quo
    magnum... 4137
quibus concesseris RELIGIONIS aumentum. 85
crescamus etiam RELIGIONIS aumentum. 2324
Da nobis, qs, dne, firmitatem RELIGIONIS et pacis... 616
aumentum nobis tribue RELIGIONIS et pacis. 2276
per quos sumpsit RELIGIONIS exordium. 1023, 2402, 2403
haec cognitio RELEGIONIS, haec initio sanctitatis... 1508
cui in tuo sancto nomine habitum sacre RELIGIONIS inponimus... 97
qui (habitum) (sanctum) RELIGIONIS in eum perpetuum custodiat a mundi
    impedimento... 2503, 2761
tribuisti totius RELIGIONIS initium perfectionemque constare... 2407
doctrina RELEGIONIS instituat... 3281
et RELIGIONIS integritas, et Romani nominis securitas reparata consistat.
    245
et securitas nobis optata (profutura) proveniat, et RELIGIONIS integritas.
    2285
et in RELIGIONIS integritate persistat. 1680
nec sub specie RELIGIONIS sacros inpugnare patiaris effectus... 3808
per quos RELIGIONIS sumpsit exordium. 1006

substantiam spiritu vere perficis RELIGIONIS unitam.   3778
moribus clarum, RELEGIONUM probo...   3281

RELIGIOSUS
et RELIGIOSA conversatione proficiens...   1984
qui RELEGIOSA corda hac devotio tibi optat servire.   3736
Et praesentem vitam cum honestate et RELEGIOSA dilectione...   397
humana fabulatio RELEGIOSA excolat affectu...   4216
VD. Quia conpetenter atque salubriter RELIGIOSA sunt nobis instituta
   ieiunia...   4039
obsequio RELIGIOSAE devotionis offerimus...   861
per quos sumpsit RELEGIOSI exordium.   1023
... Et pro eorum solemni recordatione ecclesia RELIGIOSIS exultat
   officiis.   3857
Et sicut benedixisti vestes omnium RE(LI)GIOSORUM tibi per omnia
   placentiam...   1538
et nostras actiones RELIGIOSUS exornet effectus...   3679

RELIGO
reus, RELIGATUS catenae, signus poenas suscepturus...   1547

RELINQUO
et RELICTIS idolis suis convertantur ad deum verum...   2518, 2519
... RELICTIS retibus suis, quorum usu actuque vivebat...   3907
sed apostolorum RELICTO consortio...   3868
nec RELINQUAMUR nostris excessibus...   4211
... Non nostris sensibus RELINQUAMUR sed ad tuae...   4210
ne forte sine ac ordines ratione vel causa stuporem vobis in mentibus
   RELINQUAMUS...   203
Sumpti sacrificii, dne, perpetua nos (tuitio) (tui conditionem) non
   RELINQUAT et noxia...   3343
Gratia tua nos, qs, dne, (dne qs) non RELINQUAT quae et sacrae...   1657
et maiestatis suae beneficiis non RELINQUAT.   3811
nulla insidiantibus malis latendi licencia RELINQUATUR sed venientibus...
   838, 1240
id in homine tantum quod ante factum est, RELINQUATUR.   3191
... Inventum venisti, inventum exi. Integra RELINQUE.   3563
et RELINQUENTES noxiarum hydriam cupiditatum...   3872
hac simul pietatis imitationem nobis et praesidium RELINQUENTES.   4075
Ds qui nobis... praecepisti temporalia RELINQUERE atque ad aeterna
   (aeternam) festinare...   1084, 1089
VD. Qui nos per paschale mysterium edocuit vetustatem vitae RELINQUERE
   et in novitate...   3976
ut exemplum innocentiae mundo RELINQUERET...   3867, 3868
hinc fragilitatem nostram confidimus non RELINQUI...   1940
paenitentis etiam sub ipso vitae huius terminum non RELINQUIS...   858
ut hunc famulum tuum ad sancta tua quae RELIQUERAT atria revertentem...
   2297
... RELIQUID patriam in tuis praedicatoribus sequendo...   3616
ita nunc excusabilem conscientiam non RELINQUIT quae salutaris...   4115
nutantem fluctibus navem RELIQUID ut in aeclesiaticae...   3610
firmitatem tuae fidaei non RELIQUIT.   3684, 3685
quos tuae providentiae constitutis apostolica praesidia non RELINQUUNT.
   2985

RELIQUIAE
ut si quae illis adversantium spirituum (maculae) inherere RELIQUIAE ad
   tactum...   838, 839, 1240

non solum·ubi venerabiles eius RELIQUIAE conquiescunt...   4037
ut quorum hic RELIQUIAE pio amore complectimur...   985
quoniam illa feria illo loco RELIQUIAE sunt sancti illius martyris
    conlocandae...   1286
ut fidelium votis eorum praeclaris RELIQUIIS conlocatis...   1286

RELIQUUS

Ut cum presens vasculum, sicut RELIQUA altaris vasa...   2378
quae RELIQUAM spiritalem superat dignitatem...   2307
ut inter RELIQUAS feminas tua cognuscatur dicata.   1298

REMANEO

VD. Illa quippe festa REMANEANT quibus nostri mortalitati...   4088
ut nulla in eum ultra cicatricum signa REMANEANT.   724
adque ideo in nulla REMANEAT diaboli portione...   4189
Nihil in his ulterius de ostis amari veneno REMANEAT, quos tuae...   2298
ne aliquo potritum in sacrario REMANEAT.   4228, 4231
aeis dem infecunditatem inter hominis obprobrium REMANERIT, et tamquam...
    3918

REMEDIUM

Ds, qui solempnitate paschali caelestia mundo REMEDIA benignus operaris...
    1211
per ea quae sumpsimus aeterna REMEDIA capiamus.   254, 3242
et praesentia pietatis tuae REMEDIA capiat et futura...   1293
Da nobis, omnipotens ds, REMEDIA condicionis humanae...   603
et praesentis vitae nobis REMEDIA conferant et futurae.   3212
et praesentis nobis vitae REMEDIA conferat...   2760
Ds qui sollemnitate paschali mundo REMEDIA contulisti...   1212
Ds, qui paschalia (paschale) nobis REMEDIA contulisti...   1146
ad REMEDIA correctionis utamur.   1283
... Qui ieiuniis orationibus et elemosinis, peccatorum REMEDIA et
    virtutum...   3807
ut eadem REMEDIA fieri nostra praestares.   3477
Ds... qui peccatorum REMIDIA ieiuniis orationibus et aelymosinis
    demonstrasti...   873
et ad REMEDIA iugiter aeterna proficiant.   66
pietatis (pietate) tuae REMEDIA maiora percipiant.   1524
venerationemque sanctorum nobis REMEDIA mirabiliter operaris...   3990
Sanctificationibus tuis... et REMEDIA nobis aeterna (sempiterna)
    proveniant.   3224
Sumpsimus dne corporis et sanguinis devotionis REMEDIA obsecrantes...
    3334
aelimosinatum semine posuisti nostrorum REMEDIA peccatorum concide nos
    ...   2418
nos docuisti nostrorum consequi REMEDIA peccatorum unde tuam...   3939
ieiunia quae nos... et ad REMEDIA perducant aeterna.   2185
ut et temporalis vitae nobis REMEDIA praeveant et aeternae.   3333
et indulgentiam nobis referat, et REMEDIA procuret aeterna.   2197
et nos expiari, et tua nos confidimus REMEDIA promereri.   3146
ad benefacienda REMEDIA providia (providi)...   296
ne perire patiaris, quibus tanta REMEDIA providisti et conlata...   3803
quibus tanta REMEDIA providisti tribuas...   3623
quibus nostrae substanciae sempiternae REMEDIA providisti.   821
ut salutis aeternae REMEDIA quae te aspirante requirimus...   3548
et REMEDIA salutis aeternae isdem patrocinantibus adsequantur.   368
ut REMEDIA salutis aeternae, quae te miserante percipit...   4240

Ds, qui REMEDIA salutis humanae in praesentis mysterii sollemnitate
  posuisti... 1191
et REMEDIA sempiterna concede. 270, 3238
pietatis tuae REMEDIA sine cessatione percipiat. 1999
... REMEDIA tuae propitiationis exsequere... 933
ut et collata nobis REMEDIA tuearis, et conferenda perficias. 2153
O. s. ds. qui contulisti fidelibus tuis REMEDIA vitae post mortem...
  2382
et caelestis REMEDII faciat esse consortes. 1700
agentes gratias et de REMEDII largitate et de provisione suffragii. 1941
qui tanti REMEDII (REMEDIAE) participatione munimur. 3296, 3301
ut in utroque salvati de caelestis REMEDII plenitudine (plenitudinem)
  gloriemur. 3277
de caelestibus REMEDII plenitudine gloriaetur. 2943
Sumptum dne caelestis REMEDII sacramentum... 3351
REMEDII sempiterni munera, dne, laetantes offerimus... 3052
Ds, qui humani generis et salutis REMEDII vitae aeternae munera contulisti
  ... 1015
Paschalibus nobis, qs, dne, REMEDIIS dignanter inpende... 2538
cuius REMEDIIS dignaris absolvere peccatores. 1838
et caelestibus REMEDIIS faciat esse consortes. 1700
et praesentis vitae REMEDIIS gaudeant (et futurae) (adfuisse). 2606,
  3322
concede REMEDIIS gaudere perpetuis. 1310
Ds, qui nos gloriosis REMEDIIS in terris adhuc positus... 1117
ut qui paschalibus REMEDIIS innovati... similitudinem terraeni parentis
  evasimus... 1581
ut salutaribus REMEDIIS pietatis tuae corpora nostra et membra vegitentur
  ... 1361
Misericordiae tuae REMEDIIS, qs, dne, fragilitas nostra subsistat...
  2100, 2101
Sumtis, dne, REMEDIIS sempiternis tuorum mundentur corda fidelium...
  3345
ad cuius nos substantiam paschalibus REMEDIIS transtulisti. 501
nos quoque delictis omnibus expiati REMEDIIS tuae pietatis aptemur...
  4133
aecclesiae tuae similibus adesto REMEDIIS ut de gravioribus... 765
concede, qs, ut tuo potius munere tuis aptemur REMEDIIS. 1208
perpetuis tribuae gaudire REMEDIIS. 518
paradiso eiectus forciores ieiunii REMEDIO ad antiquam patriam (antiquae
  patriae)... 3787
Ds qui paschalem nobis REMEDIO contullisti... 1146
ut REMEDIO nobis perpetuae salutis operentur. 2851
et operacionis suae REMEDIO nos perficiat esse placatus. 3526
caelesti REMEDIO plenitudinem gloriaetur. 2943
ut temporalis vitae nobis REMEDIO praeveniant et aeterna (aeternae).
  3333
ut hoc REMEDIO singulari et ab omnium peccatorum nos contagione purifices
  ... 3172
et occultis cordis nostri REMEDIO tuae clarifica pietatis... 2063
poscat nobis ab aeo sempiterno REMEDIO. 268
habundantia REMEDIORUM faciat comsolatus. 1245
simulque nobis temporalem REMEDIUM conferant et aeternum. 3528
ad perfectum REMEDIUM consequendum... 2268
Ds qui paschale nobis REMEDIUM contulisti... 1146

dona que de tua largitatem (largitate) nobis ad REMEDIUM deducta sunt...
   332
et praesens nobis REMEDIUM esse facias et futurum.   2970
Ds qui humano generi et salutis REMEDIUM et aeternae vitae munera
   contulisti...   1020
Concede credentibus, m. ds, salvum nobis de Christi passione REMEDIUM
   et humanae...   426
ut tandem aliquando confugeremus ad lamenta et penitentiae REMEDIUM et
   mens humana...   3837
in nostrum transire REMEDIUM gratulemur.   1580
et REMEDIUM inmortalitatis operentur.   2230
qui praestas etiam per ipsa flagella REMEDIUM nec haec tua...   2534
et REMEDIUM nobis inmortalitatis operentur.   2230
ut REMEDIUM nobis perpetuae salutis operentur.   2851
... REMEDIUM non habemus...   2551
Praesta dne tuum salubrem REMEDIUM per sanctam benedictionem tuam...
   2676
per cuius conmemorationem REMEDIUM postulat...   3662
que nobis ad REMEDIUM prolata christus filius dei benedicat.   282
sed ad REMEDIUM propitiationis inmensae.   1447
sed de ipsa etiam mortalitate (mortalitatem) nostra nobis REMEDIUM
   provideris...   3593
quod fidelibus tuis ad REMEDIUM providisti.   384
ut sit REMEDIUM salutari generis humani...   301
et REMEDIUM sempiternum valeamus adquirere.   2233
unigeniti corpus et sanguis fiat REMEDIUM sempiternum.   2120
et de munere temporali fiat REMEDIUM sempiternum.   3020
ita fieri tribuas REMEDIUM sempiternum.   2234
ut sit REMEDIUM singulare genere humano...   3120
ut quod praenuntiatum est ad supplicium, in REMEDIUM trasferatur aeternum.
   817
Plenum, qs, dne, in nobis REMEDIUM tuae miseracionis operare...   2603
quibus fuit unicum, quod te humiliasti, REMEDIUM.   1219
et de munera temporali fiat nobis REMEDIUM.   3020
et quae venturum esse praedixit, poscat nobis ab eo sempiternum REMEDIUM.
   268

            REMEO
atque hominem REMEANS invidia inimici deiectum mirantibus intulit astris
   ...   3596
vel ad te per tuam gratiam REMEANS non solum ius...   4054
... Parte ore legere flosculos, oneratis victualibus suis, ad castra
   REMEANT...   3791
quod anni cursu REMEANTE...   2492
cum omni gaudio ad nos quantotius facias REMEARE.   1716

            REMINISCOR
REMINISCERE miserationum tuarum, (dne)...   1363, 2320, 3053
Ne frustra a patribus REMINISCIMUR institutum...   3021

            REMISSIO
peccatorum REMISSIO et carnis resurrectio perducitur.   1706
Huius mihi dne sacramenti perceptio sit peccatorum REMISSIO et tuae
   pietatis...   3893
nisi per te omnium peccatorum tribuatur REMISSIO non ergo eum...   2181
quia ipse est REMISSIO omnium peccatorum.   2088
nunc tamen et largitor est per indulgentiam REMISSIO peccatorum...
   58

quia ipse est (omnium) REMISSIO peccatorum.   2088
et peccatorum omnium exoptata REMISSIO.   236
reconciliatus est mundus peccatorum REMISSIONE cunctorum...   4133
ut omnium peccatis tua REMISSIONE deletis...   761
iublilei REMISSIONE ditati...   2242
solus omnium sacerdotum peccati REMISSIONE non eguit...   4019
ut per accepta REMISSIONE omnium peccatorum senceram...   922
quique dedisti ei REMISSIONE omnium peccatorum tu dne...   869
qui ex eo ungeri habent in REMISSIONE omnium peccatorum ut efficiatur...   1537
qui pro vobis et pro multis effundetur in REMISSIONE peccatorum haec quotienscumque...   3014
atque huic domui in REMISSIONE peccatorum in sanitate mentis...   1545
fiat templum dei vivi in REMISSIONE peccatorum per dominum...   1531
ut famulo tuo illo... REMISSIONE peccatorum tribuas...   3662
Confiteor unum baptisma in REMISSIONE peccatorum.   555
et de suorum laetetur REMISSIONE peccatorum.   3590
ut REMISSIONE percepta in tua semper benedictione laetemur.   2871
ut miserationum REMISSIONE percepta semper in tua...   843
in unitatem corporis aecclesiae tuae membrum perfecta REMISSIONE restitue
    ...   859
et omnes grados famulatus nostri perfecta delictorum REMISSIONE
    sanctifica...   967
sitis de nostrorum criminum REMESSIONE sulliciti.   3454
ut in quo peccatorum REMISSIONEM accipitis...   1706, 1707
ut omnium delictorum nostrorum REMISSIONEM consequi mereamur...   1723
... REMISSIONEM cunctorum tribuae peccatorum...   1629, 2806, 2949, 3008
perveniatis ad peccatorum omnium REMISSIONEM et ad gloriosam...   347
et peccatorum REMISSIONEM et sanctorum mereamur adipisci consortium.
    3748
qui ad destructionem diaboli et REMISSIONEM natus est hodie peccatorum...
    462
tribuens ei REMISSIONEM omnium peccatorum atque caelestium...   2465
... REMISSIONEM omnium peccatorum digni inveniantur in Christo...   2513
quique dedisti eis REMISSIONEM omnium peccatorum emitte in eos...   2445
per aquam regenerationis in REMISSIONEM omnium peccatorum in nomine...
    2174, 2177
hic famulus domini fiat templum dei vivi, in REMISSIONEM omnium
    peccatorum in nomine...   1530
ut percepta REMISSIONEM omnium peccatorum in sacramentis...   922, 923
quique dedit tibi REMISSIONEM omnium peccatorum ipse te linit...   870
ut consequi mereatur REMISSIONEM omnium peccatorum qs dne placatus...
    1732
tribuens eis REMISSIONEM omnium peccatorum qs dne ut placatus accipias.
    1774
tribuens eis REMISSIONEM omnium peccatorum qs placatus accipias...   1752
ut REMISSIONEM omnium peccatorum suorum consequi mereatur...   1767
quique dedisti ei REMISSIONEM omnium peccatorum tribuae ei...   2446
quique dedisti eis REMISSIONEM omnium peccatorum tu dne inmitte...   867
in REMISSIONEM omnium peccatorum, ut efficiatur in eis cor porum...   1536
tribuens eis REMISSIONEM omnium peccatorum ut invenires...   1773
et spiritus sanctus habitit in aeo, in REMISSIONEM omnium peccatorum.
    1533
Credis... REMISSIONEM peccatorum, carnis resurrectio ?   552, 3019
... Credis... sanctae aecclesia, REMISSIONEM peccatorum carnis
    resurrectionem...   551

ad dandam scientiam salutis populo tuo in REMISSIONEM peccatorum eorum...
   3763
et ad REMISSIONEM peccatorum mortalibus conferendam...   3774
... Confiteor unum baptisma in REMISSIONEM peccatorum spero...   554
ut famulo tuo illo... REMISSIONEM peccatorum tribuas...   3660, 3662
qui pro vobis et pro multis effunditur in REMISSIONEM peccatorum.   3014
et REMISSIONEM percepta, in tua semper benedictionae laetemur.   2871
ut anima famuli tui ill. REMISSIONEM quam semper optavit mereatur
   percipere peccatorum.   189
et REMISSIONEM sibi omnium peccatorum suorum exaudi...   859
famulum tuum REMISSIONEM sibi omnium peccatorum tota cordis confessione
   (confessionem) poscentem...   858
et anime famuli tui illius REMISSIONEM tribuae omnium peccatorum...   1910
eique depraecantibus sanctis tuis REMISSIONEM tribue peccatorum presta
   vitae...   1423
Animae famuli tui, qs, dne... REMISSIONEM tribue peccatorum ut devotio...
   177
famulo tuo cunctorum REMISSIONEM tribue peccatorum ut quam semper...
   1628
et peccatorum nostrorum REMISSIONEM.   3892
quo per ministerii huius exhibitionem, peccatorum omnium percipiam
   REMISSIONEM.   1220
sed membrorum aeclesiae catholicae REMISSIONES tua clemencia reformetur...
   1007
ita cotidianis peccatorum REMISSIONIBUS indigemus...   3875
ad sacramentum REMISSIONIS adhymitte.   859
et praeteritorum criminum culpas venia (veniam) REMISSIONIS evacuas...
   859
sed aeclesiae membrum REMISSIONIS tuae benignitate reputetur.   825
... REMISSIONIS tuae misericordia deleantur.   3410
... REMISSIONIS tuae (nos) venia prosequaris.   2705

          REMISSOR
Inspice... vultu potius REMISSORIS quam iudices.   3048

          REMITTO
ipsi quoque proximis (propriis) REMITTAMUS.   2026
... REMITTAT omnes lubricae temeritatis offensas...   2583
praeterita, praesentia, in quibus offendunt, aeis REMITTE peccata et
   gratia...   3736
sana vulnera (eiusquae) REMITTE peccata ut nullis...   68, 108
et cum delicta REMITTIT indignis...   3284

          REMOVEO
tranquillitatem nobis misericordiae tuae REMOTIS largire terroribus...
   1144
Dne ds o. qui, REMOTIS noctibus, tenebras... inluxit...   1316
REMOTIS obumbrationibus carnalium victimarum...   3054
excitatos de REMOTIS partibus magos...   4058
... REMOTIS sacrificiis carnalium victimarum...   3985
VD. Qui oblatione sui corporis REMOTIS sacrificiorum carnalium
   observationibus...   3986
ut REMOTO terrore bellorum et libertas securae religio sit quieta.   1070
tranquillitatem nobis misericordiae tuae REMOTUS largire terroribus...
   1144
Tu, dne, semper a nobis omnem REMOVE pratitatem...   3502
omnes propitiatus a nobis REMOVE pravitates...   2816
si quid dubium, REMOVE ut inluminati...   1316

Sicut qui invitatus renuit, quaesitus refugit, sacris est altaribus
   REMOVENDUS...   3290
ut cum vanae superstitionis ipsos quoque REMOVERIS sectatores...   4138

          REMUNERATIO
Exaudi praecis supplicum, REMUNERATIO gentium...   1509
et qui tibi iugiter famulantur, continua REMUNERACIONE ditentum (ditentur).
   90
ut omnes... spiritali REMUNERATIONE ditentur.   970
ut qui de vestrorum meritorum estes REMUNERATIONE securi...   3454
qualiter ad aeternam REMUNERATIONEM pervenire mereatur.   2342
et illis praemia REMUNERATIONIS adquirat.   296, 297
sed cum magnus dies ille resurrectionis et REMUNERATIONIS advenerit...
   3462
sed potius exsequentibus conpetenter fiat causa REMUNERATIONIS aeternae.
   4166
ut accepto a patrefamilias REMUNERATIONIS denario...   347
Ds qui presentem diem future REMONERATIONIS munere figurasti.   1173
et vestrae REMUNERATIONIS praemia, ipsius fulti munimine veniatis.   343

          REMUNERATOR
Ds, fidelium REMUNERATOR animarum, praesta, ut...   814
et pius REMUNERATOR appare...   1331
Ds incrementorum et profectuum spiritalium REMUNERATOR qui virtute...
   839

          REMUNERO
sed in gloria REMUNERANDUS adsumat.   1375
qui, te REMUNERANTE, fideli (felice) servitio pervenerunt ad palmam
   (corone).   908, 1176
Ut aeo intercedente et te REMUNERANTE illuc grex...   913
Ut ipso interveniente, hac te REMUNERANTE, illuc luce...   546
et in aeterna beatitudine, te REMUNERANTE, mereantur accipere premium.
   1334
filius, te REMUNERANTE, percepit a caelo.   842
Ut septinente et te REMUNERENTE perveniat...   1230
Ut se obtinente et te REMUNERANTE perveniebat...   1230
ut adquirat, te REMUNERANTE, quod indiget.   920
et devotorum munus et REMUNERANTIS est praemium.   3054
Ds qui vigilantes in laudibus tuis caelesti mercede REMUNERAS...   1238
et crucis stigmata preferentem REMUNERASTI...   4149
quo pastur qui ianitor tecum REMUNERATUS exultet in gloria.   913

          RENASCOR
ut a terrena (ad, a terrenis) generati ad caelestia RENASCAMUR.   3968,
   4203, 4204
ut ad terrena generati ad caelestia RENASCANTUR.   4203
et mortiferis delectis RENASCATUR ac reviviscat...   2818
ut sanus tibi in aeclesia gratia baptismatis RENASCATUR facturus...   3463
in vera innocentia nova infantia (vere innocentiae novam infantiam)
   RENASCATUR per dominum...   720, 1045, 1046
non patiaris exules fieri RENASCENTE conmisso.   1073
Ds qui RENASCENTTES baptismate mortem adimis...   1192
O. s. ds, respice propitius ad devocionem populi RENASCENTIS qui sicut...
   2464
lavagro baptismatis RENASCENTIS sicut sancti...   1953
et cupiosior per gratiam adsumptio RENASCENTUM augemur...   58

Ds, qui multiplicas sobolem (ecclesiam tuam in subole) RENASCENTUM fac
  eos gaudere...   1074, 1075
ad spem vitae aeternae ex aqua et spiritu sancto RENASCEREMUR...   3836
et per gratiam piaetatis tuae aquae fontem beati RENASCIMUR, dignare
  dne...   1366
quibus ecclesia tua mirabiliter RENASCITUR et nutritur.   3137
Dum aenim occiditur christus, cuncta RENATA sunt...   3661
in novam RENATAM creaturam progenies caelestis emergat...   1045, 1047
Da plebi tuae ad caelestem gloriam et ad inmortalitatem honorem RENATI,
  dignum...   947
ut RENATI fonte baptismatis adoptionis tuae filiis adgregentur.   2384
ut sit his qui RENATI fuerint ex aqua et spiritu sancto chrisma salutis...
  3945
qui salutari fonte sunt RENATI, peccati...   920
ut qui sacramento baptismatis sunt RENATI regni caelestis...   937
Ut quicumque sunt ex aqua et spiritu sancto RENATI, semper...   1327
Quo eorum qui modo RENATI sunt innocentiam imitari certetis...   948
ut (in) mysteriis quibus RENATI sunt permanentes...   643, 3733, 3817
corda eorum qui per gratiam tuam RENATI sunt sancti spiritus...   2752
Ds qui RENATIS aqua et spiritu sancto caelestis regni pandis introitum...
  1194
Ds, qui RENATIS baptismate mortem adimis et vitam tribuis sempiternam...
  1192
ut in Christo RENATIS et aeternam (aeterna) tribuatur hereditas et vera
  libertas.   878
Ds qui RENATIS ex aqua et spiritu sancto caelestis regni...   1194
Ds, qui ad caeleste regnum nonnisi RENATIS ex aqua et spiritu sancto
  pandis introitum...   891
Ds, qui RENATIS fonte baptismatis delictorum indulgentia tribuisti...
  1193
da ut RENATIS fonte baptismatis, una sit fides...   964
hanc RENATIS in Christo concede custodiam...   935
Ds, qui caelestis regni nonnisi RENATIS pandis introitum...   919
Ds, qui RENATIS per aquam (aqua) et spiritu sancto caelestis regni pandis
  introitum...   1194
Ds, qui ad caeleste regnum non nisi RENATIS per aquam et spiritum
  sanctum pandis introitum...   890
ne RENATO lavacro salutari mors secunda possedeat.   822
quas et pro RENATORUM expiatione peccati deferimus...   1802
Instar modo RENATORUM infantium talem innocentiam habeatis...   345
Suscipe, qs, dne, et plebis tuae et tuorum hostias RENATORUM ut et
  confessione...   3437
ut his sacris altaribus vitales escas perpetua vite conferat RENATORUM.
  3596
ut qui regenerantibus aquis gaudeant RENATOS gaudeant...   1324
Ds, qui omnes in Christo RENATOS genus regnum (regium) et sacerdotale
  fecisti...   1142
ut spiritu sancto RENATOS regnum tuum tribuas introire (tribuas)...
  2333, 2334
ut paternae protectionis auxilio et regenerandos munias et RENATOS.
  944
ne RENATUM lavacro salutari mors secunda possedeat.   822, 823
ut RENATUS ex aqua et spiritu sancto...   1359

RENOVATIO
ut (et) RENOVATIONEM (RENOVATIONE) condicionis humanae que (quam mistrio
   continet...   1284

RENOVO
et RENOVA caelestibus sacramentis...   2938
... RENOVA in eo, piissime pater, quicquid terrena fragilitate corruptum
   est...   859
... RENOVA in eum, piissime pater, quod actione, quod verbo... viciatum
   est...   858
et conversacione tibi placeat et secura deserviat (RENOVA sempiternis).
   3559
et temporalibus adtolle praesidiis, et RENOVA sempiternis.   3559
... Et David dicit de persona Christi : RENOVABITUR sicut aquilae
   iuventus tua...   1953
ut spiritalis lavacri baptismum (baptismo) RENOVANDIS creaturam
   chrismatis...   3627
Sancta tua nos... et RENOVANDO vivificent.   3182
auge populos in tui nominis sanctificatione RENOVANDOS...   1326
VD. Quia vetustate distructa RENOVANTUR universa deiecta...   4078
et quam (quem, quia) aeternis dignatus (dignanter) es RENOVARE misteriis
   ...   398, 3117
inveterata RENOVARI et ad culmen subacta reduci...   4042
Ds, qui nos ad imaginem tuam sacramenti (sacramentis) RENOVAS et
   praeceptis...   1094
Ds qui ineffabilibus mundum RENOVAS sacramentis...   1038
praesentium munerum et alimento (alimentum) vegetas et RENOVAS
   sacramento (sacramentum)...   1018
famulos tuos quos fonte RENOVASTI baptismatis...   1255
Populus tuus, qs, dne, RENOVATA semper exultet animae iuventute...   2618
spem resurrecciones (accepit) per RENOVATAM originis dignitatem
   (donavit, adsumpsit).   3712, 4118, 4119
ut corpore et mente RENOVATI in unitatem...   801
quatenus in octavo resurrectione RENOVATI iubilei...   2242
Sacri corporis et sanguinis praetiosi RENOBATI libamine...   3135
ut corpore et mente RENOVATI puram tibi animam...   2398
ut corpore et mente RENOVATI puram tibi exhibeant...   999
ut et confessione tui nominis et (ut) baptismate RENOVATI sempiternam...
   3415, 3437
RENOVATOS dne fontes ac spiritus tui potentia...   3056
RENOVATUR, dne, fontes ac spiritus...   3055
da ut quia in te RENOVATUS de hoc mundo migravit...   1026
Sancta tua... et vivificando (semper) RENOVENT et renovando vivificent.
   3182
ut sanctis edocti mysteriis et RENOVENTUR fonte baptismatis...   427
Illum (Ille) vos RENOVIT ad (ad) vetustate peccati...   335
... RENOVET et donis societ sempiternis.   3136
Haec nos oblatio, ds, mundet et RENOVET, gubernat (et gubernet) et
   protegat.   1702

RENUNTIATOR
... RENONTIATORES tibi a seculo tuo...   223
... RENUNTIATORIBUS tibi a saeculo tuo...   222

RENUNTIO
famulis tui RENUNTIANTIBUS saecularibus pompis...   2658
Ds, qui RENUNTIANTIBUS saeculo (saeculum) mansionem paras in caelo...   1195

ut devicto adversario cui (cuius) RENUNCIATIS...   1706, 1707
a diabolicis quibus RENUNTIAVIT laqueis abstinere...   651

RENUO
patriarcharum tuorum senibus insinuare non RENNUAS (sed) miserere...   404
ut quae tibi non placent RENNUENTES...   3934
Sicut qui invitatus RENUIT, quaesitus refugit, sacris est altaribus
   removendus...   3290

REPARATIO
ut fiat illis inluminatio mentis et REPARATIO cordis in perpetuum.   122
Sit nobis, dne, REPARATIO mentis et corporis caeleste (caelestis)
   mysterium...   3298
Ds, in cuius praecipuis mirabilibus (mirabilius) est humana REPARATIO
   solve opera...   831
post REPARATIONEM generis humani...   3996
ut sui REPARATIONIS affectum (effectum) et pia conversatione recenseat...
   474
VD. Quoniam magnificum nostrae commercium REPARATIONIS effulsit...   4093
Repleti substantia REPARATIONIS et vitae...   3075
ut REPARATIONIS nostrae collata subsidia... sectemur.   824
ut sacrosancta mysteria quae pro REPARATIONIS nostrae munimine contulisti
   ...   2970
et REPARATIONIS nostrae ventura sollemnia congruis (congruas) honoribus
   praecedamus.   3452
ut continua nostrae REPARATIONIS operatio perpetua nobis fiat causa
   laeticiae.   467
ut quos humiliavit adversitas, adtollat REPARATIONIS suae prosperitas.
   1086

REPARATOR
Ds qui humani generis REPARATOR et rector...   1014
Ds, generis institutor et REPARATOR humani...   816
Ds et REPARATOR innocentiae et amator...   810
tu qui es lignum vitae, paradisi REPARATOR omnibus intercedentibus...
   769
Ds vite dator et humanorum corporum REPARATOR qui te a peccatoribus...
   1263
Creator populi tui, ds, adque REPARATOR tuere supplices...   550
Da, nostrae summe conditionis REPARATOR, ut (et) semper...   630

REPARO
Haec que nos REPARANT qs dne beata misteria...   1704
VD. Ut, qui te auctore sumus conditi, te REPARANTE salvemur...   4211
viri condicione nunc in Christo REPARANTE victoriam...   4125
veraces paenitenciae satisfactione REPARANTUR...   2297
ut quos divinis REPARARE non desinis sacramentis...   2969
... Quippe qui fecisti quae non erant, potes REPARARE quae fuerant...
   3668
... REPARARE voluisti spiritalis gratiae aeterno suffragio (gratia
   aeterna suffragia)...   4129
inde vitam tua pietas inmensa REPARARET...   4032
inde vitam piaetas REPARARET inmensam.   3635
VD. Qui, ut ad id quod facta est, REPARARETUR humana condicio...   4033
Qui creasti tui beata passione nos REPARAS conserva in nobis...   3882
O. s. ds, qui ad aeternam vitam in Christi resurrectione nos REPARAS
   custodi opera...   2376

Ds qui nobis per singulos annos huius sancti templi tui consecrationis
 REPARAS diem... 1085
Ds qui humanam naturam supra prime (primi) originis REPARAS dignitatem...
 1012, 2400
Ds qui ad aeternam vitam in christi resurrectione (nos) REPARAS erige nos
 ... 887
Dne ds virtutum, qui, conlapsa REPARAS et reparata conservas... 1326
Ds, qui ad aeternam vitam in Christi resurreccione nos REPARAS imple...
 888
Ds, qui hominem ad imaginem tuam conditum in id REPARAS quod creasti...
 et... 1007
secundum divicias bonitatis in id REPARAS quod creasti... ut... 825
ita in verbo tuo per quod omnia facta sunt REPARAS ut eam non solum...
 758, 759
Et qui ad aeternam vitam in unigeniti sui resurrectione vos REPARAT...
 361
Dne ds virtutum, qui, conlapsa reparas et REPARATA conservas... 1326
et Romani nominis securitas REPARATA consistat. 245
Sacris REPARATI mysteriis suppliciter exoramus... 3169
cuius sumus carnali conmercio REPARATI. 917
ut REPARATO statu tibi subdite libertatis... 1140
et vitae nobis in Christo REPARATUR integritas. 4078
te (teque) REPARATUS auctore, te (etiam) iugiter salvetur. 103, 370
... Qui et nostram imaginem REPARAVIT et suam nobis... 3799
qui et nostram REPARAVIT imaginem... 3799
et vitam resurgendo REPARAVIT propterea profusis... 4159
quos lux caelestis gratia (gratiae) REPARAVIT. 2063
ascendendo ad patrem caelestia ianuas REPARAVIT. 4013
in novam (nova) nos immortalitatis suae lucem (luce) REPARAVIT. 4043
qui mortem nostram moriendo destruxit, et vitam resurgendo REPARAVIT.
 4161
ut cuius laetamur gustu, REPAREMUR effectu. 3173
ut ad omnia pietatis operare parcende REPAREMUR et quos venia... 3434
Haec, quae nos REPARENT, qs, dne, beata mysteria suo munere dignus
 efficiant. 1704
ut ope misericordiae tuae ad omnia pietatis tuae REPARENTUR officia.
 2377
REPARET nos, qs, dne, semper et innovet tuae providentiae pietatis...
 3057
Mentes nostras qs dne spiritus sanctus divinis REPARET sacramentis...
 2088
et quae per se prona est ad offensam, per te semper REPARETUR ad veniam.
 826
ut quae sua conditione atteritur tua clementia REPARETUR. 2100
gratia in eo pristine sanitatis perfecta REPARETUR. 1361
ut quae sui condicione defecit, tua vegetatione REPARETUR. 2101

   REPELLO
A plebe (domo) tua, qs, dne, spiritales nequiciae REPELLANTUR... 3
ut ab aecclesia tua quidquid est noxium tu REPELLAS, et quod aeisdem...
 3834
ut malis nostris offensus praesentes hostias non REPELLAS sed tibi nos...
 2182
qui cuncta adversa ab eo REPELLAT, et habundantia... 2289, 2294
quae diabolicas ab eodem REPELLAT insidias... 3587
tenebras (tenibra) ab ea REPELLAT, lumen infundat... 725

inimici insidiis longe REPELLAT, merencium...   169
inimici insidias longe REPELLAT.   169
ut quod nostris offensionibus promeremur, tua indulgentia REPELLATUR.
   2865
Hostem libidinis REPELLE a me... et castitatis...   219
quod anime meae est hobium REPELLE a me et prosperum...   1296
... Aperi ei portas iusticiae et REPELLE ab ea principes tenebrarum...
   3389
REPELLE dne ab hunc famulum tuum omnem infestationem inimici...   3058
REPELLE, dne, qs, a nobis sacrilegas voluntates...   3059
... REPELLE dne virtutem diaboli, fallacesque eius insidias amove...
   764
Cunctas dne semper a nobis iniquitatis REPELLE, et ad viam...   559
et ab aecclesiae tuae cuncta REPELLE nequitia.   213
et ab ecclesia tua cunctam REPELLE nequitiam.   213
et tocius noctis insidiis REPELLE propicius.   1857
Da in nobis quod amas, et misericors REPELLE quod odis.   4184
Cunctas dne semper a nobis iniquitates REPELLE ut ad viam...   559
Multiplicas, dne, incursos quas mundus ingerit tu REPELLE ut haec dona...
   2116
et totius noctis insidias tu REPELLE.   1857
omnemque nefariam REPELLENDAM adque exterminanda (exterminandam)...
   1540, 1541
ad REPELLENDAS tenebras cogitacionum iniquarum.   3561
sic que ultro ambit, vel inportunus se ingerit, est procul dubio
   REPELLENDUS...   3290
frangor aurarum turbam REPELLET adversantem...   2262
O. s. ds, qui etiam iudaicam perfidiam a tua misericordia non REPELLIS
   exaudi preces...   2389
penitentes etiam sub ipso vite huius terminum non REPELLIT, respice...
   858
cuius nobilitas singularis humanam REPULIT vetustatem.   1841
ut in hac nave famulis tuis, REPULSIS adversitatibus...   1224, 1225
... REPULSIS hinc fantasmaticis caliditatibus adque insidiis diabolicis...
   1314
Ut REPULSIS insidiis tibi serviant liberi...   1233

          REPENDO
ut bona pro malis REPENDERE tuo incitentur exemplo.   943
ut crebrior honor sacratissimae passioni REPENSUS...   3600

          REPENSO
centupli muneris praemia REPENSASTI...   4126
quo idem non tenebatur, exsolvens pro devitoribus REPENSAVIT...   3956

          REPENTE
et ille quondam Petrus pastor exiguus, REPENTE factus apostolus...   4055

          REPERIO
conservis civaria ministrantes tempore conpetenti dominico REPPERIAMUR
   adventu...   3796
et gratiam REPPERIANT sempiternam.   74
sed malitia innoxii REPPERIANTUR et parvuli...   3487
et inter pulsantes pulsans portas caelestis Hierusalem (apertas)
   REPPEREAT et inter videntes...   3391
universos REPERIAT sospites ac debitas exsolvat tuo nomine gratis.   897
per quod et noxia quaeque declinet, et optata REPPERIAT.   2599
et aeternae REPPERIRE subsidium.   1451

quia sicut in nobis nulla iusticia REPERITUR de qua praesumere valeamus...
    1459
quatenus dum per alterutrum pietatem se REPPERIUNT communes in singulis...
    3923, 3924

        REPETO
peccati maculam non REPETANT originalis excessu.   920
VD. Quoniam nobis enim Clementis hodie praeconia REPETENDA sunt...   3616
annua festa REPETENTE sacerdotalis exordii...   46
VD. Beati laurentii natalicia REPETENTES cui fidem...   3615
VD. Beati Laurenti annua vota REPETENTES qui dispensator...   3614
VD. Quia sanctorum tuorum sollemnia REPETENTES quorum veneranda...   4063
Ad gloriam, dne, tui nominis annua festa REPETENTES sacerdotalis exordii
    ...   46
Adesto nobis, o. ds, (beatae Agnes) (sanctae mariae) festa REPETENTIBUS...
    119
VD. Quoniam tanto iucunda sunt, dne, beati Laurenti... crebrius REPETITA
    solempnia...   4106
Protegat nos, dne, saepius beati Andreae apostoli REPETITA solempnitas...
    2923
beati marteris tui praeiecti in REPETITA solemnitate...   3748
Sancti Laurenti nos, dne, sollemnitas REPETITA tueatur...   3202
et oportuni temporis iteratu REPETITO, ad propria...   4008

        REPLEO
et perpetuis consolationibus tuorum REPLE corda fidelium...   691, 692
et REPLE eam donis tuis spiritalibus...   307
REPLE aeos tuae stientiae voluntatis ut...   1248
Manus aeorum REPLE muneribus tuis...   1961
... REPLE nos de tua misericordia... qui es benedictus...   3261, 3265
Propicius nos dne qs evacua malis tuisque REPLE per omnia bonis.   3741,
    4184
REPLEAMUR, dne, gratia muneris sacri...   3060
Annuae dne qs ut misteriis tuis iugiter REPLEAMUR et sanctorum...   185
omni benedictione caelesti et gratia REPLEAMUR : per Christum dominum
    nostrum.   3375
omne benedictione caelestae (omnem benedictionem caelesti) et gratia
    REPLEAMUR.   3375
Sacramenta... et spiritalibus nos REPLEANT alimentis.   3124
Praecepta, dne, sancta nos adiuvent et suis REPLEANT institutis.   2642
REPLEANTUR consolationibus tuis, dne, qs, tuorum corda fidelium...   3061,
    3062
tuorum potius REPLEANTUR dilectionibus (delectationibus) mandatorum...
    1424, 1425
Ad plebem tuam, qs, dne, spiritales nequitiae REPLEANTUR, et herearum...
    3
omnem benedictionem caelesti et gratia saturati, REPLEANTUR in nobis.
    1257
et animae... de tua semper caritate habundancia REPLEANTUR.   2371
ut animae... de tua semper habundantia REPLEANTUR.   1261
ut omnes ex aeo... percipientes benedictionibus REPLEANTUR.   2386
ut REPLEAS eorum cellaria cum fortitudine frumenti et vini...   1357
ut a fertilitate terrae aesurientium animas bonis affluentibus REPLEAS
    et aegenus...   2525
... REPLEAS eum spiritum timoris tui...   1339
vestrum suscipiat ieiunium, omneque vos REPLEAT bono.   357
REPLEAT corda vestra spiritalibus donis...   351

et benedictionum suarum REPLEAT dono.   2244
ut REPLEAT aeorum cellaria cum fortitudine frumenti et vini...   1357
internae pacis et bonae voluntatis vos nectare REPLEAT et caelestis...
   2254
ut tui Spiritus virtus et interiorum ora (interiora horum) REPLEAT et
   exteriora circumtegat...   819, 820
fidei spei et caritatis vos munere REPLEAT et suae in vos...   948
caritatis dono REPLEAT ut vos in omnibus sibi placere concedat.   2249
et REPLEAT vos spiritu veritatis et pacis.   722
tuorum propitius REPLEATUR dilectationibus mandatorum.   1425
Aeclesia tua, dne, caelesti (caelestis) gratia REPLEATUR et crescat...
   1385
REPLEATUR ille spiritu qui martyre adfuit cum torriret ignis...   3216
et qui maledixerint eis, malediccionibus REPLEATUR sint fideles...   820
vel a quolibet potatum, divine benedictionis tuae opolentiae REPLEATUR
   ut accipientibus...   1335
quia bonis omnibus hanc REPLEBIS, si tibi placere perfeceris.   240
et quicumque tua REPLENT altaria sacris...   3832
ut eodem nos REPLENTE studeamus amara quod amavit...   1516
quo possint REPLERI beneficiis sempiternis.   2260
faciat vos sua benedictione REPLERI et eiusdem spiritus...   1002
Quatenus virtutum oleo ita peccatorum vestrorum lampades possint REPLERI
   ut cum eis...   2264
Presta, qs, dne, spiritalibus gaudiis nos REPLERI ut quae actu...   2719
Talique intentione REPLERI valeatis, qua ei in perpetuum placeatis.   2117
et REPLES omnem animam benedictionem (omne animal benedictione)...   742
VD. Qui beatum augustinum... et scientiae documentis REPLESTI...   3878
diversitate tamen operis REPLET tuorum corda fidelium.   3751
et quotiens fuaerint tuis REPLETA donis...   1315
Multiplica dne in hanc aream frumenti tua dona REPLETA et sicut
   fidelibus...   2110
... Ut tuae caritatis spiritu REPLETI a terrenis...   3624
REPLETI alimonia caelesti et spiritali poculo recreati...   3063
REPLETI benedictione caelesti suppliciter imploramus...   3064
REPLETI cibo spiritali (spiritalis) alimoniae supplices te depraecamur...
   3065
REPLETI cibum potuque caelesti ds noster...   3040
ut REPLETI de frugibus tuis...   2364
REPLETI, dne, benedictione caelesti...   3067, 3068
REPLETI, dne, caelesti mysterio... et benedictionibus suffragantum...
   3069
REPLETI, dne, donis tuis in tuorum festivitate sanctorum...   3070
REPLETI, dne, muneribus sacris, da, qs...   3071
REPLETI, dne, munificentia gratiae tuae benedictione copiosa...   3072
REPLETI, dne, sacri muneris gratia (gratiam) supplices exoramus...   3073
ut REPLETI frugibus tuis de tua semper misericordia gloriemur.   2113,
   2114
REPLETI gustu gratiae tuae...   3074
Corporis sacri (sacris) et praetiosi sanguinis REPLETI libamine...   542,
   543
et pietatis tuae REPLETI muneribus in tua gracia...   2909
Tantis, dne, REPLETI muneribus, ut salutaria semper dona capiamus...
   3455
Quaesumus dne salutaribus REPLETI mysteriis...   2973, 2976
et REPLETI omnibus castitatem donis tuis desiderantes...   307
ut REPLETI omnibus donis tuis desiderantes ad te pervenire mereantur.   307

ut sufficiente pasto habitantes REPLETI semper tibi... 742
REPLETI substantia reparationis et vitae... 3075
REPLETI sumus, dne, donorum participationem caelestium... 3076
REPLETI sumus, dne, misericordia tua... 3077
REPLETI sumus, dne, munere solemnitatis optate... 3078
REPLETI sumus, dne, muneribus (tuis) (sacris) tribue... 3079
REPLETI sumus, dne, sacramentis et gaudiis... 3080
Mysteriis, dne, REPLETI sumus votis et gaudiis... 2167
tua redemptione sint digni, tua semper gratia sint REPLETI. 524
Qui sancti spiritus REPLETUS dono... 3766
VD. Qui spiritus sancti infusione REPLEVIT corda fidelium... 4029
matrem REPLEVIT gaudio... 910
spiritus... qui illius viscera splendore suae graciae veritatis
    (virtutes) REPLEVIT... 2203
beatae mariae viscera splendoribus suae virtutis REPLEVIT. 170

           REPORTO
boni pastoris humeris REPORTATUM in comitatu aeterni regis... 701
bonus pastoris humeris REPORTATUM, spiritum sanctum... 701
ut REPORTIT per hoc praemium quicquid intullerit votum... 3997
aeternarum dapium vobiscum aepulas REPORTETIS. Amen. 353
et aeternorum praemiorum vobiscum munera REPORTETIS. Amen. 1149
nihil REPOTETUR ad culpas... 825

           REPRAESENTO
... REPRAESENTA nos, qs dne, matutinis horis incolumes... 1665
aeclesiae tuae purificatum restituae ac tuo altario REPRAESENTA ut ad
    sacramentum... 1368
exaudi supplicis tuos et matutinis laudibus REPRAESENTA. 3483
aecclaesiae tuae sanctae REPRAESENTARE mereantur. 845
et sacris semper mysteriis REPRAESENTAS incolomes... 1085
tales ante te REPRESENTENTUR in iudicium... 1073
et aeum in beate resurrectionis REPRESENTIT, et in sinibus... 2484
ut eum in aeterna requie suscipiat et beatae resurrectione REPRAESENTET.
    201
ut universalis aecclesiae talis tibi REPRESENTETUR per baptismi gratiae
    ... 1059

           REPREHENSIO
sine REPREHENSIONE tibi mundo corde deserviens... 2303

           REPRIMO
qui adversae dominationis vires REPRIMIS... 848

           REPROBO
ut tuorum intercessione sanctorum non REPROBEMUR meritis... 239

           REPROBUS
ut mentium REPROBARUM non curemus obloquia (obloquium)... 2665, 2729
... De his sunt REPROBI circa fidem... 3879
nescientes, quod treduntur in REPROBUM sensum... 3653

           REPROMITTO
et suam nobis gratiam (gloriam) REPROMISIT iesus christus dominus noster.
    3799
ad dona pervenire mereamini quae idem iesus christus... REPROMISIT. Amen.
    2246
optatae quietis consequatur gaudia REPROMISSA. 746
... Per quae tua possimus adipisci subsidia, et pervenire ad praemia
    REPROMISSA. 4154

REPROPITIATORIUM
Singulare illud REPROPITIATURIUM quam se in altare... 3292

REPUTO
non solum nostrae REPUTANS devotioni quae tua sunt... 942
ad te pertinere non REPUTANS, quos vel dissimulare quae tua sunt... 3902
sicut famulus tuus ille pro suae animae requie REPUTAVIT... 672
nihil REPUTETUR ad culpam (culpa)... 825, 1007
sed aeclesiae membrum remissionis tuae benignitate REPUTETUR. 825

REQUIES
Hanc igitur oblationem quam tibi pro REQUIE animae famuli tui ill.
   offerimus... 1760
oblationem quem tibi pro REQUIE animarum famulorum famularumque tuarum
   offerimus... 1763
et sicut famolus tuus ill. pro suis animae REQUIAE depotavit... 672
Munera, qs, dne, quae tibi pro REQUIE et animabus... offerimus... 2136
Hanc igitur oblationem, quam tibi pro REQUIAE et animabus famulorum...
   1762, 1763
quam tibi... pro REQUIE famuli tui illi sacerdotis offerimus... 1740
et pro REQUIE famuli tui illi sacerdotis tibi suppliciter immolamus.
   3439
quam tibi offerimus, dne, pro tuorum REQUIE famulorum et famularum illi
   et illi... 1743
et vita REQUIAE noxia... 584
sicut famulus tuus ille pro suae animae REQUIE reputavit... 672
ut eum in aeterna REQUIE suscipiat et beatae resurrectione repraesentet.
   201
et beatae REQUIEI te donante coniunctus... 3470
ut in aeternum REQUIAE tecum dominatur admittas. 1162
... REQUIEM aeternam dona ei dne. 1886
et invenietis REQUIEM animabus vestris. 1446
et ad beatorum REQUIEM adque ad caelestia regna perveniat. 1171, 2541
in huius consummacionis REQUIEM beati apostoli tui illius et sanctorum
   martyrum... 672
ut anima famuli tui illius... indulgentiam pariter et REQUIEM capiat
   sempiternam. 2660
ut qui sanctae dei genetricis REQUIEM caelebramus... 430
uti eum dominus in REQUIEM collocare dignetur... 723
quam tibi pro REQUIEM et anima famuli tui illius offerimus... 1762
quam tibi pro REQUIEM et animabus famulorum famularumque tuarum
   offerimus... 1763
et da ei REQUIEM et regnum (id est) (in) Hierusalem caelestem (caelaeste)
   ... 3433
et pro REQUIEM famuli tui illius episcopi suppliciter immolamus. 2202
quia ad REQUIEM laboris nostri operum tuorum velamen ostendis... 3483
ut famulo tuo illo abbate atque sacerdote, quem in REQUIEM tuam vocare
   dignatus es... 2355
et ad beatorum REQUIEM usque ad caelestia regna perveniat. 2542
ut animam fratri nostri illius... REQUIES aeterna suscipiat... 2483,
   2484

REQUIESCO
REQUIESCAT in istis propitius qui condam requievit in apostolis gloriosus.
   1327
et REQUIESCAT super eum spiritus sapienciae et intellectus... 1339
ut usque ad resurrectionis diem in lucis amoenitate REQUIESCAT. 1910

in tuae redemptionis sorte REQUIESCAT.   2382
et in septenario inter beatorum spirituum agmina REQUIESCATIS...   2242
ut in homine condito ubi REQUIESCERIS tibi domicilium consecraris.   1162
et qui in hoc loco venerabile REQUIESCUNT et in circuitu...   1751
Ds, cuius miseratione animae fidelium REQUIESCUNT famulis tuis...   789
et qui in circuitu huius ecclesiae tuae REQUIESCUNT qs dne placatus...
   1743
quorum (hic) corpora (hic) REQUIESCUNT refrigerii sedem...   811, 2306
et quorum corpore in hoc monasterio REQUIESCUNT vel quorum nomina...
   3247
Requiescat in istis propitius qui condam REQUIEVIT in apostolis gloriosus.
   1327
qui in similitudine columbae in flumine iordanis REQUIAEVIT in christo.
   352
qui in speciae columbae in iordanis fluvium in christo REQUIAEVIT.   363

         REQUIRO
ut eadem (et) percipiendo REQUIRANT.   390, 1622
corde teneat, et vota REQUIRAT.   431
voce concinat, et voto REQUIRAT.   950
Quod perit, REQUIRE ; quod erat converte...   1333
et REQUIRENDO sine fine percipiant.   390
... Christum in cubiles REQUIRENTES...   3653
ut salutis aeternae remedia quae te aspirante REQUIRIMUS...   3548

         RES
adpraehendamus REBUS (effectum), quod actionibus celebramus affectu.
   3169
ut divinis REBUS et corpore famulemur et mente.   2933, 2934
propitiare (romanis) (christianorum) REBUS et regibus...   1188
et sic REBUS foveas transituris...   2592
famuli tui illius, quem hodierna die REBUS humanis eximi...   2215
... Ecce quae, quod nomine praelibavit, REBUS inplevit...   3780
redditurus deo racionem (ratione) pro his REBUS, quaeque istis clavibus
   recluduntur.   3288
predicto in REBUS tamen humanis etiam...   3918
... Et sic in REBUS transitoriis foveas, ut perpetuis inherere concedas
   ...   3718
ut nos divinis REBUS tribuas studere veraciter...   3808
quam famula tua illa pro indictio cognuscendi REI induaere vult...   1298
arborum foetus, proventum omnium RERUM, adque ab his omnibus...   1369
et intellectum RERUM caelestium capiat et profectum.   2979
Omnipotens RERUM conditur, qui dignatus es...   2298
Suppliciter ds pater o. qui es creator noster ut omnium RERUM deprecamur
   ...   3379
natalicia recolentes RERUM diversistate mirabili...   4125
in terris adhunc positus iam caelestium RERUM facis esse consortes...
   1117
quos caelestium RERUM facis esse participes.   63
et caelestium RERUM frequentatione proficiat...   1642
Praecem tibi fundimus, dne, RERUM genitor aeternae, omnipotens ds...
   2818
ut transeuntium RERUM necessaria consolatione foveant...   1293
quia aeternarum RERUM non vis subire dispendium...   3812, 3972, 2973
summe RERUM omnium conditor...   3466
Respice nos, RERUM omnium ds creator et rector...   3108
Ds RERUM omnium rectur et conditur...   1248

meritoque transeuntium RERUM potius consolationibus adiuvemur...   4132
VD. Qui ideo praesentium RERUM prospera plerumque suspendes...   3938
ut humanarum RERUM prosperitate percepta...   3845
et aput nos certiora essent experimenta RERUM quam enigmata figurarum...
    819, 820
Ds o., universarum RERUM rationabilis artifix...   871
cum praesentium RERUM subministratione (subministrationem) locopletit.
    360
Ds, qui omnium RERUM tibi serviencium natura... ad cultum tuae maiestatis
    institues...   1144
ipsa mutabilium RERUM varietate nos refove.   1507
ut quae nunc specie gerimus, RERUM veritate capiamus.   2578
ut cum RERUM vicissitudine mundanarum...   1210

        RESCINDO
nulla possit iterationis RESCENDI, quia cum...   2297

        RESECO
ut spinarum et tribulorum squalore RESECATO...   1034

        RESERO
fidelibus regni caelestis atria RESERANTUR...   4162
Ds, qui per unigenitum tuum aeternitatis nobis aditum devicta morte
    RESERASTI da nobis qs...   1159
Ds, qui beati Iohannis... praeconiis principii sempiterni secreta
    RESERASTI da qs...   904
Ds, qui per unigenitum tuum devicta morte aeternitates nobis aditum
    RESERASTI erige ad te...   1160
Ds, qui per os... Iohannis evangelistae verbi tui nobis arcana RESERASTI
    praesta qs...   1156
Ds, qui primis temporibus impleta miracula novi testamenti luce RESERASTI
    quod mare...   1178
passione domini Iesu Christi et sancti spiritus inluminatione RESERASTI
    sic etiam...   3625
Ds qui... aeternitatis nobis aditum devicta morte RESERASTI vota nostra...
    1003
quatenus RESERATIS oculis cordis sui te unum deum...   3460

        RESERVO
et RESERVA quem triumphis conparis (conparare) Christi...   3463
quae tribus pueris in camino... blandimentis mollioribus RESERVAVIT...
    861

        RESIDEO
non illic RESEDEAT spiritus pestilens, non aura corrumpens...   896
VD. Qui ad insinuandum humilitatis suae mysterium, fatigatus RESEDIT ad
    puteum...   3872

        RESIPISCENTIA
et firmis perseverantiam et RESIPISCENTIAM largiaris infirmis.   3639

        RESIPISCO
errancium corda RESIPISCANT et ad veritatis...   2434, 2449
diabuli quibus capti (captivi) tenentur laqueis RESEPISCANT.   992
tui muneris aspiratione RESIPISCENTES apostate redeunt...   2297

        RESISTO
nec RESISTAS nec moreris discedere ab homine...   142, 1355
unde RESISTERE diabulum et insidiis ipsius possimus...   1670
... Durum tibi est Christo velle RESISTERE durum tibi est...   1355, 1859

adversum omnis RESISTERE sibi arma praevaleant.   835
sciens paratus esse ut RESISTERET...   3855
quid stas et RESISTIS, cum scis eum tuas perdere vires...   744
ds, qui superbis RESISTIS et gratiam prestas humilibus...   2455
Aufer a nobis dne spiritum superbiae cui RESISTIS ut sacrificia nostra...
   228
fortiter oppugnantibus passionibus vitiorum RESTITIT.   4149

        RESOLVO
cuius vulnera captivitas RESOLUTA est.   3661
captivitatem nostram RESOLUTAM hodiae cathenarum...   920
ergo iniusti RESOLUTUS in naturam fluctibus obpraessi funditus deperirent
   ...   880
sacris fontis indulgenciam RESOLVATUR...   1611
misericordiae tuae RESOLVERE hac indulgere dignetur.   980
... Quoniam et tua clementia ea lege nostros RESOLVIT errores...   3981

        RESONO
honor et laus et gloria hoc modo RESONANT et praesolant : Sanctus.   3736
cuius modolis spiritali devotionem gratia RESONAT aecclaesiae.   1340
atque ornatus curis modulis spiritali devocione RESONET aeclesiae.   1340

        RESPECTUS
et RESPECTU caelesti misericordiae, protegat vos...   351
... Tuo quippe RESPECTU satisfaccionis sumpsit inicium...   2297
... Quod cum unigenito filio tuo clementi RESPECTU semper digneris
   invisere...   3706
... RESPECTUI tuo (se) supplici oratione curvante (curvantes)...   319,
   320
ut ita nos unigeniti tui in praesenti saeculo inlustret RESPECTUS...
   3700

        RESPERGO
ut quidquid in... fidelium haec unda RESPESERIT careat inmunditia...   896
et quicquid eo tactum vel RESPERSUM fuerit, careat omni inmunditia...
   1929

        RESPICIO
si misericordiam RESPEXERIS, phetentem suscitas de sepulchro...   219
si mala RESPEXERIS mea, tartarea huius turmenta sufficiunt...   219
... RESPICE ad animas diabolica fraude deceptas...   2434, 2449
et RESPICE ad hoc altaris tui holocaustum...   1342
... RESPICE ad pietatis tuae ineffabile sacramentum...   1124
... RESPICE ad romanum benignus imperium...   2348
RESPICE ascendens caelum propter quos...   1219
Populum tuum dne qs propitius RESPICE atque ab eo flagella...   2614
Qs o. ds, vota humilium RESPICE atque ad defensionem...   3007, 3008
O. s. ds, infirmitatem nostram propitius RESPICE atque ad protegendum...
   2351
... RESPICE de caelo et vide oculos misericordiae tuae...   325
... RESPICE de caelo plebem tuam...   996
Exultatione nostrae condicionis humanae substantiae RESPICE, ds, ut tua...
   1556
RESPICE dne de caelo, vide et visita viniam istam...   3081, 3082
RESPICE, dne, familiae tuae praeces...   3083
RESPICE dne familiam tuam et praesta...   3084
RESPICE, dne, famulae tuae (tibi) deditam servitutem...   3111
RESPICE dne famulum tuum illum in infirmitate sui corporis laborantem...
   3085

... RESPICE, dne, in faciem aeclesiae tuae...   1045, 1047
RESPICE, dne, munera populi tui, sanctorum festivitate votiba...   3086
RESPICE dne munera quae in sancti laurentii commemoratione deferimus...
   3087
RESPICE, dne, munera quae in sancti Tiburti commemoracione deferimus...
   3087
RESPICE dne munera que in sancto laurentio conmemoratione deferimus...
   3087
RESPICE, dne, munera quae in sanctorum apostolorum tuorum Philippi et
   Iacobi commemoracione deferimus...   3087
RESPICE, dne, munera, quae in sanctorum tuorum commemoratione deferimus.
   3087
RESPICE dne munera supplicantis eclesiae...   3088
RESPICE dne populum tuum et vigila...   3089
RESPICE dne propitius ad munera (quae sacramus) (sacra)...   3090
RESPICE, dne, propitius ad plebem tuam...   3091
RESPICE, dne, propitius familiam tuam...   3092
RESPICE, dne, propicius plebem tuam et toto...   3093
RESPICE, dne, propitius populum tuum...   3094
RESPICE, dne, propicius sacra mysteria quae gerimus...   3095
RESPICE, dne, propitius super has famulas tuas...   3096
RESPICE, dne, qs, adflictionem populi tui...   3097
RESPICE, dne, qs, nostram propicius servitutem...   3116
RESPICE, dne, qs, pietatis tuae subsidium postulantes...   3098
RESPICE, dne, qs, plebem tuam de sancte Caeciliae...   3099
RESPICE, dne, qs, propicius ad plebem tuam...   3091
RESPICE, dne, qs, super famulos tuos...   3100
RESPICE dne qs super hanc familiam tuam, pro qua...   3101
RESPICE dne super famulum tuum illum in infirmitate sui corporis
   laborantem...   3085
RESPICE dne super hanc familiam tuam subiectam tibi...   3102
... RESPICE, dne, super has famulas tuas...   758, 759
RESPICE dne super hoc lumen incensum...   3104
preces eius misericorditer RESPICE et adversantes...   1168
praeces famulae tuae illius pro sua sterilitate depraecantes propicius
   RESPICE et ea iuxta...   977
praeces populi supplicantis propitius RESPICE et flagella...   939
afflicti (afflictionem) populi (et) lacrimas RESPICE et iram tuae
   indignationis...   1050, 2977
Tribulationem nostram qs dne propitius RESPICE et iram tuae indignationis
   ...   3500
Infirmitatem nostram qs dne propitius RESPICE et mala omnia quae iuste
   ...   1917
afflictorum gemitum propitius RESPICE et mala omnia quae mereamur...
   1110
Hostias dne quas tibi offerimus propitius RESPICE et per haec sancta...
   1806
Populum tuum dne propitius RESPICE, et quos...   2612
Quaesumus, o. ds, praeces nostras RESPICE et tuae super nos...   2987,
   2988
et famulum tuum ex adversam valetudinem (adversa valetudine) corporis
   laborante placidus (laborantem placatus) RESPICE et visita...   986
... RESPICE flentem famulum tuum, adtende prostratum...   2055
RESPICE hanc aecclesiam quam ex gentibus...   1173
... RESPICE in exigua populi porcione...   801a
... RESPICE in nos et miserere nostri...   1071

... RESPICE in opere misericordiae tuae...   878
RESPICE in plebem tuam piaetate solida...   913
tua RESPICE insigna maiestatis.   2482
RESPICE nos misericors ds et mentibus...   3107
RESPICE nos m. ds et nomini tuo perfice veraciter obsequentes.   3105
RESPICE nos o. et m. ds, et ab omnibus tribulationibus propitiatus
   absolve.   3106
RESPICE nos, omnipotens (et) misericors ds, et mentibus...   3107
... RESPICE nos propitius et quos similes ad imaginem tuam fecisti...
   1080
... RESPICE nos propicius, ut filii tui incarnacione suscepta...   2315
RESPICE nos, rerum omnium ds creator et rector...   3108
Preces (nostras), dne, tuorum RESPICE oblationesque fidelium...   2819
RESPICE o. ds de caelo plebem tuam...   3109
Infirmitatem nostram RESPICE omnipotens ds et quia pondus...   1918
Infirmitatis nostra RESPICE omnipotens ut...   1918
RESPICE pastor bone super hunc gregem...   3110
... RESPICE pietatis tuae ineffabile sacramentum...   2400
Christianam, qs, dne, RESPICE plebem...   398
Protector in te sperantium, ds, RESPICE populum supplicantem...   2912
... RESPICE praecis supplicum qui te post longas...   1090
... RESPICE propicius a nostri temporis aetatem...   779
O. s. ds, RESPICE propitius ad devocionem populi renascentis...   2464
... RESPICE propitius ad electionem tuam (nostram)...   937, 944
... RESPICE propitius ad me famulum tuum...   780
... RESPICE propitius ad nostrae tempus aetatis...   779
... RESPICE propicius ad precis humilitatis nostrae...   1138
... RESPICE propicius ad praeces nostras et electos...   2318, 2319
... RESPICE propitius ad preces nostras praesta ut...   741
... RESPICE propicius ad romanum (sive Francorum) benignus imperium...
   2447
... RESPICE propicius ad tanti solemnia piscatoris...   1022
... RESPICE propicius ad tocius aeclesiae tuae mirabile sacramentum...
   836, 837
... RESPICE propicius de throno gloriae tuae...   2397
RESPICE propitius, dne, ad deditam tibi tui populi servitutem...   3111
RESPICE propitius, dne, qs, adflictionem populi tui...   3112
RESPICE propitius, dne, super haec munera...   3113
RESPICE propicius, dne, super hanc famulam tuam...   3096
... RESPICE propitius ecclesiae tuae mirabile sacramentum...   837
... RESPICE propitius in hanc humilitatis nostrae confessionem...   873
... RESPICE propicius super famulum tuum illum...   1170
RESPICE propitius super hanc famulam tuam quae maritali iungenda est
   consortio...   1171
... RESPICE propicius super hanc famulum tuum...   825, 858, 1007, 1363,
   1368, 2465, 2466
... RESPICE, qs, ad hunc famulum tuum, qui se tibi peccasse graviter
   confitetur...   1308
RESPICE, qs, de caelo, et vide, et visita domum istam...   3828
RESPICE, qs, dne, famulos tuos et...   3100
RESPICE, qs, dne, munera, quae pro beati Andreae... commemoratione
   deferimus...   3114
RESPICE, qs, dne, nostram propitius servitutem...   3115, 3116
RESPICE qs dne populum tuum, et quem...   3117
RESPICE, qs, dne, praeces nostras, et his muneribus...   3118
RESPICE qs dne propitius ad plebem tuam...   3091

... RESPICE qs super hos famulos et famulas tuas.   854
propitius ad humilitatis nostrae RESPICE servitutem...   954a, 1165, 2860
RESPICE subditam tibi, dne, familiam tuam...   3119
... RESPICE super famulam tuam...   997
... RESPICE super famulum tuum hunc qui dolis invidi serpentis appetitur
   ...   764
... RESPICE super famulum tuum illum, et praesta...   748
... RESPICE super hanc basilicam in honore beati illius nomini tuo decatam
   ...   886
... RESPICE super hanc familiam tuam.   1163
... RESPICE super hanc famulam tuam illam quae tibi devotionem suam offert
   ...   760
... RESPICE super hunc famulum tuum et remissionem...   859
Dne, sanctae pater, omnipotens aeterne ds, RESPICE super hunc famulum
   tuum qui ab infesta...   1368
propitius RESPICE supplicum preces...   1261
Precibus nostris qs dne propitius RESPICE ut haec...   2835
Qs o. ds familiam tuam propitius RESPICE ut te largiente...   2980
... RESPICE vota supplicum...   1180
Dne ds omnium gratiarum, RESPICERE dignare hos omnes populos...   1319
RESPICERE dignare hos populos tuos...   1248
O. s. ds, ... RESPICERE dignare super hos famulos tuos...   2369, 2467
de excelsa troni tui RESPICERE digneris benediccione tua...   4050
Supra quae propitio ac sereno vultu RESPICERE digneris et accepta habere
   ...   3383
ut ad hoc ministerium humilitatis nostrae RESPICERE digneris et super
   has abluendis...   1336
ut hunc famulum tuum RESPICERE digneris propicius...   875
vel famuli tui ill. finem vel devotionem RESPICERE digneris ut opera...
   1725
Famulum tuum... RESPICERE et conservare dignare...   1611
et hoc sacrificium... sereno vultu digneris RESPICERE et misericordiam...
   756
propicius dignare RESPICERE et propter nomen...   1249
Benedic dne populum tuum, et devotum RESPICERE, pater...   323
O. s. ds, RESPICERE propitius super hunc famulum tuum ill...   2466
exaltas reges, RESPICES humilis...   395
ut RESPICI ad populum suum conculcatum et edolente...   3035
Iniquitates nostras ne RESPICIAS ds sed sola nobis...   1925
et reconciliatur tibi per christum serenum vultu RESPICIAS, et omnia...
   3920
ut famolum tuum illo benignus RESPICIAS, et piaetatis...   3914
Offerentium tibi munera, qs, dne, ne delicta RESPICIAS sed intercessorum
   ...   2223
etiam mane dignanter RESPICIAS vota solventes.   2497
Omnipotens deus vos placito vultu RESPICIAT...   2261
ut condicionis humanae RESPICIENS facultatem...   3623
Ds, qui anxietate sterelium pie RESPICIENS in eis fecunditatem...   901
Ds qui anxiaetate sterilium piae RESPICIES, in aeis...   901
Ds, qui in altis habitas et humilia RESPICIS da restaurationem...   1026
Si facta hominum RESPICIS dne nimo est dignus qui patrem appellit...
   3282
qui RESPICIS super terram et facis aeam tremere...   850
quoniam quicquid sanctis honoris inpenditor, tuae RESPICIT insignia
   maiestatis.   2482
Ds ad quem RESPICIT sacerdotum solertia...   740

quidquid illi prestiteris, quam cuncta RESPICIUNT. 1320

RESPIRO
et a tribulatione RESPIRANS continuis protegatur auxiliis... 1984
et diuturnis calamitatibus laborantem RESPIRARE concede... 2706
et continuis tribulationibus laborantem propitius RESPIRARE concede.
2095
Da nobis dne qs unigeniti... recensita nativitate RESPIRARE cuius
caelesti... 590
qui nos a temporalibus facis RESPIRARE pressuris... 1672
ut qui ex nostra culpa adfligimur, salvatore nostro adveniente RESPIREMUR.
2987
in tribulatione (tribulationem) clamantes RESPIREMUS auditi. 1938
ut qui ex nostra culpa adfligimur salvatore nostro adveniente RESPIREMUS.
2987
tuae gratiae consolatione RESPIREMUS. 486
(caelerius) in tua misericordia RESPIREMUS. 610
intercedente unigeniti filii tui passione RESPIREMUS. 682
temporalium necessitatum consolatione RESPIRET ad gaudia... 515
et praesenti iucunditate RESPIRET et aeternae... 1396
ut dignis flagellationibus castigatus in tua miseratione RESPIRET. 2533
ut in resurrectionis gloriam inter sanctos tuos resuscitari RESPIRET.
13

RESPLENDEO
Sanctorum qs, dne, natalicia nobis vota RESPLENDEANT et quod illis...
3233
quae dum cotidiae toto RESPLENDEANT semper et... 3619
gratia tua copiosa RESPLENDEAT et cum delicta... 3284
hoc in nostro RESPLENDEAT opere quod per fidem fulget in mente. 684
hoc in nos RESPLENDEAT ubere quem per fidem fulgeat in mente. 685
sola gratia tua copiosa RESPLENDEAT ut vel veniam... 2103
per quem nobis RESPLENDIT suffragiis accedamus. 911

RESPONDEO
desideria cordis conplacita tibi pius adimple votisque RESPONDE augmenta
... 1733, 1777
pro laboris suis solita benignitate RESPONDE et pius... 1331
ut et miserationibus tuis congrua RESPONDEAMUS obsequia... 623
suis modibus cum iordanica retrohacta fluente RESPONDEANT... 2378
In illo tempore : RESPONDENS iesus dixit... 1446

RESPUO
tumentium voluntatum RESPUAMUS adflatus (affectus). 2675
et reatum nobis ingerentia desideria RESPUAMUS quia tunc... 2711
horresce idola, RESPUE simulacra... 39
ut quae prava sunt RESPUENS sancta conversatione firmetur... 631, 2606
ut terrena desideria RESPUENTES discamus iniare caelestia. 2538
ut de die in diem quae tibi non placent RESPUENTES tuorum potius...
1424, 1425
et illa RESPUERE, quae huic inimica sunt nomini... 979
et illa RESPUERE qui huic inimica sunt nomini... 978
Fac nos, dne, qs, (qs dne ds noster) mala nostra toto corde RESPUERE ut
venienti... 1570, 1571
et quod professione RESPUIMUS, actione vitemus... 4138
terrenum RESPUIT patrem ut possit invenire caelestem... 3608, 3609a,
3610

RESTAURATIO
Ds, qui RESTAURATIONEM condicionis humanae mirabilius operaris...   1196
da RESTAURATIONEM defunctis...   1026
ut abstinentiae nostrae RESTAURATIONIS exordiis conpetentem dignis
   praecurramus officiis.   671

RESTAURO
Plebem tuam, dne, qs, interius exteriusque RESTAURA ut quam corporeis...
   2592
ad amorem tuum nos misericorditer per sanctorum tuorum exempla RESTAURA.
   1109
et RESTAURANTUR incrementa laetitiae cum felicitatis aeterne recoluntur
   exordia.   3759
et creata (grata, congregata) restaures, et RESTAURATA conserves.   62
et instituta bona recipiant, et RESTAURATA custodiant.   550
et RESTAURATA incrimenta laeticiae...   3759
ut humana conditio... nova caelestisquae substantia mirabiliter
   RESTAURATA profertur...   3714, 3814
ad amorem tuum nos misericorditer pro sanctorum tuorum exempla
   RESTAURATA.   1109
et RESTAURATUR incrementa laetitiae...   3759
Sacrificia, (nos qs) dne, propensius ista RESTAURENT...   3138, 3143
ut nos interius exteriusque RESTAURES et parsimonia...   3718
et creata (grata, congregata) RESTAURES, et restaurata conserves.   62
Tui nos dne sacramenta libatio sancta RESTAURET...   3552

RESTINGUO
que merueris effici simel sacro fonte RESTINCTA.   2298
servientium morborum RESTINGATUR accessio...   3824

RESTITUO
atque aegris RESTITUAS pristinam sanitatem...   2371
in aeternam (aeternae) salvacionis partem (parte) RESTITUAS.   3840
ecclesiae tuae... cum omni desiderata prosperitate RESTITUAS.   1356
aeclesiae tuae purificatum RESTITUAE ac tuo altario repraesenta...   1368
in unitatem (unitate) corporis aecclesiae tuae membrum (membrorum)
   perfecta remissione RESTITUE miserere...   859
corporis aecclesiae tuae menbrum perfecta remissione RESTITUAE.   859
ita et auctoris nostri e(s)t lapsa RESTITUERE, mutantia stabilire.   841
aelegis in nobis magis RESTETUAERE perdita quam percuterit peritura...
   782
quibus tempora tranquilla RESTITUES, aeorum semper...   4143
parentes, quos in genitali solo perdiderat, in externa regione RESTITUES
   quos terrenae...   4126
et nobis salutem potenti pietate RESTITUI.   3413
Tu es, dne, qui RESTITUISTI mihi. Vers. Hic accipiat...   1382
hominemque paradyso RESTITUIT et vitae...   4039
et vitam resurgendo RESTITUIT, Iesus Christus dominus noster.   4162
VD. Qui vicit diabolum, paradisum RESTITUIT vite...   4038
et vitam resurgendum RESTITUIT.   4162
tibi aeorum serviat RESTITUTA libertas...   397
nunc laetetur in pristinam se gloriam RESTITUTUM.   2618
sanctisque altaribus et sacramentis RESTITUTUS rursus caelestis...   596
et sanctis ac sacris altaribus RESTITUTUS spei rursus...   2837
propriisque locis feliciter RESTITUTUS universos...   897

RESTITUTOR
Ds, innocentiae RESTITUTOR et amator...   846, 847

RESTRICTIO
cum aepularum RESTRICTIONE carnalium...   3154

RESTRICTE
Dumque RESTRICTIUS castigatiusque viventes...   4028

RESTRICTUS
... Quia RESTRICTIS corporibus animae saginantur...   3740

RESTRINGO
... Hinc est, quod RESTRINGENDO copias et mediocria non negando...   3827

RESULTO
et magnis populorum vocibus, haec aula RESULTET...   1564

RESURGO
per innovatione (invocationem nominis, innovatione amorem) tui spiritus
   a morte animae RESURGAMUS.   493, 1159, 2773
intercessionis eius auxilio a nostris iniquitatibus RESURGAMUS.   430
RESURGAT aecclesiae tuae pura simplicitas...   782
et inter surgentes RESURGAT et inter suscipientes...   3433
cum electis RESURGAT in parte dexterae coronandus.   3470
et novae vitae indutus amictu RESURGAT omnes nequissimi...   1611
et novitate inductus amictu RESURGAT.   1611
et in resurrectione unigeniti sui spem vobis RESURGENDI concessit.   362
... RESURGENDO a mortuis vitae aeternae aditus praestitit...   4013
et vitam RESURGENDO reparavit...   4159, 4161
et vitam RESURGENDO (RESURGENDUM) restituit. Iesus Christus dominus noster.
   4162
it est Iesu Christi... qui RESURGENS a mortuis ascendit in caelos.   1953
Ds qui tartara fregisti RESURGENS, aperuisti...   1219
fac nos aeodem RESURGENTE pervenire quo tendimus.   881
et RESURGENTEM tertia die secundum scripturas...   554
ut mente sint fecis per dominum RESURGENTEM.   397
fac nos eodem RESURGENTI pervenire quod tendimus.   881
et RESURGENTIBUS in te largire piaetatem...   1026
dies, quos in honore domine a mortuis RESURGENTIS et in caelos ascendentis
   exigimus...   3846
quam domini RESURGENTIS praedicare virtutem ?...   3596
in honore domini a mortuis RESURGENTIS.   3846
... O noctem quae videre meruit, et vinci diabolum et RESURGERE christum
   ...   4041
quem RESURREXISSE a mortuis veraciter creditis.   362
ut per fidem qua eum RESURREXISSE creditis...   802
tercia diae ad superos RESURREXISTI, quia...   4217
tertia diae RESURREXIT a mortuis...   551
... O beata nox quae sola meruit scire tempus et horam in qua christus ab
   inferis RESURREXIT haec nox est...   3791
et triumphato diabolo victor a mortuis RESURREXIT o noctem...   4160
et in resurrectione eius omnium vita RESURREXIT quem in susceptione...
   4162
Et RESURREXIT tercia diae secundo scripturas.   555
Expelleris in nomine ihesu christi crucifixi qui RESURREXIT.   1888

RESURRECTIO
... Ibi quaedam enim ibi mors et quaedam RESURRECTIO celebratur...   1706,
1707
et RESURRECTIO iustificationem nobis exhibuit...   3950
per quem vita omnium, per quem RESURRECTIO mortuorum per ipsum te...
3840, 3841
pax rogantium, vita credentium, RESURRECTIO mortuorum te invoco...   829
peccatorum remissio et carnis RESURRECTIO perducitur.   1706
... Hic eiusdem crucifixo et sepultura ac die tertia RESURRECTIO
praedicatur...   1706
Credis... remissionem peccatorum, carnis RESURRECTIO ?   552
gregem tuum tua RESURRECTIONE caelebrantem...   1044
sed eiusdem unigeniti tui redemptoris nostri RESURRECTIONE dedisti...
3668
ut in RESURRECTIONE domini nostri iesu christi inveniamus...   577
ut in RESURRECTIONE domini nostri iesu christi percipiamus veraciter
portionem.   2696
et in RESURRECTIONE eius omnium vita resurrexit...   4162
et habeat partem in prima RESURRECTIONE et inter surgentes...   3433
ut animam... in prima (sanctorum tuorum) RESURRECTIONE fatias praesentari.
1234
sic credimus, dne, in RESURRECTIONE futurum...   3668
ut quia tua sunt passione redempti, tua RESURRECTIONE laetentur.   3307
VD. In cuius RESURRECTIONE mirabili mors occidit redemptorum...   3771
Et expecto RESURRECTIONE mortuorum et vitam futuri seculi.   555
O. s. ds, qui ad aeternam vitam in Christi RESURRECTIONE nos reparas...
887, 888, 2376
et eam beata RESURRECTIONE praesentet...   2483
... Secura et constanti fide credite RESURRECTIONE, quae facta est in
Christo...   1706
et partem habeat in prima RESURRECTIONE quam facturus est orantibus
sanctis.   2521, 2523
quatenus in octavo RESURRECTIONE renovati...   2242
ut eum in aeterna requie suscipiat et beatae RESURRECTIONE repraesentet.
201
qui exemplo iesu christi... coeperunt esse de RESURRECTIONE securi...
3668
ac RESURRECTIONE sua aeternam nobis contulit vitam (vitam contulit).
3891, 3932
regno tibi deo patri in RESURRECCIONE tradendos.   2108
et in RESURRECTIONE unigeniti sui spem vobis resurgendi concessit.   362
Et qui hanc... noctem redemptoris nostri RESURRECTIONE voluit
inlustrare...   948
Et qui ad aeternam vitam in unigeniti sui RESURRECTIONE vos reparat...
361
Ds, qui ad declaranda tua miracula maiestatis post RESURRECTIONEM a
mortuis...   892
ad huius sponsi thalamum cuius RESURRECTIONEM celebratis...   948
ut in RESURRECTIONEM domini nostri Iesu Christi inveniamus et nos
veraciter portionem.   577
ut tempora quibus post RESURRECTIONEM dominus... cum discipulis corporaliter habitavit...   3753, 3673
... Spero RESURRECTIONEM mortuorum et vitam futuri saeculi. Amen.   554
secura et constanti fide credite RESURRECTIONEM quae facta est.   1707
Ds qui ad aeternam vitam in christi RESURRECTIONEM repparas...   887
VD. Qui post RESURRECTIONEM saeculis omnibus gloriosam...   3998

ut sicut post RESURRECTIONEM suam discipulis visus est manifestus...   345
VD. Qui post RESURRECTIONEM suam omnibus discipulis suis manifestus
    apparuit...   3999
quod in nobis pascali mysterio per RESURRECTIONEM tui filii vacuasti.
    711
Deus qui per RESURRECTIONEM unigeniti sui vobis contulit...   1157
Ut RESURRECTIONEM victrici traheris illum ad gloriam...   2298
carnis RESURRECTIONEM, vitam aeternam ?   551
... Credis et in... remissionem peccatorum, carnis RESURRECTIONEM.   3019
perveniatis... et ad gloriosam cum sanctis omnibus RESURRECTIONEM.   347
sed cum magnus ille dies RESURRECTIONIS hac remunerationis advenerit...
    3462
spem RESURRECCIONES accepit per renovatam originis dignitatem.   4119
ut qui gratiam dominicae RESURRECTIONIS agnovimus...   2773
Ds post illum RESURRECTIONIS ascensum...   879
... RESURRECTIONIS beatae primitias... in tua tecum dextera collocavit.
    3953
ut et patientiae ipsius habere documenta et RESURRECTIONIS consortia
    mereatur.   1019
et inter suscipientes corpora in die RESURRECTIONIS corpus suscipiat...
    3433
ut usque ad RESURRECTIONIS diem in lucis amoenitate requiescat.   1910
ut RESURRECTIONIS diem spe certae gratulationis expectet.   1783
VD. Cuius salutiferae passionis et gloriosae RESURRECTIONIS dies
    adpropinquare noscuntur...   3669
... RESURRECTIONIS domini (dei) nostri iesu christi secundum carnem.
    421, 1922
Ds, qui nos RESURRECTIONIS, dominicae annua solempnitate laetificas...
    1129
Ds, qui nos RESURRECTIONIS dominice et ascensionis eius letabunda
    solemnia...   1130
adtingere mereamur RESURRECTIONIS dominicae firmitatem.   3818
ut qui RESURRECTIONIS dominicae sollemnia colimus...   493, 1159, 2782
per RESURRECTIONIS eius attingere mereamur ineffabile mysterium.   3843
et RESURRECTIONIS eius consortia mereamur, Christi domini nostri.   1019
ad RESURRECTIONIS eius festa... ipsius fulti munimine veniatis.   343
sed cum magnus dies ille RESURRECTIONIS et remunerationis advenerit...
    3462
per apostolos traditum, ipsius RESURRECTIONIS exemplo sir firmatum.
    3668
... Et RESURRECTIONIS futurae nobis documenta, dedisti...   3668
hac perpetuae beate RESURRECTIONIS gaudia videre mereamur.   634
ut in RESURRECTIONIS gloriam inter sanctos tuos resuscitari respiret.   13
per passionem eius et crucem ad RESURRECTIONIS gloriam perducamur.   1661
et inter sanctos et electos suos in RESURRECTIONIS gloriam, resuscitari
    mereatur.   3390
ut RESURRECTIONIS gratiam consequamur.   1181
in eo (aeum) gloriam RESURRECTIONIS habeatis.   1706, 1707
Ds, qui hanc sacratissimam noctem gloriosae dominicae RESURRECTIONIS
    inlustras...   999, 2398
... In quo dominicae RESURRECTIONIS miraculo...   861, 862
Tibi coniuro... per RESURRECTIONIS mortuorum...   3474
quos RESURRECTIONIS noix de fonte partuit candidatus...   1059
spem RESURRECTIONIS per renovatam originis dignitatem donavit (adsumpsit).
    3712, 4118
Ipsius RESURRECTIONIS percipiamus consortia...   2255

per eius salutifere RESURRECTIONIS potentiam...   1887
et aeum in beate RESURRECTIONIS representit...   2484
et in parte primae RESURRECTIONIS resuscitet.   723
... Christi... nec non et ab inferis RESURRECTIONIS sed et in caelos...
3567
da nobis, qs, ut qui RESURRECTIONIS sollempnia colimus...   1159
... RESURRECTIONIS suae gratiam largiatur.   731
quam RESURRECTIONIS suae triumpho suis fidelibus preparavit...   4176
Et ad desideratum sanctae RESURRECTIONIS tuae diem...   3110
carissimam nobis hodie suae RESURRECTIONIS vixillam (vexilla) suscepit...
3596
per gloriam RESURRECTIONIS vitae aeternae aditum patefecit...   3929

       RESUSCITO
... RESUSCITANDAM in (die) novissimo magne iudicii...   747
inter sanctos et electos tuos eum RESUSCITARE praetipias.   2312
inter sanctos et electos suos eum in parte dextera collocandum RESUSCITARI
faciat...   2522
cum sanctis et electis tuis, eum RESUSCITARI iubeas.   2215
et inter sanctos et electos suos in resurrectionis gloriam, RESUSCITARI
mereatur.   3390
ut in resurrectionis gloriam inter sanctos tuos RESUSCITARI respiret.
13
Resuscitet vos de vitiorum sepulchris, qui eum RESUSCITAVIT a mortuis.
362
ut hoc corpus... in virtute et ordine sanctorum RESUSCITET et eius animam
(spiritum)...   701, 702
RESUSCITET vos de vitiorum sepulchris...   362
et in parte primae resurrectionis RESUSCITET.   723

       RETARDO
Ds, qui sensos nostros terrenis actionibus perspicis RETARDARI...   1208
cum tua nobis que non meremur beneficia RETARDENT.   3802

       RETE
non potentibus subiaceret, sed eos potius salubri RETE concluderet...
4055
qui tantum RETIA carnalia contempserat genitoris...   3609
... RETIA saeculi quibus inplicabatur abiecit...   3608, 3609a, 3610
quatenus humanum genus de profundo istius mundi preceptorum RETIBUS
liberaret.   3823
Ds, qui humanum genus tuorum RETIBUS praeceptorum capere consuisti...
1022
relictis RETIBUS suis, quorum usu actuque vivebat...   3907

       RETEGO
ds qui in iacentem mundum in tenebras (tenebris) luce perspicua
RETEXISTI...   861, 862

       RETINACULUM
nullis inpediantur RETINACULIS blandimentorum.   3721

       RETINEO
ut quae sanctos martyres tuos usque ad sanguinem RETENTA glorificat...
582
ne his RETENTI caelestia quaeramus...   3938
ne dispitias opera manuum tuarum que nobis RETENENDA mandasti.   71
ut quorum celebramus triumphos, possumus RETINERE constantiam.   1487
da nobis voluntatem tuam fideli mente RETINERE et pia conversatione...2329

quoddam RETINERE pignus in terris adstantium in conspectu tuo iugiter
  ministrorum. 4170
Infunde sinsibus nostris apostolica dogmata RETENERE, qua te... 971
da huic populo hac plebe tuae aeorum precepta incessabiliter RETINERE,
  quorum... 166
et noli diu RETINERE vindictam... 1371
... Quorum RETENUERINT peccata, detenda sint... 820
et inmortalitatem RETENUISSET et patriam. 4182

RETORQUEO
per femineam condicionem RETORQUES iure vindictam... 4034

RETRACTO
... Sed quid nunc, turbolente, recogitas ; quid, temerarie, RETRACTAS ?...
  574, 1355

RETRAHO
... Quatenus te auxiliante et ab humanis semper RETRAHAMUR excessibus...
  3679
ita sensos quoque nostros a noxio RETRAHAMUS excessu. 539
qui nos et ab humanis RETRAHAT semper excessibus... 2553

RETRIBUO
Non RETRIBUAS nobis, qs, dne, quae malis operibus promeremur... 2184
et non tantum pro peccatis nostris non RETRIBUES quae meremur... 3919
VD. Qui non solum malis nostris bona RETRIBUES sed ut miseris... 3958
iniquitates nostras quibus iuste RETRIBUUNTUR absolve. 2028

RETRIBUTIO
et illum beata RETRIBUCIO comitetur et nobis graciae tuae dona
  conciliet... 3203
et in futura vita eius RETRIBUCIO condonetur. 2886
ut quibus erat una causa certaminis, una RETRIBUTIO esset et praemii.
  3595, 4084
ut a vobis adversa omnia quae peccatorum RETRIBUTIONE meremini avertat...
  2243
et quidquid eorum RETRIBUTIONE meremur averte. 2549
ad dona perveniat, quae de tua fidelibus RETRIBUTIONE promisit. 1393
et huic et in RETRIBUTIONEM iustorum a te percipiat... 1331
et quicquid aeorum RETRIBUTIONEM mereamur averte. 2548
maiorem nobis RETRIBUCIONIS graciam largeatur. 3600
conditoribus mercedem tanti operis promissae RETRIBUCIONIS inpendas.
  1744
fragiles quosque ad tuae RETRIBUTIONIS munus invitas. 3896, 3897
ut haec famulam tuam que spe RETRIBUTIONIS, promissio... 674

RETRIBUTOR
Dne iesus christe, qui servientibus tibi, munificus RETRIBUTOR et
  clemens... 1331
Sanctum ac venerabilem RETRIBUTOREM bonorum operum dominum depraecamur...
  3256

RETRO
tu ea quae RETRO sunt oblivisci concedis... 3894

RETROAGO
suis modibus cum iordanica RETROHACTA fluente respondeant... 2378

RETRORSUM
... Ipse tibi imperat qui te RETRORSUM redire praecepit... 744

RETRUDO
Et qui pro legis eius preconio carceralibus est RETRUSUS in tenebris...
1242

REUS
ut qui REI sumus, meritis non efficiamur nostram duriciam contumacis...
3802
et conlata praesidia, non ad cumulum REIS damnationis eveniant...   3803
da indulgentiam REIS et medicina (medicinam) tribue vulneratis...   922
et REIS non tantum poenam relaxas, sed donas et praemia.   3962a
da, qs, ut indignatio debita REIS praecantibus transferatur ad veniam.
1169
.. Da indulgentiam REIS, ut nobis subvenias propitiatus adflictis.   3098
dum REO tua patientia non habuti oporteat...   4135
non REORUM proxima catena constringat...   746
et nec proprio REOS fieri patiaris excessu...   4209
ut qui ex iniquitate nostra REOS nos esse cognoscimus...   132
... REUS filio eius Iesu Christo quem (et) temptare ausus es...   574,1355
... REUS humano generi (humani generis) cui mors tuis persuasionibus venit.   574, 1354
... REUS omnipotente deo cuius statuta transgressus es...   574, 1355
Sit, sit ab omne victus deo, condempnatus, et REUS religatus catenae...
1547
et si conscienciam discutis dne nimo est qui non REUS sit ante te.   3282
dum REUS tua paciencia non abuti oporteat...   4135

REVELATIO
secreta tui REVELATIONE docuisti...   3941
tam profundis ac mysticis REVELATIONIBUS est imbutus (inspiratus)...
3608, 3609
et inmensae gratiae REVELATIONIBUS inspiratus ut omnem...   3613

REVELO
... REVELA quem perducas ad gratiam baptismi tui.   2064
qui nobis ad REVELANDOS istius vitae labores...   4131
caelestia iam REVELANS lucis aeternae predicator...   3774
VD. Qui mysteriorum tuorum secreta REVELANS nemus ore...   3955
... Quod enim de tua gloria REVELANTE te credimus...   3887
ut evangelicae veritati REVELLANTIUM corda subdantur.   4236
qui unigenitum suum... stella duce gentibus voluit REVELARE...   853
qui per eum archana verbi sui voluit ecclesiae REVELARE. Amen.   2246
et cui voluaerit filius REVELARE.   1446
quibus maiestatis tuae potentiam et coaeterni tibi filii REVELARIS
arcanum...   4055
cui ad revertendum oculos cordis (cordis oculus) te confidimus REVELLASSE
...   2297
Ds qui... unigenitum tuum gentibus stella duce REVELASTI concede propitius
...   1004
O. s. ds, qui gloriam tuam in omnibus in Christo gentibus REVELASTI
custodi opera...   2395
et REVELASTI aea parvulis.   1446
quo ipsum salutis nostrae sacramentum in lucem gentium REVELASTI et ab
uteri virginalis...   3763
in omnibus operibus tuis, quibus (sacratissima) regni tui mysteria
REVELASTI hancque...   3726, 4157
suffragio REVELETUR obtatu.   1566

ut... nativitas mentibus (eorum et) (nostris) REVELETUR semper et crescat.
1856, 2791
et cuius votiva laetatur officio REVELETUR.   1566

REVERENTIA

quod pro REVERENTIA (beatorum) apostolorum Petri et Pauli...   2228
ad apostolica REVERENTIA dignitatis... proveniat sanctificata presidium.
2198
sed ubicumque praetiosa REVERENTIA fuerit invocata...   4037
oblationes et praeces, quas et pro REVERENTIA paschali supplices adhibemus
...   3426
pro tuae REVERENTIA potestatis, per haec piae devotionis officia...   4170
Apostolicae REVERENCIAE culmen offerimus sacris mysteriis inbuendum...
208
ut nos ad tuae REVERENTIAE cultum et terrore cogas et amore perducas.
3737, 3961
VD. REVERENCIAE tuae decato ieiunio gratulantes...   4123
ut illis REVERENTIAM deferentes nobis veniam consequamur.   49, 50
et apostolicae REVERENTIAM dignitatis...   2198
Ad huius ergo festivitatis REVERENTIAM fervore spiritus descendentes...
861
cum et aput veteres REVERENTIAM ipsa (ipsam) significationum species
optineret...   819, 820
ut habeat clerus vigilantiam, cingulare REVERENTIAM, plebs...   740
pro pudore REVERENTIAM, pro pudiciciam sanctitatem...   674

REVEREOR

si unum te fideliter omnium REVEREAMUR autorem.   3641

REVERSIO

profectionis et REVERSIONIS suae felicitate potitus...   3590

REVERTOR

... Augemur regenerandis, crescimus REVERSIS...   58
et ad corpus quandoquae REVERSURAM sanctorum...   1289
et olivae chrisma mundo liberationis gloriam REVERSURAM...   3955
Exi omnino, procede, non REVERSURUS.   1888
atque ab erroris via ad iter REVERSUS iusticiae...   822, 823
dum recipit gratiam, REVERTATUR ad gloriam.   782
non audemus REVERTENDI adque pulsandi reconciliationis ianuam claudere...
2297
ad propria REVERTENDO suffragio tui mereantur adipisci custodiam.   4008
cui ad REVERTENDUM cordis oculos te confidimus revellasse...   2297
Suscipe, dne, animam servi tui ille REVERTENTEM ad te...   2493, 3391,
3392
cari nostri illius animam ad te datorem proprium REVERTENTEM blande...
1289
Suscipe, dne, animam servi tui ille ad te REVERTENTEM de aegypti
partibus...   3389
ut hunc famulum tuum ad sancta tua quae reliquerat atria REVERTENTEM
inmensa benignitate...   2297
et ob hoc non audemus REVERTENTI atquae pulsancti reconciliacionis ianuam
claudere...   2297
Fili carissimi REVERTIMINI locis vestris...   1632

REVINCO

ut per virtute brachii tui omnibus qui nobis adversantur REVICTIS...
810a

REVIVISCO
ac REVIVISCAT per hominem novum, creatum in Christo Iesu... 2818

REVOCO
et de mortis ianua REVOCA me... 1296
innoxia morte ad vitam misericorditer REVOCARE dignatus est... 2321
et ad sanctam matrem aeclesiam catholicam atque apostolicam REVOCARE
dignetur. 2516
cathenarum conpage dignatus es ad libertatis praemia REVOCARE, inclina...
920
aeterna tua dignetur REVOCARE maiestas... 2297
has aquas... digneris ad mundicia REVOCARE per dominum... 893
et ad sanctam aecclesiam catholicam REVOCARE qs te dne... 3192
quem nec sub praemia pietas ab scelere REVOCARET... 3867, 3868
qui a mortem omnes errores REVOCAS nos... 3792
ad cultum nominis tui atque scientiam REVOCASTI inlabe... 1664
pietatis indulgentia ad veniam vitamque REVOCASTI mittendo nobis... 3988
fortioris ieiunii remedio ad antiquae patriae beatitudinem per gratiam
REVOCASTI nosque pia... 3787
ad antiquam patriam per gratiam REVOCASTI ut non solum corpus... 3787
nec inlecebris est REVOCATA carnalibus... 3994, 3995
nec REVOCATA carnalis inlecebram... 3993
Et qui te miserante REVOCATI sunt in paradisum... 1073
ut fugatis infirmitatibus et viribus REVOCATIS... 4237
et qui faciles a tua rectitudine discrepamus, ad eam tua miseratione
REVOCEMUR... 4211
ut eam non solum ad (primae originis) (premio regnis) innocentiam
REVOCES sed etiam... 758, 759
eumque de tenebris ad lumen REVOCES et medellam... 1368
sancti spiritus tui gratiam ad mundiciam REVOCET adque purificit... 1365

REVOLVO
dum saepius victoriae REVOLVUNTUR... 4153

REX
Oremus dilectissimi nobis et pro christianissimo REGE francorum... 2506
... Coram suo REGE gratificet in gaudio genetali... 57, 2217
... Memento, ds, REGE nostro cum omne populo. 3464
Oremus et pro christianissimo imperatore vel REGE nostro Illo ut deus
omnipotens... 2514
... Adiuro te per REGEM caelorum, per Christum creatorem... 224, 225
Tu praesentem insignem REGEM cum exercitu... 842
sicut exaudisti famulum tuum REGEM David... 2113, 2114
sicut unxit samuhel david et REGEM et prophetam... 3568
Benedic hunc, clementissime, REGEM illum cum universo populo tuo... 395
et humilitate sidere magi pervenerunt ad REGEM, ipse ad... 855
sicut te voluit super populum suum constituere REGEM ita et in... 337
sicut exaudisti famulum tuum david REGEM, qui te in area... 2113
VD. Quia non mundi REGES et proceres... 4055
unde uncxisti sacerdotes REGES et prophetas et martyres... 1407
in qua adorandam veri REGES infantiam... 3816
unde uncxisti sacerdotes REGES prophetas et martyres tuos... 1404, 1408,
3945
exaltas REGES, respices humilis... 395
qui ex utero... habargae praelegisti REGES seculi profuturis. 842
magi mutati, REGES turbati, parvuli gloriosa passione coronati. 3646
et illo REGI ad obtinendam animae corporisque salutem... 2123

postolat omnipotens cum REGIBUS et principibus patriae...   2466
da servis tuis REGIBUS nostris illis triumphum virtutis tuae scienter
    excolere...   1246
in conflictu adsis REGIBUS nostris proeliantibus...   3466
propitiare romanis (christianorum) rebus et REGIBUS ut omnes hostium...
    1188
ut apertis ianuis summi REGIS adventu (adventum) cum laeticia mereatur
    intrare.   2211
nec turbata inprovisi REGIS adventu sequitura cum lumine...   759
moysen de manu pharaonis, REGIS aegyptiorum.   2023
iusso REGIS babillonis nabacodanosor...   850
aeterni REGIS castra introaeat.   1163
quia nemo potest summi virique REGIS celsitudine delectari...   4215
aeterni REGIS est sociata consortio...   2686
sicut liberasti david de manu saul REGIS et goliae...   2023
ihesu christi fili dei vivi, REGIS et iudices nostri...   1548
Ds qui ad praedicandum aeterni REGIS evangelium romanum imperium
    preparasti...   1172
Ds, qui saeculorum omnium rerum ac momenta temporum REGIS exaudi nos...
    1202
O. ds in cuius manu cor REGIS geritur...   2250
et dicat : Gladius domini et clarissimi francorum REGIS ill. ut cum
    ipsus...   4143
ingressus cubiculum REGIS in ipsius aula benedicat nomen gloriae tuae
    semper.   2055
hodiernum eligens diem, in qua ad adorandam veri REGIS infantiam...   4058
sicut liberasti tres puerus de camino ignis ardentis et de manibus REGIS
    iniqui.   2023
boni pastoris humeris reportatum in comitatu aeterni REGIS perenni gaudio
    ...   701
... Gaudeant se tellus inradiata fulgoribus, et aeterni REGIS splendore
    lustrata...   1564
... REGIS turbati, parvoli gloriosa passione coronati...   3648
et pro tanti REGIS victoria tuba insonet (intonet) salutaris.   1564
... REGUM consecrator, honorum omnium adtributor...   3912
Terrore omnium conditorem deum in cuius manu REGUM corda consistunt...
    3473
rex REGUM et dominus dominatium corona credentium...   395
Dignare, dne ds omnipotens, rex REGUM et dominus dominancium sacerdos
    omnium...   1283
ad patrem aeterni luminis transeant in REGUM hereditarii claritatis.
    1248
Ds, in cuius manu corda sunt REGUM inclina...   830
dum tuo moderamine REGUM regna gobernas...   4143
Ds, regnorum omnium REGUMQUE dominator...   1247
Ds invicta virtutis auctor et inseparabilis imperii REX ac semper
    magnificus...   848
Da, qs, dne, REX aeternae cunctorum, ut...   659
Ds misericors, REX aeternae, da servituti...   860
in holocaustum tuo REX aeternae imperiae...   2262
In diebus illis nabochodanosor REX fecit statuam auream...   1867
... REX gloriae dominusque virtutum...   3953
inexpugnabile virtute REX gloriae roborasti.   3722, 4149
qua beatus david REX in psalterio psalmorum filius...   842
Tuasque antiquas, REX inclite, inploramus misericordias...   3736
... REX regum et dominus dominantium corona credentium...   395

Dignare, dne ds omnipotens, REX regum et dominus dominancium sacerdos
  omnium... 1283
qui stilla in die clarificatus es REX salutis.   1175

        RIGO
et in quattuor fluminibus (dividens) totam terram RIGARE praecepit...
  1045, 1535, 3565
lacrimis stratum RIGAVIT...   58

        RIGOR
fidei calorem, continentiae RIGOREM, fraternitatis amore...   980

        RIMOR
destitit pelagi profunda RIMARI...   3610

        RITE
Obsequiis autem RITE celebratis...   2217
et iterato tempore oportuno omnibus RITE perfectis...   1714

        RITUS
omni RITU pestifere vetustatis abolito...   4138
diabuli RITU ut liberati hospitalis agamus tibi, dne, pater o., laudes et
  gratias. 1346
ut quicquid sacrum RITUM super hoc immolabitur...   3997
VD. Ut te postposita vetustate RITUS sacrificium...   4217

        ROBORO
invalidum ROBORA valedumque confirma.   3081

        ROBUR
... Et per afflictionem corporum, proveniat nobis ROBUR animarum.   3745
... ROBOR in brachii fortitudine securitas in prohelium...   3473
... Muniat infirmitatem suam ROBORE disciplinae...   1171, 2541, 2542
Da, qs, dne, ut ieiunando ROBORE satiemur...   662
apostolici ROBORIS in eadem praecipua membra posuisti...   4002
ut eum maximo ROBORIS vult...   924

        ROBORO
... Cuius carne dum pascimur ROBORAMUR, et sanguine dum potamur abluimur.
  3786
ut sicut illos sanctus spiritus ROBORANDO sempiternam provexit ad gloriam
  ... 1205
Ds qui beatum... virtutem constantiae in passione ROBORASTI ex eius nobis
  ... 914
inexpugnabili virtute rex gloriae ROBORASTI ex quibus beatus...   3722
inexpugnabile virtute rex gloriae ROBORASTI.   4149
sed similium tuarum virtutum agmine ROBORATA, tibi domino...   4143
Quo eius et exemplo ROBORATI et intercessione muniti...   915
ut tua virtute ROBORATI omnis hostilitas...   2469
ut tua virtute ROBORATIS...   2469
VD. In quo ieiunantium fides additur, spes provehitur, caritas ROBORATUR
  ipse est...   3786
... Cuius munere beatae caecilia... et in confessione fidei ROBORATUR ut
  nec aetatis...   3942
intercessione eius in tui nominis amore ROBOREMUR.   2770
munere septiformi tuae gratiae ROBORENTUR abundet in eis...   137
sed sapientes inter ROBORENTUR adque ad aeterna...   1370
ut superati (inimicorum) viribus ROBORENTUR.   2609
spiritum sanctum quo... septiformis gratiae munere ROBORETUR...   138
fideliter exsequendi munere septiformis gratiae tuae ROBORETUR.   136

ROBUSTUS
haec contra omnia tela inimici ROBUSTA defensio...   1508

ROGO
iniquitatis quibus nos affligimur ROGAMUS absolve.   1412
Supplices te ROGAMUS, ds : conpetentibus gaudiis diem nos celebrare
   concedas...   3368
Supplices te ROGAMUS, ds, ne aut malis propriis adgravemur...   3369
refectione vegetati supplices te ROGAMUS, ds ut hoc remedio...   3172
Supplices te ROGAMUS, ds, ut interventu beati Laurenti martyris...   3370
Supplices te ROGAMUS, ds, ut munera...   3371
Supplices te ROGAMUS, ds, ut quos tuis reficis sacramentis...   3372
Suppliciter te ROGAMUS, dne ds noster, ut huius operationem mysterii...
   3382
Supplices te ROGAMUS, dne ds noster, ut qui percipimus...   3373
Supplices te ROGAMUS, dne ds noster, ut sicut...   3374
suppliciter ROGAMUS dne ut quorum...   387
et magis querimur quam (querimus que) ROGAMUS et divinam...   4135
et praesta, qui te ROGAMUS et oramus.   3568
Perceptis, dne, sacramentis subdito corde ROGAMUS et petimus ut
   intervenientibus...   2565, 2566, 2567
Te igitur... supplices ROGAMUS et petimus uti accepta...   3464
Supplices te ROGAMUS, o. ds, iube haec perferri...   3375
supplices te ROGAMUS, omnipotens ds, ut hoc remedio...   3172
Supplices te ROGAMUS o. ds, ut intervenientibus sanctis tuis...   3370
Supplices te ROGAMUS o. ds ut quos donis...   3376
Supplices te ROGAMUS omnipotens ds, ut quos tuis reficis...   2446, 3377
subnixe ROGAMUS pro fratres nostros ill. ut...   2475
... Proinde ROGAMUS te, dne ds noster, ut haec creatura (hanc creaturam)
   salis...   1542, 1544
ROGAMUS te dne sanctae pater, o. aeterne ds ut...   3120
Dne iesus tu pastur bone ROGAMUS te qui temeripsum...   1344
adque ideo supplices te ROGAMUS, ut et...   4187
Supplices, dne, te ROGAMUS, ut fructum terrenorum...   3362
Suupplices dne te ROGAMUS, ut his sacrificiis...   3363, 3364
supplices, dne, te ROGAMUS ut inplorantibus...   514
Perceptis, dne, sacramentis supplices te ROGAMUS ut intercedentibus...
   2568
te supplices ROGAMUS, ut noxia cuncta submoveas...   795
Supplices, dne, te ROGAMUS, ut quamvis...   3365
Quo magis supplices te ROGAMUS ut quia sine te...   3639
supplices te ROGAMUS, ut quod ad honorem...   2166
VD. Per quem maiestatem tuam supplicis te ROGAMUS ut quod sancta...   3832
supplices, dne, te ROGAMUS ut quorum gloriamur...   387
Martirum tuorum... natalicia praeeuntes supplices te ROGAMUS, ut quos
   caelesti...   2061
Subsidium nostrae salutis accepto supplices, dne, te ROGAMUS ut quos
   tanti...   3316
supplicis te ROGAMUS, ut sine quibus...   1057
Supplicis te ROGAMUS ut te perire...   3637
... ROGANTIBUS sanctis apostolis tuis...   221
pax ROGANTIUM, vita credentium, resurrectio mortuorum...   829
adquiesce ROGARE, et rogatus indulge.   3828
Opus misericordiae tuae est, pater o., aeternae ds, ROGARE pro aliis...
   2493
VD. Et te suppliciter ROGARE pro amantissimus carusque nostros ill...   3736

et tribuat gratiam quam semper ROGASTIS.   356
et ita devotionem nostram placatus semper (..) ROGATIS.   340
cum ad beatum convivium ROGATUS ad nuptias...   855
adquiesce rogare, et ROGATUS indulge.   3828

ROMA
de beati tamen sollemnitate Laurenti pecularius prae ceteris ROMA
  laetatur...   3863

ROMANUS
... Sed o felix, si tuos praesules, ROMANA, cognosceres...   4002
secura tibi serviat ROMANA devotio.   2349
secura tibi serviat ROMANA libertas.   3405
ut tuo munere dirigantur et ROMANA securitas et devotio christiana.   2186
... ROMANAE urbis, cuius propter te despexerat dignitatem, tenere
  constiutes principatum...   4126
et ROMANI imperii adesto rectoribus...   835
et propter nomen tuum ROMANI imperii defende rectores...   2866
... ROMANI imperii propitiare principibus...   1216
Ds, regnorum omnium et ROMANI maximae protector imperii...   1246
ius apostolici principatus in ROMANI nominis arce posuisti...   2413, 3947
O. s. ds, ROMANI nominis defende rectores...   2468
et ad custodiam ROMANI nominis dexteram tuae protectionis extende
  (ostende)...   2861, 2862
propicius ROMANI nominis esto principibus...   1250
sic hostes ROMANI nominis et inimicos catholicae...   1463
O. ds, ROMANI nominis inimicos virtute, qs, tuae conprime maiestatis...
  2257
ut ROMANI nominis secura libertas in tua devocione semper exultet.   2608
et ROMANI nominis securitas reparata consistat.   245
et statum ROMANI nominis ubique defende...   2868
Protege, (qs, dne), ROMANI nominis ubique rectores...   2347, 2936
et ROMANI regni adesto principibus...   1190
Ut ROMANI sibi francorum nomen secura libertas...   2610
O. s. ds, ROMANIS auxiliare principibus...   2469
propiciare ROMANIS rebus et regibus...   1188
et ROMANIS viris adde principibus...   1217
respice propitius ad ROMANORUM benignus imperium...   2447
Ds qui regnorum omnium et ROMANORUM maxime protector imperii...   1246
et ROMANORUM regnum tibi subditum protege principatum...   797, 798
respice propitius ad ROMANORUM sive francorum benignus imperium...   2447
... ROMANOS fines ab omni hoste faciat esse securos.   936
respice ad ROMANUM benignus imperium...   2348
Ds, qui praedicando aeterni regni evangelio ROMANUM imperium praeparasti
  ...   1172
respice propicius ad ROMANUM sive Francorum benignus imperium...   2447

ROS
mentibus eorum adque corporibus ROS tuae benedictionis infunde...   1606
quos tu, dne, RORE caelesti et inundantia pluviarum ad maturitatem
  perducere dignatus es...   306
et infunde illi RORE caelesti spiritum sanctitatis tuae...   298
senciant in ea commanentes RORE caeli habundantiam...   310
da aeis de RORE caeli benedictionem...   395
tribuae aeis de RORE caeli et habundantia...   3461
quos tu dne RORE caeli et inundantia pluviarum...   305
augeat aeis a RORE caelis a pinguidine terrae...   167

Ds, de cuius gratiae RORE discendit ut ad mysteria... 806, 4235
ut eius mentem... et pietatis tuae RORE inriges... 2342
et RORE misericordiae tuae perennis infunde. 2975
et refrigerii RORE perfundas... 3470
Et illa aeum permissione siderea ac sapientiae tuae RORE perfunde qua
  beatus david... 842
tu hoc tintinabulum sanctum spiritum RORE perfunde ut ante sonitum...
  2262
Tu ergo aeos o. dne iesus christe benedictione RORE perfunde ut et in
  praesenti... 1334
et spiritus sancti tui semper RORE perfusa... 866
ubi felices parvuli (perfusi) RORE sanguinis... 465
perpetuum eis ROREM (RORE) tuae benediccionis infunde (effunde). 2390,
  2391
et sui RORIS intima aspersione fecundet. 3211
et sui RORIS ubertate fecundet. 3211

      ROSA
qui in ecclesiae tuae prato sicut ROSAE et lilia floruerunt... 3727

      ROSEUS
... Quos unigeniti tui sanguis et praelio confusionis ROSEO colore
  perfudit... 3727

      ROTA
quicquid in ROTA contenit mundi... 742

      RUBER
sicut exaudire dignatus es famulum tuum Moysen in mare RUBRO hoc quod
  pharao... 1346
diviso subito RUBRO mari grassotoque liquore constringens... 880
Ds qui transtulisti patres nostros (per) mare RUBRUM et transvexisti per
  aquam nimiam... 1224, 1225
quod mare RUBRUM forma sacre fonti (sacri fontes) existeret... 1178
patres nostros... RUBRUM mare sicco vestigio transire fecisti... 3791

      RUBIGO
adque RUBIGINEM scelerum moliviciorum igne conpunctionis tui amore
  mundemur incursu. 3469

      RUBUS
sicut moysen in RUBO, iosuae in agro... 842

      RUDIMENTUM
qui virtute sancti spiritus tui inbecillarum mentium RUDIMENTA confirmes
  (confirmas)... 838, 1240
ut per quos aeclesiae tuae divini muneris RUDIMENTA donasti... 611
quos ad RUDIMENTA fidei vocare (dignatus) es... 2369, 2467
... huius famulae (tuae), pater, RUDIMENTA sanctifica... 2541, 2542
ut magnitudinis gloriae RUDIMENTA servantes per custodiam mandatorum
  tuorum... 2825

      RUDIS
ne RUDES animos parvulorum... honeraret austerioribus disciplinis...
  3996

      RUFUS
et beati RUFFI intercessionibus confidentes... 89
Intercessio, qs, dne, sancti tui RUFFI munera nostra commendet... 1947
quam beati RUFI possimus (poscimus) interventu nobis et confessione
  praestari. 4105

et festivitate beati martyris tui RUFFI suppliciter depraecamur...   3331
et intercedente beato RUFO martyre tuo...   2213

RUGA

et possidias aeam sine macola et RUGAM.   3792
Exiat desuper famulo isto aput RUGIS...   1860

RUGIO

ut illum RUGIENTEM leonem contereret (conterit)...   1354, 1355
qui inimici RUGIENTIS sevitiam superas...   848

RUGITUS

... Te igitur cum interno RUGITU deprecamur, ut...   3657

RUINA

ut eripias hominem tuis formatum manibus a RUINA et daemonio meridiano...
   1354, 1355
causa dispendii, RUINA peccati...   2905
et lapsus nostros aliaena RUINA suscepit.   3661
ut qui RUINAE suae lapsum anathemando (anathemandum)...   2297
ut diabolus, qui virum per inbecillitatem mulieris inpulerat in RUINAM
   viri condicione...   4125
et pro delictorum facinus currui in RUINAM.   4003, 4004

RUMPO

... RUMPENS legem tartari, ad caelus ab inferis ascendisti.   955

RUPES

neque disperdat novella in gulgotarum RUPE plantata.   4233
Qui convertit... et RUPES in fontes aquarum.   2378

RURSUM

et salutem... ligni RURSUM fides aperiat.   1265, 3364
dum te iubente pulvis pulveri RURSUM redditur...   2236

RURSUS

spei RURSUS aeternae et caelestis gloriae reformetur.   2837
... RURSUS caelestis gloriae mancipetur.   596
et RURSUS confessionis sacrosancte visceribus martyr beata...   4091, 4092
Qui RURSUS hic ille dies est, qui in chana...   855
ut redempta vasa... non spiritus inmundi (inmundus) RURSUS inficiant...
   2937, 2941
... RURSUS instruxit habraham inmolaturus filium...   3997
... RURSUS lapidem es dignatus aerigere...   3635
et RURSUS nulla paenitus formidemus...   3641
dum, te iubentem, pulvis (iubente pulvere) pulverem RURSUS redditur...
   2236, 2401

RUSTICUS

... Dionysii RUSTICI et Eleutherii Helarii...   417

RUTILO

quam in honorem dei RUTILANS ignis accendit...   3791

RUTILUS

et inter paradysi RUTILUS lapides gaudium possideat...   3391

SABAOTH

dicentes : Sanctus, sanctus, sanctus, dominus deus SABAOTH pleni sunt...
   3258, 3589
quando in vinia domini SABAOTH sic novorum plantatio facienda est...
   58

SABBATUM
die sacro SABBATI, ab omnibus operibus quievisti... 1162
die vero SABBATI apud beatum Petrum... vigilias caelebrimus... 179
... SABBATORUM die hic ipsum vigiliis sollemnibus expleamus... 1682
... SABBATORUM die hic sacras acturi vigilias... 182
diae vero SABBATUM aput beatum petrum... 180

SABINA
intercedente beata SABINA martyre tua... 1295
sicut de sanctae SABINAE festivitate gaudemus... 1485
Hostias tibi dne beatae SABINAE martyris tuae dicatas meritis benignus
    adsume... 1832
pro solemnitate sanctae martyre SABINAE supplicante immolamus. 1655
pro solemnitate sanctae martyre SABINAE suppliciter immolamus. 1655
Purificit nos... et gloriosa deprecatio sancte SABINAE. 2947

SACCUS
... Scinde delictorum SACCUM et indue eum laeticiam salutarem... 2055

SACER
idem sacerdos et SACER agnus exhibuit. 3985, 4018
cuius nascendo, civis, SACER minister, et dicatum nomini tuo munus est
    proprium... 3863
quo maiestatis tuae confessione magnifica... Andreae SACER natalis
    inluxit... 3368
salutaris cybus et SACER potus instituat... 1284
Sit nobis, dne, qs, (qs dne) cibus SACER potusque salutaris... 3297
VD. Ecce enim, sicut SACER sermo pronuntiat... 3678
et promissionis filios SACRA adoptione delata... 2363
hodie unigenitum tuum virgo SACRA concaepit... 4062
Suscipe qs dne pro SACRA conubii lege munus oblatum... 3429
maiestati tuae haec SACRA deferimus... 3645
cuius auctorem lavacri SACRA dextera tincxit in fonte. 910
Suppliciter, dne, SACRA familia munus tuae miserationes expectat... 3380
VD. Tibi etenim, dne, SACRA festivitas agitur... 4180
ut sicut illi praebuisti SACRA fidei largitatem... 1827
electum Aharon mystico amictu vestiri inter SACRA iussisti... 819, 820
Suscipe, dne, qs, pro SACRA lege coniugii munus oblatum... 3429
Deus, qui SACRA legis omnia constituta in tua et proximi dilectione
    posuisti... 1197
Ds, qui SACRA martyrum et confessorum tuorum illorum et illorum pectora...
    1198
ut aeclesiae tuae praeces, quae tibi gratae sunt (SACRA) munera deferentes
    ... 2940
Adesto, dne, populis qui SACRA mysteria contingerunt... 73
Prosequere (nos), (qs), o. ds, ieiuniorum SACRA mysteria et quos ab escis
    ... 2895, 2896
Respice, dne, propicius SACRA mysteria quae gerimus quae gerimus... 3095
ut aeius SACRA natalicia et temporaliter frequentemur... 1946
Haec SACRA nos dne potenti (potentie) virtute mundatos... 1705
Vivificet nos, dne, SACRA participatione infusio... 4244
ut dignos SACRA participatione perficiat. 2950
ut reatum nostrum munera SACRA purificent... 2992
ut per haec SACRA quae gerimus... 2700
Tribuae, qs, (dne), ut (per) haec SACRA quae sumpsimus... 3499
Da, qs, dne, fidelibus tuis in SACRA semper actione persistere... 645
Benedictionem, dne, nobis conferat salutare SACRA semper oblatio... 371

O. s. ds, qui maternum affectum nec in ipsa SACRA semper virgene Maria...
    denegasti... 2417
et SACRA solemnitate recolentem... 3535
Respice dne propitius ad munera SACRA ut et tibi grata sint... 3090
ut observationis SACRAE annua devotione recolentes... 2730
Plebs tua, dne, capiat SACRAE benediccionis augmentum... 2597
Adsit, (adesto) dne, fidelibus tuis SACRAE benedictionis effectus... 156
ut SACRAE devocionis proficiens incrementis... 241, 242
ut quorum nunc regenerationis SACRAE diem caelebramus octavum... 1192
quos per tui muneris largitatem SACRAE familiae subrogamus antistites...
    4141
et de SACRAE festivitatis celebritate laetetur. 372
SACRAE festivitatis nobis, qs, dne, dona multiplica... 3121
ut qui diversitatem gentium unius SACRAE fidei confessione... congregare
    ... 4198
ut sicut illi praebuisti SACRAE fidei largitatem... 1827
et in cordibus nostris SACRAE fidei semper exerceat firmitatem. 2545
quod mare rubrum forma SACRE fonti existeret... 1178
ut confessionis SACRAE lapis vivus exsisteret... 3777a
quia cum geminatura SACRAE legis non virtus inditae consecrationis
    excluditur... 2297
qui SACRAE militiae... nobis exempla veneranda proposuit... 3617
Repleti dne SACRE muneres gratiam supplices exoramus... 3073
SACRAE nobis dne qs observationis ieiunia... 3122
SACRAE nobis, qs, dne, mensae libatio et piae conversationis augmentum...
    3122
SACRE nobis, qs, dne, observationis ieiunia et piae conversationis
    augmentum... 3123
quae et SACRE nos deditos faciat servituti... 1657
ut SACRAE nos purificatos ieiunio... 659
per haec SACRAE oblationis libamina vel tolerabiliora fiant ipsa
    turmenta. 2481
quae et SACRAE peragat instituta mysterii... 1269
Accepta tibi sit dne SACRAE plebis oblatio... 24
et ut SACRAE purificationis effectum (effectum) aquarum natura conceperet
    ... 3688, 3772
cui in tuo sancto nomine habitum SACRE religionis inponimus... 97
Ds, qui per beatae (mariae) SACRAE virginis partum... 1150
seipsum tibi SACRAM hostiam agnumque inmaculatum... pro salute nostra
    immolavit. 3986
VD. Cuius SACRAM passionem pro inmortalibus... animabus sine dubio
    celebramus... 3668
et SACRAM sollemnitatem recolentem caelestis gratiae largitate prosequere
    ... 3535
Ds. conlator SACRARUM magnifice dignitatum... 762
VD. Et te in veneratione SACRARUM virginum exultantibus animus laudare...
    3725
sabbatorum die hic SACRAS acturi vigilias... 182
Quem in hac nocte inter SACRAS aepulas increpantem... 3867, 3868
ut observationes SACRAS annua devotione recolentes... 2730
qui per Moysen famulum tuum nos quoque modolatione SACRI carminis erudisti
    ... 817
ita erudire populos tuos SACRI carminis tui decantatione voluisti... 761
... Quae dum duplicem vult sumere palmam in SACRI certaminis agone...
    3866
SACRI corporis et sanguinis praetiosi renobati libamine... 3135

dum ad tactum SACRI corporis sanctificasti per lavacrum... 893
ipsaque sit SACRI corporis ubique vera conpago... 4021
Sumpsimus, dne, SACRI dona mysterii (misteria)... 3338
Corporis SACRI et praetiosi sanguinis repleti libamine... 542, 543
Repleamur, dne, gratia muneris SACRI et quae gustu... 3060
ut sicut ille praebuisti SACRI fidei largitatem... 1827
quod mare rubrum forma SACRI fontes existeret... 1178
et SACRI huius misterii sicut institutur... 3997
Ds, qui pro animarum expiacione nostrarum SACRI ieiunii institua mandasti
    (mandatis)... 1179
quae post SACRI lavacri unda contraxit... 724
Repleti, dne, SACRI muneris gratia supplices exoramus... 3073
Recreati SACRI muneris gustu qs, dne... 3036
... SACRI muneris servitutem (servientem) trinis gradibus ministrorum
    nomini tuo militare constituens... 136, 137, 138
ut SACRI muneris venerabile sacramentum... 3943
... SACRI nominis veritatem sancte conversationis in nobis monstret
    effectus. 4171
SACRI nos, dne, muneris operatio mundet et foveat... 3136
et SACRI participatione mysterii fideliter sensibus uniamus. 750
quae et SACRI peragat (peragit, peragi) instituta mysterii... 1269
Refecti participatione muneris SACRI qs dne ds noster... 3043
Consecuti gratiam muneris SACRI supplices te rogamus... 514
qui per beatae Mariae SACRI uteri divinae graciae obumbracionem... 1494
ut SACRIS actionibus (actibus) herudita (eruditi)... 2855
SACRIS altaribus dne hostias superpositas sanctus ille qs in salutem
    provenire deposcat. 3166
dignum SACRIS altaribus fac ministrum... 863
Hostias, qs, dne, propitius intende quas SACRIS altaribus intende... 1817
... Talia igitur, dne, dignae SACRIS altaribus munera offeruntur... 861
et sanctis ac SACRIS altaribus restitutus... 2836
ob diem, quo me SACRIS altaribus sacerdote consecrare iussisti... 4050
ut (levitae tuae) SACRIS altaribus servientes et fidei veritate
    (integritate) fundati... 52, 53, 1347
ut sicut me SACRIS altaribus tua dignacio sacerdotalis servire praecepit
    officio... 1753
ut his SACRIS altaribus vitales escas perpetua vita conferat renatorum.
    3596
ut SACRIS apta muneribus fiant nostra servitia. 1079
SACRIS caelestibus, dne vitia nostra purgentur... 3167
concede mihi indigno famulo tuo SACRIS convenienter servire mysteriis...
    1060
Repleti, dne, muneribus SACRIS, da, qs... 3071
et corda SACRIS dicata mysteriis pervigili tuere pietate (pietate tuere
    pervigili)... 4240
SACRIS, dne, mysteriis expiati, et veniam consequamur et gratiam. 3168
Ut SACRIS dne reddamur digni muneribus... 3581
Satiasti, dne, familiam tuam muneribus SACRIS eius qs semper... 3260
et SACRIS erudita praeconiis... 665
Sicut qui invitatus renuit, quaesitus refugit, SACRIS est altaribus
    removendus... 3290
ut SACRIS et devotionem proficiens incrementis... 242
quas SACRIS et pluviae temperamentum nutrire dignatus es... 2525
Corporis SACRIS et preciosis sanguinis replaeti libamine... 543
Ieiunia, qs, dne, quae SACRIS exequimur institutis... 1850
quae gloriae tuae SACRIS famulantur ordinibus... 820

... SACRIS fontis indulgenciam resolvatur...   1611
ut per ieiunia quae SACRIS institutis exsequimur...   3730
ut SACRIS intenta doctrinis et intellegant quod sequantur...   1525
Corda vestra efficiat SACRIS intenta doctrinis quo possint...   2260
quo et debitus (debitis) honor SACRIS martyribus exhibetur...   3175
Annue, qs, dne, SACRIS martyribus tuis...   195
et quos SACRIS ministeriis exsequendis...   1321
quam in hoc saeculo commorantem SACRIS muneribus decorasti...   2721
quam SACRIS muneribus facis esse participes...   1937
ut SACRIS muneribus offerendis...   557
ut per haec te opitulante efficiar SACRIS mysteriis dignus...   1837
ut eandem SACRIS mysteriis expiati dignius (dignis) caelebremus.   1645
ut qui nostris fatigamur offensis, SACRIS mysteriis expiemur...   3002
et quae SACRIS mysteriis exsequendis temporaliter nos offerre docuisti...
   2499, 2596
Apostolicae reverenciae culmen offerimus SACRIS mysteriis inbuendum...
   208
qua dilectos tibi greges SACRIS mysteriis inbuerunt.   2741, 2742
ut divino munere satiati et SACRIS mysteriis innovemur et moribus.
   2755
hancque basilicae (basilicam) in honorem (honore) sancti illius SACRIS
   misteriis institutam (instituta).   1249
templumque hoc... SACRIS mysteriis institutum clementissimus dedica...
   1733
ut quae SACRIS mysteriis profitemur, piis actionibus exsequamus.   2574
quod in hac diae de SACRIS misteriis tuis susciperunt in aures.   122
et SACRIS pueris martyris gratia praestetit...   355
Saciati sumus dne muneribus SACRIS que tanto...   3266
Refecti participationem muneris SACRIS qs dne...   3043
qui SACRIS quod admonuit dictis, sanctis implevit operibus...   3766
ut ad altaribus SACRIS recepta veritatis tuae communione (conmunionem,
   conmunio) reddatur.   1007
SACRIS reparati mysteriis suppliciter exoramus...   3169
fiatque tua propiciacione tuis SACRIS sanctisque digna mysteriis...
   1734
et SACRIS semper mysteriis repraesentas incolomes...   1085
quos tuis SACRIS serviturus in officium diaconii suppliciter dedicamus...
   136
ut SACRIS sollemnitatibus convenienter aptati...   1606
et SACRIS sollemnitatibus famuletur concessa securitas (tranquillitas).
   4192
ut quae SACRIS sunt oblata mysteriis...   83
et quicumque tua replent altaria SACRIS suscipias...   3832
Repleti sumus dne muneribus SACRIS, tribue...   3079
que SACRIS virtutibus veneranda refulsit (refulgit).   3197
vel quorum nomina ante SACRO altario tuo scripta adesse videntur...   3008
ut omnes qui diluintur SACRO baptismate tua semper...   1326
dignare eadem SACRO (SACRUM) baptismati praeparata maiestatis tuae
   praesenciam consecrare...   2343
VD. Et in hac die quam transitu SACRO beati confessoris tui ill.
   consecrasti...   3692
Ut cum presens vasculum... SACRO crismate tangitur...   2378
quarum fructus SACRO chrismati deserviret...   3945
beati confessoris tui ill. transitu SACRO consecrasti.   3944
ob diem, in quo me dignatus es ministerio SACRO constituere sacerdotem...
   1777

que merueris effici simel SACRO fonte restincta.   2298

et bona mansura non signius SACRO ieiunio purgatis sensibus (mentibus)
appetamus.   4132

sed etiam SACRO misterio (ministerio) conpetentibus servitiis exequentibus
(exsequentes).   3931

SACRO munera (munere) satiati supplices (te), dne, depraecamur...   3170

hoc SACRO munere efficiant quia...   3305

Gracias tibi referimus, dne, SACRO munere vegitate (vegitatem)...   1674

SACRO munere vegetatos (vegitato, vegitatis, vegitatos) sanctorum
martyrum Corneli et Cypriani...   3171

hoc SACRO munus efficiat...   3305

ut quorum perpetuam dignitatem SACRO mysterio frequentamus in terris...
2810

Da qs o. ds, ut SACRO nos purificante ieiunio...   686

ut SACRO nos purificatus ieiunio...   659

famulum suum quem in SACRO ordine dignatur adsumere...   2502

ut mentes nostras SACRO purgatae ieiunio...   618

... SACRO purgato ieiunio...   618

ut mentes nostras SACRO purificante ieiunio...   618

ut SACRO purificati ieiunio, electorum tuorum adscici mereamur collegio.
3987

die SACRO sabbati, ab omnibus operibus quievisti...   1162

te quoque nos dne depraecamur ut quos SACRO sanguine tuo redemisti...
2065

in quo eam tibi (socians) SACRO velamine protegere dignatus es...   1727,
1728

quos discretis terrarum partibus greges SACROS divino pane pascentes...
4196, 4197

nec sub specie religionis SACROS inpugnare patiaris effectus...   3808

per ipsos (ipsius quos) unigeniti tui SACRUM corpus exornans (exornas)
et in ipsis ecclesiae...   3728, 4158, 4169

O. s. ds, qui sanctorum virtute multiplici aeclesiae tuae SACRUM corpus
exornans primitias...   2453

qui sanctorum virtute multiplici aeclesiae tuae SACRUM corpus exornas
da eum...   1381

martyrum confessionibus aeclesiae tuae SACRUM corpus exornas da nobis
qs...   2451

ut quodquod hic oblatum SACRUM fuaerit nomini tuo adsurgat relegione...
871

ut quicquid SACRUM ritum super hoc immolabitur...   3997

            SACERDOS

quae maiestati tuae beatus Syxtus SACERDOS commendat et martyr.   3399

sic et Heliseus SACERDOS cum populus tuus aquam... salem accepit...
1346

VD. Cuius munere beatus martinus confessor pariter et SACERDOS et
bonorum operum...   3655

qua beatus Xystus pariter SACERDOS et martyr...   3773

idem SACERDOS et sacer agnus exhibuit.   3985, 4018

advocatus et iudex, SACERDUS (et) sacrificium.   4003, 4004

celebravit Abraham, Melchisedec SACERDOS exhibuit...   4194

ara adque (et) sacrificium idem (et) SACERDOS et templum.   3694, 3746,
3878

Hanc quoque oblacionem, quam offero ego tuus famulus et SACERDOS ob
diem in quo me...   1777

... SACERDOS omnium, pontifex universorum...   1283

Hanc igitur oblationem, quam tibi offero ego tuus famulus et SACERDOS pro
   eo quod me...   1724, 1754
seipsum tibi sacram hostiam... summus SACERDOS pro salute nostra immolavit.
   3986
... SACERDOS refulsit egregius et martyr insignis.   4097
et martyr insignis, et SACERDOS refulsit egregius.   3690
ita nunc manens in aeternum summi SACERDOS sacerdotum...   1283
quod SACERDUS sudavit in fide.   981
et quod tibi obtulit summus SACERDOS tuus Melchisedech...   3383
ob diem, quo me sacris altaribus SACERDOTE consecrare iussisti...   4050
ut huic testimonium SACERDOTE magis pro merito...   3021
quod dispensantes te SACERDOTE, plebs pro...   740
ut famulo tuo illo abbate atque SACERDOTE quem in requiem tuam... donis
   sedem honorificatam...   2355
per infusione (infusionem) huius unguenti constituerit SACERDOTEM accesit
   ad hoc...   3945, 3946
Ds, qui famulum tuum illum SACERDOTEM atque abbatem sanctificas...   989
VD. Verum aeternumque pontificem et solum sine peccati macula SACERDOTEM
   cuius sanguine...   4221
in electorum tuorum numero constitue SACERDOTEM diesque nostros...   1747
VD. Qui sanctum Xystum sedis apostolicae SACERDOTEM hodierna die
   felici...   4017
solumque sine peccati contagio SACERDOTEM iesum christum dominum nostrum.
   3898
ob diem, in quo me dignatus es ministerio sacro constituere SACERDOTEM
   obsecro dne...   1777
per infusionem huius ungenti constituere SACERDOTEM.   3946
ut eum in numero tibi placencium censire (recensire) facias SACERDOTEM.
   1759
et solum sine peccati macola SACERDOTEM.   4221
Ds, qui inter apostolicos SACERDOTES famulum...   1040, 1041
VD. Qui aeternitate sacerdotii sui omnes tibi servientes sanctificat
   SACERDOTES quoniam mortali...   3875
unde uncxisti SACERDOTES reges (et) prophetas et martyres...   1404, 1407,
   1408, 3945
quam tibi pro deposicione famuli et SACERDOTES tui illius deferimus...
   1759
VD. Qui sancto martyri tuo Xysto ac praecipuo SACERDOTI non solum...
   4015
quicquid in SACERDOTI pro laude tui nominis amplectuntur.   1176
cunctisque in SACERDOTIBUS aelegenda sunt bonis omnibus exsuperantem.
   3281
et quemadmodum vestimenta pontificalia SACERDOTIBUS et laevitis ornamenta
   ...   1318
da gratiam SACERDOTIBUS quam habrahae in holocaustu...   924
Largire SACERDOTIBUS tuis illam gratiam...   879
... Conple (dne) in SACERDOTIBUS tuis mysterii (ministerii) tui summam...
   819, 820
O. et m. ds, qui SACERDOTIBUS tuis pre ceteris tanta gratiam contullisti
   ...   2291
Beati Sixti, dne, tui SACERDOTIS et martyris annua festa recolentes...
   284
beati cypriani SACERDOTIS et martyris in tua dne virtute laeticiam...
   3174
Intercessio sancti Clementis SACERDOTIS et martyris misericordiae tuae...
   1948

beati cypriani SACERDOTIS et martyris mox praeclara subiungitur.   3155
VD. Veneranda Clementis SACERDOTIS et martyris solemnia recurrentes...
    4219
sancti Clementis hodie SACERDOTIS et martyris tui festivitate gaudentes...
    3806
Beati Clementis SACERDOTIS et martyris tui natalicia veneranda...   262
beati Xysti SACERDOTIS et martyris tui sanguine consecrasti.   4089
sancti SACERDOTIS et martyris tui Xysti desiderata festivitas...   3597
gloriosi SACERDOTIS et martyris tui Xysti semper honoranda...   3630
ut qui in conspecto tui (tuo) clarus est gemina (gemma) SACERDOTIS et
    martyrum...   3611
et anima (animam) famuli tui illi SACERDOTIS in beatitudinis sempiternae
    lucis (lucae) constituae.   148
Prosit, qs, dne, animae famuli tui illi SACERDOTIS misericordiae inplorata
    clemencia...   2904
quam tibi pro anima famuli tui illius (abbatis atque) SACERDOTIS offerimus
    ...   1740, 1755
ut anima famuli tui illi abbatis atque SACERDOTIS per haec sancta
    mysteria semper clara consistat...   477
et sicut Melchisedech SACERDOTIS praecipuae oblacionem dignacione mirabili
    suscepisti...   3844
omnes tibi servientes sanctifica SACERDOTIS quoniam...   3875
et anima famuli tui illius SACERDOTIS sanctorum tuorum iunge consorciis.
    278
et pro requie famuli tui illi SACERDOTIS tibi suppliciter immolamus.
    3439
ut animae famuli et SACERDOTIS tui ill. episcopi, haec prosit oblatio...
    190
ut animam famuli et SACERDOTIS tui ill. episcopi quam de saeculo...   594
quam tibi offerimus pro commemoratione depositionis animae famuli et
    SACERDOTIS tui illi episcopi qs dne...   1747
Suscipe, qs, dne, pro animam famuli et SACERDOTIS tui illi quas offerimus
    hostias...   3422
Hic tibi SACERDOTIS tui sacrificium laudis offerant...   3828
sancti martyris et SACERDOTIS tui Xysti...   3810
sacrificium iam nostri corpus et sanguis est ipsius SACERDOTIS.   2160
et populi tui salvatio sempiterna fiat praemium SACERDOTIS.   627
Recaepta itaque dispensatione dei SACERDOTO et vestro, solicite...   3281
officii (officio) sacramenta sufficeret meritum SACERDOTUM ac providentia
    ...   1349, 1350
et primatum omnium qui in orbem terrarum sunt SACERDOTUM ac universalis...
    818
ita nunc quoque humilium tuorum SACERDOTUM caterva...   4145
eorum SACERDOTUM consortio qui tibi placuerunt aduner...   3898
ut ad eorum qui tibi placuerunt SACERDOTUM, consortium valeam pervenire...
    3893
Servanda est... in excessum SACERDOTUM et antiquae aecclaesiae...   3281
in nomine SACERDOTUM et laevitarum...   2856
cuius confessione SACERDOTUM integritas intima dolens fundit mentem
    lamenta.   3501
per manus sanctorum sanctificasti SACERDOTUM ita nunc manens...   1283
electorumque SACERDOTUM me participem facias...   2239
consortium adipiscar tibi placentium SACERDOTUM meque tua misericordia...
    1567
O. et m. ds, qui SACERDOTUM ministerio ad tibi serviendum et supplicandum
    uti dignaris...   2292

solus omnium SACERDOTUM peccati remissione non eguit...   4019
Ds, tuorum gloria SACERDOTUM, praesta, qs, ut...   1256
benedictio SACERDOTUM, qui regis gentes...   395
ita nunc manens in aeternum summi sacerdos SACERDOTUM secundum ordinem...
    1283
Ds ad quem respicit SACERDOTUM solertia...   740
Dne ds, qui in regenerandis plebibus tuis ministerium uteris SACERDOTUM
    tribue nobis...   1325
in electorum numero constitue SACERDOTUM.   2070
Et in numerum tibi placentium censeri facias SACERDOTUM.   1711
sufficerent meritum SACERDOTUM.   2549
ministerium sufficeret SACERDOTUM.   1348
quia nunc genus electum SACERDOTUMQUE regale... vocaremur...   3645

SACERDOTALIS

sis benedictus in ordine SACERDOTALE, et offeras...   367
Ds, qui omnes in Christo renatos genus regnum et SACERDOTALE fecisti...
    1142
capite menteque humilis SACERDOTALE manum benedicendum sede sederit...
    898
et ipsius, cui SACERDOTALE ministerium deputatum est, natalis colitur
    sacramenti...   4028
ut in me, quem ad SACERDOTALE ministerium nullo praeditum...   4172
nobis indignis SACERDOTALEM conferis dignitatem...   3894
ut per SACERDOTALEM infulam, perveniret ad martyrii palmam...   3643
sollemnitatis quo nobis indigni SACERDOTALEM tribuisti...   1765
tribuisti SACERDOTALEM subire famulatum...   1754
... Unde SACERDOTALES grados et (atque) officia levitarum sacramentis
    mysticis instituta creverunt...   1348, 1350
regio et SACERDOTALI propheticoquae (propheti quoque) honore perfusi...
    3627
ut sancti spiritus SACERDOTALIA dona privilegio virtutum... obteneant.
    3300
solemnitas et de SACERDOTALIBUS nos instruat te miserante doctrinis...
    3210
et inclinato (inclinatos) super hos famulos tuos cornu gratiae
    SACERDOTALIS benedictionis tuae...   2877
et gratiae SACERDOTALIS effunde virtutem...   1483
Ad gloriam, dne, tui nominis annua festa repetentes SACERDOTALIS exordii
    ...   46
... Unde SACERDOTALIS gradus et officia laevitarum... instituta creverunt
    ...   1349
de habitu quoque indumenti (indumentum) SACERDOTALIS instituens...   819,
    820
quam tibi ministerio officii SACERDOTALIS offerimus pro eo quod...   1713
et pro sollemnitate recolenda primordii SACERDOTALIS offerimus ut eorum
    nobis...   3426
tribue tibi digne persolvere ministerium SACERDOTALIS officii et
    aecclesiasticis...   1089
propiciare universo ordini SACERDOTALIS officii et omnes grados...   967
ut sicut me sacris altaribus tua dignacio SACERDOTALIS servire praecepit
    officio...   1753

SACERDOTIUM

... Illius namque SACERDOTII anterioris habitus nostrae mentis ornatus
    est...   819, 820
Ds qui es... indultur SACERDOTII, congregatio plebis...   981

fidelem quamvis peccatis squalentem SACERDOTII dignitate donasti...   3893
... Et praeterita peccata nostra dissimulas, ut nobis SACERDOTII
  dignitatem concedas...   3898
... SACERDOTII dignitatem concedis indignis...   3893
ut qui in conspectu tuo clarus exstitit dignitate SACERDOTII et palma
  martyrii...   3611
famulis tuis, quos ad summi SACERDOTII ministerium deligisti (elegisti)...
  818, 819, 820
cuius SACERDOCII nobis tempora dignatus es donare praecipua (principia).
  1764
VD. Quia aeternitate SACERDOTII sui omnes...   3875
testimonium boni operis aelectum dignissimum SACERDOCIUM consonatus...
  3281
VD. Cuius gratia beatum saturninum in SACERDOTIUM elegit...   3643
regale SACERDOTIUM, populus adquisitionis et gens sancta vocaremur.   3651
qua nunc genus aelectum SACERDOCIUMQUE regale... vocaremur...   3645

               SACRAMENTUM
Dilectissimi nobis, accepturi SACRAMENTA baptismatis...   1287
sumpsimus dne sanctorum tuorum solemnia celebrantes SACRAMENTA caelestia
  praesta qs...   3340
Laeti, dne, sumpsimus SACRAMENTA caelestia quae nobis...   1987, 1988
In mentibus nostris dne vere fidei SACRAMENTA confirma...   1774
Ds, qui de his terrae fructibus tua SACRAMENTA constare voluisti...   949
Sumpsimus, dne sancti (Fabiani) solemnitate caelestia SACRAMENTA cuius
  suffragiis...   3339, 3340
Tua, dne, sperantibus in te, que sumpsimus SACRAMENTA custodiant et contra
  adversa...   3513
Tua nos, dne, SACRAMENTA custodiant et contra diabolicos...   3522
SACRAMENTA dne muniamur acceptus...   3126
ut quorum nobis festivitate votiva sunt SACRAMENTA eorum salutaria...
  2652
et sine cessatione capere paschalia SACRAMENTA et desideranter expectare
  ventura...   643
quo et paschalia capiant SACRAMENTA et desideranter exspectare venturum...
  3817
quo et paschalia capiant SACRAMENTA, et desideranter exspectent ventura...
  3733
ut haec salutaria SACRAMENTA illis proficiant ad prosperitatem et pacem...
  1294
maxima quaeque SACRAMENTA in aquarum substancia condedisti...   896
Tui nos dne SACRAMENTA libatio sancta restauret...   3552
ut ad hostias salutares et frequentioris officii SACRAMENTA ministerium...
  1348
concupiscerint SACRAMENTA, nec imitarentur quod nuptias...   759
Tua SACRAMENTA nos, ds, (qs) circumtegant et reforment...   3528
Purificent semper et muniant tua SACRAMENTA nos, ds et ad perpetuae...
  2945
Purificent semper et muniant tua SACRAMENTA nos, dne...   2945
Per haec, qs, veniat, dne, SACRAMENTA nostrae redemciones effectus...
  2553
O. s. ds, da nobis ira dominicae passionis SACRAMENTA peragere...   2328
... Et quia nos fecisti ad tua SACRAMENTA pertinere...   3749
et liberata plebs ab aegyptia servitute christiani populi SACRAMENTA
  praeferret...   1178
... Nam (et) David prophetico spiritu gratiae tuae SACRAMENTA praenoscens
  ...   3945, 3046

Sumpsimus, dne, celebritatis annuae votiva SACRAMENTA praesta qs...   3333
Quos ieiunia votiva castigant tua, dne, SACRAMENTA purificent...   3028
et ineffabilis divini gratia SACRAMENTA que offertur...   4181
Purificent nos, dne, SACRAMENTA quae sumpsimus et a cunctis efficiant...
   2944
Ab omni errore nos, dne, qs, expient SACRAMENTA quae sumpsimus et
   dulcedine...   6
Purificent nos dne (qs dne, dne qs) SACRAMENTA que sumpsimus et famulum
   tuum...   2943
ut SACRAMENTA quae sumpsimus et praesentis...   3212
... SACRAMENTA quae sumpsimus, nec nostris excessibus...   120
SACRAMENTA quae sumpsimus, qs, dne, (qs) et spiritalibus nos expient
   (excipiant, repleant) alimentis.   3124, 3125
SACRAMENTA quae sumpsimus, quicquid in nostra mente viciosum est...   442
ut SACRAMENTA quae sumpsimus quicquid in nostra mente vulneratum ipsius
   miseracionis dono curetur.   443
ut magnifica SACRAMENTA quae sumpsimus significata veneremur...   505
Sumentes dne caelestia SACRAMENTA quaesumus clementiam tuam...   3325
Per haec veniat SACRAMENTA qs dne nostrae redemptionis effectus...   2553
Perficiant in nobis, dne, qs, tua SACRAMENTA quod continent...   2578
Sumpsimus, dne,... caelestia SACRAMENTA quorum suffragiis...   3340
Sumentes ds perpetuae SACRAMENTA salutis, tuam deprecamur clementiam...
   3326
... SACRAMENTA sancta, quae sumpsimus, ad tuae nobis proficiant placacionis augmentum.   2974
Dne ds qui in mysterio aquarum salutis tuae nobis SACRAMENTA sanxisti...
   1324
Percepta nobis, dne, praebeant (tua) SACRAMENTA subsidium...   2560
officii (officia) SACRAMENTA sufficeret meritum sacerdotum...   1349,
   1350, 2549
ut sicut de praeteritis ad nova (sumus) SACRAMENTA transimus (translati)
   ...   2739
tua custodiatur gratia, tua intellegat SACRAMENTA, ut te iugiter...   326
Concede, qs, dne ds noster, ut per tua semper SACRAMENTA vivamus...   461
tua dne SACRAMENTA vivificint...   3028
et quia nos ad tua pertinere SACRAMENTA voluisti...   3671
tua custodiatur gratia, tua intellegat SACRAMENTA.   326
Sumpsi(m)us, dne, celebritatis annuae votiva SACRAMENTA.   3333
Protegat nos dne cum tui perceptione SACRAMENTI beatus benedictus...
   2921
quibus ipsius venerabilis SACRAMENTI caelebramus exordium.   1576
ut hoc idem nobis semper et SACRAMENTI causa sit et salutis.   388
ut paschalis percepcio SACRAMENTI continuata (continua) in nostris mentibus (moribus) perseveret.   484
Ds, qui bonis tuis infantum (infantio) quoque tui nescia SACRAMENTI corda
   praecedes (praecedisti)...   918
a superni plenitudinem (plenitudine) SACRAMENTI cuius libavimus sancta
   tendamus.   2674
SACRAMENTI, dne, muniamur acceptis et...   3130
ut apostolorum praecibus paschalis SACRAMENTI dona capiamus...   809
et ipsius, cui sacerdotale ministerium deputatum est, natalis colitur
   SACRAMENTI dumque...   4028
Muniat, qs, dne, fideles (tuos) sumpta vivificatio SACRAMENTI et a vitiis
   ...   2158
per annua quadragesimalis exercitia SACRAMENTI et ad intelligendum...
   455

Purificet (Purifica) nos, dne, caelestis exsecutio SACRAMENTI et ad tuam
    magnificentiam... 2946
medicina SACRAMENTI et corporibus (nostris) prosit et mentibus.   3041
Da... ieiuniorum magnificae SACRAMENTI et dignae... 666
Sumentis gaudia sempiterna de participacione SACRAMENTI et festivitate...
    3331
Purificet nos dne qs et divini perceptio SACRAMENTI et gloriosa... 2947
Sanctificet nos, dne, qs, tui perceptio SACRAMENTI et intercessio...
    3229
Tui dne perceptio (perceptione) SACRAMENTI et nostris mundemur (mundentur)
    occultis... 3549
Haec nos qs dne participatio SACRAMENTI, et propriis reatibus... expediat
    ... 1703
Tui nobis, dne, communio SACRAMENTI et purificationem conferat... 3550
ut tui perceptione SACRAMENTI et securitas nobis optata proveniat...
    2285
Gratiam tuam nobis, dne, semper adcumulet divini participatione SACRAMENTI
    et sua nos... 1662
qui nos et caelestis participatione SACRAMENTI et tuorum refices... 1673
Ds, qui per ineffabilem observantiam SACRAMENTI famulorum tuorum
    praeparas voluntates... 1153
Sumentis, dne, gaudia sempiterna de participacione SACRAMENTI festivitatis
    ... 3330
quod in imagine (imaginem) gerimus SACRAMENTI manifesta perceptione...
    164
ut paschalis perfeccio SACRAMENTI mentibus nostris continua perseverent.
    484
Huius nos dne perceptio (preceptio) SACRAMENTI mundet a crimine... 1840
Et nataliciis sanctorum, dne, (et) (ut) SACRAMENTI munere vegetati...
    1436
ut percepti (preceptum) novi SACRAMENTI mysterium et corpore sentiamus et
    mente. 470
... Releva quem perducas ad baptismi SACRAMENTI ne redemptione... 3463
ut quorum memoriam SACRAMENTI participatione recolimus... 2669, 2787
et de congruo SACRAMENTI pascalis obsequio (obsequium). 2663
Impleatur in nobis, qs, dne, SACRAMENTI paschalis sancta libatio... 1862
Huius dne perceptio SACRAMENTI peccatorum meorum maculas tergat... 1834
Purificet nos qs dne et divini SACRAMENTI perceptio et gloriosa... 2949
Huius mihi dne SACRAMENTI perceptio sit peccatorum remissio... 1837
Cotidianus, (Cotidiani) dne, qs, munera (munere) SACRAMENTI perpetuae
    nobis tribue salutis augmentum. 547
ut pro veteris gratia SACRAMENTI praesentis sacrificii... 648
salutem (semper) operetur divinae (divini) caelebratio SACRAMENTI
    propensius tamen... 4053
praesta nos, (nobis) qs, huius munere SACRAMENTI purificatum tibi pectus
    offerre. 3571
Huius operatio nos, dne, SACRAMENTI, qs, purificet semper et muniat.
    1842
Ds, qui nos ad imaginem tuam SACRAMENTI renovas et praeceptis... 1094
Huius nos, dne, SACRAMENTI semper natalis instauret... 1841
Sentiamus, dne, qs, tui perceptione (perceptionem) SACRAMENTI subsidium
    mentis et corporis... 3277
Sit nobis, dne, SACRAMENTI tui certa salvacio (salutatio)... 3299
SACRAMENTI tui dne divina libatio poenetrabilia nostri cordis infundat...
    3126

SACRAMENTI tui, dne, qs, sumpta benediccio corpora nostra mentesquae
   sanctificet...   3127
SACRAMENTI tui, dne, veneranda peremptio et mistico nos mundet effectu...
   3128
Tribuat nobis, dne, qs, sanitatem mentis et corporis SACRAMENTI tui
   medicina caelestis...   3484
percepti SACRAMENTI tui nos virtute defende.   265
Ds, qui nos SACRAMENTI tui participatione contingis...   1131
Praesta, qs, dne, ut SACRAMENTI tui participacione vegitati...   2670,
   2734
Prosit nobis, qs, dne, SACRAMENTI tui perceptio salutaris...   2903
et SACRAMENTI tui perceptione satiati...   1442
SACRAMENTI tui qs dne participatio salutaris et purificationem nobis
   praebeat...   3129
... SACRAMENTI tui veneranda perceptio in novam transferat creaturam.
   7
huius consortiis SACRAMENTI, ut ad conscienciae suae fructum non gravare
   ...   1228
Sit plebi tuae, dne, continuata defensio divini participatio SACRAMENTI ut
   carnalibus...   3303
Vivificent nos, dne, tui munera SACRAMENTI ut divina participatione...
   4243
Exuberet, qs, dne, mentibus nostris paschalis gracia SACRAMENTI ut donis
   suis...   1559
... SACRAMENTI veneranda perceptio in novam transferat creaturam.   7
Laetificet nos, qs, dne, SACRAMENTI veneranda sollemnitas...   1991
venerabilis SACRAMENTI venturum celebramus exordium.   1576
sed tibi nos placitos SACRAMENTI virtute perficias.   2182
et quos caelestibus instituis SACRAMENTIS a terrenis...   65
et quam divinis tribuis profiteri (proficere, reficere) SACRAMENTIS ab
   omnibus absolve...   3091
ut divinis vegitati SACRAMENTIS ad eorum promissa...   233
Sumptis, dne, (caelestibus) (salutaribus) SACRAMENTIS ad redemptionis...
   3344
ut quos SACRAMENTIS aeternitatis instituis...   88
Hos quos reficis, dne, SACRAMENTIS adtolle benignus auxiliis...   1797
Hos, dne, quos reficis SACRAMENTIS, adtolle benignus auxiliis...   1797
Perceptis dne SACRAMENTIS beatis apostolis intervenientibus depraecamur...
   2564
... SACRAMENTIS caelestibus adpraehendant.   2137
et (his) SACRAMENTIS caelestibus servientes...   2104, 2869, 3424
SACRAMENTIS, dne, muniamur acceptis...   3126, 3130
O. s. ds, adesto magne pietatis tuae mysteriis adesto SACRAMENTIS et ad
   creandos...   2302
Repleti sumus, dne, SACRAMENTIS et gaudiis quae in sanctorum...   3080
Caelestibus refecti SACRAMENTIS et gaudiis supplices dne te rogamus...
   387
Dne ds noster, tuis nos purifica SACRAMENTIS et quorum nos...   1310
ut quos tuis reficis SACRAMENTIS, et tibi placitis moribus dignanter
   informaes.   3372
Tuere nos, dne, divinis propicius SACRAMENTIS et ut his congruae...   3541
Perceptis, dne, caelestibus SACRAMENTIS gratias agimus...   2562
Perceptis dne ds noster salutaribus SACRAMENTIS humiliter te deprecemur...
   2563
ut plebs tua et SACRAMENTIS instructa salutaribus...   816
Sumptis, dne, SACRAMENTIS intercedente beata... Maria...   3346

ut tua dignatione mundati SACRAMENTIS magnae pietatis aptemur.   1556
sed iniuria fidei SACRAMENTIS manentibus inrogatur...   2297
... officia levitarum SACRAMENTIS mysticis instituta creverunt...   1348,
   1349, 1350
et quos non deseris SACRAMENTIS, necessariis adtolle praesidiis.   1486
ut quos SACRAMENTIS paschalibus saciasti...   3309
Ds qui ineffabilibus mundum renovas SACRAMENTIS praesta qs ut ecclesia...
   1038
qui nos continuis caelestium martyrum non deseris SACRAMENTIS praesta qs
   ut quae...   2093
Plebs tua, dne, SACRAMENTIS purificata caelestibus...   2600
ut fiat haec unctio divinis SACRAMENTIS purificata... in adoptione...
   1536
Sumptis, dne, SACRAMENTIS quaesumus, ut intercidente...   3347
Mentes nostras, qs, dne, sanctus spiritus (spiritus sanctus) divinis
   praeparet SACRAMENTIS quia ipse est...   2088
quos SACRAMENTIS reficis, sustenta praesidiis...   2959
Ds, qui nos ad imaginem tuam SACRAMENTIS renovas et praeceptis...   1094
sanctisque altaribus et SACRAMENTIS restitutus...   596
quo pariter instituti pia conversatione et caelestibus SACRAMENTIS sic
   bonis...   3954
Perceptis, dne, SACRAMENTIS subdito corde rogamus et petimus...   2565,
   2566, 2567
Perceptis, dne, SACRAMENTIS supplices te rogamus (suppliciter exoramus)...
   2568
Perceptis dne SACRAMENTIS suppliciter exoramus, ut...   2568
ut quos tuis reficis SACRAMENTIS tibi etiam placitis...   3377
Et SACRAMENTIS tuis, dne, et gaudiis optatae celebritatis expleti...
   1441
ut quos divinis reparare non desinis SACRAMENTIS tuis non destituas...
   2969
Deus, qui nos SACRAMENTIS tuis pascere non desistis...   1132
in SACRAMENTIS tuis sencera deinceps devocione permaneat...   922, 923
et renova caelestibus SACRAMENTIS ut consequenter...   2938
Purifica nos, dne, hisdem quibus servitium dependimus SACRAMENTIS ut
   oblatio...   2939
efficiatur salutare SACRAMENTO ad effugando inimicum.   1543
ut qui SACRAMENTO baptismatis sunt renati.   937
Sumpto, dne, SACRAMENTO beatis apostolis intervenientibus depraecamur...
   3349
Ds qui SACRAMENTO festivitatis hodiernae universam aecclesiam...
   sanctificas...   1198a
quo cercius de futuris bonis, que in SACRAMENTO fidaei que in te est...
   3918
qui ineffabili SACRAMENTO ius apostolici principatus...   3947, 2413
que in viri ac mulieris copola fastidirent conubium, concupiscerent
   SACRAMENTO nec imitarentur...   759
Ut in aeo misticae piaetatis tuae SACRAMENTO, prumpte...   950
ut hoc eodem SACRAMENTO quo nos temporaliter vegetas...   3263
Et quae nobis fideliter speranda paschale contulit SACRAMENTO resurrectionis...   3818
in SACRAMENTI sunt baptismatis (baptismi) adepturi...   838
Sumpto, dne, SACRAMENTO suppliciter depraecamur...   3350
praesentium munerum et alimento vegetas et renovas SACRAMENTO tribue qs
   ut eorum...   1018
in familia SACRAMENTO tui nominis adquisita...   2372

et SACRAMENTORUM caelestium communione mereatur esse perpetuus.   2297
Frequenti SACRAMENTORUM perceptione satiati (ditati)...   1639
SACRAMENTORUM (tuorum) benedictione satiati quaesumus...   3131, 3132
SACRAMENTORUM (tuorum) dne communio sumta nos salvet...   3133
qui nos SACRAMENTORUM tuorum et participes effices et ministros...   2286
ut SACRAMENTORUM tuorum gesta recolentes...   199
Ds, qui invisibili potentia tua SACRAMENTORUM tuorum mirabiliter operaris
   affectum (effectum)...   1045, 1046, 1047
ad SACRAMENTORUM tuorum plenitudine poscimus praeparari.   1796
ut hic et SACRAMENTORUM virtus et votorum obteneatur effectus.   2304,
   3886
ut hic SACRAMENTORUM virtus omnium fidelium corda confirmet.   2339
accedite suscipientes evangelicae symbuli SACRAMENTUM a domino inspiratum
   ...   1287, 1288
et per paschale SACRAMENTUM Abraham... gencium efficis patrem...   812
... efficiatur salutare SACRAMENTUM ad effugandum inimicum...   1542, 1544
Sumptum dne caelestis remedii SACRAMENTUM ad perpetuam...   3351
quod sine humana ratiocinatione mirabile tuae pietatis editum
   SACRAMENTUM adque ideo...   4115
et quae nobis feliciter (fideliter) speranda paschale contulit SACRAMENTUM
   adtingere...   3818
per hoc tuae sapientiae SACRAMENTUM circumspecta...   191
... Imperat tibi SACRAMENTUM crucis, imperat tibi mysteriorum virtus...
   1355, 1437
et cui donasti baptismi SACRAMENTUM da ei aeternorum...   2112, 2204
et cui donasti celerem et incontaminatum transitum post baptismi
   SACRAMENTUM da ei et...   890
... Magnum igitur mysterium et noctis huius mirabile SACRAMENTUM dignis
   necesse est...   861
qui et haec munera praesentia nostra tuum nobis efficiat SACRAMENTUM et ad
   hoc percipiendum...   2106
respice propitius ad totius ecclesiae mirabile SACRAMENTUM et da famulis
   tuis...   836
Da nobis qs o. ds ieiuniorum magnificis SACRAMENTUM et digne semper...
   666
respice propicius (ad tocius) aeclesiae tuae mirabile SACRAMENTUM et
   opus salutis...   837
Sumptum, qs, dne, venerabile SACRAMENTUM et praesentes vitae subsidiis
   nos foveat...   3352
quo magnum pietatis tuae SACRAMENTUM et quietis...   4137
respice pietatis tuae ineffabile SACRAMENTUM et quos regenerationis...
   2400
ut huius paschalis festivitatis mirabile SACRAMENTUM et temporalem
   (temporaliter)...   2762
Ds, qui SACRAMENTUM festivitatis hodiernae universa aecclesiam tuam...
   sanctificas...   1199
cum ad hoc SACRAMENTUM genus humanum diceretur esse venturum...   4115
... SACRAMENTUM hoc in aeclesiis tuis indiffidenter intelligi...   2710
... SACRAMENTUM hoc magnum est, ego autem dico in Christo et in aeclesia
   ...   4100
... Quoniam et ipsum... baptismi SACRAMENTUM hoc spei expremit formam...
   1706, 1707
Quod quidem SACRAMENTUM in aecclesiae figura intelligimus...   3918
quo ipsum salutis nostrae SACRAMENTUM in lucem gentium revelasti...   3763
O. s. ds qui paschale SACRAMENTUM in reconciliationis humanae foedere
   contulisti...   2435

Ds qui nobis ad caelebrandum paschale SACRAMENTUM liberiores animos...
1081
et cui donasti baptismi SACRAMENTUM, longeva tribuas sanitatem.   2274
concupiscerent SACRAMENTUM, nec imitarentur quod nuptiis agitur...   758
ut sacri muneris venerabile SACRAMENTUM nihil amplius...   3943
ut et SACRAMENTUM nobis aeternae vitae praeveant et profectum.   2178a
et SACRAMENTUM nobis perpetuae salvationis instituas.   510
ut hoc tuum, dne, SACRAMENTUM non sit nobis reatus ad poenam...   1668,
2361
et SACRAMENTUM nostrae redemptionis efficias.   171
VD. Qui SACRAMENTUM paschale consummans (consummas)...   4011, 4012
... Et quae nobis fideliter speranda paschale contulit SACRAMENTUM per
resurrectionis...   3843
VD. Qui nos mirabilem misterium inenarrabilem SACRAMENTUM per venerabilem
mariam...   3974
in SACRAMENTUM perfectae salutis vitaeque confirmes...   3627
Ut in aeo mysticae piaetatis tuae SACRAMENTUM perfecto...   431
... Quod SACRAMENTUM pietatis tuae, dne, ut hoc loco tota graciae tuae
potencia...   3836
nam et david prophetico spiritu gratiae tuae SACRAMENTUM prenoscens...
3946
ut christi ecclesiae SACRAMENTUM praesignares in foedere nuptiarum...
1171
Sumpsimus dne caelebritatis annuae votive SACRAMENTUM praesta qs ut et
...   3333
et ineffabile divinae gratiae SACRAMENTUM quae offertur...   3739
tamen utrumque conveniens editur SACRAMENTUM quia et mater...   3779
qui pascale SACRAMENTUM quinquaginta dierum voluisti mysterio contineri...
2436
ut paschalis muniris SACRAMENTUM quod fidei recolimus... perpetua
dileccione capiamus.   402
ut ineffabile domini SACRAMENTUM quod profetica voce...   4095
ad SACRAMENTUM reconciliationis admitte.   858, 859
ut ad SACRAMENTUM reconcoliationis ammissum (admissus, admissas)...   1368
et nobis SACRAMENTUM redemptionis efficiat.   369
ut omnis homo hoc SACRAMENTUM regenerationis ingressus...   720, 1045
ut secundum constitucionis tuae SACRAMENTUM regio et sacerdotali...   3627
Ds, qui post baptismi SACRAMENTUM secundum ablucionem... indidisti...
1170
paschale SACRAMENTUM secura (placida) tribuisti mente suscipere.   2128
Hoc nobis tuum, qs, dne, SACRAMENTUM sit abolitio peccatorum...   1790
in SACRAMENTUM sunt baptismatis adepturi.   839
et alimentum vegitas et renovas SACRAMENTUM tribue qs ut eorum...   1018
ut SACRAMENTUM tuum vivendo teneant, quod fide perciperint.   974
imple pietatis tuae ineffabile SACRAMENTUM ut cum in maiestate...   888
manifestans plebi tuae unigeniti tui mirabile SACRAMENTUM ut in
universitate...   3633, 3634
respice ad pietatis tuae ineffabile SACRAMENTUM ut quos regenerationis...
1012
Ds, qui nos ad caelebrandum paschale SACRAMENTUM utriusque testamenti...
1092
quibus ipsius venerabilis SACRAMENTUM venturum caelebremus exordium.
1576
ut SACRAMENTUM vivendo teneant (teneantur) quod (fide) perceperunt.   974
Releva quem perducas ad baptismi SACRAMENTUM.   3463

ut et vitae nobis praesentis auxilium et aeternitatis efficiant
SACRAMENTUM. 1306
eorum nobis praecibus efficias SACRAMENTUM. 2159
tu (tuum) salutare nobis perfice SACRAMENTUM. 2163
et nostris vota ieiunii salutaris tui perfice SACRAMENTUM. 3411
et aeternitatis sufficiant SACRAMENTUM. 1306
qui in hac luce positi tuum consecuti sunt SACRAMENTUM. 1952

SACRARIUM

ob diem, quo eum laevitarum SACRARII ministeriis contulisti... 1731
quos tuis SACRARIIS servituros in officium diaconii suppliciter dedicamus
... 137, 138
ne aliquo potritum in SACRARIO remaneat. 4228, 4231
ut eum SACRARIO tuo sancto strinuum sollicitumque caelesti miliciae
instituas... 1339

SACRIFICIUM

per haec quae offerimus facias SACRIFICIA adpraehendi. 1094
ut ad sacrosancta mysteria immolando SACRIFICIA cum beneplacitis mentibus
facias introire... 3894
Ut nobis dne tua SACRIFICIA dent salutem... 3577
Haec in nobis SACRIFICIA ds, et actione permaneant... 1694
Tibi, dne, SACRIFICIA decata reddantur... 3477
SACRIFICIA, dne, paschalibus gaudiis immolamus (immolata)... 3137
SACRIFICIA, dne, propensius ista restaurent... 3138
SACRIFICIA, dne (qs) propitius ista nos salvent... 3138
SACRIFICIA, dne, tibi cum aecclesiae (aecclesiis) praecibus immolanda,
qs,... 3139
SACRIFICIA dne tuis oblata conspectibus ignis ille divinus adsumat...
3140
Sint tibi placita, dne, populi tui votiva SACRIFICIA et quod fragilitas...
3293
et per SACRIFICIA gloriosa subditorum tibi corda purifica. 1816
benedicas haec dona, haec munera, haec sancta SACRIFICIA inlibata...
3464
SACRIFICIA nos, dne, caelebranda purificent... 3141
SACRIFICIA nos, dne, inmaculata purificent... 3142
Haec SACRIFICIA nos, omnipotens ds, potente virtute mundatus... 1705
SACRIFICIA nos qs dne propensius ista restaurent... 3143
Ut SACRIFICIA nostra, dne, propitiatus intendas... 3580
ut SACRIFICIA nostra tibi sint semper accepta. 228
Tanto nos, dne, qs, prumptiore servitio huius SACRIFICIA praecurrere
concide solempnia... 3456
ut SACRIFICIA pro sancte Caeciliae (tuae luciae) sollemnitate delata...
3010
SACRIFICIA qs dne propitius ista nos salvent... 3144
ut haec SACRIFICIA, quam tibi indignus offerre praesumo... 4050
per haec SACRIFICIA redemptionis aeternae... 177
ut haec SACRIFICIA subriis mentibus caelebremus. 2645
ut haec SACRIFICIA tibi offerentes... 2025
quae dim laevitae tempore SACRIFICII clangerent... 1154
furma lapidiae metallum ad obsequium tui SACRIFICII condedisti... 871
Sumpti SACRIFICII, dne, perpetua nos (tuitio non) (tui conditionem,
tutione) relinquat... 3343
Oblati SACRIFICII, dne, qs, prestet effectus... 2192
praesentis SACRIFICII gratia succedente... 648
ut huius SACRIFICII munus oblatum... 481

presentis SACRIFICII oblata munera sanctificans. 4217
Haec dne salutaris SACRIFICII perceptio famuli tui ill. peccatorum maculas
  diluat... 1686
Ds, qui legalium diferentias hostiarum unius SACRIFICII perfectione
  sancsisti... 1058
qui gregalium deferencias hostiarum in unius huius SACRIFICII perfecciones
  sancsisti... 2397
Huius nobis, dne, qs, SACRIFICII placationis succurre... 1838
Huius SACRIFICII potencia, dne, qs, et vetustatem nostram clementer
  abstergat... 1843
ut SACRIFICII praesentis oblatio ad refrigerium animarum eorum...
  perveniat. 2874
Satisfaciat tibi, dne, qs, pro anima famuli tui illius SACRIFICII
  praesentis oblatio et peccatorum... 3267
Subveniat nobis, dne, qs, SACRIFICII praesentis operatio... 3321
SACRIFICII praesentis quaeso dne oblatio mea expurget facinora... 3145
ut per haec dona SACRIFICII singularis... 3361
memor esto SACRIFICII sui, pinguae... 2269
quo nobis ipsius SACRIFICII sunt nata primordia. 3481
VD. Ut te postposita vetustate ritus SACRIFICII te homo... 4217
et famulos tuos... huius SACRIFICII tribuas operatione mundare. 1502
SACRIFICII tui, dne, servimus effectibus... 3146
presentis SACRIFICII uberis fundimus precis... 3501
Ds, qui nos per huius SACRIFICII veneranda commercia... 1124, 1125
ad aeternam vitam SACRIFICIIS caelestibus pascamur (pasceremur). 3622,
  3760
remotis SACRIFICIIS carnalium victimarum... 3985
His SACRIFICIIS dne (qs) concede placatus, ut qui. 1779
Praesentibus SACRIFICIIS, dne, ieiunia nostra sanctifica... 2650
SACRIFICIIS, dne, placatus oblatis... 3147
ut plaga egypti ad domum illam non tangeret quam cruore SACRIFICIIS
  egelaret... 1059
ut ab omnibus quae terrenam conversacionem traxerunt, his SACRIFICIIS
  emundentur. 1758
ut quidquid terrena conversatione contraxit, his SACRIFICIIS emundetur...
  1738
ut eum praesentibus immolemus SACRIFICIIS et sumamus... 3497
et metalli huius expoliatam materii supernis SACRIFICIIS inbuenda...
  3292
anima famuli tui illius... his purgata SACRIFICIIS indulgentiam... 2660
ut his SACRIFICIIS peccata nostra mundentur... 3363, 3364
Concede o. ds his salutaribus SACRIFICIIS placatus... 457
humilitatis nostre SACRIFICIIS postolamur humilis... 3466
SACRIFICIIS praesentibus, dne, (qs), intende placatus... 3148
Munda nos, dne, SACRIFICIIS praesentis effectu et perfice miseratus in
  nobis... 2118
sollemnia, quae praesentibus SACRIFICIIS praevenimus... 595
His, dne, SACRIFICIIS, qs, concede placatus, ut... 1779
His SACRIFICIIS qs o. ds purgata anima et spiritu famuli tui illius
  episcopi... 1784
His, qs, dne, SACRIFICIIS, quibus purgationem et viventibus tribuis et
  defunctis... 1783
ut ieiuniorum placatus SACRIFICIIS remissionis... 2705
et homo nobis, quibus instituisti SACRIFICIIS, semper honoret... 4217
ut hoc altare SACRIFICIIS spiritalibus consecrandum... 707, 718
ut SACRIFICIIS tuis ac divinis altaribus deservirem... 1724

aliquis pro defunctis a viventibus piae voluisti placere SACRIFICIIS.
3837
ad caelestia regna praesenti SACRIFICIO celebramus.   3815
Salutari SACRIFICIO, dne, populus tuus semper exultet...   3175
Praesenti SACRIFICIO, dne, tua generaliter exultet aeclesia...   2647
ut per haec quae divino SACRIFICIO gustaverunt...   2927
et in SACRIFICIO ieiuniorum nostras mentes purifica...   145
Praesenti SACRIFICIO nomine tuo, nos, dne, ieiunia decata sanctificent...
2648
ut contriti ei cordis, et humiliati SACRIFICIO placeatis.   18
interveniente SACRIFICIO singulari tua percipiamus...   2588
et hoc SACRIFICIO singulare vinculis horrendae mortis exutae...   2845
O. s. ds, qui non SACRIFICIORUM ambitione placaris...   2420
VD. Qui oblatione sui corporis remotis SACRIFICIORUM carnalium observationibus...   3986
ut mereatur per hoc SACRIFICIUM a cunctis emundare sordibus delictorum...
3920
accipe SACRIFICIUM a devotis tibi famulis...   1058
et decatum tibi SACRIFICIUM beatae (beata) Soteris commendet.   2826
Tot sensibus hodiernum, dne, SACRIFICIUM celebramus...   3481
et SACRIFICIUM celebrandum, subditorum (tibi) corpora (tibi) mentesque
sanctificet.   1690
tibique SACRIFICIUM contriti cordis offerre...   1220
VD. (et) Tibi vovere contriti SACRIFICIUM cordis...   3741, 4184
Suscipe, dne, SACRIFICIUM, cuius te voluisti diganter immolatione placari
...   3430
Suscipe, dne, SACRIFICIUM, cuius te voluisti diganti immolatione placare
...   3430
Sit nomini tuo, dne, hoc SACRIFICIUM cum exhibetur acceptum...   3302
ut SACRIFICIUM de manibus meis placide ac benigne suscipias...   2239
Pro anima famuli tui illius, dne, tibi SACRIFICIUM deferentes...   2844
SACRIFICIUM deferimus de perceptione tuorum, dne, prestitorum...   3149
SACRIFICIUM, dne, celebramus, quod ita nobis debet esse perpetuum...
3150
SACRIFICIUM, dne, observantiae paschalis exerimus...   3151, 3152
SACRIFICIUM, dne, pro filii tui supplices venerabili nunc ascensione
deferimus...   3153
SACRIFICIUM, dne, quadragesimali initii sollemniter immolamus...   3154
SACRIFICIUM dne qs nostrorum ipsa tibi sit actione placabile...   3155
SACRIFICIUM dne quod desideranter offerimus...   3156
SACRIFICIUM, dne, quod immolamur intende...   3157
SACRIFICIUM, dne, quod immolamus placatus intende...   3158
Offerimus SACRIFICIUM, dne, quod pro reverentia...   2228
SACRIFICIUM, dne, quod pro sanctis martyribus Gerbasi et Protasi praevenit
nostra devocio...   3159
Praesentem SACRIFICIUM dne quod tibi... sit tibi munus acceptum...   2646
... Et ut ipse tibi hostia et SACRIFICIUM esse merear miseratus concede...
1220
VD. Ut te postposita vetustate ritus SACRIFICIUM et homo...   4217
quo fiaerit SACRIFICIUM, et porta caeli desuper aperiretur oraculum...
3292
ut ipse tibi et ara et SACRIFICIUM, et sacerdos esset, et templum.   3694,
3878
... SACRIFICIUM iam nostri corpus et sanguis est ipsius sacerdotis.   2160
ut idem tibi ara adque SACRIFICIUM idem sacerdos...   3746
et in SACREFICIUM ieiuniorum nostrorum mentes purifica...   145

In tuorum, dne, praeciosa morte iustorum SACRIFICIUM illud offerimus...
1894
sanctum SACRIFICIUM, inmaculatam hostiam.   3383
Hodiernum, dne, SACRIFICIUM laetantes exequimur...   1793
supplices tibi hoc SACRIFICIUM laudis offerimus...   3836
Hic tibi sacerdotis tui SACRIFICIUM laudis offerant...   3828
qui tibi offerunt hoc SACRIFICIUM laudis pro se suisque...   2068
famulis tuis pro quibus hoc SACRIFICIUM laudis tuae offerimus maiestati...
2099
pro qua tibi offerimus SACRIFICIUM laudis ut eam sanctorum...   2879, 2880
SACRIFICIUM nostrum dne ipsa tibi sit actione placabile...   3155
ds, SACRIFICIUM nostrum reddat acceptum...   1956
SACRIFICIUM nostrum tibi, dne, qs, beati Andreae (laurentii) precacio
sancta conciliet...   3160
ut oblatio tibi nostra SACRIFICIUM pariter reddatur et actio.   2939
Ds, qui pro salute mundi SACRIFICIUM paschale fecisti...   1183
et SACRIFICIUM patriarchae nostri Abrahae...   3383
Suscipe, dne, SACRIFICIUM placationis et laudis...   3431, 3432
quos cotidianum tibi SACRIFICIUM praecipis exhibere.   636
ut SACRIFICIUM praesentes oblacio ad refrigerium animarum... perveniat.
3385, 3387
ut dicatum nomini tuo SACRIFICIUM purgatis moribus offeramus.   2691
Hic nobis dominus advocatus iudex, et sacerdos et SACRIFICIUM quem
oboediendo...   4004
... Et per eum tibi sit meum acceptabile votum, qui se tibi obtulit in
SACRIFICIUM qui est omnium...   3893
VD. SACRIFICIUM quippe suum hodie frequentat aeclesia...   4124
et hoc SACRIFICIUM quod gratiae... sereno vultu digneris respicere...
756
ut non solum SACRIFICIUM quod ac nocte... luminis tui admixtione
refulgeat...   862, 3588
hoc SACRIFICIUM quod indignis manibus meis offero acceptare dignare...
1220
Hoc SACRIFICIUM quod piaetatis tuae gratiam... humiliter pro peccatis
nostris offerimus...   857
... SACRIFICIUM quoque quod piaetatis tuae gratiae humiliter offero...
856
Accipe, dne, qs, SACRIFICIUM singulare quod maiestati tuae...   29
ut hoc SACRIFICIUM singulare, quod sanctis tuis in passione contulit
claritatem...   2221
Intende, qs, dne, SACRIFICIUM singulare ut huius participatione...   1939
ut hoc SACRIFICIUM singulari vincolis horende mortis exute...   2845
Pro anima famuli tui ill., dne, SACRIFICIUM supplicis exoramus...   2844
SACRIFICIUM tibi, dne, celebrandum placatus intende...   3161
SACRIFICIUM tibi, dne, laudis offerimus...   3162, 3163
Pro nostrae servitutis augmento (augmentum) SACRIFICIUM tibi dne laudis
offerimus...   2849
SACRIFICIUM tibi, dne, nostrae servitutis offerimus...   3164
SACRIFICIUM tibi, dne, pro sanctorum martyrum nataliciis immolamus...
3165
beatis agustini... SACRIFICIUM tibi laudis offerimus et magnificentiae
tuae...   3694
pro sollemnitate sancti Laurenti martyris SACRIFICIUM tibi laudis offerimus quia tua facta sunt...   4082
... SACRIFICIUM tibi placitum deferatur (placatum deferamus) et plebis
et praesulis.   676, 2759

ut nos SACRIFICIUM tuum mortificationem vitae carnalis.　3476a
suscipe sancte pater incensi huius SACRIFICIUM vespertinum...　3791
ut ad te elevatio manuum nostrarum sit... acceptabile SACRIFICIUM
　vespertinum.　1666
Oblatum tibi dne SACRIFICIUM vivificet nos semper et muniat.　2214
advocatus et iudex, sacerdus et SACRIFICIUM.　4003

SACRIFICO
... SACRIFICARE, benedicere, consaecrarequae digneris...　3997
VD. Tibi SACRIFICARE ieiunium quod nos ab initio seculi docuisti.　4182

SACRILEGIUM
ut mortiferis (SACRILEGIIS) oblectationibus amputatis...　2336
ne SACRILEGIUM cernere videretur.　3661

SACRILEGUS
Repelle, dne, qs, a nobis SACRILEGAS voluntates...　3059
quia cum gemintura a SAGRALEGIS, non virtus...　2297
non profana unctione viciatum, non SACRILEGO igne contactum...　861
etsi gentilis error more SAGRILICO polluit...　770

SACRO
Respice dne propitius ad munera quae SACRAMUS...　3090
Fiat, dne, qs, hostia SACRANDA placabilis...　1618
Oblatio nos, dne, qs, SACRANDA purificet...　2195
SACRANDAM tibi, dne, munus offerimus...　3134
quanto SACRANDAS nomini tuo has specialiter hostias indidisti...　3458
(Has) Hostias, dne, quas nomini tuo SACRANDAS offerimus...　1805
ut qui in odore sanctorum SACRANDIS tibi luminibus devotus (liminibus
　devotis) occurrit...　534
Ds, qui (a) SACRANDORUM tibi auctor es munerum...　885, 1200, 1201
... SACRARI tamen tibi loca tuis mysteriis apta voluisti...　3886
VD. Tu enim nobis hanc festivitatem beati Stefani passione SACRASTI...
　4186
tibi dies SACRATA celebratur...　4177, 4178, 4180
Omnipotens tua, dne, prumta mente laudantes ieiunia tibi SACRATA
　deferimus et dum ingrati...　2480
in honore beati apostoli Petri cui haec est basilica SACRATA deferimus et
　eius praecibus...　3423
et tibi SACRATA Felicitas nos poscat veraciter esse felices.　3204
Ieiunia, qs, dne, nos SACRATA letificent...　1838
Vegetet nos, dne, semper et innovet tuae mensae SACRATA libatio...　3584
ut eius SACRATA natalicia et temporaliter frequentemus et conspiciamus
　aeterna.　1946
... SACRATA nomini tuo loca divinis sunt instituta mysteriis...　4170
VD. Pascunt enim tua sancta ieiunia et esuries SACRATA nos reficit...
　3827
Et quos veteribus maculis baptismatis emundavit unda SACRATA per
　lavacrum...　1073
ut et reatum nostrum munera SACRATA purificent...　2992
Accepta tibi sit, dne, SACRATAE plebis oblatio...　24, 25
postulacionis SACRATE tibi plebis admitte.　3448
confessionem SACRATAE tibi plebis institues...　2388
Munera, qs, dne, famulae et SACRATAE tuae Illius...　2135
Hanc etiam oblationem, dne, tibi virginum SACRATARUM quarum ante...
　1709a
et bene placitum fieri tribue SACRATARUM tibi mentium famulatum...　3099
quem nec SACRATI cibi collatio ab scelere revocaret...　3868

quae gloriae tuae SACRATIS famulantur ordinibus... 819
quorum iussisti festa SACRATISSIMA caelebrare. 166
pro qua dignatus es in hac SACRATISSIMA nocte tuam mundo presentiam
    exhibere. 2616
in ac SACRATISSIMA noctis vigilia... 861
operibus tuis, quibus SACRATISSIMA regni tui mysteria revelasti... 3726
et cras nos ad SACRATISSIMAE caenae convivium introducas. 3950
Quique eius SACRATISSIMAE nativitatis, gaudium magnum... voluit nuntiari
    ... 2254
ut crebrior honor (inpensus) SACRATISSIMAE passioni (repensus)... 3599,
    3600
Communicantes et noctem SACRATISSIMAM caelebrantes... 420, 421
qui hanc SACRATISSIMAM diem nativitate filii sui fecit esse solemnem.
    Amen. 349
Ds, qui hanc SACRATISSIMAM noctem gloriosae (gloria) dominicae resurrec-
    tionis inlustras... 999
et eius gloriosa nativitate hanc SACRATISSIMAM noctem inradiavit... 2254
O. s. ds, qui hanc SACRATISSIMAM noctem per universa mundi spatia...
    2398
Et qui hanc SACRATISSIMAM noctem redemptoris nostri resurrectione voluit
    inlustrare... 948
Ds, qui hanc SACRATISSIMAM noctem veri luminis fecisti inlustratione
    clariscere... 1000
... Exultavit Maria in SACRATISSIMAM puerperi... 3596
Communicantes et noctem SACRATISSIMAM (..) virginitas huic mundo... 420
signum, quod ad exemplum primi illius SACRATISSIMI vixilli... 2321
VD. Nos te in tuis SACRATISSIMIS virginibus... laudare... 3815
qui SACRATISSIMO advento suo subvenire dignatus est mundo... 1375, 2296
et diem SACRATISSIMUM celebrantes ascensionis... 407
Communicantes, et diem SACRATISSIMUM caelebrantes in quo incontaminata...
    408
Communicantes et diem SACRATISSIMUM celebrantes, quo beatae mariae...
    420
Communicantes, et diem SACRATISSIMUM celebrantes quo dominus noster...
    409, 410, 411
et diem Pentecosten SACRATISSIMUM celebrantes quo spiritus sanctus...
    406
diem SACRATISSIMUM caelebrantes, quo traditus est dominus noster Iesus
    Christus. 412
Communicantes, et diem SACRATISSIMUM caelebrantes quo unigenitus... 413,
    414
Communicantes et diem SACRATISSIMUM caelebrantes resurrectionis domini...
    421
et diem SACRATISSIMUM Pentecosten celebrantes quo apostoli... 416
Communicantes et diem SACRATISSIMUM pentecosten caelebrantes quo
    spiritus sanctus... 415
Communicantes, et diem SACRATISSIMUM Pentecosten praevenientes... 406
qua Melchisedech famuli tui SACRATUM calicem perfudisti... 1281, 1282
... SACRATUM tibi gregem carne procreatum... 3780
ut merito et numero SACRATUS tibi populus augeatur. 1325
ad perennem memoriam sollemnemque laetitiam fidelibus populis SACRAVERUNT.
    4201
ut qui natus de virgine matris integritatem non minuit sed SACRAVIT in
    nativitatis... 3569
beatua ille Clemens hodiernae nobis exultationis affectum... SACRAVIT qui
    mundo nobilis... 4097

ut quod nostra fragilitas defertur, tua virtute SACRETUR.   2892

        SACROSANCTUS
ut redemptionis nostrae SACROSANCTA commercia et vitae nobis...   1473
per haec SACROSANCTA commercia in illius inveniamur forma...   1652
Calestis mensae, qs, dne, SACRASANCTA libacio corda nostra purget semper
    et pascat.   389
ut haec SACROSANCTA mysteria gratiae tuae... praesentis vitae nos
    conversacione sanctificent...   3436
da nobis qs ut ad SACROSANCTA mysteria immolando... cum beneplacitis
    mentibus facias introire...   3894
ut per haec SACROSANCTA mysteria (commercia) in totius ecclesiae...   1484
... SACROSANCTA mysteria, quae frequentamus actu, subsequamur et sensu.
    2962
ut SACROSANCTA mysteria quae pro reparationis nostrae munimine contulisti
    ...   2970
... SACROSANCTA misteria que sumpsimus actus sequamur (actu subsequamur)
    et sensu.   2962
ut ieiuniorum nostrorum SACROSANCTA mysteria tuae sint pietati semper
    accepta...   4199
per ministrorum munus de operibus apum SACROSANCTA reddit eclesia.   3791,
    4206
Concede menbra SACROSANCTAE aecclesiae sine devulsione aliqua...   2298
et rursus confessionis SACROSANCTE visceribus martyr beata...   4091
SACROSANCTI corporis et sanguinis domini nostri Iesu Christi refectione
    vegetati...   3172
... SACROSANCTI lavacri ablutione loti...   3949
ut sicut nos corporis et sanguinis SACROSANCTI pascis alimento (alimonio)
    ...   2044, 3374
ut et nos per ipsum his comerciis SACROSANCTIS ad caelestia consrugamus.
    3153
et rursus confessionis SACROSANCTIS visceribus...   4092
qui SACROSANCTO apostulo gressum firmasti per lubrica...   913
ut et in cenae mysticae SACROSANCTO convivio...   3608, 3609, 3610
et eiusdem fructus SACROSANCTO misterii protoparentis nostri generis
    mortem...   2321
... SACROSANCTUM filii tui corpus et sanguinem sumpseremus...   3375

        SAECULARIS
... SECULARE habitum hunc famulum tuum ill. dum ignominia deponit...
    2374
a mundi impedimento vel SAECULARI desiderio (cor eius defendat) (aeius
    corda custodiat)...   2503, 2761
famulis tuis renuntiantibus SAECULARIBUS pompis...   2658
ut si qua eum SAECULARIS macula (invasit) (inhaesit) aut vicium mundiale
    infecit...   128, 2495
... Nec escarum SAECULARIUM epulas concupivit...   3880

        SAECULUM
VD. Quia in saeculorum SAECULA, dne, permanet laudacio tua...   4050
de patre natum ante omnia SAECULA lumen de lumine...   554
VD. Quoniam plena sunt omnia SAECULA misericordia tua...   4098
ut in exemplum aecclesiae tuae per innomerosa proficiant SECULA, praesta
    ...   4016
Ds, cuius regnum nulla SAECULA praevenerunt nulla conclaudunt...   798
Per ipsum dominum nostrum iesum christum filium tuum in SECULA, qui tecum
    ...   850
conruboratione fidaei, hic et in aeterna SECULA seculorum.   2654

cuius signum crucis permanet hic et in aeterna SECULA seculorum. 1548
sic seas iscommunicatus qui aerat in SECULA seculorum. Amen. 2552
sine ulla fine in SECULA seculorum. 3017
per quem et cum quo est tibi honor et gloria in SAECULA saeculorum. Amen.
367, 1313
qui regna regis et regnas in SECULA seculorum. 395
qui cum patre et filio vivet et regnat in SAECULA saeculorum. Amen. 2275
cuius regnum et imperium sine fine permanet in SAECULA saeculorum. Amen.
337, 343, 349, 2254
ubi lux permanet et vita regnat in SECULA seculorum. 756
et benedicant nomen eius sanctum in SAECULA saeculorum... 222
qui regnat una cum spiritu sancto per infinita SECULA seculorum. Amen.
1637
vivit et gloriatur deus per omnia SAECULA saeculorum. Amen. 915, 2246
vivis et regnas deus, per omnia SAECULA saeculorum. Amen. 3261
vivit et regnat deus per omnia SAECULA saeculorum. 179, 511, 2522, 2584
est tibi deo patri... omnis honor et gloria per omnia SAECULA saeculorum.
Amen. 2555
... Qui es deus benedictus et regnas per omnia SAECULA saeculorum. 332
vivit et regnat per omnia SECULA seculorum. 180, 345
in hunitate spiritus sancti, per omnia SECULA seculorum. Amen. 727, 729,
848, 850, 3588
vivis et regnas deus semper cum spiritu sancto per omnia SAECULA
saeculorum. Amen. 867
qui vivit cum patre et spiritu sancto per omnia SAECULA saeculorum. 39
Per omnia SAECULA saeculorum. Amen...
miserere qui regnas in SECULA. 404
et regnas in unitate spiritus sancti in SAECULA. 404, 2818
Natum de patre ante omnia SECULA. 555
vivit et gloriatur deus, per omnia SAECULA. Amen. 18
cum quo vivis et regnas deus in unitate spiritus sancti per omnia SECCULA.
3465
quem ab originibus huius SAECULI ad te arcessire praecepisti... 3462
et ab huius SAECULI adversitatibus defendas... 1924
ut qui pollutam vestimentorum faciem calmus SECULI ambitionis... 4176
quem dominus de temptacionibus huius SAECULI adsumpsit... 2583, 2584
sed etiam ipsis adversitatibus SAECULI benignus erudis... 3928
deprehendere SECULI blandiciis et adbueri... 4176
... Sed inter puellares annos, inter SAECULI blandimenta... 3993, 3994,
3995
nec SAECULI blandimentis a sui status rectitudine potuit inmutari...
3683
per eos usque in finem SAECULI capiat regni caelestis aumentum. 3909
et quod ecclesiae tuae promisisti usque in finem SAECULI clementer operare.
1520
ut famulus tuus ill... et in huius SAECULI cursu te adiuvante peragat...
1069
Ds, qui nec aeclesiae tuae usque ad consommationem te SAECULI defuturum...
1029
Ille tibi imperat, non caro et sanguis nec pompa SAECULI deus tibi imperat
... 1852
VD. Tibi sacrificare ieiunium quod nos ab initio SECULI docuisti. 4182
redduntur SAECULI examinatores et iudices. 3678
... Sic percutiatur hic maledictus seductor SAECULI exprobrator... 755
qui in SECULI huius nocte vacatur incertus et dubius... 3460

et ab omnibus nos perturbationibus SECULI huius tuae deffensione
  conserva.   4014, 4190
quem dominus de laqueo huius SAECULI liberare dignatus est...   2521,
  2522, 2523
ita usque ad consummationem SAECULI manere nobiscum...   109
confessio usque in finem SAECULI nobis capiat regni caelestis augmentum.
  4067
et vocabitur... pater futuri SAECULI, princeps pacis...   3677
qui ex utero... habrahae praelegisti reges SECULI profuturis.   842
et quod aecclesiae tuae usque in finem SAECULI promisisti, clementer
  operare.   1520
Da consolationem inter praesuras SECULI, qui nobis...   1173
retia SAECULI quibus inplicabatur abiecit...   3608, 3609a, 3610
et passionem suam pro SAECULI redemptione suppleret...   3867, 3868
Hic est quod prioris SECULI sanctam geminarum cardinum...   3918
ut undas SECULI sevientes securi pertranseant.   1961
usque in finem SAECULI secundum suam promissionem sentiatis.   345
a viciis SECULI segregatus et caliginem (caligine) peccatorum...   3791,
  4206
... Christus, qui se usque in finem SAECULI suis permisit (promisit)
  fidelibus adfuturum...   3811
famulum tuum qui ab infesta SAECULI tempestate demersus...   1368
in huius quoque SAECULI transeuntes excursu...   1028
ut inter SAECULI turbines constituta...   1396
Suscipe dne animam servi tui illius quam de ergastulo huius SAECULI vocare
  dignatus es...   3390
et omnes sanctae virgines... praesentis SAECULI voluptates (voluntatis)
  ac dilicias neglexerunt...   3805, 3853
... Spero resurrectionem mortuorum et vitam futuri SAECULI. Amen.   554,
  555
Ds, cuius antiqua miracula etiam nostris SAECULIS curruscare sentimus...
  777
VD. Qui post resurrectionem SAECULIS omnibus gloriosam...   3998
ab eo et in hoc SAECULO a malis omnibus tueri...   802
quamque universa praecipua viderentur in SAECULO absque te deo...   4055
tribuae aeis, dne, in hoc SECULO habundantia tritici, vini et olei...
  2362
et ab huius SECULO adversitate defendas.   1924
quam in hoc SAECULO commorantem sacris muneribus decorasti...   2721
mentes vestras circumdet et in praesenti SAECULO corona iustitiae...   915
Ds cuius antiqua miracula in praesenti quoque SAECULO coruscare sentimus
  ...   778
tuaearis in SECULO, custodias a malo...   4184
ipse vos et in praesenti SAECULO degustare faciat... dulcedinem gaudiorum
  ...   349
animam famuli... episcopi quam de SAECULO educens laborioso certamine...
  594
famuli tui ill. quem dominus vocavit a presente SECULO et forsitan...
  2481
et ex magnificis beneficiis habunde ditasti a SECULO et nos ea contrario
  ...   3837
ita et in praesenti SAECULO felicem...   337
et accepta potestate confessus in SECULO, fierit...   913
ut huic famulo tuo, qui in SAECULO huius nocte vacatur incertus et
  dubius...   3460

ut ita nos unigeniti tui in praesenti SAECULO inlustret respectus...
3700
et per apostolus tuus in hoc SECULO lumen gratiae spiritali misisti...
1364
Ds qui renuntiantibus SAECULO mansionem paras in caelo...   1195
ut animam famuli tui ill. vel illam de hoc SAECULO migrare iussisti...
1899
Quatenus et in praesenti SAECULO mortalis vitae solatia capiatis...   2240
et idio dne de praesente SECULO naufraugio liberatus...   880
Ds qui per angelum tuum nuntiasti christum venturum in SECULO, nunc venite
  ... 1158
et in praesenti SAECULO pacis tranquillitate fruantur...   337, 4198
atque huius confessionis fructum et hic et in futuro SAECULO percipere
  mereatur (mereamur).   3460
quicquid in hoc SAECULO proprio reatu deliquid...   2584
quicquid in hoc SAECULO proprius error adtulit...   2583
tam in praesenti SAECULO quam futuro...   4127
... Et in praesenti SAECULO sua nos intercessione foveat...   3611
Talique vos in praesenti SAECULO subsidio muniat...   1268
quorundam bonorum, quae in novo SAECULO sunt habenda...   758, 759
Tibi dne commendamus animama famuli tui illius, ut defunctus SECULO tibi
  vivat...   3475
et sene vicio in hoc SECULO transagant vitam...   3081, 3082
quam idcirco de praesenti SECULO transtulisti...   2032
renuntiatoribus (renuntiatores) tibi a SAECULO tuo...   222, 223
et exortatus in SECULO ut tandem...   3837
Ds, qui nos a SECULO vanitatem conversus...   1091
ut qui per carnalem originem mortales in hoc SAECULO veneramus...   3836
Quo sic in senarii numeri perfectione in hoc SAECULO vivatis...   2242
praesentis SAECULO voluptates ac delicias contempserunt...   3854
et adiciat... et benedictionem tuam hic et in futuro SECULO. Amen.   2180
ut omnem variaetatum SECULORUM casus, tuo semper protegamur auxilio.
1490
in fine SAECULORUM hominibus est praesentatus...   3871
Ds, qui SAECULORUM omnium cursum ac momenta temporum regis...   1202
Ds, cuius arbitrio omnium SAECULORUM ordo decurrit...   779, 780, 781
quam quod in finem SAECULORUM pascha nostrum immolatus est Christus.
2408
et benedicant nomen eius sanctum in saecula SAECULORUM per dominum...
222
VD. Quia in SAECULORUM saecula, dne, permanet laudacio tua...   4050
Ds, cuius regnum est omnium SAECULORUM supplicationes nostras...   797,
799
conruboratione fidaei, hic et in aeterna secula SECULORUM.   2654
cuius signum crucis permanet hic et in aeterna secula SECULORUM.   1548
sic seas iscommunicatus qui aerat in secula SECULORUM. Amen.   2552
sine ulla fine in secula SECULORUM.   3017
deo, cui est honor et gloria in secula SECULORUM.   367
per quem et cum quo est tibi honor et gloria in saecula SAECULORUM. Amen.
1313
cuius regnum et imperium sine fine permanet in saecula SAECULORUM. Amen.
337, 343, 349, 2254
qui regna regis et regnas in secula SECULORUM.   395
qui cum patre et filio vivet et regnat in saecula SAECULORUM. Amen.   2275
ubi lux permanet et vita regnat in secula SECULORUM.   756
qui regnat una cum spiritu sancto per infinita secula SECULORUM.   1637

vivit et gloriatur deus per omnia saecula SAECULORUM.   915, 2246
vivis et regnas deus, per omnia saecula SAECULORUM. Amen.   3261
vivit et regnat deus per omnia saecula SAECULORUM.   179, 511, 2522, 2584
est tibi deo patri... omnis honor et gloria per omnia saecula SAECULORUM.
   2555
... Qui es deus benedictus et regnas per omnia saecula SAECULORUM.   332
vivit et regnat per omnia secula SECULORUM.   180, 345
in unitate eiusdem spiritus sancti, per omnia saecula SAECULORUM. Amen.
   848
in unitate spiritus sancti per omnia saecula SAECULORUM.   727, 729, 850,
   3588
semper cum spiritu sancto per omnia saecula SAECULORUM. Amen.   867
qui vivit cum patre et spiritu sancto per omnia saecula SAECULORUM.   39
Per omnia saecula SAECULORUM. Amen...   2556
coniugalis tori iussa consortia, quo totum inter se SAECULUM colligarent
   ...   2541, 2542
diem in quo triste SECULUM deserans...   3766
propter quod et hic et in futurum SECULUM laboris sui (premium)...   3531
Ds, qui renuntiantibus SECULUM mansionem paras in caelo...   1195
qui venturus est iudicare vivos et mortuos et SAECULUM per ignem.   222,
   720, 725, 896, 1045, 1240, 1355, 1529, 1530, 1531, 1532, 1536, 1542,
   1544, 1546, 2174, 2176, 2177, 2180, 3270, 3955
qui venturus est in spiritu sancto iudicare vivos et mortuos et SAECULUM
   per ignem.   1537, 1538
qui venturus est iudicare SAECULUM per ignem.   725, 838, 1363, 1545, 1859
iudicare vivos et mortuos et omne SAECULUM per ignem.   1535, 1539
VD. Per quem nobis indulgentia largitur, et pax per omne SAECULUM
   praedicatur...   3835
ut per earum intercessionem quae et sexum vicerunt et SAECULUM tibique
   placuerunt...   3854
ut qui per carnalem originem mortalis in hoc SECULUM veneramur...   3836
qui dixit : "Lux fiat" ante SECULUM.   1158
qui venturus est iudicare vivos et mortuos et SAECULUM.   1371, 1541
unigenitum tuum per virginis uterum dedisti lumen in SECULUM.   2441
... Angustiaris quomodo angustiatur SAECULUS...   225

        SAEPE
... SEPE subvertere conati sunt et conantur...   3879
Protegat nos, dne, SAEPIUS beati Andreae apostoli (tui) repetita
   solempnitas...   2923
ut illorum SAEPIUS iterata sollemnitas nostrae sit tuitionis aumentum.
   2423, 2425
dum SAEPIUS victoriae revolvuntur...   4153
Haec postquam prophetica SEPIUS vox praedixit...   3635

        SAEVIO
nullam SEVIENTE adversario tribuat potestatem...   725
flammae SEVIENTES incendium sanctis tribus pueris in splendore demutatum
   est animarum...   776
ut undas seculi SEVIENTES securi pertranseant.   1961
ut ille tristis aculeus SAEVIENTIS inferni...   4096
quo illorum SEVIENTIUM memoria ac potestas evanuit...   3951
et SEVIENCIUM morborum depelle perniciem...   250
et quorum nostris meritis SEVIT interitus...   1009

        SAEVITIA
bestiali SAEVITIA Herodes funestus occidit...   3696, 3851

nulla SEVITIA persequentum, nulla...   4082
infantum innocentum catervas herodis funesti peremit SAEVITIA suae vobis
   ...   2252
de diaboli SAEVITIA triumphavit...   3856
ut quia nos de eorum SEVITIA vindicari pro nostris actibus non meremur...
   3948
ut SEVICIAE persecutores non cederet conscientia puaerilis...   3618
qui inimici rugientis SEVITIAM superas...   848

          SAEVUS
et SEVA furentis inimici potentia (potenter) arma contereres.   4168
sit... perfectio hac tutilla contra SEVA iacula inimicorum.   3120
adque ideo illos persecutio SAEVA non perdidit...   3654
... Et quicquid in persecutionibus SEVUM est... nominis tui facis
   confessione superari...   4083
Ne in aeius perditione SEVUS ille exultet humani generis inimicus...
   1518

          SAGAX
quibus... devincere valeatis antiqui hostis SAGACISSIMA temptamenta.
   346

          SAGINO
quibus ieiunando copiosius SAGINAMUR.   712
quia strictis (restrictis) corporibus animae SAGINANTUR in quo exterior...
   3740, 4179, 4183
sic ieiuniis et virtutibus animae SAGINANTUR magnam in hoc...   3889
crux salvificat, sanguis emaculat, caro SAGINAT...   3658
Iesu christi domini nostri corpore SAGINATI per quem crucis...   1851
Caelesti munere SAGINATI quaesumus, dne ds noster, ut...   380
ut SAGINATUM cybo (cibum) maior poena constringeret...   3867, 3868
... Corpus altius aescis, anima ieiuniis SAGINATUR...   4033

          SAGITTA
custodi aeos a SAGITTA volante per diem...   567

          SAL
dicens : bonum est SAL et apustulus suos ait...   1547
Qui efficerit SAL exorcisatum ad effugandum omnem putritudinem aeius...
   1547
ut efficiaris SAL exorcizatum in salutem credentium...   1546
dices : Accipe illum SAL sapientiae in vita propitiatus aeterna.   2638
Accipe ille SAL sapiencie propiciatur (proficiatus, propitiatus) in vitam
   aeternam (vita aeterna).   32
et apostulus suos ait : vos estis SAL terrae et cor vestrum...   1547
qui divini oris sui voce discipulis ait : Vos estis SAL terrae et per
   apostolum...   1545
ut aeorum sermo in timore ignitus adque SALE conditus...   2282
... Ideoquae efficere SALE exorcizatum...   1545
et per apostolum inquid : Cor vestrum SALE sit conditum...   1545, 1547
... Sic et Heliseus sacerdos... SALEM accepit et proiecit ad exitus
   aquarum...   1346
quam hanc creaturam SALIS benedicemus...   2676
ut hanc creaturam SALIS benedictionem et potentiam... infundas...   849
et : cor vestrum SALIS conditum (sit).   1547
hanc creaturam SALIS et aqua benedicere digneris...   1351, 1352
Exorcizo te, creatura SALIS et aqua, in nomine domini nostri...   1539,
   1540, 1541
ut hanc creaturam SALIS et aquae dignanter accipias...   848

ut hanc creaturam SALIS et aquae dignanter accipias... 848
ut hoc primum pabulum SALIS gustantem... 875
Exorcizo te, creatura SALIS, in nomine dei patris omnipotentis... 1542,
    1544, 1545
ut haec creatura SALIS in nomene trinitatis efficiatur salutare sacramen-
    tum... 1542
Exorcizo te, creatura SALIS, per deum vivum et verum... 1546, 1547
ut benedicere digneris hanc creaturam tuam SALIS quam in husui... 1370
ut hanc creaturam SALIS quam in usum... benedicere et sanctificare tua
    pietate digneris... 1929
benedicendo haec creatura SALIS quam tu spiritum... 1670
ut hanc creaturam SALIS sanctificando sanctifices, benedicendo benedicas
    ... 1544
Benedic o. ds hanc creaturam SALIS tua benedictione caelesti... 327

SALIO
et fiat fons SALIENS in vitam aeternam... 1530
ut efficiaris... fons aquae SALLIENTIS in vitam aeternam... 1535
ut fiat fons SALIENTIS in vitam aeternam... 1531

SALTEM
nec SALTIM deforis sunt vel dealbati vel loti... 3879
humilibus SALTEM frequentemus (frequentibus) obsequiis (veneremus). 579,
    580
ut misericordiam sempiternam... nos SALTIM sincere confessione mereamur.
    2450
... SALTIM sine cessatione depromere... 4104
deum a nobis infirmis SALTIM tenuiter laudare... 4143
... SALTIM vel inter ipsa turmenta que forsitan patitur... 2273

SALUBER
ds qui vos beati petri SALUBERRIMA confessione... fundavit soliditate...
    348
ut qui ad haec agenda SALUBERRIMAM dedisti doctrinam... 3807
et ad communem vitam concedas SALUBREM et ita ex eo... 717
Praesta dne tuum SALUBREM remedium per sanctam benedictionem tuam...
    2676
et abstinentiam tam SALUBREM ut nec caro escis... 357
auresque SALUBRES tribuas... 3498
et SALUBRI conpunctione devotus... 2853
tua nobis gratia sola praestabit, ut SALUBRI conversatione vivamus. 3699
VD. Quoniam SALUBRI meditante ieiunio necessaria curatione tractamus...
    4101
non potentibus subiaceret, sed eos potius SALUBRI rete concluderet...
    4055
... SALUBRIQUE conpendio et hi, qui ab illorum tramite deviassent...
    3947
et ea semper quae sunt eis SALUBRIA consequantur. 1607
cuncta eis SALUBRIA, cuncta sint prospera... 844
et insere semper cordibus aeorum praecepti tui SALUBRIA mandata. 124
haec tam SALUBRIA neglegens sit medicamina... 3837
piis actibus (actionibus) et ieiuniis SALUBRIBUS expiando. 2311, 3378
ut supradicte famulae tua illa haec sit vestis SALUBRIS protectio...
    1508

SALUBRITAS
et incrementum gregis adque SALUBRITAS gaudium est et corona pastorum.
    4172

VD. Magna et hoc munerae SALUBRITAS mentis hac corporis contullisti... 3794

ut SALUBRITAS per invocationem tui nominis expedita... 896

ut his manufactis cum SALUBRITATE manentibus... 92

et cum SALUBRITATE utentibus aea ipse... mereantur efficare vasa munda... 2907

et det vobis tranquillitatem tempurum, SALUBRITATEM corporum... 354

corporibus SALUBRITATEM et sanitatem mentibus contullisti... 4182

... Magnam in hoc munere SALUBRITATEM mentis et corporis contulisti... 3889

et vulnera nostra... munus tuae SALUBRITATIS curare digneris. 3821

ut his manufactis cum SALUBRITATIS menentibus... 92

SALUBRITER

ventorum flabra fiant SALUBRITER ac moderatae suspensa... 1154

et quae votis expetit, SALUBRITER adsequatur. 374

quibus corda languentium SALUBRITER curarentur... 1184

praesta qs ut aea que accipimus SALUBRITER degeramus. 1675

ut subripientium delictorum laqueos SALUBRITER evadatis. 722

... SALUBRITER ex huius diei anniversaria solempnitate... 3459

VD. Qui nos ideo temporalibus SALUBRITER flagellas incommodis... 3972, 3973

VD. Quia tu quidem nobis ieiunia SALUBRITER indidisti... 4072

animis corporibusque curandis SALUBRITER institutum est... 112

ut quibus tuo dono imperat, eis tua opitulatione fultus SALUBRITER prosit. 748, 3913

VD. Quia conpetenter atque SALUBRITER religiosa sunt nobis instituta ieiunia... 4039

ut quae humiliter gerimus, SALUBRITER sentiamus. 3066, 3068

cunctaque iacula calliditatis SALUBRITER trucidantes... 3847

ut ad sancta sanctorum fideliter SALUBRITERQUE capienda... 3731, 3732, 4140

quia tanto nobis SALUBRIUS aderit, quanto id devotius sumpserimus. 3305

SALUS

Omnipotens sempiternae ds, SALUS aeternae (aeterna) credentium... 2470

sed pro ipso tu qui aeterna SALUS es voluisses et mori. 2298

... SALUS esto infirmitatis meae et verus resuscitatur anime meae. 1895

Sanctorum percipientibus, dne, qs, SALUS et mentium praestetur et corporum... 3241

Ds, in te sperantium SALUS et servientium fortitudo... 835

VD. Cuius incarnatione SALUS facta est mundi... 3650

... SALUS hominibus lumentique proveniat. 3824

ut piaetate sedola in te sit SALUS hominum... 3109

ut sit omnibus sumentibus SALUS mentis et corporis... 1929

VD. Per quem SALUS mundi, per quem vita omnium, per quem resurrectio mortuorum... 3840

per quem SALUS mundi, vita hominum, resurrectio mortuorum. 3841

quibus et SALUS nobis et alimenta praestentur. 3824

cuius sit obumbratio SALUS omnium et patrocinium beatitudo cunctorum. 325

ut sicut in condempnatione filii tui SALUS omnium fuit piaculus perfidorum... 2798

in quo est SALUS omnium populorum... 4126

ut pietate sidulea in te sed SALUS omnium propter quod homo... 996

et SALUS regenerationis adhibetur, et imputatur corona martyrii. 3696

et SALUS regenerationis expletur... 3851

ut SALUS servientium tibi principatum (principum) pax tuorum possit esse populorum.   2866
Prae terremotu aeis sis lux, tu SALUS, tu pius...   124
Ds, refugium pauperum, spes humilium SALUSQUE miserorum...   1245
ut pax SALUSQUE perpetua tuorum possit vigere populorum.   2868
quam tibi offeret pro SALUTE famuli tui illius placatus suscipias... 1716
pro SALUTE famuli tui illius subplicantes...   3405
qui pro SALUTE generis humani crucis patibulum sustullisti...   756
et tamen pro SALUTE generis humani signa tuae potentiae visibiliter ostendis...   1048
id in SALUTE gentium per aquam regenerationis operaris...   777
VD. Quem pro SALUTE hominum nasciturum gabrihel archangelus nuntiavit... 3870
Ds, qui cum SALUTE hominum semper operaris...   944
qui pro SALUTE humana in patibulum effudit sanguinem in cruorem.   1158
Qui SALUTE humanae subvenire dignatus es.   4013
donanti patri pio pro SALUTE humani generis...   3017
ut de quorum praericulo (periculum, periculo) metuimus, de eorum SALUTE laetemur.   1253
VD. Qui non solum pro SALUTE mundi persecutionem sustinuit impiorum... 3963
Ds, qui pro SALUTE mundi sacrificium paschale fecisti...   1183
quos per lignum sanctae crucis... arma iustitiae pro SALUTE mundi triumphare iussisti.   3063
mortem subiecit, et SALUTE nobis contullit et triumphum.   2406
seipsum tibi sacram hostiam... summus sacerdos pro SALUTE nostra immolavit. 3986
seipsum tibi pro SALUTE nostra offerens...   3985
... Iesu Christi pacientes (facientes) crucem pro SALUTE nostra omnium... 511
Qui pridie quam pro nostra omnium SALUTE pateretur...   3015
animarum quoque suarum SALUTE perpetua consequatur.   3844
securus de SALUTE placidis laetetur in horis...   3770
qui coaeternum tibi filium hodie pro mundi SALUTE secundum carnem... 2380
Suscipe, dne, qs, hostias, quas tibi pro SALUTE tuae plebis offerimus... 3424
quam tibi offerat pro SALUTE tui ill. placatus suscipias...   1716
Ds qui pro mundi SALUTE verbum caro factum es...   1180
que nobis, agno vincente, conversa est in SALUTE.   903
ut rationabiles voluntates, aut inter ista proficiant ad SALUTEM aut de caelesti...   4200
Ut nobis dne tua sacrificia dent SALUTEM beatus confessor tuus...   3577
pacem concedat, SALUTEM conferat...   340, 356
ut efficiaris sal exorcizatum in SALUTEM credentium...   1546
... propter nos homines et propter nostram SALUTEM descendentem (discendit) de caelis...   554, 555
ut ita in praesenti collecta multitudine, cunctorum in commune SALUTEM disponat...   2393
Da SALUTEM, dne, (qs) populo tuo mentis et corporis...   691, 692
qui ora diaei tertia ad crucem poenam per mundi SALUTEM ductus es... 1374
et illo regi ad obtinendam animae corporisque SALUTEM et peragendum... 2123
Proficiat qs dne haec oblatio... ad SALUTEM famuli tui ill...   2854

... Paulum ad SALUTEM gentium non inpari vocatione consocias... 4169
id in SALUTEM gentium per aquam regenerationis operaris... 777
hoc ad SALUTEM gentium per aquas baptismatis opereris. 778
Ds, qui ad SALUTEM humani generis maxima quaeque sacramenta... condedisti
    ... 896
... Da SALUTEM mentis et corporis da continuae (continua)... 2678
Da qs dne populo tuo SALUTEM mentis et corporis ut bonis operibus... 656
da nobis SALUTEM mentis et corporis ut ea quae... 1122
da famulis tuis pro quibus tuam deprecamur clementiam SALUTEM mentis et
    corporis ut te tota... 921
et mentium SALUTEM mereantur et corporum. 2927
luce mirabili quod ad SALUTEM mundi hodierna festivitate processit...
    456
per lignum sanctae crucis filii tui, arma iusticiae pro SALUTEM mundi
    triumphare... 3063
... Postea enim esuriit non tam cibum hominum quam SALUTEM nec escarum...
    3880
Sancta tua nobis, dne, qs, intervenientibus qui tibi placuere proficiant
    ad SALUTEM nec reatus... 3180
et SALUTEM nobis contulit et triumphum. 2726
et SALUTEM nobis mentis et corporis operare placatus. 3440
sanctus benedictus qs in SALUTEM nobis pervenire deposcat. 3166
... SALUTEM nobis tribue mentis et corporis. 2911
et ad SALUTEM nostram provenire concedas. 1825
VD. Quia licet nobis semper SALUTEM operetur divini celebratio sacramenti
    ... 4053
et medellam confitenti, SALUTEM paenitenti... indulgeas... 1368
animarum quoque suarum SALUTEM perpetuam consequatur. 3844
quem ad SALUTEM populi nobis cognovimus fuisse concessum. 924
et nobis SALUTEM potenti pietati restitui. 3413
hostias... sanctus ille qs in SALUTEM provenire deposcat. 3166
sit unctionis huius praeparatio (illis) utilis ad SALUTEM quam etiam...
    838, 839, 1240
et SALUTEM quam per adam... ligni rursum fides aperiat. 1265, 3364
Proficiat aeis inlapsa benedictio tua plenius ad SALUTEM, quod in hac.
    122
nec te augent nostra praeconia, sed nobis proficiunt ad SALUTEM quoniam
    sicut... 4040
et SALUTEM regenerationis exhibet... 3851
filium hodiae pro mundi SALUTEM secundum carnem... concipiendo... 2380
VD. Quia lecit nobis SALUTEM semper operetur divinae caelebratio
    sacramenti... 4053
ita et famulum tuum illum a lecto egritudinis tua potentia erigat ad
    SALUTEM. 988
sed potius exerceant ad SALUTEM. 3790
quesumus aeidem proficiam ad SALUTEM. 1646
cunctis nobis proficiant ad SALUTEM. 2813, 3421
ut eius optemptu nobis proficiant ad SALUTEM. 2143, 2144
cunctis proficiat ad SALUTEM. 1058, 1646, 2872
et tam viventibus quam defunctis proficiat ad SALUTEM. 2646
qs ut eidem proficiat ad SALUTEM. 1646
contulit gloriam nobis proficiat ad SALUTEM. 3163
que pro illius venerando agimus obitu, nobis proficiat ad SALUTEM. 2563
tuae maiestatis offerimus nobis proficiat ad SALUTEM. 2166
et tuae testificatio veritatis nobis proficiat ad SALUTEM. 3086
proficere sibi sentiat ad SALUTEM. 1810

qui ex aea gustaverent, proficiant illis ad aeterna SALUTEM.   548
salubritatem corporum, animarumque SALUTEM.   354
sollemnitas (et devotionem) (devotionis) nobis augeat et SALUTEM.   604
et novitatem nobis augeat et SALUTEM.   1843
et devotionis gratiam nobis conferant et SALUTEM.   3371
ut (et) indulgentiam nobis pariter conferant et SALUTEM.   1829, 1852
... Presta, qs, ut nobis et veniam conferant et SALUTEM.   2227
eorum piis adiuta praesidiis et consolationem referat et SALUTEM.   2847
ad aeternam nobis proficere fac SALUTEM.   2596
quod denuntiatum est in ultionem transeat in SALUTEM.   761
ut operetur nobis etiam ipsa infirmitas SALUTEM.   3921
nisi per filiorum regenerationem possit recuperare SALUTEM.   3918
et ut nostrae proficiant SALUTI, adsit intercessio beatorum sanctorum
    tuorum.   1617
VD. Qui SALUTI humanae subvenire dignatus est...   4013
qui pro SALUTI mundi pependit in ligno...   3666
plebs pro SALUTI possit audire.   740
et ut nostrae SALUTI proficiant, adsit intercessio beata sanctorum.
    1617
(ut et) devotioni nostrae proficiant et SALUTI.   288, 3148
nostraeque simul protectioni proficiat et SALUTI.   503
puris mentibus ad aepulae (aepulas) aeternae SALUTIS accedant (accedat).
    2458
Subsidium nostrae SALUTIS accepto supplices, dne, te rogamus...   3316
in protectione animae, in confirmatione SALUTIS ad expellendas...   1545
Sit huic familiae tuae dona SALUTIS adquirere...   1509
et ad portum perpetuae SALUTIS adducat.   2835
sed apostolica observatio predicatio ad portum SALUTIS aducat.   166
Hic nobis dominus et minister SALUTIS, advocatus et iudex...   4003, 4004
Sumpsimus, dne, pignus SALUTIS aeterna caelebrantes apostolorum...   3337
et aberrantem longius ab itinere SALUTIS aeterna tua...   2297
Ds, qui spe SALUTIS aeternae beatae mariae... humano generi praemia
    praestetisti...   1214
et remedia SALUTIS aeternae isdem patrocinantibus adsequantur.   368
et mitte aei angelum SALUTIS aeternae nec teror...   3392
(hanc memoria) (et memores) SALUTIS aeternae non timemus.   3862, 3916,
    4099
ut SALUTIS aeternae remedia quae te aspirante requirimus...   3548
ut remedia SALUTIS aeternae quae te miserante percipiunt...   4240
ut ad viam SALUTIS aeternae secura mente curramus.   559
accepto pignore SALUTIS aeternae sic tendere...   1569
ad SALUTIS aeternae tribuas provenire suffragium.   2967
et dirige eum secundum tuam clementiam in viam SALUTIS aeternae ut te
    donante...   2358
et omnium fidelium mentes dirige in viam SALUTIS aeternae.   1174
contra vitae praesentis adfectum venturae SALUTIS aeternitas...   3861
tuam frequentationem mysterii crescat nostrae SALUTIS affectus.   3348
qui spiritum tuum sanctum... humani declarasti SALUTIS auctorem praesta
    qs ut idem...   2350
erige nos ad consedentem in dextera tua (dexteram tuam) nostrae SALUTIS
    auctorem ut qui propter nos...   887
quia nostrae SALUTIS augmenta sunt...   2536
et in eis te praedicare mirabilem confidit ad suae pertinere SALUTIS
    aumenta.   2212
Cotidianis, dne, qs, munera sacramenti perpetuae (perpetua) nobis tribue
    (tribuas) SALUTIS augmentum.   547

ut hoc nobis perpetuae SALUTIS auxilium fides semper vera perficiat.
3037
ad nostrae (ad te dne) SALUTIS auxilium provenire (pervenire) concede.
36, 3393
Praesta, dne, qs, ut illius SALUTIS capiamus effectum... 2664
ut devotio paenitentiae... perpetuae SALUTIS consequatur effectum. 177
Navem aeorum SALUTIS construae... 1961
et SALUTI credentium perpetua sanctificatione sumenda concaede. 3088
Quatenus sic per viam SALUTIS devota mente curratis... 722
ut viam famuli tui ill. SALUTIS dignare prosperitate diregere... 1490
ut sicut ipse auctor noster SALUTIS docuit... 475
ut cum frequentacione mysterii crescat nostrae SALUTIS effectus. 3348
ut hii qui (in) adiutorium et utilitatem vestrae SALUTIS eleguntur...
3300
ut sit his qui renati fuerint ex aqua et spiritu sancto chrisma SALUTIS
eosque aeternae... 3945
(et) evangelio (aevangelii) SALUTIS erudiat... 350
assumpto scuto fidei, et galea SALUTIS et gladio spiritus... 3722
et galeam spem SALUTIS et gladium spiritus quod est verbum tuum... 4149
tu causas humanae SALUTIS et gloriae, quibus tibi gratae sunt, condedisti.
35
pro spe SALUTIS et incolomitatis suae tibi reddunt vota sua... 2068
per viam SALUTIS et pacis incidat... 2041
et omnium fidelium mentes dirige in viam SALUTIS et pacis. 1174
ut quibus beatae virginis partus extitit SALUTIS exordium... 1602
Ut galea SALUTIS fidae circumtegat... 1163
VD. Qui peccato primi parentis hominem a SALUTIS finibus exsultantem...
3988
dignos SALUTIS fructus iugiter operetur. 665
Ds, qui remedia SALUTIS humanae in praesentis mysterii sollemnitate
posuisti... 1191
et opus SALUTIS humanae perpetuae dispocisionis effectu tranquillus
operare... 837
Laeti, dne, frequentamus SALUTIS humanae principia... 1986
adventum SALUTIS humane prophetica exultatione significavit... 3688,
3772
Adest... dies propitiationis divine et SALUTIS humane qua mors... 58
ut per haec SALUTIS humanae subsidia... 1743
in quo totius SALUTIS humanae summa consistit. 2407
per eos subsidia perpetuae SALUTIS inpendas. 611
et sencero tractare servicio et cum perfecto (profectu) SALUTIS implere.
603
ipse te linit chrisma SALUTIS in Christo Iesu... 870
erigens nobis cornum SALUTIS in domo David pueri tui... 3763
ipse te linet chrisma SALUTIS, in vitam aeternam. 870
ut familia tua (familiam tuam) per viam SALUTIS incedat... 2757
et in portum perpetuae SALUTIS inducat. 3057, 3584, 3585
navigantibus portum SALUTIS indulgeat. Oremus. 2505
ut quos viam fecisti perpetuae SALUTIS intrare... 2049
quae nobis ipse SALUTIS nostrae auctor Christus instituit. 3645
Fac nos, qs, dne, SALUTIS nostrae causas... 1578
... Et memores SALUTIS nostrae non timemus lucis huius subire dispendium
... 3915
in quo nobis unicum SALUTIS nostrae praesidium... 3978
quo ipsum SALUTIS nostrae sacramentum in lucem gentium revelasti... 3763
cum et SALUTIS nostrae vota recolimus... 3121

propriae SALUTIS operantes excidium...   3808
per quos multa praesidia nostrae SALUTIS operaris...   4167
Ds, (qui) humanae SALUTIS operator, da nobis...   821
ut remedium (remedio) nobis perpetuae SALUTIS operentur.   2851
panem sanctum vitae aeternae et calicem SALUTIS perpetuae.   3567
ad dandam scientiam SALUTIS populo tuo in remissionem peccatorum eorum...
   3763
et in nostrae SALUTIS potenter efficis transire mysterium.   1386
quibus et te pietate voluisti et nobis SALUTEM potenti pietate restitui.
   3413
et ut nostrae SALUTIS proficiant, adsit intercessio beatae tuae martyrae
   Agathae.   1617
Praesta aeis semper tempora SALUTIS, que ante...   202
et ab huius possessione anima liberata ab auctore (ad auctorem) suae
   SALUTIS recurrat...   2299
Ds, qui humani generis et SALUTIS remedii vitae aeternae munera contulisti
   ...   1015
Ds qui humano generi et SALUTIS remedium et aeternae vitae munera
   contulisti...   1020
tutillam SALUTIS, securitatem spei...   2654
et per graciam spiritus sancti poculum SALUTIS semper infunde.   769
dator graciae spiritalis, largitor aeternae SALUTIS tu permitte...
   549
Dne ds qui in mysterio aquarum SALUTIS tuae nobis sacramenta sanxisti...
   1324
et viam famuli tui illius in SALUTIS tuae prosperitatis (prosperitate)
   dispone...   107
ut portum SALUTIS tuae valeant adpraehendi.   114
Sumentes dne perpetuae sacramenta SALUTIS, tuam deprecamur clementiam...
   3326
digna SALUTIS veneratione sectemur.   2693
... Qui est origo SALUTIS, via virtutis, et tuae propitiatio
   maiestatis.   3841
in sacramentum perfectae SALUTIS vitaeque confirmes...   3627
ut hoc idem nobis semper et indulgenciae causa sit et SALUTIS.   3199
ut hoc idem nobis semper et sacramenti causa sit et SALUTIS.   388
qui stilla in die clarificatus es rex SALUTIS.   1175
et det vobis... et praemium sempiternae SALUTIS.   1903

             SALUTARIS
et SALUTARE baptismi tui gratia adimple...   1368
et quod aeisdem SALUTARE est largiaris...   3834
O. s. ds, qui per continentiam SALUTARE et corporibus mederis et mentibus
   ...   2439
qui vestimentum SALUTARE et indumentum (aeternae) iocunditatis tuis
   fidelibus promisisti...   743, 1237
Benedic dne creaturam istam ut sit remedium SALUTARE generi humano...
   301
quos SALUTARE lavacro spiritali et in vitam aeternam regenerari dignatus
   es.   854
SALUTARE munere, dne, satiati supplices deprecamur...   3173
VD. Cuius hoc mirificum opus ac SALUTARE misterium fuit...   3645
Sanctificate dne SALUTARE misterium qs ut pro nobis...   3220
... SALUTARE nobis fideliter senciamus.   578
tu SALUTARE nobis perfice sacramentum.   2163
... SALUTARE nobis prosit effectu.   2997

Vere dignum et iustum est, aequum et SALUTARE nos tibi semper... 3589,
3945
et mysterium, quod extitit mundo SALUTARE principalis... 4133
Benedictionem, dne, nobis conferat SALUTARE sacra semper oblatio... 371
ut haec creatura salis... efficiatur SALUTARE sacramentum... 1542, 1543,
1544
SALUTARE sacrefitio dne populus tuus semper exultet... 3175
et SALUTARE temporibus nostris propitius da quietem. 424
... SALUTARE tuo munus inviolabilem tribuatur... 313
et SALUTARE tuum cunctis gentibus declarasti... 4058
et SALUTARE tuum nobis potenter (mirabiliter) operetur. 1269
ut SALUTARE tuum nova caelorum luce mirabile... 456
simul et continentiam SALUTAREM capiamus mentis et corporis... 3990
si per contentiam SALUTAREM conscientiae nostrae tribuli spinaeque
deficiant... 3827
O. s. ds, qui per continentiam SALUTAREM corporibus mederis et mentibus...
2439
Da nobis, dne, qs, pluviam SALUTAREM et aridam terrae... 588
O. s. ds, qui per abstinentiam SALUTAREM et corporibus (nostris)
mederis et mentibus... 2439
... Tu iacenti manum porrige SALUTAREM ne aeclesia tua... 822, 823
SALUTAREM nobis aedidit (dedit) hodierna diae beati cypriani... 3174
... SALUTAREM nobis fideliter sentiamus. 578
... SALUTAREM nobis fructum mentis adquirat. 1839
... SALUTAREM nobis prosit effectum. 2997
Benedictionem dne nobis conferat SALUTAREM sacra semper oblatio... 371
et SALUTAREM temporibus nostris propitius da quiaetem... 424
... SALUTAREM tuto munus inviolabilem tribuatur... 313
et SALUTAREM tuum cunctis gentibus declarasti... 3816
et SALUTAREM tuum nobis mirabiliter operetur. 1269
Da, qs, dne, nostris effectum (affectus) ieiuniis SALUTAREM (SALUTARE)
ut castigatio... 649
... Scinde delictorum saccum et indue eum laeticiam (laetitiae) SALUTAREM
ut post longa... 2055
ad hostias SALUTARES et frequentiores officii (officiis) sacramenta...
1348, 1349, 1350, 2549
quibus capere valeamus SALUTARES misteriis porcionem. 1136
quas sanctificando nobis, qs, efficias SALUTARES. 1809
quae te sanctificando nobis perficiantur (efficiantur) SALUTARES. 1804,
1809
et parsimonia SALUTARI a peccatorum sordibus purges... 3718
qui SALUTARI fonte sunt renati... 920
et SALUTARI gaudere profectu. 2394
... Cuius descensus genus humanum doctrina SALUTARI instruit... 3829
ut hoc SALUTARI ministerio contra visibiles et invisibiles hostes
reddatur invictus... 1686
ne renatum (renato) lavacro SALUTARI mors secunda possedeat. 822, 823
qui nos et SALUTARI munere comitaris... 3069
Sanctificati, dne, SALUTARI mysterio... 3222
ut munere divino quod sumpsimus SALUTARI nobis prosit effectu. 2997
SALUTARI sacrificio, dne, populus tuus semper exultet... 3175
Satiati munere SALUTARI, tuam, dne misericordiam depraecamur... 3263
SALUTARI tuo, (munere) dne, satiati (satiasti) supplices depraecamur...
3176
et visita in SALUTARI tuo et caelestia (ac caelestis) gratiae praesta
medicina (medicinam). 986

ut piis sectando quae tua sunt universa nobis SALUTARIA condonentur.
    1112
et SALUTARIA cuncta non desint.   2106a
et ad SALUTARIA cuncta perducat.   2553
cum ea, quae tibi sunt placita et nobis SALUTARIA, desideramus adpetere...
    3665
tuis semper auxiliis et abstrahatur a noxiis et ad SALUTARIA dirigatur.
    563
ut et SALUTARIA dona capiamus...   3455
et indulgentiam nobis tribuas et SALUTARIA dona concedas.   2887
ut SALUTARIA eius poscentibus...   3553
Dne ds noster, qui SALUTARIA et praevidis solus et tribuis...   1309
et SALUTARIA inpetrare pro nobis.   2682
ipsorum, qs, nobis (nobis qs) fiant intercessione SALUTARIA in quorum
    nataliciis...   393, 2558
ad verae divinitatis SALUTARIA mandata currentes...   4139
Haec munera... SALUTARIA nobis esse concede.   1697
eorum SALUTARIA nobis intercessione reddantur.   2652
quia hoc inpraecari est potius quam SALUTARIA postulare...   3980
Dominus... inter cetera SALUTARIA praecepta...   1373
ut eorum nobis fiant depraecatione SALUTARIA, quorum celebrantur
    affectu.   3341
ut haec SALUTARIA sacramenta illis proficiant ad prosperitatem et pacem...
    1294
Tantis, dne, repleti muneribus, ut SALUTARIA semper dona capiamus...
    3455
ut et tibi grata sint, et nobis SALUTARIA semper existant.   3090
et nobis SALUTARIA te miserante reddantur.   2140
per eam SALUTARIA tua praecepta mereatur implere.   3092
post SALUTARIA tua toto corde curramus.   3027
et toto orbe SALUTARIA verba decurrant.   4037
et quos inbuisti caelestibus institutis, SALUTARIBUS comitare solaciis.
    2581
ut plebs tua et sacramentis instructa SALUTARIBUS et fulta praesidiis...
    816
Praesta, qs, dne, ut SALUTARIBUS ieiuniis heruditi...   2735, 2790
Oremus. Praeceptis SALUTARIBUS moniti...   1787, 2526
et quem SALUTARIBUS praesidiis non desinis adiubare...   517
et SALUTARIBUS praesidiis semper adiutum...   3537
... SALUTARIBUS proficiant institutis, qui talibus praesidiis adiuvantur.
    644
ut SALUTARIBUS remediis pietatis tuae corpora nostra et membra vegitentur
    ...   1361
Quaesumus, dne, ut SALUTARIBUS repleti mysteriis... oracionibus adiuvemur
    ...   2973, 2976
Sumptis dne SALUTARIBUS sacramentis ad...   3344
Perceptis dne ds noster SALUTARIBUS sacramentis humiliter depreacemur...
    2563
Concede o. ds his SALUTARIBUS sacrificiis placatus...   457
ut animas... calamo doctrinae SALUTARIS abstraheret...   3610
sed fiat intercessio SALUTARIS ad veniam.   1668, 2361
conscientias nostras sancti spiritus SALUTARIS adventus emundet.   1815
ut cor aeorum fidei SALUTARIS augmentum impleatur.   1961
festivitas SALUTARIS auxilii nobis prestet aumentum.   3198, 3205
Qs o. ds, ut illius SALUTARIS capiamus effectum...   2995

ut et SALUTARIS castigatio mortalitatis insolentiam mitigaret... 3969, 3970

... SALUTARIS cybus et sacer potus instituat instituit... 1284

Per diem vos SALUTARIS domini umbra circumtegat... 2905

consciencias nostras sancti spiritus SALUTARIS emundet adventus. 1815

Effunde super nos... spiritum gratiae SALUTARIS et ab omnibus... 4014, 4190

et ad hostias SALUTARIS (et frequentioris) officia sacramenta... 1349

ut mysterii SALUTARIS et intellectu proficiamus et cultu. 3490

ut haec hostia SALUTARIS et nostrorum fiat purgatio delictorum... 437, 441

Sacramenti tui qs dne participatio SALUTARIS et purificationem... 3129

Protegat nos, dne, qs, hostia SALUTARIS et quae ad honorem... 2922

praetende (super famulos tuos) spiritum graciae SALUTARIS et ut in veritate... 2390, 2392

praetende super hos famulos tuos degentes in hac domo spiritum gratiae SALUTARIS et ut conplaceant... 2391

in mysterii SALUTARIS faciat transire consortium. 3552

Haec dne oratio SALUTARIS famulum tuum ill. ab omnibus tueatur adversis... 1685

quales facti sumus in lavacri SALUTARIS felicissima regeneratione... 3949

et pro tanti regis victoria tuba intonet SALUTARIS gaudeat se... 1564

Ut ad SALUTARIS hodiernae generationis exordium pertinere mereamur... 3572

sic nos tuae pietati SALUTARIS humilitas prestet acceptos. 200

et sensum in vobis sapientiae SALUTARIS infundat. 2258

etiam matri virgine fructu (fructus) SALUTARIS intervenit Christus dominus noster. 4120, 4122

quibus capere valeamus SALUTARIS mysterii portionem. 1136

quae SALUTARIS mysterii veritatem toto etiam mundo testificante non sequitur... 4115

et SALUTARIS nobis beati Laurenti praecibus... existat. 21

ut exercitatio veneranda ieiunii SALUTARIS nos a peccatorum... 3752

Adiuva nos, ds SALUTARIS noster, et ad beneficia recolenda... 144

Exaudi nos, ds SALUTARIS noster, et apostolorum... 1480

Exaudi nos ds SALUTARIS noster et dies nostros in tua pace dispone... 1481

Adiuva nos ds SALUTARIS noster et in sacrificio... 145

Exaudi nos ds SALUTARIS noster, et intercedente... 1482

Adiuba nos, ds SALUTARIS noster ; et quibus... 146

Exaudi nos, ds SALUTARIS noster, et super hos famulos tuos... 1483

Converte nos, ds SALUTARIS noster, et ut nobis... 532

Exaudi nos, ds SALUTARIS noster ut per haec sacrosancta... 1484

Adiuva nos, ds SALUTARIS noster, ut quae conlata nobis... 147

Exaudi nos, ds SALUTARIS noster, ut sicut de sancte Caeciliae... 1485

ut haec SALUTARIS oblatio et propriis reatibus indesinenter expediat... 576

innocentia et SALUTARIS observantia discipline... 136

... SALUTARIS parsimoniae devotione purificati... 3829

Exercitatio veneranda, dne, ieiunia SALUTARIS populi tui corda disponat (dispone)... 1528

ita perennitatis eius gloriae SALUTARIS potiamur affectum. 1851

et SALUTARIS presidiis semper adiutum... 3537

ut eorum nobis fiat supplicatione SALUTARIS, pro quorum sollemnitate defertur. 19

Prosit nobis, ad, dne, sacramenti tui perceptio SALUTARIS pro tuorum
  commemoratione... 2903
et continentiae SALUTARIS propicius nobis dona concede.   1497
Sit nobis, dne, qs, (qs dne) cibus sacer potusque SALUTARIS qui et
  temporalem... 3297
Haec dne SALUTARIS sacrificii perceptio famuli tui ill. peccatorum
  maculas diluat... 1686
SALUTARIS sacrificio, dne, populis tuus semper exultet...   3175
SALUTARIS tui dne munere (munera) satiati, supplices exoramus, ut...
  3176
et SALUTARIS tui dona concede.   2527
... Redde mihi laeticiam SALUTARIS tui et spiritu...   58
et nostris vota ieiunii SALUTARIS tui perfice sacramentum.   3411
in sanctis nobis collata martyribus SALUTARIS tui subsidia praedicantes.
  1808
ut castigatio peccatoribus convenienter adhibita fiat correctio SALUTARIS.
  533
que (quas te) sanctificando nobis efficiant SALUTARIS.   1809
et pro tanti regis victoria tuba insonet SALUTARIS.   1564
diversa donorum tuorum solatia, et munerum SALUTARIUM gaudia contulisti...
  4131
... SALUTARIUM nobis operum tuorum, et munerum memoria, praesentis vitae
  tempora exornat.   3719
Prosperum iter faciet vobis deus SALUTARIUM nostrorum... paveantque...
  2905

                SALUTATIO
Sit nobis dne sacramenti tui certa SALUTATIO que cum beatorum...   3299
sed SALUTATIO sempiterna possideat.   2937
perpetua SALUTATIONE comitare.   2926
et veni ad SALU(T)ATIONEM populi tui...   1518
ut cordibus famulorum tuorum ob gratiam SALUTATIONIS loco huic (locum
  hunc)...   2282

                SALUTIFER
VD. Et tibi hanc immolationis hostiam offerre, quae est SALUTIFERA et
  ineffabile...   3739
... SALUTIFERA nobis oratione proveniant.   1639
huic plebi SALUTIFERA paschae solemnia caelebranti...   431
per hanc institutionem SALUTIFERA peccatorum sordes...   179
et SALUTIFERAE confessionis exemplum...   3971
Ds, qui in praeclare SALUTIFERE crucis invencione passionis tuae miracula
  suscitasti...   1035
ut quanto magis dies SALUTIFERAE festivitatis accedit...   3798
VD. Cuius SALUTIFERAE passionis et gloriosae resurrectionis dies
  adpropinquare noscuntur...   3669
... SALUTIFERE perdamus officium piaetatis...   3674
per eius SALUTIFERE resurrectionis potentiam...   1887
ut ad introitum humilitatis nostrae hos famulos tuos... SALUTIFERE visitare digneris...   2277
tali eloquio talique brevitate SALUTIFERAM condidit fidem...   1287
ut per beati eusebii confessoris intercessionem SALUTIFERAM in nostris
  mentibus...   3681
ut per hanc institutionem SALUTIFERAM peccatorum sordes... abluamus...
  179
  ut omnis hoc lavacro SALURIFERO diluendi operanti in eis spiritu sancto
  ...   1045, 1047

quae de terra servitutis populo exeunti SALUTIFERO lumine ducatum
   exibuit...   861
et SALUTIFEROS ymbres humano generi concide propicius...   2320

SALUTO

... Quae ab angelo SALUTATA, ab spiritu sancto obumbrata...   4032

SALVATIO

potenter ostendens, quam sit pietatis tuae praeclara SALVATIO dum prestas
   ...   3921
Sit nobis, dne, sacramenti tui certa SALVACIO quae beatorum...   3299
et populi tui SALVATIO sempiterna fiat praemium sacerdotis.   627
sed SALVATIO sempiterna possideat.   2941
mirisque modis conficitur de perdictione SALVATIO ut status...   3767,
   4088
ut quae temporali caelebramus accione, perpetua SALVACIONE capiamus.
   3243
et a reatibus nostris expediat et perpetua SALVATIONE confirmet.   2169
ut hanc abundantiam in nostra quoque SALVATIONE defendas.   1792
Ds, qui nativitatis tuae exordio (exordia) pro nostra (necessarium)
   (necessaria) SALVATIONE duxisti...   1080
ut SALVATIONE mentis et corporis et incessabiliter expetet...   3303
et gratias pro nostra SALVATIONE reddamus.   401
ut SALVATIONEM mentis et corporis et incessabiliter expetet...   3303
sed potius ad effectum SALVATIONIS accedant.   3803
ad perpetuae (perfectum) ducant SALVACIONIS effectum.   2945
et cum propriae recolit SALVATIONIS exordia...   1640
perpetuae SALVATIONIS (redemptionis) gaudiis adsequamur.   2683
sic nobis effectum, dne, tuae SALVATIONIS inpendant.   3289
et sacramentum nobis perpetuae SALVATIONIS instituas.   510
in aeternae SALVACIONIS partem restituas (parte constituas).   3840
et SALVATIONIS suae gaudia prumtus exerceat...   504
ut sicut in eo solo consistit totius nostrae SALVATIONIS summa...   3669
... SALVATIONIS tuae sentiamus (suscipiamus) aumentum.   3170

SALVATOR

corporis animaeque SALVATOR, aeternae felicitatis benigne largitur.   1184
augmentum amoris aeterne te qs sanctae SALVATOR christe...   3017
Timentium te, dne, SALVATOR et custus averte...   3480
Ds, vita fidelium, timentium te SALVATOR et custus qui famulum tuum...
   1262
Quod etiam SALVATOR et dominus noster a symionem susceptus...   3648, 3649
Ds, vita fidelium, timentium te SALVATOR et iustus...   1262
dne christe SALVATOR et mediator noster omnipotens...   4217
dne christe SALVATOR et mediator omnipotens...   4217
Christe ds SALVATUR innocentia, humilitatis adsumptur...   396
sempiterna vitam ac leticiam in caelestibus praesta, SALVATOR mundi qui
   cum patre...   404
Presta, m. ds, ut natus hodie SALVATOR mundi sicut divinae...   2680
et reples omne animal benedictione SALVATOR mundi.   742
sanctificetur in visceribus aeorum, SALVATOR mundi.   1335
mereamur aulam paradisi introire SALVATOR mundi.   4227
in caelestibus, praesta, SALVATOR mundi.   2090
regnas cum patre et spiritu sancto, SALVATOR mundi.   742
ut cum in maiestate sua SALVATOR noster advenerit...   888
non valeamus adtollere, quo SALVATOR noster ascendit...   4215
ad cuius instar SALVATOR noster est immolatus...   2031

Dominus et SALVATOR noster Iesus Christus inter cetera salutaria...   1373
Ds vivorum et SALVATUR omnium...   1264
Per quod de torrente in via bibit SALVATOR propter quod a terris...   3847
ut natus hodie SALVATOR, sicut divinae generationis est auctor...   2680
Praesta nobis aeternae SALVATOR ut...   2681
per quod de turrentem in via bibit SALVATOR.   3847
ut qui ex nostra culpa adfligimur, SALVATORE nostro adveniente respiremur.
   2987
ut venienti te SALVATORE nostro filio tuo...   1562
Auxiliante domino deo et SALVATORE nostro Iesu Christo...   237
... Adiuro te... per Iesum SALVATOREM animarum nostrarum...   224, 225
ut sicut humani generis SALVATOREM consedere tecum...   109
facientes imaginem sanctae crucis SALVATOREM domini nostri...   3568
virginitas huic mundo edidit SALVATOREM, Iesum Christum dominum nostrum.
   408, 420
qui SALVATOREM mundi et cecinit adfuturum et adesse monstravit.   3509,
   3510
... SALVATOREM nobis fructum mentis adquirat.   1839
... SALVATOREM nostrum (et) carnem sumere et crucem subire fecisti...
   1019
qui est arma christianorum et triumphum domini ihesu SALVATOREM nostrum
   per quem victus...   1888
mittendo nobis unigenitum filium tuum dominum et SALVATOREM nostrum.
   3988
ut sicut te solum credimus auctorem, et veneramur SALVATOREM sic in
   perpetuum...   3681
ut SALVATOREM suum (et) incessanter agnoscat et veraciter adpraehendat.
   1927
ne in cruce aspiceret SALVATOREM.   3661
quo beatae mariae intemerata virginitas huic mundo edidit SALVATOREM...
   420
ut tibi semper sanctificatori et SALVATORI omnium domino, gratias agere
   mereatur.   717
sed etiam spiritum sanctum quo matrem domini et SALVATORIS agnosceret
   accepit.   3755
qui mox ut vocem domini SALVATORIS audivit...   3907
super ipsum vitae fontem aeternum (pectus) scilicet (scilicet) recubuerat
   SALVATORIS de quo perreniter...   3608, 3609
Ds qui bonis nati SALVATORIS diem celebrare concedis octavum...   917
in ipsius recumberet pectore SALVATORIS et eum in cruce...   3610
et cruentis manibus panem de manu SALVATORIS exiturus accepit...   3867,
   3868
(Quia nostri) (qui enim) SALVATORIS hodie lux vera processit...   4056,
   4057
nostri SALVATORIS infantia coetaneis testificationibus exsisteret
   gloriosa.   3603
quo in nostri SALVATORIS infantia miraculis coruscantibus declaratur...
   615
quos propter (filii tui domini nostri) et SALVATORIS infantiam...   3696,
   3851
ut SALVATORIS mundi stella famulante (duce) manifestata nativitas...
   1856
regnumque domini SALVATORIS nondum consummato certamine palam solus
   aspiceret...   4185
adiuratus per nomen aeterne dei et SALVATORIS nostri fili dei...   222
ut quod SALVATORIS nostri iterata solempnitate percipimus...   2733

in nomine Iesu Christi dei SALVATORIS nostri per quem et cum quo... 1313
nisi nativitatem SALVATORIS pleno ordine generationis enarrat... 1633,
   1634
per praedicationem iohannis obtemperemus monitis nostri SALVATORIS
   sicque perveniamus... 3869

         SALVIFICO
crux SALVIFICAT, sanguis emaculat, caro saginat... 3658
et piissima propitiacione SALVIFICES... 2297

         SALVO
... SALVA et incolumes munera sua tibi domine mereatur offerre.   1712
SALVA nos o. ds, et lucem nobis concede perpetuam.   3177
Protector in te sperantium ds, SALVA populum tuum... 2913, 2914
aeclesiam tuam sanctifica, guberna, SALVA, prosequere...   2183
SALVA, qs, dne, plevem tuam... 3178
tua nos SALVA virtute ut in hac diae ad nullum declinemus peccatum...
   1323
tu guberna perpetua bonitate SALVANDAM.   3508
et pro SALVANDIS congruenter exhibere proficiant.   3052, 3053
sed ad SALVANDUM nos tua potius misericordia copiosa praevincat.   3112
quam ad SALVANDUM vel patrocinia copiosa iustorum... 3826
sed mox ut in te gemuisset dixisti esse SALVANDUM.   858
filius qui a patarna (superna) side pro nobis (pronos) SALVANDUS
   discendit.   352, 363
Dne... qui introitum portarum hyaerusalem SALVANS sanctificati...   1330
Cuius ligni misteriis SALVARE credimus omnes... 3847
Ds, qui humanum genus... Christi tui nativitate SALVARE dignaris...   1021
populus ab incursu satane SALVARE digneris.   908
Exultant et letentur in te, qui se viderint SALVARE per te.   2609
quia tunc nos SALVARE posse confidimus... 459
propter hoc ex signo credunt homines animas SALVARE, quia tua, dne...
   3666
te mereamur protegente eripe, te liberante SALVARE.   1523
... Et perditos quosque unde perierant inde SALVARES.   3593
sed etiam (et) crucis eius patibulum (patibulo) SALVARETUR...   1167
Cuius ligni misteriis SALVARI credimus omnes... 3847
ita enim nos SALVARI posse confidimus... 459
Concede plebi tuae aeius SALVARI presidio... 903
ut ab... periculis, te mereamur protegente eripi, te liberante SALVARI.
   1523
et eorum perpetua participatione SALVARI.   448, 2689
ut ab... periculis te mereamur protegente SALVARI.   3320
et ab inminentibus peccatorum nostrorum periculis te mereamur venienti
   SALVARI.   3319
qui et filii tui nativitate (nativitatem) nos SALVAS (PSALVAS) et
   martyrum... 1663
O. s. ds, qui (omnes) SALVAS (omnes) et neminem vis perire... 2434, 2448
in camino ignis missus, accensa furnace, SALVASTI, et inlesus...   850
qui per hunigenitum filium tuum... mundum SALVASTI, et per aeius...
   passionem... 850
Solita qs dne quos SALVASTI piaetate custodi... 3307
O. s. ds, qui vitam (vita) humani generis pro nobis filio tuo moriente
   SALVASTI praesta qs ut... 2463
familia tua, quae filii tui domini nostri Iesu Christi est nativitate
   SALVATA... 2707
ut in utroque SALVATI caelestis remedii plenitudine gloriemur.   3277

Sint semper tua, omnipotens, protectione SALVATI, ut dum carnalem...
2441
sed mox ut te gemuisset dixisti esse SALVATUM.   858
ut castigationibus emendata, continuo se sentiat tua medicina SALVATUM.
3085
summo pro nobis antestite interpellante SALVATUR.   4221
quae corpore SALVATUS ac mente...   373
per haec pura libamina caelesti sanctificacione SALVATUS animarum quoque
...   3844
VD. Ut, qui te auctore sumus conditi, te reparante SALVEMUR et qui facile
...   4211
ut ope haec, quae his oblationibus sunt agenda, SALVEMUR.   2666
genetricis filii tui domini dei nostri intercessione SALVEMUR.   1604
ut qui nostris meritis flagellamur tua miseratione SALVEMUR.   243
Excita, dne, potenciam tuam et veni, ut tua propiciacione (protectione)
SALVEMUR.   1521
Sacrificia, dne, propitius ista nos SALVENT quae medicinalibus...   3138,
3144
ut ab omnibus inpugnationibus defensi, tua opitulatione SALVENTUR...
3247
Sacramentorum tuorum dne communio sumta nos SALVET et in tua veritatis...
3133
frugis credentium mentis et corpore SALVIT protectione sempiterna.   2262
te (etiam) iugiter operante SALVETUR.   103, 370
anima per penitentia SALVETUR.   850

            SALVUS
et quia sine te non potest SALVA consistere...   1395
... SALVAM et inlesam educat.   850
ut hic et in aeternum, te auxiliante, semper SALVI esse mereamur.   4224
et hic et in aeternum, per te (semper) SALVI esse mereantur.   2283
... SALVI et incolumes munera sua tibi domino mereantur offerre.   1736
dum mavis SALVOS esse correptos quam perire neglectos (deiectos).   3967
... SALVOS et incolumes custodiat ecclesiae suae sanctae (sancta)...
2515
... SALVUM atque (et) incolumem custodiat ecclesiae suae sanctae...
2512, 2512
qui eum SALVUM atquae incolomem perducat usque ad loca distinata...
1714
Concede credentibus, m. ds, SALVUM nobis de Christi passione remedium...
426

            SAMARITANA
... Qui a muliere SAMARITANA aquae sibi petiit porrigi potum...   3872

            SAMUEL
adque ut SAMUHEL crinigerum agnum mactantem in holocaustum...   2262
sicut unxit SAMUHEL david in regem et prophetam...   3568
heliae in herimo, SAMUEL meruit crinitus in templo.   924
iesu nave in proelio, SAMUEL meruit crinitus in templo.   842

            SANCIO
Ds, qui legalium diferencias hostiarum unius sacrificii perfectione
SANCSISTI accipe sacrificium...   1058
Dne ds qui in mysterio aquarum salutis tuae nobis sacramenta SANXISTI
exaudi orationem...   1324
qui gregalium deferencias hostiarum in unius huius sacrificii perfecciones
SANCXISTI respice propitius...   2397

SANCTIFICATIO
discendat super aeum pia SANCTIFICATIO adque protectio...   1975
Ds qui es... congregatio plebis, SANCTIFICATIO confessoris.   981
et super te christi SANCTIFICATIO floreat.   874
... Huius igitur SANCTIFICATIO noctis, fugat scelera, culpas lavat...
3791
et abolitio peccatorum, et tua nobis SANCTIFICATIO praeveatur.   3361
ut SANCTIFICATIO sit domui huius nostre introitus...   1493
haec benedictio et SANCTIFICATIO tua inlesa redat...   849
ut cum tua benedictione vel SANCTIFICATIONE a tuis fidelibus sint
possessa...   770
ut SANCTIFICATIONE concepta ab immaculato divini fontis utero...   1045,
1047
mentes nostras et corpora (et) spiritali SANCTIFICATIONE fecundet...
1991
tua (potius) SANCTIFICATIONE firmetur.   863
ut Spiritus tui SANCTIFICATIONE muniti perpetua fruge ditentur.   2442
quam tibi in huius templi SANCTIFICATIONE offerunt inmolandas...   1734
ut sis in purgatione et SANCTIFICATIONE omnibus quos...   1548
Dignare, dne, (ds noster) calicem istum... ea SANCTIFICACIONE perfundere
...   1281, 1282
ita imaginem caelestis gratiae SANCTIFICATIONE portemus (iesu), Christi
domini nostri.   1148
Sumpta munera, dne, nostra SANCTIFICACIONE proficere...   3342
ut quod tui verbi SANCTIFICATIONE promissum est...   1472
et perpetua SANCTIFICATIONE purgati...   3836
auge populos in tui nominis SANCTIFICATIONE renovandos...   1326
per haec pura libamina caelesti SANCTIFICATIONE salvatus...   3844
et saluti credentium perpetua SANCTIFICATIONE sumenda concaede.   3088
abbatissa instuaetur SANCTIFICATIONE tua, dignitate aelecta permaneat...
2303
benediccione tua impleas SANCTIFICACIONE tua sanctifices.   4050
ut SANCTIFICATIONE unctionis infusa...   3627
in tua semper SANCTIFICATIONE vivamus.   490, 2768, 3708
ad SANCTIFICACIONEM loci huius propicius adesse dignare...   1201
quae et SANCTIFICATIONEM nobis clementer operetur...   3353
SANCTIFICATIONEM nobis dne his mysteriis placatus operare...   3223
quam tibi in huius templi SANCTIFICACIONEM offerint immolandas...   1734
aea SANCTIFICATIONEM perfundere...   1281
ut quod tui Verbi SANCTIFICATIONEM promissum est...   1472
et perpetua SANCTIFICATIONEM purgati...   3836
per quam et SANCTIFICATIONEM referat et quae piae...   1654
quibus et SANCTIFICATIONEM referat et subsidia...   1565
et SANCTIFICATIONEM tuae nobis redemptionis opereris.   3395
SANCTIFICATIONEM tuam nobis, dne, his mysteriis placatus operare...   3223
Munera nostra dne ad nostram SANCTIFICATIONEM tuorum valere...   3342
nostrae SANCTIFICATIONI proficere...   2190
SANCTIFICATIONIBUS tuis omnipotens ds, et vitia nostra curentur...   3224
ipse suae dotare SANCTIFICATIONIBUS hubertate precipiat...   3292
ut (iam tunc) virtutem SANCTIFICATIONIS aquarum natura conciperet...
1045, 1047
munera... prosint nobis... et ad tuae SANCTIFICATIONIS effectum.   3451
et spiritali conversatione praefulgentes gratia SANCTIFICATIONIS eluceant.
405
sed quocumque loco ex huius aliquid SANCTIFICATIONIS fuerit mysterio
deportatum...   3588

per septem forme spiritus SANCTIFICATIONIS gratiam benedicere...   2386
et SANCTIFICATIONIS gratiam percipiat, et quae pie precatur obtineat.
   93
conserva in novam familiae tuae progeniem SANCTIFICATIONIS gratiam quam
   dedisti...   801
et SANCTIFICATIONIS gratiam referant...   93, 1606
Unguantur manus iste de oleo sanctificato et crismate SANCTIFICATIONIS,
   sicut...   3568
conserva in novae familiae tuae progeniem SANCTIFICATIONIS spiritum...
   2398
et SANCTIFICATIONIS tuae munus adquiritur.   3175
gerolum benediccione (benedictionis), SANCTIFICACIONIS tutamine...   2524
Ds, SANCTIFICACIONUM omnipotens dominator...   1249
SANCTIFICATIONUM (omnium) auctor, cuius vera consecratio, cuius plena
   benedictio est...   3225

         SANCTIFICATOR
sicut institutur, ita etiam SANCTIFICATUR appare.   3997
VD. SANCTIFICATOR et conditor generis humani qui...   4129
Esto, dne, olebi tuae SANCTIFICATOR et custus...   1418
qui SANCTIFICATUR et institutor es abstinentiae...   4014, 4190
aquarum (ds) spiritalium SANCTIFICATOR, te suppliciter depraecamur...
   1336
VD. (et) Te auctorem et SANCTIFICATOREM ieiunii conlaudare...   3715, 4145
ut tibi semper SANCTIFICATORI et salvatori omnium domino, gratias agere
   mereatur.   717

         SANCTIFICO
Humilitatibus dne omnium capita dexterae tuae benedictione SANCTIFICA, ac
   benedicendo...   1845
... SANCTIFICA adque benedic hanc creaturam saponis...   3332
Ecclesiae tuae, dne, munera SANCTIFICA concede ut per haec...   1387
... Munda eos et SANCTIFICA da aeis scientiam veram...   165
SANCTIFICA dne aecclesiam tuam quia beatam.   3216
SANCTIFICA dne istut signaculum passionis tuae...   309
SANCTIFICA, dne, qs, nostra ieiunia et cunctarum...   3217
Munera dne qs oblata SANCTIFICA, et corda nostra...   2122
Propitius, dne, qs, haec dona SANCTIFICA et hostiae spiritalis...   2888
Munera, dne, (qs) tibi decata, (qs), SANCTIFICA et per eadem nos placatus
   intende.   2125
Tu lapidis istus divinus cultibus apparatus benedic et SANCTIFICA et
   sacri huius...   3997
aeclesiam tuam SANCTIFICA, guberna, salva, prosequere...   2183
caelestis unguenti fluore SANCTIFICA hoc dne copiosae...   819, 820
SANCTIFICA hoc ieiunium tuorum corda fidelium...   3219
et per has hostias quibus te placari voluisti, SANCTIFICA misericors
   immolantes.   2146
SANCTIFICA nos, qs, dne, his muneribus offerendis...   3218
Munus populi tui dne qs apostolica intercessione SANCTIFICA nosque a
   peccatorum...   2119
Oblata (Oblata) dne munera nova unigeniti tui nativitate SANCTIFICA
   nosque a peccatorum...   2189
Munera dne oblata (Oblata dne munera) SANCTIFICA nosque a peccatorum...
   2119
SANCTIFICA plebem tuam dne qui datus es nobis ex virgine...   202
et famulos tuos aeterna protectione SANCTIFICA pro quibus christus...
   3053

SANCTIFICA qs dne nostra ieiunia et cunctarum...   3217
omnes tibi servientes SANCTIFICA sacerdotis...   3875
... (Ad haec igitur venturae) (Quapropter) huius famulae, pater, rudimenta
   SANCTIFICA ut bono...   2541, 2542
Et ita omnem hanc familiam tuam benedictionem SANCTIFICA, ut aeorum...
   3110
Munera dne qs oblata SANCTIFICA, ut et nobis...   2123
Nomini tuo, dne, munera, qs, dicata SANCTIFICA ut et sacramentum...   2178
et omnes grados famulatus nostri perfecta delictorum remissione SANCTIFICA
   ut ministraturos...   967
et benignus humilitatis nostrae vota SANCTIFICA ut omnes in hoc fonte...
   2859
O. s. ds, altare nomini tuo dicatum caelestis virtutibus benedictione
   SANCTIFICA ut omnibus in te...   2304
Apostolorum tuorum praecibus, dne, (qs), plebis tuae dona SANCTIFICA ut
   quae tibi tuo...   205, 212
Praesentibus sacrificiis, dne, ieiunia nostra SANCTIFICA ut quod
   observantia...   2650
et pari benedictione sicut munera Abel iusti SANCTIFICA ut quod singuli...
   1058
O. s. ds, hoc baptisterium... spiritus tui inlustracione SANCTIFICA ut
   quoscumque...   2345
qs, dne, propiciatus SANCTIFICA ut tibi domino...   1727
Humiliata tibi omnium capita dexterae tuae benedictione SANCTIFICA.   44
et tua potius dona SANCTIFICA.   3445
et propitius que nobis sunt aedenda SANCTIFICA.   635
tu hanc aquam per igne fervente SANCTIFICA.   850
caelestis ingentis florem SANCTIFICA.   820
et eorum nobis intercessione SANCTIFICA.   2191
qui in baptismate aeius SANCTIFICAMUR...   1848
Consecramus et SANCTIFICAMUS hanc patenam...   511
benedicimus et SANCTIFICAMUS ignem hunc ; ad iuva nos.   1367
ut lapidis SANCTIFICANDI mysterium...   3997
... SANCTIFICANDIS (SANCTIFICANDI) iordanis fluentis (fluenta) ipsum
   (baptismo) baptismatis lavit auctorem.   3688, 3772
Sicque corda vestra SANCTIFICANDO benedicat...   1268
que (quas te) SANCTIFICANDO nobis efficiant (efficias) salutaris.   1809
quas (te) SANCTIFICANDO nobis, (qs), efficias (perficiantur, efficiantur)
   salutares.   1804, 1809
... SANCTIFICANDO sanctifices, (et) benedicendo benedicas...   327, 1542,
   1543, 1544
presentis sacrifitii oblata munera SANCTIFICANS.   4217
... SANCTIFICARE benedicere consecrareque digneris haec lenteamina...
   1318
et tuo baptismate SANCTIFICARE, da populis...   1175
Consecrare et SANCTIFICARE digneris, dne, patenam hanc...   513
ut hunc novum fructum benedicere et SANCTIFICARE digneris et multiplicare
   ...   1357
oblationes famulorum tuorum... benedicere et SANCTIFICARE digneris et
   spiritali...   718
et benedicere et SANCTIFICARE digneris hanc creaturam vini...   1335
nunc etiam eandem benedicere et SANCTIFICARE digneris praecamur ut
   quicumque...   998
ut hanc vestem benedicere et SANCTIFICARE digneris quam famula tua...
   1298

caelesti tua benedictionem SANCTIFICARE digneris ut omnibus sic...   2321
benedicere consecrare et SANCTIFICARE digneris vasa haec...   1283
et hanc vestem... benedicere et SANCTIFICARE digneris.   751
ut in eo semper oblaciones famulorum suorum... benedicere et SANCTIFICARE
   dignetur...   707
ut aea benedicere et SANCTIFICARE et bonis omnibus amplificare digneris...
   3461
dignare, dne o., benedicere et SANCTIFICARE hac ovium mundarum carnis...
   1257
VD. Tibi SANCTIFICARE ieiunium quod nos ad (ob) aedificationem...   3740,
   4183
VD. Tibi enim SANCTIFICARE ieiunium quod nos animarum...   4179
ut huius creaturae pinguidinem SANCTIFICARE tua benedictione digneris...
   3945, 3946
ut hanc creaturam salis... benedicere et SANCTIFICARE tua pietate digneris
   ...   1929
dne, qui nos parcendo sustentas et ignoscendo SANCTIFICAS da veniam
   peccatis...   2104
Ds, qui loca nomine tuo decata SANCTIFICAS effunde super...   1064
Ds, qui loca nomini tuo dedicata SANCTIFICAS et benedictionibus...   1065
universam aecclesiam tuam in omni gente et natione (gentem et nationem)
   SANCTIFICAS in totam mundi...   1198a, 1199
Ds, qui famulum tuum... SANCTIFICAS unctionem misericordiae tuae...   989
bona creas SANCTIFICAS vivificas benedicis et praestas nobis.   2557
et quemadmodum SANCTIFICASTI officia tabernaculi testimonii olim cum
   arca...   1283
dum ad tactum sacri corporis SANCTIFICASTI per lavacrum...   893
per manus sanctorum SANCTIFICASTI sacerdotum...   1283
et SANCTIFICASTI vocatione misericordiae...   989
VD. Qui aeternitate sacerdotii sui omnes tibi servientes SANCTIFICAT
   sacerdotes...   3875
divino fonte purgata pectora id est SANCTIFICATA deo templum et habitum
   perficiat...   222
a te qs presentia mysteria sunt dono tuae gratiae SANCTIFICATA et quotiens
   ...   1315
SANCTIFICATA hoc ieiunium tuorum corda fidelium, ds miserator, inlustra...
   3219
SANCTIFICATA ieiunio tuorum corda filiorum, ds, habitator inlustra...
   3219
et spiritus sancti benedictione SANCTIFICATA omnia atque benedicta...
   3459
sint prorsus benedicta adque SANCTIFICATA per quooperatorem...   2907
ut ea quae in tuo nomine sunt aedenda, SANCTIFICATA percipere mereamur.
   1093
et ad nostrum (nominem) proveniat SANCTIFICATA praesidium.   2198
haec deinceps SANCTIFICATAS familiae tuae potabilis tribuas...   1365
SANCTIFICATE dne salutare misterium...   3220
SANCTIFICATI, dne, salutari mysterio...   3222
Dne... qui introitum portarum hyaerusalem salvans SANCTIFICATI dum
   splendorem...   1330
ad tactum SANCTIFICATI olei huius abscedant...   838, 1240
ut hii qui utuntur ex aeo, sint SANCTIFICATI.   322
ita vetustate deposita SANCTIFICATIS mentibus innovemur (invocemus).
   184, 2739
divino fonte purgato pectore, id est SANCTIFICATO, deo templum...   222
SANCTIFICATO divino misterio, maiestatem tuam...   3221

Unguantur manus iste de oleo SANCTIFICATO et crismate sanctificationis...
3568

SANCTIFICATO hoc ieiunio ds, tuorum corda fidelium miserator inlustra...
3226

ut SANCTIFICATOS nos possit dies venturus excipere.   3835

benedic, dne, hoc lumen quod ad te SANCTIFICATUM atque benedictum est.
1304

per sanctum adque SANCTIFICATUM fili tui nomen...   1709

Sed ita sit vobis SANCTIFICATUM in divino timore ieiunium...   357

ut efficiatur in eis cor porum ad omnem gratiam spiritalem SANCTIFICATUM
per eundem iesum...   1536

altaribus tuis dignum fiat tua benedictione pretiosum adque SANCTIFICATUM.
1281, 1282

O. s. ds, cuius spiritu totum corpus ecclesiae SANCTIFICATUR et regitur...
2323

Ds qui ad hoc in iordanis alveum SANCTIFICATURUS aquas discendisti...
893

aeos mundo corde et corpore SANCTIFICATUS pro tua piaetate...   3110

per quem crucis est SANCTIFICATUS vexillum...   1851

et quecumque SANCTIFICAVERINT sanctificentur.   512, 513

quem unigenitus tuus ita SANCTIFICAVIT ut...   3785

ut qui in baptismate eius SANCTIFICEMUR, in id quod esse incipimus
perseveremur.   1848

mysteria... praesentis vitae nos conversacione (conversatio) SANCTIFICENT
et ad gaudia...   3436

ut haec nos dona tua martyrum et confessorum illor. deprecatione
SANCTIFICENT et ad gaudia...   381

Populum tuum, dne, qs, tueantur SANCTIFICENT et gubernent...   2615

Praesenti sacrificio nomine tuo nos, dne, ieiunia decata SANCTIFICENT et
quod observantia...   2648

ut haec piae devotionis obsequia et rectores SANCTIFICENT et regendos.
1353a

SANCTIFICENT nos, dne, sumpta mysteria...   3227

nos dne ieiunia dicata SANCTIFICENT quod observantia...   2648

ut et potantium mundent corpora, cordaque SANCTIFICENT.   1365

ut haec nos dona martyrum tuorum (sebastiani, iohannis et pauli)
depraecatione SANCTIFICENT.   381

VD. Te suppliciter exorantes, ut sic nostra SANCTIFICENTUR ieiunia...
4163

et quecumque sanctificaverint SANCTIFICENTUR.   512, 513

... Quem (tu, dne), sanctificando SANCTIFICES, benedicendo benedicas...
327, 1542, 1543, 1544

ut aquam putei huius caelesti benedictione SANCTIFICES et ad communem
vitam...   717

ut altare hoc sanctis usibus praeparatum caelesti dedicacione
SANCTIFICES et sicut...   3844

ut hoc altare... praesenti benedictione SANCTIFICES ut in eo semper...
718

benignus inlustres, pietatis tuae more SANCTIFICES ut ubicumque...   848

benediccione tua impleas sanctificacione tua SANCTIFICES.   4050

... SANCTIFICESQUE libens in morte hinc muneris abel...   3832

... SANCTIFICET animas nostras per quod tui esse possumus.   2744

calicem suum... caelestis graciae inspiracione SANCTIFICET et ad humanam
...   2504

quae et ieiunium nostrum te operante SANCTIFICET et indulgentiam...   22

Sacramenti tui dne qs sumpta benediccio corpore nostra mentesque
  SANCTIFICET et perpetuae...   3127
adque animas vestras corporaque SANCTIFICET et sacris...   355
eiusdem adventum vos inlustratione SANCTIFICET et sua benedictione...
  2241
qui et populi tui dona SANCTIFICET et sumentium corda dignanter emundet.
  721
SANCTIFICIT gregem tuum illa benedicta (benedictio)...   805
SANCTIFICET nos dne qua pasti sumus mense celestis sancta libatio...
  3228
SANCTIFICIT nos dne que participati sumus mense caelestis...   3228
SANCTIFICET nos, dne, qs, tui perceptio sacramenti...   3229
SANCTIFICET nos dne quia pasti sumus mensa caelestis...   3228
Ipse vos in trinitate (et unitate) SANCTIFICIT, quem omnes...   352, 363
vocis nostrae exorandus officio praesenti benediccione SANCTIFICET ut in
  eo semper...   707
Sicque corda vestra sanctificando benedicat, et benedicendo SANCTIFICET
  ut vobiscum...   1268
mentem SANCTIFICIT, vitam amplificit...   340, 356
benedicat et SANCTIFICET vos dominus ex sion...   319, 320
ut haec nobis dona martyrum tuorum duplicacio (supplicatio) beata
  SANCTIFICET.   380
O. ds... sua vos benedictione SANCTIFICET. Amen.   2248
animas vestras corporaque SANCTIFICET.   2296
ut fidei ipsius sitis baptismatis mysterio animam corpusque SANCTIFICET.
  2464
subditorum (tibi) corpora (tibi), mentesque SANCTIFICET.   1690
pia famulis tuis sanctae trinitatis invocatio perfecta SANCTIFICIT.
  770
ut hoc vasculum... SANCTIFICETUR ab spiritu sancto...   1154
offerentium tua SANCTIFICETUR dignatione praesentum.   3367
ut per nostram benediccionem hoc vasculum SANCTIFICETUR et corporis
  christi...   2259
sed petimus, ut nomen eius SANCTIFICETUR in nobis...   1848
ut accipientibus ex ea cum gratiarum actione SANCTIFICETUR in visceribus
  ...   1335
SANCTIFICETUR istius officinae locus dne...   3230
SANCTIFICETUR istud ospitium, et fugiat...   3230
Pater noster qui in caelis est, SANCTIFICETUR nomen tuum adveniat...
  2543
SANCTIFICETUR nomen tuum, id est : non quod deus...   1848
non quod deus nostris SANCTIFICETUR orationibus qui semper est sanctus...
  1848

          SANCTIMONIA
sanctitatis et castitatis victoriae et SANCTIMONIAE, et humilitas...   302

          SANCTIO
Clerum ac populum quem sua voluit opitulatione tua SANCTIONE congregari...
  337

          SANCTITAS
ieiunii puritatem, qua et corpuris adquiritur et animae (anima) SANCTITAS
  ...   179, 180
... Te in SANCTITATE corporis, te in animi sui (animae suae) puritate
  glorificent...   758, 759
infusa mihi caelitus SANCTITATE discernas...   3476

affectu conpari, mente (effectu conparamento) consimili, SANCTITATE mutua
  copulentur. 1078
et SANCTITATE patrum etiam in ipso coniugio immitentur... 1353
sed animarum desideravit potius SANCTITATEM cibus namque... 3880
ut SANCTITATEM patrum etiam in ipso coniugio imitentur... 1353
pro pudore reverentiam, pro pudicitiam SANCTITATEM ut ad meritum... 674
... Haec nox est... reddit gratiae sociat SANCTITATI haec nox est...
  3791
reddit gratiae, socia SANCTITATI. 4206
... Innova in visceribus eorum spiritum SANCTITATIS acceptum a te...
  1348, 1349, 1350
angelum SANCTITATIS emittas... 1336
sanitas, SANCTITATIS et castitatis victoriae et sanctimoniae... 302
haec cognitio relegionis, haec initio SANCTITATIS, haec contra... 1508
te opitulante eius SANCTITATIS imitari valeamus exempla... 3687
fac nos per indulgentiam tuam illius participes SANCTITATIS quae nec sibi
  ... 995
nullo praeditum suffragio SANCTITATIS sed sola gratiae... 4172
emundatis dilectis omnibus me angelus SANCTITATIS suscipiat. 1264
et infunde illi rore caelesti spiritum SANCTITATIS tuae... 298
quo possit... sexagesimum gradum percipere munus delectabile SANCTITATIS.
  529
fructum exhibeant SANCTITATIS. 316, 1932

      SANCTUS
salvos et incolomes custodiat aecclesiae suae SANCTA ad regendum... 2515
per invocationem sancti nominis tui, trinitas SANCTA, adiuva nos. 3468
ut efficiaris aqua SANCTA, aqua benedicta... 1532
... Et tua SANCTA benedictio (benedictionem) sit omni unguenti. 1404,
  1407, 1408
... Quod SANCTA Caecilia hodierna confessione testificans... 4034
VD. In die festivitatis hodiernae, quo SANCTA Caecilia in tui nominis
  confessione martyr effecta est... 3775
inprimis quae tibi offerimus pro aecclesia tua SANCTA catholica... 3464
et tua SANCTA celebrantibus auge devotionis effectum... 66
Unde et memores sumus, dne, nos tui servi sed et plebs tua SANCTA
  christi filii... 3567
et per haec SANCTA commertia vincula peccatorum nostrorum absolve. 1806
... Sicut SANCTA concepit virgo maria, virgo pepetit, et virgo permansit.
  3791
Sancti ill. martyris tuis dne nos oratio SANCTA conciliet quae sacris...
  3197
Sacrificium nostrum tibi, dne, qs... precacio (intercessio) SANCTA
  conciliet ut cuius honorem... 3160
Intercessio sancti nicomedis misericordiae tuae dne munera SANCTA
  conciliet ut quod merita... 1949
ut quae prava sunt respuens SANCTA conversatione firmetur... 631, 2606
ut quorum honore congaudent, de eorum SANCTA conversatione laetentur...
  639
in SANCTA conversatione permaneant... 111
ut in SANCTA conversatione viventes nullis adfligantur (afficiantur,
  efficientur) adversis. 2024
Sanctorum, dne, SANCTA deferimus... 3235
in qua SANCTA dei genetrix mortem subiit temporalem... 3586
Oremus, dilectissimi nobis, (in primis) pro ecclesia SANCTA dei ut
  etiam deus... 2507, 2508

ds a quo (sola) SANCTA desideria (et) recta (sunt) consilia et iusta
    sunt opera... 734, 2300
Accepta sit in conspectu tuo dne SANCTA devotio... 19
ut quod SANCTA devotione est tractandum... 1153
reduci eum faciat in tua SANCTA aecclesia et laetus tibi... 1714
ut qui ex gentibus SANCTA aecclesia fecundavit in gregem... 2441
... Credis et in spiritum sanctum, SANCTA aecclesia remissionem... 551
ut visitacioni (visitationis) tua SANCTA erigas (ad te hunc) famulum tuum
    ... 3463a
ut quo SANCTA est devotione tractandum (tranctando), senceris mentibus
    exequamur. 1153
... Sit haec SANCTA et innocens creatura libera ab omni inpugnatoris
    incursu... 1045, 1047
sit in aeo... mansuitudo et cetera quecumque sunt SANCTA et liberentur...
    298
et a vitiis omnibus expeditos in SANCTA faciat devotione currentes. 2158
Preveniant (Praebeant) nobis, dne, (qs), divina (divinum) tua SANCTA
    fervorem... 2641, 2811
ut per dignum pontificis institutum crescat tuorum devotio SANCTA
    fidelium. 2111
populus adquisitionis et SANCTA gens vocaremur... 3645
dilata SANCTA huius congregationis habitaculum temporale... 1195
VD. Pascunt enim tua SANCTA ieiunia et esuries sacrata nos reficit...
    3827
Ds, qui profundo consilio prospiciendo mortalibus SANCTA instituisti
    ieiunia... 1184
Creascat dne semper in nobis SANCTA ioconditatis effectus... 556
pro quorum sollemnitate percepimus tua SANCTA laetantes. 259, 288
ut quos ieiunia votiva castigant ipsa quoque devotio SANCTA laetificet...
    2788
ut mensae tuae SANCTA libantes... 2963
Sanctificet nos dne qua pasti sumus mense celestis SANCTA libatio et a
    cunctis... 3228
Impleatur in nobis, qs, dne, sacramenti paschalis SANCTA libatio nosque
    de terrenis... 1862
intercedente SANCTA Maria... 382
... Quos exemplo dominicae matris sine corruptione SANCTA mater ecclesia
    concipit... 4160
ut in cuius SANCTA memoratione percipimus... 3040
ut eidem apostolicarum committeretur praerogatio SANCTA mensarum... 4193
per haec SANCTA misteria in tuo conspectu semper clara consistat... 477
Concede nobis, dne, qs, ut celebraturi SANCTA mysteria non solum
    abstinentiam... 435
... Audistis, dilectissimi, dominicae orationis SANCTA mysteria nunc
    euntes... 3310
ut haec SANCTA mysteria, quae celebramus votis, experiamur auxiliis.
    3070
Audistis dilectissimi dominice oratione SANCTA misteria. 226
Vivificet nos, qs, dne, participatio tui SANCTA mysterii (mysteriis)...
    4245
Tua SANCTA nobis, o. ds, (quae sumpsimus) et indulgentiam praebeant...
    3529
necessaria etaenim nobis ieiunia SANCTA nobis provisa sunt... 3846
Praecepta, dne, SANCTA nos adiuvent et suis repleant institutis...
    2557, 2642

Mysteria SANCTA nos, dne, et spiritalibus expleant alimentis...   2165
ut suae castitatis exemplo, (exemplum) imitationem (imitationum) SANCTA
    plebs adquirat...   136, 138
ut inperturbatis mentibus agere tua SANCTA possimus.   2346
Praestent dne qs tua SANCTA presidia...   2801
Adsit nobis, dne, qs, SANCTA praecacio beati... Fabiani...   160
Sancti Laurenti, nos, dne, SANCTA praecacio tueatur...   3201, 3204
tribue subsequi in SANCTA professione victoriam.   1302
necessaria (etenim) nobis (haec) ieiunia SANCTA provisa sunt...   3846
ut tua SANCTA pura mente seumamus.   4
Ab occultis nostris tua nos, dne, SANCTA purificent et ab externis...   5
Percepta nos dne tua SANCTA purificent et beati proti...   2561
Tua nos, qs, dne, SANCTA (quae sumpsimus) purificent et operationis...
    3526, 3527
Mysteria nos, dne, SANCTA purificent et suo (tuo) munere tueantur.   2164
ut haec SANCTA quae capimus non ad iudicium nobis...   584
ut haec SANCTA quae gerimus et (a) praeteritis nos delictis exuant et
    futuris.   2051
ut haec misteria SANCTA que sumsimus ad beate...   2835
sacramenta SANCTA, quae sumpsimus, ad tuae nobis proficiant placacionis
    augmentum.   2974
ut per haec SANCTA que sumpsimus desimulatis...   2667
Adiuvent nos, qs, dne, (et) haec mysteria SANCTA quae sumpsimus et beatae
    agnae...   151
et tua SANCTA, quae sumpsimus, non ad iudicium nobis provenire patiaris...
    1447
Ab omni reatu nos, dne, SANCTA quae tractamus absolvant...   8
tribue per haec SANCTA, qs, ut sicut animae famuli tui...   735, 736
maneatque in mansionibus sanctorum et in luce SANCTA quam olim...   3462
a quos SANCTA regitur vel gobernaretur aecclesia...   3501
Tui nos dne sacramenta libatio SANCTA restauret...   3552
benedicas haec dona, haec munera, haec SANCTA sacrificia inlibata...
    3464
ut ad SANCTA sanctorum fideliter salubriterque capienda...   3731, 3732,
    4140
ut ad SANCTA sanctorum puris mereamur sensibus (mentibus) introire.
    227
hic fides SANCTA stabiliatur.   3828
sic beati martyris SANCTA substantia non consumitur incendiis...   3615
... Da, qs, ut gaudia nobis SANCTA succrescant quibus proficiat...   2848
consolatio tribuatur, fides SANCTA succrescat redemptio...   3354
Tui (Tuere) nos, dne, qs, tua SANCTA sumentes et ab omni propicius
    iniquitate defende.   3551, 3543
Tua SANCTA sumentis quaesumus, dne, ut...   3530
Tua dne SANCTA sumentes suppliciter deprecamur...   3512
ut semper quae SANCTA sunt meditantes...   953
ut per haec SANCTA supernae beatitudinis gratiam obtineant...   2099
a superni plenitudinem sacramenti cuius libavimus SANCTA tendamus.   2674
ut cum refrenatione carnalis alimoniae SANCTA tibi conversatione
    placeamus.   600
ut quod SANCTA tibi offert aecclesia munus...   3832
quod nos interveniente SANCTA tua Caecilia cuius festivitatem pervenimus
    ...   3432
SANCTA tua, dne, (de) beati Laurenti martyris... nos refovent...   3179
SANCTA tua nobis, dne, qs, intervenientibus qui tibi placuere proficiant
    ad salutem...   3180

SANCTA tua nos, dne, qs, et a peccatis exuant et... 3181
SANCTA tua nos, dne, qs, et vivificando (semper) renovent... 3182
SANCTA tua nos, dne, sumpta vivificent... 3183
Praesta qs dne ut SANCTA tua nos expient... 2736
ut hunc famulum tuum ad SANCTA tua quae reliquerat atria revertentem...
   2297
ut SANCTA tua quibus incessanter explemur sinceris tractemus obsequiis...
   599
nos interveniente SANCTA tua semper virgine maria... 3432
ut SANCTA tua tibi placito corde sumamus... 444
senceris (quoque) mentibus ad (tua) SANCTA ventura facias pervenire.
   659, 686
ut beata et SANCTA virgo martyra tua illis adiuvemur meritis... 1043
qua beatus laurentius hostia SANCTA viva tibi placens oblatus est...
   3689
populus adquisitionis et gens SANCTA vocaremur. 3645, 3651
laudes eius SANCTA voce cantemus. 4139
ut ecclesiae tuae SANCTAE a cuius integritate... admissorum veniam
   consequendo reddatur innoxius. 2716
et adgrega ecclesiae tuae SANCTAE ad laudem et gloriam nominis tui. 2419
salvos et incolumes custodiat ecclesiae suae SANCTAE ad regendum...
   2512, 2515
munera, quibus SANCTAE Agnetis magnifica solemnitas recensetur... 1651
ut martyre intervencione SANCTAE Caeciliae et praesentis... 2022
SANCTE Caeciliae festa recolentes praeces offerimus... 3185
ut sicut de SANCTE Caeciliae festivitate gaudemus... 1485
et SANCTAE Caeciliae martyrae tuae commemoracione laetificet. 1701
Muneribus nostris dne SANCTAE ceciliae martyre tuae festa praecedimus...
   2151
ut SANCTE Caeciliae martyris et annua sollemnitate laetemur... 687
plebem tuam de SANCTE Caeciliae martyris glorificatione gratulantem...
   3099
ut sacrificia pro SANCTE Caeciliae sollemnitate delata... 3010
adque contra inimicos SANCTAE catholicae et apostolicae aeclesiae dexterae
   tuae... 2506
inimicorum SANCTAE catholicae et apostolicae eclesie triumphum... 2250
ut SANCTE conpunctionis ardoris ab omnium caetherorum propositum
   segregasti... 3476
sacri nominis veritatem SANCTE conversationis in nobis monstret
   effectus... 4171
Ds, qui nos... exaltacione SANCTAE crucis annua solemnitate laetificas...
   1119
et nefas adversariorum per auxilium SANCTAE crucis digneris conterere...
   114
et per vixillum SANCTAE crucis filii tui ad conterendas... 3158
quos per lignum SANCTAE crucis filii tui arma iustitiae... triumphare
   iussisti. 3063
ut quos per lignum SANCTAE crucis filii tui pio cruore es dignatus redemere... 769
... Per hoc signum SANCTAE crucis, frontibus eorum quem nos damus...
   1411
per hoc signum SANCTAE crucis, quem nos damus... 3270
facientes imaginem SANCTAE crucis salvatorem... 3568
et fugiant ante SANCTAE crucis vixillum. 1154
SANCTAE dei genetricis mariae gloriosae et intemeratae (virginis)
   orationibus... 3186

ut intercessio nos SANCTAE dei genetricis mariae sanctorumque... 482
ut qui SANCTAE dei genetricis requiem caelebramus... 430
famulos tuos quos SANCTAE dilectionis nobis familiaritate coniuncxisti...
3624
et in utroque SANCTAE ecclesiae consulat. 1337
Da qs o. ds, intra SANCTAE ecclesiae uterum constitutos... 669
In nomine SANCTAE et unique trinitates... 1890
Munera tibi, dne, pro SANCTAE Felicitatis gloriosa commemoracione
deferimus... 2141
Intercessio nos, qs, dne, SANCTAE Felicitatis martyrae tuae votiva
confoveat... 1946
pro SANCTE Felicitatis martyris tuae commemoratione... 1935
... SANCTAE Felicitatis quoque martyris praecibis adiuvemur. 2670
Referat, dne, populus christianus... SANCTE gratulationis effectus...
3045
dilata SANCTAE huius congregationis habitaculum temporalem (temporale
habitaculum) caelestibus bonis... 1195
Muneribus nostris dne SANCTAE illius martyris tuae festa praecedimus...
2151
Ds qui nos hodiae beatae et SANCTAE illius virginis martyreque... 1118
Crescat, dne, semper in nobis, SANCTAE iocunditatis affectus... 556
ut SANCTE Iulianae martyrae tuae intervencionibus... 2022
Intercessio nos qs dne SANCTAE luciae martyre tuae votiva confoveat...
1946
Adesto nobis o. ds SANCTAE mariae festa repetentibus... 119
Adiuvet nos, qs, dne, SANCTAE Mariae gloriosa intercessio... 153
Adiuvet nos qs dne SANCTAE mariae intercessio veneranda... 153
SANCTAE mariae semper virginis, dne, supplicationis (supplicationibus)
tribuae... 3187
SANCTAE martyrae tuae Caeciliae (dne), supplicacionibus tribue nos fovere
... 3187
in festivitate SANCTAE martyrae tuae Iulianae congrua devotione... 2385
In SANCTAE Martyrae tuae Iulianae passionem (passione) praeciosa te,
dne, mirabilem praedicantes... 1891
de participacione sacramenti festivitatis SANCTAE martyris Agnes...
3330
da nobis in festivitate SANCTE martyris Caeciliae congrua devotione
gaudere... 2385
Concede nobis, o. ds, SANCTAE martyris Eufimiae et exultare meritis...
451
quod ad honorem nominis tui in SANCTE martyris Eufymiae festivitate
debemus... 3164
Foveat nos, dne, SANCTAE martyris Eufimiae iocunda solemnitas... 1636
quas pro SANCTE martyris Eufymiae natalicia passione maiestati tuae
prompta devovit. 3419
VD. SANCTAE martyris Eufimiae natalicia recolentes... 4125
gloriae tuae vices in SANCTE martyris Eufymiae passione venerantes. 3788
pro sollemnitate SANCTE martyris Eufymiae (sabinae) supplices (supplicante)
... 1655
ut SANCTAE martyris Eufimiae tibi placitis depraecationibus adiuvemur.
198
et intercessio SANCTE martyris Eufymiae tibi reddat acceptos. 3229
quam nobis SANCTE martyris Eufymiae veneranda confessio fecit insignem.
3765
quod in SANCTE martyris tuae commemoratione offerimus... 3428
SANCTAE martyris tuae illius dne supplicationibus tribue nos fovere...3187

... O SANCTAE matris aecclesiae pia sempiterna beneficia...   3596
in loco SANCTAE memoriae ill. nomine vero venerabili ill...   3281
Ples tuae dne qs benedictionis SANCTAE munus accipiat...   2599
quibus in SANCTAE nobis solemnitatibus Eufimiae et gaudia superna
    concilias...   2149
SANCTAE nos martyris Eufimiae praecatio tibi dne, grata comitetur...
    3188
et capaces SANCTAE novitatis efficiat.   3524
ut suae castitatis exemplo imitatione (imitationem) SANCTE plebis
    adquirat...   136, 137
ut virginitatis SANCTE propositum, quod te inspirante suscipiunt
    (susceperunt)...   3096
Da nobis, qs, dne, SANCTE regimen disciplinae...   620
aecclaesiae tuae SANCTAE repraesentare mereantur.   845
Et ad desideratum SANCTAE resurrectionis tuae diem...   3110
ut sicut de SANCTAE sabinae festivitate gaudemus...   1485
Purificit nos... et gloriosa deprecatio SANCTE sabinae.   2947
ut SANCTAE Soteris, cuius humanitatis caelebramus exordia, martyris
    beneficia senciamus.   2792
SANCTAE Soteris praecibus confidentes...   3189, 3242
Quique eos primitivum fructum SANCTAE suae suscepit ecclesiae...   2252
Perfice (qs) dne, benignus in nobis observantiae SANCTAE subsidium...
    2572
et benedictionis SANCTE super eam effunde clementiam...   3178
ut in nomine SANCTAE trinitatis efficiaris salutare sacramentum ad
    effungandum inimicum...   1544
constrictus per potentiam SANCTAE trinitatis et nominis dei omnipotentis.
    1888
constanter (instanter) in (et) SANCTAE trinitatis fide catholica (fidei
    catholicae) perseverant (perseverent).   1249, 1718, 1720
pia famulis tuis SANCTAE trinitatis invocatio perfecta sanctificit.   770
Foveat nos qs dne SANCTAE tuae ill. iocunda solemnitas...   1636
ut sacrificia pro SANCTAE tuae luciae solemnitate dilata...   3010
istae et omnes SANCTAE virgines a beata maria exemplum virginitatis
    (castitatis) accipientes...   3853, 3854
ut beatae et SANCTAE virginis martyreque tuae illius adiuvemur meritis...
    1043
cum praemio SANCTAE virginitatis consummavit palmam martyrii...   3781
ut SANCTAE virginitatis propositum quod te inspirante suscepit, te
    gubernante custodiat.   3096
aecclaesiae tuae SANCTAEQUE altaribus tuis...   1356
Praesta dne tuum salubrem remedium per SANCTAM benedictionem tuam...
    2676
... In unam SANCTAM catholicam et apostolicam ecclesiam...   554, 555
ut populus tuus in hac aecclesiae domum SANCTAM conveniens...   3844
tu tuam SANCTAM de caelis spiritalem supermitte super famulo tuo illo...
    755
Credis (et) in spiritum sanctum, SANCTAM eclesiam catholicam remissionem
    ...   551, 552, 553, 3019
et ad SANCTAM aecclesiam catholicam revocare...   3192
ideoque ortamur SANCTAM fidem vestram, ut...   1832
Hic est quod prioris seculi SANCTAM geminarum cardinum...   3918
... Ideoque petimus SANCTAM gloriam tuam...   2818
qui electos tuos suscepturi sunt ad SANCTAM gratiam baptismi tui...   2069
dominus noster Iesus Christus ad suam SANCTAM gratiam et benedictionem...
    1411, 2174, 2177

SANCTAM hanc aquae qui post fontem tuum abluendas albas offeremus...
    1366
hostiam puram, hostiam SANCTAM, hostiam inmaculatam...   3567
et ad SANCTAM matrem aeclesiam catholicam atque apostolicam revocare
    dignetur.   2516
Ds qui SANCTAM nobis huius diaei sollemnitatem... fecisti...   1203
ut ad SANCTAM sanctorum puris mereamur sensibus introire.   227
et SANCTAM semper amare iustitiam.   449
senibus SANCTAM seriae conversationis aetatem...   1493
Tua SANCTAM sumentes qs dne ut beati...   3530
... Teneant fimam spem, consilium rectum, doctrinam SANCTAM ut apti sint
    ...   165
huius diei venerandam SANCTAMQUE laetitiam...   2399
... SANCTAMQUE munuficentiam predicantes...   3645
sapiens SANCTAQUE patientia...   3861
in honore beatorum martirum tuorum illorum vel illarum SANCTARUM et
    confessorum...   1733
ut de profectu SANCTARUM ovium fiant gaudia aeterna pastorum.   1165, 1166
emitatrixque SANCTARUM permaneat feminarum...   1171, 2541, 2542
VD. Qui es redemptor animarum SANCTARUM, quamvis aenim...   3915, 3916
pro SANCTARUM tuarum Felicitatis Perpetuae commemoracione...   1935
Ut in numerum SANCTARUM virginum permanentes...   1297
gracias tibi referat choris SANCTARUM virginum sociata.   1728
ut in numero eam SANCTARUM virginum transire praecipias...   1728
accipiens et hunc praeclarum calicem in SANCTAS ac venerabiles manus
    suas...   3014
ut sancti tui... SANCTAS animas odiendo diligerent...   4075
... SANCTAS in aeis insere cogitationis...   567
cogitationis SANCTAS instruat, (actus) probat...   319
vias diregat, cogitationes SANCTAS instruat.   218
per SANCTAS nunc virgines sequaces potius mariae, quam evae vincatur...
    3854
... SANCTAS vigilias christiana pietate caelebrimus...   179, 180
accepit panem in SANCTAS.   3015
SANCTAE dne creator omnium creaturarum...   3191
In matutinis, pater SANCTE, famulos tuos orantes exaudi...   1885
Haec tibi pater SANCTAE licit meis manibus offerantur...   1709
tu es SANCTAE omnium conditur luminum...   1304
te SANCTAE pater humiliter deprecamur...   4004
... In huius igitur noctis gratia suscipe SANCTE pater incensi huius
    sacrificium...   3791
Dne, SANCTAE pater, omnipotens aeternae ds, aquarum...   1336
Dne, SANCTE pater, omnipotens aeternae ds, benedicere digneris (hunc)
    famulum tuum...   1337, 1338, 1339, 1340, 1341
Dne SANCTAE pater o. aeterne ds, clemens et propitius...   1342
Dne, SANCTE pater, omnipotens aeterne ds, da nobis...   1343
Dne, SANCTE pater, omnipotens aeternae ds, da servis...   1344
Dne, SANCTE pater, o. aeterne ds, de habundantia...   1345
clementiae tuae dne SANCTAE pater omnipotens aeterne ds et discendat...
    4224
Exaudi nos, dne, SANCTAE pater, omnipotens aeternae ds et humilitatis...
    1492
Exaudi nos, dne, SANCTAE pater, omnipotens aeternae ds, et mittere...
    1493
Itaque te deprecamur te, dne SANCTAE pater o., ae. ds et per iesum
    christum...   3918

gratias agere, dne SANCTE pater, omnipotens aeterne ds et praecipue...
3819, 3820
gratias agere, dne SANCTAE pater o. aeterne ds et praecibus...   3820
Dne, SANCTAE pater, omnipotens aeternae ds, exaudi praecem meam...   1346
Dne, SANCTE pater, omnipotens aeterne ds, gratiae...   1347
Dne, SANCTE pater, omnipotens aeterne ds, honorum omnium...   1348, 1349,
1350
Dne, SANCTAE pater, omnipotens aeternae ds, osanna in excelsis...   1354,
1355
Dne SANCTE pater omnipotens, aeterne ds, instaurator et conditor...
1351, 1352
Dne, SANCTAE pater, omnipotens aeternae ds, iteratis praecibus...   1353
deprecor, dne, SANCTE pater omnipotens aeterne ds luminis et veritatis...
165
Domine, SANCTE pater, omnipotens aeterne ds, oblationes...   1353a
Te igitur depraecamur, dne, SANCTAE pater, omnipotens aeternae ds per
iesum...   3945
depraecamur, dne, SANCTAE pater, omnipotens aeterne ds quas distribuit...
1931
Dne, SANCTAE pater, omnipotens aeternae ds, qui benedictionis...   1356
Dne SANCTAE pater omnipotens aeterne ds, qui caelum et terram...
creasti...   1357
Dne SANCTAE pater o., aeterne ds, qui es ductur sanctorum...   1360
Dne, SANCTAE pater, omnipotens aeternae ds, qui es et eras...   1359
Dne, SANCTAE pater, omnipotens aeternae ds, qui fragilitatem...   1361
gratias agere, dne, SANCTAE pater, omnipotens aeternae ds qui in principio
...   3945
Dne, SANCTE pater, omnipotens aeterne ds, qui me nulla...   1362
Maiestatem tuam quaesumus, dne ; SANCTAE pater, omnipotens aeternae ds
qui non mortem...   2055
Gratias tibi agimus, dne, SANCTAE pater, omnipotens aeternae ds qui nos
transacto...   1667
Dne, SANCTE pater, omnipotens aeternae ds, qui peccancium...   1363
Exaudi nos, dne, SANCTAE pater, omnipotens aeterne ds, qui per beatae
mariae...   1494
Dne SANCTAE, pater o., aeterne ds qui per iesum...   1364
Dne SANCTAE pater o. aeterne ds qui per invisibilitatis tuae potentiam...
1365
Dne SANCTAE pater o. aeterne ds qui per te redempti sumus...   1366
Medellam tuam deprecor dne SANCTE pater o. aeterne ds qui subvenis...
2064
Dne SANCTAE pater o. aeterne ds quod in nomine tuo...   1367
Dne, SANCTAE pater, omnipotens aeterne ds, respice super hunc famulum...
1368
Te invocamus dne, SANCTE pater, omnipotens aeternae ds, super has famulas
tuas...   3465
Te dne, SANCTAE pater, omnipotens aeternae ds, supplices deprecamur...
3462
Dne SANCTE pater o. ae. ds, supplicis te deprecamur...   1369
Dne SANCTAE pater omnipotens aeternae ds, te suppliciter deprecamur...
1370
Rogamus te dne SANCTAE pater o. aeterne ds ut digneris benedicere...
3120
Te depraecor, dne, SANCTAE pater, omnipotens aeternae ds., ut huic famulo
...   3460
Exaudi nos, dne, SANCTAE pater, omnipotens aeternae ds ut quod...   1495

Exaudi nos, dne, SANCTAE pater, omnipotens aeternae ds., ut si qua...
  1496
Dne, SANCTAE pater, omnipotens aeterne ds, virtutem tuam...   1371
gratias tibi referimus, dne, SANCTE pater, omnipotens aeternae deus.
  1442, 3327
VD. SANCTAE pater, o. ds per christum dominum nostrum...   4126
Dne, SANCTE pater, omnipotens ds, qui dignaris infima...   1358
SANCTE Pater, omnipotens ds, qui famulum tuum ab errore heresorum dignatus
  es eruere...   3192
Ipse tibi qs dne SANCTE pater omnipotens ds, sacrificium...   1956
Dne SANCTAE pater o. sempiterne ds virtutem tuam...   1371
dne ds SANCTE pater omnipotens : te invocor, quia tu dignus es invocare...
  755
Per hunc te, SANCTAE pater, suppliciter exoro...   4003
augmentum amoris aeterne te qs SANCTAE salvator christe...   3017
Dne SANCTAE spei fidei gratiae et profectuum munerator...   1372
... Hinc tuam misericordiam, pater SANCTAE, supplices exoramus...   2297
... O noctem in qua... SANCTI ab inferis liberantur...   4160
qui in honore SANCTI ac beatissimi illius oblationem tibi offert...   1500
ut SANCTI adventus tui sint exspectatione securi.   955
quod de SANCTI altaris (altari) tui benedictione (benedictionem)
  percipimus...   3296, 3301
SANCTAE andreae apostuli atque doctores aecclesiae praecibus...   3184
Exaudi dne populum tuum cum SANCTI apostoli tui andreae patrocinio
  supplicantem...   1450
dum SANCTI apostoli tui iacobi meritis intervenientibus exibitur.   4053
Det vobis leges suae precepta virtute spiritus SANCTI adprehendere...
  1375, 2296
sed SANCTI archangeli tui Michael depraecatione sit gratum.   2162
ut SANCTI beati laurentii martyris tui conmemoratione...   637
quod in nomine tuo et in fili tui... et spiritum SANCTI benedicimus...
  1367
ut SANCTI benedicti patrocinio... placeamus.   3594
et spiritus SANCTI benedictione (benedictionem) sanctificata omnia atque
  benedicta...   3459, 3489
Sacrificium tibi, dne, laudes offerimus pro SANCTI caelebritate Clementis
  ...   3162
... SANCTI Clementis hodie sacerdotis et martyris tui festivitate
  gaudentes...   3806
VD. SANCTI Clementis martyris tui natalicia celebrantes...   4127
Intercessio SANCTI Clementis sacerdotis et martyris misericordiae tuae,
  dne, munera nostra conciliet...   1948
ut qui sollemnitatem dono spiritus SANCTI colimus...   494
Exultet populus tuus, dne, qs, in SANCTI commemoratione Laurenti...   1566
in SANCTI confessoris adque ponteficis leonis solemnitate...   1469
in SANCTI confessoris et episcopi tui Donati commemoracione...   81
ut SANCTI confessoris et episcopi tui Donati cuius festa gerimus senciamus
  auxilium.   1256
ut SANCTI confessoris et episcopi tui donati quem ad laudem nominis tui...
  2737
merita... SANCTI confessoris et episcopi (spiritui) tui Iuvenalis...   197
quas in SANCTI confessoris tui adque ponteficis leonis... solemnitatis...
  1469
praeces nostras, quas in SANCTI confessoris tui atque pontificis Marcelli
  solempnitate deferimus...   1469
SANCTI confessoris tui augustini nobis dne...   3249

quibus SANCTI confessoris tui damasi deposicione (depositionem) recolimus
... 622
ut merita tibi placita SANCTI confessoris tui et episcopi iuvenalis...
197
quas in SANCTI confessoris tui ill. conmemoratione deferimus... 81
SANCTI confessoris tui ill. nos qs dne tuaere praesidiis... 3193
quos et casto fetu SANCTI coniugii mater fecunda progenuit... 4091, 4092
virgo maria spiritus SANCTI cooperatione concepit... 3870
integritas SANCTI corporis esse credatur... 1286
ut lavacrum SANCTI corporis, ipsas aquas dilueris... 855
per auxilium SANCTI crucis digneris conterere... 114
Per hos signum SANCTI crocis frontis... 1411
per virtutem et signum SANCTI crucis redemptoris nostri... 1888
... SANCTI desiderii pii exaudias pro percipiendam prolem... 3918
influente gratia tua spiritus tui SANCTI digneris ad mundiciam... 893
SANCTI dne confessoris tui ill. tribuae nos supplicationibis foveri...
3194
in totam mundi latitudinem spiritus tui SANCTI dona defunde... 1199
et pro pullis columbarum spiritus SANCTI donis exuberetis. 2256
postque perceptum spiritus SANCTI donum... 3846
... Recede in nomine patris et filii et spiritus SANCTI et da locum...
744
benedictionem spiritus SANCTI et gratias sacerdotalis effunde virtutem...
1483
Benedictio dei patris et filii et spiritus SANCTI et pax domini... 18,
349, 915, 2246, 2252, 2254
assumpto scuto fidei, et galea salutis, et gladio spiritus SANCTI et
viriliter... 3722
SANCTI eusebii natalicia caelebrantes... 3199
invisibilia aeos ad tactu SANCTI, exclude... 567
et in virtute spiritus SANCTI exorcizo te... 1542, 1544
Sumpsimus dne SANCTI fabiani solemnitatem (solemnitate) caelestia
sacramenta... 3339
in nomine dei patris et fili et spiritus SANCTI, facientes... 3568
SANCTI Felicis, dne, confessio recensita conferat nobis pie devocionis
augmentum... 3195
SANCTI Felicis et Adauti natalicia recensentes munus offerimus... 3196
VD. Et confessionem SANCTI felicis memorabiliter (memorabilem) non
tacere... 3684
Hostias tibi dne pro commemoratione SANCTI felicis offerimus... 1828
Hostias tibi, dne, pro commemoracione SANCTI Felicis tui confessoris
offerimus... 1827
et corporis Christi novum sepulcrum spiritus (spiritu) SANCTI gracia
perficiatur. 2259
digne SANCTI gregorii pontificis tui caelebrare misteria... 463
... SANCTI gregorii ponteficis tui commemoratione gaudere... 4064
... SANCTI gregorii prosequatur oratio... 1805
quas SANCTI hermetis (martyris tui) confessione praesenti credimus
adiuvandas. 4086
quas SANCTI hermetis martyris tui praecibus tibi esse petimus acceptas.
4086
sicut SANCTI homines mereamini fidele munus... percipere. 1954
ad tam miram SANCTI huius luminis claritatem... 1564
ut oblationibus nostris SANCTI illius interveniente susceptis... 2887
quoniam illo feria illo loco reliquiae sunt SANCTI illius martyris
conlocandae... 1286

quas SANCTI illius martyris confessione praesenti confidimus adiuvandas.
4087
Sumpsimus dne SANCTI ill. martyris sollemnitate caelestia sacramenta...
3340
SANCTI ill. martyris tui dne nos oratio sancta conciliet... 3197
Et quicquid SANCTI ill. martyris tui hodiernum quondam diem profuit ad
beatitudinem... 1319
ut ponas omnes fines domus istius SANCTI illi pacem... 1330
ut SANCTI illius patrocinio nos adiuvante debita nomini tuo servitute
placeamus. 3594
Indulgentiam nobis dne qs SANCTI illius postulet tibi grata precatio.
1913
hancque basilicae in honorem (honore) SANCTI illius sacris misteriis
institutam... 1249
regnas in unitate spiritus SANCTI in saecula. 404, 2818
VD. Qui spiritus SANCTI infusione replevit corda fidelium... 4029
Natalicia SANCTI Iohannis apostoli, qs, dne, munera capiamus... 2170
SANCTI Iohannis baptistae et martyris tui, dne, qs, veneranda festivitas
... 3198
Perpetuis nos, dne, SANCTI Iohannis baptistae tuere praesidiis... 2580
... SANCTI Iohannis et Pauli victricia membra reconderes... 3865
SANCTI Iohannis natalicia caelebrantes... 3199
... SANCTI Iohannis nativitate (nativitatem) honore debito caelebrantes...
3510
Conferat nobis, dne, SANCTI Iohannis utrumque (utroque) solemnitas... ut
... 505
Prosit nobis dne SANCTI laurentii caelebrata solempnitas... 2902
Respice dne munera quae in SANCTI laurentii commemoratione deferimus...
3087
qui nobis hunc diem SANCTI Laurenti martyrio tribuisti venerandum...
3746
fidem... de SANCTI Laurenti martyris festivitate conceptam... 232
Adsit nobis, dne, SANCTI Laurenti martyris in tua glorificatione
benedictio... 162
pro sollemnitate SANCTI Laurenti martyris sacrificium tibi laudis
offerimus... 4082
Adsit nobis dne qs SANCTI laurentii martyris tua glorificatione benedictio
... 162
... SANCTI Laurenti martyris tui et confessio veneranda et beata... 1799
VD. Praetiosam mortem SANCTI Laurenti martyris tui exultantibus animis
celebrantes... 3850
Muneribus nostris, dne, SANCTI Laurenti martyris tui festa praecedimus
... 2152
Laeta nos, dne, qs, SANCTI Laurenti martyris tui festivitas semper
excipiat... 1982
in SANCTI Laurenti martyris tui hodierna festivitate (confessione)
gaudentes... 2226
et intercessione SANCTI Laurenti martyris tui perpetuam nobis... 100
ut SANCTI Laurenti martyris tui sollemnia... 194
Tuere nos, dne, praecibus SANCTI Laurenti martyris tui ut gratia tua...
3542
SANCTI Laurenti nos, dne, praecatio iusta (sancta praecatio) tueatur...
3200, 3201
SANCTI Laurenti nos, dne, sollemnitas repetita tueatur... 3202
... SANCTI Laurenti nos martyris tui commendet oratio. 3580
triumpho nos SANCTI Laurenti, quem hodie celebramus, accendis. 4108

ut beati SANCTI Laurenti suffragiis in nobis tua munera tuearis...   2722
SANCTI leonis confessoris tui adque pontefices...   3203
O. s. ds, qui primitias martyrum in SANCTI levitae Stefani sanguine
    (sanguinem) dedicasti...   2238, 2444
introitum templi istius spiritus SANCTI luce perfunde...   4227
et spiritus SANCTI lucem in nos (nobis) semper accende.   231
qui venientes ad te innocentes SANCTI manus inpositionis tuae inponens...
    2310
SANCTI Marcelli... annua solemnitas pietati tuae nos reddat acceptos...
    3203
in SANCTI martini confessoris adque pontificis magnalia...   2794
SANCTI martyres, dne, qs, et nominibus suis nobis suffragentur et
    praecibus.   3204
... SANCTI martyres et confessores ill. et ill. pervenerunt ad aeternam
    gloriam.   4004
SANCTI martyris Agapiti, dne, qs, veneranda festivitas...   3205
SANCTI martyris Agapiti merita nos, dne, praeciosa tueantur...   3206
Munera tibi, dne, pro SANCTI martyris Agapiti passione deferimus...   2142
VD. Natalem diem SANCTI martyris et sacerdotis tui Xysti devita festivita-
    te recolentes...   3810
quanti SANCTI martyris georgii... tibi gratia sint merita.   3457
Munera tibi, dne, pro SANCTI martyris Iohannis baptistae passione
    deferimus...   2142
Plebs tua dne SANCTI martyris tui georgio te glorificatione magnificet...
    2601
qui nos SANCTI martyris tui gurdiani festivitate laetificas...   2431
Plebs tua dne SANCTI martyris tui ill. glorificatione magnificet...   2602
quas tibi in honore SANCTI martyris tui illius nomini tuo consecrandas
    deferimus...   3439
et in praesenti festivitate SANCTI martyris tui illius (..) palmam
    triumphi...   4163
quam tibi in honore (honorem) SANCTI martyris tui illi pro requie...
    1740
et in praesenti festivitate SANCTI martyris tui illius te confitenti
    gratias agere...   3729
Plebs tua dne SANCTI martyris tui illius te glorificatione magnificet...
    2602
VD. Et in praesenti festivitate SANCTI martyris tui ill. tibi confitendo
    ...   3695
pro SANCTI martyris tui Iohannis baptistae passione...   2144
et ad honorem SANCTI martyris tui Laurenti...   2202
et SANCTI martyres tui theodori cuius nos dedisti...   2808
O. s. ds, qui nos SANCTI martyris tui Tiburti festivitate laetificas...
    2431
SANCTI martyris tui yppoliti dne qs veneranda festivitas...   3205
VD. Sancti michahelis archangeli merita praedicantes...   4128
altaris SANCTI ministerium tribuas sufficienter implere...   762
Concedat vobis ut quod ille spiritus SANCTI munere afflatus...   2246
Purificet nos qs dne virtus spiritus SANCTI muneris praesentis...   2950
Intercessio SANCTI nicomedis misericordiae tuae dne munera sancta
    conciliet...   1949
SANCTAE nominis tui, dne, timorem (timore) pariter et amorem fac nos
    habere perpetuum...   3207
per invocationem SANCTI nominis tui, trinitas sancta, adiuva nos.   3468
ut quod priores SANCTI non dubitaverunt futurum...   2363
SANCTI nos dne qs Iohannis baptistae oratio...   3208

ut SANCTI nos Iacobi laetificet ac Philippi festiva solemnitas...   3005
SANCTI nos, qs, dne, Hermis (hyronimi) natalicia votiva laetificent...
  3209
SANCTI nos qs dne theodori martyris oratio...   3208
SANCTI nos qs dne vitalis natalitia votiva laetificent...   3209
per gratiam spiritus SANCTI nova tui paracliti...   618
sicut SANCTI omnes mereamini fideli munus infantiae a Christo... percipere.   1953
est tibi deo patri omnipotenti in unitate spiritus SANCTI omnis honor...
  2555
et in nomine Iesu Christi filii eius et spiritus SANCTI omnis virtus...
  1531, 1532
sumimus conmunionem huius SANCTI panis et calicis...   3739, 4181
Hanc igitur oblationem SANCTI patris nostri illius episcopi...   1764
cum quo vivis et regnas deus in unitate spiritus SANCTI per omnia seccula.
  3465
qui cum eo vivit et regnat deus in unitate spiritus SANCTI per omnia
  saecula saeculorum.   727, 729, 848, 850, 3588
et odore suavissimo spiritus SANCTI percepto...   2299
... Imperat tibi apostolorum fides, SANCTI Petri et Pauli (et) (vel)
  ceterorum apostolorum...   1354, 1355, 1437
et per graciam spiritus SANCTI poculum salutis semper infunde.   769
Hostias nostras, qs, dne, SANCTI pontifex Iuvenalis nomine tuo reddat
  acceptos...   1813
Intercessio qs dne SANCTI ponteficis et martiris tui fabiani...   1947
Deus, qui nos ad SANCTI pontificis et martyris tui Xysti natalicia...
  1095
et odore suavitatis spiritus SANCTI praecepto sequatur.   2299
maiestate tuae pura mente deserviant consecuti graciam spiritus SANCTI
  qui cum patre...   2275
Adsit nobis, dne, qs, virtus spiritus SANCTI qui et corda nostra...   161
in nomine spiritus SANCTI qui in te effusus est...   2956
Exorcizo te, creatura salis, in nomine patris et filii et spiritus
  SANCTI qui te per...   1545
per invocationem nominis domini nostri Iesu Christi et spiritus SANCTI
  qui venturus est...   1539
sicut veteres SANCTI quod credidere faciendum cognoscit inpleri...   4042
... SANCTI quoque martiris (Prisci) praecibus adiuvemur.   2734
... SANCTI sacerdotis et martyris tui Xysti...   3597
quam in SANCTI Silvestri... commemoratione suppliciter immolamus...
  1739
SANCTI Sixti, dne, frequentata solemnitas...   3210
qua SANCTI Xysti praesulis apostolici natalicia praelibantes...   4178
VD. Quia hodie SANCTI spiritus caelebramus adventum...   4049
ut qui solemnitatem donorum SANCTI spiritus colimus...   494
virtute filii tui et SANCTI spiritus destruendo...   1236
SANCTI spiritus, dne, corda nostra mundit infusio...   3211
Virtute SANCTI spiritus, dne, munera nostra continge...   4234
postque perceptum SANCTI spiritus donum...   3846
et SANCTI spiritus ei ammiscere (inmiscere) virtutem...   3945, 3946
et super hos famulos tuos benedictionem SANCTI spiritus et gratiae
  sacerdotalis effunde...   1483
qua SANCTI spiritus fervore preclarus beate martyre iuliane sexus...
  3783
per infusionem SANCTI spiritus gratiam largiaris...   3825
ut advenientis SANCTI spiritus gratiam purificatis mentibus...   1130

passione domini Iesu Christi et SANCTI spiritus inluminatione reserasti...
3625
et lux tuae lucis corda... SANCTI spiritus inlustratione confirmet.   2752
Ds qui... corda fidelium SANCTI spiritus inlustratione docuisti...   1001
et corda nostra SANCTI spiritus inlustratione emunda.   2122
et in SANCTI spiritus inmiscere virtutem per potenciam Christi tui...
3945
Quo gratia SANCTI spiritus inaebriati...   1173
et SANCTI spiritus infusione ditatos.   4012
et unum christi (christo) corpus SANCTI spiritus infusione perficitur...
3739, 4181
ut templum SANCTI spiritus ipso tribuente esse possitis.   345
VD. Quoniam per SANCTI spiritus largitatem...   4097
sicut profanas mundi caligines SANCTI spiritus luce evacuasti...   1463
et praesentia SANCTI spiritus nobis... ubique adesse dignetur.   848
huic loco SANCTI spiritus novitatem aecclesiae (et aeclesiam) conferas
veritatem.   886
... Quae et unigenitum tuum SANCTI spiritus obumbratione concepit...
3725
sed SANCTI spiritus operante virtute...   2160
et SANCTI spiritus operatione mundandis (mundandi)...   838, 839
ut SANCTI spiritus perfundantur benedictione...   2649
et in novam creaturam SANCTI spiritus procreandi...   1287
Qui SANCTI spiritus repletus dono...   3766
ut SANCTI spiritus sacerdotalia dona privilegio virtutum... obteneant.
3300
conscientias nostras SANCTI spiritus salutaris adventus emundet (emundet
adventus).   1815
Exorcizo te creatura aqua in nomine domini iesu christi... et SANCTI
spiritus si qua fantasma...   1530
et in virtute SANCTI spiritus tui ad effugandam...   327
qui SANCTI spiritus tui dono succensus...   4148
... SANCTI spiritus tui gratiam ad mundiciam revocet adque purificit...
1365
sed infusa SANCTI spiritus tui gratiam in hodorem...   1342
qui virtute SANCTI spiritus tui inbecillarum mentium rudimenta confirmas
...   838, 1240
et SANCTI spiritus tui operatione mundandis...   1240
Ds qui caritatis dona per gratiam SANCTI spiritus tuorum cordibus fidelium
infudisti...   921
non carnis voluntate editi, sed SANCTI spiritus virtute generati.   1706
ut sicut divina laudamus in SANCTI Stephani passione magnalia...   2794
VD. Tu enim nobis hanc festivitatem beati SANCTI Stefani passione venerabilem consecrasti...   4185
quibus uberiore dono spiritus SANCTI sufficienter instructi...   3996
Ds qui nobis per singulos annos huius SANCTI templi tui consecrationis
reparas diem...   1085
Prosit nobis, dne, SANCTI Tiburti caelebrata solemnitas...   2902
Respice, dne, munera quae in SANCTI Tiburti commemoracione deferimus...
3087
quam beati SANCTI Tiburti martyris tui sanguis...   4177
et virtute SANCTI trinitatis et omnipotenciam aeius...   1888
Exultet, qs, dne, populus tuus in SANCTI tui commemoracione Hermis
(hieronymi, vitalis)...   1566
SANCTI tui dne qs iugiter nobis a te veniam postulent et profectu.   3215
SANCTI tui, dne, qs, tuam misericordiam depraecentur...   3212

pro quibus et sancti tui et angelicae tibi supplicant potestates.   704
quam spicialiter pro famulo tuo, in honore SANCTI tui, facimus...   1975
qui in honore SANCTI tui ill. votorum munera offerat...   4126
pro qua SANCTI tui inter supplicia dimicando sempiternam gloriam sunt
    adepti.   2893
per invocationem SANCTI tui nominis omnis infestatio inmundi spiritus
    abiciatur...   848
SANCTI tui nos, dne, Abdo et Senis piis oracionibus prosequantur...   3213
... SANCTI tui nos Hermis (hermetis) intercessione custodi...   2131, 2822
SANCTI tui nos qs dne ubique laetificent...   3214
ut SANCTI tui pro nobis et clementiam tuam semper exorent...   2071
ut non desinant SANCTI tui pro nostris supplicare peccatis...   2964
SANCTI tui, qs, dne, iugiter nobis a te et veniam postulent et profectu.
    3215
VD. Quia te benedicunt et laudant omnes SANCTI tui quibus et in
    confessionem...   4065
VD. Quoniam SANCTI tui quod in lacrimis seminaverunt...   4102
Intercessio, qs, dne, SANCTI tui Ruffi munera nostra commendet...   1947
ut SANCTI tui secundum magnificam... sanctas animas odiendo diligerent...
    4075
et spiritus SANCTI tui semper rore perfusa...   866
VD. Te etenim laudant et benedicunt omnes SANCTI tui.   4147
et adsistat super aeam virtus spiritus SANCTI ut cum hoc vasculum.   308
... Coniuro (Coniuro) te non meam infirmitatem (mea infirmitate) sed
    virtute spiritus SANCTI ut desinas...   142, 1354, 1355
Exorcizo te, inmunde spiritus, in nomine patris et filii et spiritus
    SANCTI ut exeas...   1549
et in nomine Iesu Christi filii eius et spiritus SANCTI ut in hanc
    invocationem...   1536
per intercessionem SANCTI Viti...   3041
quam SANCTI Ypoliti martyris tui sanguis in veritatis tuae testificatione
    profusus...   4177
et in caritatem iesu christi fili aeius et spiritus SANCTI.   1533
In nomine dei patris et fili et spiritus SANCTI.   1888
In nomine patris, et fili et spiritus SANCTI.   253, 1045, 1443, 3565
careant in corde infidelitatis frigore a fervore ignis spiritus SANCTI.
    2321
cum quo vivis et regnas in unitate spiritus SANCTI.   869
vivit et regnat deus in unitate spiritus SANCTI.   2498, 2518
... SANCTIQUE spiritus infunde carismata.   1845
et aeius spiritum cum SANCTIS hac fidelibus iubeat adgregare (adgregari
    iubeat).   701, 702
et SANCTIS ac sacris altaribus restitutus...   2836
quae sicut tuis SANCTIS ad gloriam, ita nobis, qs, ad veniam prodesse
    perficias.   3335
et SANCTIS altaribus fideliter subministret...   1339
... SANCTIS altaribus minister tuus purus adcrescat...   1372
ut tuis obsequiis expediti SANCTIS altaribus ministri puri adcrescant...
    1372
ut post longa peregrinationis famae de SANCTIS altaribus satietur...
    2055
sed coram SANCTIS altaribus tuis capite menteque...   898
... SANCTIS altaribus tuis fideliter subministret.   1364
quod de SANCTIS altaris tui benedictione percipimus...   3301
de SANCTIS altaris tuis saciaetur...   2055

partem aliquam sotietatis donare digneris cum SANCTIS apostolis et
  martyribus...   2178
et SANCTIS apostolis tuis Petro et Paulo (atque Andreas)...   2030
rogantibus SANCTIS apostolis tuis praesta continuum.   221
da famulo tuo illi... cum SANCTIS atque electis tuis beati muneris
  porcionem.   1053
da famulo tuo illo... cum SANCTIS atque fidelibus tuis, beati muneris
  portionem.   1053
VD. Qui in omnis SANCTIS caelestis Hierusalem fundamenta posuisti...
  3943
ut cum omnibus SANCTIS conprehendere valeamus...   3847
ut SANCTIS edocti mysteriis et renoventur fonte baptismatis...   427
et SANCTIS eius intercessionibus cunctis nobis proficiant ad salutem.
  3421
et in futuro cum SANCTIS aelectis tuis vitam et regnum...   202
tu imaginem tuam cum SANCTIS et electis (tuis) aeternis sedibus precipias
  sociari.   2236, 2401
cum SANCTIS et aelectis tuis beati muneris portionem.   1052
resuscitare eum digneris, dne, una cum SANCTIS et electis tuis dones ei...
  3462
cum SANCTIS et electis tuis, eum resuscitari iubeas.   2215
suscitare aeum digneris, dne, una cum SANCTIS et aelectus tuos.   3462
et eius animam SANCTIS et fidelibus iubeat adgregari...   701
Corona dne plebem tuam fructibus SANCTIS et operibus benedictis.   541
quod nos intervenientibus SANCTIS et perducat ad veniam...   3431
qui hominem... manibus tuis SANCTIS et propitiatio...   763
Tua nos, dne, qs, gratia et SANCTIS exerceat veneranda ieiuniis...   3519
Ds, qui in SANCTIS habitas et pia corda non deseris...   1036, 1037
quanto SANCTIS haec meritis intercedentibus martyr (martyrum)...   3266
quoniam quicquid SANCTIS honoris inpenditor tuae respicit insignia
  maiestatis.   2482
qui sacris quod admonuit dictis, SANCTIS inplevit operibus...   3766
ut cum exultantibus SANCTIS, in caelestis regni cubilibus gaudia nostra
  subiungas...   3682
praesidia militiae christianae SANCTIS incoare ieiuniis...   439
SANCTIS intervenientibus, dne, tibi servitus nostra conplaceat...   3231
accepit panem in suis SANCTIS manibus, elevatis...   3013
antequam traderetur haccepit panem in suis SANCTIS manibus.   1972
Sacrificium, dne, quod pro SANCTIS martyribus Gerbasi et Protasi praevenit
  nostra devocio...   3159
et SANCTIS martiribus illis famulus tuus ille in hoc aedificio deputavit
  ...   1065
Sacrificium dne quod pro SANCTIS martyribus illis praevenit nostra
  devotio...   3159
ut quod SANCTIS martyribus in persecutione contulisti claritatem...   2222
pro SANCTIS marteribus nazari, gervasi et protasi...   3159
ut etiam a SANCTIS martyribus superaretur effecit...   3873, 3874
ut inplorantibus pro nobis SANCTIS martyribus tuis divinae virtutis...
  514
et SANCTIS marteribus tuis ill. famolus tuus ill. in hoc aedificio
  depotavit...   1065
et SANCTIS martyribus tuis illis famulus tuus (famolis tuis) offerre
  instituit...   4031, 4033
qui aeclesiae tuae in SANCTIS montibus fundamenta posuisti...   968
in SANCTIS nobis collata martyribus salutaris tui subsidia praedicantes.
  1808

Sicut gloriae divinae potenciae munera pro SANCTIS oblata testantur...
3289
quod SANCTIS omnibus ostenditur (ostensum est) post agonem. 4185, 4186
perveniatis... et ad gloriosam cum SANCTIS omnibus resurrectionem. 347
et in SANCTIS operibus perseverabiles reddat. 2258
et in SANCTIS operibus te auxiliante perseverent... 3913
per orationem quam nos docuit verba SANCTIS orare et dicere... 3282
et ita patrocinantibus SANCTIS perenni domui huic beatitudinem praestet...
1493
distinata (praedestinata) SANCTIS praemia consequatur. 2498, 2511
Ut consecuta SANCTIS praemia orum et multorum probitate consecuti... 359
Concedatque vobis ut cum omnibus SANCTIS quae sit eiusdem... 346
fiatque tua propitiatione tuis sacris SANCTIS qui digna misteriis. 1734
VD. Quoniam tu es gloriosus in SANCTIS quibus et in persecutione... 4107
ut suffragantibus SANCTIS, quod ad honorem... 28
... Ideoque dominum conlaudemus, qui est mirabilis in SANCTIS suis...
2187
flammae sevientes incendium SANCTIS tribus pueris in splendore demutatum
est animarum... 776
nisi depraecantibus SANCTIS tua nos propitiatione... 2205
ut intervenientibus SANCTIS tua redemptione sint digni... 524
et intercedentibus SANCTIS tuis a cunctis nos... 2209, 2213
et intercedentibus SANCTIS tuis ab hostium... 99
Ds qui SANCTIS tuis abdon et sennen... copiosum munus gratiae contulisti
... 1204
sicut probamus in SANCTIS tuis accipit tua virtute... 4054
sed SANCTIS tuis, adversariis superatis... 3392
et intercedentibus SANCTIS tuis anima famuli tui... 2029
ut intervenientibus SANCTIS tuis adpraehendamus... 3169
intervenientibus SANCTIS tuis caelerius in tua misericordia respiremus.
610
et intercedentibus SANCTIS tuis caelestibus remediis... 1700
Ds, qui SANCTIS tuis dedisti piae confessionis inter tormenta virtutem...
1205
qui ubique SANCTIS tuis depraecantibus exoramus... 2182
et intercedentibus SANCTIS tuis devotioni nostrae proficiant et saluti.
288
Intercidentibus SANCTIS tuis, dne, plebi tuae praesta subsidium... 1942
et si quis SANCTIS tuis, aeorum fides recta pervenit ad coronam... 3920
ut des aei partem cum SANCTIS tuis et hereditatem cum aelectis tuis. 745
Magnificare, dne ds noster, in SANCTIS tuis et hoc in templo... 2037
VD. Tu es quippe mirabilis in SANCTIS tuis et ideo licet... 4188
VD. Quoniam tu SANCTIS tuis et patientiam tolerantiae... 4111
Supplices te rogamus o. ds, ut intervenientibus SANCTIS tuis et tua in
nobis... 3370
et commendantibus SANCTIS tuis etiam nostra munera... 593
populum tuum, qs, SANCTIS tuis fac (facis) esse devotum... 992
ut cum exultantibus SANCTIS tuis in caelestis regni cubilibus gaudia nostra subiungas... 3626
ut intercedentibus SANCTIS tuis in gratiarum... 3071
ut hoc sacrificium singulare, quod SANCTIS tuis in passione contulit
claritatem... 2221
VD. Teque laudare mirabilem deum in SANCTIS tuis in quibus magnificatus
(glorificatus)... 3728, 4158, 4169
intervenientibus SANCTIS tuis indulgentia lapsis... 2706

... Agnem Caecilia Anastasia et cum omnibus SANCTIS tuis intra quorum...
   2178
et intercedentibus SANCTIS tuis iusta desideria compleantur.   2554
ut intervenientibus SANCTIS tuis munera quae deferimus...   3494
quod SANCTIS tuis non solum credere in filium tuum...   2450, 4113
et interven(ien)tibus SANCTIS tuis praeces nostras...   1456
... munera... quae intercedentibus SANCTIS tuis prosint nobis...   3451
VD. Quia tu es gloriosus in SANCTIS tuis quibus et in confessione...
   4068
et intervenientibus SANCTIS tuis quidquid eidem...   705
VD. Et te laudare mirabilem deum in SANCTIS tuis quos ante constitutionem
   ...   3727
VD. Quia tu es mirabilis in omnibus SANCTIS tuis quos et nominis...
   4069, 4070
eique depraecantibus SANCTIS tuis remissionem tribue peccatorum...   1423
Quaesumus, dne ds noster,ut intervenientibus SANCTIS tuis sacrosancta
   mysteria...   2962
qui in SANCTIS tuis semper es ubique mirabilis...   2410
ut qui in SANCTIS tuis te honorare non desinunt...   3099
quae et munera nostra deprecantibus SANCTIS tuis tibi reddat accepta...
   369
et suffragantibus SANCTIS tuis tribue nobis veniam peccatorum...   1422
presta depraecantibus SANCTIS tuis, ut eadem consequamur...   2412
Presta, nobis, dne, (qs), intercedentibus SANCTIS tuis ut quae ore...
   2686
depraecantibus SANCTIS tuis ut quod in nobis...   3329
... Sit nobis, qs, intervenientibus SANCTIS tuis vitae praesentis...
   3336
ut altare hoc SANCTIS usibus praeparatum caelesti dedicacione sanctifices
   ...   3844
Praesta nobis, dne, qs, intercedentibus SANCTIS, ut...   2686
intercedentibus SANCTIS virginibus suis...   2264
in bonis operibus hac SANCTIS virtutibus permanere...   4176
et partem habeat in prima resurrectione quam facturus est orantibus
   SANCTIS.   2521
... SANCTISQUE altaribus et sacramentis restitutus...   596
ecclesiae tuae SANCTISQUAE altaribus tuis cum omnis desiderata...   1356
fiatque tua propiciacione tuis sacris SANCTISQUE digna mysteriis...   1734
per quae angelis tuis SANCTISQUE praecantibus...   2197
Et quos beati pauli SANCTISSIMA instruxit praedicacione...   348
et nobis auxilium proveniat de eorum SANCTISSIMA intercessione.   3601
Noverit vestra devocio, SANCTISSIMI fratres, quod...   2187
qualiter tecum et cum spiritu SANCTO ad nos veniat nobiscum perpetim
   permansurus.   3871
vel quorum nomina ante SANCTO altario (tuo) scripta adesse videntur...
   1751, 2806, 3385
Ds, qui renatis per aquam et spiritu SANCTO caelestis regni pandis
   introitum...   1194
et auxilium nobis de SANCTO celerius fac adesse.   2890
ut sit his qui renati fuerint ex aqua et spiritu SANCTO chrisma salutis...
   3945
pro mundi salutem secundum carnem spiritu SANCTO concipiendo
   (concipiendum)...   2380
interveniente SANCTO cyriaco...   3432
Oremus... et pro omni populo SANCTO dei. Oremus.   2517

... Et in spiritu SANCTO dominum et vivificatorem ex patre procedentem...
554
et mittas aei auxilium de SANCTO, et de Sion tuaere aeum. 2155
et incarnatum de spiritu SANCTO et Maria virgine et humanatum... 554
et da honorem Iesu Christo filio eius et spiritui SANCTO et recede...
1411
ut renatus ex aqua et spiritu SANCTO expoliatus... 1359
et lava aeam SANCTO fonte vite aeternae... 3391
exorcizo te... per SANCTO iorgio famulo dei... 1950
ut SANCTO ieiunio et tibi toto simus corde subiecti... 1161
et interveniente pro nobis SANCTO ill. confessore tuo his sacramentis...
2869
intercedente SANCTO illo confessore tuo remissionem... 3662
qui praestetisti in certamine victoriam SANCTO ill. tuo martyre. 1227
quam tu spiritum SANCTO inlustris... 1670
et spiritu SANCTO in columbae similitudine (similitudinem) de super misso
unigenitum tuum... 3945
da honorem Iesu Christo filio eius et spiritui SANCTO in cuius nomine...
2174, 2177
crescat in visceribus nostris in SANCTO, in fide, in caritate. 2003
Nutri aeos spiritu SANCTO in operibus et actibus bonis... 316
qui venturus est in spiritu SANCTO iudicare vivos et mortuos... 720,
1535, 1536, 1538, 3270
Respice dne munera que in SANCTO laurentio conmemoratione deferimus...
3087
beati SANCTO laurentio suffragiis... 2722
deprecante SANCTO marco confessore tuo adque pontefice... 369
VD. Qui SANCTO martyri tuo Xysto ac praecipuo sacerdoti... 4015
ad spem vite aeternae ex aqua et spiritu SANCTO nascimur. 3836
qui conceptus est de spiritu SANCTO, natus ex maria virgine... 551
a cuius SANCTO nomine chrisma nomen accepit... 3945
cui in tuo SANCTO nomine habitum sacre religionis inponimus... 97
una nobiscum SANCTO nomini tuo gratias agere mereatur. 1368
... Quae ab angelo salutata, ab spiritu SANCTO obumbrata... 4032
Ds, qui ad caeleste regnum nonnisi renatis ex aqua et spiritu SANCTO
pandis introitum... 891
da honore (honorem) spiritui SANCTO paraclyto... 2175, 2176
Ds, quem docente spiritu SANCTO paterno nomine invocare praesumimus...
882
et da locum spiritu SANCTO per hoc signum... 744
qui regnat una cum spiritu SANCTO per infinita secula seculorum. Amen.
1637
cum co vivis et regnas ds semper cum spiritu SANCTO per omnia... 867
qui vivit cum patre et spiritu SANCTO per omnia saecula saeculorum. 39
ut omnis hoc lavacro salutifero diluendi operanti in eis spiritu SANCTO
perfecti... 1045, 1047
constantia pura, fide plena, spiritu SANCTO pleni persolvant. 3225
tu SANCTO praeside gregi... 860
qs, spiritu SANCTO prophaetarum hore canente... 898
ut SANCTO purificati ieiunio... 3831
... Da igitur honorem adveniente spiritui SANCTO qui ex summa... 222,
223
ut tuae maiestatis imperio sumat unigeniti tui gratiam de spiritu SANCTO
qui hanc aquam... 1047
regenerans eum deo patri et filio et spiritui SANCTO qui venturus est...
1535

qui cum patre et spiritu SANCTO, qui vivit et regnat... 511
Laudis et gratias agamus tibi dne et nomini tuo SANCTO quia refacta...
    2003
qui regenerasti famulos tuos ex aqua et spiritu SANCTO quique dedisti...
    867, 868, 869, 2446, 2479
qui te regeneravit ex aqua et spiritu SANCTO quique dedit... 870
da honorem ihesu christi filio aeius et spiritu SANCTO recede... 1411
quos ex aqua et spiritu SANCTO regenerare dignatus es... 1752
ad spem vitae aeternae ex aqua et spiritu SANCTO renasceremur... 3836
Ut quicumque sunt ex aqua et spiritu SANCTO renati... 1327
ut spiritu SANCTO renatos regnum tuum tribuas (facias) introire... 2334
regnas cum patre et spiritu SANCTO, salvator mundi. 742
SANCTO sebastiano interveniente dne tibi servitus nostra conplaceat...
    3231
... Hic unigenitus dei de Maria virgine et spiritu SANCTO secundum carnem
    natus ostenditur... 1706
... Coniunge ergo famulos tuos, dne, spiritui SANCTO sicut coniunctum est
    ... 304
hoc de filio tuo, hoc de spiritu SANCTO sine differentia discritione
    sentimus... 3887
qui regnas semper cum patre et spiritum SANCTO sine ulla... 3017
quia rafacta sunt viscera nostra de SANCTO spiritali... 2003
beato Stephano duce adque praevio SANCTO spiritu auctore... 1372
aequalem tibi cum SANCTO spiritu confitemur... 3638
ut SANCTO spiritu congregata... 664
purum SANCTO spiritu habitaculum regeneratis procurrit. 1336
te unum deum patrem in filio et filium in patrem cum SANCTO spiritu
    recognoscat... 3460
... Quem SANCTO spiritu redundante... 4193
VD. Qui cum unigenito filio tuo et SANCTO spiritu unus es deus... 3887
purum SANCTO spiritui habitaculum in regeneratis procuret. 1336
ut eum sacrario tuo SANCTO strinuum sollicitumque caelesti miliciae
    instituas... 1339
Quem tecum deus et cum spiritu SANCTO supernarum virtutum... 4184
sic in spiritu SANCTO tocius cognoscamus substanciam trinitatis. 450
quos regenerare dignatus es ex aqua et spiritu SANCTO tribuens eis...
    1773, 1774
interveniente SANCTO tuo cyriaco... 3432
ut intercedente beato SANCTO tuo donato... 2286
intercedente SANCTO tuo illo confessore tuo... 3662
intercedente SANCTO tuo illo, per cuius conmemorationem... 3662
intercedente SANCTO tuo ill. remissionem... 3660
quatenus invitare valeant in templo SANCTO tuo suis obsequium... 308
ut invocato super aeas nomini SANCTO tuo ubicumque... 313
Ut cum presens vasculum... oleo SANCTO unguetur... 2378
quem tecum et cum spiritu SANCTO unum deum caeli caelorum... 4176
per patrem et filium et spiritum SANCTO ut exeas... 1550
ut hoc vasculum... sanctificetur ab spiritu SANCTO ut per illius... 1154
quibus famuli tui SANCTO visibiliter sunt infirmandae... 743, 1237
qui cum patre et spiritu SANCTO, vivit et regnat ds, per omnia saecula
    saeculorum. 179, 180, 702, 2522, 2584
Da ecclesiae tua, dne, qs, SANCTO Viti intercedente superbe non saperet...
    571
quia tu es deus benedictus qui cum patre et spiritu SANCTO vivis et regnas
    ... 3261

qui cum patre et spiritu SANCTO vivit et gloriatur deus...   18, 915, 2246
qui cum patrem et spiritu SANCTO vivit.   744
dominum nostrum, cum quo vivit et regnat cum spiritu SANCTO.   2519
ut tuae maiestatis imperio sumat unigeniti tui gratiam de spiritu SANCTO.
    1045
et oboedientia deo patri et filio et spiritu SANCTO.   302
Quod ipse praestare dignetur qui cum patre et spiritu SANCTO.   425, 2117,
    2242, 2252
dominum nostrum ihesum christum qui tecum et spiritu SANCTO.   2907
... Ego baptizo vos aqua, ille vero baptizavit vos spiritu SANCTO.   3311
qui tecum vivit et regnat deus in hunitate spiritui SANCTO.   3946
per quem una cum patre SANCTOQUE spiritu facta sunt universa : Christe
    Iesu...   1283
Ds, qui ex omni coaptacione SANCTORUM aeternum tibi condis habitaculum...
    985
ut suscipi iubeas animam famuli tui illius per manus SANCTORUM angelorum
    ...   747, 771
Gloriam, dne, SANCTORUM apostolorum (simonis et iudae) perpetuam
    praecurrentes...   1645
... SANCTORUM apostolorum petri et pauli qs deprecatio...   2127
... SANCTORUM apostolorum, qs, depraecacio (deprecatione), quorum
    solempnia praevenimus, efficiat.   2127
munera, quae in SANCTORUM apostolorum tuorum Philippi et Iacobi
    commemoracione deferimus...   3087
VD. Qui SANCTORUM aput te gloriam permanentem...   4015a
... SANCTORUM atque electorum largire consorcium...   2975
SANCTORUM basilidis cyrini naboris et nazari qs dne natalicia...   3233
Pro SANCTORUM basilidis cyrini naboris et nazari sanguine...   2850
ad SANCTORUM beneficia promerenda tuae miserationes gratia inspirante
    convertas.   1039
et pro nostrae servitutis obsequiis, et pro celebritate SANCTORUM
    caelestia dona...   3072
omniumque SANCTORUM caritate (caritatem) locupletet.   350
adsidua nos SANCTORUM celebritate solaris...   2394
ut anima famuli... in SANCTORUM censeatur sorte pastorum.   2047
et in futuro SANCTORUM coetibus adscisci valeatis.   802
omnium SANCTORUM coetibus aggregatus...   3470
et SANCTORUM coetibus connumerari.   3917
inmaculati occuramus illi in eius SANCTORUM comitatu.   1562
VD. Qui sic tribuis ecclesiam tuam SANCTORUM commemoratione proficere...
    4026
sanctam aecclaesiam chatolicam, SANCTORUM communionem...   551
SANCTORUM confessorum suorum ill. meritis vos dominus faciat benedici...
    3232
ut adoptionem filiorum SANCTORUM conubiorum faecunditas pudica servaretur.
    3926
ut multiplicandis adopcionum filii SANCTORUM conubiorum fecunditas pudica
    serviret...   3925
perenni gaudio et SANCTORUM consortio perfrui concedas.   701
Magnificet te, dne, SANCTORUM Cosme et Damiani beata solempnitas...   2040
qui in SANCTORUM cupis sorte numerari.   4189
SANCTORUM Cyrini Naboris et Nazari, qs, dne, natalicia nobis vota
    resplendeant...   3233
Pro SANCTORUM Cyrini Naboris et Nazari sanguine venerando...   2850
in (venerabilium) (tuorum) commemoratione SANCTORUM da qs ut quod...
    3163

... SANCTORUM depraecatione placatus...   157
ds omnium SANCTORUM, ds Abraham, ds Isaac, ds Iacob...   755
in aecclaesia SANCTORUM differentis in sono tubae preconium...   308
Et nataliciis SANCTORUM, dne, (et) (ut) sacramenti munere vegetati...
    1436
SANCTORUM, dne, martyrum tuorum supplicationibus tribue nos foveri...
    3234
SANCTORUM, dne, sancta deferimus...   3235
praetiosa est in conspectu domini mors SANCTORUM eius...   1886, 3678
in honore beatorum martyrum tuorum illorum vel illarum SANCTORUM et
    confessorum...   1733
ds qui es ductur SANCTORUM et diregis itinera iustorum...   1360
Plebs tua, dne, laetetur tuorum semper honore SANCTORUM et eorum
    percipiat...   2598
maneatque in mansionibus SANCTORUM et in luce sancta...   3462
Inpetret, qs, dne, fidelibus tuis auxilium oratio iusta SANCTORUM et in
    quorum sunt...   1861
Prosint meritis, dne, patrocinia multiplicata SANCTORUM et iniustitias
    ...   2897
cum sollemnitatum multiplicatione SANCTORUM et intellecum rerum...   2979
qui semper es mirabilis in tuorum commemoratione SANCTORUM et magnae fidei
    ...   3721
Laetetur semper aeclesia tua, dne, tuorum celebritate SANCTORUM et
    misericordiae...   1985a
ut tibi gratae sint pro martyrum festivitate SANCTORUM et nobis conferant
    ...   2819
VD. Qui glorificaris in tuorum confessione SANCTORUM et non solum...
    3931
ut nostrae humilitatis oblatio et pro tuorum grata sit honore SANCTORUM et
    nos corpore...   2701
Suscipe, dne, munera passionibus tuorum dicata SANCTORUM et quae illis
    inter...   3396
Adsint nobis, dne, patrocinia tibi grata SANCTORUM et quae pro illorum...
    155
VD. Quoniam tu magnificaris in tuorum laude SANCTORUM et quidquid ad
    eorum...   4109
Adesto, dne, martyrum depraecatione (deprecationem) SANCTORUM et quos pati
    ...   69
et benedictione SANCTORUM et securitatis munere relevati.   3077
munera populi tui pro martyrum festivitate SANCTORUM et sincero...   37
ut apostolorum natalicia beata SANCTORUM et temporali...   2894
ut tuorum depraecatione SANCTORUM et tuitionem nobis...   217
VD. Qui nos SANCTORUM Felicissimi et Agapiti festa...   3977
et SANCTORUM festivitas gloriosa commendat.   1648
Respice, dne, munera populi tui, SANCTORUM festivitate votiba...   3086
ut ad sancta SANCTORUM fideliter salubriterque capienda...   3731, 4140
... Quatenus ad sancta SANCTORUM fideliter salubriterque capienda...
    3732
quae in tuorum commemoratione SANCTORUM frequentamus actu...   2960
et ad SANCTORUM gaudia sempiterna perducat.   157
... SANCTORUM gervasii et protasi intercessione firmetur.   677
SANCTORUM Gerbasi et Protasi suffragiis imploremus...   3236
ut mysteriorum virtute SANCTORUM Gerbasi et Protasi vita nostra firmetur.
    677
Munera plebis tuae dne qs beatorum SANCTORUM illorum fiant grata
    suffragiis...   2132

VD. Et te in tuorum honore SANCTORUM illor. glorificare...   3724
in medio (iustorum, in) splendoribus SANCTORUM in sede maiestatis...   57,
2217
VD. Quoniam tu es omnium SANCTORUM insuperabilis fortitudo...   4108
ut sicut in (tuo) conspectu mors est praetiosa SANCTORUM ita eius merita
...   2699
et SANCTORUM iubeas esse consortes.   1901
ut beatorum intervencione SANCTORUM Marci et Marcelliani et temporalem...
2022
ut qui SANCTORUM marci et marcelliani natalicia colimus...   2771
et SANCTORUM Marci et Marcelliani tibi praecibus esse grata concide...
3403
Munera tibi, dne, pro SANCTORUM martyrum Abdo et Senis occisione deferimus
...   2145
... SANCTORUM martyrum basilidis cyrini naboris et nazari...   3271
quibus et SANCTORUM martyrum celebramus in honorem nominis tui passionem
...   2207
aeclesiam tuam SANCTORUM martyrum commemoratione proficere...   4026
qui SANCTORUM martyrum confessionibus...   2451
... SANCTORUM martyrum Corneli et Cypriani natalicia...   3171
pro SANCTORUM martyrum Corneli et Cypriani sollemnitatibus...   2595a
VD. Tuamque in SANCTORUM martyrum Cornelio simul etiam Cypriano
praedicare virtutem...   4196
Semper, dne, SANCTORUM martyrum Cyrini Naboris et Nazari solemnia
caelebramus...   3271
Iterata misteria, dne, pro SANCTORUM martyrum devota mente tractamus...
1977
VD. Qui nos ideo frequentibus SANCTORUM martyrum festivitatibus...   3971
VD. SANCTORUM martyrum gloriam cum exultatione recolentes...   4129
et SANCTORUM martyrum gloriosa sollemnia...   1941
ut his muneribus, quae pro SANCTORUM Martyrum Gerbasi et Protasi honore
deferimus...   454
ut et corda nostra passione SANCTORUM martyrum igniantur...   2271
in huius consummacionis requiem... et SANCTORUM martyrum illorum
gloriam tuam...   672
SANCTORUM martyrum illor. nos qs dne precibus adiubemur...   3239
... SANCTORUM martyrum interventionibus confidentes...   2229
Deus, qui nos in SANCTORUM martyrum multiplicatione custodis...   1121
Deus, qui nos SANCTORUM martyrum munitione conservas...   1133
Sacrificium tibi, dne, pro SANCTORUM martyrum nataliciis immolamus...
3165
SANCTORUM martyrum nos, dne, Gerbasi et Protasi confessio beata communiat
...   3237
et SANCTORUM martyrum nos tuere praesidiis.   1461
Da nobis, dne ds noster, SANCTORUM martyrum palmas incessabili veneracione
veneari...   579, 580
... SANCTORUM martyrum patrocinio consequatur.   1595
Semper, dne, qs, fac populum tuum SANCTORUM martyrum patrocinio gratulari
...   3272
Da nobis, qs, dne, SANCTORUM martyrum passionibus gloriari...   621
... SANCTORUM martyrum praesidia deputate commendent...   2201
quos tantis SANCTORUM martyrum praesidiis munire dignaris.   48
quanto SANCTORUM martyrum pro quibus sollemnitatibus tibi grata sunt
merita.   3457
pro SANCTORUM martyrum sollemnitate...   1630

Ds, qui nos et SANCTORUM martyrum solempnitatibus... circumdas et protegis
... 1113
Hostias tibi, dne, pro SANCTORUM martyrum simplici... commemoracione
deferimus... 1852
quotiens SANCTORUM martyrum sollemnia recoluntur... 4193
VD. Qui nos SANCTORUM martyrum tribuis gloriosas indesinenter celebrare
victorias... 3978
VD. Qui SANCTORUM martyrum tuorum certamina ad copiosam perducis
victoriam... 4016
ut SANCTORUM martyrum tuorum copiosa victoria... 2698
SANCTORUM martyrum tuorum dne supplicatione placatus... 3238
Ds qui nos concedis SANCTORUM martyrum tuorum felicissimi et agapiti
natalicia colere... 1108
VD. Et te in SANCTORUM martyrum tuorum festivitate laudare... 3721
VD. Te in SANCTORUM martyrum tuorum festivitatem laudante... 4152
Ds qui nos concedis SANCTORUM martyrum tuorum illorum natalicia colere
... 1108
SANCTORUM martyrum tuorum illorum qs dne precibus adiuvemur... 3239
... SANCTORUM martyrum tuorum patrocinia fœ adesse. 428
VD. Qui SANCTORUM martyrum tuorum pia certamina ad copiosam perducis
victoriam... 4016
ut SANCTORUM martyrum tuorum quorum celebramus... participemur et
praemiis. 498
per intercessionem SANCTORUM martyrum tuorum Saturnini et Crisanti quae
corporaliter... 2167
quae nataliciis SANCTORUM martirum tuorum Saturnini et Crisanti
solempnitatibus immolatur. 2607, 2608
Pro familia tua, dne, qs, SANCTORUM martyrum venerabilis intercedat
oratio... 2847
et peccatorum remissionem et SANCTORUM mereamur adipisci consortium.
3748
... SANCTORUM mereatur adunari consortiis. 1013
comitati quoque SANCTORUM muniti... 4008
intercessione quoque SANCTORUM munitus... 3590
VD. Celebrantes SANCTORUM natalitia coronatorum... 3620
VD. Celebrantes SANCTORUM natalicia patronorum... 3621
Votiva dne dona percipimus quem SANCTORUM nobis precibus... 4251
quia SANCTORUM nobis praecibus et praesentis... 4251
venerationemque SANCTORUM nobis remedia mirabiliter operaris... 3752
ut tuorum intercessione SANCTORUM non reprobemur meritis... 239
ut celebraturi SANCTORUM non solum... 435
qui et SANCTORUM nos adsidua festivitate comitaris... 2562
SANCTORUM nos dne illorum beata merita prosequantur... 3240
SANCTORUM nos dne marcelli et apulei beata merita prosequantur... 3251
qs, SANCTORUM nos intercessione mereamur. 214
... SANCTORUM nos martyrum depraecatione muniri... 3631
Via SANCTORUM omnium iesus christe... 4227
et fragilibus SANCTORUM omnium praetende subsidia... 3034
Viseta aeum interventu SANCTORUM , omnium sicut moysen... 842
... SANCTORUM omnium simul et beati martyris tui laurentii mereatur
consortia... 541, 569
Omnium SANCTORUM orationibus... 2490
et SANCTORUM patrociniis benignus adtollis. 3069
Ds, qui aeclesiam tuam innumeris SANCTORUM patrociniis et glorificas
et tueris... 973
populo tuo cum SANCTORUM patrocinio supplicanti... 75

cum pro martyrum sollemnitate SANCTORUM, per quos tibi commendamur,
    offertur.   3864
societatem SANCTORUM percipiat...   3914
SANCTORUM percipientibus, dne, qs, salus et mentium praestetur et
    corporum...   3241
immitatrix SANCTORUM permaniat feminarum.   2542
ut cum martyrum sollemnitate SANCTORUM perpetua tuitione laetemur.   624
et tunc apparebunt corpora SANCTORUM petrae movebuntur...   3563
et tuorum depraecatione SANCTORUM pietati tuae...   3416
sed ad observantiam dei (fidei) SANCTORUM pignorum custodiae delegatam...
    2541, 2542
sed pro tuorum intercessione SANCTORUM potius ad indulgentiam...   2173
qui instituta legalia et SANCTORUM praeconia profetarum...   2415
qui cum sis tuorum beatitudo SANCTORUM praesta nobis petentibus...   1234
Laetamur, dne, tuorum celebritate SANCTORUM praesta qs ut quos...   1983
Repleti, dne, donis tuis in tuorum festivitate SANCTORUM praesta ut
    haec sancta...   3070
tuorum facis... gaudere SANCTORUM presta ut quorum sollemnitatibus...
    2105
et ut SANCTORUM praecibus commendetur indulge.   2889
SANCTORUM praecibus, (dne), confidentes quaesumus...   3242
et SANCTORUM praecibus nos tuere...   3414
VD. Nos tibi in omnium SANCTORUM profectu gratias agere...   3819
... SANCTORUM prophaetarum voce manifestasti...   1034
Pro SANCTORUM proti et iacynthi munera tibi dne commemoratione... exsol-
    vimus...   2851
ut ad sancta SANCTORUM puris mereamur sensibus (mentibus) introire.   227
VD. Te in tuorum glorificantes honore SANCTORUM qui et illis tribuisti...
    4156
Tu aenim semper es in tuorum mirabilis commemorationem SANCTORUM qui et
    magnae fidei...   4152
Adiuva nos, dne, qs, eorum depraecatione SANCTORUM qui filium tuum...
    149
Deus omnium fortitudo SANCTORUM qui illis ad hanc gloriam...   872
VD. Te in tuorum glorificantes confessione SANCTORUM qui mirabili
    dispensatione...   4155
Exultamus pariter et... et de tuorum, dne, festivitate SANCTORUM quia
    intervenientibus...   1555
Exultamus, dne, multiplicata festivitate SANCTORUM quia non difidimus...
    1560
Pasce nos dne tuorum gaudiis ubique SANCTORUM quia nostrae salutis...
    2536
da nobis patrocinia tuorum continuata SANCTORUM quibus capere...   1136
Laudis tuae dne hostias immolamus in tuorum commemoratione SANCTORUM qui-
    bus nos et praesentibus...   2005
oblacio pro tuorum honore (honorare) SANCTORUM quorum meritis...   24, 25
quanta aput te sit praeclara vita SANCTORUM quorum nos etiam...   3629
VD. Apud quem semper est praeclara vita SANCTORUM quorum nos praetiosa...
    3602
in pace SANCTORUM recipiant...   3035
ut hoc corpus... in virtute et ordine SANCTORUM resuscitet...   701
ut qui in odore (honorem) SANCTORUM sacrandis tibi luminibus devotus
    (liminibus devotis) occurrit...   534
per manus SANCTORUM sanctificasti sacerdotum...   1283
et SANCTORUM semper muniamur auxiliis.   185
apostulorum et martyrum, omniumque SANCTORUM sicque tota...   3392

perpetua SANCTORUM societate laetetur (laetemur).   2827
tantum de SANCTORUM suffragiis confidentes...   2227
quibus etiam cum innumeribus SANCTORUM suffragiis laboremus...   3860
ut hoc corpus cari nostri illius... in ordine SANCTORUM suorum resuscitet
   ...   702
... SANCTORUM supplicatio pro quorum gloria deferuntur optineat.   3293
Oblata tibi, dne, munera populi tui pro tuorum honore SANCTORUM suscipe...
   2191
qs, ut martyrum interventione SANCTORUM temporalem et praesentem...   2022
ut sicut tuorum commemoratione SANCTORUM temporali gratulemur officio...
   637
Ds qui ex omne coabtione SANCTORUM tibi condis habitaculum...   985
ut eam in numero SANCTORUM tibi placencium facias dignanter adscribi.
   1740
et intercessione SANCTORUM tibi reddat acceptos.   3229
et SANCTORUM tibi vota conciliet famulorum.   1618
VD. Quia licet in omnium SANCTORUM tu sis dne, provectione mirabilis...
   4052
qua in martyrum commemoratione SANCTORUM tua mirabilia veneratur...   1563
Offerimus, dne, munera tuorum tibi sollemnitatibus grata SANCTORUM tuam
   clementiam...   2225
Perpetuis nos, dne, SANCTORUM tuere praesidiis...   2580
ut qui SANCTORUM tuorum alexandri, eventi et theoduli natalicia colimus...
   2771
ad SANCTORUM tuorum annua festa recolimus singulare suffragium...   2550
ut SANCTORUM tuorum caelestibus mysteriis celebrata sollemnitas...   3006
ut SANCTORUM tuorum celebritate ferventes...   644
quae in SANCTORUM tuorum celebritatibus et frequentamus et sumimus.   3080
... SANCTORUM tuorum coetibus adgregare praecipias.   1289
ut eam SANCTORUM tuorum coetibus consociare digneris.   2880
ut animam famuli... SANCTORUM tuorum coetui tribuas esse consortem.   594
munera, (quae in) (et pro) SANCTORUM tuorum commemoratione deferimus...
   81, 3087, 3113
oblatio, quae cum pro SANCTORUM tuorum commemoratione defertur...   3356
munera pro SANCTORUM tuorum commemoratione exultanter oblata...   3442
ut sicut nos iugiter SANCTORUM tuorum commemoratione laetificas...   2045
... SANCTORUM tuorum commendatio reddat acceptas.   1478
... SANCTORUM tuorum concede suffragiis...   3068
VD. Te in SANCTORUM tuorum confessione laudantes...   4153
VD. Qui non solum nos SANCTORUM tuorum confessionibus benignissime
   consolaris...   3960
VD. Teque in SANCTORUM tuorum confessionibus laudare...   4168
ut aeam SANCTORUM tuorum consortio (sociare) digneris.   2879, 2880
O. s. ds qui in SANCTORUM tuorum cordibus flammam tuae dilectionis
   accendis...   2411
VD. Tuamque in SANCTORUM tuorum cornelii simul et cypriani festivitate
   praedicare virtutem...   4197
SANCTORUM tuorum Coronatorum, qs, dne, semper nos letificent festa
   (festa laetificent)...   3254
Magnificet te dne SANCTORUM tuorum cosme et damiani beata sollemnitas...
   2040
ut qui SANCTORUM tuorum cosmae et damiani natalicia colimus...   2771
ut per intercessione SANCTORUM tuorum cunctis nobis...   2813
... SANCTORUM tuorum depraecatione pensetur.   1948
et SANCTORUM tuorum depraecanionibus confidentem...   328

et quas in honorem SANCTORUM tuorum devota (mente) concelebrat...   1810,
1811
Hostias tibi, dne, SANCTORUM tuorum dicatas meritis benignus adsume...
1832
quia tunc eadem in SANCTORUM tuorum digna commemoratione deferimus...
3294
et collocare inter agmina SANCTORUM tuorum digneris...   1263
Ds qui SANCTORUM tuorum diriges gressos...   1206
SANCTORUM tuorum, dne, intercessione placatus praesta, qs...   3243
SANCTORUM tuorum, dne, Nerei et Achillei tibi grata confessio...   3244
SANCTORUM tuorum, dne, praecibus adiubemur...   3245
SANCTORUM tuorum, dne, praecibus confitentes...   3242
Cum SANCTORUM tuorum, dne, supplicationibus imploramus...   557
O. s. ds, qui in omnium SANCTORUM tuorum es virtute mirabilis...   2409
VD. Qui nos SANCTORUM tuorum et commemoratione refoves et oratione
defendes.   3979
Deus, qui nos SANCTORUM tuorum et sollemnitate laetificas...   1134
ut ad meliorem vitam SANCTORUM tuorum exempla nos provocent...   476
ad amorem tuum nos misericorditer per SANCTORUM tuorum exempla restaura
(restaurata).   1109
... SANCTORUM tuorum exemplis instituens et intercessione prosequeris.
3975
Et SANCTORUM tuorum exultatione gaudentes...   1442
et SANCTORUM tuorum festivitas gloriosa commendat.   1648
O. s. ds, qui nos multiplici SANCTORUM tuorum festivitate laetificas...
2429
ut qui nos SANCTORUM tuorum frequentibus facis nataliciis interessae...
2036
in honore SANCTORUM tuorum gaudentes...   2233
et merita SANCTORUM tuorum illor. ab omnibus absolve peccatis...   3543
Ds, qui nos SANCTORUM tuorum illorum confessionibus gloriosis circumdas
...   1135
Munera plebis tuae dne qs beatorum SANCTORUM tuorum illorum fiant grata
suffragiis...   2132
SANCTORUM tuorum illorum suffragiis imploremus...   3246
ut SANCTORUM tuorum intercedentibus meritis...   1204
... SANCTORUM tuorum intercessio conpenset et meritum.   86
et mala omnia... SANCTORUM tuorum intercessione averte.   1917
ut oblationibus nostris SANCTORUM tuorum intercessione susceptis...   2887
SANCTORUM tuorum intercessionibus qs dne et nos protege...   3247
... SANCTORUM tuorum interventio, qs, sit accepta (fiat grata) pro nobis.
3018
in SANCTORUM tuorum Iohannis et Pauli digna commemoracione...   3294
et SANCTORUM tuorum iubeas esse consortem.   1899
et animam famuli tui illius episcopi SANCTORUM tuorum iunge consortiis.
278
... SANCTORUM tuorum luciae et geminiani intercessione averte.   1917
et SANCTORUM tuorum Marcelli et Apulei... armis caelestibus protigamur...
3130
pro SANCTORUM tuorum martyrum abdo et sennes occisione...   2145
Da nobis dne ds noster SANCTORUM tuorum martirum palmam... venerari...
579
qui locum istum SANCTORUM tuorum martyrum sanguine consecrasti...   4227
Fac... ita in iustitia indui, ut in SANCTORUM tuorum merear exultatione
laetari...   1567
cui SANCTORUM tuorum merita suffragantur.   2611, 3360

VD. Quidquid enim SANCTORUM tuorum meritis adhibemus...   4080
Ds qui beatum gregorium pontificem SANCTORUM tuorum meritis quoaequasti...
   909
qui tantis SANCTORUM tuorum meritis commonemur.   3369
... SANCTORUM tuorum meritis, fuga daemonum, angeli pacis ingressus.
   2291, 2292
VD. Et te in SANCTORUM tuorum meritis gloriosis conlaudare...   3722
SANCTORUM tuorum... miseris esto dne refugium singulare...   3248
(ut in munere) (quod innumeri) SANCTORUM tuorum multitudini...   4112,
   4218
ut SANCTORUM tuorum mysteriis caelebrata solemnitas...   3006
ut sicut SANCTORUM tuorum natalicia celebranda non deserunt...   2672
SANCTORUM tuorum natalicia celebrantes...   608, 622
Hostia dne qs quam in SANCTORUM tuorum natalicia recensentes offerimus...
   1798
teque in SANCTORUM tuorum nerei, achillei, (et pancratii) provectione
   laudamus.   4083
... SANCTORUM tuorum nobis concede suffragiis.   192
SANCTORUM tuorum nobis, dne, pia non desit oratio...   3249
SANCTORUM tuorum nos, dne, continua sollemnitate comitare...   3250
SANCTORUM tuorum nos, dne, Marcelli et Apulei beata merita prosequantur...
   3251
SANCTORUM tuorum nos, dne, Marci et Marcelliani natalicia tueantur...
   3252
SANCTORUM tuorum nos, dne, patrocinia conlata non deserant...   3253
... SANCTORUM tuorum nos intercessione custodi (custodis).   2822
ut sicut SANCTORUM tuorum nos natalicia celebranda non deserunt...   2672
SANCTORUM tuorum nos, qs, dne, semper festa laetificent...   3254
... SANCTORUM tuorum nos sollemnitatibus praecipuae consolaris...   2416
et SANCTORUM tuorum nos ubique tuaere praesidiis.   1504
... SANCTORUM tuorum numero facias adgregare.   2317
Purificet nos dne qs... et gloriosa SANCTORUM tuorum oratio.   2947, 2949
potentiam tuam in SANCTORUM tuorum passionibus honorando...   1800
In SANCTORUM tuorum passionibus praetiosis te, dne, mirabilem...   1891
exaudi populum tuum cum SANCTORUM tuorum pateocinia supplicantem...   2365
et concede misericordiam tuam cum SANCTORUM tuorum patrociniis supplicanti
   ...   76
plebem tuam cum SANCTORUM tuorum patrocinio supplicantem...   2927
VD. Qui in omnium SANCTORUM tuorum perfectione es laude colendus...   3944
in consortio SANCTORUM tuorum piissimae largitori percipiat.   3531
et oblationes nostras SANCTORUM tuorum placationibus propitiatus
   intende...   60
et quem SANCTORUM tuorum praesidiis non desinis adiuvare...   518
Suscipe dne praeces et munera quae... SANCTORUM tuorum praecibus adiuven-
   tur.   3406
... SANCTORUM tuorum praecibus consequantur.   568
Fac nos dne qs SANCTORUM tuorum primi et feliciani semper festa sectari...
   1579
... SANCTORUM tuorum pro nobis satisfactio prosequatur...   1273, 1274
Ds qui nos SANCTORUM tuorum processi et martiniani...   1135
Ds qui nos annua SANCTORUM tuorum protasi et gervasii sollemnitate
   laetificas...   1101
VD. Qui in omnium SANCTORUM tuorum profectione es laude colendus...   3944
VD. Quamvis enim SANCTORUM tuorum propagante te, dne...   3863
VD. Nos tibi in omnium SANCTORUM tuorum provectu gratias agere...   3820

SANCTORUM tuorum, qs, dne, quorum nos adsiduis festivitatibus consolaris
    ... 3255
SANCTORUM tuorum qs dne semper nos festa laetificent... 3254
ut SANCTORUM tuorum quorum caelebramus victorias... 498
et SANCTORUM tuorum quorum festa sollemniter caelebramus... 1462
et omnium SANCTORUM tuorum, quorum meritis precibusque concedas... 417,
    418, 419
spiritum eciam famuli tui ille ac cari nostri... in pace SANCTORUM tuorum
    recipias... 3507
Donis caelestibus cum SANCTORUM tuorum recordatione satiati gratias tibi
    referimus. 1379
ut animam... in prima SANCTORUM tuorum resurectione fatias praesentari.
    1234
VD. Quia in SANCTORUM tuorum semper es virtute gloriosus... 4051
Fac nos, qs, dne, SANCTORUM tuorum semper festa sectari... 1579
Da qs dne fidelibus populis SANCTORUM tuorum semper veneratione laetari...
    642
ut SANCTORUM tuorum Simplici Faustini et Viatricis... solemnitas... 3006
et lucis ei laeticiaeque in regione SANCTORUM tuorum societate concide.
    791
perpetua SANCTORUM tuorum societate laetetur. 767
... SANCTORUM tuorum sollemnia celebrantes... 3240
VD. Quia SANCTORUM tuorum sollemnia repetentes... 4063
Ds, qui es omnium SANCTORUM tuorum splendor mirabilis... 982, 983
et SANCTORUM tuorum suffragantibus meritis... 2878
quos tantis voluisti SANCTORUM tuorum suffragiis adiuvari. 2957
misericordiam tuam SANCTORUM tuorum suffragiis imploratam... 2682
ut per suffragia orationum SANCTORUM tuorum te protectorem... 4126
Da nobis, o. ds, in SANCTORUM tuorum te semper commemoratione laudare...
    602
Exaudi, dne, populum cum SANCTORUM tuorum tibi patrocinio supplicantem...
    1451, 1487, 2365
ut eam in numero SANCTORUM tuorum tibi placentium facias dignanter
    adscribi. 1740, 1755
ut qui SANCTORUM tuorum tiburtii, valeriani, et maximi sollemnia colimus
    ... 2783
et quem SANCTORUM tuorum tribuis frequentationibus interesse... 77
VD. Quia licet in omnium SANCTORUM tuorum tu sis protectione mirabilis...
    4052
ut SANCTORUM tuorum veneranda sollemnia securo possint frequentare conven-
    tu. 2804
VD. Et te in SANCTORUM tuorum virtute laudare... 3723
Iugiter nos, dne, SANCTORUM tuorum vota laetificent... 1981
et ut nostrae proficiant saluti, adsit intercessio beatorum SANCTORUM
    tuorum. 1617
super intercessionum omnium SANCTORUM ubique locupleta... 842
Tuorum nos, dne, qs, praecibus tuere SANCTORUM ut festa martyrum tuorum...
    3563
sed temperetur, qs, tuorum intercessione SANCTORUM ut non deficiamus...
    2852
sacramenti tui perceptio salutaris pro tuorum commemoratione SANCTORUM
    ut nos et a vitiis... 2903
Prosint nobis, dne, qs, tuorum suffragia collata SANCTORUM ut quae nostris
    ... 2901
Suscipe dne munera pro tuorum commemoratione SANCTORUM ut quod illos...
    3398

Protege nos, dne, tuorum depraecatione iustorum (SANCTORUM) ut quorum circumdamur... 2935
Adiuba nos, dne, tuorum praece SANCTORUM ut quorum festa... 150
qui SANCTORUM virtute multiplici aeclesiae tuae sacrum corpus exornans... 1381, 2453
ut mysteriorum virtute SANCTORUM vita nostra firmetur. 677
et ut nostrae saluti proficiant, adsit intercessio beata SANCTORUM. 1617
et festivitatem martyrum tuorum... debita tibi persolvi praecibus concede SANCTORUM. 2928
proficere tuorum praecibus concede SANCTORUM. 2190, 3342
tuorum valere praecibus concede SANCTORUM. 3342
subsidium nobis tuorum concede SANCTORUM. 1466
intercessio pro his non desit martyrum continuata SANCTORUM. 45
ut locum habeant in conversationibus SANCTORUM. 1961
nisi misearis nobis tuorum depraecatione SANCTORUM. 2551
tuorum nobis praecibus veniam donare SANCTORUM. 3287
tuorum tibi placeant intercessione SANCTORUM. 83
placatum tuorum digna postolacione SANCTORUM. 2054
ut intercessio nos... SANCTORUMQUE omnium apostolorum... letificet... 482
Tibi coniuro... per SANCTOS apostolos et beatis martyris christi... 3474
Erudi aeos SANCTOS dogmatibus... 879
aeterni regni inter SANCTOS et electus capiunt praemiam. 3736
inter SANCTOS et electos suos eum in parte dextera collocandum resuscitari faciat... 2522
ut eum domini pietas inter SANCTOS et electos suos id est in sinu... collocare dignetur... 2521, 2523
et inter SANCTOS et electos suos in resurrectionis gloriam, resuscitari mereatur. 3390
tu imaginem tuam cum SANCTUS et aelectus tuus aeternis sedibus... 2236
sed angelus tuus inter SANCTOS et aelectus tuos conlocit... 756
inter SANCTOS et electos tuos eum resuscitare praetipias. 2312
... Emitte angelos tuos SANCTOS (in obviam) (inoviam) illius... 3389
da SANCTOS martyres illos pro nostris supplicare peccatis... 2428
sed etiam per SANCTOS martyres tuos devitrici... 4203
da SANCTOS martyres tuos pro nostris supplicare peccatis... 2428
ut quae SANCTOS martyres tuos usque ad sanguinem retenta glorificat... 582
benedictionem aeternam quam (qua) benedicit omnes SANCTOS patris... 319, 320
... SANCTOSQUE puros efficiat in conspectu suo... 350
qui SANCTOS suos semper adiuvat... 334
etiam SANCTOS suos spiritu veritatis armatos... 4023
Tribue, qs, dne, SANCTOS tuos et iugiter orare pro nobis... 3496
... Et sicut SANCTOS tuos fides recta provexit ad coronam... 3710
Tribuae qs dne SANCTOS tuos iugiter orare pro nobis... 3496
et SANCTOS tuos, quorum nos fecisti patrociniis adiuvari... 2808
ut in resurrectionis gloriam inter SANCTOS tuos resuscitari respiret. 13
Magnificasti, dne, SANCTOS tuos suscepta passione pro Christo... 2038
barbam aeius sicut SANCTUM aaron unguentum pinguidinis... 898
SANCTUM ac venerabilem retributorem bonorum operum dominum depraecamur...
ut quidquid hic novum regenerandi per spiritum SANCTUM acceperint... 3447
ut mittere ei digneris angelum tuum SANCTUM ad custodiendos... 1717
vel quorum nomine ante SANCTUM altare tuum scripta adesse videntur... 2874, 3247

quarum ante SANCTUM altarem tuum oblata nomina recitantur... 1709a
ut mittere digneris SANCTUM angelum tuum... 737
in ora diaei tertia spiritum SANCTUM apostolis tuis orantibus... 3479
per SANCTUM adque sanctificatum fili tui nomen... 1709
Sensibus (Mentibus) nostris, dne, spiritum tuum SANCTUM benignus infunde
    ... 2089, 3275
ac super SANCTUM coniungium initialis benedictio permaneret... 758, 759
adaerit per spiritum SANCTUM consensus unus omnium animarum. 3021
per spiritum SANCTUM corda succendit. 3140
qui spiritum tuum SANCTUM cum super aquas... humani declarasti salutis
    auctorem... 2350
et mittere dignare angelum tuum SANCTUM de caelis... 1493
Ds qui apostolis tuis SANCTUM dedisti spiritum... 902
ad regendum populum SANCTUM dei. 2512, 2515
qui super unigenitum suum spiritum SANCTUM demonstrari voluit per columbam
    ... 853
eisque nos similiter spiritum SANCTUM diligendi benignus infunde. 2800
Benedictio patris et fili et spiritus SANCTUS discendat super te... 367
Et spiritum SANCTUM dominum et vivificantem ex patre procedentem. 555
VD. Per quem SANCTUM et benedictum nomen magistatis tuae... 3841, 3842
per SANCTUM et gloriosum et admirandum (adorandum) dominum nostrum...
    4003
ut discerent habitatores archae per spiritum SANCTUM et olivae chrisma...
    3955
per deum verum et per deum vivum, per deum SANCTUM et per dominum...
    1531, 1532
O. s. ds, cuius SANCTUM et terribile nomen... benedicere non cessant...
    2321
per SANCTUM et tremendum fili tui nomen, supplicis deprecamur... 849
et lava eam SANCTUM fontem vitae aeternae... 3391
promissum spiritum SANCTUM hodierna die in filios adoptionis effudit...
    3876
et brachium SANCTUM illius opituletur nobis (vobis)... 218, 319
ut satisfactio pro se intercedente SANCTUM illum et instituta bona...
    550
quatenus per te et SANCTUM ill. tuum militem munera te... 4227
quam tu spiritum SANCTUM inlustris... 1670
promissum spiritum SANCTUM in filios adoptionis effudit... 3876, 3877
ut fiat omnibus qui ex eo ungendi sunt in adoptione filiorum per spiritum
    SANCTUM in nomine dei... 1538
et benedicant nomen eius SANCTUM in saecula saeculorum... 222
Adiuvet nos, qs, dne, SANCTUM istud paschale mysterium..., 154
per spiritum SANCTUM largiris dona gratiarum... 4012
Gratias tibi, dne, quoniam SANCTUM Laurentium martyrem tuum te inspirante
    diligimus... 1669
Media nocte dne angelum tuum SANCTUM misisti... 2066
qui per SANCTUM Moysen puerum tuum ita erudire populos tuos... 761
ds, sine quo nihil est validum, nihil SANCTUM multiplica super nos...
    2915
invoco SANCTUM nomen tuum hac preclare maiestatis tuae... 744, 769
et muro custodiae tuae hoc SANCTUM ovile circumda... 3409
renatis per aquam et spiritum SANCTUM pandis introitum... 890
Emitte, (qs), dne, spiritum SANCTUM paraclytum de caelis in hac...
    1404, 1407, 1408
emitte in eos septiformem spiritum tuum SANCTUM paraclitum de caelis
    spiritum sapientiae... 2445

tu, dne, spiritum tuum SANCTUM paraclitum in aeum mittere digneris
    spiritum sapientiae...   1312
Ds, qui discipulis tuis spiritum SANCTUM paraclytum in ignis... mittere
    dignatus es...   962
ut in hac area famuli tui illius spiritum tuum SANCTUM paraclitum mittere
    digneris et veniat...   2364
ad SANCTUM pascha pervenire possitis indemnes.   1241
Influae spiritum SANCTUM pectoribus nostris supplicum...   908
Unde benedico te, creatura aquae, per deum vivum, per deum SANCTUM per
    deum qui te...   1546, 3565
per deum vivum, per deum SANCTUM, per deum totius dulcidinis creatorem...
    1535
per patrem et filium et spiritum SANCTUM, per trinitatem insiparabilem...
    1547
simul et nullum aput te SANCTUM propositum doces esse sine praemio...
    3896, 3897
spiritum SANCTUM protectum...   701
Redundet in aeis caritas diffusa per spiritum SANCTUM, que operiat...
    1327
Mitte, dne, qs, spiritum SANCTUM qui et haec munera...   2106
ut donet ei spiritum SANCTUM qui habitum religionis in eo perpetuum
    conservet...   2503
da spiritum SANCTUM qui habitum religionis in eum perpetuum custodiat...
    2761
Unde benedico te creatura aquae per deum vivum per deum SANCTUM qui te
    in principio...   1045, 1046
... Emitte in eos, dne, qs, (qs dne) spiritum SANCTUM quo in opus...
    136, 137, 138
sed etiam spiritum SANCTUM quo matrem domini et salvatoris agnosceret
    accepit.   3755
... Sit illud pristinum templum SANCTUM quod fuit in baptismum...   1363
... SANCTUM sacrificium, inmaculatam hostiam.   3383
... Credis et in spiritum SANCTUM, sancta aecclesia (sanctam ecclesiam)...
    551, 552, 3019
spiritum paraclytum SANCTUM sapientiae et intellectus...   1313
SANCTUM Sebastianum intervenientem, dne, tibi servitus noster conplaceat
    ...   3231
inmitte in eum paraclytum spiritum tuum SANCTUM septiformem...   3192
... Cui tu, dne, angelum pacis mittere digneris, angelum tuum SANCTUM
    sicut misisti...   1714
qui discipulorum christi tui per SANCTUM spiritum corda succendit.   3140
per SANCTUM spiritum largiris dona graciarum...   4011
tu hoc tintinabulum SANCTUM spiritum rore perfunde...   2262
qualis laevita aelaectus ab apostolis SANCTUS sthephanus meruit perdurare.
    2303
ut aeum sacrarium tuum SANCTUM strinium... instituas...   1339
tu, dne, aemitte spiritum tuum SANCTUM super hanc creatura illam...   548
tu, dne, permittis spiritum SANCTUM super vinum...   549
VD. Qui SANCTUM Xystum sedis apostolicae sacerdotem...   4017
patrem et filium et spiritum SANCTUM tamen non negavit...   3389
Sensibus nostris, qs, dne, lumen SANCTUM tuum benignus infunde...   3275,
    3276
nomen SANCTUM tuum instaurata protinus sanitate benedicat.   4237
inmitte in aeos (septiformem) spiritum SANCTUM tuum paraclitum...   867,
    868, 869
Habeat SANCTUM tuum sthephanum pius iste populus patronem...   1230

... SANCTUM uniuscuiusque templum acceptabilis vitae innocens odor
  redolescat...   3627
adiuro te per patrem et filium et spiritum SANCTUM ut citius...   225
Exorcizo te, inmunde spiritus, per patrem et filium et spiritum SANCTUM
  ut exeas...   1550
panem SANCTUM vitae aeternae et calicem salutis perpetuae.   3567
... SANCTUMQUE munificentiam praedicantes...   3645
... SANCTUMQUE sibi caelesti dispensatione percipiat...   1620
ut spiritus SANCTUS adveniens templum nos gloriae suae... perficiat.
  2799
ut (a) nostris mentibus (et) carnales amoveat spiritus SANCTUS affectus...
  2720
ut sicut aeclesiae tuae SANCTUS Andreas apostolicus extitit praedicator
  et rector...   2053
quo spiritus SANCTUS apostolis innumeris linguis apparuit.   415
quo spiritus SANCTUS apostolis plebemque credencium praesenciae suae
  maiestatis implevit.   406
ut sicut aecclesiae tuae SANCTUS apostolus Paulus extetit praedicator...
  2050
desuper discendat spiritus SANCTUS atque ut samuel...   2262
... SANCTUS benedictus qs in salutem nobis pervenire deposcat.   3166
munera spiritus SANCTUS benignus assumat...   170
ut spiritus SANCTUS corda nostra clementer expurget...   3839
spiritus SANCTUS defendat illos...   1330
Mentes nostras, qs, dne, spiritus SANCTUS divinis praeparet (reparet)
  sacramentis...   2088
dicentes : SANCTUS, SANCTUS, SANCTUS, dominus deus sabaoth...   3258, 3589
... SANCTUS etenim spiritus, qui magistris ecclesiae ista dictavit...
  1287
pro qua SANCTUS Gorgonius martyr intervenit.   1647
non habites ubi spiritus SANCTUS habitat per eundem...   1529
... Spiritus SANCTUS habitet in domo hac...   1532
et spiritus SANCTUS habitit in aeo, in remissionem omnium peccatorum.
  1533
hostias... SANCTUS ille qs in salutem provenire deposcat.   3166
... Deus tibi imperat, pater et filius et spiritus SANCTUS ille tibi
  imperat...   1852
imperat tibi deus pater, imperat tibi filius et spiritus SANCTUS imperat
  tibi...   1437
... Hic spiritus SANCTUS in eadem qua pater et filius deitate indiscretus
  accipitur...   1706
VD. Per quem discipulis spiritus SANCTUS in terra datur ob dilectionem
  proximi...   3830
Illo nos igne qs dne spiritus SANCTUS inflammet...   1855
cui tantam gratiam spiritus SANCTUS infudit...   4186
cui tantum gratia (tantam gratiam) spiritus SANCTUS infundit (infudit).
  4185
Atque idem spiritus SANCTUS ita vos hodie sua habitatione dignos efficiat
  ...   345
spiritum, cui SANCTUS Laurentius levita servivit...   1516
Tuus SANCTUS martyr georgius qs dne ubique laetificit...   3562
per quam SANCTUS martyr ill. omnia corporis tormenta devicit.   2649
sicut SANCTUS michahel archangelus in conspectu gloriosus adsistit...
  1088
inhabitet in eo spiritus SANCTUS per dominum...   1363

Hostias nostras qs dne SANCTUS pontifex iuvenalis... reddat acceptas...
   1813
Benedicat vos spiritus SANCTUS qui in similitudine...   352
Benedicat vos spiritus SANCTUS qui in specie columbae... in christo
   requiaevit.   363
non quod deus nostris sanctificetur orationibus qui semper est SANCTUS
   sed petimus...   1848
ut adoptio, quam in id ipsum SANCTUS spiritus advocavit...   82, 2688
Mentes nostras, qs, dne, SANCTUS spiritus divinis praeparet sacramentis...
   2088
ut sicut illos SANCTUS spiritus roborando sempiternam provexit ad gloriam
   ...   1205
... SANCTUS Stefanus novi testamenti levita primus et martyr...   4096,
   4110
qua SANCTUS Stefanus primitibus tuae fidei candidatus...   3777a
Omnipotenciam tuam, qs, dne, SANCTUS tuus ille interventor exoret...
   2482
ut SANCTUS tuus Iohannis, cuius natalem...   4098
Interveniat pro nobis dne qs SANCTUS tuus lucas aevangelista...   1951
venit spiritus SANCTUS tuus qui fontem baptismi...   1366
spiritus SANCTUS tuus qui illius viscera... nos ab omni facinore delictorum emundet benignus.   2203
Descendat qs dne ds noster spiritus SANCTUS tuus super hoc altare...   721
nos possit dies SANCTUS venturus excipere.   3835
quasi uno ore laudent, proclamant et dicant : SANCTUS, SANCTUS.   4143,
   4176
concinunt sine cessatione dicentes : SANCTUS, SANCTUS, SANCTUS.   3612
quem laudant angeli et non cessant clamare dicentes : SANCTUS.   4003
indesinente iubilo conlaudant dicentes : SANCTUS, SANCTUS, SANCTUS.   4184
hymnum gloriae tuae proclamamus humile confessione dicentis : SANCTUS.
   3792
ymnum gloriae tuae canimus sine fine dicentes : SANCTUS, SANCTUS, SANCTUS.
   4061
incaessabile voce proclamant dicentes : SANCTUS, SANCTUS, SANCTUS.   4004
honor et laus et gloria hoc modo resonant et praesolant : SANCTUS.   3736
et comis nobis dignetur esse spiritus SANCTUS.   1360
sanet te deus (filius), inluminit te spiritus SANCTUS.   335

            SANGUILAPPIUS
SANGUILAPPIE, multis formis persuasor malorum...   3259

            SANGUIS
ut inter eius membra numeremur, cuius corpori communicamus et SANGUI.
   2996
... Qui merito laqueo suo periturus erat, quia de magistri SANGUINE
   cogitarat...   3868
donec se suo laqueo perderet qui de magistri SANGUINE cogitaret...   3867
qui locum istum sanctorum tuorum martyrum SANGUINE consecrasti...   4227
etiam hunc nobis venerabilem diem beati Xysti... SANGUINE consecrasti.
   4089
qui te una cum SANGUINE de latere suo produxit...   1045, 3565
O. s. ds, qui primitias martyrum (in sancti) (gloriosi, in beati)
   levitae stefani SANGUINE dedicasti...   2443, 2444, 2453
Ds qui legiferi ne lederetur israel iussisti postis agni SANGUINE
   delinire...   1059
... Cuius carne dum pascimur roboramur, et SANGUINE dum potamur
   abluimur.   3786

... SANGUINE et aqua ex latere pro genere humano dignatus es fundi...
   1364
christi SANGUINE et passionem quesitum.   865
... Cuius SANGUINE fidelium corda mundantur...   4221
et obsequium plebis tuae corpus et SANGUINE fili tui inmacolatum...
   transformit...   3225
et oves quas praecioso SANGUINE filii tui redemisti...   1676
qui, SANGUINE fuso, pro praetio...   950
Ds qui unigeniti tui... praetioso SANGUINE humanum genus redemere dignatus
   es...   1232
quam agnus inmaculatus redemptione suae fuso SANGUINE liberavit.   1059
cuius SANGUINE omnia primogenita tibi de mundo redemisti...   1257
Cuius SANGUINE omnium fidelium corda mundantur...   4221
servans populum tuum agni SANGUINE prenotatum...   1257
ut corpore eius in SANGUINE quo a peccatis redempti sumus...   3622, 3760
et oves quas praetiosa (pretiosum, precioso) SANGUINE redemisti diabolica
   ...   1676
qui hominem... unici filii tui SANGUINE redemisti vivifica itaque...
   822, 823
quod suo SANGUINE signavere venerantes...   3966
Ut qui tuo SANGUINE sunt redempti...   2461
Effuge... de toto SANGUINE suo, de omni humore illius...   1888
quo pro eius confessione vel nomine, qui eam SANGUINE suo redemit
   inpenso...   4124
cuius triumphum in diae quo SANGUINE suo signavit colentes...   3933
pro eodem (hodiae) proprio SANGUINE tingueretur...   4000
vixilli preciosi fili tui SANGUINE triumphalis...   2321
corpore et SANGUINE tuo nos refecisti...   259
te quoque nos dne depraecamur ut quos sacro SANGUINE tuo redemisti...
   2065
et veni ad salutationem populi tui quem adquisisti SANGUINE tuo.   1518
Pro sanctorum Cyrini Naboris et Nazari SANGUINE venerando...   2850
que nobis huius solemnitatis effectum et confessionem dedicavit et
   SANGUINE.   2141
Benedic dne hanc familiam tuam christi SANGUINEM conparatam.   312
et sol in SANGUINEM convertitur...   3563
O. ae. ds, qui primitias martyrum in sancti levitae Stephani SANGUINEM
   dedicasti...   2238
regnum... a deo nobis promissum, Christi SANGUINEM et passionem quaesitum.
   865
qua beatus Xystus... devotum tibi SANGUINEM exultanter effudit...   3773
ad tegendum involvendumque corpus et SANGUINEM filii tui domini nostri...
   1318
corpus et SANGUINEM filii tui inmaculata benedictione transformentur...
   3225
qui, SANGUINEM fuso pro precio...   431
qui pro salute humana in patibulum effudit SANGUINEM in cruorem.   1158
et usque ad SANGUINEM nominis tui confessor eximius...   3614, 3644
Cuius SANGUINEM omnium fidelium corda mundantur...   4221
qui per crucem et SANGUINEM passionis suae...   3109
ut quae sanctos martyres tuos usque ad SANGUINEM retenta glorificat...
   582
sacrosanctum filii tui corpus et SANGUINEM sumpseremus...   3375
quia pro impiis servis SANGUINEM suum creator effundens...   3757
qui pro dei nostri amore SANGUINEM suum effuderunt...   2490
pro aeodem hodiae proprio SANGUINEM tingueretur.   4000

et eorum SANGUINEM triumphalem... ad tuorum facis auxilium transire
  fidelium.   3965
et SANGUINEM tuum pro redemptionem nostram fudisti...   756
per SANGUINEM unigeniti tui... redemisti de duro servitio inimici...
  3837
cuius corpore communicamus et SANGUINEM.   2996
quae nobis huius solempnitatis effectu et confessionem dedicavit et
  SANGUINEM.   2141
filiis tuis non ex SANGUINIBUS neque ex voluntate carnis, sed de tuo
  spiritu genitis...   758, 759
Sumpsimus dne corporis et SANGUINIS devotionis remedia...   3334
qui nos corporis et SANGUINIS dilectissimi... communione vegetasti...
  1668
Sacrosancti corporis et SANGUINIS domini nostri I. C. refectione vegetati
  ...   3172
et suavitatem corporis et SANGUINIS domini nostri iesu christi unigeniti
  ... nostris infunde pectoribus.   2376
ubi felices parvuli (perfusi) rore SANGUINIS gloriantur...   465
hic est enim calix SANGUINIS mei novi et aeterni testamenti...   3014
tradidit discipulis suis corporis et SANGUINIS mysteria caelebranda...
  1771
Sacri corporis et SANGUINIS praetiosi renobati libamine...   3135
sed apostolorum derelicto consortio SANGUINIS praecium a Iudeis accepit...
  3867, 3868
Corporis sacri et praetiosi SANGUINIS repleti libamine...   542, 543
ut sicut nos corporis et SANGUINIS sacrosancti pascis alimento...   2044,
  3374
gloriosi SANGUINIS semina praetiosa mittendo...   4085, 4102
... Christus tradidit discipulis suis corporis et SANGUINIS sui mysteria
  caelebranda...   1712, 1736
VD. Qui factus est... effusionem SANGUINIS sui peccata omnium.   3920
... SANGUINIS tui deffende conmercium.   1333
ad conficiendum SANGUINIS tui, in offerendum aeum caristia...   1364
sicut (dominus) sanavit muliaerem de fluxum SANGUINIS.   2180
Media nocte ab angelo vastatore SANGUIS agni israel defenditur...   2065
ita tui SANGUIS defende commercium.   1334
... Eufymiae sexus fragilitate praetiosior (preciosus) SANGUIS effloruit
  ...   3783
quibus in confessionem tui nominis venerabilis eius SANGUIS effusus est
  annua...   4178
quo beati Andreae apostoli tui venerandus SANGUIS effusus est qui gloriosi
  ...   3782
pro confessione tui nominis venerabilis SANGUIS effusus simul et...
  4094, 4116
crux salvificat, SANGUIS emaculat, caro saginat...   3658
sacrificium iam nostri corpus et SANGUIS est ipsius sacerdotis.   2160
et aemanavit simul SANGUIS et aqua.   4233
te ponteficis (interpellatione) (interpellando) SANGUIS exorat (exoret).
  3875
ut nobis corpus et SANGUIS fiat dilectissimi filii tui...   3011
unigeniti corpus et SANGUIS fiat remedium sempiternum.   2120
ut(tui) nobis unigeniti (tui) corpus et SANGUIS fiat.   2119, 2123
nullis carnis et SANGUIS inpediretur obstaculis...   4169
... Imperat tibi martyrum SANGUIS, imperat tibi indulgencia confessorum...
  1437

... Imperat tibi martyrum SANGUIS imperat tibi sacramentum...   1354, 1355
... Quos unigeniti tui SANGUIS in praelio confusionis roseo colore
   perfudit...   3727
quem beatorum (sancti tiburti, thimotei) martyrum tuorum SANGUIS in
   veritatis tuae...   4177, 4180
Hic est aenim calix SANGUIS mei, novi aeterni testamenti...   3014
Ille tibi imperat, non caro et SANGUIS nec pompa saeculi...   1852
agnus occiditur, eiusque SANGUIS postibus consecratur...   3791
tradedit discipulis suis corporis et SANGUIS sui misteria caelebranda...
   1712

            SANITAS
et sis omnibus te sumentibus SANITAS animae et corporis...   1546
detur omnibus in aeo commorantibus SANITAS, claritas, helaritas...   3230
Fiat SANITAS domini super te sicut (dominus) sanavit muliaerem...   2180
ut quicumque ex aeo sapone lotus fuaerit, sit in aeo SANITAS et concordia.
   298
ut sit nobis in aeo SANITAS, sanctitatis, et castitatis...   302
inridende gratus suae prestina SANITATE, ad gratiarum...   3058
ita et isti pristina SANITATE animae corporisque recepta...   2277
nomen sanctum tuum instaurata protinus SANITATE benedicat.   4237
famulum tuum liberatam egritudine et SANITATE donatam...   1356
ut reddita sibi SANITATE gratiarum...   2470
pace, SANITATE, laetitia, benignitate... praestare dignetur.   167
in SANITATE mentis, in protectione animae...   1545
Da qs dne SANITATE populo tuo mentis et corporis...   660
tribuae et continuam SANITATEM ad agnoscendam unitatis tuae veritatem.
   2446
et SANITATEM donatam dexteram tuam aeregas...   1356
atque aegris restituas pristinam SANITATEM et animae quae promissiones...
   2371
accipiat corporis SANITATEM et animae tutillam.   301
corporibus salubritatem et SANITATEM mentibus contullisti...   4128
Tribuat nobis, dne, qs, SANITATEM mentis et corporis sacramenti tui
   medicina caelestis...   3484
Praesta, dne, per hanc creaturam asparsionis SANITATEM mentis integritatem
   ...   2654
infirmantibus SANITATEM, navigantibus portum salutis indulgeat. Oremus.
   2505
redde animae SANITATEM ; non temptabis aeam...   2180
ut interius nobis exteriusque conferant haec mysteria SANITATEM quae
   famulis tuis...   2961
mundatum ad pristinam SANITATEM reforma puritatem...   1363
ut abluendus per eam et SANITATEM simul et vitam mereatur aeternam.   1503
et adiciat SANITATEM tuam et benedictionem tuam...   2180
ut animae suae reciperet quam perdiderat SANITATEM unicum...   58
gustantesque ex aeo accipiant tam corporis quam animae SANITATEM.   299,
   300
quia tunc veram nobis tribuis mentis et corporis SANITATEM.   3363
ut anime suae receperit quam perdiderat SANITATEM.   59
ad animo et corpore proficiat SANITATEM.   2676
et cui donasti baptismi sacramentum, longeva tribuas SANITATEM.   2274
pristinum SANITATIS animae corporisque recepta...   2277
totius virtutis ac SANITATIS dulcedine perfruatur...   717
et vulnerato auxilium SANITATIS indulgeas...   1368
quatenus adoptionem tuam possit cum gaudio (gaudium) SANITATIS percipere
   ...   1931

gratia in eo pristine SANITATIS perfecta reparetur.   1361

SANO
... SANA vulnera (eiusquae) remitte peccata...   68, 108
... Ita tu, dne, dignare SANARE aquas istas...   1346
ut SANARENTUR sterelis aquae...   1547
qui te per Heliseum in aqua mitti iussit ut SANARETUR sterelitas...   1545
qui nos et castigando SANAS et ignoscendo conservas praesta supplicibus...
   2426
qui nos et percutiendo SANAS et ignoscendo conservas praetende nobis...
   1247
VD. Qui nos castigando SANAS et refovendo benignus erudis...   3967
et SANATAE sunt aquae illae...   1346
cum humana condicio de ipsius humanae condicionis confecta medicatione
   SANATUR...   2955
et sicut haelisaeus animas orando SANAVIT aquas in latice...   893
et benedixit eam et dixit : SANAVIT dominus aquas istas...   1346
sicut (dominus) SANAVIT mulierem de fluxum sanguinis.   2180
qui paraliticus SANAVIT, qui enmitas distruxit...   2552
ita in hac publica confessione delicta SANENTUR...   724
Cruce pascantur, lignum SANENTUR.   541
Benedicat te deus, SANET te deus (filius), inluminit te spiritus sanctus.
   335
Per ipsum cui confitetur omnes anime ut miseriaris et SANIS aeas.   3792

SANUS
Effusus SANAMQUE in omnes gentes gratiam tuam...   759
sed ut ab his iniquitatibus expediti ad modesta esse SANAQUE convertant...
   3980
neopem SANIS de infirmorum lisione queramus...   3674
hunc hominem, SANUM, inagrum et sincerum corpore et anima... derelinque.
   1888
ut SANUS tibi in aeclesia tua gratia baptismatis renascatur...   3463

SAPIENS
... Sit in eis... SAPIENS benignitas, gravis lenitas...   758, 759, 760
... SAPIENS sanctuae patientia...   3861
... Sit amabilis ut rachel viro, SAPIENS ut Rebecca...   1171, 2541, 2542
ut et Clemens tuus SAPIENTEM clementiam sequi...   3204
qui terrena SAPIENTES ideo depraecantium te verba fastidunt...   3879
sed SAPIENTES inter roborentur...   1370
ut inter gaudentes gaudeat, et inter SAPIENTES sapiat...   3391
... Sint SAPIENTIBUS et insipientibus debitores...   820
qui abscondedisti haec a SAPIENTIBUS et prudentibus...   1446
... Regalem ianuam cum SAPIENTIBUS virginibus licenter introeat...   759
... Transeat in numerum SAPIENCIUM puellarum...   759

SAPIENTER
dignis adque SAPIENTER ad confessionem tuae laudis accedere...   638

SAPIENTIA
... Ergo dei sermo et dei SAPIENTIA, Christus dominus noster...   1373
cuius et SAPIENTIA conditi sumus et providentia gubernamur.   2089
cuius nos SAPIENTIA creat, pietas recreat, et providentia gubernat...
   3751
cuius SAPIENTIA creati sumus et providentia gubernamur.   3275, 3276
... Ecce vere in qua, sicut scribtum est, fabricavit sibi SAPIENTIA domum
   ...   3780

et magna virtus aeius et SAPIENTIA aeius non est numerus. 1330
O. s. ds, cuius SAPIENTIA hominem docuit... 2321
castitatem munda, SAPIENTIA inlumina... 3081, 3082
alta SAPIENTIA, mens humiles... 1319
VD. Cuius ineffabilis SAPIENTIA sic incommutabiliter perseverat... 3652
qui fecit caelum et terram in SAPIENCIA sua benedictionem... 319
et omnia in verbo tuo fecisti in SAPIENCIA supplices qs... 769
ut principibus nostris famulis tuis ill. regimen tuae adpone SAPIENTIA,
   ut autis... 830
... SAPIENTIAE ceterarumque virtutum ornamentis facias decorari... 3912
tu aei dne profectum ettatis sensum SAPIENTIAE concede... 321
cuius SAPIENTIAE creati sumus et providentia gubernamur. 3275
sed caelestis SAPIENCIAE erudicio faciat nos eius esse consortes. 1616
(spiritum paraclytum sanctum, spiritus) spiritum SAPIENCIAE et intellectus,
   consilii et fortitudinis... 867, 868, 869, 1312, 1313, 1339, 2445
Spiritum SAPIENTIAE et intelligentiae, discriptionisque eis concedere
   digneris. 3531
haec verba sunt symbuli, non SAPIENTIAE humano sermone facta... 1706
dices : Accipe illum sal SAPIENTIAE in vita propitiatus aeterna. 2638
et signo SAPIENTIAE indutus... 2467
averte ab aecclesia tua mundanae SAPIENCIAE oblectamenta fallaciae...
   3480
O. s. ds, cuius SAPIENTIAE omnium docuit... 2322
Accipe ille sal SAPIENCIE propitiatur (proficiatus, propitiatus) in
   vitam aeternam. 32
da spiritum SAPIENTIAE quibus dedisti regimen disciplinae... 1166
da spiritum SAPIENTIAE quibus tradedisti regnum discipline... 1165
ut per hoc tuae SAPIENTIAE sacramentum... 191
et sensum in vobis SAPIENTIAE salutaris infundat. 2258
aeiusdem quoaeterni tibi SAPIENTIAE tuae dei et domini nostri iesu...
   2321
qui mirabili dispensatione SAPIENTIAE tuae et illis beatitudinem... 4155
et signum SAPIENCIAE tuae inbuti... 2369
in figuram unigenitae SAPIENTIAE tuae lignum vitae... 2321
Sed ut non essent vacui SAPIENTIAE tuae opera... 3666
Et illa aeum permissione siderea ac SAPIENTIAE tuae rore perfunde... 842
ut principibus nostris famulis tuis illis regimen tuae adpone SAPIENTIAE
   ut austis... 830
... Sit sermo eorum et praedicacio non in persuasibilibus humanae
   SAPIENCIAE verbis... 820
ille hunc eundem verbum SAPIENTIAM dei adque virtutem... 3666a
per tuam sunt SAPIENTIAM liberati... 3666
qui fecit caelum et terram in SAPIENTIAM suam benedictione... 320
per verbum, virtutem, SAPIENTIAMQUE tuam Iesum Christum... 136, 137, 138

      SAPIO
da nobis in eodem spiritu (spiritum) recta SAPERE et de eius consolatione
   gaudere. 1001
ut deus... dit illi ea SAPERE que tibi placita sunt... 2506
Da nobis, dne, non terrena SAPERE sed amare caelestia... 583
Da aeclesiae tuae, dne, non superbae SAPERE (sed in) tibi placita... 570,
   571
Da ecclesiae tuae, dne, qs, sancto Viti intercedente superbe non SAPERET...
   571
... Ut in eo qui gratiarum largitor est recta SAPIAMUS... 3839
ut conscientiae vestrae deum SAPIANT, et petitionis... 1185

ut te timeant, te diligant, te SAPIANT te auxiliante... 2310
ut inter gaudentes gaudeat, et inter sapientes SAPIAT... 3391

SAPO

ut quicumque ex aeo SAPONE lotus fuaerit... 298
Benedic dne creaturam hanc SAPONIS et infunde... 298
Exorcizo te, creaturae SAPONIS, in nomine ihesu christi... 1548
sanctifica adque benedic hanc creaturam SAPONIS quam pus... 3332

SARCINA

adiectam carnis SARCINA, ad aeternam iubeas perducere regnam. 2461
ita, dne, luciscente maiestati tuae imperro peccatorum SARCINAE deluantur.
861, 862

SAREPTHENUS

sicut consolare dignatus es SARAPTHENAM viduam per Heliam prophetam...
531

SARMENTUM

et desertam iam exaustamque SARMENTA praeciosis vitibus novellasti. 1155

SARRA

sapiens ut Rebecca, longeva et fidelis ut SARRA... 1171, 2541, 2542
Ds, qui emortuam vulvam SARRAE ita per Abrahae semen fecundare dignatus
es... 977
et sicut visitasti dne tobiam et SARRAM socum petri puerumque centurionis
... 2277

SATANAS

dicis : Abrenuncias SATANAE ? Respondet : Abrenuncio... 12
omnis incursus inimici, omnis fantasma SATANE : eradicare... 1538, 3566
omnis incursio SATANAE et omnis fantasma. 1533
et omnes figuras et minas fantasmatis SATANAE exterminandas... 1539
disrumpe omnes laqueos SATANAE quibus fuerant conligati... 2369, 2467
et expelle ab eo omnem inimici infestacionem atque angustias SATANE
mundatum... 1363
qui peccatorum merito expulsus a facie tua potestati est subiectus SATANE
reminiscere... 1363
populus ab incursu SATANE salvare digneris. 908
ut hanc noctem sine inpedimento (impedimentum) SATANE transeamus... 1024
custodi ab inlusionibus fantasmaticae SATANAE, vigilantes... 314, 315
Audi, maledicte SATANAS, adiuratus per nomen aeterne dei... 222
... Tanta gloria, tanta claritate adiurasse te, maledicti SATANAS apparis-
ce... 225
ut exias, SATANAS et omnis diabulica potestas, de homine isto. 1888
sic exiit et non rediit, sic tu exi, maledicte SATANAS hic locum... 1529
... Da illi honorem, maledicte SATANAS illuc te collige... 224
Nec te latet, SATANAS, inminere tibi poenas, iniminere tibi tormenta...
2174, 2175, 2176, 2241
... Tu ergo nequissime SATANAS, inimicus fidei... 744
te flagellis calentibus castigare, maledicte SATANAS, meritis tuis... non
facias... 1529
... Proiectus es de caelo, maledicti SATANAS, meritis tuis... victus es...
3259
et tu, ubi latebis, maledicte SATANAS ? numquid hoc... 3563
... Ille tibi imperat maledicti SATANAS, qui aqua vinum fecit in Canna
Gallilea... 1881
... Audi ergo et time SATANAS victus et prostratus... 744

SATIETAS
ut dignitas conditionis humane per inmoderantiam SATIAETAS... 2754
donec inmortalitatem SATIAETATEMQUE... finita mortalitate capiamus.   3982

SATIO
quibus et iugiter SACIAMUR et semper desideramus expleri.   3179
cum pariter et in caelis pane SATIANTUR angelorum (angelico)...   3676
qui nos SATIARE dignatus es de tuis donis hac datis...   1675
Quos donis caelestibus SATIAS, dne, defende praesidiis...   3027
et quem mysteriis caelestibus SATIASTI ab hostium incursione...   87
Quos caelesti, dne, alimento (alimenta) SATIASTI apostolicis intercessionibus...   3022
SATIASTI, dne, familiam tuam muneribus sacris...   3260
SATIASTI dne opolentiae tuae donis...   3262
qui ex quinque panibus et duobus piscibus quinque milia hominum SATIASTI
   et in chana...   1335
Ds qui in deserti regione multitudinem populi tua virtute SATIASTI in
   huius quoque...   1028
Quos caelesti, dne, alimento SACIASTI intercedente beata...   3023
ut quos donis caelestibus SATIASTI intercedente beato felice...   3376
ut quos uno pace caelaesti SACIASTI intercedente beato laurentio...   3308
SATIASTI nos dne de tuis donis ac datis...   3261
Quos caelesti dne alimento SATIASTI, praesta qs ab omni...   3024
Quos caelesti, dne, dona (dono) SACIASTI, praesta, qs, ut a nostris...
   3025
Salutari tuo, dne, SATIASTI supplices (te) depraecamur...   3176
ut quos sacramentis paschalibus SACIASTI tua facias pietate concordes.
   3309
ut quos uno caelesti pane SATIASTI una facias pietate...   3308
ut dignitas conditionis humanae per inmoderantiam SATIATA...   2754
ut sicut lampadas divino munere SACIATI ante conspectum...   178
Frequenti sacramentorum perceptione SATIATI (ditati)...   1639
SACIATI, dne opulentiae tuae donis tuis...   3262
ut divino munere SATIATI et sacris mysteriis innovemur et moribus.
   2755
Da, qs, o. ds, ut divino munere SACIATI et sicut famulus...   672
et sacramenti tui perceptione SATIATI gratias tibi referimus...   1442
Donis caelestibus cum sanctorum tuorum recordatione SATIATI gratias tibi
   referimus.   1379
SATIATI munere salutari tuam, dne, misericordiam depraecamur...   3263
et quodammodo cordibus SACIATI, misericordiam tuam mundi...   1289
Divini SATIATI muneris largitate...   1295
SATIATI participatione caelesti...   3264
Caelesti munere SATIATI quaesumus, dne ds noster ut haec dona...   381
Divini muneris largitate SATIATI qs dne ds noster ut in huius...   1295
Sacramentorum tuorum benedictione SATIATI qs dne ut per haec...   3131,
   3132
Caelesti munere SACIATI qs, o. ds, tua nos proteccione custodi...   382
Da qs o. ds ut mysteriorum virtute SACIATI sanctorum gervasi...   677
SACIATI sumus dne muneribus sacris...   3266
SATIATI sumus, dne, de tuis donis ac datis...   3265
et in terris positi iam superno pane SATIATI supplicamus dne...   3329
Salutari (salutaris) (munere) tui dne (munere) SATIATI supplices
   depraecamur ut cuius laetamur...   3173, 3176
Sacro munere SATIATI supplices, dne, depraecamur ut quod devitae...   3170
Salutaris tui dne munere SATIATI, supplices exoramus, ut...   3176

Sacro munere SACIATI supplices te dne depraecamur...   3170
ut mysteriorum virtute SATIATI, vita nostra firmetur.   677
Tribue nobis, dne, caelestis mensae virtute SATIATIS...   3488
Da, qs, dne, ut ieiunando robore SATIEMUR et abstinendo...   662
Da nobis qs o. ds ut ieiunando tua gratia SATIEMUR et abstinendo...   626
ut expulsis azymis vetustatis illius agni cibo SATIEMUR et poculo...
   3799
et tua benedictione SATIEMUR.   3047
ut cras venerabilis caenae dapibus SACIES...   3950
interius sermo tuus adipe frumenti SACIET eos...   1330
ut post longa peregrinationis famae de sanctis altaribus (tuis) SATIETUR
   ingressus...   2055

          SATIO
... Ex quo videmus uberem pullulasse toto terrarum orbe SATIONUM...   3757

          SATIS
... SATIS evidenter apparet haec eos in occulto gerere, quae etiam turpe
   sit dicere...   3879
... SATISQUE firmatum, quam esset mirabilis nuntiatus...   3774

          SATISFACIO
SATISFACIAT tibi, dne, qs, pro anima famuli tui illius sacrificii
   praesentis oblatio...   3267
Inveniat apud te, dne, locum veniae quicumque SATISFACIENS confugierint...
   3828

          SATISFACTIO
quam SATISFACTIO pro nobis copiosa iustorum.   3860
ut SATISFACTIO pro se intercedente sanctum illum...   550
sanctorum tuorum pro nobis SATISFACTIO prosequatur.   1273, 1274
Dne ds noster, qui offensionem nostram non vinceris, sed SATISFACTIONEM
   (SATISFACTIONE) placaris...   1308
veraces paenitenciae SATISFACTIONE reparantur...   2297
VD. Qui dum libenter nostrae paenitudinis SATISFACTIONEM suscipis...
   3898
libenter exaudias, et SATISFACTIONIBUS clementer ignuscas.   3828
apostolicis SATISFACTIONIBUS protegamur.   3002
... Tuo quippe respectu SATISFACCIONIS sumpsit inicium...   2297

          SATOR
manifestasti in omni loco dominationis tuae SATOREM te bonorum seminum...
   1034

          SATURNINUS
Beatorum martyrum, dne, SATURNINI et Crisanti adsit oracio...   289, 290
per intercessionem (sanctorum) martyrum tuorum SATURNINI et Crisanti quae
   corporaliter...   2167
quae nataliciis sanctorum... SATURNINI et Crisanti solempnitatibus immolatur.   2607
Ds qui nos beati SATURNINI martyris tui concedis natalicia perfrui.   1104
et intercedente beato SATURNINO martyre tuo...   2125
VD. Cuius gratia beatum SATURNINUM in sacerdotium elegit...   3643

          SATURO
omnem benedictionem caelesti et gratia SATURATI, repleantur in nobis.
   1257

          SAUCIO
Qs, o. ds, ne nos mundanis SAUCIARI patiaris incursibus...   2985

ut dignitas condicionis humanae per inmoderantiam SAUCIATA... 2754
et quodammodo cordibus SAUCIATI... 1289
Ds, qui humanum genus a suo principe laetaliter SAUCIATO... 1021
nequaquam ultra (nobis) vulneribus SAUCIETUR... 822, 823

SAUL
sicut liberasti david de manu SAUL regis et goliae... 2023

SAXUM
qui te angularem lapidem et SAXUM... nominare ipsum voluisti. 3997

SCALA
qui iacob in somnis apparuisti in nixum SCALE. 315

SCANDALUM
ut nihil vobis praevaleat SCANDALUM inimici. 2905

SCAPULAE
Exite... de humeris, de SCAPULIS, de ascellis... 1888

SCELERATUS
et pro SCELERATIS indebite condemnari... 3950

SCELESTUS
quod prius erat SCELESTIS ad poenam... 903

SCELUS
... Huius igitur sanctificatio noctis, fugat SCELERA, culpas lavat...
3791
ne SCELERA magis nostra praevaleant... quam... 3860
quem nec sacrati cibi collatio ab SCELERE revocaret... 3868
quem nec (sub praemia) (superna) pietas ab SCELERE revocaret... 3867,
3868
adque rubiginem SCELERUM moliviciorum igne conpunctionis tui amore
mundemur incursu. 3469

SCHISMATICUS
Oremus, et pro hereticis et SCHISMATICIS ut deus ac dominus noster...
2516

SCIENTER
sive ignoranter vel SCIENTER admisemus... 852
da servis tuis regibus nostris illis triumphum virtutis tuae SCIENTER
excolere... 1247
inscienter, SCIENTER que misimus. 3736

SCIENTIA
ut inluminati cordis STIENTIA mereamur promissionis tuae luce gaudere.
1316
ut quod nostra SCIENTIA non habebat intercessio... 3958
... SCIENTIA ordinas, piaetatem custodis. 1248
illi advocandus testes divinae legis SCIENTIAE contullisti. 3823
VD. Qui beatum augustinum... et SCIENTIAE documentis replesti... 3878
spiritum consilii et fortitudinis, spiritum SCIENTIAE et pietatis...
867, 869, 1312, 1313, 1339, 2445, 3192
ut eius mentem et lumine SCIENTIAE inlustres... 2342
non lite conmittas in famulo isto neque per STIENTIAE, neque per dolore...
2552
Reple aeos tuae STIENTIAE voluntatis ut... 1248
et deitatis SCIENTIAM indedit et loquellam... 4049
et deitatis SCIENTIAM inderet... 4007

ad cultum nominis tui atque SCIENTIAM revocasti... 1664
ad dandam SCIENTIAM salutis populo tuo in remissionem peccatorum eorum...
3763
doce SCIENTIA(M) scripturarum ut sic loquar ne superbiam... 1296
... Ut et SCIENTIAM te miserante recta faciendi... 3900
qui nobis dedit hunc intellectum et hanc SCIENTIAM unde... 1670
da eis SCIENTIAM veram (vera) ut digni efficiantur... 165

SCILICET

quod eam SCILICET crearis ex nihilo... 4090
ut SCILICET et diabolum caelestis operis inimicum... 3692, 3785
circumcisio SCILICET et praeputium... 3648, 3649
super ipsum vitae fontem aeternum SCILICET pectus recubuerat salvatoris...
3609
super ipsum vitae fontem aeternum pectus SCILICET recubuerat salvatoris...
3608
dum SCILICET vel aguntur crimina vel canuntur... 4139

SCINDO

... SCINDE delictorum saccum et indue eum laeticiam salutarem... 2055
redintegra in eo... quicquid diabulo SCINDENTE corruptum est... 58

SCIO

quod nonnumquam ignoratur ad pluribus, STIATUR a paucis... 3021
... SCIENS paratus esse ut resisteret... 3855
quorum (cuius nos) SCIMUS patrocinia (patrocinio) liberari. 34
SCIMUS tamen quod est acceptabilis deo... 3021
nox que sola meruit SCIRE tempus et hora (horam) in que christus... 4206
quid stas et resistis, cum SCIS eum tuas perdere vires... 744
Ds qui nos... pro humana SCIS fragilitate non posse subsistere... 1122
Ds qui SCIS genus humanum nulla sua virtute posse subsistere... 1207
... Vincit te ille qui SCIT numerum capillorum famulorum famularumque
suarum... 3259
quanto se SCIUNT ab eo redemptos... 4012

SCRIBO

Ds, qui iustitiam tuam elegis in cordibus credentium digito tuo SCRIBIS...
1056
... Sed nomina eorum qui evangelia SCRIPSERUNT haec sunt : Matheus, Marcus,
Lucas, Ioannes. 203
et quare quattuor sint qui qui haec iesta SCRIPSERUNT vel qui sunt...
203
qui condam lapidias legem SCRIPSIT in tabulis. 3292
In diebus illis SCRIPSIT moysis canticum... 1869
et quorum nomina ante sancto altario tuo SCRIPTA adesse videntur...
1751, 2806, 2874, 3008, 3247, 3385

SCRIPTORIUM

Benedicere digneris dne hoc SCRIPTORIUM famulorum tuorum et omnes
habitantes in eo... 364
... Haec nox est, de qua SCRIPTUM est, et nox ut dies inluminabitur...
3791
... Ecce vere in qua, sicut SCRIBTUM est, fabricavit sibi sapientia domum
... 3780
... Manducavit, sicut SCRIPTUM est, panem doloris... 58, 59
qui, sicut SCRIBTUM est, per dulces sermones suos seducentes corda fallacia... 3653
sicut SCRIPTUM est : Qui loquebar ecce adsum. 203, 204
... Quoniam SCRIPTUM est : Quodquot crediderunt in eum... 1695

ut quicquid hic divinis scripturis (divinarum scripturarum) ab aeis lectum
    vel SCRIPTUM fuaerit, sensu...   364

        SCRIPTURA
... Nam dicit SCRIPTURA : deus enim intemptatur malorum est...   1847
ut quicquid hic divinarum SCRIPTURARUM ab eis lectum vel scriptum fuerit
    ...   364
sed qui divinarum SCRIPTURARUM lectione percipitur.   3880
doce scientia SCRIPTURARUM ut sic loquar ne superbiam...   1296
et resurgentem (resurrexit) tertia die secundum SCRIPTURAS...   554, 555
ut quicquid hic divinis SCRIPTURIS ab aeis lectum vel scriptum fuaerit...
    364

        SCRUTATOR
... Tu cognitor peccatorum (pectorum), tu SCRUTATOR es animorum...   136,
    137
tu cognitor secretorum, tu SCRUTATOR es cordium...   138
clamoremque matutinum pius SCRUTATOR intellege...   236
secretorum SCRUTATOR redditus divinorum...   3610
... SCRUTATORI cordium non corpore placitura sed mente...   759

        SCRUTINIUM
SCRUTINII diem, dilectissimi fratres, quo electi nostri divinitus
    instruantur...   3269

        SCRUTO
SCRUTARE peccatorum non corpore placitura, sed mente...   759

        SCUTUM
Protege aeum tuo SCUTO defensionis...   330
assumpto SCUTO fidei, et galea salutis...   3722
qui adsumens SCUTUM fidei...   4149

        SEBASTIANUS
ut haec nos dona martyris tui SEBASTIANI depraecacione sanctificent.   381
VD. Quoniam... beati SEBASTIANI pro confessione nominis tui venerabilis
    sanguis effusus.   4094
Sancto SEBASTIANO interveniente dne tibi servitus nostra conplaceat...
    3231
intercedente beato SEBASTIANO martire tuo...   2727, 3170
Sanctum SEBASTIANUM intervenientem, dne, tibi servitus noster (nostra)
    conplaceat...   3231
Ds qui beatum SEBASTIANUM martyrem tuum virtutem (virtute) constantiae
    in passione roborasti...   914

        SECLUDO
Cuncta, dne, qs, his muneribus a nobis semper diabolica figmenta SECLUDE
    ...   558
ut omni semper inordinatione SECLUSA tua iugiter providentia dirigatur.
    1592

        SECRETO
ut tanto SECRETIUS ad eam confidant esse venturos (venturis)...   4011
caelorum sibi patente SECRETO...   4185, 4186

        SECRETUS
in SECRETA beatitudine collocatum...   4055
sed cordia nostri SECRETA illi soli patere commemorat...   1373
et quae (in) nobis sunt vitiorum SECRETA purifica...   2370

Ds, qui beati Iohannis... praeconiis principii sempiterni SECRETA
    reserasti...   904
VD. Qui mysteriorum tuorum SECRETA revelans...   3955
unda flumina, SECRETA silvarum.   2905
... SECRETA tui revelatione docuisti...   4169
ds qui Mosen famulum tuum, SECRETI familiaris adfatu (affectu)...   819,
    820
... SECRETORUM scrutator redditus divinorum eo usque procedens...   3610
tu cognitor SECRETORUM, tu scrutator es cordium...   138
de SECRETORUM tuorum dispensatione causamur...   4022

            SECTATOR
lapidantibus veniam Christi verus SECTATOR inplorans...   4186
quantocumque etiam bonae conversationis adnisu fieri tribuas SECTATOREM.
    3670
ut cum vanae superstitionis ipsos quoque removeris SECTATORES...   4139

            SECTOR
et beati (iohannis) praecursoris hortamenta SECTANDO ad eum quem praedixit
    ...   2041, 2757
... SECTANDO iusticiam (iustitiam) culpa ieiunet.   2758, 2784
et bona cuncta SECTANDO non indignationem...   2613
ut piis SECTANDO quae tua sunt universa nobis salutaria condonentur.
    1112
ne diabolica SECTANDO vestigia a Christi consortio recedamus...   4215
et quae tibi sunt placita toto corde SECTANTES bonorum tuorum...   632
ut mandata tue te operante SECTANTES (et) consolationem...   1658, 1659
ita nos potius quae exercuere SECTANTES convenientius...   4069, 4070
ut aeternitatis dona mente libera SECTARETUR...   3608, 3609a, 3610
Fac nos, qs, dne, quae sunt recta SECTARI integritatem...   1577
VD. Supplicantes, ut tibi nos placatus devoto facias corde SECTARI quia
    sicut...   4136
Fac nos, qs, dne, sanctorum tuorum (primi et feliciani) semper festa
    SECTARI quorum suffragiis...   1579
et debitae servitutis actione SECTARI.   3208
et ea quae sunt apta SECTARI.   978, 979
et te solum domine (dominum) puro corde SECTARE.   652, 653
et intellectu capere quod devotione SECTATUR...   2657
Da nobis, o. ds, ut eorum semper festa SECTEMUR quorum digna...   605
ut semper et fide, quae praecipis, et actione SECTEMUR.   3312
et affectus eius digna conversatione SECTEMUR.   455
et que tibi sunt placita toto corde SECTEMUR.   657
et fidem congrua devotione SECTEMUR.   609, 621
ut reparationis nostrae collata subsidia te iugiter inspirante SECTEMUR.
    824
ut quae actu gerimus, mente SECTEMUR.   2719
ut quod opere percepimus mente SECTEMUR.   1858
ut quod ore percaepimus, mente SECTEMUR.   1858
ut quod ore percipimus, mente SECTEMUR.   1858, 1930
fidem quoque proficiendo SECTEMUR.   2669, 2787
conscientiae famaeque nostrae profutura SECTEMUR.   3009
digna salutis veneratione SECTEMUR.   2693
et omne quod bonum est prumta voluntate SECTEMUR.   630
non aebrietatis SECTENTUR incommodum.   2441
Tribuae aeis ut SECTENTUR non interitum sed vitam...   311
semper fide chatolicae documenta SECTENTUR.   2378

ut martyres festivitatis hodiernae... mentis simplicitate SECTENTUR.
  3487
ut nec caro escis victa luxoriae SECTET, nec mens...   357
et quae tibi sunt placita toto corde SECTETUR.   633
et secura concelebret, et tota semper mente SECTETUR.   3486

SECUNDUM
Ds, qui... SECUNDUM ablucionem peccatorum elimosinis indidisti...   1170
sed SECUNDUM habundantia clementiae tuae...   2305
cuius SECUNDUM adsumptionum carnis, dormiente in nave...   2262
ut quae SECUNDUM beatum apostolum Paulum docentem...   4171
Ut qui de adventu redemptoris nostri SECUNDUM carnem devota mente
  laetamini...   2261
ut qui de adventu unigeniti tui SECUNDUM carnem laetatur...   2831
... Hic unigenitus dei de Maria virgine et spiritu sancto SECUNDUM carnem
  natus ostenditur.   1706
pro mundi salutem SECUNDUM carnem spiritu sancto concipiendo...   2380
resurrectionis domini nostri Iesu Christi SECUNDUM carnem.   421, 1922
ut SECUNDUM constitucionis tuae sacramentum...   3627
induatur novum qui SECUNDUM deum creatus est...   1359
ds qui facturam similitudinis et imaginis tuae SECUNDUM divicias
  bonitatis...   825
quae SECUNDUM faciem sunt, videte...   3653
... SECUNDUM magnificam domini nostri Iesu Christi caelestemque doctrinam
  ...   4075
... Acceptum ad te, ds, SECUNDUM meriti munus obteneant...   1349, 2549
... SECUNDUM misericordiae tuae praesidia gaudeamus.   2875
et SECUNDUM multitudinem indulgentiarum tuarum...   3434
ut SECUNDUM multitudinem miseracionum tuarum inmanissima supplices...
  2297
qui SECUNDUM multitudinem miserationum tuarum peccata paenitencium deles
  ...   859
quando non SECUNDUM nostra desideria...   3652
quia non est deus praeter te solum et non est SECUNDUM opera tua...   3389
summi sacerdos sacerdotum SECUNDUM ordinem Melchisedech...   1283
caritas vestram, quam, SECUNDUM preceptum evangelii...   3021
... Cui tu, dne, SECUNDUM promissionem filii tui...   4114
VD. Qui SECUNDUM promissionis tuae ineffabile (inviolabilem, incommutabilem) constitutum...   4019, 4020, 4021
et resurgentem tertia die SECUNDUM scripturas...   554
usque in finem saeculi SECUNDUM suam promissionem sentiatis.   344
qui SECUNDUM te creatus est...   1359
ut qui sine te esse non possumus, SECUNDUM te quaerere valeamus.   1993
ut qui sine te esse non possumus, SECUNDUM te vivere valeamus.   1993, 1994
et dirige eum SECUNDUM tuam clementiam in viam salutis aeternae...   2358
ut SECUNDUM tuam promissionem et tu nobiscum semper un terris...   892
tribuas id SECUNDUM tuam voluntatem exsequendi efficatiam...   3913
et ad regendum SECUNDUM tuam voluntatem populum idoneum reddat...   1686
SECUNDUM voluntatem ergo domini...   3281

SECUNDUS
nec tristitia eos SECUNDA conmutent.   854
mors in aeum SECUNDA poenitus non habeat potestatem.   1026
ne renatum lavacro salutari mors SECUNDA possedeat.   822, 823
sequentis ordinis viros et SECUNDAE dignitatis elegeris...   1348, 1349,
  1350

pro his precipuae quibus SECUNDE nativitatis gratiam praestetisti...
3668
... Acceptum a te, ds, SECUNDI meriti munus obtineant...   1348, 1350
ut squalentis agri SECUNDIS imbribus inrigentur...   3824
quibus illi orbem totum SECUNDIS praedicatoribus impleverunt...   1348,
1349, 1350
in SECUNDO cum in maiestate venerit praemiis aeternae vitae ditemini.
2261
in SECUNDO, cum venerit in maiestate sua, praemium aeternae vitae
percipiat.   2831
ante decorasti professione, SECUNDO funere.   546
ut SECUNDO mediatoris adventu manifesto munere capiamus...   1498, 4173
... Iustificetque in adventu SECUNDO, qui nos redemit in primo...   3650
Et resurrexit tercia diae SECUNDO scripturas.   555
ut SECUNDUM valeamus interriti exspectare.   3663
qualiter nos culpis omnibus emundatos, inveniat SECUNDUS eius adventus.
3700

        SECURE
ut percipienda SECURIUS uberiusque sumamus.   3149

        SECURITAS
ut tuo munere dirigantur et Romana SECURITAS et devotio christiana.   2186
et SECURITAS huius regni laetetur et catholica semper exultet aecclaesia.
991
robor in brachii fortitudine SECURITAS in prohelium...   3473
et SECURITAS nobis optata (profutura) proveniat, et religionis integritas.
2285
ut propitiationis tuae nobis collata SECURITAS non nos efficiat
neglegentes...   2966
et Romani nominis SECURITAS reparata consistat.   245
et sacris sollemnitatibus famuletur concessa SECURITAS (tranquillitas).
4192
nos (in) tuae proteccionis SECURITATE constituat.   3157, 3158
subiecti populi augmento prosperitate et SECURITATE exhilaratus...   3912
et perpetua (continua) SECURITATE muniri...   2394
et quoniam facilis est in SECURITATE prolabsus...   3972, 3973
et temporali SECURITATE relevemur...   199
ne vel inpugnatione (memores) subcumbat, vel SECURITATE torpiscat...
4005, 4006
VD. Suppliciter exorantes, ut et SECURITATEM nobis temporum tribuas...
4137
tutillam salutis, SECURITATEM spei...   2654
ut et SECURITATEM tribuat recte curata religio...   4192
uterque sexus... in cuncta aetate hac pro SECURITATES accipiant.   397
ut sicut nobis aeternae SECURITATIS aditum... reserasti...   3625
Largire, qs, dne, famulis tuis fidei et SECURITATIS aumentum...   1997
plene capiamus SECURITATIS aumentum.   1099, 4238
nos in tuae protectionis SECURITATIS constituat.   3158
ut tranquillo cursu portum perpetuae SECURITATIS inveniat.   1489
et benedictione sanctorum et SECURITATIS munere relevati.   3077
et sicut israheli properanti ex aegypto SECURITATIS prebuisti munimen...
2640
aeadem est vel SECURITATIS ratio vel timoris...   3021

        SECURUS
et SECURA concelebret, et tota semper mente sectetur.   3486

adque (eorum praecibus gloriosis) et devota permaneat et SECURA consistat.
  1985, 2723
et conversatione tibi placeat et SECURA deserviat.   1418, 3559
ut ieiuniorum veneranda solempnia et SECURA devocione procurant (percurrant).   2715
... SECURA et constanti fide credite resurrectione (resurrectionem)...
  1706
et libertas SECURA et relegio sit quiaeta.   1070
ut romani nominis SECURA libertas in tua devocione semper exultet.   2608,
  2610
ut ad viam salutis aeternae SECURA mente curramus.   559
et in tua laetari protectione, ut tibi SECURA mente deserviant...   1218
ut tuo SECURA munimine nec temporalibus destituatur auxiliis...   3511
ad eum quem praedixit SECURA perveniat.   2041, 2757
paschale sacramentum SECURA (placida) tribuisti mente suscipere.   2128
pax populi tui SECURA proveniat.   2936
ut SECURA semper et necessariis adiuta subsidiis...   2593
et SECURA tibi mente deserviant.   1998
ut tuo semper auxilio SECURA tibi possit devotione servire.   1450
... SECURA tibi serviat christianorum (christiana) libertas.   3405
... SECURA tibi serviat libertate.   1388
... SECURA tibi serviat Romana devotio.   2229, 3405
... SECURA tribue tibi mente servire.   3097
sed apostolica semper et institutione sit firma et interventione SECURA.
  968
te fiat operante devota, te protegente SECURA.   4257
ut familia tua... eius etiam sit perpetua redemptione SECURA.   2707
ut te parcente sit libera, te custodiente a malis omnibus sit SECURA.
  1596
ut remoto terrore bellorum et libertas SECURAE religio sit quieta.   1070
da nobis dne noctem hanc dominicam quiaetam tranquillam et SECURAM.   852
et viam populo moysi praeparavit SECURAM.   3847
et presente tempore consistant SECURI, et ad aeterna...   3102
et per indulgentiam laetentur pacifici atque SECURI mittas ad eos...   310
ut undas seculi sevientes SECURI pertranseant.   1961
qui exemplo iesu christi... coeperunt esse de resurrectione SECURI,
  posseque...   3668
quo exemplo iesu christi... coeperunt esse de resurrectione SECURI quippe
  qui fecisti...   3668
ut qui de vestrorum meritorum estes remuneratione SECURI sitis de
  nostrorum...   3454
ut percipienda SECURI uberiusque sumamus.   3149
venientem quoque iudicem SECURI videamus.   1031, 1127
ut qui tua gratia sunt redemti, tua sunt adoptione SECURI.   2405
et inter prospera humiles, et inter adversa SECURI.   131, 2075
ut sancti adventus tui sint exspectatione SECURI.   955
et ab omni perturbatione SECURI.   2030
et ad aeternam perveniatis SECURI.   Amen.   2245
ut ad caeleste regnum pervenire possitis SECURI.   722
ad tua perveniamus promissa SECURI.   3829
ut qui tua gratia sunt redemti, tua adoptione sint SECURI.   2405
ut et SECURIS eadem mentibus celebremus...   4238
ut sicut SECURIS eadem mentibus ita dignis...   1095
ut sanctorum tuorum veneranda sollemnia SECURO possint frequentare
  conventu.   2804
... SECUROS fac nostros semper esse custodes.   210

... Romanos fines ab omni hoste faciat esse SECUROS.   936, 938
a cunctis hostibus redde SECUROS.   2924, 2925
et ab omnibus quae meremur adversitatibus (adversis) redde SECURUM ut
    tranquillitate...   520, 525
fac eorum et consideratione devotum et defensione SECURUM.   1415
protectione perpetua fac SECURUM.   77
ut quem incolomem propriis laboribus reddidisti, tua facias protectione
    SECURUM.   2366
... SECURUS de solute placitis, laetetur...   3770
ut ab omni perturbatione SECURUS et salvationis suae...   504
et hoc SECURUS in toto corpore...   1707
ut a peccatis liber, ab hoste SUCURUS in tua semper gratia...   2913, 2914
interritus adiit, modestus sustinuit, SECURUS inrisit...   3855
ut SECURUS mereatur deinceps inter tuos bene meritis currere...   850a
famulos et famulas tuas praesta locupletes, praesta SECURUS ut confirmati
    ...   1345
... Andreae simul fiat et veneratione iucundus et intercessione SECURUS.
    3045
populum tuum... et misericordiae tuae fac largire SECURUS.   1482
ut semper (et) tibi placitus (placatus) et tuo munimen (munimine) sit
    SECURUS.   2605, 2606
et te protegente a malis omnibus sit SECURUS.   1612

          SECUS
Plantati SECUS decursus aquarum...   541

          SECUTOR
in honore successor, in passione SECUTOR.   4219

          SEDEO
Coniuro te, diabuli super quatuor candelabra SEDIAS aurum...   1860
aurum inductum ab eas tonicam accinctus SEDEAS sed unam...   1860
etiam sine rata quis aquis SEDEAD.   3666
alto caelum tronum SEDENS, cernens...   2475
qui in caelestia regna super caerubin SEDENS universa...   395
... SEDENSQUE ad dexteram tuam...   3876, 3877
et ascendentem in caelis, et SEDENTEM ad dexteram patris...   554
non vigilantem nec dormientem nec SEDENTEM nec ambulantem...   394
qui te SEDERE ad patris dexteram confitentur in caelo.   1219
capite menteque humilis sacerdotale manum benedicendum sede SEDERIT,
    discendat...   898
qui SEDIS in alto caelorum thronum...   3736
Per deum tibi coniuro qui SEDIT ad dexteram dei non lite...   2552
ascendit ad caelus, SEDIT ad dexteram dei patris omnipotentis...   551
Ascendit ad celos SEDIT ad dexteram patris et iterum venturus est...   555
quia per deum te coniuro qui septem tronus SEDIT quia in supore.   1860
neque dum ambulat, neque dum SEDIT, neque dum vigilat...   2552

          SEDES
qui per ligni gustum a florigera SEDE discesseramus...   3992
ut anima famuli tui... caelesti SEDE gloriosa semper exultet.   2721
et in tuorum SEDE laetantium comstituas redemptorem.   3366
in SEDE maiestatis, magno (magne) in lumine...   57, 2217
qui dum finitur in terris, factus est caelesti SEDE perpetuus.   2142,
    2143, 2144
ut eorum perpetua quoque SEDE potiatur.   1041
Benedicat vos filius qui a paterna SIDE pro nobis salvandus discendit.
    363

filius a superne SEDE pronos salvandus discendit.   352
capite menteque humilis sacerdotale manum benedicendum SEDE sederit...
   898
... Adeptus in regno caelorum SEDEM apostolici culminis...   3609
ut famulo tuo... donis SEDEM honorificatam et fructum beatitudinis
   sempiternae...   2355
refrigerii SEDEM, quietis beatitudinem, luminis claritatem (largiaris).
   811, 840, 2306
VD. Qui, ut hanc SEDEM regimen aeclesiae totius efficeris...   4035
... SEDEM tamen beati apostoli tui Petri tanto propensius intueris...
   1320
Ut qui beati Petri apostoli SEDEM vicario secutus officio...   1775
Et supra chorus virginum paradisi SEDIBUS collocasti...   2461
tu imaginem tuam cum sanctis et electis tuis aeternis SEDIBUS precipias
   sociari.   2236, 2401
et quem in corpore constitutum SEDIS apostolicae   gubernacula tenere
   voluisti...   2070
et quem in corpore constitutum SEDIS apostolicae gubernaculo praeesse
   voluisti...   1747
Oremus et pro famulo dei papa nostro SEDIS apostolicae Illo et pro
   antestite...   2515
VD. Qui sanctum Xystum SEDIS apostolicae sacerdotem...   4017
et in pontificatum apostolicae SEDIS evectum...   3806
ut quem tantae SEDIS honore decorasti...   3670
quod (quidquid) SEDIS illa censuerit...   4021, 4077
quem apostolicae SEDIS praesulem et primatum omnium...   818
et da famulis... refrigerii SEDIS, quietem beatitudinem, luminis
   claritatem.   811
archangelorum, thronique SEDUM cherubin et syraphyn...   3736

          SEDO
quibus carnis lege SEDATA purior animus emineret...   4072

          SEDUCO
per dulces sermones suos SEDUCENTES corda fallacia...   3653

          SEDUCTOR
fomes vitiorum, SEDUCTOR hominum, perditor gentium...   744
exi, SEDUCTOR, pleni omni dolo et fallacia...   1355, 1437
... Sic percutiatur hic maledictus SEDUCTOR saeculi...   755

          SEDULUS
ut piaetate SEDOLA in te sit salus hominum...   3109
ut quae SIDULA servitute (servitute) donante te gerimus...   3328, 3331,
   3330
quo beatae Mariae fructum SEDULA voce (benedictione) (benedictionem)
   susciperet (susceperat)...   3754, 3755
ut quae SEDULO celebramus affectu...   2093

          SEGES
et de principali cruce prodisse gloriosarum SEGITEM passionum...   3757
qui et vinearum apud te nomine censentur et SEGITUM...   1034

          SEGNIS
et bona mansura non SIGNIUS sacro ieiunio purgatis sensibus appetamus.
   4132

          SEGREGO
ut sancte conpunctionis ardoris ab omnium caetherorum propositum
SEGREGASTI...   3476

ut SEGREGATA ab infernalibus claustris, sanctorum mereatur adunari
consortiis.   1013
in christo credentes a vitiis saeculi SEGREGATOS, et caligine peccatorum
...   3791
ut ante tronum gloria christi tui SEGREGATUS cum dextris...   1684
sit ab aestuantis gehennae truci incendio SEGREGATUS et beatae requiei...
3470
a viciis seculi SEGREGATUS et caliginem peccatorum...   4206

SEMEL
Et qui te SIMEL agnovit principem universitatis et dominum...   1073
que merueris effici SIMEL sacro fonte restincta.   2298

SEMEN
sicut multiplicavit SEMEN aeorum tamquam stillas caeli...   319, 320
Ds, qui emortuam vulvam Sarrae ita per Abrahae SEMEN fecundare dignatus
es...   977
ut transactis terrae fructibus caeleste SEMEN oreretur...   4074
gloriosi sanguinis SEMINA praetiosa mittendo...   4085, 4102
operum suorum SEMINA secum colligat peritura.   782
et adhuc quod maius est iacta terrae SEMINA surgere facis cum fenore
messis...   2280
quae sine SIMINE humanum (humano) redemptorem virginis (virginalis)
firmavit in hutero.   805
in observatione ieiunii et aelimosinarum SEMINE posuisti nostrorum
remedia peccatorum...   2418
in luce sancta, quam olim Abrahae promisisti et SEMINI eius...   3462
nec est nobis SEMINUM disperanda fecunditas...   4122
manifestasti in omni loco dominationis tuae satorem te bonorum SEMINUM
et electorum...   1034

SEMETIPSE
in singulis fiaerit SEMETIPSA dilegens, esseque mens una cunctorum.   3924

SEMINO
quod in lacrimis SEMINARUNT, in gaudio metere nunc probantur...   4085
famulo tuo illo, qui in pauperes tuos tua SEMINAT dona...   1008
ubi non aratur nec SEMINATUR nec nomen illius potens invocatur...   224
... In gregem porcorum, in deserta loca ubi non aratur nec SEMINATUR
ventrem tuum...   1852
VD. Quoniam sancti tui quod in lacrimis SEMINAVERUNT...   4102
Fructificet in populo quod SEMINAVIT iste verbo...   1229
Non in aeam lolium SEMINET inimicus...   2188

SEMITA
ut quam divinis inchoavit oraculis SEMITA(M) exemplis monstraret...   3766
Dedisti aenim in mare viam et inter fluctus SEMITAM, ostendens...   3666
da cordibus nostris illam tuorum (tuarum) rectitudinem SEMITARUM...   2326
et in SEMITAS eum iusticiae placatus reinstaura...   850a
et te perduci per iusticiae SEMITAS sine offensione gradiat (gradiatur)...
961
a vitae numquam SEMITIS deviemur.   1071
per iustitiae SEMITIS sine offensione gradiamur.   961
perfice gressos nostros in SEMITIS tuis...   1094

SEMPER
et noxia SEMPER a nobis cuncta depellat.   3343
Muneris divini perceptio, qs, dne, SEMPER a nobis et peccata nostra
submoveat...   2154

Cunctas dne SEMPER a nobis iniquitates repelle... 559
Tu, dne, SEMPER a nobis omnem remove pravitatem... 3502
Ut toti SEMPER ab infestationis inimici maneamis inlesi... 357
quatenus ab omnibus possimus SEMPER abstinere peccatis. 1139
ut animae... de tua SEMPER habundantia repleantur. 1261
potius nos SEMPER accendant. 2983
et splendore gratiae tuae cor eius SEMPER accende ut salvatoris
  (salvatorem)... 1856, 1927
et splendorem gratiae cor aeorum SEMPER accende. 1175
et spiritus sancti lucem in nos (nobis) SEMPER accende. 231
O. s. ds, aput quem, cum totius rationabilis pia merita creaturae SEMPER
  accepta sint certum est... 2307
ut ieiuniorum nostrorum sacrosancta mysteria tuae sint pietati SEMPER
  accepta concedasque... 4199
sit in oculis tuis SEMPER accepta et si quis sanctis tuis... 3920
ut haec oblatio... sit in oculis tuis SEMPER accepta et sicut sanctos...
  3710
Oblatio tibi, dne, sit nostra SEMPER accepta quae angelis tuis... 2197
VD. Haec tibi nostra confessio, parer gloriae, SEMPER accepta sit de
  cordibus... 3762
haec devocio... ita sic sit deo SEMPER accepta. 2509
ut aeorum ieiunia oculis tuae piaetatis sint SEMPER accepta. 3110
ut sacrificia nostra tibi sint SEMPER accepta. 228
Placare, dne, muneribus SEMPER acceptis... 2586
et tuis beneficiis SEMPER adcumula... 1679
Gratiam tuam nobis, dne, SEMPER adcumulet divini participatio sacramenti
  ... 1662
et tuam nobis opem SEMPER adquirat (et veniam). 1656, 1657
in gratiarum (tuarum) SEMPER actione maneamus. 3071, 3077
Da, qs, dne, fidelibus tuis in sacra SEMPER actione persistere... 645
Fac, qs, dne, famulos tuos toto SEMPER ad te corde (corda) concurrere...
  1583
sed SEMPER ad tua iustitiam faciendam nostra praecedat aeloquia. 1323
loco huic frequentantium SEMPER adesse digneris... 2282
ut nullis iniquitatibus a te separati tibi SEMPER adherere possimus. 68
et salutaribus (salutaris) praesidiis SEMPER adiutum... 3537
qui sanctos suos SEMPER adiuvat... 334
VD. Qui cum desidiosis et duris operariis SEMPER adsint inmensa praesidia
  ... 3883
Ab omnibus nos defende, qs, dne, SEMPER adversis... 9
sed subdito tibi SEMPER affectu... 4005, 4006
VD. Ut non in nobis nostra malitia, sed indulgentiae tuae praeveniat
  SEMPER affectus... 3704, 4208
sed dignus SEMPER afferat fructus. 2188
ut... te protectorem suum SEMPER agnuscat... 4126
Concede nobis, m. ds, et dignae tuis servire SEMPER altaribus et eorum
  perpetua... 448
ut digne tuis servire SEMPER altaribus mereamur... 2689
et sanctam SEMPER amare iustitiam. 449
fac nos atria supernae civitatis et te inspirante SEMPER ambire... 2266
quae et errores (terrores) nostros SEMPER amoveat, et noxia cuncta
  depellat. 2986
intervenientibus SEMPER apostulis tuis... 564
portu SEMPER abtabile cursuque lucifero tenearis. 1224
et ut muneribus tuis possimus SEMPER aptari. 3167

et ut de praeteritis malis nostris SEMPER apute te inveniamus veniam...
    1374
amorem unigeniti tui SEMPER ardere...   4176
Mitte in aeis dne defensionis tuae SEMPER arma victricia...   2609
et in tua pace SEMPER adsistere mereantur.   1218
ut quibus tibi ministrantibus in caelo SEMPER adsistitur...   1068
ut hinc ad te recoperatorem suum sensum SEMPER adtollat intentus.   920
da, qs, aecclesiam tuam et nova prole SEMPER augeri...   1126
Tuis SEM(PER) auxiliantibus suffragiis...   297, 3556
tuis SEMPER auxiliis et abstrahatur a noxiis et ad salutaria dirigatur.
    563
ut tuo SEMPER auxilio secura tibi possit devotione servire.   1450
... Iniquitates meas ego agnosco et delictum meum contra me est SEMPER
    averte faciem...   58
et gloriosum SEMPER baiulet quod accipit signaculum crucis...   1931
... ITA duili ance SEMPERQUE (be)nedicas...   1366
Gaudeat, dne, qs, populus tua SEMPER benedictione confisus (confessus)...
    1642, 1643
ut remissione percepta in tua SEMPER benedictione laetemur.   2871
et tua SEMPER beneficia consequantur.   691, 692
ut indulta venia peccatorum, de tuis SEMPER beneficiis gloriemur.   168
tuis SEMPER beneficiis glorientur.   1864
per quem haec omnia, dne, SEMPER bona creas.   1407, 2557
et animae... de tua SEMPER caritate habundancia repleantur.   2371
ut tamen et fragilitatis humanae SEMPER cavenda mutatio...   3639
... SEMPER christum abent in corda nascentem.   324
in tuo conspectu SEMPER clara consistat, que fideliter ministravit.   477
sola pietatis tuae SEMPER clara sit gratia.   1066
sanctos tuos et iugiter orare pro nobis, et SEMPER clementer audiri.
    3496
quorum meritis SEMPER coepisse in tribulacione agnoscit (cognuscit)
    auxilium.   25
Da nobis, o. ds, in sanctorum tuorum te SEMPER commemoratione laudare...
    602
quo te et in prosperis et in adversis pia SEMPER confessione laudemus.
    3890, 3936, 4009
et sub tua protectione SEMPER consistat.   2884
et peccantes non SEMPER continuo iudicas...   3987
Plebis tuae qs dne ad te corda SEMPER converte...   2594
indulgentia SEMPER copiosa praeveniat (perveniat).   918
Plebi tuae, qs, dne, ad te SEMPER corda converte...   2594
et insere SEMPER cordibus aeorum praecepti tui salubria mandata.   124
sed SEMPER cum domino nostro filio tuo maneant inlesi.   980
qui regnas SEMPER cum patre et spiritum sancto...   3017
cum co vivis et regnas ds SEMPER cum spiritu sancto...   867
ut ea SEMPER cupiant quae tibi placita...   1607
ut SEMPER declinemus a malis...   630
et idem SEMPER deprecante, te mereamur habere rectorem.   2602
Vox nostra te dne SEMPER deprecetur et ad aures tuae pietatis ascendat.
    4258
quibus et iugiter sociamur (satiamur) et SEMPER desideramus expleri.
    3179
O. ds, fac nobis tibi SEMPER devotam gerere voluntatem...   2247
Da nobis, qs, dne ds noster, in tua SEMPER devotione gaudere...   612
Da plebi tuae, dne, pie SEMPER devotionis affectum (affectu)...   631,
    2606

maiestati tuae fac SEMPER devotos. 1468
et pio tibi SEMPER devotus affectu... 1620
tua SEMPER dextera sint protecti. 2461
Cuncta, dne, qs, his muneribus a nobis SEMPER diabolica figmenta seclude
    ... 558
... Quod cum unigenito filio tuo clementi respectu SEMPER digneris
    invisere... 3706
ut in tua SEMPER dilectione permanentes... 962
Da illis... te SEMPER dilegere, se muneri. 1180
sed per tua pietate in via recta SEMPER disponas... 3750, 4216
sit hoc SEMPER domicilium incolomitatis et pacis. 3409, 3427
Ds, qui facturae tuae pio SEMPER dominaris effectum (affectum, affectu)...
    986
tu, dne, qui SEMPER dominaris, praesta... 850
SEMPER, dne, qs, fac populum tuum sanctorum martyrum patrocinio gratulari
    ... 3272
SEMPER, dne, sanctorum martyrum Cyrini Naboris et Nazari solemnia
    caelebramus... 3271
quatenus sit SEMPER, dne, spiritu fervens... 875
in uno SEMPER domino gloriosi quem pariter confessi sunt... 3612
tibi SEMPER domino valeat adherere. 108
Tantis, dne, repleti muneribus, ut salutaria SEMPER dona capiamus... 3455
ut SEMPER eadem quo veraciter vivemus adpetamus. 385
Gratias tibi referat, dne, corde subiecto tua SEMPER aecclesia et
    consequenter... 1671
Laetetur SEMPER aeclesia tua, dne, tuorum celebritate sanctorum... 1985a
adque sinsus vestros in bonis hoperibus SEMPER aedificit... 340, 356
et mentibus nostris largire SEMPER effectum tua misericordia postulandi...
    1309
ut speculator idoneus inter suos collogiis SEMPER efficiat. 2303
nos propitatione dignos SEMPER efficiat. 1688
... SEMPER eius patrociniis adiuvetur (adiuvemur). 78
conscientias nostras SEMPER aemendet et protegat. 1693
qs, dne, ut per haec SEMPER emundemur a vitiis, et periculis exuamur.
    3132
Tu aenim SEMPER es in tuorum mirabilis commemorationem sanctorum... 4152
qui SEMPER es mirabilis in tuorum commemoratione sanctorum... 3721
qui in sanctis tuis SEMPER es ubique mirabilis... 2410
et profectione famuli tui illi misericordiam tuam qui SEMPER es ubique
    praetende... 1460
VD. Quia in sanctorum tuorum SEMPER es virtute gloriosus... 4051
qui in eorum SEMPER es virtute mirabilis. 4080
securos fac nostros SEMPER esse custodes. 210
tuo nomini fac nos SEMPER esse devotus. 277
concede nos et mente et corpore tibi SEMPER esse devotus. 889
ut cuius perpetuus doctor existit, SEMPER esse non desinat suffragator.
    159
quae SEMPER esse non desinunt admiranda. 2738
VD. Apud quem SEMPER est praeclara vita sanctorum... 3602
ut quae ante mundi principium in tua SEMPER est praesentia praeparata...
    1291
non quod deus nostris sanctificetur orationibus qui SEMPER est sanctus...
    1848
et a suis SEMPER et ab alienis abstinere delictis... 1999
et a peccatis simus liberi SEMPER et ab omni perturbatione... 2030
servi dei gratias perenni deo referant SEMPER et benedicant... 222

eorum nos SEMPER et beneficiis praeveniri et oracionibus adiuvari.   1082
quia iusta SEMPER et bona sunt...   4200
Sed adesto et proximus SEMPER, et cottidianam...   2188
ut salvatoris... nativitas mentibus (eorum et) (nostris) reveletur
   SEMPER et crescat.   1856, 2791
O. s. ds, fac nos tibi SEMPER et devotam (devota) gerere voluntatem...
   2340
et immolatur SEMPER et eadem SEMPER offertur...   3054
integritatem conscientiae diligere SEMPER et famae.   1577
ut SEMPER et fide, quae praecipis, et actione sectemur.   3312
VD. Nos tibi SEMPER et hic ubique laudis canere...   3821
praesta nobis eorum SEMPER et imitacione proficere et emundacione fulgere.
   1113
... SEMPER et incoantur expleta...   3619
ut hoc idem nobis SEMPER et indulgenciae causa sit et salutis.   3199
Vegetet nos, dne, SEMPER et innovet tuae mensae sacrata libatio...   3584,
   3585
Reparet nos, qs, dne, SEMPER et innovet tuae providentiae pietatis...
   3057
sed apostolica SEMPER et instutione sit firma et interventione secura.
   968
Da... gratiae tuae donis et iustificari nos SEMPER et instrui...   636
tu nobis SEMPER et intellegendi quae recta sunt...   4112
a solis ortu usque ad occasum in gloria SEMPER et laude est...   3841,
   3842
Haec hostia... consciencias nostras SEMPER et mundet et protegat.   1693
Purificent SEMPER et muniant tua sacramenta nos...   2945
Oblatum tibi dne sacrificium vivificet nos SEMPER et muniat.   2214
fragilitatem nostram ab omni malo purget SEMPER et muniat.   481
Huius operatio nos, dne, sacramenti, qs, purificet SEMPER et muniat.
   1842
ut secura SEMPER et necessariis adiuta subsidiis...   2593
cuius honorabilis annua recursione solemnitas et perpetua SEMPER et nova
   est...   3759
Ds cui proprium est misereri SEMPER et parcere...   773
Caelestis mensae, qs, dne, sacrasancta libacio corda nostra purget
   SEMPER et pascat.   389
ut eorum SEMPER et patrociniis confidamus...   621
ut eius SEMPER et patrociniis sublevemur...   609
Tua nos dne qs gratia SEMPER et praeveniat et sequatur...   3520
sed ab utrisque libera tibi SEMPER et purgata deserviat.   1593
quae eum SEMPER et purget a crimine et ab hoste defendat...   157
quod maiestati tuae SEMPER et redditur et debetur.   29
ut hoc idem nobis SEMPER et sacramenti causa sit et salutis.   388
hic plebs tua SEMPER et sua vota depromat et desiderata percipiat.   208
Praeveniat nos, qs, (o. ds), (qs dne) (tua gracia) (gratia tua) SEMPER et
   subsequatur...   2813, 2815
ut SEMPER et tibi placitus et tuo munimen sit securus.   2605
VD. Nos tibi SEMPER et ubique agere et suppliciter exorare...   3822
tuis donis exultent, te SEMPER et ubique conlaudent...   2937
SEMPER et ubique dominum propitium habeatis...   1903
nos tibi SEMPER et ubique gratias agere...   3589
VD. Nos tibi SEMPER et ubique in honore apostolorum... gratias agere...
   3823
Caelesti lumen, qs, dne, SEMPER et ubique nos praeveni...   379
Eiusque SEMPER et ubique patrocinia sentiatis...   1149

Ds, cuius (universae) viae misericordia est SEMPER et veritas... 805, 2324

qui nos et ab humanis retrahat SEMPER excessibus... 2553

Laeta nos, dne, qs, sancti Laurenti martyris tui festivitas SEMPER excipiat quae et iucunditatem... 1982

Votivos nos dne qs beati martyris illi natalis SEMPER excipiat qui et iucunditatem... 4256

et ad supplicandum (tibi) nostras SEMPER excita voluntates. 1572

qui tuae maiestatis arcanis... devotis SEMPER excubiis est propinquus. 1653, 2307

sed fatias aeam SEMPER excultam. 2188

ut temporali consolatione fultus SEMPER exerceat et aeterna... 2894

et in cordibus nostris sacrae fidei SEMPER exerceat firmitatem. 2545

Haec nos, dne, gracia tua, qs, SEMPER exerceat ut divinis... 1701

et castis gaudiis SEMPER exerceat. 1991

liberam servitutem tuis SEMPER exhibeamus officiis. 1477

ut et tibi SEMPER exhibeant devitam servitutem... 66

puram tibi animam et purum pectus SEMPER exibeant. 2398

et puram tibi devotionem SEMPER exhibeat et facilius... 1399

liberum tibi SEMPER exhibeat famularum. 2590

et congruam (gratiam) tibi SEMPER exhibeat servitutem... 373

sic perpetua perseverent, ut pro sui miraculo nova SEMPER exsistant. 595, 629

ut et tibi grata sint, et nobis salutaria SEMPER existant. 3090

ut devotus tibi populus SEMPER existat... 432

quae tibi grata SEMPER existit et merito castitatis... 1911

et clementiam tuam SEMPER exorent... 2071

pro gregibus... pietatem tuam SEMPER exoret. 197

Ds qui de diversis floribus tuam SEMPER exornans aecclaesiam... 947

sed misericordia tua SEMPER exhorta praevincat. 2589

Ieiunia... et nos a reatibus nostris SEMPER expediant... 1850

Haec hostia, dne, qs, et ab occultis ecclesiam tuam reatibus SEMPER expediat (expedita)... 1691

quae tibi grata SEMPER extitit et merito castitatis... 1911

Illius obtentu tribuat vobis dei et proximi caritate SEMPER exuberare... 915

ubi perpetua SEMPER exultatione laetantur... 3723

secura libertas in tua devotione SEMPER exultent... 2610

in tuo nomine et in tua gratia laeti SEMPER exultent. 2364

in tua gracia et in tuo nomine laeti SEMPER exultent. 2909

Populus tuus, qs, dne, renovata SEMPER exultet animae iuventute... 2618

et catholica SEMPER exultet aecclaesia. 991

ut et de bona conversatione sui praesulis SEMPER exultet et de sacrae... 372

Beatorum Petri et Pauli honore continuo plebs tua SEMPER exultet et his praesolibus... 293

Salutari (salutaris) sacrificio, dne, populus (populis) tuus SEMPER exultet quo et debitus... 3175

Beneficiis tuis, dne, qs, populus fidelis SEMPER exultet ut te instruente ... 374

ut romani nominis secura libertas in tua devocione SEMPER exultet. 2608

ut anima famuli tui... caelesti sede gloriosa SEMPER exultet. 2721

et temporum tranquillitate (tranquillitatem) SEMPER exultet. 2257

et tibi SEMPER fac esse devotos. 2678

et suo SEMPER ficiant (faciant) amore ferventes. 3240, 3251

et tuis SEMPER faciat servire mandatis. 3315

VD. Quia tu nostra SEMPER faciens infirmitate virtutem...   4071
sed subdatur SEMPER falsitas veritati (veritatis).   530
et (in) nova SEMPER fecunditate letetur.   478, 673
ut SEMPER felices SEMPERQUE tua relegione laetantes...   1249
Martyrum tuorum nos, dne, (Sanctorum tuorum coronatorum qs dne) SEMPER
   festa laetificet...   2062, 3254
Fac nos, qs, dne, (dne qs) sanctorum tuorum SEMPER festa sectari...   1579
Da nobis, o. ds, ut eorum SEMPER festa sectemur...   605
et patrocinia nobis martyrum ipse SEMPER festivitatis exhibeant.   1981
quae tibi SEMPER fiat obediens, et tua dona percipiat.   1588
... SEMPER fide chatolicae documenta sectentur.   2378
et indulgentiam nobis SEMPER fidelis ille patronus optineat.   3748, 4195
... Quem SEMPER filium et ante tempora aeterna generatum (genitum)...
   praedicamus...   3638
Ds, qui ecclesiam tuam novo SEMPER foetu multiplicas...   974
ut te solo praesule gloriantes tuo SEMPER foveantur auxilio.   386
et devotis SEMPER frequentare serviciis...   1578
ut ante sonitum illius SEMPER fugiat inimicus...   2262
ut splendore luminis tui SEMPER gaudeamus.   1238
da ecclesiae tuae de eius natalicia SEMPER gaudere...   983
Ds qui ecclesiam tuam SEMPER gentium vocatione multiplicas...   975
ut vivificationis tuae gratiam consequentis in eius munere SEMPER
   gloriemur.   2695
Famulos tuos, qs, dne, tua SEMPER gracia benedicat...   1610
in tua SEMPER gratia perseveret.   2913, 2914
tua nos SEMPER gratia praeveniens largiatur.   1449
tua redemptione sint digni, tua SEMPER gratia sint repleti.   524
tribuasquae populo tuo de tuis muneribus tibi SEMPER gratias agere...
   2525
et beati Andreae... cuius natalicia praevenimus, SEMPER guberna praesidiis.
   3544
dum et in ea gloria, quam tecum SEMPER habuit...   3793
Da nobis, qs, dne, SEMPER haec tibi vota deferre...   622
nos tibi SEMPER hic et ubique gratias agere, dne...   3945
et SEMPER hic tue benedictionis copia redundante...   742
gloriosi... Xysti SEMPER honoranda sollemnia...   3630
in tuo, dne, tribues SEMPER honore gaudere.   3966
Plebs tua, dne, laetetur tuorum SEMPER honore sanctorum...   2598
et homo nobis, (novis) quibus instituisti sacrificiis, SEMPER honoret...
   4217
ut famulus tuus ill. ad peragendum regalis dignitatis officium inveniatur
   SEMPER idoneus et caelestis...   457
tuo munere SEMPER idoneus tua gratia possit...   819
quas (quia) peccatoribus pie SEMPER ieiunantibus contulisti...   3740,
   4179, 4183
grato tibi SEMPER ieiunio placeamus.   4179
ut eam SEMPER illorum et festivitate laetificis...   4026, 4064
Tua nos (dne) veritas SEMPER inluminet...   3523
praesta nobis aeorum SEMPER imitatione proficere...   1113
quod ita nos SEMPER inmunitatem petere debemus peccati...   1778
Ds qui diligentibus te misericordiam tuam SEMPER inpendis...   961
et tuam nobis indulgenciam SEMPER implorent.   264, 3244
sic spiritum graciae tuae quo iugiter muniamur SEMPER imploret.   2740
... Quamvis enim illius... substantiae sit habitatio SEMPER in caelis...
   4170
sit hoc SEMPER in domicilio incolomitatis et pacis.   3427

tua SEMPER in aeo perfruatur gratia...   2374
VD. (Et) te SEMPER in laude martyrum honorare...   3729, 4163
quoniam SEMPER in manu tua sunt et non tanget illos tormentum mortis...
    3723
amplificatis SEMPER in melius naturae rationabilis (rationalis) incremen-
    tis...   1348, 1349, 1350, 2549
ut SEMPER in mentibus nostris tuae appareat stella iustitiae...   2462
Crescat, dne, SEMPER in nobis, sanctae iocunditatis affectus...   556
VD. Quia tu SEMPER in nostra perficiens infirmitate virtutem...   4073
tu pius SEMPER in omni adversitate protector esse dignare.   124
sed sint SEMPER in omnibus tuis preceptis obtemperantes.   3110
ut quod recordatione percurrimus, SEMPER in opere teneamus.   877
et tu nobiscum SEMPER in terris et nos tecum in caelo vivere mereamur.
    892
... SEMPER in tua benedictione laetemur.   843
ipse SEMPER in tua hereditate laudaris.   2037
devoti SEMPER in tua laude vivamus.   2768
ut SEMPER in tua relegione laetantes...   1718, 1720
VD. Quamvis enim SEMPER in tui gaudeamus actione mysterii...   3864
ut cuncta nostra operatio et a te SEMPER incipiat...   41
tua SEMPER incommutabilitate firmetur.   80
Conprimae, dne, qs, noxios SEMPER incursos...   424
et contra diabolicos tueantur SEMPER incursus.   3522
et mens humana SEMPER indevota et misera...   3837
... SEMPER induant aeius protectione monite.   1327
et tuis SEMPER indulgeat beneficiis gratulari.   1623
quia protegere non desistis, quos tuis SEMPER indulseris inherere myste-
    riis.   461
quam miseratio tua SEMPER indulta fletibus supplicantum.   1474
... SEMPER inextinctam habere luminis auram...   3770
Ds qui (nostra) (nos) conspicis SEMPER infirmitate destitui...   1137
VD. Tu mentes nostras bonis operibus SEMPER informes...   3701, 4191
Munera nostra... et pacem nobis SEMPER infundant...   2130
et per graciam spiritus sancti poculum salutis SEMPER infunde.   769
ut corpore et mente vegetati tuis SEMPER inhereamus officiis.   2910
et tuis faciat SEMPER inherere mandatis.   3516
et ab omni SEMPER iniquitate custodi (custodiat).   2948, 3517
ut salutare tuum... nostris SEMPER innovandis cordibus oriatur.   456
ut omni SEMPER inordinatione seclusa tua iugiter providentia dirigatur.
    1592
Da nobis, dne, qs, regnum tuum iustitiamque SEMPER inquirere...   589
ds, qui non mortem (sed) peccatorum (sed) vitam SEMPER inquiris...   2055,
    2419
tua SEMPER inspiratione dirigantur.   1326
et ad tuam magnificentiam capiendam divinis effectibus SEMPER instauret.
    2946
sit apostolica SEMPER institutionem sit firma...   968
et caelestibus SEMPER instruat (instituant) alimentis.   2078, 2148, 2149
et tuis nos SEMPER instruae disciplinis.   1505
Ut te redemptorem suum SEMPER intellegat...   2616
Oculi nostri ad te dne SEMPER intendant...   2220
gloriosus auctor ingressus est SEMPER intendat...   2766
eius SEMPER intercessione nos refove cuius sollemnia caelebramus.   3260
et aeius SEMPER intercessionibus adiuvemur.   3193
ut aeclesia tua eorum SEMPER intercessionibus adiubetur...   2161
piis SEMPER intercessionibus foveamur et meritis.   1669

... Eius, qs, SEMPER interventione nos refove, cuius sollemnia celebramus.
3260
... Diabulus... munitos vos hoc symbulo SEMPER inveniat...   1706
et propiciacionis tuae beneficia SEMPER inveniat.   373
Ds, qui nos ad delicias spiritales SEMPER invitas...   1093
tua SEMPER ipsa ad tuis servolis opolentiae gloriae sit laudabilis.   1315
hoc praesta quod SEMPER ipsa custodias.   219
ut et doctrina SEMPER ipsius foveamur et meritis.   905
et praesta ut in aeius SEMPER laude tuam gloriam predicemus.   622
et a peccatis simus SEMPER liberi...   2030
tua SEMPER luce vivifica...   3540
eorum SEMPER magisterio gubernari...   1023
Ds... inseparabilis imperii rex ac SEMPER magnificus triumphator...   848
ut qui praevenis SEMPER mala merita nostra miserendo...   3378
ut in gratiarum actione SEMPER maneamus.   3071
ut unigenitus tuus SEMPER maneat in cordibus nostris...   3698
populus tuus oblationibus suis te hic SEMPER me invenire propitium.   1260
et adsequi faciat SEMPER mente (mentem) quae gerimus...   3208
et secura concelebret, et tota SEMPER mente sectetur...   3486
et fideli SEMPER mente sumamus.   599
ut gratia tua SEMPER mereamur augeri...   3542
ut divina participatione SEMPER mereamur augeri.   4243
donis SEMPER mereamur caelestibus propinquare.   678
populus tuus oblacionibus suis te hic SEMPER mereatur invenire propicium.
1260
tua SEMPER mereatur protectione defendi.   656
tua SEMPER mereatur virtute defendi.   656
ubi gratiam tuam SEMPER meretur habere SEMPER praesentem.   1088
sanctorum martyrum tuorum illorum hic SEMPER merita celebrentur.   471
eorum SEMPER meritis adiuvemur.   985
ut qui inclinamur conscientia nostra, tua SEMPER misericordia eregamur.
873
ut repleti frugibus tuis de tua SEMPER misericordia gloriemur.   2113,
2114
quia SEMPER misericordia tibi est causa miserendi...   783
de tuam SEMPER misericordiam gloriaemur.   2113
ut tuam SEMPER misericordiam percipere valeamus.   266
ut ad exorandam SEMPER misericordiam tuam tuo munere idonei...   819, 820
ut inter innumeros vitae praesentis errores tuo SEMPER moderamine
dirigamur.   2763
eorum SEMPER moderamine gubernari...   2402
ut eruditionibus tuis SEMPER multiplicetur et donis.   519
qs, dne, ut per haec SEMPER mundemur a viciis.   3131
ipsius SEMPER munere capiamus, ut tibi placere possimus.   3849
in tuo SEMPER munere gloriemur.   2695
et tuo SEMPER munere gubernetur...   241, 242, 1395
bono(rum tuor)um SEMPER munere potiantur.   632
ut cuius constitutione sunt principes, eius SEMPER munere sint potentes.
1246
et sanctorum SEMPER muniamur auxiliis.   185
cuius solemnia veneramur eius SEMPER muneamur auxilium.   606
caelestibus SEMPER muniantur auxiliis.   1902
ut humana fragilitas... per te SEMPER muniatur ad standum...   826
ut tuo SEMPER munimine et tuo auxilio protegamur.   1926
et sacris SEMPER mysteriis repraesentas incolomes...   1085
Huius nos, dne, sacramenti SEMPER natalis instauret...   1841

ut... Andreae SEMPER nobis adsint et honoranda sollemnia et desiderara
  praesidia.   2491
ut SEMPER nobis beati Laurenti laetificent votiva martyria...   2738
spe gaudens, tuo SEMPER nomine serviens...   875
tuo SEMPER nomini fac devotum.   562
ut SEMPER nos beati laurentii laetificent votiva misteria...   2738
SEMPER nos, dne, martyrum tuorum Nerei et Achillei foveat... qs, beata
  solemnitas...   3273
... SEMPER nos et quae prava sunt declinare perficias...   3804
Sanctorum tuorum qs dne SEMPER nos festa laetificent...   3254
Concede qs dne SEMPER nos haec misteria paschalia gratulari...   467
Sanctorum tuorum Coronatorum, qs, dne, SEMPER nos letificent festa...
  3254
Concede, qs, dne, SEMPER nos per haec mysteria paschalia gratulari...
  467
ut ab insidiis hostes invidi SEMPER nos protegas...   3736
et tua SEMPER nos viscera piaetatis inpende...   2987, 2988
caelestibus SEMPER nutriantur auxiliis.   1902
Benedictionem, dne, nobis conferat salutare (salutarem) sacra SEMPER
  oblatio...   371
ut in eo SEMPER oblationes famulorum suorum... benedicere et sanctificare
  dignetur...   707
ut in eo SEMPER oblationes famulorum tuorum studio suae devotionis
  impositas...   718
quoniam sicut superbis in sua virtute praesumentibus SEMPER obsistis...
  585
tuae voluntatis hanc voluntate SEMPER obtemperare...   4126
oratio, quae... et tuam nobis indulgentiam SEMPER obtineat.   274, 3249
ut qui (te per) duritiam inreligiosae mentis SEMPER offendunt (offendent)
  ...   1039
Conserva dne familiam tuam bonis SEMPER operantibus aeruditam...   516
Ds, qui cum salute hominum SEMPER operaris nunc tamen...   944
O. et m. ds, qui benigne SEMPER operaris, ut possimus implere quae
  praecipis...   2281
salutem SEMPER operetur divinae caelebratio sacramenti...   4053
Conserva, dne, familiam tuam bonis SEMPER operibus eruditam...   516
ut in hac navi famulos tuos... portu SEMPER optabili, cursusque tranquillo
  tuearis.   1225
festa SEMPER optanda fecisti celebrare gaudentes...   3977
ut indulgenciam quam SEMPER optaverunt, piis supplicacionibus consequantur.
  1629, 2806, 3008
ut quam SEMPER optavit indulgentiam consequatur.   1628
ut anima famuli tui ill. remissionem quam SEMPER optavit mereatur
  percipere.   189
Apostolica nos muniat, dne, SEMPER oratio...   206
sic integro tellore diricamur ad illius SEMPER ordinem recurrentes.   2267
aeorum SEMPER ore lauderis...   4143
ut in huius SEMPER participatione vivamus.   1295
et habundare facet SEMPER perfecte gratiae caritatem.   351
ut SEMPER permaneant tripudiantes in pace victoris.   842
et in praeceptis legis tuae SEMPER perseverant.   1297
et victoriosissima SEMPER perseveret, te adiuvante devotio.   4071
purificatus adque emundatus SEMPER perseverit.   1314
sub tua SEMPER pietate gaudeamus.   683
SEMPER piaetatis tuae habundantiam, dne, supplicis imploramus...   3274
ipsius munere capiamus, ut tibi SEMPER placere possimus.   3747

tibi SEMPER placitam fieri praecibus concede iustorum.   2929
ut muneribus tuis SEMPER possimus aptari.   3167
et te SEMPER praeconiorum munere conlaudare.   1251
Ds, qui iustis supplicationibus nostris SEMPER presto es...   1052, 1053
quo SEMPER praevales et amissa purgare...   138
Tua nos dne qs gratia SEMPER praeveniat et sequatur...   1520
ut qui mala nostra SEMPER praevenis miserendo...   2311
et aeisdem SEMPER praecantem (praecante) te mereantur habere rectorem.
   2601, 2602
propitius christianorum adesto SEMPER principibus...   1250
pariterque corporibus vestris et mentibus SEMPER profutura concedat.
   1513
O. s. ds, qui aeclesiam tuam nova SEMPER prole fecundas...   2384
eam virginitate manente nova SEMPER prole fecundat...   948
Beati nos, qs, dne, Iuvenalis et confessio SEMPER prosit et meritum.   281
et sub tua SEMPER protectione consistat.   2884, 3914
Famulum tuum qs dne tua SEMPER protectione custodi...   1612
sua vos SEMPER protectione et virtute defendat...   340, 356
ut de caeleste SEMPER proteccione gaudeamus.   929
contra adversa omnia tua SEMPER protectione muniamur.   2774
tua SEMPER protectione muniatur.   1597
ut omnem variaetatum seculorum casus, tuo SEMPER protegamur auxilio.
   1490
ut inter omnes vite huius variaetatis tuo SEMPER protegamur auxilio.
   1975
tuo SEMPER protegamur auxilium.   107
ut inter omnes (viae et) vitae huius varietatis tuo SEMPER protegatur
   auxilio.   107
ut SEMPER quae sancta sunt meditantes...   953
et ea SEMPER quae sunt eis salubria consequantur.   1607
Tu SEMPER, qs, dne, tuam adtolle benignus familiam...   3508
Praesta, qs, o. ds, ut SEMPER rationabilia (rationabiliter) meditantes...
   2793
ut eis suffragiis apud te SEMPER reddar acceptus...   4213
ut de utroque tibi gratias SEMPER referre valeamus.   958
et iter famulum tuum ill. inter vitae huius pericula tuo SEMPER regatur
   auxilio.   1491
Sancta tua... et vivificando SEMPER renovent et renovando vivificent.
   3182
et quae per se prona est ad offensam, per te SEMPER reparetur ad veniam.
   826
... Quatenus te auxiliante et ab humanis SEMPER retrahamur excessibus...
   3679
et tribuat gratiam quam SEMPER rogastis.   356
et ita devotionem nostra placatus SEMPER (..) rogatis.   340
et spiritus sancti tui SEMPER rore perfusa...   866
Concede, qs, dne ds noster, ut per tua SEMPER sacramenta vivamus...   461
VD. Quia licet nobis SEMPER salutem operetur divini celebratio sacramenti
   ...   4053
ut hic et in aeternum, te auxiliante, SEMPER salvi esse mereamur.   4224
et hic et in aeternum, per et SEMPER salvi esse mereantur.   2283
in tua SEMPER sanctificatione vivamus.   490, 2768, 3708
ut tibi SEMPER sanctificatori et salvatori omnium domino, gratias agere
   mereatur.   717
Ut et hic te SEMPER sentiant previum...   1334
et hic et in aeternum SEMPER sentiant protectorem.   1334

et congruam tibi SEMPER servitutem...   373
ut tibi SEMPER simus devoti...   3275, 3276
ipsi tuum SEMPER sint habitaculum.   92
ut ecclesiae tuae SEMPER sint in exemplum...   4016
ut regnum maiestati (maiestatis) tuae deditum tua SEMPER sit virtute
   defensum.   2861, 2862
et te qui fons vitae et origo bonitatis es SEMPER sitiamus...   3872
Annue, qs, dne, ut et tuis SEMPER sollemnitatibus occupemur...   196
Largire nobis, dne, qs, SEMPER spiritum cogitandi quae recta sunt...
   1993, 1994
tua SEMPER suavitate pascantur.   1624
dignosque SEMPER sui perceptione perficiant.   2736
auge SEMPER super famulos tuos gratiae tuae dona...   891
ita SEMPER supplicatione defendas.   2045
et pro concedentis SEMPER suppliciter depraecantes.   2224
Et ita devutionem vestram placatus SEMPER suscipiat...   356
... Invicta est enim SEMPER talium armorum potestas...   1706
Praesta aeis SEMPER tempora salutis...   202
ut illuc SEMPER tendat christianae devotionis affectus...   3498
ut pio SEMPER tibi devotus affecto...   1621, 2610, 4030
concide nos (nobis propitius) opere mentis et corporis (mente et corpore)
   SEMPER tibi esse devotos.   889, 2418
quia SEMPER tibi est causa miserendi...   783
devoti SEMPER tibi existere mereantur.   987
ut sufficiente pasto habitantes repleti SEMPER tibi laudes refferant...
   742
ut SEMPER tibi placatus et (tuo) munimen (munimine) sit securus.   2605
fac nos SEMPER tibi placita postulare.   43
ut SEMPER tibi placitus, et tuo munimine sit securus.   2605, 2606
... Et te solum SEMPER tota virtute diligat...   3768
et dignae SEMPER tractare mysteria et conpetenter honorare primordia.
   666
sed ad tuae reducti SEMPER tramitem (tramite) veritatis...   4210
illam nobis lucem in animam et corpore nos SEMPER tribuae...   1328
Sint SEMPER tua, omnipotens, protectione salvati...   2441
Trinitas individua, SEMPER ubique patri maiestati defusa...   3501
et profectionem famuli tui ill. qui SEMPER ubique, pretende...   1460
et dona tuae pietatis SEMPER utamur.   2426
placare SEMPER valeant coram oculis tuis...   4227
tibi domino SEMPER valeat adhaerere.   108
Da qs dne fidelibus populis sanctorum tuorum SEMPER veneratione laetari...
   642
spirituum tibimet placitorum pia SEMPER veneratione laetetur.   2593
ut hoc nobis perpetuae salutis auxilium fides SEMPER vera perficiat.
   3037
ita per eum tibi sit ieiuniorum et actuum nostrorum SEMPER victima grata.
   3669
... SEMPER victurus, SEMPERQUE in luce futurus.   3770
angelico ministerio beate mariae SEMPER virgine declarasti...   2380
intercedente pro nobis beata et gloriosa SEMPERQUE virgine dei genetrice
   maria ad vitam...   1987
et intercedente pro nobis beata et gloriosa SEMPERQUE virgine dei
   genetrice maria et sanctis...   2030
intercedente beata SEMPER virgine maria et praesens nobis...   2970
O. s. ds, qui maternum affectum nec in ipsa sacra SEMPER virgene Maria
   qui redemptorem...   2417

tibi etiam intercedente beata maria SEMPER virgine placitis moribus...
3377
per venerabilem ac gloriosam SEMPER virginem Mariam ineffabile mysterium
... 2456
in honore beatae et gloriosae SEMPER virginis dei genetricis Mariae
annua solemnitate... 2203
Sanctae mariae SEMPER virginis dne supplicationis tribuae... 3187
Concede... ad beatae Mariae SEMPER virginis gaudia aeterna pertingere...
472
beate mariae SEMPER virginis intercessione... 79
ad beate SEMPER virginis mariae cuius (solemnitatem) intercessio...
151, 2835
Communicantes et memoriam venerantis inprimis gloriosae SEMPER virginis
Mariae genetricis dei et... 417, 418, 420
et beatae SEMPER virginis Mariae nos gaudia comitentur solemniis... 3469
et benedicere a te mereatur et tua SEMPER virtute defende. 660
ut tua tranquillitatem clementei tua sint SEMPER virtute victores. 1190
tuae SEMPER virtutis mereantur protectione defendi. 656
qui tecum SEMPER vivit et regnat deus... 850
et pax domini sit SEMPER vobiscum. 18, 349, 915, 1171, 2246, 2252, 2254,
2546, 2547
Benedicat nos dominus et custodiat SEMPER. 333
et dilectum meum cora(m) me est SEMPER. 59
ingressus cubiculum regis in ipsius suis benedicat nomen gloriae tuae
SEMPER. 2055
sub tuae nominis custodia mereamur vivere SEMPER. 567
quod credendum vobis est SEMPERQUE profitendum... 1288
ut quod credendum vobis est SEMPERQUE providendum... 1287
laetetur in horis SEMPERQUE victurus, SEMPERQUE in lucae futurus. 3770
intercedente beata et gloriosa SEMPERQUAE virgine dei genetrice Maria...
2030, 3023, 3346
quod nos interveniente sancta tua SEMPERQUE virgine maria cuius festivitatem... 3432
intercedente beata et gloriosa SEMPERQUE virginem dei genetrice maria populo... 2096
per intercessione beatae et gloriosae SEMPERQUAE virginis dei genetricis
Mariae auxilium nobis... 2620
pro nativitate beatae et gloriosae SEMPERQUAE virginis dei genetricis
Mqriae et sanctis eius... 3421
Beatae et gloriosae SEMPERQUAE virginis dei genetricis Mariae nos dne qs
... 264
Beatae et gloriosae SEMPERQUAE virginis dei genetricis Mariae qs o. ds
intercessio... 255
VD. SEMPERQUE virtutes et laudes tuas, labiis exultationis effari...
4131

SEMPITERNITAS
simul est facta conformes et SEMPITERNITATI aeius et gloriae. 3686

SEMPITERNUS
... SEMPITERNA beatitudinem consequantur. 3437
... O sanctae matris aecclesiae pia SEMPITERNA beneficia... 3596
et remedia SEMPITERNA concede. 270, 3238
et gaudia SEMPITERNA concilient. 1473
ne temporalibus dedita bonis ad praemia SEMPITERNA contendat (contendit)
... 4010
Sumentis, (dne), gaudia SEMPITERNA de participacione sacramenti... 3330

O. et m. ds, SEMPITERNA dulcido et aeterna suavitas... 2293
et populi tui salvatio SEMPITERNA fiat praemium sacerdotis. 627
... SEMPITERNA fiducialius appetamus. 832
redemptio SEMPITERNA firmetur. 3354
et quod illis contulit excellentia SEMPITERNA fructibus... 3233
sic eius munera capiamus SEMPITERNA gaudentes. 607
conferri sibi ad te SEMPITERNA gaudia caelebretur. 429
et SEMPITERNA gaudia conprehendat. 2619
et SEMPITERNA gaudia conprehendere valeatis. 2240
conferri sibi ante SEMPITERNA gaudia gratuletur. 429, 1308
pro qua sancti tui... SEMPITERNA gloria sunt adepti. 2893
et illum beatitudo SEMPITERNA glorificet. 1739
et patrocinia SEMPITERNA largiaris. 2149
ne temporalibus debita bonis ad praemia SEMPITERNA non tendat... 4010
et ad gaudia SEMPITERNA perducant. 3436
et ad sanctorum gaudia SEMPITERNA perducat. 157
et gaudia SEMPITERNA perduces. 3838
ad gaudia SEMPITERNA perveniat et adsumat aeterna. 515
VD. Qui aecclesiam tuam SEMPITERNA piaetate non deserens (deseris)...
 3910, 3911
fragilitatem (fragilitatis) nostram SEMPITERNA pietatem (pietate)
 prosequere. 3555
sed salutatio SEMPITERNA possideat. 2937
sed salvatio SEMPITERNA possideat. 2941
et ad SEMPITERNA promissa perducant. 20
ut ad gaudia SEMPITERNA promoveas. 1672
et SEMPITERNA protectione confirment. 247
et remedia nobis SEMPITERNA proveniant. 3224
non solum tui unigeniti passionem SEMPITERNA providentia contulisti...
 3901
... SEMPITERNA providentia (providentiam) praeparas... 136, 137, 138
mereatur indulgentia SEMPITERNA, que in aeius mente non defuit penitendi.
 1741
VD. Qui est dies aeternus, lux indeficiens, claritas SEMPITERNA qui sic
 sequaces... 3917
dignus (dignus) fieri SEMPITERNA redempcione concede. 3026
et gratia SEMPITERNA redemptionis inveniat. 534
... Sic temporalis laetitiae tempora transeant, ut eis gaudia SEMPITERNA
 succedant. 3707
temporalique letitiae gaudia SEMPITERNA succedant. 3825
Propitiare, qs, dne, animabus famulorum famularumque tuarum misericordis
 SEMPITERNA, ut... 2885, 2886
premia caelestia desiderit SEMPITERNA. 2303
ut per haec adquiramus gaudia SEMPITERNA. 4024
... Faciatque idoneos... et ad percipienda gaudia SEMPITERNA. 3698
continentes aeterna, perfruantur cum gloria SEMPITERNA. 2293
atque inriga beneficiis gratia SEMPITERNA. 3472
mereatur indulgentia SEMPITERNA. 1745
quae in caelesti beatitudine fulgere (fulgore) novimus SEMPITERNA. 1976
ad dona perveniat SEMPITERNA. 1394
pro votorum officia premiae SEMPITERNA. 4126
frugis credentium mentis et corpore salvit protectio SEMPITERNA. 2262
recipiatque pro parvis magna pro terrenis caelestia pro temporalibus
 SEMPITERNA. 1008
tribuat ei magna pro parvis pro terrenis caelestia pro temporalibus
 SEMPITERNA. 3256

permittis a SEMPITERNAE beatitudinis itinere deviare...   3972, 3973
habere tribuas SEMPITERNAE beatitudinis porcionem.   1766
fructum victoriae SEMPITERNAE et praesentibus...   4085, 4102
et animam... episcopi in beatitudinis SEMPITERNAE luce constitue.   148
SEMPITERNAE pietatis tuae habundanciam, dne, supplicis inploramus...
    3274
et misericordiae SEMPITERNAE praeparent expiatos.   3183
cuius gloriae SEMPITERNAE primus martyr occurrit.   3617
percipiat SEMPITERNAE redemptionis aumentum...   1385
et graciam SEMPITERNAE redemptionis inveniat.   534
quibus nostrae substanciae SEMPITERNAE remedia providisti.   821
et det vobis... et praemium SEMPITERNAE salutis.   1903
quam prosperitate mundana a beatitudinis SEMPITERNAE tramite deviare...
    3812
ut famulo tuo... donis (domus) sedem honorificatam et fructum
    beatitudinis SEMPITERNAE ut ea quae in oculis...   2355
Quo ab eo SEMPITERNAE vitae munus percipiatis...   2255
et meruit triumphum beatitudinis SEMPITERNAE.   3616
adque inriga beneficiis graciae SEMPITERNAE.   3472
eruditioni proficiat SEMPITERNAE.   3845
in confessionem vaerae SEMPITERNEQUE deitatis...   3887
... SEMPITERNAM beatitudinem (beatitudinem) consequantur.   3415, 3437
qui et illis... beatitudinem tribuisti SEMPITERNAM, et infirmitati...
    3724
Ds, qui renatis baptismate mortem redimis et vitam tribuis SEMPITERNAM
    concede qs ut...   1192
et illis beatitudinem SEMPITERNAM et fragilitati nostrae...   4155
qui et illis tribuisti beatitudinem SEMPITERNAM et infirmitati nostrae...
    4154, 4156
quia et illis gloriam SEMPITERNAM et opem nobis ineffabile providencia
    contulisti.   2040
da nobis eorum gloriam SEMPITERNAM et perficiendo caelebrare...   1123
et quod illis contulit excelenciam SEMPITERNAM fructibus nostrae...   3233
pro qua sancti tui inter supplicia dimicando SEMPITERNAM gloriam sunt
    adepti.   2893
in SEMPITERNAM illam vitam hac laetitiam in calestibus...   2090
Presta, dne, qs, animae famuli tui misericordiam SEMPITERNAM inmensam...
    2656
sicut illis magnificentiam tribuit SEMPITERNAM ita nobis perpetuum...
    1992
ds, ad cuius beatitudinem SEMPITERNAM non fragilitate (fragilitatem)
    carnis...   2266
ut ad SEMPITERNAM perducas dona propitius.   516
et ad gloriam SEMPITERNAM pervenire vos faciat.   1903
fragilitatem (fragilitatis) nostram SEMPITERNAM pietatem prosequere.
    3555, 3556
et ad misericordiam SEMPITERNAM pius interventor adducat (perducat).
    3611
et misericordiae SEMPITERNAM praeparent expiatus.   3183
ut misericordiam SEMPITERNAM pro qua illi felices... nos saltim sincera
    confessione mereamur.   2450
ut sicut illos sanctus spiritus roborando SEMPITERNAM provexit ad gloriam
    ...   1205
... SEMPITERNAM providentiam praeparas...   136
ut ab eo percipere gloriam SEMPITERNAM quae dum duplicem...   3866

mereatur indulgenciam SEMPITERNAM, que in eius mente non defuit
  poenitendi.   1741
quae prius vitam praestitit SEMPITERNAM, quam possit nosse praesentem.
  1292
temporalemque laetitiam et gaudia SEMPITERNAM succendant.   3825
... SEMPITERNAM vitam ac leticiam in caelestibus praesta, salvator mundi
  ...   404
et illis impetret beatitudinem SEMPITERNAM.   1757
ut anima famuli tui illius... indulgentiam pariter et requiem capiat
  SEMPITERNAM.   2660
et vitam conferat SEMPITERNAM.   2762
ut eorum (bonorum) nobis indulta refectio vitam conferat SEMPITERNAM.
  1132
Praesta, qs, dne, animabus famulorum famularumque tuarum misericordiam
  SEMPITERNAM.   2656
et, te gubernante, ad gloriam perveniant SEMPITERNAM.   323
ut te largiente ad vitam perveniant SEMPITERNAM.   2834
quam eidem nec mors auferre potuit, sed effecit potius SEMPITERNAM.   3780
quem prius vitam prestetit SEMPITERNAM...   1292
ad vitam nobis proficiant SEMPITERNAM.   1987
et ad vitam proficiat SEMPITERNAM.   1212
ut observantia temporalis ad vitam proficiat SEMPITERNAM.   1211, 1212
tibi referat gratias SEMPITERNAS...   1371
Omnipotens SEMPITERNE ds, a cuius facie caeli distillant...   2299
Omnipotens SEMPITERNE ds, a quo sola sancta desideria...   2300
Omnipotens SEMPITERNE ds, ab hostium...   2301
Omnipotens SEMPITERNAE ds, adesto magne pietatis tuae mysteriis...   2302
Omnipotens SEMPITERNE ds, affluentem ill. spiritum tui benedictionis...
  2303
Omnipotens SEMPITERNE ds, altare nomini tuo dicatum...   2304
Omnipotens SEMPITERNE ds, animarum conditor et redemptor...   2305
Omnipotens SEMPITERNAE ds, annue praecibus nostris ea quae poscimus...
  2306
Omnipotens SEMPITERNE ds, aput quem, cum totius...   2307
Omnipotens SEMPITERNE ds apud quem nihil obscurum est nihil tenebrosum...
  2308
Omnipotens SEMPITERNE ds caelestium terrestriumque moderator...   2309
Omnipotens SEMPITERNE ds christe iesu qui venientes ad te...   2310
Omnipotens SEMPITERNE ds, clementiam tuam suppliciter exoramus...   2311
Omnipotens SEMPITERNE ds, conlocare dignare corpus et anima et spiritu
  famuli tui...   2312
Omnipotens SEMPITERNE ds, confitenti tibi...   2313
Omnipotens SEMPITERNE ds, cordibus nostris benignus infunde...   2314
Omnipotens SEMPITERNAE ds, creator humanae reformatorqui naturae...   2315
Omnipotens SEMPITERNE ds cui cuncta famulantur aelimenta...   2316
Omnipotens SEMPITERNAE ds, cui numquam sine spe misericordiae supplicatur
  ...   2317
Omnipotens SEMPITERNE ds, cuius aeterno iudicio universa fundantur...
  2318
Omnipotens SEMPITERNAE ds, cuius iudicio universa fundantur...   2319
Omnipotens SEMPITERNI ds, cuius munere elimenta omnia recreantur...   2320
Omnipotens SEMPITERNE ds, cuius sanctum et terribile nomen...   2321
Omnipotens SEMPITERNE ds, cuius sapientia hominem docuit...   2321
Omnipotens SEMPITERNE ds, cuius sapientiae omnium docuit...   2322
Omnipotens SEMPITERNE ds, cuius spiritu totum corpus ecclesiae
  sanctificatur...   2323

Omnipotens SEMPITERNE ds, cuius viae misericordia est... 2324
Omnipotens SEMPITERNE ds, cunctorum reator et genitor... 2325
Omnipotens SEMPITERNE ds, da cordibus... 2326
Omnipotens SEMPITERNE ds, da nobis fidei spei... 2327
Omnipotens SEMPITERNE ds, da nobis ita... 2328
Omnipotens SEMPITERNE ds, da nobis voluntatem tuam... 2329
Omnipotens SEMPITERNE ds, da populis tuis... 2330, 2331
Omnipotens SEMPITERNE ds, da, qs, universis famulis... 2332
Omnipotens SEMPITERNE ds, deduc nos ad societatem caelestium gaudiorum...
    2333, 2334
Omnipotens SEMPITERNAE ds, dirige actus nostros... 2335
Omnipotens SEMPITERNE, ds, aeclesiae tuae concede... 2336
Omnipotens SEMPITERNE ds, aeclesiae tuae votis propitiatus aspira...
    2337
Omnipotens SEMPITERNE ds, aeclesiam tuam spiritali iocunditate multiplica
    ... 2338
Omnipotens SEMPITERNE ds, effunde super hunc locum graciam tuam... 2339
Exaudi nos, omnipotens SEMPITERNE ds, et ne sine terminis... 1507
Omnipotens SEMPITERNE ds, fac nos tibi semper et devotam gerere volunta-
    tem... 2340
Omnipotens SEMPITERNAE ds, fidelium splendor animarum... 2341
Omnipotens SEMPITERNAE ds, fons lucis et origo bonitatis... 2342
Omnipotens SEMPITERNE ds, fons omnium virtutum et plenitudo graciarum...
    2343
Omnipotens SEMPITERNE ds, fortitudo certancium et martirum palma... 2344
Omnipotens SEMPITERNE ds, hoc baptisterium caelesti visitacione dedicatum
    ... 2345
Omnipotens SEMPITERNE ds, hostilia, qs, arma confringe... 2346
Omnipotens SEMPITERNE ds, in cuius arbitrio... 2347
Omnipotens SEMPITERNE ds in cuius manu sunt omnium potestates... 2348
Omnipotens SEMPITERNE ds, in protectione fidelium populorum... 2349
Omnipotens SEMPITERNAE ds, indeficiens lumen... 2350
Omnipotens SEMPITERNE ds, infirmitatem nostram propitius respice... 2351
Omnipotens SEMPITERNE ds, insere (te) officiis nostris... 2352, 2353
Omnipotens SEMPITERNE ds, maestorum consolatio, laborantium fortitudo...
    2354
Omnipotens SEMPITERNE ds maiestatem tuam supplices depraecamur... 2274
Omnipotens SEMPITERNE ds, maiestatem tuam supplices exoramus, ut...
    2355, 2356
Omnipotens SEMPITERNE ds, mentes nostras... 2357
Omnipotens SEMPITERNE ds miserere famulo tuo ill... 2358
Omnipotens SEMPITERNE ds, miserere supplicum... 2359
Omnipotens SEMPITERNE ds, misericordiam tuam ostende supplicibus... 2360
Omnipotens SEMPITERNE ds, misericordiam tuam supplices exoramus. 2361
Omnipotens SEMPITERNE ds, misericordiam tuam suppliciter deprecamur...
    2362
Omnipotens SEMPITERNE ds, multiplica in honore nominis tui... 2363
Omnipotens SEMPITERNE ds, multiplica super nos misericordiam tuam...
    2364
Omnipotens SEMPITERNE ds mundi creator et rector... 2365
Omnipotens SEMPITERNE ds, nostrorum temporum vitaeque dispositor. 2366
Omnipotens SEMPITERNE ds, origo cunctarum perfectio que virtutum... 2367
Omnipotens SEMPITERNE ds, parce metuentibus et propitiare supplicibus...
    2368
Omnipotens SEMPITERNE ds, pater domini nostri Iesu Christi... 2368, 2369
Omnipotens SEMPITERNAE ds,per quem coepit esse quod non erat... 2370

Omnipotens SEMPITERNE ds, petimus divinam clemenciam tuam...   2371
Omnipotens SEMPITERNE ds, populi fidelis institutor et rector...   2372
Omnipotens SEMPITERNE ds, propensius his diebus tuam misericordiam
consequamur...   2373
Omnipotens SEMPITERNE ds, propitiare peccatis nostris...   2374
Omnipotens SEMPITERNE ds, qui habundanciam pietatis tuae...   2375
Omnipotens SEMPITERNE ds, qui ad aeternam vitam in Christi resurrectione
nos reparas...   2376
Omnipotens SEMPITERNE ds, qui egritudinis et animorum depellis et corporum
...   2377
O. SEMPITERNE ds, qui ante archam federis...   2378
Omnipotens SEMPITERNAE ds, qui caelestia simul et terrena moderaris...
2379
Omnipotens SEMPITERNE ds, qui Christi tui...   3882
Omnipotens SEMPITERNE ds qui coaeternum tibi filium...   2380
Omnipotens SEMPITERNAE ds, qui continuum...   2381
Omnipotens SEMPITERNE ds, qui contulisti fidelibus tuis...   2382
Omnipotens SEMPITERNE ds, qui aeclesiam tuam in apostolica...   2383
Omnipotens SEMPITERNE ds, qui aeclesiam tuam nova semper prole fecundas...
2384
Omnipotens SEMPITERNE ds, qui elegis infirma mundi...   2385
Benedic hunc populum tuum omnipotens SEMPITERNE ds qui es benedictione...
326
Omnipotens SEMPITERNE ds, qui es via, vita et veritas...   2386
Omnipotens SEMPITERNE ds, qui et iustis praemia meritorum... praebis...
2387
Omnipotens SEMPITERNE ds, qui etiam in beati iohannis...   2388
Omnipotens SEMPITERNE ds, qui etiam iudaicam perfidiam a tua misericordia
non repellis...   2389
Omnipotens SEMPITERNE ds, qui facis mirabilis magna solus...   2390, 2391,
2392
Omnipotens SEMPITERNE ds qui famulum tuum ill. regni fastigio dignatus es
sublimare...   2393
Omnipotens SEMPITERNE ds, qui fragilitati...   2394
Omnipotens SEMPITERNE ds, qui gloriam tuam...   2395
Omnipotens SEMPITERNE ds, qui gregalium deferencias...   2397
Omnipotens SEMPITERNE ds, qui hanc sacratissimam noctem...   2398
Omnipotens SEMPITERNE ds, qui huius diei venerandam...   2399
Omnipotens SEMPITERNE ds, qui humanam naturam...   2400
Omnipotens SEMPITERNE ds qui humano generi...   1019
Omnipotens SEMPITERNE ds, qui humanum corpore (corpus)...   2236, 2401
Omnipotens SEMPITERNE ds, qui hunc diem beatorum apostolorum...   2402,
2403
Omnipotens SEMPITERNE ds, qui hunc diem per incarnationem verbi tui...
2404, 2405
Omnipotens SEMPITERNE ds, qui hunc locum... in honore beati illius...
2406
Omnipotens SEMPITERNE ds, qui in domini nostri Iesu Christi...   2407
Omnipotens SEMPITERNE ds, qui in filii tui domini nostri nativitate...
2407
Omnipotens SEMPITERNE ds, qui in omnium operum tuorum dispensatione
mirabilis es...   2408
Omnipotens SEMPITERNE ds, qui in omnium sanctorum tuorum...   2409
Omnipotens SEMPITERNE ds, qui in sanctis tuis semper es ubique mirabilis
...   2410
Omnipotens SEMPITERNE ds qui in sanctorum tuorum...   2411

Omnipotens SEMPITERNE ds, qui in terrena... 2412
Omnipotens SEMPITERNE ds, qui ineffabili... 2413
Omnipotens SEMPITERNAE ds, qui infirma mundi... 2414
Omnipotens SEMPITERNE ds, qui instituta... 2415
Omnipotens SEMPITERNE ds, qui inter innumera... 2416
Omnipotens SEMPITERNE ds, qui maternum affectum... 2417
Omnipotens SEMPITERNE ds, qui nobis in observatione... 2418
Omnipotens SEMPITERNE ds, qui non mortem, peccatorum sed vitam semper
   inquiris... 2419
Omnipotens SEMPITERNE ds, qui non sacrificiorum ambitione placaris...
   2420
Omnipotens SEMPITERNE ds, qui nos ab hostibus... 2421
Omnipotens SEMPITERNE ds, qui nos ad observantiae huius annua festa
   perducis... 2422
Omnipotens SEMPITERNE ds, qui nos beatorum... 2423
Omnipotens SEMPITERNE ds, qui nos donis... 2424
Omnipotens SEMPITERNE ds, qui nos eorum multiplici... 2425
Omnipotens SEMPITERNE ds, qui nos et castigando... 2426
Omnipotens SEMPITERNE ds, qui nos et sustentationibus... 2427
Omnipotens SEMPITERNE ds, qui nos idoneos... 2428
Omnipotens SEMPITERNE ds, qui nos multiplici sanctorum tuorum... 2429
Omnipotens SEMPITERNE ds, qui nos omnium... 2430
O. SEMPITERNE ds qui nos sacrificiorum ambitione placaris... 2420
Omnipotens SEMPITERNE ds, qui nos sancti martyris tui Tiburti festivitate
   laetificas... 2431
Omnipotens SEMPITERNE ds, qui nulli nos inferre mandasti... 2432
Omnipotens SEMPITERNE ds, qui offerenda... 2433
Omnipotens SEMPITERNE ds, qui omnes salvas et neminem vis perire... 2434
Omnipotens SEMPITERNAE ds qui paschale sacramentum... 2435, 2436
Omnipotens SEMPITERNE ds, qui pascalis... 2438
Omnipotens SEMPITERNE ds, qui per abstinentiam... 2439
Omnipotens SEMPITERNE ds, qui per continentiam salutare (salutarem)...
   2439
Omnipotens SEMPITERNE ds qui per gloriosa bella certaminis... 2440
Omnipotens SEMPITERNE ds qui per incarnationem verbum... 2441
Omnipotens SEMPITERNE ds, qui per unicum filium tuum... 2442
Omnipotens SEMPITERNE ds, qui primitias... 2443, 2444
Omnipotens SEMPITERNE ds qui regenerare dignatus es hos famulos... 2445
Omnipotens SEMPITERNAE ds, qui regenerasti famulum tuum ex aqua... 2446
Omnipotens SEMPITERNE ds, qui regnis omnibus aeterna potestate dominaris
   ... 2447
Omnipotens SEMPITERNAE ds qui salvas omnes et neminem vis perire...
   2448, 2449
Omnipotens SEMPITERNE ds, qui sanctis tuis... 2450
Omnipotens SEMPITERNE ds, qui sanctorum martyrum... 2451
O. SEMPITERNE ds, qui sanctorum tuorum nos intercessione custodis...
   2452
Omnipotens SEMPITERNE ds, qui sanctorum virtute multiplici... 2453
Omnipotens SEMPITERNE ds, qui sic hominem condedisti... 2454
Omnipotens SEMPITERNE ds, qui superbis resistis... 2455
Omnipotens SEMPITERNE ds, qui terrenis corporibus... mysterium coniungere
   voluisti... 2456
Omnipotens SEMPITERNAE ds, qui timore sentiris... 2457
Omnipotens SEMPITERNE ds, qui tuae mensae participes... 2458
Omnipotens SEMPITERNE ds, qui tuis fidelibus... 2459

Omnipotens SEMPITERNE ds, qui unigenito tuo novam creaturam nos tibi esse fecisti...   2460

Omnipotens SEMPITERNE ds qui unigenitum filium...   2461

Omnipotens SEMPITERNE ds, qui verbi tui incarnationem...   2462

Omnipotens SEMPITERNE ds, qui vitam humani generis...   2463

Omnipotens SEMPITERNE ds, respice propitius ad devocionem populi renascentis...   2464

Omnipotens SEMPITERNAE ds, respice propicius super hunc famulum...   2465, 2466

Omnipotens SEMPITERNAE ds, respicere dignare super hunc famulum tuum... 2467

Omnipotens SEMPITERNE ds, respicere propitius...   2466

Omnipotens SEMPITERNE ds, Romani nominis defende rectores...   2468

Omnipotens SEMPITERNE ds, Romanis auxiliare principibus...   2469

Omnipotens SEMPITERNAE ds, salus aeternae credentium...   2470

Omnipotens SEMPITERNE ds, sensibus nostris propitiatus intende...   2471

Omnipotens SEMPITERNE ds solemnitatem diei huius propius intuaere... 2472

Omnipotens SEMPITERNE ds, spes unica mundi...   2473

inestimabilis, amande et metuende SEMPITERNE ds tibi adtentius...   3821

Omnipotens SEMPITERNE ds, tota nos ad te mente converte...   2474

Omnipotens SEMPITERNE ds, totifix et totiger angelicarum...   2475

Omnipotens SEMPITERNAE ds, tocius conditor creaturae...   2476

Omnipotens SEMPITERNE ds, tribue...   2477

Omnipotens SEMPITERNE ds, universa nobis adversa propitiatus exclude... 2295

Praesta, qs, omnipotens SEMPITERNE ds, ut fidelibus tuis...   2800

Omnipotens SEMPITERNE ds ut sancti nos iacobi...   3005

Omnipotens SEMPITERNE ds, vespere et mane...   2479

Dne sanctae pater o. SEMPITERNE ds virtutem tuam...   1371

Da nobis, qs, omnipotens et misericors ds, et SEMPITERNE pater, ut... 629

Dne ds o. SEMPITERNAE, qui peccatorum indulgenciam in confessione celeri posuisti...   2288

diem iudicii, diem iudicii SEMPITERNI diem qui venturus est...   2175, 2176, 2177

sic eius munere capiamus SEMPITERNI gaudentes.   607

ut correctis actibus suis conferre tibi ad te SEMPITERNI gaudia caelebretur.   1308

Remedii SEMPITERNI munera, dne, laetantes offerimus...   3052

Ds, qui beati Iohannis... praeconiis principii SEMPITERNI secreta reserasti...   904

adipisci mereantur regni gloriam SEMPITERNI.   879

ut in confessione verae SEMPITERNIQUE deitatis...   3887

ut SEMPITERNIS efficias cerciores...   3890, 3936

... Ideo bonis temporalibus consolaris, ut de SEMPITERNIS facias certiores ...   4009

et SEMPITERNIS gaudeat institutis.   3049

gaudiis facias SEMPITERNIS perfruere (perfrui).   1030

Sumtis, dne, remediis SEMPITERNIS tuorum mundentur corda fidelium... 3345

sic nos bonis tuis instruas SEMPITERNIS ut temporalibus...   3734, 3822

et SEMPITERNIS valeat consortiis sotiata laetari.   256

quo possint repleri beneficiis SEMPITERNIS. Amen.   2260

ut magis gaudeant SEMPITERNIS.   3538

et temporalibus adtolle praesidiis, et renova SEMPITERNIS.   3559

et conversacione tibi placeat et secura deserviat (renova SEMPITERNIS).
3559
renovet et donis societ SEMPITERNIS.   3136
... SEMPITERNO cernis intuitu...   1210
VD. Qui SEMPITERNO consilio non (desinis) (des in his) regere, quod
creasti...   4022
... SEMPITERNO munere capiamus.   1307
poscat nobis ab aeo SEMPITERNO remedio.   268
et christo tuo coniungas in gaudio SEMPITERNO.   4184
sed ad praesidium SEMPITERNUM caelestia dona sumamus.   2963
et aeum sine macula in SEMPITERNUM custodias.   2703, 2704
ihesus christus dominus noster tecum damnare (faciat) in SEMPITERNUM et
discendat ad nos...   2180
et confirmet illud et corroboret amodo et usque in SEMPITERNUM in quibus
omnibus...   3677
ut qui unigenitum tuum in tua tecum gloria SEMPITERNUM in veritate...
655
ad indulgentiam et refrigerium SEMPITERNUM pervenire mereatur.   1784
et aeternae tribuas praemium SEMPITERNUM quo sic mutabilia...   3707
et quem venturum esse praedixit, poscat nobis ab eo SEMPITERNUM remedium.
268
et remedium SEMPITERNUM valeamus adquirere.   2233
aeternitatis praemium, lumen clarissimum SEMPITERNUM.   354
in prosperis patientia, in (pro)tectione clipeum SEMPITERNUM.   842
et corroboret amodo et usque in SEMP(IT)ERNUM.   3677
unigeniti corpus et sanguis fiat remedium SEMPITERNUM.   2120
et de munere temporali fiat remedium SEMPITERNUM.   3020
ita fieri tribuas remedium SEMPITERNUM.   2234
sit fragilitatis nostrae subsidium SEMPITERNUM.   3115
et ad gaudium nobis transeat SEMPITERNUM.   3428
in quo tibi atque angelis tuis praeparatus SEMPITERNUS erit interitus...
2176
in quo tibi atque angelis tuis SEMPITERNUS est praeparatus interitus...
2175
quo unigenitus tuus in tua tecum gloria SEMPITERNUS in veritate...   413

        SENARIUS
Quo sic in SENARII numeri perfectione in hoc saeculo vivatis...   2242
Ds qui perhactu numero SENARIO, die sacro sabbati...   1162

        SENECTUS
de quibus Iohannis Baptista in summa natus est SENECTUTE et ideo lucas...
2031
omnibusque longam hac sibi platita SENECTUTE et ita...   1493
ablata spe concipiente in SENECTUTE, qua in iuventute poterant...   3918
atque ad optatam perveniat (permaneat) SENECTUTEM et te benedicat...
1719a
et adoptatam perveniant SENECTUTEM.   1171
ad summa perveniat SENECTUTEM.   2325

        SENESCO
ut pariter bene et pacifici SENESCANT...   1719

        SENEX
et SENE vicio in hoc seculo transagant vitam...   3082
patriarcharum tuorum SENIBUS insinuare non rennuas sed miserere...   404
... SENIBUS sanctam seriae conversationis aetatem...   1493

ut gravitatem actuum et censura vivendi probit se esse SENIORE, his
   institutis... 3225
et inter viginti quattuor SENIORES cantica canticorum audiat... 3391
ut gravitate actuum et censura videndi probent se esse SENIORES his
   instituti... 3225

SENIUM
... Cuiusque genetrix SENIO confecta, sterelitate multata... 3755
ut qui ante peccatorum (veternoso) in mortis venerat SENIO nunc laetetur
   ... 2618
et glaciali SENIO verni temporis moderata deterserint... 3791

SENNEN
Ds qui sanctis tuis abdo et SENNEN ad hanc gloriam veniendi... 1204
pro sanctorum tuorum martyrum abdo et SENNES occisione... 2145
Sancti tui nos dne abdo et SENNES piis orationibus prosequantur... 3213
... De quorum collegio sunt martyres tui abdon et SENNES qui in aeclesiae
   ... 3727
ut aecclesia tua et martyrum tuorum Abdo et SENIS confisa suffragiis...
   3723
Munera tibi, dne, pro sanctorum martyrum Abdo et SENIS occicione deferimus
   ... 2145
Sancti tui nos, dne, Abdo et SENIS piis oracionibus prosequantur... 3213

SENSUS
ut ad mysteria tua purgatis SENSIBUS accedamus... 806, 4235
nec te protervis SENSIBUS accusare nitimur... 3802
et bona mansura non signius sacro ieiunio purgatis SENSIBUS appetamus.
   4132
et mitigatis SENSIBUS corporis puriores tantis nataliciis praeparemur.
   3990
Effuge... de totis quinque SENSIBUS, de genitalibus locis.   1888
VD. Maiestatem tuam totis SENSIBUS depraecantes...   3804
VD. Maeistatem tuam cunctis SENSIBUS depraecari...   3796
cum tuorum SENSIBUS dignanter infundis totis tibi mentibus supplicare...
   3642
et gratia piaetatis tuae SENSIBUS et corda aeorum largiter infundere
   digneris... 3736
ut puris SENSIBUS et mentibus tua mysteria celebremus.   2485
Erectis SENSIBUS et oculis (oculos) cordis ad sublimia elevantes...   1410
ne spiritum nostrum obtunsis SENSIBUS hevetemus...   3964
Tot SENSIBUS hodiernum, dne, sacrificium celebramus...   3481
numquam in suis SENSIBUS in se tyrannizantem sentiat inimicum.   1073
Insere dne firma populi tui SENSIBUS inspiratur (in spiritalibus) occulte
   ... 1932, 1933
ut ad sancta sanctorum puris mereamur SENSIBUS introire.   227
Infunde SINSIBUS nostris apostolica dogmata retenere...   971
VD. Ut SENSIBUS nostris dignanter infundas...   4215
SENSIBUS nostris, dne, spiritum tuum sanctum benignus infunde...   3275
Largire SENSIBUS nostris o. ds, ut per temporalem...   2001
inlabe SENSIBUS nostris, o. pater, ut...   1664
O. s. ds, SENSIBUS nostris propitiatus intende...   2471
SENSIBUS nostris, qs, dne, lumen sanctum tuum benignus infunde...   3275,
   3276
ita inluminasti cordibus et SENSIBUS nostris ut ad vitam...   1304
ut nobis dormientibus tua maiestas vigilet in SENSIBUS nostris.   3089
ut instituta pascalia tibi placitis SENSIBUS operemur.   1914

ut instituta pascalia tibi placitis SENSIBUS operemur.   1914
ut renovationem condicionis humanae... in nostris iugiter SENSIBUS
   operentur.   1284
... Non nostris SENSIBUS relinquamur...   4210
non efficiantur pueri SENSIBUS sed malitia...   3487
Nullis SENSIBUS suffucetur...   2188
dignis SENSIBUS tuo munere capiamus.   3328, 3330, 3331
et sacri participatione mysterii fideliter SENSIBUS uniamus.   750
... SENSU capiant opere perficiant.   364
... SENSU capiant, ore percipiant.   364
... De his sunt enim inflati SENSU carnis suae, et non tenentes caput...
   3879
et inter acerva supplicia nec SINSO potuit terreri...   3618
sacrosancta mysteria, quae frequentamus actu, (actus) subsequamur
   (sequamur) et SENSU.   2962
ut intellegentiae SENSUM de exemplis priorum caperet secutura posteritas...
   819, 820
et omnem SENSUM (est) (aeius) dignare tuis visitationibus refovere...
   1931
et SENSUM in vobis sapientiae salutaris infundat.   2258
quorum divina gratia praevenit et SENSUM, intellegentiam passio...   3603
et SENSUM mentes humane stupore defugit (defigit)...   763, 764
tu aei dne profectum ettatis SENSUM sapientiae concede...   321
ut hinc ad te recoperatorem suum SENSUM semper adtollat intentus.   920
Mentem tuam inluminet et SINSUM tuum custodiat...   334
Corpus tuum custodiat, SENSUM tuum dirigat...   335
nescientes, quod traduntur in reprobum SENSUM ut faciant...   3653
quod nec humanus potest SENSUS adtengere...   770
mens quoque nostra SENSUS declinet inlicitos...   3731, 3732
nec SENSUS aenim honorum colere fallantur...   3674
Praepara SENSUS aeorum ad te sustipiendum...   1162
... Et nos quidem tamquam homines divini (divinis) SENSUS et summe
   rationis (sub miserationis) ignare...   136, 137, 138
ut non noster (nostrae) SENSUS in nobis (sunt) (sed) iugiter eius
   praeveniant (perveniat) effectus.   2085
Ds, qui SENSOS nostros terrenis actionibus perspicis retardari
   (prospicere tardari)...   1208
ita SENSOS quoque nostros a noxio retrahamus (retrahamur) excessu.   539
nec incipiat SENSUS vester obtundi...   203
SENSOS vestros diregat, corda conpungit...   351
adque SINSUS vestros in bonis hoperibus semper aedificit...   340, 356
... SENSUSQUE nostros ad inpugnationum certamina superanda confortes...
   1049

         SENTENTIA
... Quibus evangelica SENTENTIA convenienter exclamat...   3879
ut iam non teneamur obnoxii SENTENTIA damnationis humanae...   2981
in protiparenti iusti funeris SENTENTIA multati summus...   3459
non ergo eum tua qs iudicialis SENTENTIA praemat...   2181
ut et illa SENTENTIA, quam superbae quodam turris extructio meruit...
   3762
cummunis aeorum debet esse SENTENTIA, corum causa cummunis existat.   3021
quae tribus pueris in camino SENTENCIA tyranni depositis vitam...   861
quae sola nec per originalis peccati poenam nec per diluvii est ablata
   SENTENTIA.   1171
iam non teneamur obnoxiis SENTENCIAE damnacionis humanae...   2981

in protoparente iustae funeris SENTENTIAE multati sumus...   3459
ut imminentibus paene SENTENCIAE quae futuri iudicii te miserante non
   incedat...   822
sed mitem ex ore tuo SENTENTIAM absolutionis exspectent.   1319
qualiter in tremendi iudicii die, SENTENTIAM damnationis aeternae evadat
   ...   823
aut fallat affectio, SENTENTIAM expectandam multorum.   3021
... Deinde capitalem SENTENTIAM subiit...   4000
Ergo, maledicte (diabule) recognusce SENTENTIAM tuam da honorem (honore)
   deo vivo et vero...   1411, 3566

                         SENTIO
diem sibi introductum tenebrae inveteratae SENSERUNT...   861, 862
qui vocem matris domini nondum aeditus SENSIT et adhuc clausus...   3688,
   3772
adque uno eodem modo contumax tuus et vindictam SENSIT et gratiam...
   4055
ut ubique totus es, etiam hic adesse te in his precibus SENCIAMUR.   2343
ut dona caelestia... sencera professione SENTIAMUR.   3491
ut per eos in quibus habitas tuumque (tuum) nobis SENCIAMUS adventum.
   827
salvationis tuae SENTIAMUS aumentum.   3170
ut quos veneramur obsequio, adesse nobis SENTIAMUS auxilio.   1983
per beatos apostolos tuos nobis prodesse SENTIAMUS auxilio.   3064
continuum eius SENTIAMUS auxilium.   4014
ut quorum festa gerimus, SENTIAMUS auxilium.   150, 1256
per auxilium misericordiae tuae SENTIAMUS cessante.   2934
Propitiationem tuam, dne, qs, SENTIAMUS de celebritate praesenti...   2887
SENTIAMUS, dne, qs, tui perceptione sacramenti subsidium mentis et
   corporis...   3277
et cuius exequimur actionem (actione) SENTIAMUS effectum (effectu,
   affectum, affectu).   3298
ut cuius exsequimur cultum, SENTIAMUS effectum.   3043
ut et tuae propitiationis SENTIAMUS effectum...   3108
ut percepti novi sacramenti mysterium et corpore SENTIAMUS et mente.   470
ut adiuvare nos aput misericordiam tuam exemplis SENTIAMUS et meritis.
   3692, 3944
ut ipsam pro nobis aput te intercedere SENCIAMUS per quam meruimus...
   1214, 2461
sic te auxiliante nobis eorum SENTIAMUS ubique praesentiam.   688
ut sanctae Soteris... martyris beneficia SENCIAMUS.   2792
ut cuius iram expavimus, clemenciam SENCIAMUS.   1144
misericordia tua praeveniente clemenciam (clementi) SENCIAMUS.   55
perpetua defensione (perpetuam defensionem) SENCIAMUS.   2923
quorum suffragiis protectionis tuae dona SENTIAMUS.   1579
salutare (salutarem) nobis fideliter SENCIAMUS.   578
etiam pietatis gratiae SENTIAMUS.   940
tuae consolationis gratiam SENTIAMUS.   2779
ut non indignationem tuam sed indulgentiam (indulgentia) SENTIAMUS.   229
non iudicium tuum sed indulgentiam SENTIAMUS.   2360, 2457
pios apud te in nostra intercessione SENTIAMUS.   2772
et eorum patrocinia iugiter SENCIAMUS.   3271
dulciora mentibus SENTIAMUS.   3060, 3073
ut auxilium tuum et misericordiam SENTIAMUS.   2220
non iracundiam (iram) tuam, sed misericordiam SENTIAMUS.   2488
in caelesti gloria apud te pro nobis orare SENTIAMUS.   3318

ut cuius sollemnia gerimus, patrocinia SENTIAMUS.   365
ut dum eorum merita recolimus, patrocinia SENTIAMUS.   482, 3214
ut qui eius natalicia (solemnia) colimus, eius apud te patrocinia
  SENCIAMUS.   679, 1076, 2414
quemadmodum es pollicitus, SENTIAMUS.   109
etiam hic adesse te in nostris praecibus SENCIAMUS.   2343
ut quorum veneramur confessionem presidia SENTIAMUS.   3512
ut dona caelestia... sincira professione SENTIAMUS.   3491
ut quae humiliter gerimus, salubriter SENTIAMUS.   3066, 3068
quem corporaliter sumpsimus, spiritaliter SENTIAMUS.   514
fructiferum nobis omni tempore SENTIAMUS.   433
patrocinia in augmentum (augmento) virtutum SENTIAMUS.   3562
proficere sibi SENCIANT ad medellam...   1801
ut SENTIANT benefitiae qui festa colunt confessorum pontificum.   908
dormientes te per soporem SENTIANT et hic et ubique...   314
et adversa mundi te gubernante non SENTIANT et quae temporaliter...   1997
... SENCIANT in ea commanentes rore caeli habundantiam...   310
Ut et hic te semper SENTIANT previum...   1334
et hic et in aeternum semper SENTIANT protectorem.   1334
Et festivitatem hanc venisse beneficiis inter SENTIANT, quam videre...
  906
proficere sibi SENTIAT ad medellam.   1811
proficere sibi SENTIAT ad salutem.   1810
totius orbis se SENTIAT amisisse caliginem...   1564
sed indulgentiae tuae piam SENTIAT bonitatem...   3470
anima famuli tui ill... pium te SENTIAT in inferis...   2029
numquam in suis sensibus in se tyrannizantem SENTIAT inimicum.   1073
tuum munere de perdiccionis se iam SENCIAT longinquitatem (longinquitate)
  regressum...   2297
dignaque locum hunc tuae (huic tua) SENCIAT maiestate...   1734
futura mala non SENCIAT neque iam ulterius lugenda committat...   850a
votorum SENTIAT obtinuisse suffragia...   782
ut castigationibus emendata, continuo se SENTIAT tua medicina salvatum.
  3085
ut medellam tuam non solum in corpore sed etiam in anima (animo) SENTIAT.
  1015, 1020
Eiusque semper et ubique patrocinia SENTIATIS ex cuius intemerato...
  1149
ut cuius solemnia colitis patrocinia SENTIATIS. Amen.   342
usque in finem saeculi secundum suam promissionem SENTIATIS.   344
... SENTIATQUE credentium multitudo...   3703
ut vel veniam opera manuum tuarum SENTIATUR in inferis...   2103
professio SENTIATUR in opere.   1195
defensionis tuae auxilium SENCIATUR.   1200
ut ab omnibus hic invocantibus te auxilium tuae misericordiae SENCIATUR.
  1064
refrigerium de habundantia miserationum tuarum SENTIATUR.   2273
dormientes te per soporem SENTIENT, qui iacob...   315
quorum continuum SENTIMUS auxilium.   2728
VD. Cuius propitiationem in hac primum parte SENTIMUS cum ea quae tibi...
  3665
... Quia praesentiam tuam sine dubitatione SENTIMUS cum et singulis...
  1029
VD. Cuius et propitiationis exordium principaliter inde SENTIMUS cum
  tuorum sensibus...   3642

Ds, cuius antiqua miracula etiam nostris saeculis curruscare SENTIMUS
dum quod uni populo... 777
nec tantis mysteriis collata dona SENTIMUS et tua nobis inspiratione...
401
Ds cuius antiqua miracula in praesenti quoque saeculo coruscare SENTIMUS
praesta qs ut sicut... 778
hoc de filio tuo, hoc de spiritu sancto sine differentia discritione
SENTIMUS ut in confessione... 3887
quorum suffragiis protectionis tuae dona SENTIMUS. 1579
ac tunc potius recte SENTIRE cognoscimur (cognoscimus). 4022
fac misericordiam SENTIRE parcentis. 994
et de adversis prospera SENTIRE perficiant. 3139
et mutua devotione SINCIRE. 521
ut et in tua sint supplicatione devoti et mutua dilectione SENTIRE. 506
priusquam lumen temporale SENTIRET... 3774
O. s. ds, qui timore SENTIRIS, dilectione coleris, confessione placaris...
2457
que multorum forsitan per iustitiae meritum SENTIT in poenis. 2029
cuius pietas sine fine SENTITUR... 1249

      SEPARO
quomodo seperatum est... vita a morte, sic te et tu SEPERA, damnate...
394
SEPARA te famulo dei, sicut separavit... 2180
... SEPERA te ab hanc plasma, quomodo seperatum est caelum a terra...
394
SEPARA te, inimici, et dominus ihesus christus veniat super nos... 2552
quo praesente, cum te ab homine SEPERASSET... 1355, 1859
Cuius typum virga tenuit in SEPARATAS aequoris undas... 3847
... SEPARATE vos ab omni fratre inordinate ambulante... 3879
ut nullis iniquitatibus a te SEPARATI tibi semper adherere possimus.
68
... Sepera te ab hanc plasma, quomodo SEPERATUM est caelum a terra...
394
Sic aeris SEPARATUS, inmondissime spiritus... 2180
ut nullis a te iniquitatibus SEPARATUS tibi semper domino... 108
qui te in principio verbo SEPARAVIT a terra... 1535
per deum (sanctum) qui te in principio verbo (verbum) SEPARAVIT ab arida
... 1045, 1535, 3565
sicut SEPARAVIT deus caelum a terra... 2552
sicut SEPARAVIT deus pater omnipotens caelum (a) terra... 2180
quem a tui corporis unitate nulla temptatio SEPARAVIT. 1828
ut numquam pusmodum de tua gratia SEPARETUR indigna. 2303
et nullis temptacionis a te SEPARETUR. 1051

      SEPELIO
Debitum humani corporis SEPELIENDI officium fidelium more conplentes...
701, 702
ut hoc corpus cari nostri infirmitate SEPULTO, in virtute... 701
crucifixum etiam pro nobis sub Pontio Pilato et passum et SEPULTUM et
resurgentem... 554
ut hoc corpus a nobis in infirmitate SEPULTUM in virtute... 701, 702
mortuus et SEPULTUS, discendit ad inferna... 551
Crucifixus etiam pro nobis sub pontio pilato passus et SEPULTUS est. 555

      SEPTEM
fabricavit sibi sapientia domum SEPTEM columnis instructam... 3780

per SEPTEM forme spiritus sanctificationis gratiam...   2386
Lectio... Et adpraehendent SEPTEM mulieres unum hominem.   2007
In diebus illis adprehenderunt SEPTEM mulieris virum unum...   1970
... Non permittas SEPTEM nequitiores tibi, qui peius faciant quam tu...
   1529
... SEPTEM panis in diserto in escas populorum benedicens multiplicasti...
   2386
Tibi coniuro... per SEPTEM tronis dei...   3474
quia per deum te coniuro qui SEPTEM tronus sedit quia de supore.   1860

          SEPTIFORMIS
inmitte in aeos SEPTIFORMEM spiritum sanctum...   868
inmitte in eum paraclytum spiritum tuum sanctum SEPTIFORMEM spiritum
   sapienciae...   3192
emitte in eos SEPTIFORMEM spiritum tuum sanctum paraclitum de caelis...
   2445
(munere) SEPTIFORMIS tuae gratiae (gratiae tuae) (munere) roboretur.
   136, 137, 138

          SEPTIMUS
ut quarta (et) sexta vel SEPTIMA feria ieiunemus...   1832
et ieiunium mensis SEPTIMI convenienter aptentur...   3495
ut quarti vel SEPTIMI feria ieiunemus...   1853
quam mensis SEPTIMI sollemnis recursus indicit...   182
cuius SEPTIMUM obitus sui diem commemoramus...   2975
cuius deposicionis diem SEPTIMUM vel trigesimum celebramus...   1721
quam tibi offerimus ob diem depositionis SEPTIMUM vel trigesimum pro
   anima...   95, 96
cuius diem SEPTIMUM vel trigesimum sive deposicione celebravimus...   2312

          SEPTENARIUS
et in SEPTENARIO inter beatorum spirituum agmina requiescatis...   2242
quos apostoli tui in SEPTINARIUM numerum... elegerunt...   1372

          SEPTINENTE
Ut SEPTINENTE et te remunerante perveniat...   1230

          SEPTUAGINTA
per SEPTUAGINTA virorum prudentium mentes (mentis, mentem) Mose spiritum
   propagasti...   1348, 1349, 1350

          SEPULCRUM
ut multa per miracula vivant in gloria praeter SEPULCHRA.   908
Resuscitet vos de vitiorum SEPULCHRIS, qui eum resuscitavit a mortuis.
   362
si misericordiam respexeris, phetentem suscitas de SEPULCHRO...   219
et corporis Christi novum SEPULCRUM spiritus (spiritu) sancti gracia
   perficiatur.   2259

          SEPULTURA
... Hic eiusdem crucifixo et SEPULTURA ac die tertia resurrectio
   praedicatur...   1706
cuius corpusculum hodiae SEPULTURA traditur...   2523
cuius corpusculum hodie SEPULTURAE traditur...   2521, 2522

          SEQUAX
per sanctas nunc virgines SEQUACES potius mariae quam evae vincatur...
   3854
... Qui sic SEQUACES suos in luce praecepit ambulare...   3917

per quem nos contrictione cordis afflictus intuere SERENUS.   3789

SEQUOR

praesidio quorum est SECUTA praecepta.   971
nec tardior est SECUTA victoria.   4015
... SECUTURA cum lumine et precedentium choro iungantur occurrat...   759
... Cernensque promissa conpleri, merito SECUTURA non dubitet...   3957
ut intellegentiae sensum de exemplis priorum caperet SECUTURA posteritas
    ...   819, 820
ut omnem professionis et SECUTURIS efecti...   1091
et hoc SECUTURUS in toto corpore, quod praecessit in capite...   1706
petrus... caput omnium nostrum SECUTUS est christum.   3823
... In exteris regionibus humiles Christi SECUTUS est gloriam...   3616
aeternae vitae SECUTUS est largitorem...   3907
Ut qui beati Petri apostoli sedem vicario SECUTUS officio...   1775
et cum praesolibus apostolicae dignitatis, quorum est SECUTUS officium...
    1766
beati... laurentii mereatur consortia, cuius nunc est exempla SECUTUS.
    569, 641
si totius vitae SEQUAMUR auctorem (auctore).   1568, 1573
ut et doctrinis eorum tibi placentia et pio SEQUAMUR auxilio.   2451
te ducem SEQUAMUR et principem.   1664
sacrosancta misteria que sumpsimus actus SEQUAMUR et sensu.   2962
etiam piae conversationis SEQUAMUR exemplo.   1097, 1134
ut apostolicae fidei doctrinaeque vestigia vel longe SEQUAMUR imitando...
    1186
sicut de praeteritis SEQUAMUR per ad nova transimus...   2739
canentes cantica nova, SEQUANTUR agnum quocumque ierit, prestante...
    1317
et intellegant quod SEQUANTUR et sequendo (sequentes) fideliter
    adpraehendant.   1525
Tua nos dne qs gratia semper et praeveniat et SEQUATUR ac bonis
    operibus...   3520
te timeat, te dilegat, te SEQUATUR et dum iugiter...   976
et anima mea SEQUATUR te ut ingrediaris et coabtis tibi...   3792
christianae devotionis SEQUATUR universitas.   2413
et ecclesia tua... te timeat, te diligat, te SEQUATUR ut dum iugiter...
    976
tecumque inmortalitatis suae vitam et regnum aeum SEQUATUR.   3462
et odore suavissimo (suavitatis) spiritus sancti percepto (praecepto)
    SEQUATUR.   2299
et de hostibus triumphandi suis SEQUENDA exempla monstravit.   3855
reliquid patriam in tuis praedicatoribus SEQUENDO et amissos...   3616
et intellegant quod sequantur et SEQUENDO fideliter adpraehendant.   1525
et SEQUENDUM beatus evangelista, quod docuit.   2170
... In utroque domini ac magistri sui vestigia SEQUENS...   3855
succidente SEQUENTE illa feria circa oram diei sexta convenire digni mini
    ...   3269
et SEQUENTES fideliter adpraehendant.   1525
nos etiam iustificet veraciter hanc SEQUENTES.   582
... SEQUENTIS ordinis viros esse concede, quod dignitatis aelegeris.
    2549
... SEQUENTIS ordinis viros et secundae dignitatis elegeris...   1348,
    1349, 1350
dum per ordinem flueret digesta posteritas ac priores ventura (venturem)
    SEQUERENTUR...   2541, 2542
ut te per apostolorum tuorum vestigia SEQUERETUR cui tu dne...   4127

ut te per apostolorum tuorum vestigia SEQUERETUR cui tu dne...   4127
et eadem victoria SEQUERETUR in membris, quae praecessit in capite.   3874
adque in membris quoque suis victoria SEQUERETUR quae praecessit...
  3873, 3874
christianae devotionis SEQUERETUR universitas...   3947
prosperitatis effectus est bonorum omnium SEQUI convenienter auctorem.
  4136
et inter apostolus christum SEQUI custodiat...   3391
et quos virtutis imitatione non possumus SEQUI debitae venerationis...
  3626, 3682
et illam SEQUI devotionem doctrinae...   3944
quam utique dominus SEQUI dignatus...   861
ut des nobis illam SEQUI doctrinam...   3692
ut et Clemens tuus sapientem clementiam SEQUI et tibi sacrata...   3204
mereatur SEQUI pastor gratiam, grex medillam.   740
et nullum SEQUI patiaris errorem...   3323
et illam SEQUI pia devotione doctrinam...   2403, 2742
et illam SEQUI pia devotionem qua dilectus...   3944
da ecclesiae tuae eorum in omnibus SEQUI praeceptum...   1006
auctoremque vite perennis tam in hanc vita SEQUI quam in mortis...   4084,
  3595
et inter apostolos Christum SEQUI studeat...   3391
ita in praesentis vitae stadio redemptorem nostrum possitis SEQUI ut ei
  inter choros...   347
ut qui voluntatis tuae viam te donante (donantem te) SEQUIMUR...   1071
quae salutaris mysterii veritatem toto etiam mundo testificante non
  SEQUITUR...   4115
nec turbata inprovisi regis adventu SEQUITURA cum lumine...   759

SERA
... SERAQUE in (supprema) parentum aetate concretus et editus...   3754

SERAPHIM
et inter cherubin et SYRAPHIN claritatem dei inveniat...   3391
in nomine caerubyn et SYRAPHYN, in nomine...   2856
Caerubyn quoque et SYRAPHYN incessabile predicatione conlaudant...   4176
cerubin quoque et SYRAPHYN incaessabile voce proclamant dicentes...   4004
quem cerubin et SERAPHIN indefessis (indefensis) vocibus laudant.   141,
  1354, 1355
exorcizo te... per cyrubin et SYRAFIN, per sancto iorgio...   1950
archangelorum, thronique sedum cherubin et SYRAPHYN, potestatum...   3736
contradicto tibi per marcum et mattheum, per cirubin et SIRAFIN quia ipse
  ortavit...   507
caeli caelorumque virtutes ac beata SYRAFIN sotia exultatione concaelebrant...   2556, 3589

SERENITAS
et temporum SERENITATE atque tranquillitate...   305
et aeris SERENITATEM nobis tribuae supplicantes...   55

SERENUS
per rorem caeli et inundantiam pluviarum et tempora SERENA atquae
  tranquilla...   317
Praesentia munera qs dne ita SERENA piaetate intuere...   2649
qua te conteplemur mente SERENA.   971
ut famulum tuum digneris SERENIS aspectibus praesentari...   2274
ut SERENIS oculis tuae piaetatis haec vascula ita inlustrare digneris...
  2907

et hanc domum SERENIS oculis tuae pietatis inlustra...   92
ut teperire SERENO caeli nobis praestis opportunitatis officium...   3637
et hoc sacrificium... SERENO vultu digneris respicere...   756
Supra quae propitio ac SERENO vultu respicere digneris...   3383
... Iube venientes ad te SAERENO vultu suscipere...   2658
et SERENO vultu totam in nobis lucem piaetatis tuae infunde...   1316
haec olei unctio vultos nostros iocundos efficiat ac (effecit et) SERENOS
    ...   3945, 3946
et reconciliatur tibi per christum SERENUM vultu respicias...   3920
... Ille qui regressus ab inferis, humano generis SERENUS inluxit...
    3791
haec olaei unctio vultus nostros iocundus effecit hac SERENUS.   3946

        SERIES
senibus sanctam SERIAE conversationis aetatem...   1493
adque ad optatam SERIEM cum suo coniuge proveas benignus annorum.   1729

        SERMO
... Sit SERMO eorum et praedicacio (in predicationem) (non) in persuasibi-
    libus humanae sapienciae verbis...   820
... Ergo dei SERMO et dei sapientia, Christus dominus noster...   1373
ut aeorum SERMO in timore tuo ignitus adque sale conditus...   2282
VD. Ecce enim, sicut sacer SERMO pronuntiat...   3678
interius SERMO tuus adipe frumenti saciet eos...   1330
cuique habitus, SERMO, vultus, incessus, doctrina, virtus sit...   3281
qui beatus vencentium prius armasti pectore, post SERMONE, ante decorasti
    ...   546
haec verba sunt symbuli, non sapientiae humano SERMONE facta...   1706
nunc euntes edocimini nullo mutato SERMONE potens es...   1706
Quatenus petrus clave, paulus SERMONE, utrique intercessione...   348
et eodem recepit nascente SERMONEM quique angelo...   3754, 3755
Te qs dne custodi cogitationes nostras, motus, SERMONES, operum...
per dulces SERMONES suos seducentes corda fallacia...   3653
... Cuius genitor dum eum dubitat nasciturum, SERMONIS amisit officium...
    3755
... Et eo nascente, et SERMONIS usum, et prophetiae sucepit donum...   3755

        SERPENS
Adiuro (te ergo) (ergo te) SERPENS antique, per iudicem vivorum et
    mortuorum...   142, 1354, 1355
ut non lateat hic SERPENS inimicus...   755
respice super famulum tuum hunc qui dolis invidi SERPENTIS appetitur...
    764
Amove ab aeis pestifera SERPENTIS blandimenta...   124
Defende aeum abire SERPENTIS incursibus...   330
Extinguat antiqui SERPENTIS invidiat...   782
qui eos dimicantes contra antiqui SERPENTIS machinamenta...   3722
terrorque venenosi SERPENTIS procul pellatur...   848
omnibus (intercedentibus)(in te credentibus) dira SERPENTIS venena
    extingui...   769
Ut callidi SERPENTIS venena possent aevadere...   2441
qui aeos demigantes contra vetusti SERPENTIS vitia...   4149
et astutos fieri more SERPENTUM non utique...   3981
undaque fluminum, venena SERPENTIUM, vel impetum bestiarum incurrant...
    4008

        SERPO
per aliqua (aliquam) (mentis) SERPAT (mentis) incuriam...   758, 759

SERRA

lauda hyerusalem dominum, quia confortavit SERRAS portarum tuarum...
  1330

SERVILIS

ut SERVILIS metus in effectum transeat filiorum.   3919

SERVIO

si bonorum omnium (iugiter) SERVIAMUS auctori.   612, 1574
Praesta qs m. ds ut tibi placita mente SERVIAMUS.   2743
tibi soli domino liberis mentibus SERVIAMUS.   1036
liberis tibi mentibus SERVIAMUS.   11, 2022, 2301, 2765, 2916
Ut repulsis insidiis tibi SERVIANT liberi...   1233
... Amore te timeant, amore tibi (tibi amore) SERVIANT tu eis honore...
  758, 759, 760
secura tibi SERVIAT christianorum (christiana) libertas.   3405
et laetus tibi SERVIAT et nomine tuo gratias referat.   1714
ut ex toto corde et ex tota mente tibi DESERVIAT, et sub tua...   3914
secura tibi SERVIAT (SERVIANT) libertate.   1388
tibi aeorum SERVIAT restituta libertas...   397
secura tibi SERVIAT Romana devotio.   2229
secura tibi SERVIAT romana libertas.   3405
eorum suffragantibus meritis divinae SERVIAT unitati.   2331
sic ei SERVIATIS in terris, ut ei coniungi valeatis in caelis.   2951
ut tibi a fidelibus tuis dignae et laudabiliter SERVIATUR tribue ad
  promissiones...   2270
ut quo te auctorem iugiter, te auxiliante SERVIATUR.   98
ab omnibus tibi gradibus fideliter SERVIATUR.   2323
ut gratiae tuae munere ab omnibus fideliter SERVIATUR.   2323
qui sacerdotum ministerio ad tibi SERVIENDUM et supplicandum uti dignaris
  ...   2292
ut creatura mysteriis tuis (mysterii tui tibi) SERVIENS ad abiciendos...
  896
ut (in) diebus nostris (ut) merito et numero populus tibi SERVIENS
  augeatur.   587, 1311
... SERVIENS deo vero devota muniat infirmitatem suam robore discipline...
  2542
ut in conspectu suo fideliter SERVIENS distimata sanctis...   2498
da ut omnis hic plebs nomini tuo SERVIENS, huius vocabuli...   976
spe gaudens, tuo semper nomine SERVIENS perduc eum...   875
ut in conspectu suo fideliter SERVIENS, predistinata...   2511
nullam SERVIENTEM adversario tribuat potestatem...   725
sacri muneris SERVIENTEM tribuas gradibus ministrorum nomine tuo militare
  constituens...   136
(et) (his) sacramentis caelestibus SERVIENTES ab omni culpa...   2104,
  2869, 3424
qua tibi fideliter SERVIENTES ad tuam iugiter misericordiam pervenire
  mereantur.   572
et presente nos merito tibi foveat SERVIENTES et ad...   3611
Protege nos, dne, qs, tuis misteriis SERVIENTES, et devinis...   2934
ut sacris (caelestibus) altaribus SERVIENTES et fidei integritate fundati
  ...   805, 1347
ut sacris altaribus SERVIENTES et fidei veritate fundati...   52, 53
Has famulas tuas devotis mentibus tibi SERVIENTES omni benedictione...
  1297
et tuis divinis purifica SERVIENTES pietate mysteriis...   3418

omnes tibi SERVIENTES sanctifica (sanctificat) sacerdotis... 3875
Protege nos, dne, qs, tuis mysteriis SERVIENTES ut divinis rebus... 2933
ut laevitae tuae sacris altaribus SERVIENTES, ut fidei... 53
et mihi famulo tuo SERVIENTI tibi tribuas... 1311
et a SERVIENTIBUS tibi in nulla es regione longinquus... 961
Dne iesu christe, qui SERVIENTIBUS tibi, munificus retributor... 1331
Ingredientis, dne, in hunc tabernaculum ancillarum tuarum tibi SERVIENTIUM
    angelo tuo... 1924
Ds, in te sperantium salus et SERVIENTIUM fortitudo... 835
Deo placentium adque SERVIENTIUM interventionibus... 716
... SERVIENTIUM morborum restingatur accessio... 3824
Ds, qui omnium rerum tibi SERVIENCIUM natura... ad cultum tuae maiestatis
    institues... 1144
Ds qui digne tibi SERVIENTIUM nos imitari desideras famulatum... 956
Ingredientes, dne, hunc tabernaculum ancillarum tuarum tibi SERVIENTIUM,
    quesumus... 1924
Ds, SERVIENTIUM tibi fortitudo regnorum... 1250
ut salus SERVIENTIUM tibi principatum (principum) pax tuorum possit esse
    populorum. 2866, 2867
Sacrificii tui, dne, SERVIMUS effectibus... 3146
ut cuius ministerii vice (vicibus) tibi SERVIMUS inmeriti (inmeritis)...
    46
Redemptor noster aspice ds, et tibi nos iugiter SERVIRE concede. 3039
VD. Tibi domino deo nostro tota flagrantis fidei firmitate SERVIRE, in
    bonis... 4176
nec discurrere, nec latere, nec SERVIRE in corpore istius... 1888
et tuis semper faciat SERVIRE mandatis. 3315
ut per eius adventum purificatis tibi SERVIRE mentibus mereamur. 1522
ut per eius adventum purificatis tibi mentibus SERVIRE mereamur. 1515
in unitatem fidei ferventes tibi, dne, SERVIRE mereantur. 801
tibique domino nostro SERVIRE mereatur. 1359
et aecclesiasticis convenienter SERVIRE ministeriis... 1089
concede mihi indigno famulo tuo sacris convenienter SERVIRE mysteriis...
    1060
quos caelestibus tribues SERVIRE mysteriis. 2821
et virtutibus universis, quibus tibi SERVIRE oportit, instructi
    conplaceant. 1372
et digne tibi SERVIRE perficias... 403
ut sicut me sacris altaribus tua dignatio pontificali (sacerdotali)
    SERVIRE praecipit officio... 1753, 2072
qui tibi voluerint (voverunt) SERVIRE puris mentibus mundoque corde...
    3465
quem nosse vivere, cui SERVIRE regnare est... 749
Concede nobis, m. ds, et dignae tuis SERVIRE semper altaribus et eorum
    perpetua... 448
ut digne tuis SERVIRE semper altaribus mereamur... 2689
sed inmensa largitate clementiae (tuae) caelestibus mysteriis SERVIRE
    tribuisti... 863
tibi subdita mente SERVIRE tua misericordia... 1583
Tribue, qs, dne, donis tuis libera nos mente SERVIRE ut intervenientibus
    ... 3494
Donis caelestibus da qs dne libera mente SERVIRE ut munera... 1380
Tribue nos, dne, qs, donis tuis libera mente SERVIRE ut purificante...
    3492
et maiestati tuae (maiestatem tuam) sencero corde SERVIRE. 2340
toto nos tribue tibi corde SERVIRE. 3108

ut tuo semper auxilio secura tibi possit devotione SERVIRE. 1450
ut possimus tibi (domino) dne pura mente SERVIRE. 2370
secura tribue tibi mente SERVIRE. 3097
qui relegiosa corda hac devotio tibi optat SERVIRE. 3736
ut multiplicandis adobcionum filii sanctorum conubiorum fecunditas pudica
    SERVIRET... 3925
et quorum nostris meritis SERVIT interitus... 1009
quem tuis sacrariis SERVITURUM in officium diaconi (diaconatus) supplici-
    ter dedicamus... 136, 138
quos tuis sacrariis SERVITUROS in officium diaconii suppliciter dedicamus
    ... 136, 137
nisi conpetentibus sustentata cibis membra non SERVIUNT absque continentia
    ... 4033
felicitas sub bonorum omnium SERVIUNT auctore. 1582
spiritum, cui sanctus Laurentius levita SERVIVIT... 1516

        SERVITIUM
et ut tibi nostra sint grata SERVITIA, gratiae tuae largitate concede.
    1630
ut sacris apta muneribus fiant nostra SERVITIA. 1079
et devotis semper frequentare SERVICIIS et devotius... 1578
Suscipe qs dne nostris oblata SERVITIIS et tua potius dona... 3445
Mysteria tua, dne, debitis SERVITIIS exequentes... 2166
sed etiam sacro misterio conpetentibus SERVITIIS exequentibus... 3931
et tuis SERVITIIS inherentes pervigili protectione custodi. 183
quae a condicione sui tuis subiecta SERVITIIS probabilis extitit... 3809
hoc sollemne ieiunium... devoto SERVITIO celebremus. 112
Custodi nos, dne, in tuo SERVICIO constitutos... 565
et sencero tractare SERVICIO et cum perfecto salutis implere. 603
ut quod nostro SERVITIO geritur, te potius operante formetur. 3118
Tanto nos, dne, qs, promptiore SERVITIO haec praecurrere concede sollemnia
    ... 3456
Tanto nos, dne, qs, prumptiore SERVITIO huius sacrificia praecurrere
    concide solempnia... 3456
in domini ihesu christi SERVITIO in perpetuum derelinque. 1888
per sanguinem unigeniti tui... redemisti de duro SERVITIO inimici...
    3837
quem tuo servorumque tuorum SERVITIO mancipamus. 3531
ut quod tremente SERVITIO nos vovemus oblatum... 207, 2159
fideli SERVITIO pervenerunt ad palmam corone. 908
felice SERVITIO pervenit ad palmam. 1176
et que non sunt gerenda SERVITIO, suo benigno prosequatur auxilio...
    2499
corpore tuo in SERVITIO suo custodire et conservare fatiat. 334
ut qs nostro sunt gerenda SERVITIO, tuo benignus prosequaris auxilio...
    1321
ut quod (nostrum) est gerendum (regendum) SERVITIO, tuo impleatur
    auxilio (auxilium). 113
ut quae nostro sunt gerenda SERVITIO, tuo prosequaris benignus auxilio...
    1321
ut in hisdem proficiamus et fideli (fidei) consortio, et digno SERVITIO.
    2286
et aegyptiis in exterminio, ut non premerentur oneroso SERVITIO. 122
totumque SERVITIUM delegatum rationabiliter exsequentes... 3796
Purifica nos, dne, hisdem quibus SERVITIUM dependimus sacramentis...
    2939

SERVITUS

Sanctis intervenientibus, (Sancto sebastiano interveniente) dne, tibi
  SERVITUS nostra conplaceat et obsequia munerum... 3231
et ut tibi SERVITUS nostra conplaceat, tua in nobis dona conserva.
quos sub peccati iugo vetusta SERVITUS tenet. 497, 500
et liberata plebs ab aegyptia SERVITUTE christiani populi sacramenta
  praeferret... 1178
qui nos de virtute in virtutem devita (SERVITUTE) currentes... 2105
tenebrosa praesumptione fuerat in SERVITUTE damnatum... 861
spiritalem tibi, summe pater, hostiam supplici SERVITUTE deferimus...
  3054
ut quia sub peccati iugo ex vetusta SERVITUTE deprimimur... 496
ut quae sedula SERVITUTE donante te gerimus... 3328, 3330, 3331
ut a cunctis perturbationibus liberati tranquilla tibi SERVITUTE famulemur. 1481
ut quod nos exsequimur minus idonea SERVITUTE illorum potius... 2229
hostiam supplices SERVITUTE introire... 3055
... Unde benedicimus te, dne, teque debita SERVITUTE laudamus. 3902
Ds qui populum tuum de hostis callidi SERVITUTE liberasti... 1168
ds qui tribus israhel de aegyptia SERVITUTE liberatas... 739
debita nomini tuo SERVITUTE placeamus. 3594
ut munus trepida SERVITUTE propositum non de nostris meritis aestimemur...
  3367
et ab omni SERVITUTE seculare habitum hunc famulum tuum ill... 2374
ut eam secum in turpem redigant SERVITUTEM de his sunt... 3879
ut et tibi semper exhibeant devitam SERVITUTEM et ad remedia... 66
Respice, qs, dne, nostram propicius SERVITUTEM et haec oblacio nostra...
  3115
propitius ad humilitatis nostrae respice SERVITUTEM, et pacis... 1165
et congruam (gratiam) tibi semper exhibeat SERVITUTEM et propiciacionis...
  373
ut et gratam tibi nostram facias SERVITUTEM et sacramentum... 510
ad humilitatis nostrae propicius respice SERVITUTEM et tuae pacis...
  954a
ut quibus donasti huius ministerii SERVITUTEM exequendi gratiae... 2157
VD. Tibi debitam SERVITUTEM per ministerii huius inplecionem persolvere...
  3737, 4174
talem ei exhibeatis SERVITUTEM per quam suam consequi... 2244
huic iure devitam reddidit SERVITUTEM quem mundi tollere... 3774
sacri muneris SERVITUTEM trinis gradibus ministrorum... 137, 138
liberam SERVITUTEM tuis semper exhibeamus officiis. 1477
Respice (dne) (propitius) (dne) (famulae tuae tibi) ad deditam (tibi)
  (tui populi) SERVITUTEM ut inter humanae... 3111
Conserva, qs, dne, filiorum tuorum tibi subditam SERVITUTEM ut
  intervenientibus... 524
Propitiare dne humilitati nostrae et respicae SERVITUTEM ut pacis tuae...
  2860
Respice, qs, dne, (dne qs) nostram propitius SERVITUTEM ut quod offerimus
  ... 3116
propitius ad humilitatis nostrae respice SERVITUTEM ut tuae pacis... 954
ut ad promissam hereditatem adgredi valeamus per debitam SERVITUTEM.
  882
puram ribi exhibeant SERVITUTEM. 999
gratam tibi nostri ministerii facias SERVITUTEM. 557
bene tibi placitam perficias SERVITUTEM. 4141

in diabolicam non reccidant SERVITUTEM. 1488
quae et sacre nos deditos faciat SERVITUTI et tuam nobis... 1657
da SERVITUTI nostrae prosperum cursum... 860
sic nostrae SERVITUTIS accepta reddantur officiis. 1891
et debitae SERVITUTIS actione perfrui (sectari). 3208
et oblata devotioni nostrae SERVITUTIS asscribis... 2433
Pro nostrae SERVITUTIS augmento sacrificium tibi dne laudis offerimus...
    2849
ut quod devitae SERVITUTIS celebramus officio... 3170
Altaribus tuis, dne, munera nostrae SERVITUTIS inferimus... 171
Propitius, dne, qs, oblationem nostram SERVITUTIS intende... 2889
Hanc igitur oblationem, dne, SERVITUTIS meae... 1724
Hanc igitur oblationem SERVITUTIS nostrae in die hodiernae... qs dne ut
    placatus accipias... 1765
Hanc igitur oblacionem SERVITUTIS nostrae quam tibi offerimus... qs, dne,
    placatus accipias... 1766
Hanc igitur oblationem SERVITUTIS nostrae quam tibi pro famulo tuo ut
    remissionem... 1767
Hanc igitur oblationem SERVITUTIS nostrae sed et cunctae familiae tuae...
    1769, 1770, 1771, 1772, 1773, 1774
Hanc igitur oblationem dne SERVITUTIS nostrae sed et famuli tui... 1725
Accepta tibi sit, dne, nostrae SERVITUTIS oblatio et salutaris... 21
Grata sit tibi, dne, nostrae SERVITUTIS oblacio qua sanctus gurgonius...
    1647
et pro nostrae SERVITUTIS obsequiis, et pro celebritate sanctorum...
    3072
propitiationem (propitiatione) dei nostri perseverantia (perseverantiam)
    devitae SERVITUTIS optineat. 1682, 1832, 1854
Sacrificium tibi, dne, nostrae SERVITUTIS offerimus quod ad honorem...
    3164
Munus quod tibi dne nostrae SERVITUTIS offerimus tu salutare... 2163
Accipe, dne, qs, nostrae SERVITUTIS officia. 28
ut quidquid nostrae non expletur SERVITUTIS officio indulgentiae... 3458
ut quod actum est nostrae SERVITUTIS officio, tua benedictione firmetur.
    115
et ut tibi mea SERVITUTIS placeat... 780
quae de terre SERVITUTIS populo exeunti salutifero lumine ducatum exibuit
    ... 861
Adesto, dne, officiis nostrae SERVITUTIS, qui tu pedis... 71
nostra minus idonea depraecatio SERVITUTIS sed merita nostra... 2183
Debitum (dne) nostrae reddimus SERVITUTIS suppliciter exorantes (exoranter)
    ... 700, 703
liberi SERVITUTIS tuis semper exhibeamus officiis. 1477
propitiationem domini nostri perseverantiam debete SERVITUTES. 1853

          SERVO
Gratias ago tibi de donis tuis, sed mihi ea SERVA. 3792
adque hos omnes concordes, quietus, patificus et suspis SERVA. 311
Ita aenim SERVABIS me, et augebuntur... 3792
SERVANDA est, dilectissimi fratres, in excessum sacerdotum... 3281
... Quibus conpraehendendis adque SERVANDIS nemo non idoneus, nemo non
    aptus... 1706, 1707
... Sed SERVANDO corporis ac mentis integritatem... 3942
et non SERVANDO potius custodirent... 4075
et quod haec praedicasset ostenderis ubique SERVANDUM... 4035

... SERVANS misericordiam tuam populo tuo ambulanti ante conspectum
  gloriae tuae...   1249
ut magnitudinis gloriae rudimenta SERVANS per custodiam...   2825
... SERVANS populum tuum agni sanguine prenotatum...   1257
et te SERVANTE custodiatur in mente.   2980
ut magnitudinis gloriae rudimenta SERVANTES per custodiam mandatorum
  tuorum...   2825
Haec nobis praecepta SERVANTIBUS tu, ds omnipotens, clemens adesto...
  1045, 1698
cuncta SERVARE caelestia mandata docuisti...   972
per venerabilem mariam SERVARE docuisti in qua et intacta...   3974
et castigatione (castigationem) corporum SERVARE docuisti quia strictis
  (restrictis)...   3740, 4179, 4183
et in longiorem usum incorrupta SERVARET da ei dne...   3191
sed proficientibus exercitia maiora SERVARET quibus uberiore...   3996
ut quae statuisset in terris, SERVARETUR in caelis...   3728
ut adoptionem filiorum sanctorum conubiorum faecunditas pudica SERVARETUR
  tua enim dne...   3926
ubi sole divinitatis tuae lumine SERVARETUR.   4000
et quos per singula diei momenta SERVASTI, per noctis quietem custodire
  dignare.   1448
gemina testimentorum lege SERVATA, caelestis...   166
ut de custode SERVATA hereditatem benediccionis aeternae percipiat.   4255
ut te custode SERVATI ab omnibus vitae huius periculis liberemur.   1037
naturali per tuam gratiam decore SERVATO devotis semper...   1653, 2307
ut tam in nobis quam in aliis quae sunt iusta SERVEMUS.   3833, 4209
et tribulantibus multiplicem miserationum SERVENTUR et gens...   4048
et qui per te redempti sunt ad spem vitae aeternae, tua moderatione
  SERVENTUR.   1322
ut bona, quae te auctore percipit, te protegente SERVENTUR.   2372
aecclaesia conventum munus SERVET angelica...   2262
Ut pastor in futurum gregem SERVET incolomem...   903
ipsum quem confitemini protegente SERVETYS ut in quo...   1706, 1707
SERVETUR hic populus, purgatus baptismate...   465
ut quod te auctore iungitur, te auxiliante SERVETUR.   98

        SERVULUS
Idio te, clementissime, indigne SERVOLI iure legationis...   3501
tua semper ipsa ad tuis SERVOLIS opolentiae gloriae sit laudabilis.   1315
Tibi possit hic SERVULUS tuus corde firma...   763

        SERVUS
aeuge, aeuge, famola, SERVAE bone et fidelis...   561
... SERVI dei gratias perenni deo referant semper...   222
formam SERVI dominus adsumpsit...   4003, 4004
... Sint fideles SERVI prudentes, quos constituas tu, dne, super familiam
  tuam...   820
Unde et memores sumus, dne, nos tui SERVI sed et plebs tua sancta...
  3567
... SERVI tui Gregorii (gregorium) mereatur praecibus obtinere.   901
Suscipe, dne, animam SERVI tui ille ad te revertentem...   3389
... Laetifica, dne, animam SERVI tui ille, clarifica, dne, famulum tuum...
  3389
Libera, dne, anima SERVI tui illi ex omnibus...   2023
Suscipe, dne, anima SERVI tui ill. in aeternum tabernaculum...   3433
Suscipe dne animam SERVI tui illius quam de ergastulo huius saeculi vocare
  dignatus es...   3390

Suscipe, dne, animam SERVI tui ille revertentem ad te...   2493, 3391
Libera, dne, animam SERVI tui ill. sicut liberasti danihaelem (david,
    henoch, iob, ionam, noe, petrum et paulum, susannam, tres pueros).
    2023
laudes tibi referant SERVI tui qui das escam omni carni...   742
... Nihil tibi sit commune cum SERVIS dei iam caelestia cogitantibus...
    222
quia pro impiis SERVIS sanguinem suum creator effundens...   3757
Fragmenta panis que superaverunt SERVIS suis...   1637
et ne vellis cum SERVIS tuis adire iudicium...   1459
universa obstacula qui SERVIS tuis adversantur expugna...   1070
... Da fiduciam SERVIS tuis contra nequissimum draconem fortiter stare...
    1354, 1355
sed venientibus ad fidem SERVIS tuis et sancti spiritus...   838, 1240
da SERVIS tuis hunc (hanc) caritatis affectum...   1344, 943
da SERVIS tuis illam quam mundus (mundis) dare non potest pacem...   734,
    2300
Subveni, dne, SERVIS tuis pro sua iugiter iniquitate gementibus...   3317
da SERVIS tuis regibus nostris illis triumphum virtutis tuae scienter
    excolere...   1246
da SERVIS tuis veram cum tua voluntate concordiam...   851
et tibi SERVISQUE tuus oboediendum iniunctum sibi opus...   1331
Fac qs dne hanc cum SERVO tuo defuncto illo misericordiam...   1584
Non intres in iudicio cum SERVO tuo dne ill...   2181
Concaedas idemque SERVO tuo illo, intercedente...   3662
Concedasque idem SERVO tuo illo., per cuius conmemorationem...   3662
... Non intres in iudicio cum SERVO tuo requiem aeternam...   1886
adesto propitius huic SERVO tuo ut fugatis...   4237
Supplicationem SERVORUM tuorum ds miserator exaudi...   3357
Ds, qui offensionebus SERVORUM tuorum et iuste irasceris et clementer
    ignoscis...   1140
ita, dne, qs, in manus SERVORUM tuorum laborantium...   2386
ut SERVORUM tuorum labore quaesita... sub conspectu nostro manibus...
    3598
exaudi precis SERVORUM tuorum quas pro famulo tuo...   2305
quem tuo SERVORUMQUE tuorum servitio mancipamus.   3531
et utilitatem SERVORUM tuorum, te auxiliante perfectissime expleat...
    3531
quam ad substantiam SERVORUM tuorum tribuisti...   1335
exaudi praeces SERVORUM tuorum, ut sint...   1249
dirige ad te tuorum corda SERVORUM ut spiritus tui...   810, 846
et populo veniente ad credulitatem per SERVOS suis consecrare praecepit...
    1542, 1544
qui dum SERVOS tuos ex aegipto liberasti...   880
multiplica super SERVOS tuus misericordiam piaetatis tuae...   1335
Suscipe, dne, SERVUM tuum illum in aeternum habitaculum...   3433
Suscipe, dne, SERVUM ill. in bonum habitaculum aeternum...   3433
Suscipe, dne, SERVUM tuum in bonum.   2856
ut super SERVUM suum N. quem ad subdiaconatus officium vocare dignatus est
    ...   2498
... O inestimabilis dilectio caritatis, ut SERVUM redimeres filium tradi-
    disti...   3791
quia per SERVUM suum gregorium ad cognicione tui nominis venit...   3918
ut super SERVUM suum nomine illi... infundat benediccionem et graciam suam
    ...   2498
Sit fidelis SERVUS et prudentis, quos constituas...   820

tibique possit hic SERVUS tuus... debitum praebere famulatum...   764

SEVERITAS
... SEVERITATE quoque iudicii tui ab aeum clementer suspendas...   3920
ut a peccatis nostris tuae SEVERITATIS suspendas vindictam...   3892

SEX
... Iam conpleti sunt SEX millia annorum in cooportit...   1852

SEXAGESIMUS
ut SEXAGESIMUM fructum continenciae (continentiam et) vitam aeternam te
  largiente percipiat.   757
... SEXAGISSIMUM fructus donum...   1508
quo possit... SEXAGESIMUM gradum percipere munus delectabile sanctitatis.
  529
et sicut fidelibus tuis tricesimum atque SEXAGESIMUM vel centesimum
  fructum donare...   2110

SEXAGINTA
iniuriam non facias... neque in SEXUAGINTA menbra...   1551

SEXTUS
succidente sequente illa feria circa oram diei SEXTA convenire dignimini
  ...   3269
... Quarta igitur et SEXTA feria, solliciti convenientes occursu...   179
ut eadem quarta et SEXTA feria solitis processionibus exsequentes...
  1682
... Quarta igitur et SEXTA feria succedente...   182
Dne ihesus christe qui dum hora SEXTA pro redemptionem... crucis
  ascendisti lignum...   1328
ut quarta, et SEXTA vel septima feria ieiunemus...   1853
ut quarta SEXTA vel septima feria ieiunemus...   1832

SEXUS
Dne ds aeterne qui utrumque SEXU de interitu perpetuae mortis...   1297
VD. Quoniam sicut humanum genus in utroque SEXU diabolus... elisit...
  4103
in utroque SEXU fidelium cunctis aetatibus contulisti...   3856
etiam in SEXU fragili victoriam (victoria) martyrii (martyrae) contulisti
  ...   1042
Quo sicut illa SEXU fragili virile nisa est certamen adire...   341
... SEXUS fragelitatem calcata...   3686
etiam in fragili SEXU victoriam castitatis et martyrii contulisti...
  1043
per virilem SEXUM martyrum beatorum meritum deceptori reciprocas ultionem
  ...   4034
... O vere beata et mirabilis apis, cuius nec SEXUM masculi violant...
  3791
ut qui male in sua paradisi felicitate fidentem SEXUM utrumque prostraverat...   4034
ut per earum intercessionem quae et SEXUM vicerunt et saeculum...   3854
etiam in fragilem SEXUM victoriam castitatis et martyrii contullisti...
  1043
manu per quem uterque SEXUS, dono gratiae tuae... accipiant.   397
ut postquam virgo de virgine prodiit, SEXUS fragilis esset fortis...
  3854
quod de eo etiam SEXUS fragilis iam triumphat...   3854
... SEXUS fragilitate calcata...   3686, 3781

nec SEXUS fragilitate deterreatur (deterrita)...   3942, 3993, 3994, 3995
... Eufymiae SEXUS fragilitate praetiosior sanguis effloruit...   3783
illa meruit et SEXUS fragilitatem et persequentium rabiem devincere...
341
et quos aut SEXUS in corpore aut aetas discernit in tempore...   1045,
1047
additus fortiori SEXUS infirmior unum efficeret ex duobus...   2541, 2542
ut eum non solum virilis SEXUS tuorum deinceps fidelium subiugaret...
3788

                    SIC
... SIC a te omnium nostrorum interiora laventur peccata.   71
... SIC ad aeternam patriam per abstinentiam redeamus...   3636
... SIC ad consequendas misericordias tuas...   2410
quae SIC ad honorem nominis tui deferenda tribuisti...   3477
... SIC ad tua beneficia promerenda maiestatem tuam pro nobis ipsi
praeveniant.   499
SIC aeris separatus, inmondissime spiritus...   2180
SIC age quasi redditurus deo racionem...   3288
... SIC auxiliante nobis eorum sentiamus ubique praesentiam.   688
... SIC beati martyris sancta substantia non consumitur incendiis...
3615
... SIC beatus martyr non consumitur tormentorum incendiis...   3615
... SIC bonis praetereuntibus nunc utimur...   3954
... Hic enim Christi evangelium loquuturus SIC coepit de Zacharia et
Elisabeth...   2031
Ds qui tuos martyris SI(C) confixisti caritatem...   1230
... SIC consortio maritali tuo munere copulatam desiderata subole
gaudere perficias...   1729
sic taceam nec turpiscam, SIC contine ut non cadam...   1296
sic contine ut non cadam, SIC constringe ut numquam demittas...   1296
et SIC coronam pudiciciae (pudicitiam) meruit ut regium thalamum...   3605
Deus qui populum tuum SIC corripis delinquentem...   1169
... SIC credimus, dne, in resurrectione futurum...   3668
... SIC dispensatione diversa unam Christi familiam congregantes...
3666a
... SIC dissimulare culpas, ut sub speciae gratiae.   3981
... SIC doces illorum iugiter relaxare...   3981
... SIC eam consorcio maritali tuo munere copolatam...   1729
... SIC eam dignis moribus (mentibus) (et mentibus) adsequamur.   1124,
1125
... SIC seas iscommunicatus qui aerat in secula seculorum. Amen.   2552
SIC ei parsimoniae victimas offeratis...   18
... SIC ei serviatis in terris, ut ei coniungi valeatis in caelis.   2951
... SIC eius munera (munere) capiamus sempiterna (sempiterni) gaudentes.
607
... SIC eius principes sublimasti, ut minimos quosque non deseras...
1186
... SIC enim ab exordio sui usque in finem beati certaminis extitit
gloriosa...   1651
... SIC enim coepit : Liber generationis Iesu Christi...   1633
... SIC enim tibi (dne) placitum (SIC) necessario...   2541
... SIC eo suffragante nobis emundationem ac veniam concedas peccati...
3695
... SIC eodem iugiter redundare (habundare) effectus est sine fine
vivendi.   4040

... SIC eorum qui a veritate sunt devii flere debemus interitum... 3922
quia SIC erimus praeclari muneris prumpta sinceritate cultores... 3701,
4191
... SIC et Heleazaro et Ithamar... paterne plenitudinis habundantiam
transfudisti... 1349, 2549
... SIC et Heliseus sacerdos... salem accepit... 1346
... SIC etiam tranquillitatem vitae praesentis indulgeas... 3625
... SIC eum ad spem reconciliationis amittimus... 2297
... SIC exiit et non rediit, SIC tu exi, maledicte satanas... 1529
quando pars clamidis SIC extetit gloriosa... 4148
... Qui ab unigenito tuo SIC familiariter est dilectus (electus)...
3608, 3609, 3613
... SIC fatentibus relaxare delictum... 670
... SIC fiducialiter quae nunc promittuntur expectat. 4042
... SIC fons ille beatus qui dominico latere circumfulxit... 3596
Ita, pater, quoniam SIC fuit placitum ante te. 1446
... SIC gloriemur nobis, ut non abutamur antiquis. 648
O. s. ds, qui SIC hominem condedisti... ut... ad caelestia dona provehis
... 2454
ac SIC homo dignatus exsistere est... 3793
... SIC hostes Romani nominis... expugna. 1463
VD. Qui SIC hostis antiqui machinamenta destruxit... 4023
SICQUE ieiunii vestri et precum vota suscipiat... 2243
... Nam ut dapibus et poculis corpora, SIC ieiuniis et virtutibus animae
saginantur... 3889
VD. Quia pectora martyrum beatorum SIC ignis ille caelestis inflammat...
4059
Da aeis SIC in diebus ieiuniorum suam conpore vitam... 3110
... SIC in Eleazaro et Ithamar... paternae plenitudinis abundantiam
transfudisti... 1348, 1350
... SIC in heremo per septuaginta virorum prudentium mentes... 1348,
1349, 1350
ut SIC in hac mortalitate peccata sua te adiuvante defleat... 823
... Qui SIC in ministrando strenuus et fidelis apparuit... 4193
... SIC in perpetuum eius interventu habeamus adiutorem. 3681
... Et SIC in rebus transitoriis foveas, ut perpetuis inherere concedas.
3718
Quo SIC in senarii numeri perfectione in hoc saeculo vivatis... 2242
... SIC in spiritu sancto tocius cognoscamus substanciam trinitatis.
450
VD. Cuius ineffabilis sapientia SIC incommutabiliter perseverat... 3652
... SIC indulgentiam tribue miseratus optatam. 733, 735, 736
... SIC indulgentiam tuam piis eius praecibus adsequamur. 2794
... SIC integro tellore (tenore) diricamur ad illius semper ordinem
recurrentes. 2267
... SIC ipso opitulante pia devotione tractemus... 3753
... SIC istos iugiter tua gratia gubernando ad misericordiam perducat
aeternam. 1205
SIC liberare digneris animam hominis istius... 2023
doce scientia scripturarum ut SIC loquar ne superbiam... 1296
... SIC me idoneum tibi ministrum efficias... 2239
... Quo SIC mutabilia bona capiamus... 3707
... SIC nobis effectum, dne, tuae salvationis inpendant. 3289
... SIC nobis indulgentiae (tuae) praebe benignus auxilium. 434
... SIC nobis largiaris et pacem. 1827
... SIC nobis qs indulgentiae praesta subsidium. 3578

... SIC nos ab aepulis carnalibus abstinere (abstinere carnalibus)...
2745

... SIC nos bonis tuis instrui (instruas) sempiternis, ut temporalibus
consoleris...   3822

ut SIC nos hodie a peccatis emacules...   3950

... SIC nos instituis ad celebranda paschalia festa...   4024

VD. Qui SIC nos tribuis solemne tibi deferre ieiunium...   4024

... SIC nos tua moderatione disponis...   3827

... SIC nos tuae pietati salutaris humilitas prestet acceptos.   200

Da qs o. ds SIC nos tuam veniam promereri...   670

VD. Te suppliciter exorantes, ut SIC nostra sanctificentur ieiunia...
4163

... SIC nostrae servitutis accepta reddantur officia.   1891

Da, qs, o. ds, SIC nostram veniam (gratiam) promereri...   670

sollemnia... SIC nova sint nobis ut continuata permaneant...   595, 629

quando in vinia domini sabaoth SIC novorum plantatio facienda est...
58

... SIC noxia cuncta succumbent, si nosmet ipsos ante vincamus.   3888

... SIC opus maiestatis inmensae negari nefas est...   4115

... SIC oves gubernentur et ag(ni) ut lupus...   1044

... SIC per alimoniam (alimonia) tuo munere destributam... (distributa)...
2454

... SIC per gratiam tuam et bene velle sumamus...   3797

... SIC per Iesum Christum... sui tribuisti victores esse victorem...
3788

... SIC per illum tuae sumamus indulgenciae largitatem (effectum).   1990

Quatenus SIC per viam salutis devota mente curratis...   722

... SIC percutiatur hic maledictus seductor saeculi...   755

... SIC percuciatur in virtute claritatis tuae...   755

... SIC perpetua perseverent, ut pro sui miraculo nova semper exsistant.
595, 629

qui SIC perpetuae virginitatis est sponsus... quemadmodum perpetuae
virginitatis...   758, 759

... SICQUE perveniamus per filium sterilis ad filium virginis...   3869

VD. Qui nos SIC pietate pariter adque iustitia vis esse perfectos...
3980

... SIC praesentia dona percipiat, ut capere mereatur aeterna.   816

et SIC praesentibus consolare subsidiis...   516

... SIC praesentibus refoveri, ut ad gaudia nos mansura perducas.   3734,
3822

... SICQUE praesentibus subsidiis consolemur...   3744

... SIC pro nobis eorum depraecatio continuata non desit.   4155

... SIC que (de) ultro ambit, vel inportunus se ingerit, est procul dubio
repellendus...   3290

Ut SIC quicquid dicto, facto, cogitationibus peccaverent...   980

... SIC quoque tribuas rationabilis obsequii propitius incrementum...
4213

VD. Qui SIC rationabilem non deseris creaturam...   4025

et SIC rebus foveas transituris...   2592

... Qui SIC sequaces suos in luce praecepit ambulare...   3917

haec devocio... ita SIC sit deo semper accepta...   2509

... SIC spiritum graciae tuae quo iugiter muniamur semper imploret.   2740

adque SIC super daviticam cytharum dilectatus...   2262

ut sic loquar ne superbiam, SIC taceam nec turpiscam...   1296

... SIC te auxiliante nobis eorum sentiamus ubique praesentiam.   688

quomodo seperatum est... vita a morte, SIC te et tu sepera, damnate...
394
ut in eo SIC temporales hostiae consecrentur...   2397
... SIC temporalis laetitiae tempora transeant ut eis gaudia sempiterna
succedant.   3707
ut eadem SIC temporaliter celebremus...   793
... SIC tendere congruenter, ut ad eam pervenire possimus.   1569
quo SIC terrena generatione processit...   3604
... SICQUE tota effecta in aeterna recipiatur tabernacula.   3392
... SIC transeamus per bona temporalia, ut non amittamus aeterna.   2915
et sustentaculis SIC transeuntibus gubernemur...   3827
VD. Qui SIC tribues aeclesiam tuam sanctorum martyrum...   4026, 4064
... SIC tua virtute et hereditatem subsequi mereatur in corde.   2374
... In qua diversitate substantiae SIC tuo moderamine nos gubernas...
4033
te omnia in omnibus operante SIC utatur temporalia...   1730
... SIC utroque confessione magnifica per tuam gratiam triumphatur...
4103
VD. Cuius aeclesia SIC veris confessoribus falsisque permixta nunc agitur
...   3639
ut SIC vitia nostra depellas...   3804
SICQUE corda vestra sanctificando benedicat...   1268
... SICQUE donis temporalibus uteremur (uteremur transitoriis), ut
disceremus inhiare perpetuis.   3969, 3970
SICQUE efficiamini in eius supplicatione devoti...   722
... SICQUE me facies tuis altaribus deservire...   3893
... SICQUE moderetur tua miseratione nostra fragilitas...   3636
... SICQUE temporalibus auxiliis foveantur...   3538
... SICQUE virtute fidei et decore pudicitiae polleret...   3716
SICQUE vos ab omni reatu inmunus efficiat...   1385, 2296

          SICCITAS
et diuturna tempora diffusis nubibus SICCITATEM.   2586

          SICCUS
patres nostros... rubrum mare SICCO vestigio transire fecisti...   3791

          SICUT, SICUTI
... Ita, SICUT a nemine magis quam a nobis laedimur...   3888
et SICUT ab alimentis in corpore, ita a viciis ieiunemus in mente.   1896
ut SICUT ab escis corporalibus temperamus...   539
ut SICUT ab inlicitis cibis... abstinere concedat.   1241
Et SICUT ab illo radicaverat nostre mortis exordium...   950
Dne ds o., SICUT ab inicio hominibus vitalia et necessaria creasti...
1318
... SICUTI accepta habere dignatus es munera pueri tui iusti Abel...
3383
et quod vobis SICUT accipimus tradimus...   1287, 1288
... SICUT ad petitionem famuli tui haeliae non defuit viduae farinae...
2280
ut SICUT adoranda filii tui natalicia praevenimus...   607
ut SICUT adorare meruimus...   1851
ut, SICUT ait apostolus, non efficiantur pueri sensibus...   3487
... SICUT animae famuli tui paenitentiam velle donasti...   733, 734, 735,
736
... SICUT ante alios imitator dominicae passionis et pietatis enituit...
2751

ut SICUT apostolorum tuorum illorum gloriosa natalicia praevenimus...
499
... Et David dicit de persona Christi : Renovabitur SICUT aquilae iuven-
tus tua... 1953
Nam SICUT aurum flammis non uritur... 3615
... SICUT autem beatiores illi qui nondum apparentia crediderunt...
3957
ut SICUT beati laurentii martyris tui commemoratione... 637
... SICUT benedicere dignatus es domum Abraham Isaac et Iacob... 310
... SICUT benedixisti habraam in (fa)milia... 395
... SICUT benedixisti quinque panes in deserto... 300
Et SICUT benedixisti vestes omnium re(li)giosorum... 1508
Benedico te, SICUT benedixit deus domum habraham... 2180
Benedico te, SICUT benedixit dominus quinque millia virorum... 2180
recubans dormivit ut leo et SICUT catulus leonis, quis excitavit eum ?
2059
confregit terra, montes ardebunt, SICUT caera exiat amare... 2552
montes SICUT cera liquescunt... 2299
qui SICUT cervus aquarum (tuarum) expectat fontem... 2464
... SICUT coniunctum est hoc mel et lac... 304
... SICUT consolare dignatus es Sarapthenam viduam per Heliam prophetam...
529
ut SICUT de beatae luciae festivitate gaudemus... 1485
da nobis, SICUT de initiis tuae gratiae gloriamur... 916
ut SICUT de praeteritis ad nova sacramenta transimus... 2739
ut SICUT de praeteritis ad nova sumus sacramenta translati... 184
Praesta, qs, dne, ut SICUT de praeteritis ad novam transimus... 2739
ut SICUT de sancte Caeciliae festivitate gaudemus... 1485
ut SICUT de sanctae sabinae festivitate gaudemus... 1485
Quis deus magnus SICUT deus noster ? 3558
ad magnificentiam tuam (maiestatem tuam) SICUT dignum est exorandam
(exorandum)... 1120
ut SICUT divina laudamus in sancti Stephani passione magnalia... 2794
... SICUT divinae nobis generationis est auctor... 2680
Fiat sanitas domini super te SICUT (dominus) sanavit muliaerem... 2180
ut illum gracia tua SICUT donavit baptismo, ita donet et regno. 783
munus, quod SICUT duplici sumentes corde condemnat... 2232
ut SICUT eadem nobis efficis sacramentum... 2234
ut SICUT eam ad aetatem nuptiis congruentem pervenire tribuisti... 1729
ut SICUT ecclesiae tuae beatus andreas apostolus extitit praedicator et
rector... 2052
ut SICUT aeclesiae tuae sanctus Andreas apostolicus (apostolus andreas)
extitit praedicator et rector... 2050, 2053
ut SICUT ei cum ramis palmarum ceterarumque frondium praesentari studuistis... 343
... SICUT eis perpetuum dat triumphum... 2698
quoniam SICUT eius praeteriuntes tramitem deviamus... 2267
et SICUT haelisaeus animas orando sanavit aquas in latice... 893
... SICUT enim de tua munere gratulamur... 3670
poscentes ut SICUT eorum doctrinis instituimur... 3905
ut SICUT eos, quorum natalicia recensemus... 200
VD. Quia aeclesiae tuae filios SICUT erudire non cessas... 4046
... SICUT est partus virginis in origine singularis... 1090, 3109
Et dimitte nobis debita nostra, SICUT et nos demittimus debitoribus
nostris... 1791
et SICUT evangelium ait, Christum in cubiles requirentes... 3653

ut SICUT ex te habemus esse quod sumus...   3797
... SICUT exaudire dignatus es famulum tuum Moysen in mare rubro...   1346
... SICUT exaudisti famulum tuum regem David (david regem)...   2113, 2114
... SICUT exemplo mirabili Christus ore paterno processit...   861
ut SICUT famulus tuus ille oblatis optavit muneribus...   471
et, SICUT famulus tuus ille pro suae (suis) animae requie deputavit...
   672
et SICUT fidelibus tuis tricesimum atque sexagesimum vel centesimum
   fructum donare...   2110
aspectus tuus sit SICUT flamma ignis...   1860
... Quoniam SICUT fontem vitae praeterire causa moriendi est...   4040
... SICUT fuisti israheliticis, premonentem moysen, in subsidium...   122
SICUT gloriae (gloriam) divinae potenciae munera pro sanctis oblata
   testantur...   3289
ut SICUT haec apostolorum tuorum praedicatione cognovimus...   1191
ut SICUT hic cum vera fides iunxit fidelium turmis...   1584
SICUT hic interiora abluuntur inquinamenta...   71
ut SICUT homo genitus (id est) (idem) praefulsit et deus...   2130
... SICUT honorem nobis indigni largiris ministerii...   4213
... SICUT humani generis es conditor, ita benignissimus reformator.   3991
ut SICUT humani generis salvatorem consedere tecum...   109
VD. Quoniam SICUT humanum genus in utroque sexu diabolus... elisit...
   4103
... SICUT igne inluminasti moyse, ita inluminabis cordibus...   1304
ut SICUT illa in iudaico populo praecursorem domine... fecundetur.   794
Quo SICUT illa sexu fragili virile nisa est certmaen adire...   341
ut SICUT ille mortem non vidit...   2576
ut SICUT ille praebuisti sacri fidei largitatem...   1827
ut SICUT ille tecum est meritis, ita a nobis non recedat exemplis.   989
... Ut SICUT illi dedisti celestis palmam triumphi...   3695
... Unde SICUT illi ieiunando orandoque certarunt (certaverunt)...   4069
Ut SICUT illi per diversa genera tormentorum caelestis regni sunt sortiti
   ...   338
ut SICUT illi praebuisti sacrae fidei largitatem...   1827
ut SICUT illis eminentem gloriam contulisti...   2410
... SICUT illis magnificentiam tribuit sempiternam...   1992
quia SICUT illius est sollidum perfectumque quassare...   841
ut SICUT illorum tibi grata sunt merita...   1891
ut SICUT illos manet aeterna felicitas...   4155
ut SICUT illos sanctus spiritus roborando sempiternam provexit ad gloriam
   ...   1205
... SICUT inluminavit super moysen et filius israel...   3485
... SICUT imaginem terreni naturae necessitate protavimus...   1148
ut SICUT inmutatur in vultu, ita manus dexterae (tuae in eum) (eius ei)
   virtutis tribuat...   2503, 2761
ut SICUT in apostolo tuo Petro te mirabile praedicamus...   1990
Fiat voluntas tua SICUT in caelo et in terra...   1846
ut SICUT in condempnatione filii tui salus omnium fuit piaculus perfidorum
   ...   2798
ut SICUT in conspectu tuo mors est praetiosa sanctorum...   2699
ut SICUT in eo solo consistit totius nostrae salvationis summa...   3669
... SICUT in evangelio dominus (noster) dicit : Nisi demiseretis...   1791
Nos autem SICUT in exequendis (exiguendis) mysteriis tuis probamur indigne
   ...   2297
sed SICUT in Iob terminum (ei) pone...   2064, 3463a

quia SICUT in nobis nulla iusticia reperitur de qua praesumere valeamus...
1459

ut SICUT in nomine patris et filii divini generis intellegimus veritatem
...   450

ut SICUT in passionem suam iesus... diversa utriusque intulit stipendia...
731

nec dicat, SICUT in Faraone (pharaonem) iam dixit : Deum non novi nec
Israel demitto...   1354, 1355

ut SICUT in tuo conspectu mors est praetiosa sanctorum...   2699

... SICUT incensum in conspecto tuo cum hodore suavitatis ascendat.   1709

ut SICUT infirmitati nostrae prescius...   3859

ut SICUT innocens de hanc furtum in hanc aquam per ignem ferventem manum
miserit...   850

et sacri huius misterii SICUT institutur, ita etiam sanctificatur appare.
3997

ut SICUT ipse auctor noster salutis docuit...   475

ut SICUT ipse nostrorum auctor est munerum...   1830

... SICUT isaac in fruge, iacob est dilatatus in gregi.   924

et SICUT israheli properanti ex aegypto securitatis prebuisti munimen...
2640

... Abraham... universarum, SICUT iurasti, gencium efficis patrem...   812

ut SICUT lampadas divino munere saciati...   178

et illius erant capilli SICUT lana alba...   1860

Libera, dne, animam servi tui ill. SICUT liberasti danihaelem (david,
henoch, iob, ionam, noae, petrum et paulum, susannam, tres pueros)...
2023

... SICUT maria meruit gloriari de fructu.   805

ut SICUT me sacris altaribus tua dignatio pontificali (sacerdotalis)
servire praecipit officio...   2072

... SICUT melcisedhaec oblatum placiat tibi hoc holocaustum...   3997

et SICUT Melchisedech sacerdotis praecipuae oblacionem dignacione mirabili
suscepisti...   3844

ne, SICUT meremur, delinquentibus irascaris...   3750, 4216

... SICUT misisti famulo tuo Tubiae Rafahel angelum...   1714

... SICUT moysen in rubo, iosuae in agro...   842

... SICUT multiplicavit semen aeorum tamquam stillas caeli...   319, 320

et pari benedictione SICUT munera Abel (iusti) sanctifica...   1058

ut SICUT nemo nostrum liber a culpa est...   1254

... Et SICUT nihil in vera religione manere dinoscitur quod non eius
condierit disciplina...   3703

ut SICUT ninevitis in afflictione (afflictionem) positis pepercisti...
399, 400

ut SICUT nobis aeternae securitatis aditum... reserasti...   3625

ut SICUT nobis eius passio contulit...   216

quatenus haec devocio ipsius, SICUT nobis est necessaria...   2509

... SIC nobis haec terrena substantia conferat quod divinum est.   2130

... SICUT nobis indiscreta pietas horum martyrum beatorum individuae
caritatis praebet exemplum...   2740

ut SICUT nomine patris et filii devino generis intelligimus veritatem...
450

VD. Qui ecclesiae tuae filios SICUT non cessas erudire...   3900

... Quoniam, SICUT nos convenit praecavere ne veraciter inpetamur...
3922

ut SICUT nos corporis et sanguinis sacrosancti pascis alimento...   2044

ut SICUT nos filii tui corporis et sanguinis sacrosancti pascis alimonio
...   3374

... SICUT nos eius opere fieri iugiter desideramus aeternum.   3150
ut SICUT nos iugiter sanctorum tuorum commemoratione laetificas...   2045
VD. Qui, SICUT nos per apostolum tuum dignanter informas...   4027
ut SICUT nos tribuis solemne tibi deferre ieiunium...   434
homines, SICUT nosmet ipsos tamquam consortes nostri generis diligamus...
   4025
tunc proximos nostros SICUTI nosmet ipsos vere diligimus...   3980
quique SICUT olera herbarum umanu generi... haedere permisisti...   1257
ita nunc, qs, SICUT omnes habitantes vel convenientes in aea...   2322
ut SICUT passione sua Christus dominus noster diversa utrisque intulit
   suspendia meritorum...   731
ut SICUT per cuncta mundi spatia martarum tuorum facis victorias propagari
   ...   688
eruditio, SICUT per eos ab ipsa veritate suscepta posterisque mandata est
   ...   4076
ut SICUT per haec beata mysteria illis gloriam contulisti...   1935
ut SICUT per inlicitos appetitus a beata regione decidimus...   3636
ut SICUT per inlicitos adpetitos de indultae beatitudinis regione decidimus...   2454
et SICUT per manus potentiae tuae septem panis...   2386
VD. Ecce enim, SICUT per os locutus est profetarum...   3677
ut SICUT per quiete noctis ad lucem veniamus...   741
... SICUT perfundisti ora vestimentorum aaron...   1508
ut SICUT petro te mirabilem praedicamus...   1990
nuptias aeorum SICUT plurimis hominis confirmare dignare...   1353
ut SICUT populus christianus martyrum tuorum temporali sollemnitate
   congaudet...   2671
ut SICUT post resurrectionem suam discipulis visus est manifestus...   344
ut cum fiducia orare mereamur SICUT precepisti.   1198
nupcias eorum SICUT primi hominis confirmare dignare...   1353
adque ideo SICUT primis fidelibus extitit in sui credulitate praetiosum...
   4115
ut SICUT priorem populum ab aegyptiis liberasti...   778
sed in eum, SICUT probamus in sanctis tuis...   4054
et SICUT profanas mundi caligines sancti spiritus luce evacuasti...   1463
agnoscimus SICUT prophaeta dum voce testatum est...   3598
agnoscimus, SICUT profetica dudum voce testatus es...   3598
Da nobis dne ut SICUT publicani precibus et confessione placatus es...
   596
SICUT qui invitatus renuit, quaesitus refugit, sacris est altaribus
   removendus...   3290
... SICUT quorum ferales extingues inimicos...   3804
Ut cum presens vasculum, SICUT reliqua altaris vasa...   2378
qui in ecclesiae tuae prato SICUT rosae et lilia floruerunt...   3727
VD. Ecce enim, SICUT sacer sermo pronuntiat...   3678
... SICUT sancta concepit virgo maria, virgo peperit, et virgo permansit
   ...   3791
... SICUT sancti omnes (homines) mereamini fideli munus infantiae a
   Christo... percipere.   1953, 1954
ut SICUT sancti tui mundum in tua virtute vicerunt...   3675
ut SICUT sanctorum tuorum nos natalicia celebranda non deserunt...   2672
... Et SICUT sanctos tuos fides recta provexit ad coronam...   3710
barbam aeius SICUT sanctum aaron unguentum pinguidinis...   898
ut SICUT sanctus michahel archangelus in conspectu gloriosus adsistit...
   1088

... Ecce vere in qua, SICUT scribtum est, fabricavit sibi sapientia domum
... 3780
... Manducavit, SICUT scriptum est, panem doloris... 58, 59
qui, SICUT scribtum est, per dulces sermones suos seducentes corda
fallacia... 3653
... SICUT scrpitum est : Qui loquebar ecce adsum.   203, 204
ut SICUT securis eadem mentibus... 1095
... SICUT separavit deus caelum a terra... 2552
... SICUT separavit deus pater omnipotens caelum (a) terra... 2180
... SICUT signavit dominus oculus aeorum caecorum qui in aevangelium
luguntur. 2180
... SICUT signavit dominus omnipotens infirmus in chana gallileae...
2180
et SICUT similitudinem corone tuae ornatu gestare facimus in capite...
2374
... In cuius regni gloria... SICUT sol sine fine fulgebunt. 3853
quoniam SICUT superbis in sua virtute praesumentibus semper onsistis...
585
quia SICUT superioribus ima conexa sunt... 3632
ut per gratiam tuam nosmetipsos, SICUT te dignum est, exhibentes... 627
ut SICUT te solum credimus auctorem, et veneramur salvatorem... 3681
... SICUT te voluit super populum suum constituere regem... 337
... Quia SICUT totius adversitatis est causa tuis non oboedire praeceptis
... 4136
ut SICUT tres puerus de camino ignis incendii non solum inlesos... 884
... SICUT tres puerus supradictus de camino ignis... 850
VD. Quoniam SICUT tua clementia non solum beneficia prestat inmeritis...
4104
... SICUT tua mirabilia manifestat... 4116
ut SICUT tuam cognovimus veritatem, sic eam dignis moribus adsequamur.
1124, 1125
quae SICUT tuis sanctis ad gloriam, ita nobis qs, ad veniam prodesse
perficias. 3335
ut SICUT tuorum commemoratione sanctorum temporali gratulamur officio...
637
et inducat in omnem SICUT tuus promisit filius veritatem. 2083
... SICUT ubique est, ita ubique largire... 1457, 1458
ut SICUT unigenitus... cum nostrae carnis substantia in templo est
praesentatus... 2356
... SICUT unxit samuhel david in regem et prophetam... 3568
... Qui SICUT venit ad nos redimendum occultus... 3869
... SICUT veteres sancti quod credidere faciendum cognoscit inpleri...
4042
et SICUT visitasti dne tobiam et sarram socrum petri puerumque centurionis
... 2277

          SIDEREUS
Et illa aeum permissione SIDEREA ac sapientiae tuae rore perfunde... 842

          SIDRAC
Qui tres puerus, id est SIDRAC, misac et abdenago... 850

          SIDULEUS (= SEDULUS)
ut pietate SIDULEA in te sed salus omnium... 996

          SIDUS
nec fulgora et (aut) SYDERA que inmissa dentur (videntur) in hanc arborem
... 1540, 1541

et fulgora et SIDERA quae missa videntur in hanc arborem...   1539
et humilitate SIDERE magi pervenerunt ad regem...   855
clarior ceteris SIDERIBUS stella perduceret...   4058
O. s. ds, qui verbi tui incarnationem praeclari testimonio SIDERIS
    indicasti...   2462
Ds... splendor SIDERUM, claritas noctium...   852
Ds, mundi conditor, auctor luminis, SIDERUM fabricator...   861
adque ab his omnibus pestiferum SIDUS tempestatis...   1369

SIGILLO
ut plaga egypti ad domum illam non tangeret quam cruore sacrificiis
    EGELARET, protege...   1059

SIGNACULUM
qui dum viveret insignitus est SIGNACULO trinitatis.   2181
et gloriosum semper baiulet quod accipit SIGNACULUM crucis...   1931
Sanctifica dne istut SIGNACULUM passionis tuae...   309

SIGNIFICATIO
ut cessantibus SIGNIFICATIONUM figuris...   2415
cum et aput veteres reverentiae ipsa (reverentiam ipsam) SIGNIFICATIONUM
    species optineret...   819, 820

SIGNIFICO
... Hoc praecepto SIGNIFICANS, non nos aliter peccatorum posse veniam
    promereri...   1791
ut haec indumenta humilitatem cordis et contemptu mundi SIGNIFICANCIA
    quibus famulae...   743
qui temporali consolatione SIGNIFICAS...   1820
ut magnifica sacramenta quae sumpsimus SIGNIFICATA veneremur...   505
quo caelestis terrenaeque substantiae SIGNIFICATUR unitio in Christo...
    304
adventum salutis humane prophetica exultatione SIGNIFICAVIT...   3688
Hostiam... quae temporalem consolationem SIGNIFICENT...   1820

SIGNO
in multimodi (multis modis) operis varietate (varietatem) SIGNABANT...
    819
et hos electos tuos crucis dominicae, cuius inpraessione SIGNAMUR...
    2825
crucis dominicae cuius inpressione eum SIGNAMUS...   2825
cuius ex ossibus ossa crescentia parem formam admirabilis diversitate
    SIGNARENT...   2541, 2542
regenerationis speciem in ipsa diluvii (diluviis) effusione SIGNASTI...
    1045, 1047
quam ex gentibus congregari linguarum variaetate SIGNASTI.   1173
SIGNATE illus ; accedite ad benedictionem.   3573, 3574
dicit diaconus : SIGNATE illos ; state cum disciplina et silentio.   3278
vel qui sunt ipsi quattuor qui divino spiritu adnuntiante propheta SIGNATI
    sunt...   203
et proficiat de die in diem SIGNATUS promissae gratiae tuae.   2467
quod suo sanguine SIGNAVERE venerantes...   3966
... Hoc patriarchae diversis actionibus et vocibus SIGNAVERUNT...   4100
cuius triumphum in diae quo sanguine suo SIGNAVIT colentes...   3933
sicut SIGNAVIT dominus oculus aeorum caecorum qui in aevangelium leguntur.
    2180
sicut SIGNAVIT dominus omnipotens infirmus in chana gallileae...   2180
quo dicata nomini tuo basilica beatus Stefanus martyr suo honore SIGNAVIT
    levita...   3761

profusius (profusus) magnifico nominis tui honore SIGNAVIT ut que...
    3505, 3506, 3507
magnifico nominis tui honore SIGNAVIT.   4177, 4180
et in nomine domini nostri iesu christi signo crucis SIGNETUR in vita
    aeterna.   1312
SIGNO caput tuum, sicut signavit dominus omnipotens infirmus...   2180
... SIGNO oculus tuus, sicut signavit dominus...   2180
SIGNO omnia menbra tua, ut ex ipsis expellatur diabulus...   2180

SIGNUM

Ds, qui nobis in famulis tuis praesentiae tuae SIGNA manifestas...   1083
ut nulla in eum ultra cicatricum SIGNA remaneant.   724
et tamen pro salute humani generis SIGNA tuae potentiae visibiliter
    ostendis...   1048
qui te in Channa Gallileae SIGNO ammirabili sua potencia convertit in
    vinum...   1045, 3565
propter hoc ex SIGNO credunt homines animas salvare...   3666
quae SIGNO crucis erecta mortem subegit...   2726
et consigna eos SIGNO crucis in vitam propitiatus aeternam.   2445
et in nomine domini nostri iesu christi SIGNO crucis signetur...   1312
sed in nominis tui SIGNO famulus tuus, et animo totus et corpore.   763,
    764
qui nos praecesserunt cum SIGNO fidei...   2073, 2074
Quo SIGNO inimici pellimus tela...   3847
ut in tui nominis SIGNO, quicquid...   1611
et SIGNO sapientiae indutus (tuae imbutus)...   2369, 2467
vestem quam famula tua illa pro conservandae castitatis SIGNO se
    adoperiendam exposcit...   751
... Da eis, dne, ministerium reconciliacionis... in virtutes SIGNORUM et
    prodigiorum...   820
et temporaliter procreatus SIGNORUM temporalium ministerio panderetur.
    3726, 4157
clarus virtute SIGNORUM...   4185, 4186
SIGNUM Christi in vitam aeternam. Respondet : Amen.   3291
et da locum spiritui sancto per hoc SIGNUM crucis domini nostri.   744
et iube eum consignari SIGNUM crucis in vitam aeternam...   869
cuius SIGNUM crucis permanet hic et in aeterna secula seculorum.   1548
Accipe SIGNUM crucis tam in fronte quam in corde...   39
... Hoc tibi SIGNUM erit in diem iudicii, quod tu non dissipavis in
    aeternum...   3563
Agnuscat dominus in vobis proprium SIGNUM, et vobis...   169
... SIGNUM illud glorificum redemptionis nostrae apparuaerat in caelo...
    634
... Per hoc SIGNUM sanctae crucis, frontibus eorum quem nos damus...
    1411
per hoc SIGNUM sanctae crucis, quem nos damus...   3270
per virtutem et SIGNUM sancti crucis redemptoris nostri...   1888
ut hoc singulare SIGNUM quod ad exemplum... caelesti tua benedictionem
    sanctificare digneris...   2321
et SIGNUM sapienciae tuae inbuti...   2369
expediti conpedibus, hoc fronte nostra ferimus SIGNUM.   3847
religatus catenae, SIGNUS poenas suscepturus...   1547

SILENTIUM

Et adnuntiat diaconus dicens : State cum SILENTIO, audientes intente...
    3310, 3311
Signate illus, state cum disciplina et SILENTIO.   3278

SILVA

unda flumina, secreta SILVARUM.   2905

SILVESTER

quam in sancti SILVESTRI confessoris et episcopi tui commemoratione suppliciter immolamus...   1739

ut beati SILVESTRI confessoris tui atque pontificis, veneranda sollemnitas ...   604

praeces nostras, quas in famuli tui SILVESTRI episcopi depositione deferimus...   767

SIMEON

salvator et dominus noster a SYMIONE susceptus in templo...   3648

dominus noster a SYMIONEM susceptus in templum...   3649

qui iusti SYMEONIS expectationem implesti...   2576

SIMILIS

ut quia longe esse infirmius, quod homini SIMILE quam quod tibi deo feceras...   2541, 2542

cui etiam in adiutorium suum SIMILEM ex ossibus illis auferando efficians ...   3918

ut per eum quem SIMILEM nobis foras agnovimus intus reformare mereamur. 803

cum sublimis illa substantia, quae SIMILEM se iactabat altissimo...   4103

et quos SIMILES ad imaginem tuam fecisti, similiores observatione perfice mandatorum.   1080

... Beatum quoque apostolum Paulum, dne, SIMILI dignatione glorificas...   4055

... SEMILE modo posteaquam caenatum est accipiens et hunc praeclarum calicem...   3014

... SIMILI nunc dampnatione super hanc miserere plebem...   3102

praeclara progenies SIMILI passione...   3764

Tibi coniuro... per SIMILIA crucis...   3474

aecclesiae tuae SIMILIBUS adesto remediis...   776

... SIMILIORES observatione perfice mandatorum.   1080

... SIMILIS in regno caelorum necteret et corona.   3782

meritoque inter natos mulierun nullus inventus est SIMILIS quia nulli... 3774

quos per id quod nostri est SIMILIS reconciliatur (reconciliet)...   1183

Quis aenim SIMILIS tibi, qui a mortem omnes errores revocas nos...   3792

sed SIMILIUM tuarum virtutum agmine roborata...   4143

SIMILITER

ut SIMILITER costodiat et hos famulos tuos...   737

eisque nos SIMILITER diligendi spiritum benignus infunde...   2759

eisque nos SIMILITER spiritum sanctum diligendi benignus infunde.   2800

SIMILITUDO

qui in SIMILITUDINE columbae in flumine iordanis requiaevit in christo. 352

manere vis simplices SIMILITUDINE columbarum.   3981

et spiritu sancto in columbae SIMILITUDINE desuper misso unigenitum tuum ...   3945

et tantum in tua SIMILITUDINE permaneamus...   3885

Iohannis habet SIMILITUDINEM aquilae...   1953

VD. Qui pro amore hominum factus in SIMILITUDINEM carnis peccati... 4003, 4004

et sicut SIMILITUDINEM corone tuae ornatu gestare facimus in capite...
  2374
ut spiritu sancto in columbae SIMILITUDINEM desuper misso...   3945, 3946
in SIMILITUDINEM futuri (divini) muneris columba demonstrans per olivae
  ramum...   3945, 3946
qui filiis dei ad SIMILITUDINEM proficientibus angelorum...   4074
iam ad SIMILITUDINEM proveas angelorum...   758, 759
et tu, adam caelestis, quadam SIMILITUDINEM sed perfecte...   950
... SIMILITUDINEM terraeni parentis aevasimus...   1581
Per quem nos ad imaginem et SIMILITUDINEM tuam creasti ex nihilo...
  3837
hominem ad imaginem et SIMILITUDINEM tuam creatum...   1355
qui hominem ad imaginem et SIMILITUDINEM tuam formasti...   764
qui hominem ad imaginem et SIMILITUDINEM tuam manibus tuis...   763
ut natura humana ad SIMILITUDINEM tui condita...   4032
ne imago que ad SIMILITUDINEM tui facta fuaerat vivens...   3635
quantum aeum ad imaginem tuae SIMILITUDINIS bonitatem ineffabilem
  condedisti...   3918
quos dignitatis tuae SIMILITUDINIS condignus facare dignatur...   3792
ds qui facturam SIMILITUDINIS et imaginis tuae... in id reparas quod
  creasti...   825
... Et SIMILITUDO vultus eorum ut facies hominis et facies leonis a
  dextris illius...   203

          SIMON
Ds qui nos per beatos apostolos SYMONIS et iudae ad cognitionem...   1123
Muneribus nostris dne apostulorum tuorum SIMONIS et iudae festa
  praecedimus...   2152
VD. Te in tuorum apostolorum tuorum SIMONIS et iudae glorificantes honore
  ...   4154
ut sicut apostulorum tuorum SIMONIS et iudae (gloriosa) natalicia
  praevenimus...   499
Gloriam dne sanctorum apostolorum SIMONIS et iudae perpetuam
  praecurrentes...   1645
... Bartholomei Matthei SIMONIS et Taddei Lini...   417, 418

          SIMPLEX
tu has SIMPLICES aquas tuo ore benedicito...   1045, 1698
subrii SIMPLICES et quieti gratis sibi datam gratiam fuisse cognoscant...
  1195
manere vis SIMPLICES similitudine columbarum...   3981

          SIMPLICITAS
Resurgat aecclesiae tuae pura SIMPLICITAS, et candor innocentiae...   782
ut martyres festivitatis hodiernae... mentis SIMPLICITATE sectentur.
  3487

          SIMPLICITER
... SIMPLICITER obsecrantes, ut et indulgenciam nobis pariter conferant
  et salutem.   1852
... SIMPLICITER tibi dne precis fundimus...   3292

          SIMPLICIUS
ut anima famuli tui SIMPLICI episcopi...   2047
pro sanctorum martyrum SIMPLICI (et) Faustini et Viatricis commemoracione
  ...   1831, 1852
ut sanctorum tuorum SIMPLICI Faustini et Viatricis... solemnitas...
  3006

martyrum tuorum SIMPLICI Faustini et Viatricis temporale solemnitate...
2671
martyrum tuorum SIMPLICII faustini et beatricis temporale solemnitate...
2671
martyres... sympronianum, castorium adque SIMPLICIO fortes...　2772
claudium, nicostratum, simpronianum, castorium, atque SIMPLICIUM...　2772

SIMUL
... SIMUL ad eius animae medilla proficiant.　2135
qui cum patre et filio SIMUL adoratum (adunatum) et conglorificatum...
554, 555
ds, qui caelestia SIMUL eterne complecteris...　1249
ac SIMUL alimonia carni non desit unde subsistat...　4033
qui nos et praesentibus SIMUL bonis cumulas et futuris.　1824
omnesque SIMUL caelestibus donis inriga.　323
ut SIMUL esset et venerandae gloria genetricis...　4052
... SIMUL est facta conformes et sempiternitati (sempiternitatis) aeius
et gloriae.　3686
sanctorum omnium SIMUL et beati martyris tui laurentii mereatur consortia
...　569, 641
... SIMUL et continentiam salutarem capiamus mentis et corporis...　3990
VD. Tuamque in... cornelii SIMUL et cypriani festivitate praedicare
virtutem...　4197
et documento SIMUL et exemplo subditis ad caelestia regna pergendi ducatum
praebuit...　3655
dum SIMUL et experientiam fidei declarat adflictio...　4071, 4073
VD. Beati Stefani levitae SIMUL et martyris natalicia recolentes...　3617
... SIMUL et nullum aput te sanctum propositum doces esse sine praemio...
3896
ab incarnationem SIMUL et passionem redimptores nostri iesu christi...
23
ne malus vindimiatur falcefera manu amputet SIMUL et perdat.　4233
ds, qui caelestia SIMUL et terrena conplecteris...　1249
Deus qui in auxilium generis humani caelestia SIMUL et terrena dispensas
...　1027
Ds, qui providencia tua caelestia SIMUL et terrena moderaris...　1188,
2379
sanguis effusus SIMUL et tua mirabilia manifestat...　4094
ut abluendus per eam et sanitatem SIMUL et vitam mereatur aeternam.　1503
VD. Tuamque in... Cornelio SIMUL etiam Cypriano praedicare virtutem...
4196
... SIMUL eciam illud supplex quaeso...　4050
dum SIMUL experientiam fidei declarat afflictio...　4071
... Andreae SIMUL fiat et veneratione iucundus et intercessione securus.
3045
... SIMUL in alendis pauperibus...　3614, 3644
... SIMUL in ea et apostolicae principem dignitatis et magistrum gentium
collocasti.　4035
qui levita SIMUL martyrque venerandus...　3685, 3848, 4220
sprecipitem esse non SIMU me, sed freno discipline tuae constringe me...
1296
ut SIMUL nos et a peccatis exuas...　1916
et apostolicae numerum dignitatis SIMUL passione supplevit et gloria...
3595
ut SIMUL perficiatur in nobis et quod creavit verbi tui divina generatio
...　1196

hac SIMUL pietatis imitationem nobis et praesidium relinquentes.   4075
nostraeque SIMUL protectioni proficiat et saluti.   503
lignum crucis SIMUL quo nostra secum (christo) adfixit delicta...   3847
et aemanavit SIMUL sanguis et aqua.   4233
... SIMULQUE fragilitati nostrae per tuam gratiam...   3943
... SIMULQUE nobis temporalem (temporale) remedium conferant et aeternum.
3528
VD. SIMULQUE pro munere generali quo vivimus...   4132

        SIMULACRUM
horresce idola, respue SIMULACRA cole deo...   39

        SIMULATIO
VD. Qui aeclesiam tuam a diabolica SIMULATIONE vis esse purgatam...   3902

        SINAI
ds qui moysen famulo tuo in monte SYNAHY apparuisti...   737

        SINCERE
corde firma et mens SINCERE devictum presere famulatum.   763
ut quibus famulatum esse vis SINCERE propicius largire...   565

        SINCERIS
ut quibus famolatum esse vis SENCEREM propitius largire...   565
si ad SINCIREM tui nominis cultum...   3795

        SINCERITAS
innocentes vite SINCERITAS, continentiae virtus...   359
... Abundet in his... puritas dilectionis, SINCERITAS pacis...   819, 820
Da famulis (et famulabus) tuis, qs, dne, in tua fide et SINCERITATE
constanciam...   500, 573
quia sic erimus praeclari muneris prumpta SINCERITATE cultores...   3701,
4191
ut eorum SINCERITATE possimus imitare, quorum tibi decanda veneramur
infantia.   70
te, qs, largiente mentes nostrae SINCERITATE promatur.   2196
ut eorum SINCERITATEM possimus imitari...   70
veraciter adque fideliter eos proposito christianae SINCERITATIS ambires
...   4002

        SINCERUS
ita SINCERA capientes mente iustificat.   2232
ut misericordiam sempiternam... nos saltim SINCERA confessione mereamur.
2450
hic servus tuus corde firmato et mente SINCERA debitum praebere...   764
adque ut a fictis SINCERA discernas...   3902
in sacramentis tuis SENCERA deinceps devocione permaneat...   922, 923
Ut SINCERA mente devoti...   2606
ut te solum SINCERA mente venerantes...   592
ut dona caelestia... SENCERA professione sentiamur.   3491
ut in tua fide spe et caritate SINCERA sacrificium tibi...   2759
ut SINCERA tibi mente devoti...   3433
maiore pietate tueris SINCERA (tibi) mente devotos.   658
... SINCERA tibi voluntate subdamur.   1299
VD. Qui humanum genus iusta SINCERAQUE decernens societate constare...
3934
Ds, auctor SINCERAE devotionis et pacis...   750
praeces humilimas voto SENCERAE mentes oblatas.   1073
... SENCERAM deinceps devotione permaneant...   922

et SINCIRAM nobis tribuae puritatem.   957
Discat aecclesia tua, ds, Infantum... SINCERAM tenere pietatem...   1292
Ds, qui prudentem SINCERAMQUE concordiam tuorum cordibus inesse voluisti
    ...   1189
et in mutua dilectione SINCERI ut ad caeleste regnum...   722
et mutua dilectione SINCERI.   506, 521
Ds, qui te SINCERIS asseris manere pectoribus...   1222
ut observantiam... mentibus etiam SINCERIS exercere valeamus.   1898
Ds, qui te rectis ac SINCERIS manere pectoribus adseris...   1221
... SINCERIS mentibus ad sancta ventura facias pervenire.   686
ut SINCERIS mentibus eius percipere mereamur natale venturum...   3647
ut quo sancta est devotione tractandum, SENCERIS mentibus exequamur.
    1153
Quatenus mentes vestrae SINCERIS purgatae ieiuniis...   2248
... SENCERIS quoque mentibus ad tua sancta ventura facias pervenire.   659
ut sancta tua... SINCERIS tractemus obsequiis...   599
ut et in tua sint supplicatione devoti et mutua dilectione SINCERIS.
    506, 536
ut observantiam... mentibus valeamus implere SENCERIS.   1897
Ut SINCERISSIME$ actibus adquirere possint per merita...   1514
et maiestati tuae SINCERO corde famulari.   2247
et maiestati tuae SENCERO corde servire.   2340
pro gregibus, quos SINCERO ministerio gubernavit...   197
et SINCERO nos corde fac eorum nataliciis interesse.   37
si agamus corde SINCERO nullis subdemur...   3888
ut hostias placationis et laudis, SINCERO tibi deferamus obsequio.   187
et SENCERO tractare servicio et cum perfecto salutis implere.   603
ut nos famulos tuos... in mandatis tuis facias perseverare SINCEROS...
    3744
et SINCERUM corpore et anima et spiritu... derelinque.   1888
Ds spei luminis SINCERUM mentium luxque perfecta beatorum...   1251

                    SINE
ne forte SINE ac ordines ratione vel causa stuporem vobis in mentibus
    relinquamus...   203
ne SINE baptismate facias eius animam a diabulo possideri...   1371
ut in mentibus nostris nec SINE bonitate censura.   2717
et SINE cessatione capare paschalia sacramenta...   643
Supplicandi tibi, qs, dne, da nobis SINE cessatione constantiam...   3355
gratiarumque tibi actiones... SINE cessatione debeamus...   3903
VD. Quoniam maiestatem tuam praecare SINE cessatione debemus...   3697
saltim SINE cessatione depromere...   4104
et sibi SINE cessatione devotam perpetua redemptione confirma.   2183
qui gloriam tuam concinunt SINE cessatione dicentes...   3612
ut maiestatem tuam SINE cessatione laudemus...   2911
pietatis tuae remedia SINE cessatione percipiat.   1999
quanto nobis eius SINE cessacione praedicanda sunt merita.   4106
VD. Quia te SINE cessatione praedicantibus...   4006
ut festa martyrum tuorum... SINE cessatione venerantes...   3560, 3563
... Illius itaque optamus te opitulante cernere faciem SINE confusione...
    3870
... Quos exemplo dominicae matris SINE corruptione sancta mater ecclesia
    concipit...   4160
qualem hominem creasti SINE crimine per naturam.   1059
Concede menbra sacrosanctae aecclesiae SINE devulsione aliqua...   2298

hoc de filio tuo, hoc de spiritu sancto SINE differentia discritione
  sentimus...   3887
... Quibus praeceptis duobus totam legem SINE difficultate conplentes...
  4025
ut bona tua et fiducialiter imploremus et SINE difficultate sumamus.
  2659
... SINE dolore parit, et cum gaudio ad meliora provehit.   4160
pro inmortalibus et bene quiescentibus animabus SINE (dubio) caelebramus
  ...   3668
in cunctis tamen te SINE dubio praedicamus...   4188
quia SINE dubitatione defendes...   106
... Quia praesentiam tuam SINE dubitatione sentimus...   1029
ut via tibi placite oboedientia... SINE errore subsequamur.   2237
VD. Quoniam verae magnum, quod SINE exemplo est singulare...   4115
et aeternam unitatem in supraemo meatu SINE fine constare credimus.
  1283
qui es et eras et permanens SINE finem cuius origo...   1359
sed per apostolos tuos iugiter erudis et SINE fine custodis.   3911
ymnum gloriae tuae canimus SINE fine dicentes : Sanctus...   4061
ymnum gloriae tuae concinnunt SINE fine dicentes.   3876
qui gloriam tuam concinnunt SINE fine dicentes.   4039
angelicae concinunt potestates hymnum gloriae tuae SINE fine dicentes.
  4159
Et cum eo SINE fine feliciter vivatis...   362
... In cuius regni gloria... sicut sol SINE fine fulgebunt.   3853
nec ullum SINE finem ita brevi termino...   2542
aeorum obtentu de tuo SINE fine laetemur.   963
ut a cunctis reatibus absolutis SINE fine laetentur.   789
ad gaudia SINE fine mansura perveniatis.   2242
perveniamus ad victum SINE fine mansurum.   4060
et quae temporaliter celebrare desiderant, SINE fine percipiant.   1997
et querendo SINE fine percipiant.   390, 1622, 1627
et requirendo SINE fine percipiant.   390
cuius regnum et imperium SINE fine permanet in saecula saeculorum. Amen.
  337, 343, 349, 2254
cum quibus inennarrabile gloria SINE fine possediat.   3914
cuius pietas SINE fine sentitur...   1249
sic eodem iugiter redundare effectus (affectus) est SINE fine vivendi.
  4040
meditatus SINE fortitudine, conversatio SINE fastidio...   2640
ut quia SINE his non potest constare... quibus refovetur alterutrum...
  4033
ipsi sint tua SINE hostes invasione possessio.   920
... SINE humana concupiscentia procreatum...   1150
quod SINE humana ratiocinatione murabile tuae pietatis editum sacramentum
  ...   4115
ut hanc noctem SINE inpedimento (impedimentum) satane transeamus...   1024
... Dicendo quippe erat, perpetuitatem SINE initio demonstravit...   3613
Tu sis circumstantium SINE intermissione deffensio...   920
ut cuius patrocinia SINE intermissione recolimus...   2923
et quia SINE ipso nihil recte valemus efficere...   3849
et quia SINE ipso nihil valemus efficere...   3747, 3849
ut in ea nec SINE iustitiae perpetuitate benignitas...   3652
Sit aeis iterandi SINE labore protectus...   2640
et possidias aeam SINE macula et rugam.   3792
et aeum SINE macula in sempiternum custodias.   2703, 2704

saxum SINE manibus excisum...   3997
maxima nos SINE merito obtinere deposcimus.   2305
Exorcizo te... mutus, SINE oculis, SINE manibus.   1551
tribue, ut ad promissiones tuas SINE offensione curramus.   2270
et te perduci per iusticiae semitas SINE offensione gradiat (gradiamur,
    gradiatur).   961
... Fecunda est in his SINE partu virginitas...   861
quem constat esse... solumque SINE peccati contagio sacerdotem iesum
    christum...   3898
... Qui est omnium opifex et solus SINE peccati macula pontifex iesus
    christus...   3893
et solum SINE peccati macola sacerdotem.   4221
sed perfecte SINE peccato de virgine dignatus es nasci.   950
ut domis nobis diem hunc SINE peccato transire...   1667
simul et nullum aput te sanctum propositum doces (doceas) esse SINE
    praemio...   3896, 3897
ut SINE qua nihil boni possumus...   2685
ut SINE qua nihil potest a te dignum prorsus efficere...   3092
que per contemptibilem lignum iustum gubernans, conservavit SINE querilla.
    3666
ut SINE quibus habetur humana condicio, nostris facias usibus non perire.
    1057
ut SINE quibus non alitur humana condicio...   1057
ds, SINE quo nihil est validum, nihil sanctum...   2915
Ds qui solus es bonus et SINE quo nullus est bonus...   1213
etiam SINE rata quis aquis sedead.   3666
ne inimicus de anima huius SINE redemptione baptismatis incipiat
    triumphare...   2064, 3463
ut in omnibus mandatis tuis SINE reprehensione tibi mundo corde
    deserviens...   2303
quae SINE simine humanum (humano) redemptorem virginis firmavit in
    hutero.   805, 945
O. s. ds, cui numquam SINE spe misericordiae supplicatur...   2317
ut qui SINE te esse non possumus, secundum te vivere valeamus.   1993,
    1994, 1995
et quia SINE te labitur humana mortalitas...   563
Quia cum SINE te nihil possumus facere...   3699, 4207
ut quia SINE te nihil possunt inplere quod iustum est...   248
et quia SINE te nihil potest mortalis infirmitas...   833
... Dum enim SINE te nihil recti velle possimus aut agere aut perficere...
    3665
ut quia SINE te non potest omnino consistere.   3359
et quia SINE te non potest salva consistere...   1395
ut quia SINE te non potest solida constare devotio...   3639
quia tibi SINE te placere non possimus (possumus).   1290
qui se SINE te suis viribus extollit inanem gloriam.   3466
et ne SINE terminis operum fragilitas humana deficiat...   1507
conversatio sine fastidio, SINE terrore copia...   2640
... SINE ulla fine in secula seculorum.   3017
Et SINE ulla offensione maiestati tuae dignum exhibeant famulatum.   312
Et SINE ulla offensione maiestatis tuae praecepta adimpleant...   1845
Cursum vite suae impleant SINE ullis maculis delictorum...   312
et fac nos SINE ullu reatu matutinis tibi laudes praesentare.   2882
femine partus SINE viro mysterium...   3635
et SINE vitio in hoc seculo transagant vitam suam...   3081

SINGULARIS

ut si remedium SINGULARE genere humano...   3120

SINGULARE illud repropitiaturium quam se in altare...   3292

VD. Cuius ineffabilis gratiae circa nos SINGULARE mysterium est...   3651

ad suscipiendum filii tui SINGULARE nativitatis mysterium...   2679

Ds, infirmitatis humanae SINGULARE praesidium...   845

VD. Cui proprium est ac SINGULARE quod bonus es...   3633, 3634

Accipe, dne, qs, sacrificium SINGULARE quod maiestati tuae...   29

ut hoc sacrificium SINGULARE, quod sanctis tuis in passione contulit
   claritatem...   2221

VD. Quoniam verae magnum, quod sine exemplo est SINGULARE quod sine
   humana...   4115

miseris esto,dne, refugium SINGULARE quorum pro nobis...   3358

ut habeat clerus vigilantiam, CINGULARE reverentiam...   740

ut hoc SINGULARE signum... caelesti tua benedictionem sanctificare
   digneris...   2321

ad sanctorum tuorum annua festa recolimus SINGULARE suffragium...   2550

Intende, qs, dne, sacrificium SINGULARE ut huius participatione...   1939

et hoc sacrificio SINGULARE vinculis horrendae mortis exutae...   2845

ut beati petri SINGOLAREM piscandi artem in divino dogma converteret...
   3823

praeter illam gloriam SINGULAREM qua inefabilibus...   3873, 3874

ut hoc remedio SINGULARI et ab omnium peccatorum nos contagione purifices
   ...   3172

interveniente sacrificio SINGULARI tua percipiamus...   2588

ut hoc sacrificium SINGULARI vincolis horende mortis exute...   2845

ut per haec dona sacrificii SINGULARIS et abolitio peccatorum...   3361

cuius nobilitas SINGULARIS humanam repulit vetustatem.   1841

sicut est partus virginis in origine SINGULARIS, ut cum dies...   1090

sicut est partus virginis in horigine SINGOLARIS.   3109

SINGULARITAS

non in unius SINGULARITATE personae, sed in unius trinitatis substantiae
   ...   3887

SINGULUS

et quos per SINGULA diei momenta servasti, per noctis quietem custodire
   dignare.   1448

SINGOLI accipiunt christum dominum...   3739, 4181

ut quod SINGULI obtulerunt ad honorem nominis tui, cunctis proficiat ad
   salutem.   2872

ut quod SINGULI obtulerunt ad maiestatis tuae honorem...   1058

nunc sua quaeque nomina SINGULIS adsignemus indiciis...   203

quatenus dum per alterutrum pietatem se repperiunt communes in SINGULIS
   fieret semet ipsam...   3923, 3924

... SINGOLIS in regno caelorum necteret et corona...   3595

et in SINGOLIS porcionibus totus est...   3739, 4181

quod et SINGULIS prodest et omnibus in commune succurrit.   58

nec per singulos minuitur, sed integrum se prebet in SINGOLIS propterea...
   3739, 4181

et ideo licet in SINGULIS, quae ad cultum divinitatis aspiciunt...   4188

Ds, qui SINGULIS quibusque conpetenter aptanda temporibus sempiterno
   cernis intuitu...   1210

et pro SINGULIS quibusque subsidiis tuam munificentiam praedicare...
   4132

et SINGULIS quibusque temporibus (temporalium) aptanda dispensas...   136,
   137, 138

cum et SINGULIS quibusque temporibus convenienter aptanda (adhibenda)
  dispensas...   1029, 4028
perfice miseratus pia desideria SINGULORUM.   2912
Ds qui nobis per SINGULOS annos huius sancti templi tui consecrationis
  reparas diem...   1085
... Nec per SINGULOS minuitur, sed integrum se praebet in singulis...
  3739, 4181

        SINISTER
et facies vituli et facies aquilae ad SINISTRIS illius...   203
nichil conmune habeat cum SINISTRIS.   1684
Ut in diae iudicii tui non sint SINISTRO numero...   1219

        SINO
ut cohercendo in aeternum perire non SINAS et parcendo...   3884, 4009
ut ecclesiam tuam... nulla SINAS fallatia violari...   3703
et oves... diabolica non SINAS incursione lacerari.   1676
ne nos ad illum SINAS redire actum cui iure dominatur inimicus...   3735,
  4142
humanis non SINAS subiacere periculis.   2968
beati apostoli tui Petri SINIS commemoratione foveri...   365
Ds qui credentes in te populos nullis SINIS concuti terroribus...   938
ut quos divinarum SINIS esse participes...   2094
VD. Qui aecclesiam tuam... nullas SINIS falsitate violare...   3906, 3908a
Ds, qui credentes in te populis nullis SINIS nocere terroribus...   936
perveniat illuc plebs adque SITA per gratia ubi te...   1230

        SINUS
et in SINIBUS Abrahae Isaac et Iacob collocare dignetur.   2483, 2484
in SINIBUS Abrahae Isaac et Iacob ut cum dies eum resuscitare praetipias.
  2312
patriarcharum tuarum SINIBUS insinuare non renuas...   404
ut in SINIBUS patriarcharum nostrorum... collocare digneris...   3433
in SINU abrahae patriaechae collocatus...   2215
id est, in SINU habraham et isahac et iacob conlocare digneris...   2521,
  2522, 2523
deducendam in SINU amici tui patriarchae Abrahae...   747
Planta aeos in SINU matris aecclesiae radicibus firmis...   316
Complectere hunc populum in ecclesiae SINU, qui nos (nobis) processisti...
  996, 3109
ut huius famuli tui illius animam... abrahae amici tui SINU recipias...
  3470
ad locum refrigerii et quietis in SINU transferatur Abrahae.   2493
deducendam in SINUM amici tui abrahae patriarchae...   771
planta aeos radicibus firmis in SINUM matris ecclesiae....   1932
Tumebatur virginis SINUS, et fecunditatem...   3635
quos te custodiente beatitudinis SINUS intercludit...   3721

        SION
benedicat et sanctificet vos dominus ex SION, qui fecit...   319, 320
et mittas aei auxilium de sancto, et de SION tuaere aeum.   2155

        SISTO
ut cum diabulus furentis insidiis fortis nobis pugnatur SISTAT, ut si quid
  ...   841
VD. In cuius adventu cum geminam iusseris SISTERE plebem...   3770

SITIO

et te qui fons vitae et origo bonitatis es semper SITIAMUS et ieiuniorum
... 3872
ut qui festa paschalia agimus... fontem vitae SITIAMUS.   487, 494
aesurientem pasce, SITIENTEM pota.   1333
Esurientem ciba, SYTIENTEM puta...   323
et SITIENTI populo de petra produxit...   1045, 3565
... Et ita eius SITIRE dignatus est fidem...   3872
ut animae quae promissiones tuas SITIUNT...   1261, 2371

SIXTUS

clementis, SYXTI, corneli, cypriani, laurenti...   418
Sancti SIXTI, dne, frequentata solemnitas...   3210
Beati SIXTI, dne, tui sacerdotis et martyris annua festa recolentes...
284
qua beati SYSTI et caelebritate iubamur et praecibus.   3078
ut intercessione beati SYXTI martyris tui atque pontificis...   928
quae maiestati tuae beatus SYXTUS sacerdos commendat et martyr.   3399

SOBOLES

desiderata SUBOLE gaudere perficias...   1729, 1733
Fac aeos tale SUBOLE germinare...   316, 1932
... Maerebat ergo, quod de eius SUBULE non venirent, qui tanto sunt
munere coronati...   3603
ut famula tua illa de percipienda SOBOLE, quod per se non valet...   901
Ds qui multiplicas ecclesiam tuam in SUBOLE renascentium...   1075
... Sit fecunda in SUBOLE, sit probata et innocens...   1171, 2541, 2542
et ad concipiendam SUBOLEM misericorditer benedicas.   3407
ut novo testamento SOBOLEM novi prolis adscribe...   1017
quia et mater virgo non posset nisi SUBOLEM proferre divinam...   3779
da aeis... de inimicis triumphum, de lumbis SOBOLEM regnatorem.   395
Ds, qui multiplicas SOBOLEM renascentum...   1074, 1075
et pari pignore SUBOLES mixta manaret (maneret)...   2541, 2542
Fac illus tale SOBOLI germinare...   541
quem praefecisti inter cunctus SOBOLIS mundialis.   3048
ut ei etiam contra spem SOBOLIS nasceretur...   977
cuius apostolus tuus SUBOLUS esse dixisti.   166

SOBRIETAS

ut SUBRIE(TA)TIS studium, et non aebrietatis sectentur incommodum.   2441

SOBRIUS

... SUBRII simplices et quieti gratis sibi datam gratiam fuisse cognoscant
...   1195
ut haec sacrificia SUBRIIS mentibus caelebremus.   2645
si usque nunc ebriosus, amodo SOBRIUS ; si usque nunc...   4231
Si usque nunc ebriosus, a modo SOBRIUS.   4228

SOCIETAS

in passionis acervitate ferenda unius amoris SOCIETAS per quem nos petimus
...   3852
et SOCIETAS principaliter ordinata ea benedictione donatur...   1171
et lucis (ei) laeticiaeque in regione (regionem) sanctorum tuorum
SOCIETATE concide.   791
fidei SOTIETATE coniuncti, passionis aequalitate consimiles...   3612
et quos legitima (legitimam) SOCIETATE connectes, longeva pace custodi.
2982

VD. Qui humanum genus iusta sinceraque decernens SOCIETATE constare...
3934
da nobis in aeterna laetitia de eorum (deorum) SOCIETATE gaudere.   1108
Deus, qui humani generis fida SOCIETATE laetaris...   1016
perpetua sanctorum (tuorum) SOCIETATE laetetur (laetemur).   767, 2827
et in futuro perducat ad SOCIETATEM aeternorum praemiorum. Amen.   349
0. s. ds, deduc nos ad SOCIETATEM caelestium gaudiorum...   2333, 2334
... Et per inmanitatem tormentorum pervenit ad SOCIETATEM civium
supernorum.   3689
partem aliquam et SOCIETATEM donare digneris...   2178
Tribue nobis dne caelestis mensae virtutis SOCIETATEM (SOCIETATI)
et desiderare...   3488
praetende SOCIAETATEM nostrae gratiam tuam...   827
et ad supernorum civium SOCIETATEM perducat...   3752
... SOCIETATEM sanctorum percipiat...   3914
ad eorum SOCIETATES et operis adiumentum...   1349
praetende SOCIETATI nostrae gratiam tuam...   827
in electorum tuorum SOCIETATIBUS adgregentur.   774
partem aliquam SOCIETATIS donare digneris cum sanctis...   2178
ad eorum SOCIETATIS et operis adiumentum...   1348, 1350
... SOCIETATIS humanae vota contempnens...   3686

        SOCIO
quibus et iugiter SOCIAMUR et semper desideramus expleri.   3179
ut et cautelae nostrae non desit SOCIANDA benignitas...   3980
in perpetuum sibi SOCIANS martyr casta consortium...   3775
in quo eam tibi SOCIANS sacro velamine protegere dignatus es...   1727
quique beatum illi paulum... gloriam tuam SOCIARE dignatus es concede
ut omnes...   970
quo dies eos iugali vinculo SOCIARE dignatus es placatus suscipias...
1719
ut eas SOCIARE digneris inter illa centum quadraginta quattuor milia
infantum...   3465
ut eam sanctorum tuorum consortio SOCIARE digneris.   2879, 2880
et animam famuli tui illi episcopi... aeternis gaudiis iubeas SOCIARE.
2870
et linguarum diversitatem in unius fidei confessione SOCIARET...   4007
tu imaginem tuam cum (sanctis et electis tuis) (sanctus et aelectus tuus)
aeternis sedibus precipias SOCIARI.   2236, 2401
reddit gratiae, SOCIA(T) sanctitati.   3791, 4206
aeterni regis est SOCIATA consortio et praetiosam...   3686
ut bono et prospero SOCIATA consortio legis aeternae iura (iussa)
custodiat...   2541, 2542
et sempiternis valeat consortiis SOTIATA laetari.   256
gracias tibi referat choris sanctarum virginum SOCIATA.   1728
fidei SOTIATI coniuncti, passionis aequalitate consimiles...   3612
et eius dexterae SOCIATI regnum mereantur possidere caelesti.   667
ubi etiam beatus summus confessor tuus ille SOCIATUS exultat...   3723
Et qui per eius incarnationem terrena caelestibus SOCIAVIT...   2254
recurrens una dies in aeternum et una corona SOCIAVIT.   3666a
ita cum illic tua miseratio SOCIET angelicis choris.   1584
renovet et donis SOCIET sempiternis.   3136

        SOCIUS
caeli caelorumque virtutes ac beata syrafin SOTIA exultatione
concaelebrant...   2556, 3589
et perpetuae SOCIOS miserationis efficiat.   2903

SOCRUS

et sicut visitasti dne tobiam et sarram SOCRUM petri puerumque centurionis
... 2277

SODOMA

quomodo percussisti duas civitates SODOMAM et Gomorram... 755

SOL

et SOL in sanguinem convertitur... 3563
... In cuius regni gloria... sicut SOL sine fine fulgebunt. 3853
ubi SOLE divinitatis tuae lumine servaretur. 4000
ubi divinitatis tuae SOLE inluminabitur... 4000
concede SOLEM iusticiae permanere in cordibus nostris... 3561
qui SOLEM tuum orire facis super bonus et malus... 3637
a SOLIS ortu usque ad occasum in gloria semper et laude... 3841, 3842

SOLACIUM

Quatenus et in praesenti saeculo mortalis vitae SOLATIA capiatis... 2240
temporalia benignus praeve SOLACIA et aeternitatis... 1423
diversa donorum tuorum SOLATIA, et munerum salutarium gaudia contulisti...
4131
... SOLACIA propitius administret, quae humana poscit infirmitas... 1513
Ds, qui laboribus hominum eciam de mutis animalibus SOLACIA subrogasti...
1057
et SOLACIA vitae mortalis accipiat... 2619
ut visibilibus adiuta SOLACIIS ad invisibilia bona... 3535
ac temporalibus SOLACIIS incitati promptius aeterna desiderent. 3061
et quos inbuisti caelestibus institutis, salutaribus comitare SOLACIIS.
2581
ut anima famuli tui illius... aeternæ illius lucis SOLATIO potiatur...
746
in adversis manum porregat, in laboribus SOLATIUM ferat. 351
... Tu in merore (memore) SOLACIUM, tu in ambiguitate consilium... 758,
750, 760
deus in SOLATIUM vestrum et praesidium... 2905

SOLEMNIS

ut hoc SOLLEMNE ieiunium quod animis... devoto servitio celebremus. 112
VD. Exhibentes SOLEMNE ieiunium quod beati iohannis baptistae... 3754,
3755
SOLEMPNE nobis intercessio beati Laurenti martyris, qs, dne, praestet
auxilium... 3304
ut (sicut) (qui sic) nos tribuis SOLEMNE tibi deferre ieiunium... 434,
3578, 4024
qui hanc sacratissimam diem nativitate filii sui fecit esse SOLEMNEM.
Amen. 349
ad perennem memoriam SOLLEMNEMQUE laetitiam fidelibus populus sacraverunt.
4201
Et qui hos dies incarnatione unigeniti sui fecit SOLEMNES... 2261
ut quae SOLEMNI cælebramus officio... 2713
sed exhibita potius (totius, tociens, toties) SOLLEMNI devotione ieiunii
... 3717, 3758
et pro aeorum recordatione SOLEMNI divinis ecclesia tua... 3676
sacrificium vespertinum, quod tibi in hac cerei oblatione SOLLEMNI per
ministrorum... 3791
Refecti, dne, benedictione SOLEMNI qs ut per intercessionem... 3041

... Et pro eorum SOLEMNI recordatione ecclesia religiosis exultat
    officiis.   3857
quatenus quorum SOLLEMNIA agimus, etiam actus imitemur.   476
beati michahelis archangeli SOLLEMNIA celebramur fac supplicem...   124
eorum, qs, depraecatio, quorum SOLLEMNIA celebramus, efficiat.   2126
ut cuius SOLLEMNIA caelebramus, eius orationibus adiuvemur.   2973
Semper, dne, sanctorum martyrum Cyrini Naboris et Nazari SOLLEMNIA
    caelebramus et eorum patrocinia...   3271
Quaesumus, dne, ut... quorum SOLLEMNIA caelebramus, oracionibus adiuvemur.
    2973, 2976
... Eius, qs, semper interventione (intercessione) nos refove, cuius
    SOLLEMNIA celebramus.   3260
sanctorum tuorum SOLLEMNIA celebrantes caelestia sacramenta...   3340
... Et idcirco horum SOLLEMNIA celebrantes hostias laudis...   3812
de quorum collegio beati Andreae SOLLEMNIA celebrantes qui mox in vocem...
    3907
Sumpsimus dne sanctorum tuorum SOLLEMNIA celebrantes sacramenta caelestia
    ...   3340
... De quorum collegio beati Andreae (thomas apostoli tui) SOLLEMNIA
    celebrantes tua dne praeconia...   3908, 3909, 4047
et aeius digna SOLLEMNIA caelebrantes tuo nomini...   277
huic plebi salutifera paschae SOLLEMNIA caelebranti...   431
et quorum nos tribues SOLLEMNIA celebrare fac gaudere suffragiis.   4249
letabunda SOLLEMNIA celebrare fecisti...   1130
et eorum, quorum tribuisti SOLLEMNIA celebrare securos fac nostros...
    210
Semper dne sanctorum martyrum... SOLLEMNIA celebremus...   3271
ut qui beati (beatae) ... SOLLEMNIA colimus eius apud te intercessione
    muniamur.   485, 679, 680, 2414
ut qui sanctorum tuorum tiburtii, valeriani, et maximi SOLLEMNIA colimus
    eorum etiam...   2783
ut qui resurrectionis dominicae SOLLEMNIA colimus ereptionis nostrae...
    2782
ut qui paschalis festivitatis SOLLEMNIA colimus in tua semper...   490,
    3708
qui resurrectionis dominicae SOLLEMNIA colimus innovatione.   493
ut cuius SOLLEMNIA colitis patrocinia sentiatis.   342
ut qui resurrectionis SOLLEMPNIA colimus per innovatione (invocationem)
    ...   1159
et reparationis nostrae ventura SOLLEMNIA congruis (congruas) honoribus
    praecedamus.   3452
ut omnes qui ad apostolorum tuorum SOLLEMNIA convenerunt...   970
et sanctorum martyrum gloriosa SOLLEMNIA cum muneribus...   1941
ut quorum SOLLEMNIA devota mente non deseris...   2847
ut eorum SOLLEMNIA digne celebrare possimus.   872
ut ieiuniorum veneranda SOLLEMPNIA et congrua pietate suscipiant...   2653,
    2715
ut... Andreae semper nobis adsint et honoranda SOLLEMNIA et desiderata
    praesidia.   2491
da aeclesiam tuam dignae talium celebrantes SOLLEMNIA et illos tibi
    iugiter...   1133
de beati illi confessoris martyris preciosa SOLLEMNIA et passione...
    3179
caelebrantes apostolorum Petri et Pauli votiva SOLLEMNIA et perpetua merita
    ...   3337

... Iohannis, cuius nos tribuis praeire SOLEMNIA, fac gaudire suffragiis.
2133

da, ut quorum SOLEMNIA frequentamus, incessabili iubemur auxilio.   1121

quorum sum SOLEMNIA frequentantur...   4153

qui nos annua beati Iohannis baptistae SOLEMNIA frequentare concedes...
1099, 4238

Deus qui vos beati iohannis baptistae concedit SOLEMNIA frequentare
tribuat vobis...   1242

ut cuius SOLEMNIA gerimus, patrocinia sentiamus.   365

... SOLEMNIA nec inter praeteritas mundi tribulationes omittere voluisti
...   3630

respice propitius ad tanti SOLEMNIA piscatoris...   1022

et intercedente beati illo confessore martyre tuo cuius SOLEMNIA praeimus
...   1934

sanctorum apostolorum, qs, depraecacio, quorum SOLEMPNIA praevenimus,
efficiat.   2127

ut magnae festivitatis ventura SOLEMNIA prospero caelebremus effectu...
483

Dilectissimi fratres, inter cetera virtutum SOLEMNIA quae ad gloriam...
1286

ut sancti Laurenti martyris tui SOLEMNIA quae cultu tibi...   194

ut nativitatis domini nostri Iesu Christi SOLEMNIA quae praesentibus...
595, 629

Sancta tua, dne,... et SOLEMPNIA quam praeimus nos refovent...   3179

Tanto nos, dne, qs, promptiore servitio haec praecurrere concede SOLEMNIA
quanto in his...   3456

Tanto nos, dne, qs, prumptiore servitio huius sacrificia praecurrere
concide SOLEMPNIA quanto in hoc...   3456

VD. Quoniam tanto iucunda sunt, dne, beati Laurenti... crebrius repetita
SOLEMPNIA quanto nobis eius...   4106

Prosint nobis, dne, iustorum tuorum frequentata SOLEMNIA quoniam quanto
...   2899

beatorum Petri et Pauli desiderata SOLEMNIA recensemus presta qs ut...
211

Beati (apostoli Andreae) (menae martyris tui) dne, SOLEMNIA recensemus
ut eius auxilio...   257, 279

ut beatae felicitatis martyris tuae SOLEMNIA recensentes meritis ipsius
...   2749

Beatorum apostulorum... desiderata SOLEMNIA recensentes praesta qs ut...
287

Magnifica, dne, beati Laurenti SOLEMNIA recensimus quae promptis...   2033

quo beati (Andreae) SOLEMNIA recolentes...   3134

quotiens sanctorum martyrum SOLEMNIA recoluntur...   4193

VD. Veneranda Clementis sacerdotis et martyris SOLEMNIA recurrentes...
4219

VD. Quia sanctorum tuorum SOLEMNIA repetentes...   4063

Offerimus tibi, dne, fidelium tuorum dona SOLEMNIA sanctorum martyrum...
2229

ut sanctorum tuorum veneranda SOLEMNIA securo possint frequentare
conventu.   2804

beatus michahel archangelus, cuius frequentamus SOLEMNIA, tibi dne...
124

cuius SOLEMNIA veneramur eius semper muneamur auxilium.   606

et quorum prestas SOLEMNIA venerari...   1415

sabbatorum die hic ipsum vigiliis SOLEMNIBUS expleamus...   1682

natalis eius interesse mereamur SOLEMNIBUS festis.   3870

Efficiatur haec hostia, dne, qs, SOLLEMPNIBUS grata ieiuniis...   1398
ut qui beati andreae... festum SOLEMNIBUS ieiuniis et devotis praevenimus
  ieiuniis...   3705
SOLEMNIBUS ieiuniis expiatos suos, dne, mysterio congruentes...   3305
et praesentem diem SOLEMNIBUS laudibus honoratis...   345
ut qui ieiuniis et votis SOLEMNIBUS nativitatem unigeniti tui praevenimus
  ...   3962a
tantum beati Petri et Pauli, pro quorum SOLLEMNIBUS offeruntur...   2138
Populum tuum... aeternumque perficiant tam devotionibus acta (apta)
  SOLLEMPNIBUS quam natalitiis...   2615
in nativitatis eius SOLLEMNIIS a nostris nos piaculis exuens...   3569
et beatae semper virginis Mariae nos gaudia comitentur SOLEMNIIS cuius
  praeconia...   3469
Idio cingolis SOLEMNIS constrictione sua ingenius...   4176
quam mensis septimi SOLLEMNIS recursus indicit...   182
ut ad paradisum de quo non abstinendo cecidimus, (credimus) ieiunando
  SOLEMNIUS redeamus.   3794, 3889

          SOLEMNITAS
VD. Tibi enim, (dne), festa SOLLEMNITAS agitur tibi dies sacrata...
  4177, 4178
veneranda SOLEMNITAS devotionis nobis augeat et salutem.   604
VD. SOLLEMNITAS enim, dne, caelestis pacis ingreditur...   4133
Sancti Sixti, dne, frequentata SOLEMNITAS et de sacerdotalibus...   3210
ut beati laurenti (yppoliti) (silvestri) martyris tui veneranda SOLEMNITAS
  et devotionem nobis...   604
cuius honorabilis annua recursione SOLEMNITAS et perpetua semper et nova
  est...   3759
Foveat nos, (qs) dne, sanctae (martyris Eufimiae) iocunda SOLEMNITAS et
  pietati tuae...   1636
Praesta, qs, o. ds, ut filii tui ventura SOLEMPNITAS et praesentis nobis
  vitae remedia...   2760
ut redempcionis nostrae ventura SOLEMPNITAS et praesentis nobis vitae
  subsidia conferat...   2789
ut sancti nos Iacobi laetificet ac Philippi festiva SOLEMNITAS et quorum
  suffragiis...   3005
naerei et achillaei foveant qs beata SOLEMNITAS et tuo dignos...   3273
quo SOLEMPNITAS hodiernae gloriosus auctor ingressus est...   2766
ut sanctorum tuorum caelestibus mysteriis celebrata SOLLEMNITAS
  indulgentiam nobis...   3006
... Cuius venerandae nativitatis proximae ventura SOLEMNITAS ita nos qs...
  3870
ut illorum saepius iterata SOLLEMNITAS nostrae sit tuitionis aumentum.
  2423, 2425
nativitatis eius votiva SOLLEMNITAS pacis tribuat incrementum.   1602
Laetificet nos, qs, dne, sacramenti veneranda SOLLEMNITAS pariterque mentes...   1991
Sancti Marcelli... qs, dne, annua SOLEMNITAS pietati tuae nos reddat
  acceptos...   3203
Magnificet te, dne, sanctorum (tuorum) Cosme et Damiani beata SOLEMPNITAS
  quia et illis gloriam...   2040
Prosit nobis, dne, sancti (Tiburti) (laurentii) caelebrata SOLEMNITAS
  quia quanto fragiliores...   2902
munera, quibus sanctae Agnetis magnifica SOLEMNITAS recensetur...   1651
Sancti Laurenti nos, dne, SOLLEMNITAS repetita tueatur...   3202
Protegat nos dne sepius beate andreae apostoli tui repetita SOLLEMNITAS
  ut cuius patrocinia...   2933

Conferat nobis, dne, sancti Iohannis utrumque SOLEMNITAS, ut magnifica...
    505
ut paschali interveniente SOLLEMNITATE ab omni pravitate...   1599
quem maiestati tuae annua SOLEMPNITATE caelebramus officiis...   3592
Sumpsimus, dne, sancti Fabiani SOLEMNITATE caelestia sacramenta...   3339,
    3340
Sanctorum tuorum nos, dne, continua SOLLEMNITATE comitare...   3250
ut sicut populus christianus martyrum tuorum temporali SOLLEMNITATE
    congaudet...   2671
salubriter ex huius diaei anniversaria SOLEMNITATE de universis...   3459
et quae pro illorum SOLEMNITATE deferimus eorum commendet oratio.   155
quas in honore beatae... Mariae annua SOLEMPNITATE deferimus et quoaeter-
    nus spiritus...   2203
Munera dne quae pro apostolorum tuorum illorum SOLEMNITATE deferimus
    propitius suscipe...   2121
Accipe (Suscipe) munera dne quae... in SOLEMNITATE deferimus quia ad te
    praeconia...   27, 33, 34
praeces nostras, quas in sancti... Marcelli SOLEMPNITATE deferimus ut qui
    tibi digne...   1469
ut eorum nobis fiat supplicatione salutaris, pro quorum SOLLEMNITATE
    defertur.   19, 26
ut sacrificia pro sancte (Caeciliae) (tuae luciae) SOLLEMNITATE delata...
    3010
ob odierna diae SOLEMNITATE devotissime confluenti.   124
salubriter ex huius diei anniversaria SOLEMNITATE diversis terrae...
    3459
ut qui SOLEMNITATE doni spiritus sancti colemus...   494
hodierna interveniente paschali SOLEMNITATE et ab omni miseratus...   361
sancti martyris georgii pro cuius SOLEMNITATE exhibentur...   3457
de quorum nos (virtute) (veneranda assumptione) tribuis annua SOLLEMNITATE
    gaudere.   472
et pia faciat SOLEMPNITATE gaudere.   3257
et in huius SOLEMPNITATE ieiunii omnium tibi sit devocio grata fidelium.
    2092
da nobis in beati Clementis annua SOLLEMNITATE laetari...   2409
ut sancte Caeciliae martyris annua SOLLEMNITATE laetemur...   687
Ds qui nos annua beati cyriaci... SOLLEMNITATE laetificas concede
    propitius ut cuius natalitia...   1098
Ds qui nos hodie beatae... virginis martyrisque annua SOLEMNITATE
    laetificas concede propitius ut eius adiuvemur...   1118
Ds, qui nos resurrectionis dominicae annua SOLEMPNITATE laetificas
    concede propitius ut per...   1129
Ds qui nos annua beatae agne... SOLLEMNITATE laetificas da qs ut quem
    veneramur...   1097
Deus, qui nos sanctorum tuorum et SOLLEMNITATE laetificas et imitatione
    suscitas...   1134
Ds, qui nos... exaltacione sanctae crucis annua SOLEMNITATE laetificas
    praesta ut cuius mysterium...   1119
Ds qui nos annua apostolorum tuorum philippi et iacobi SOLLEMNITATE
    laetificas praesta qs ut quorum gaudemus...   1096
Ds qui nos annua martyrum SOLLEMNITATE laetificas praesta (concede) qs ut
    quorum gaudemus...   1100, 1101, 1102
et de martyrum nos SOLLEMNITATE laetificet.   3353
de beati tamen SOLLEMNITATE Laurenti pecularius prae ceteris Roma
    laetatur...   3863

quae pro illius veneranda gerimus SOLLEMNITATE nobis proficiant ad
  medellam. 2568
Ds, qui SOLEMPNITATE paschali caelestia mundo remedia benignus operaris...
  1211
Ds qui SOLLEMNITATE paschali mundo remedia contulisti... 1212
pro quorum (cuius) SOLLEMNITATE percepimus tua sancta laetantes... 259,
  288
ut quod salvatoris nostri iterata SOLEMPNITATE percipimus perpetuae nobis
  ... 2733
Ds, qui remedia salutis humanae in praesentis mysterii SOLLEMNITATE
  posuisti... 1191
ut quod SOLEMNITATE presente tuo nomine dedicavit... 4234
de hac sumit SOLLEMNITATE principium... 4100
pro sanctorum martyrum SOLLEMNITATE propitiatus adsume... 1630
cuius incarnationis gaudemus SOLEMNITATE quatenus purificati... 3870
et pro SOLLEMNITATE recolenda primordii sacerdotalis offerimus... 3426
et sacra SOLEMNITATE recolentem... 3535
pro SOLLEMNITATE sancte martyris Eufymiae (sabinae) supplices (supplicante) immolamus. 1655
pro SOLLEMNITATE sancti Laurenti martyris sacrificium tibi laudis
  offerimus... 4082
cum pro martyrum SOLLEMNITATE sanctorum, per quos tibi commendamur,
  offertur. 3864
ut cum martyrum SOLLEMNITATE sanctorum perpetua tuitione laetemur. 624
ut mentibus nostris... SOLEMNITATE spiritalis laetitiae tribuas
  iugiter suavitatem... 3748
VD. Et in hac SOLLEMNITATE tibi laudis hostias immolare... 3693
beati marteris tui praeiecti in repetita SOLEMNITATE tribuas iugiter...
  3748
paschali interveniente SOLEMNITATE tui eam brachuii... 925
beati (martyris georgi) Laurenti martyris passionem hodierna SOLLEMNITATE
  veneramur qui pro confessione... 3720, 4114, 4151
diem gloriosae passionis eorum multiplici SOLLEMNITATE veneramur. 3973
Sumpsimus dne sancti fabiani SOLLEMNITATEM caelestia sacramenta... 3339
Suscipe dne munera que in aeius tibi SOLEMNITATEM deferimus... 34
O. s. ds SOLLEMNITATEM diei huius propius intuaere... 2472
Munera dne que apostulorum tuorum... SOLLEMNITATEM differimus... 2121
ut qui SOLLEMNITATEM dono spiritus sancti colimus... 494
ut qui SOLLEMNITATEM donorum sancti spiritus colimus... 494
qui hanc SOLLEMNITATEM electionis gentium primitiis consecrasti... 2341
... SOLEMPNITATEM hodierni diei propicius intuere... 2344
Ds qui nos annuae (beate agne) (apostolorum tuorum) SOLLEMNITATEM
  laetificas... 1096, 1097
mariae, cuius SOLLEMNITATEM nostram prevenit devotio... 2835
ut cuius venerabilem SOLLEMNITATEM pervenimus obsequio... 3187
ut quod SOLEMPNITATEM praesente suo nomine dedicavit... 4234
ut cuius venerabilem SOLLEMNITATEM praevenimus obsequio (obsequium)...
  3187
Ds qui sanctam nobis huius diaei SOLLEMNITATEM pro... fecisti... 1203
virginis mariae, cuius SOLLEMNITATEM quam prehimus, intercessio veneranda.
  151
et sacram (sacra) SOLLEMNITATEM recolentem... 3535
ut quorum SOLLEMNITATIBUS consolamur, orationibus adiuvemur. 2105
O. s. ds, qui nos et sustentationibus annuis et SOLLEMNITATIBUS
  consolaris... 2427
ut sacris SOLLEMNITATIBUS convenienter aptati... 1606

Ds, qui nos et sanctorum martyrum SOLEMPNITATIBUS et confessorum...
 circumdas et protegis...   1113
quibus in sanctae nobis SOLEMNITATIBUS Eufimiae et gaudia superna
 concilias...   2149
quanto sanctorum martyrum, pro quibus SOLLEMNITATIBUS exhibentur...   3457
et sacris SOLLEMNITATIBUS famuletur concessa securitas (tranquillitas).
 4192
Da nobis, qs, dne, beati apostoli Thomae SOLEMPNITATIBUS gloriari...
 609
Offerimus, dne, munera tuorum tibi SOLLEMNITATIBUS grata sanctorum...
 2225
quae nataliciis sanctorum... Saturnini et Crisanti SOLEMPNITATIBUS
 immolatur.   2607, 2608
Annue, qs, dne, ut et tuis semper SOLLEMNITATIBUS occupemur...   196
pro quorum SOLLEMNITATIBUS offeruntur.   3403, 3404
sanctorum tuorum nos SOLLEMNITATIBUS praecipuae consolaris...   2416
quae maiestati tuae pro... Corneli et Cypriani SOLLEMNITATIBUS sunt
 dicata.   2595a
SOLLEMNITATIS apostolicae multiplicatione gaudentes...   3306
qui pascalis SOLLEMNITATIS arcanum...   2438
in sancti confessoris adque ponteficis leonis SOLEMNITATIS deferimus ut
 qui tibi...   1469
haec SOLEMPNITATIS devotio perseveret.   1202
quae nobis huius SOLEMPNITATIS effectu (effectum, affectum) et confessionem dedicavit et sanguinem (sanguine).   2141
Hodiernae SOLLEMNITATIS effectum sumpsimus, dne, gaudia magna de parvis...
 1792
tribue permanentem peractae quae recolimus SOLEMNITATIS effectum
 (affectum) ut quod recordatione...   877
VD. In exultatione praecipuae SOLEMNITATIS hodierna qua beata agnes...
 3781
adesto votis SOLEMNITATIS hodiernae aecclesiae tuae...   2271
quo SOLEMNITATIS hodiernae gloriosus auctor ingressus est...   2766
VD. In die SOLEMNITATIS hodiernae qua beati laurenti...   3776, 3777
Repleti sumus dne munere SOLEMNITATIS hodiernae qua beati systi...   3078
VD. Et in die SOLEMNITATIS hodiernae qua beatus laurentius...   3689
VD. In die SOLEMNITATIS hodiernae, qua sanctus Stefanus...   3777a
VD. In exultatione precipuae SOLEMNITATIS hodiernae qui beate...   3781a
VD. In die SOLEMNITATIS hodiernae, quo humanam...   3778
VD. In die SOLEMNITATIS hodiernae, quo licet ineffabile... editur
 sacramentum...   3779
Repleti sumus, dne, munere SOLEMNITATIS optate...   3078
quem venturae SOLLEMPNITATIS pia munera praeloquuntur.   3497
quam tibi offerimus in die hodiernae SOLEMNITATIS quo nobis indigni...
 1765
... Variis etenim SOLLEMNITATUM causis... praesentis vitae tempora
 exornat...   3719
ut cum SOLLEMNITATUM multiplicatione sanctorum...   2979

        SOLEMNITER
et sanctorum tuorum quorum festa SOLLEMNITER caelebramus...   1462
quorum innocentiam hodie SOLLEMPNITER caelebramus.   1957
et (ut) suscepta SOLLEMNITER castigatio corporalis...   646, 3495
quorum festa SOLEMNITER colimus...   1462
Peractis SOLLEMNITER, dne, quae pro apostolorum tuorum...   2558

ut cuius honorem (honore) SOLEMPNITER exhibetur, meritis efficiatur
acceptum.   3160
ut in eorum traditione SOLLEMNITER honoranda conpedens deferamus
obsequium.   806
ut in eorum tradicione SOLLEMPNITER honorum (honore, honorem) tibi
placitum (placito) deferimus obsequium.   4235
Sacrificium, dne, quadragesimalis initii SOLEMNITER immolamus te dne
depraecantes...   3154
hostias tibi, dne, SOLEMNITER immolamus tua mirabilia...   2850
Haec hostia, dne, qs, SOLEMPNITER immolanda pro tuorum commemoracione
iustorum...   1693
et ad eandem caelebrandam SOLEMPNITER praeparemus.   4123
VD. Et diem beatae agnetis martyrio consecratam SOLLEMNITER recensere...
3686

SOLIDITAS
sit SOLODITAS fidei, profectus bonorum operum...   3120
et in perseverantiae SOLIDITATE confirmes...   3893
quos in SOLIDITATE dilectionis institues.   3207
VD. Qui ecclesiam tuam in apostolica SOLIDITATE firmasti...   3905
VD. Qui aeclesiam tuam in apostolica SOLIDITATE fundatam (fundata)...
2383, 3904, 4202
quos in SOLIDITATE tuae dilectionis institues.   3207
ds qui vos beati petri... in ecclesiasticae fidei fundati SOLIDITATE. Amen.
348
quos in SOLIDITATEM tuae dilectionis institues.   3207

SOLIDO
et firma SOLIDARI patientia, et pia exultare victoria.   438
et per diversitatem linguarum gentes in unitate fidei SOLIDARET...   4029
quosque gratiae tuae plenitudine SOLIDASTI in adoptionis...   1255
cuius providentia... liquentes aquas caelaesti igne SOLIDASTI ut hii hanc
...   3191
quos in apostolicae confessionis petra SOLIDASTI.   2767
in tuo corpore iugiter SOLIDATA costare.   2298
quae duodecim SOLIDATA lapidibus apostolorum chorus...   3943
ut in veritatis tuae fundamine SOLIDATAE...   4020, 4021

SOLIDUS
ut quia sine te non potest SOLIDA constare devotio...   3639
Fragilem SOLIDA, contritum releva...   3081, 3082
Expavit dies non SOLIDA nocte...   3661
ac fluentibus membris SOLIDA parte victor mente permansit.   4114
Respice in plebem tuam piaetate SOLIDA, qui sacrosancto...   913
Qui convertit SOLIDAM petram in stagnum aque...   2378
sed SOLIDO cibo refecta, proficiat in preceptis.   355
quia sicut illius est SOLLIDUM perfectumque quassare...   841

SOLITUDO
Marcus evangelista leonis gerens figuram a SOLITUDINE incipit...   2059
per quem victus et ligatus es, ut passer SOLITUDINIS vacuus...   1888

SOLITUS
pro laboris suis SOLITA benignitate responde...   1331
illa feria hanc eadem festivitatem SOLITA devocione caelebremus.   2187
sed quia non suffragantur verba vel merita SOLITA nobis pia...   3282
si pietate intendas SOLITA poteris me commutare in melius.   219
SOLITA qs dne quos salvasti piaetate custodi...   3307

... Moriuntur SOLITI maria perscrutari mediocris artis officio...   3678
... SOLITIS eandem conventibus exsequamur...   182
ut eadem quarta et sexta feria SOLITIS processionibus exsequentes...
  1682

          SOLIUM
in sublimi SOLIO patrum praeelectorum...   2217
et pacis non erit finis super SOLIUM David et super regnum eius...   3677
et SOLIUM regni firma stabilitate conecti.   842

          SOLLERTIA
Ds ad quem respicit sacerdotum SOLERTIA, regnantum victoria...   740

          SOLLICITE
... SOLICITE convenientes occurso offeramus...   180
sed ut SOLLICITE dolos caveamus alienos...   3981
... SOLICITE vobis agendum est, ut...   3281

          SOLLICITO
SOLLICITA, qs, dne, quos lavasti pietate custodi...   3307

          SOLLICITUDO
ut quos nos humana visitamus SOLICITUDINE, muniamus potestate.   2906
qui nos et SOLLICITUDINE non pigros esse, et neminem laedere voluisti...
  4223
cuius pervigili cura, et instante SOLLICITUDINE, ordo...   3281
ut quos nos humana visitamus SOLLICITUDINE tu divina...   2906
... Sint SOLLICITUDINEM inpigri, sint spiritum ferventes...   820
cuique viae cursum curamque SOLICITUDINEMQUE dignatus es gerere...   4008

          SOLLICITUS
hanc eadem festivitatem SOLLICITA devotione celebremus.   2187
... Ideoque SOLICITA devotione (devotionem) succendentem...   3269
... Quarta igitur et sexta feria, SOLLICITI convenientes occursu...   179
ut simus et de exiguitatis castigatione SOLLICITI et de non abnegata...
  3652
sitis de nostrorum criminum remissione SULLICITI.   3454
... SOLLICITO convenientes occursu...   180
Fac nos, qs, dne ds noster, pervigiles atque SOLLICITOS adventum expectare
  ...   1575
Ds, qui nos de praesentibus adiumentis esse voluisti SOLLICITOS tribue qs
  ut piis...   1112
ut eum sacrario tuo sancto strinuum SOLLICITUMQUE caelesti miliciae
  instituas...   1339
Ds qui nos de praesentibus adiumentis esse vetuisti SOLLICITUS...   1112

          SOLOR
adsidua nos sanctorum celebritate SOLARIS da nobis...   2394
praecipua nos beatorum martyrum glorificatione SOLARIS et ad sublimia...
  4108

          SOLUM
ut non SOLUM a cibis, sed a peccatis omnibus abstinentes...   3740, 4179,
  4183
ut celebraturi sancta mysteria non SOLUM abstinentiam corporalem...   435
ut non SOLUM accepis sed a peccatis omnibus...   4183
ut eam non SOLUM ad primae (premio regnis) originis innocentiam revoces...
  758, 759
... Isti non SOLUM ad tuam gratiam venientes sui foeditate deterrent...
  3879

VD. Quoniam sicut tua clementia non SOLUM beneficia prestat inmeritis...
4104
et nos non SOLUM carnalibus sed etiam spiritalibus escis reficis...
3794, 3889
... Qui nos docuit operari non SOLUM cibum qui terrenis dapibus apparatur
... 3880
providentes bona non SOLUM coram deo, sed etiam coram hominibus... 3653
ut non SOLUM corpus ad cibis sed a delictis omnibus liberares. 3787
non SOLUM credere in filium tuum dominum nostrum sed etiam pro eo patri...
2450, 4112, 4113, 4218
hoc totum non SOLUM de caelo substantia deferret et nomine... 4074
VD. Qui non SOLUM debitum mortis antique... 3956
tamen quia non SOLUM diem mortis, sed et qualitatem pectoris ignoramus...
2297
et non SOLUM excellentioribus praemiis martyrum tuorum merita gloriosa
prosequeris... 3931
et non SOLUM fecunditatis prosperitate gloriosa... 3780
non SOLUM fide cernitur, sed etiam visibiliter adprobatur. 3951
Ds qui non SOLUM genus humanum (condere)... 1090
ut non SOLUM hoc in ipso nostrae redemptionis auctore... 4096
non SOLUM homo fiaeris, sed pro ipso... 2298
... Verbum enim tuum... non SOLUM humanarum mentium, sed ipse panis est
angelorum... 3786
ut sicut tres puerus de camino ignis incendii non SOLUM inlesos... 884
ut medellam tuam non SOLUM in corpore sed etiam in anima (animo) sentiat.
1015, 1020
VD. Qui non SOLUM ineffabilis in excelsis... 3957
non SOLUM ius infesti dominatoris evadit... 4054
VD. Qui non SOLUM malis nostris bona retribues... 3958
VD. Qui non SOLUM martyrum, sed etiam confessorum tuorum es virtute
mirabilis... 3959
VD. Qui fragilitatem nostram non SOLUM misericorditer donis temporalibus
consolaris... 3928
qui propter nimiam caritatem tuam, non SOLUM misericors aut pius... 2305
ut non SOLUM mortalibus tua deitate (pietate) succurreris... 3593
non SOLUM nobis mysteria divina largiris... 2035
VD. Quoniam non SOLUM nobis tu per Iesum Christum dominum... 4096
VD. Qui non SOLUM nos sanctorum tuorum confessionibus benignissime
consolaris... 3960
ac non SOLUM nostra a verbo tuo suscepta fragilitas perpetui fit honoris
... 4093
non SOLUM nostrae reputans devotioni quae tua sunt... 942
non SOLUM observantiam corporalem, sed quod est potius habeamus mentium
puritatem. 435
Ut operibus suis non SOLUM obsoluti... 311
non SOLUM operum qualitas indicabat... 4193
ut non SOLUM passionibus martyrum gloriosis... 3865
(VD. Qui) (quia) non SOLUM peccantibus (nobis) veniam tribues... 3737,
3961
et non SOLUM peccata dimittis, verum etiam ipsos peccatores iustificare
dignaris... 3893
VD. Qui non SOLUM peccata dimittis verum ipsos etiam... 3962
non SOLUM per Christum dominum nostrum diabolicam destrueres tyrannidem
... 4034
VD. Quoniam tu nobis non SOLUM per Iesum Christum dominum contulisti...
4110

non SOLUM per propheticam et apostolicam doctrinam...   3668
et humani generis inimicum non SOLUM per viros sed etiam per feminas
    vincis...   3942
non SOLUM per viros virtutem martyrii, sed de eo etiam per feminas
    triumphasti.   4036
qui de antiquo hoste non SOLUM per viros verum etiam... voluit triumphare
    ...   2264
non SOLUM percelli mediocribus alimentis...   3652
... Quibus non SOLUM praesentem vitam suo splendore dirigeret...   4056
placationis tibi hostias non SOLUM pro dilectis populi...   4221
ut non SOLUM pro populo (tuo) sed aetiam pro nobis...   3875
VD. Qui non SOLUM pro salute mundi persecutionem sustinuit impiorum...
    3063
... Quoniam non SOLUM prodesse non poterit castigatio corporalis...   4072
... Xysto... non SOLUM propriae passionis triumphum...   4015
non SOLUM puerperio (puerpera) fecunda processit...   3754, 3755, 3756
ut non SOLUM sacrificium quod ac nocte litatum est archana luminis tui
    admixtione refulgeat...   862, 3588
in eius conceptu non SOLUM sterilitatem amisit, fecunditatem adquisivit...
    3755
ut non SOLUM terrena fertilitate (felicitate) laetemur...   4101
non SOLUM tui unigeniti passionem sempiterna providentia contulisti...
    3901
non SOLUM ubi venerabiles eius reliquiae conquiescunt...   4037
ut non SOLUM unigeniti tui nativitate corporea... salvaretur...   1167
non SOLUM viduarum facultates, sed devorantes etiam maritarum...   3879
ut regium thalamum non SOLUM virgo (est) sed etiam martyra intraret.
    3605, 2606, 3607
adversarium, ut eum non SOLUM virilis sexus tuorum deinceps fidelium
    subiugaret...   3788
Ds cui non SOLUM viva omnia famulantur...   770
materiam non SOLUM vivificaris extinctam, sed efficeris et divinam.   4090

            SOLUS

... SOLA est a te non recessisse prosperitas...   3790
... Fulget namque magis SOLA gratia quam voluntas...   3851
... SOLA gratia tua copiosa resplendeat...   2103
sed SOLA gratiae dignatione promovisti...   4172
sed SOLA ineffabili graciae largitate (largitatem) (me) familiae tuae
    praeesse iussisti...   1089
Fulgit (namque) SOLA magis gratia quam voluntas...   3696, 3851
nox que SOLA meruit scire tempus et hora in qua christus...   3791, 4206
quae SOLA nec per originalis peccati poenam nec per diluvii est ablata
    sententia.   1171
sed SOLA nobis misericordia tua prosit indignis.   1925
... SOLA pietatis tuae semper clara sit gratia.   1066
tua nobis gratia SOLA praestabit, ut salubri conversatione vivamus.   3699
O. s. ds, a quo SOLA sancta desideria, recta consilia et iusta sunt opera
    ...   2300
ut in SOLA spe gratiae caelestis innitimini...   2240
ut qui in SOLA spe gratiae caelestis innititur...   1597, 2832
sed SOLA tuae misericordiae dono...   1753
Defende, dne, plebem tuam in SOLA tuae misericordiae venia confidentem...
    705
ut non SOLAM mortalibus tua deitate succurras...   3593

Ds cui (cuius) SOLI conpetit medicinam (medicina) prestare post mortem...
774, 775
et SOLI deo pateat, cuius templum esse cognoscitur...   1373
tibi SOLI domino liberis mentibus serviamus.   1036
sed cordis nostri secreta illi SOLI patere commemorat...   1373
ut SOLI tibi subdat propria colla...   529
illa nos itaquae contine pietate, qua prestare SOLIS indignis.   1959
carceris obscuritate detruditur, ubi SOLIUS divinitatis tuae lumine
frueretur...   4000
ut sicut in eo SOLO consistit totius nostrae salvationis summa...   3669
et SOLO miserantes quo debemus affectu.   3653
Quo non in SOLO pane sed in omni verbo quod de ore eius procedit...   347
... Ut non in SOLO pane vivamus...   3889
... Non in SOLO pane vivit homo, sed in omne verbo dei...   1881
parentes, quos in genitali SOLO perdiderat, in externa regione restitues
...   4127
ut te SOLO praesule gloriantes tuo semper foveantur auxilio.   386
quo me nullius dignum meritis, sed SOLO tuae misericordiae dono...   1753
creatam, sed a te deo SOLO vero et vivo...   3389
ut sicut te SOLUM credimus auctorem, et veneramur salvatorem...   3681
et te SOLUM domine (dominum) puro corde (mente) sectare.   652, 653
quia non est deus praeter te SOLUM et non est secundum opera tua...   3389
nisi granum trittici cadens in terram mortuum fuerit, ipsum SOLUM manet...
3757
... Et te SOLUM semper tota virtute diligat...   3768
ut te SOLUM sincera mente venerantes...   592
et SOLUM sine peccati macola sacerdotem.   4221
quem constat esst... SOLUMQUE sine peccati contagio sacerdotem iesum
christum...   3898
nondum consummato certamine palam SOLUS aspiceret quod sanctis omnibus...
4185, 4186
ut SOLUS aspicerit qui percussit cuius dolore...   3661
quorum numerum et nomina tu SOLUS dominus cognuscis...   1751, 2806, 3385
Ds qui SOLUS es bonus et sine quo nullus est bonus...   1213
VD. Qui facis mirabilia magna SOLUS et non tantum pro peccatis...   3919
Dne ds, qui fragilitati nostrae quae congruant et praevides SOLUS et
providis...   1323a
Dne ds noster, qui salutaria et praevidis SOLUS et tribuis...   1309
quia fuisti SOLUS inter mortuus liber.   4217
... SOLUS omnium sacerdotum peccati remissione non eguit...   4019
O. s. ds, qui facis mirabilis magna SOLUS praetende super (hos) famulos...
2390, 2391, 2392
quia tu SOLUS sine operibus aptis iustificas peccatores...   3894
... Qui est omnium opifex et SOLUS sine peccati macula pontifex iesus
christus...   3893
... SOLUSQUE omnium profetarum redemptorem mundi...   3688, 3772

SOLUTE
securus de SOLUTE placitis...   3770

SOLUTIO
sublimis SOLUTIO patrum prelictorum...   57

SOLVO
et quodcumquae solverint super terram, sint SOLUTA et in caelis...   820
Quod solverant super terram, sit SOLUTUM et in caelis...   820
quemque morte redemptum, debitis SOLUTUM patri (patrem) reconciliatum...
701

et praefixa lege fuerat SOLUTURA...   3956
ut omnium malorum meorum vincula SOLVAS...   2239
Omnium peccatorum vestrorum vincula SOLVAT...   1903
summo pro nobis intestitem interpellante (antestite interveniente)
   SOLVATUR.   4221
SOLVE conpetitum (conpeditus) quem vincola peccatorum constringunt...
   4003
... SOLVE opera diabuli...   831
animas legandi adque SOLVENDI pontificium tradedisti...   907
Ds, qui legandi SOLVENDIQUAE lecenciam tuis apostolis contulisti...   1063
etiam mane dignanter respicias vota SOLVENTES.   2497
O. ds cuius unigenitus... ne legem SOLVERET quam adimplere venerat...
   2242
sententia, quam superbae quondam turris extructio meruit, SOLVERETUR...
   3762
et quodcumquae SOLVERINT super terram, sint soluta et in caelis...   820
... Per quem petimus ieiunii observatione a peccatorum nostrorum
   nexibus SOLVI...   3917
Ds, qui peccati veteris hereditaria morte... Christi tui domini nostri
   passione SOLVISTI...   1148
captivitatem nostram iesu christi fili tui domini nostri passione
   SOLVISTI.   3933
patris linguam SOLVIT a vinculo.   910
devitare quod nocet et amare quod SOLVIT da ut bonis operibus...   660
... Qui pro nobis aeterno patri adae debitum SOLVIT et veteris piaculi...
   3791

          SOMNOLENTUS
si usque nunc SOMNOLENTUS, amodo vigilis...   4231

          SOMNUS
qui iacob in SOMNIS apparuisti innixum scale.   315
et dormiunt in SOMNO pacis...   2073, 2074, 2075

          SONITUS
... SONITU dulcidinis populus monitus ad te adorandum fiaerit preparatus
   ...   1154
quicumque ad SONITUM aeius convenerint...   2378
ut ante SONITUM aeius longius effugiantur ignite iacolae inimici...   2378
ut ante SONITUM illius semper fugiat inimicus...   2262
ita dum huius vasculi SONITUM transit per nubila...   2262

          SONO
ubicumque SONUERIT aeius tinnibulum, longe recedat...   308

          SONUS
in aecclaesia sanctorum differentis in SONO tubae preconium...   308
et inter audientes auditu caelesti caelestem SONUM exaudiat.   3391
quod in omnem terram SONUS eius exeat...   4037

          SOPOR
Dne ds noster, diurno labore fatigatus, SOPORE quiaetus nos fove...   1300
quia per deum te coniuro qui septem tronus sedit quia in SUPORE.   1860
dormientes te per SOPOREM sentient...   314, 315
Dne ds noster, diurno labore fatigatos SOPORIS quiete nos refove...   1300

          SORDES
ut omne quod SORDE est effugiatur...   313
et in cuius conspectu nullus est hominum absquae SORDE et poena peccati...
   792

peccatorum vestrorum SORDES expurget... 1002
... Cuius infusio petimus ut in nobis peccatorum SORDES exurat... 3830
ut per hanc institutionem salutiferam (salutifera) peccatorum SORDES quas
  corporis... 179
quatenus in his omnium vitiorum SORDIBUS careamus. 3753
a cunctis eum emundes SORDIBUS delictorum et dites fructu... 3710
ut mereatur per hoc sacrificium a cunctis emundare SORDIBUS delictorum et
  reconciliatur... 3920
quatenus emundatus ab omnibus SORDIBUS peccatorum... 1567
Ipsiusque opitulante clementia mundemini a SORDIBUS peccatorum. 353
et parsimonia salutari a peccatorum SORDIBUS purges... 3718
adque a cunctis ablue SORDIBUS, qui hac diae... 330
nihil hic mundanae SORDIS obscuritatisque possedeant... 1734
Ds indultorum criminum, deum SORDIUM mundatorum... 841

SORDESCO
Ne ulla umquam peccatorum contagione SORDISCANT, quos salutare... 854

SOROR
Dne ds o., qui SOROREM moysen mariam pereuntem caeteris mulieribus...
  1317

SORS
suae potestates imperium SORS erepta confunderet... 397
casus incomodi, SORS periculi... 2905
in adoptionis SORTE facias dignanter adscribi. 1255
qui tibi placuaerunt SORTE SORTE fecunditatis accipiat... 1145
ut animae famulorum famularumquae tuarum... in tuorum censeantur SORTE
  iustorum. 2046
... Qui gloriosi apostoli tui Petri pariter SORTE nascendi, consortia
  fidei... 3782
quos et fratres SORTE nascendi, (et) magnifica prestitisti passione
  germanos... 4052
qui in sanctorum cupis SORTE numerari. 4189
fiant in eorum perpetua SORTE participes. 1861
ut anima famuli tui... in sanctorum censeatur SORTE pastorum. 2047
in tuorum numero redemptorum SORTE perpetua censeantur. 1743
hereditatem benedictionis aeternae SORTE perpetua possederent... 136,
  137, 138
ut beatus Marcellus tibi placito fulgeat SORTE pontificatus... 2750
in tuae redemptionis SORTE requiescat. 2382
in tuorum censeantur iustorum SORTE. 2046
ut famula tua illa in earum faeminarum... SORTEM fecunditatis accipiat...
  1145

SORTIOR
ut SORTIRETUR inter ipsus fidei principes principatum. 913
et mundani dicata coniungio divinum est SORTITA consortium... 4103
Ut sicut illi... caelestis regni sunt SORTITI hereditatem... 338

SOSPES
adque hos omnes concordes, quietus, patificus et SUSPIS serva. 311
universos reperiat SOSPITES ac debitas exsolvat tuo nomine gratis. 897

SOTER
ut sanctae SOTERIS... martyris beneficia senciamus. 2792
et dicatum tibi sacrificium beate SOTHERIS (martyr) conmendit. 2826
Sanctae SOTERIS praecibus confidentes... 3242, 3189

SPATIUM

qui conversum peccatorem non longa temporum SPATIA differendum...   858
O. s. ds, qui hanc sacratissimam noctem per universa mundi SPATIA gloriae
   dominicae...   2398
quem nec SPATIA locorum nec intervalla temporum ab his quos tueris
   abiungunt...   844
ut per SPACIA longeva viventes...   1777
ut sicut per cuncta mundi SPATIA martyrum tuorum facis victorias propagari
   ...   688
... Praebe ei, qs, aetatis SPACIA prolixiora...   1764
post SPATIA temporum a voragine terrae abstracte...   899
nullum periculum per SPATIA terrae...   4008
tuaque in eo munera ipse custodias donisque ei annorum SPACIA ut
   aeclesiae tuae...   1730
sed SPACIIS necessarii itineris prospero gressu peractus...   897
ut quod ecclesiae tuae corporalibus proficit SPATIIS, spiritalibus
   amplificetur augmentis.   951
qui nos transacto (transacta) noctis SPATIO ad matutinis horis perducere
   dignatus es...   1667
proinde longiore SPATIO vite aei donare digneris...   898
et parcendo SPACIUM tribuis (tribuas) corregendi (corrigendo)...   3884,
   4009
... Differ, dne, exitum mortis et SPACIUM vitae distende (extende)...
   2064, 3463

SPECIALIS

hunc quoque famulum tuum ill. SPITIALE dignare inlustrare aspectum...
   1372
in his tamen SPECIALE tuum munus agnoscimus...   4052
exaudi praeces quas SPECIALI devotione pro anima famuli tui... fundimus...
   1263
hos quoque famulos tuos nostri SPECIALI dignare inlustrare aspecto...
   1372
aeclesiae tamen tuae SPECIALI dispensatione moderaris...   1062

SPECIALITER

quanto sacrandas nomini tuo has SPECIALITER hostias indidisti...   3458
... SPECIALITER pro famulo tuo ill. quae in pacem adsumere dignatus es...
   1026
quam SPICIALITER pro famulo tuo in honore sancti tui facimus...   1975
quia non diffidimus eum fidelibus tuis SPECIALITER suffragari...   2443,
   2453

SPECIES

qui in SPECIAE columbae in iordanis fluvium in christo requiaevit.   363
ut quae nunc SPECIE gerimus, rerum veritate capiamus.   2578
ut sub SPECIE gratiae nocere cupientium declinemus... malitiam...   3981
nec sub SPECIE religionis sacros inpugnare patiaris effectus...   3808
et in SPECIAE vulnerati medicus ambulavit.   4003, 4004
Lucas evangelista vituli SPECIEM gestat...   2031
regenerationis SPECIEM in ipsa diluvii effusione signasti...   1045, 1047
et per hanc ab spe ad SPECIEM pervenire.   1002
per SPETIEM piaetatis haec exercendo crudilitas...   3674
exultat ecclesia in filiorum suorum generationis SPECIEM sic fons ille...
   3596
usque ad contemplandam SPECIEM tuae celsitudinis perducamur.   1004
hominem... ad SPECIEM tui decoris animasti...   4129

Exultavit ecclesia in filiorum suorum generationis SPETIEM.   3596
cum et aput veteres reverentiae ipsa (reverentiam ipsam) significationum
   SPECIES optineret...   819, 820

SPECIOSUS

ut tam fecunda quam SPECIOSA non utile decore luxorient...   1155
... Sint SPECIOSI (SPECIOSE) munere tuo pedes horum (aeorum) ad
   evangelizandum pacem...   820

SPECTO

adventum unigeniti tui cum summa vigilancia SPECTARE...   475
quanto clementius SPECTAS benignus ut parcas.   4135

SPECULATOR

ut SPECULATOR idoneus inter suos collogiis semper efficiat.   2303

SPERNO

spreto antiquo hoste, SPRETISQUE contagiis vitiorum...   853
... SPRETO antiquo hoste, spretisque contagiis vitiorum...   853

SPERO

adeptum temporaliter hunc honorem potius fieri SPERAMUS aeternum.   4028
prumcius que ventura sunt, SPERANDA confidimus...   4120
ut huius participatione mysterii, quae SPERANDA credimus, expectata
   sumamus.   1939
ut dum postulata concedes, confidentius facias SPERANDA deposcit...   3903
et quae nobis feliciter (fideliter) SPERANDA paschale contulit sacramentum
   ...   3818, 3854
et fiducialius SPERANDA poscamus.   623
sed cui (et quibus, ut quibus) fiducia SPERANDAE pietatis indulgis...
   139, 1641, 2796
fiducia SPERANDI, gratia promerendi...   1185
sed cui fidutia SPERANDI pietatis indulgis...   2796
ut quicquid SPERANTES a te poscimus te donante consequi mereamur.   2807
ne contempnat SPERANTES in te...   1354, 1355
et SPERANTES in tua misericordia caelesti protege benignus auxilio.   105
Supplices, qs, dne, pro animabus famulcrum tuorum praeces effundimus
   SPERANTES ut quicquid...   3366
et omnibus in te SPERANTIBUS auxilium tui munus ostende (ostendas)...
   2304, 3886
quemqdmodum fecisti cum patribus nostris in tua misericordia SPERANTIBUS
   et benedicere...   1335
Ds qui SPERANTIBUS in te misereri potius eligis quam irasci...   1215
Tua, dne, SPERANTIBUS in te, que sumpsimus sacramenta custodiant...   3513
Nobis quoque peccatoribus... de multitudine (multitudinem) miserationum
   tuarum SPERANTIBUS partem...   2178
Propiciare, dne, in te SPERANTIBUS populis...   2862
quia tu es protector et defensor omnium in te SPERANTIUM, cui merito om-
   nes.   4048
Protector in te SPERANCIUM deus et aditarum...   2908
Protector in te SPERANTIUM, ds, et subditarum tibi mentium custus...   2909
Protector in te SPERANTIUM, ds, exaudi...   2910
Protector in te SPERANTIUM ds, presta, qs...   2911
Protectos in te SPERANTIUM, ds, respice populum supplicantem...   2912
Protector in te SPERANTIUM ds, salva populum tuum...   2913, 2914
Protector in te SPERANTIUM ds sine quo nihil...   2915
Ds, in te SPERANTIUM fortitudo, adesto propitius invocationibus nostris...
   833

Ds, in te SPERANTIUM fortitudo, conserva...   834
et inpugnatores in te SPERANTIUM potentiae tuae defensionis expugnas...
932
Ds, in te SPERANTIUM salus et servientium fortitudo...   835
et fiducialius SPERARE concedes.   2573
O. s. ds, qui humanum corpus ad teipsum animum SPERARE dignatus es...
2236
Famulos et famulas, dne, qs, intuere, quibus in te SPERARE donasti...
1605
tribue consequi, quod SPERARE donasti.   328
Perpetua, qs, dne, pace custodi, quos in te SPERARE donasti.   2579
ut caritatis donum quod fecisti a nobis SPERARE per haec quae offerimus...
1094
quod nunc audemus SPERARE promissum.   1498, 4173
ut qui fecisti nos morte filii tui SPERARE quod credimus...   881
et SPERARE quod tibi placuaerit...   431, 950
quod iste SPERAT optineat.   220, 1453
Famulis tuis, qs, dne, SPERATA concede...   1603
pie iusteque SPERATA percipiant.   286
Da (qs) dne famulo tuo illo SPERATA suffragia optinere...   569, 641
Adveniat, qs, dne, misericordia SPERATA supplicibus...   163
et veniat (qs super hanc aream) SPERATE benedictionis ubertas... ut
   repleti (de) frugibus tuis.   2113, 2114, 2364
Ds, a quo SPERATUR humani corporis omne quod bonum est...   735, 736
ut eis proficiat in aeternum, quod in te SPERAVERUNT et crediderunt.   176
ut eius, in quo SPERAVIT et credidit, aeternum capiat te miserante conso-
   cium.   2904
non de elementorum profutura nobis SPEREMUS effectu...   468
ut indulgentiae tuae SPEREMUS nos percipere subsidium...   4024
... SPERO resurrectionem mortuorum et vitam futuri saeculi. Amen.   554

                    SPES
et per hanc ab SPE ad speciem pervenire.   1002
ut resurrectionis diem SPE certae gratulationis expectet.   1783
ablata SPE concipiente in senectute...   3918
ut paschalis muniris sacramentum... quod fide recolimus et SPE
   desideramus intenti...   402
ut in tua fide SPE et caritate sincera...   676, 2759
... SPE futurae inmortalitatis erigimur...   3915, 3916, 3862, 4099
spiritu fervens, SPE gaudens, tuo semper nomine serviens...   875
ut in sola SPE gratiae caelestis innitimini...   2240
ut qui in sola SPE gratiae caelestis innititur...   1597, 2832
O. s. ds, cui numquam sine SPE misericordiae supplicatur...   2317
et confirmet vos in SPE regni caelestis.   2117
ut haec famulam tuam que SPE retributionis...   674
Ds, qui SPE salutis aeternae beatae Mariae virginitate fecunda...   1214
pro SPE salutis et incolomitatis suae tibi reddunt vota sua...   2068
oramus pro hac domum et pro domus huius habitatoribus hac SPE, ut aea
   benedicere...   3461
da nobis fidei et SPEI caritatisque augmentum...   1056
securitatem SPEI, conruboratione fidaei...   2654
dona aeis firmitatem fidei, expectationem SPEI, dulcidinem caritatis...
324
da nobis fidei SPEI et caritatis aumentum...   2327
fidei SPEI et caritatis vos munere repleat...   948
... Quoniam et ipsum... baptismi sacramentum hunc SPEI expremit formam...
   1706, 1707

... Quatenus in fundamento SPEI fidei caritatisque fundatus...   3912
... SPEI, fidei (et caritatis) caritatisque gemmis ornati...   2245, 3913
Dne sanctae SPEI fidei gratiae et profectuum munerator...   1372
proficiat SPEI, initiaetur fidei, sit honore.   871
Ds SPEI luminis sincerum mentium luxque perfecta beatorum...   1251
ut firmamentum SPEI quod in tua misericordia posuit...   990
... SPEI rursus aeternae et caelestis gloriae reformetur.   2836
Sit aei crux fidei fundamentum, SPEI suffragium...   903
et per suam ascensionem ad caelos nobis SPEM ascendendi donavit.   3929
... Teneant firmam SPEM, consilium rectum, doctrinam sanctam...   165
concede... mansuetudinem, SPEM, fidem, continentia...   307
quatenus sit semper, dne, spiritu fervens, SPEM gaudens...   875
adque ad SPEM nostrae per eos promissionis invitans...   3971
sic eum ad SPEM reconciliationis amittimus...   2297
... SPEM resurrecciones accepit per renovatam originis dignitatem.   4119
... SPEM resurrectionis per renovatam originis dignitatem donavit
   (adsumpsit).   3712, 4118
et galeam SPEM salutis et gladium spiritus quod est verbum tuum...   4149
ut ei etiam contra SPEM sobolis nasceretur...   977
et SPEM suam in tua misericordia conlocantes tuere propitius...   111
praesertim dum prestitorum testificatio SPEM tribuat petendorum.   4144
ad SPEM vitae aeternae ex aqua et spiritu sancto renasceremur (nascimur)
   ...   3836
et qui per te redempti sunt ad SPEM vitae aeternae tua moderatione
   serventur.   1322
et in resurrectione unigeniti sui SPEM vobis resurgendi concessit.   362
contra inlecebras temporales SPES caelestium (promissio) praemiorum...
   3861
VD. Cuius nos fides excitat, SPES erigit, caritas iungit...   3657
spiritum fervens, SPES gaudens...   876
Ds, refugium pauperum, SPES humilium salusque miserorum...   1245
Consumma inperfecta mea, SPES misericordiae tuae.   3792
... SPES nobis aeternae beatitudinis propensius intimatur.   4153
et SPES nobis suppetat et facultas.   2817, 3939
VD. In quo ieiunantium fides additur, SPES provehitur, caritas roboratur
   ...   3786
Ds qui SPES salutis aeternae... premia preparasti...   1214
O. s. ds, SPES unica mundi...   2473

               SPINA
fidelibus tuis... nullae peccatorum SPINAE praevaleant...   2442
tribuli SPINAEQUE deficiant, et fruges pura succedat...   3827
ut SPINARUM et tribulorum squalore resecato...   1034
Exite... de cervice, de SPINATA et de medulla aeius.   1888

               SPIRA
Aperire pulsantibus SPIRIISQUE peccaminum cathenis...   3736

               SPIRACULUM
per SPIRACULA profluentem laticem inundare iussisti...   331

               SPIRITALIS
et fidei veritatem fundati et mentes sint SPIRITALE conspicui.   53
offeramus deo (domino) SPIRITALE ieiunium...   179, 180
et ab omni cecitate SPIRITALE oculus aperiat...   2503
et SPIRITALE placatus incensum...   707
Ds, qui hominem... eciam SPIRITALEM alimoniam praeparasti...   1008
... Hic SPIRITALEM cybum intellegere debemus...   1778

et SPIRITALEM conversationem prefulgens... 405
victum nobis SPIRITALEM ne deficiamus inpende... 1028
ut efficiatur in eis cor porum ad omnem gratiam SPIRITALEM sanctificatum
    ... 1536
Multiplicet in vobis gratiam SPIRITALEM, sicut multiplicavit... 319, 320
in omni verbo quod de ore eius procedit SPIRITALEM sumentes alimoniam...
    347
quae reliquam SPIRITALEM superat dignitatem... 2307
tu tuam sanctam de caelis SPIRITALEM supermitte super famulo tuo illo...
    755
... SPIRITALEM tibi, summe pater, hostiam supplici servitute deferimus...
    3054
et inriga terram nostram, ut germinet fructum SPIRITALEM.   202
pacientiam inmobilem (et) intelligentiam SPIRITALEM.   1932, 1933
et potestas innumirabilis habens divicias SPIRITALES animae huius...
    2217
et de carnalibus SPIRITALES, de terrenis incipitis esse caelestes...
    1706
et SPIRITALES divicias largiatur... 3256
Absint in posterum omnem nequitiae SPIRITALES elimentur.   782
et SPIRITALES in nobis extrui plantarique virtutes.   4029
A plebe (plebem, domo) tua (tuam) qs dne SPIRITALES nequitiae repellantur
    (repleantur)... 3
ut contra SPIRITALES nequitias pugnatori (pugnare) continentiae
    (continentiam) muniamur auxiliis.   439
Ds, qui nos ad delicias SPIRITALES semper invitas... 1093
et potestas innomirabilis, iudicia SPIRITALES.   2216
Repleti cibo SPIRITALI alimoniae supplices te depraecamur... 3065
Has famulas tuas... omni benedictione SPIRITALI benedicere dignare.   1297
quia rafacta sunt viscera nostra de sancto SPIRITALI benedicto... 2003
... SPIRITALI capiat largitate donorum.   1385
et quos SPIRITALI civo vivificare dignatus es... 2926
... SPIRITALI circumcisione mentes vestras ab omnibus vitiorum
    incentivis expurget... 2242
et mentis sint SPIRITALI conspicui.   53
aeclesia tuae SPIRITALI constructione declarat... 3943
et SPIRITALI conversatione praefulgentes gratia sanctificationis eluceant.
    405
ut SPIRITALI delectatione sit libera.   3303
atque ornatus curis modulis SPIRITALI devocione resonet aeclesiae.   1340
cuius modolis SPIRITALI devotionem gratia resonat aecclesiae.   1340
quos salutare lavacro SPIRITALI et in vitam aeternam regenerari dignatus
    es... 854
... SPIRITALI facias vigere (vegitare) proposito... 2592
ecclesiam tuam SPIRITALI fecunditate multiplica... 894, 2338
eternam consequi gratiam SPIRITALI generatione desiderat... 829
O. s. ds, aeclesiam tuam SPIRITALI iodunditate multiplica... 2228
et per apostolus tuus in hoc seculo lumen gratiae SPIRITALI misisti...
    1364
... SPIRITALI observantiae disciplinis illorum sunt vestigia subsecuti.
    3959
et SPIRITALI plagatus incensu... 707, 718
Repleti alimonia caelesti et SPIRITALI poculo recreati... 3063
ut omnes... SPIRITALI remuneratione ditentur.   970
mentes nostras et corpora et SPIRITALI sanctificatione fecundet... 1991
qui mentes omnium SPIRITALI vegitatione disponat... 156

omnium charismatum SPIRITALIA dona sumpserunt.   416
Effunde super aeum SPIRITALIA dona virtutum...   1227
et SPIRITALIA nobis dona potenter infundat.   2720
et excubiis vellata SPIRITALIBUS, aeterni...   1163
ut quod ecclesiae tuae corporalibus proficit spatiis, SPIRITALIBUS
   amplificetur augmentis.   951
Dne ds noster, in cuius SPIRITALIBUS castris militat laudanda subrietas...
   1301
et reple eam donis tuis SPIRITALIBUS concede eius caritatem...   307
ut hoc altare sacrificiis SPIRITALIBUS consecrandum...   707, 718
mentes vestras instruat legis suae SPIRITALIBUS documentis.   2256
Repleat corda vestra SPIRITALIBUS donis...   351
et SPIRITALIBUS enutriens (eos) alimentis...   2924
VD. Qui nos SPIRITALIBUS erudiens institutis.   3981
et nos non solum carnalibus sed etiam SPIRITALIBUS escis reficis...   3889
Mysteria sancta nos, dne, et SPIRITALIBUS expleant alimentis...   2165
Presta, qs, dne, SPIRITALIBUS gaudiis nos repleri...   2719
et nec casticatione deficiat, nec pro SPIRITALIBUS insolescat...   4010
et SPIRITALIBUS instruere disciplinis.   3547
Erudi, dne, qs, populum tuum SPIRITALIBUS instrumentis.   1415
Adque aeam armis SPIRITALIBUS integra munitione confirma.   1163
... Nullis (Nullus) SPIRITALIBUS nequitiis locus...   838, 1240
Sacramenta quae sumpsimus, qs, dne, et SPIRITALIBUS nos expient
   alimentis...   3125
Sacramenta... et SPIRITALIBUS nos instruant (excipiant) alimentis, et
   corporalibus tueantur auxiliis.   3125
Sacramenta... et SPIRITALIBUS nos repleant alimentis...   3124
Insere dne firma populi tui sensibus in SPIRITALIBUS occulte.   1933
ut qui terrenis abstinent cibis, SPIRITALIBUS pascantur alimoniis.   3110
Repleti cibo SPIRITALIS alimoniae supplices te dne deprecamur...   3065
et carnalibus SPIRITALIS de terrenis incipitis esse caelestes...   1707
... SPIRITALIS divicias largiatur...   3256
... SPIRITALIS exibeant fructus...   3081, 3082
et plenum de illis corpus hierusalem matris SPIRITALIS, gaudeat civitatis.
   541
reparare voluisti SPIRITALIS gratiae aeterno suffragio (gratia aeterna
   suffragia)...   4129
ut sit SPIRITALIS imperator ab abiciendos daemones...   726, 727
substantiae SPIRITALIS inimico fortior redderetur...   3788
ut mentibus nostris... solemnitate SPIRITALIS laetitiae tribuas iugiter
   suavitatem...   3748
dator graciae (gratiam) SPIRITALIS, largitor aeternae salutis...   549
ut SPIRITALIS lavacri baptismum (baptismo) renovandis creaturam
   chrismatis...   3627
A domo tua, qs, dne, SPIRITALIS nequiciae pellantur...   2, 3
careat omni inmunditia omnique inpugnatione SPIRITALIS nequitiae.   1929
et hostiae (hostia) SPIRITALIS oblatione suscepta...   2888
... Abundet in eis... innocentiae puritas et SPIRITALIS observantia
   (observatio) disciplinae...   136, 137, 138
novam tui paracliti SPIRITALIS observantiae disciplinam ut mentes...   618
et cruciati SPIRITALIS observantiae disciplinis...   3959
et hostias SPIRITALIS observatione suscepta...   2888
imitabilis caritas, SPIRITALIS prudentia...   1319
... SPIRITALIUM capiat largitate donorum.   1385
Quo de praeteritis et de futuris SPIRITALIUM charismatum frugibus ei
   grates persolventes.   1241

... SPIRITALIUM gaudiorum et aeternorum praemiorum vobiscum munera
reportetis. 1149
da populis tuis SPIRITALIUM gratiam gaudiorum... 1174
et cras tribuas SPIRITALIUM incrementa donorum... 3950
Ds incrimentorum et profectuum SPIRITALIUM munerator... 838
adque omnem (omni, omne) vos bonorum SPIRITALIUM munerum... locupletit.
360
et virtutum SPIRITALIUM ornamentis induti (induamini)... 2951, 3913
Ds incrementorum et profectuum SPIRITALIUM remunerator... 839
... SPIRITALIUM sanctificator, te suppliciter depraecamur... 1336
... SPIRITALIUM virtutum facias vigore muniri... 3718
Detque vobis SPIRITALIUM virtutum invictricia arma... 347

        SPIRITALITER
quae corporaliter agimus SPIRITALITER consequamur. 2167
ita huic populo SPIRITALITER dignetur circumcidere corda. 2441
... SPIRITALITER lumbis ad deo nostrae opus veriliter preparare... 4176
et SPIRITALITER praecipias adiuvari. 3631
quem corporaliter sumpsimus, SPIRITALITER sentiamus. 514

        SPIRITUS
eo nos SPIRITU ab iniquitate nostra iustifica... 669
vel qui sunt ipsi quattuor qui divino SPIRITU adnuntiante propheta signati
sunt... 203
beato Stephano duce adque praevio sancto SPIRITU auctore... 1372
et qui christum aquam (aqua) baptizaverat ab ipso in SPIRITU baptizatus...
4000
dei omnipotentis misericordiam depraecemur pro SPIRITU cari nostri
illius cuius hodie deposito... 201
Oremus, fratres karissimi, pro SPIRITU cari nostri ill. quem dominus de
laqueo... 2522, 2523
deprecemur clementiam dei patris pro SPIRITU cari nostri il. quem dominus
de laqueo... 2216
dominum depraecemur pro SPIRITU cari nostri illius uti eum dominus...
723
quam tibi offerimus pro SPIRITU cari nostri qs dne propitius... 1725
aequalem (tibi) cum sancto SPIRITU confitemur... 3638
ut sancto SPIRITU congregata... 664
Ds cuius SPIRITU creatura omnis adulta congaudet... 800
... SPIRITU divinitatis impleta est... 3754
... SPIRITU divinitatis vitae caelestis asseruit via domini praeparetur.
3756
nec servire in corpore istius, et SPIRITU et anima... 1888
mater integra haberet et fructum de SPIRITU et incurruptionem
(incorruptione) de partu. 805, 945
per quem una cum patre sanctoque SPIRITU facta sunt universa, Christe
Iesu... 1283
O. s. ds, conlocare dignare corpus et anima et SPIRITU famuli tui illius
cuius diem septimum... 2312
Propitiare dne supplicationibus nostris pro anima et SPIRITU famuli tui
illius cuius hodie annua... 2879
His sacrificiis qs o. ds purgata anima et SPIRITU famuli tui illius
episcopi... 1784
Te dne... supplices deprecamur pro SPIRITU famuli tui illius quem ab
originibus... 3462
quatenus sit semper, dne, SPIRITU fervens... 875
diversa supplicia SPIRITU fervente suscipiens... 4114

Sint solicitudinem inpigri, sint SPIRITU ferventis.   820
non ex sanguinibus neque ex voluntate carnis, sed de (ex) tuo SPIRITU
    genitis...   758, 759
... Nam David prophetico SPIRITU gratiae tuae sacramenta praenoscens...
    3945, 3946
purum sancto SPIRITU habitaculum regeneratis procurrit.   1336
et sincerum corpore et anima et SPIRITU in domini...   1888
ut a tuo SPIRITU inflammentur...   178
tuo SPIRITU miseratus inpende...   1347
et SPIRITU principale confirma me...   58
... Moyse SPIRITU propagasti...   1349
Repleatur ille SPIRITU qui martyre adfuit cum torriret ignis...   3216
te unum deum patrem in filio et filium in patre cum sancto SPIRITU
    recognoscat...   3460
da nobis in eodem SPIRITU recta sapere...   1001
... Quem sancto SPIRITU redundante...   4193
... Ut tuae caritatis SPIRITU repleti...   3624
qualiter tecum et cum SPIRITU sancto ad nos veniat nobiscum perpetim
    permansurus.   3871
Ds, qui renatis per aquam et SPIRITU sancto caelestis regni pandis
    introitum...   1194
ut sit his qui renati fuerint ex aqua et SPIRITU sancto chrisma salutis...
    3945
pro mundi salutem secundum carnem SPIRITU sancto concipiendo (concipiendum)
    ...   2380
... Et in SPIRITU sancto dominum et vivificatorem ex patre procedentem...
    554
da honorem... iesu christo filio aeius et SPIRITU sancto et recede ab hoc
    famulo...   1411
et incarnatum de SPIRITU sancto et Maria virgine et humanatum...   554
ut renatus ex aqua et SPIRITU sancto expoliatus...   1359
et SPIRITU sancto in columbae similitudine (similitudinem) desuper misso
    unigenitum tuum...   3945, 3946
da honorem ihesum christum filio aeius et SPIRITU sancto in cuius nomine
    ...   2174
Nutri aeos SPIRITU sancto in operibus et actibus bonis...   316
qui venturus est in SPIRITU sancto iudicare vivos et mortuos...   720,
    1535, 1536, 1538, 3270
ad spem vite aeternae ex aqua et SPIRITU sancto nascimur.   3836
qui conceptus est de SPIRITU sancto, natus ex maria virgine...   551
... Quae ab angelo salutata, ab SPIRITU sancto obumbrata...   4032
Ds, qui ad caeleste regnum nonnisi renatis ex aqua et SPIRITU sancto
    pandis introitum...   891
Ds, quem docente SPIRITU sancto paterno nomine invocare prae sumimus...
    882
et da locum SPIRITU sancto per hoc signum crucis...   744
qui regnat una cum SPIRITU sancto per infinita secula seculorum. Amen.
    1637
qui vivit cum patre et SPIRITU sancto per omnia saecula saeculorum.   39
cum co vivis et regnas ds semper cum SPIRITU sancto per omnia saecula
    saeculorum.   867
ut omnis hoc lavacro salutifero diluendi operanti in eis SPIRITU sancto
    perfecti (perfectae) purgationis...   1045, 1047
constantia pura, fide plena, SPIRITU sancto pleni persolvant.   3225
qs, SPIRITU sancto prophaetarum hore canente...   898
Da igitur honorem advenientis SPIRITU sancto qui ex summa...   223

ut tuae maiestatis imperio sumat unigeniti tui gratiam de SPIRITU sancto
   qui hanc aquam... 1047
qui cum patre et SPIRITU sancto, qui vivit et regnat... 511
O. s. ds, qui regenerasti famulum tuum ex aqua et SPIRITU sancto quique
   dedisti ei... 867, 868, 869, 2446, 2479
qui te regeneravit ex aqua et SPIRITU sancto quique dedit tibi... 870
da honorem ihesu christi filio aeius et SPIRITU sancto recede ab eis...
   1411
quos ex aqua et SPIRITU sancto regenerare dignatus es... 1752
ad spem vitae aeternae ex aqua et SPIRITU sancto renasceremur... 3836
Ut quicumque sunt ex aqua et SPIRITU sancto renati... 1327
ut SPIRITU sancto renatos regnum tuum tribuas (facias) introire... 1194,
   2333, 2334
regnas cum patre et SPIRITU sancto, salvator mundi. 742
... Hic unigenitus dei de Maria virgine et SPIRITU sancto secundum carnem
   natus ostenditur. 1706
hoc de filio tuo, hoc de SPIRITU sancto sine differentia discritione
   sentimus... 3887
qui regnas semper cum patre et SPIRITUM sancto sine ulla fine... 3017
Quem tecum deus et cum SPIRITU sancto supernarum virtutum... 4184
sic in SPIRITU sancto tocius cognoscamus substanciam trinitatis. 450
quos regenerare dignatus es ex aqua et SPIRITU sancto tribuens eis...
   1773, 1774
quem tecum et cum SPIRITU sancto unum deum caeli caelorum... 4176
ut hoc vasculum... sanctificetur ab SPIRITU sancto ut per illius tactum...
   1154
quia tu es deus benedictus qui cum patre et SPIRITU sancto vivis et regnas
   ... 3261
qui cum patre et SPIRITU sancto vivit et gloriatur deus... 18, 915, 2246
qui cum patre et SPIRITU sancto vivit et regnat deus... 179, 180, 702,
   744, 2522, 2584
qui venturus est iudicare in SPIRITU sancto vivos... 1537
dominum nostrum, cum quo vivit et regnat cum SPIRITU sancto. 2519
ut tuae maiestatis imperio sumat unigeniti tui gratiam de SPIRITU sancto.
   1045
et oboedientia deo patri et filio et SPIRITU sancto. 302
Quod ipse praestare dignetur qui cum patre et SPIRITU sancto. 425, 2117,
   2242, 2252
dominum nostrum iesum christum qui tecum et SPIRITU sancto. 2907
... Ego baptizo vos aqua, ille vero baptizavit vos SPIRITU sancto. 3311
ut in uno eodemque SPIRITU sit tibi grata devotio et plebis et praesulis.
   1358
adimple aeos SPIRITU timoris dei... 868
adimple eos SPIRITU timoris domini... 2445
O. s. ds, cuius SPIRITU totum corpus ecclesiae sanctificatur (multiplicatur) et regitur... 801, 2323
Pax domini sit semper vobiscum. Respondetur : Et cum SPIRITU tuo. 2546
Pax tecum. Respondet : Et cum SPIRITU tuo. 3291
Iterum dicis : Dominus vobiscum. Respondetur : Et cum SPIRITU tuo... 1978
Pax domini sit semper vobiscum. Et cum SPIRITU tuo. 2547, 2556
VD. Qui cum unigenito filio tuo et sancto SPIRITU unus es deus... 3887
substantiam SPIRITU vere perficis religionis unitam. 3778
etiam sanctos suos SPIRITU veritatis armatos (armasti)... 3727, 4023
et repleat vos SPIRITU veritatis et pacis. 722
virtuo ignitus SPIRITU vinceretur. 3694, 4082
quandoquidem per SPIRITUI est infusio purgatum. 782

et SPIRITUI fratri nostri ill., quam domini piaetas...   2484
ut SPIRITUI fratris nostri ill. a corporis nexibus absolutum...   1234
purum sancto SPIRITUI habitaculum in regeneratis procuret.   1336
SPIRITUI huius subveniat sublimis dominus...   2216
et da honorem Iesu Christo filio eius et SPIRITUI sancto et recede...
   1411
da honorem Iesu Christo filio eius et SPIRITUI sancto in cuius nomine...
   2174, 2177
da honore (honorem) SPIRITUI sancto paraclyto...   2175, 2176
et da locum SPIRITUI sancto per hoc signum crucis domini nostri.   744
... Da igitur honorem adveniente (advenientem) SPIRITUI sancto qui ex
   summa caeli...   222
regenerans eum deo patri et filio et SPIRITUI sancto qui venturus est...
   1535
... Coniunge ergo famulos tuos, dne, SPIRITUI sancto sicut coniunctum
   est...   304
qui tecum vivit et regnat deus in hunitate SPIRITUI sancto.   3946
ut merita tibi placita sancti confessoris et SPIRITUI tui iuvenalis...
   197
et ad creandos novos populos... SPIRITUM adoptionis emitte...   2302
eisque nos similiter diligendi SPIRITUM benignus infunde...   2759
ut SPIRITUM cari nostri ill. cuius odie deposicio caelebratur...   201
suppliciter deprecamur pro SPIRITUM cari nostri ill. quem dominus...
   2583
mitte super nos SPIRITUM caritatis...   1083
Largire nobis, dne, qs, SPIRITUM cogitandi quae bona (recta) sunt...
   1993, 1994, 1995
Ds qui apostolis tuis sanctum dedisti SPIRITUM concede plebi tuae...
   902
... SPIRITUM consilii et fortitudinis, SPIRITUM scientiae et pietatis...
   867, 869, 1313, 2445
qui discipulorum christi tui per sanctum SPIRITUM corda succendit.   3140
qui per iesum... hanc creatura SPIRITUM creantem iussisti...   1352
Excita, dne, in aeclesia tua SPIRITUM, cui sanctus Laurentius levita
   servivit...   1516
et aeius SPIRITUM cum sanctis hac fidelibus iubeat adgregare...   701
... SPIRITUM divinitatis vita caelestis asseritur viam domini preparare.
   3755
ut SPIRITUM et animam famuli tuis illius... blande et misericorditer
   suscipias...   2215
... SPIRITUM eciam famuli tui ille ac cari nostri... in pace sanctorum
   tuorum recipias...   3507
O. s. ds, conlocare dignare corpus, animam et SPIRITUM famuli tui illius
   cuius diem...   2312
Propitiare, dne, supplicationibus nostris pro anima et SPIRITUM famuli
   tui illi cuius odie...   2879
... SPIRITUM fervens, spes gaudens...   876
... Sint sollicitudinem inpigri, sint SPIRITUM ferventes...   820
Multiplica, dne, qs, in aeclesia tua SPIRITUM gratiae quem dedisti...
   2111
... Effunde qs super nos... SPIRITUM gratiae salutaris et ab omnibus...
   4014
praetende super hos famulos degentes in hac domo SPIRITUM gratiae
   salutaris et ut complaceant...   2390, 2391
praetende... vel super cunctam congregationem illi commissam SPIRITUM
   gratiae salutaris et ut in veritate...   2392

praetende super famulos tuos SPIRITUM graciae salutaris et ut in veritate
    ... 2390
Effunde super nos in diaebus ieiuniorum SPIRITUM gratiae salutaris ut ab
    omnibus...   4190
Effunde, qs, dne, SPIRITUM gratiae super familiam tuam...   1399
sic SPIRITUM graciae tuae quo iugiter muniamur semper imploret.   2740
et imperium habeat SPIRITUM inmundorum cohercendum...   1338
SPIRITUM in nobis dne tuae caritatis infunde...   3308, 3309
tu SPIRITUM in nobis tante devotionis infundas...   3664, 4214
et castitatis SPIRITUM insere in me...   219
per sanctum SPIRITUM largiris dona graciarum...   4011
qui nobis hodiae aequalem tibi ipse consolatorem SPIRITUM misisti.   1173
SPIRITUM nobis, dne, tuae caritatis infunde...   3308
tu SPIRITUM nobis tante devotionis infundas...   4213, 4214
... SPIRITUM nobis tribue corrigendi.   2530
non carnem sed SPIRITUM, non temporalia sed aeterna.   311
ne SPIRITUM nostrum obtunsis sensibus hevetemus...   3964
da nobis SPIRITUM pacis et gratiae...   972
tu, dne, mitte in eos SPIRITUM paraclytum sanctum sapientiae...   1313
VD. Qui promissum SPIRITUM paraclytum super discipulos misit...   4007
per septuaginta virorum prudentium mentes Mose SPIRITUM propagasti...
    1348, 1350
conserva in novae familiae tuae progeniem sanctificationis (adoptionis)
    SPIRITUM quem dedisti...   987, 999, 2398
Infunde circumstantibus credulitatis SPIRITUM, qui confitenti...   546
da nobis in aeodem SPIRITUM recta sapere...   1001
da familiae tuae SPIRITUM rectum et habere cor mundum...   2420
tu hoc tintinabulum sanctum SPIRITUM rore perfunde...   2262
et eius SPIRITUM sanctis ac fidelibus adgregari iubeat...   702
... Innova in visceribus eorum SPIRITUM sanctitatis acceptum a te...
    1348, 1349, 1350
et infunde illi rore caelesti SPIRITUM sanctitatis tuae...   298
quam tu SPIRITUM sancto inlustris...   1670
per patrem et filium et SPIRITUM sancto ut exias...   1550
ut quidquid hic novum regenerandi per SPIRITUM sanctum acceperint...
    3447
in ora diaei tertia SPIRITUM sanctum apostolis tuis... emisisti...   3479
Mentibus nostris dne SPIRITUM sanctum benignus infunde...   2089
adaerit per SPIRITUM sanctum consensus unus omnium animarum.   3021
per SPIRITUM sanctum corda succendit.   3140
qui super unigenitum suum SPIRITUM sanctum demonstrari voluit per columbam
    ... 853
eisque nos similiter SPIRITUM sanctum diligendi benignus infunde.   2800
Et SPIRITUM sanctum dominum et vivificantem ex patre procedentem.   555
ut discerent habitatores archae per SPIRITUM sanctum et olivae chrisma...
    3955
promissum SPIRITUM sanctum hodierna die in filios adoptionis effudit...
    3876
quam tu SPIRITUM sanctum inlustris...   1670
promissum SPIRITUM sanctum in filios adoptionis effudit...   3876, 3877
ut fiat omnibus qui ex eo ungendi sunt in adoptione filiorum per SPIRITUM
    sanctum in nomine dei patris...   1538
per SPIRITUM sanctum largiris dona gratiarum...   4012
renatis per aquam et SPIRITUM sanctum panis introitum...   890
Emitte, (qs), dne, SPIRITUM sanctum paraclytum de caelis...   1404, 1407,
    1408

Ds, qui discipulis tuis SPIRITUM sanctum paraclytum in ignis... mittere
   dignatus es...   962
Influae SPIRITUM sanctum pectoribus nostris supplicum...   908
per patrem et filium et SPIRITUM sanctum per trinitatem...   1547
... SPIRITUM sanctum protectum...   701
Redundet in aeis caritas diffusa per SPIRITUM sanctum que operiat...
   1327
Mitte, dne, qs, SPIRITUM sanctum qui et haec munera...   2106
da SPIRITUM sanctum qui habitum religionis in eum perpetuum custodiat...
   2503, 2761
... Emitte in eos, dne, qs, (qs dne) SPIRITUM sanctum quo in opus...
   136, 137, 138
sed etiam SPIRITUM sanctum quo matrem domini et salvatoris agnosceret
   accepit.   3755
Credis in SPIRITUM sanctum, sanctam eclesiam catholicam...   551, 552,
   553, 3019
tu, dne, permittis SPIRITUM sanctum super vinum...   549
patrem et filium et SPIRITUM sanctum tamen non negavit...   3389
tu dne, inmitte (emitte) in eos SPIRITUM sanctum tuum paraclytum et da
   eis spiritum...   867, 868, 869
adiuro te per patrem et filium et SPIRITUM sanctum ut citius...   225
Exorcizo te, inmunde spiritus, per patrem et filium et SPIRITUM sanctum
   ut exeas...   1550
et da eis SPIRITUM sapienciae et intellectus...   867, 868, 869, 2445,
   3192
SPIRITUM sapientiae et intelligentiae, discriptionisque eis concedere
   digneris.   3531
da SPIRITUM sapientiae quibus dedisti regimen (tradedisti regnum)
   disciplinae...   1165, 1166
... SPIRITUM scientiae et pietatis...   869, 1313, 2445
Aufer a nobis dne SPIRITUM superbiae cui resistis...   228
adimple eum SPIRITUM timoris dei et domini nostri Iesu Christi...   869
et adimple eos, (dne), SPIRITUM timoris dei in nomine...   1313
adimple famulum tuum SPIRITUM timoris dei.   3192
repleas eum SPIRITUM timoris tui ut eum ministerio...   1339
adimple aeum, dne, SPIRITUM timoris tui ut in nomine...   1312
Ds cuius SPIRITUM totum corpus aecclesiae multiplicat et regitur...   801
Dne iesu christi qui discipulis tuis tuum SPIRITUM tribuisti...   1327
et super hunc famulum tuum SPIRITUM tuae benedictionis emitte...   1464
O. s. ds, affluentem ill. SPIRITUM tui benedictionis super famulum...
   infunde...   2303
et per SPIRITUM tui muneris fidem nostram conrobora...   2108
Aemitte SPIRITUM tuum de alto...   202
ut in hac area famuli tui illius SPIRITUM tuum paraclitum mittere digneris
   ...   2364
Sensibus nostris, dne, SPIRITUM tuum sanctum benignus infunde...   3275
qui SPIRITUM tuum sanctum cum super aquas... humani declarasti salutis
   auctorem...   2350
emitte in eos septiformem SPIRITUM tuum sanctum paraclitum de caelis...
   2445
tu, dne, SPIRITUM tuum sanctum paraclitum in aeum mittere digneris...
   1312
inmitte in eum paraclytum SPIRITUM tuum sanctum septiformem...   3192
tu, dne, aemitte SPIRITUM tuum sanctum super hanc creatura illam...   548
inmitte in aeum paraclitum SPIRITUM tuum, SPIRITUM septefurme...   3192
tu permitte SPIRITUM tuum super vinum cum aqua mixtum...   549

ut mihi auxilium praestare digneris adversus hunc nequissimum SPIRITUM ut
  ubicumque...   744
Da (qs dne) populo tuo, (dne, qs), (qs dne) SPIRITUM veritatis et pacis...
  632, 633, 657
ipsi per amorem SPIRITUS a morte animae resurgamus.   2773
per innovatione (invocationem) tui SPIRITUS a morte animae resurgamus.
  493, 1159
per invocationem nominis tui SPIRITUS a morte anime resurgamus.   1159
... Ille tibi imperat, inmundissime SPIRITUS, a quo tu dixisti...   1881
... Omnes nequissimi SPIRITUS ab eo venena depelle...   1611
per invocationem sancti tui nominis omnis infestatio inmundi SPIRITUS
  abiciatur...   848
... Et tua sancta benedictio sit... tutamentum corporis animae et
  SPIRITUS ad evacuandos...   1407
ut SPIRITUS adveniens maiestatem nobis filii tui manifestando clarificet.
  2795
ob cuius paraclyti SPIRITUS adventum mentes vestras, praeparatis...   345
ut adoptio, quam in id ipsum sanctus SPIRITUS advocavit...   82, 2688
et in novitate SPIRITUS ambulare...   3976
et SPIRITUS calidi hostes abscedat...   1365
VD. Quia hodie sancti SPIRITUS caelebramus adventum...   4049
ut qui solemnitatem donorum sancti SPIRITUS colimus...   494
... SPIRITUS consilii et fortitudinis, SPIRITUS scienciae et pietatis...
  1339, 3192
... SPIRITUS consilii et virtutis...   1312
quae sunt SPIRITUS dei, stulta mente non capiunt...   3879
Ad huius ergo festivitatis reverentiam fervore SPIRITUS descendentes...
  861
virtute filii tui et sancti SPIRITUS destruendo...   1236
Mentes nostras, qs, dne, sanctus SPIRITUS divinis praeparet sacramentis...
  2088
Sancti SPIRITUS, dne, corda nostra mundit infusio...   3211
Virtute sancti SPIRITUS, dne, munera nostra continge...   4234
ut qui diversitatem gentium... paraclyti SPIRITUS dona voluisti congregare
  ...   4198
et eiusdem SPIRITUS donis exuberare.   1002
eiusdem SPIRITUS dono capere mente valeatis.   2246
postque perceptum sancti SPIRITUS donum...   3846
et sancti SPIRITUS ei ammiscere (inmiscere) virtutem...   3945, 3946
in adoptione carnis et SPIRITUS eis, que ex eo unguere habent...   1536,
  1537
Nullam laesionem susteniat SPIRITUS eius ; sed cum magnus...   3462
et super hos famulos tuos benedictionem sancti SPIRITUS et gratiae
  sacerdotalis...   1483
... Sit sermo eorum et praedicacio... sed in ostensione SPIRITUS et
  virtutis...   820
ds, cuius SPIRITUS ferebatur super aquas...   2818
qua sancti SPIRITUS fervore precclarus beatae martyris...   3783
per infusionem sancti SPIRITUS gratiam largiaris...   3825
ut advenientis sancti SPIRITUS gratiam purificatis mentibus...   1130
... Tibi ergo praecipio, maledicte inmunde SPIRITUS, hostis humani generis
  ...   3566
nosque contra superbis SPIRITOS humilitate tribuas rationabilem custodire
  ...   3834
passione domini Iesu Christi et sancti SPIRITUS inluminatione reserasti...
  3625

et lux tuae lucis corda... sancti SPIRITUS inlustratione confirmet.   2752
Ds qui... corda fidelium sancti SPIRITUS inlustratione docuisti...   1001
et corda nostra sancti SPIRITUS inlustratione emunda.   2122
et in sancti SPIRITUS inmiscere virtutem per potenciam Christi tui...
   3945
exite in ista ora, momentum, SPIRITUS inmunde qui invasistis...   1888
praecipio tibi quicumque es SPIRITUS inmunde ut exeas.   2177
ut redempta vasa... non SPIRITUS inmundi rursus inficiant...   2937
in cuius virtute praecipio tibi, quicumque es, SPIRITUS inmundi, ut exias
   ...   2175
omnis SPIRITUS inmundus ab eo loco confusus et increpatus effugiat...
   1351, 1352
... Procul ergo hinc te iubente, dne, omnis SPIRITUS inmundus abscidat...
   1045, 1047
omnisque SPIRITUS inmundus adiuratus per eum qui venturus est iudicare vivos et mortuos...   1546
non SPIRITUS inmundus rursus inficiat...   2941
precipio tibi, quicumque es, SPIRITUS inmundus, ut exias...   2174
Exorcizo te, inmunde SPIRITUS, in nomine patris et filii et spiritus sancti
   ...   1549
Quo gratia sancti SPIRITUS inaebriati...   1173
sanctique SPIRITUS infunde carismata.   1845
et sancti SPIRITUS infusione ditatos.   4012
sancti SPIRITUS infusione perficitur.   3739, 4181
ut templum sancti SPIRITUS ipso tribuente esse possitis.   345
VD. Quoniam per sancti SPIRITUS largitatem...   4097
sicut profanas mundi caligines sancti SPIRITUS luce evacuasti...   1463
et praesentia sancti SPIRITUS nobis... ubique adesse dignetur.   848
... Qui hoc ipso pravi SPIRITUS non dubium est...   4139
si SPIRITUS noster nefandis cogitationibus inplicetur...   4072
huic loco sancti SPIRITUS novitatem aecclesiae (et aecclaesiam) conferas
   veritatem.   886
... Quae et unigenitum tuum sancti SPIRITUS obumbratione concepit...
   3725
ad effugandos immundos et erraticos SPIRITUS omnemque nefariam...   1539,
   1540, 1541
sed sancti SPIRITUS operante virtute...   2160
et sancti SPIRITUS operatione mundandis (mundandi)...   838, 839
et donum in vos SPIRITUS paraclyti infundat.   2243
Ds qui... discipulorum mentes SPIRITUS paraclyti infusione dignatus est
   inlustrare...   1002
ut SPIRITUS paraclytus ad nos veniat...   3706
Mentes nostras, dne, SPIRITUS paraclytus qui a te procedit inluminet...
   2083
Exorcizo te, inmunde SPIRITUS, per patrem et filium et spiritum sanctum...
   1550
et fugiat (fugetur) ab aeo inmundus SPIRITUS per virtute (virtutem) domini
   nostri iesu christi...   3230
ut sancti SPIRITUS perfundantur benedictione...   2649
non illic resedeat SPIRITUS pestilens, non aura corrumpens...   896
recedat... calamitas tempestatum, omnis SPIRITUS procellarum...   308
et in novam creaturam sancti SPIRITUS procreandi...   1287
que ante tuum adventum praedixit SPIRITUS prophaeta iohannes...   202
sanctus etenim SPIRITUS, qui magistris ecclesiae ista dictavit...   1287
Sic aeris separatus, inmonissime SPIRITUS quia vicit te...   2180
et galeam spem salutis et gladium SPIRITUS quod est verbum tuum...   4149

Qui sancti SPIRITUS repletus dono... 3766

ut sicut illos sanctus SPIRITUS roborando sempiternam provexit ad gloriam ... 1205

ut sancti SPIRITUS sacerdotalia dona privilegio virtutum... obteneant. 3300

conscientias nostras sancti SPIRITUS salutaris adventus emundet (emundet adventus). 1815

Det vobis leges suae precepta virtute SPIRITUS sancti adprehendere... 1375, 2296

quod in nomine tuo et in fili tui... et SPIRITUM sancti benedicimus... 1367

et SPIRITUS sancti benedictione sanctificata omnia atque benedicta... 3489

et SPIRITUS sancti benedictionem... 3459

ut qui sollemnitatem dono SPIRITUS sancti colimus... 494

virgo maria SPIRITUS sancti cooperatione concepit... 3870

et pro pullis columbarum SPIRITUS sancti donis exuberetis. 2256

postque perceptum SPIRITUS sancti donum... 3846

... Recede in nomine patris et filii et SPIRITUS sancti et da locum... 744

benedictionem SPIRITUS sancti et gratias sacerdotalis effunde virtutem... 1482

Benedictio dei patris et filii et SPIRITUS sancti et pax domini... 18, 349, 915, 2246, 2252, 2254

assumpto scuto fidei, et galea salutis, et gladio SPIRITUS sancti et viriliter... 3722

et in virtute SPIRITUS sancti exorcizo te... 1542, 1544

in nomine dei patris et fili et SPIRITUS sancti facientes imaginem... 3568

et corporis Christi novum sepulcrum SPIRITUS sancti gracia perficiatur. 2259

dominator et regnas ds in unitate SPIRITUS sancti in secula. 404

cum quo vives et regnas in unitate SPIRITUS sancti in saecula. 2818

VD. Qui SPIRITUS sancti infusione replevit corda fidelium... 4029

introitum templi istius SPIRITUS sancti luce perfunde... 4227

et SPIRITUS sancti lucem in nos semper accende. 231

Concedat vobis ut quod ille SPIRITUS sancti munere afflatus... 2246

Purificet nos qs dne virtus SPIRITUS sancti muneris praesentis... 2950

per gratiam SPIRITUS sancti nova tui paraclyti... 618

est tibi deo patri omnipotenti in unitate SPIRITUS sancti omnis honor et gloria... 2555

et in nomine Iesu Christi filii eius et SPIRITUS sancti omnis virtus... 1531, 1532

in unitate (eiusdem) SPIRITUS sancti, per omnia saecula saeculorum. 729, 848, 850, 3465

qui tecum (cum eo) vivit et regnat ds in unitate SPIRITUS sancti per omnia saecula... 727, 3588

et odore suavissimo SPIRITUS sancti percepto (praecepto sequatur). 2299

et per graciam SPIRITUS sancti poculum salutis semper infunde. 769

maiestate tuae pura mente deserviant consecuti graciam SPIRITUS sancti qui cum patre... 2275

Adsit nobis, dne, qs, (qs dne) virtus SPIRITUS sancti qui et corda nostra ... 161

in nomine SPIRITUS sancti qui in te effusus est... 2856

Exorcizo te, creatura salis, in nomine patris et filii et SPIRITUS sancti qui te per... 1545

per invocationem nominis domini nostri Iesu Christi et SPIRITUS sancti qui
   venturus est...   1539
quibus uberiore dono SPIRITUS sancti sufficienter instructi...   3996
et SPIRITUS sancti tui semper rore perfusa...   866
et adsistat super aeam virtus SPIRITUS sancti ut cum haec vasculum...
   308
... Coniuro (adiuro) te non meam infirmitatem (mea infirmitate) sed
   virtute SPIRITUS sancti ut desinas...   142, 1354, 1355
Exorcizo te, inmunde spiritus, in nomine patris et filii et SPIRITUS sancti ut exeas et recedas...   1549
et in nomine Iesu Christi filii eius et SPIRITUS sancti ut in hanc
   invocationem...   1536
et in caritatem iesu christi fili aeius et SPIRITUS sancti.   1533
baptizantes eos (baptizo te) in nomine patris et filii et SPIRITUS
   sancti.   253, 1045, 3565
In nomine (dei) patris et fili et SPIRITUS sancti.   1443, 1888
careant in corde infidelitatis frigore a fervore ignis SPIRITUS sancti.
   2321
cum quo vivit et regnat deus in unitate SPIRITUS sancti. Amen.   2498,
   2518
cum quo vivis et regnas in unitate SPIRITUS sancti.   869
per septem forme SPIRITUS sanctificationis gratiam...   2386
ut SPIRITUS sanctus adveniens templum nos gloriae suae... perficiat.
   2799
ut a nostris mentibus et carnales amoveat SPIRITUS sanctus affectus...
   2720
quo SPIRITUS sanctus apostolis innumeris linguis apparuit.   415
quo SPIRITUS sanctus apostolos plebemque credentium...   406
desuper discendat SPIRITUS sanctus atque ut samuel...   2262
munera SPIRITUS sanctus benignus assumat...   170
ut SPIRITUS sanctus corda nostra clementer expurget...   3839
... SPIRITUS sanctus defendat illos...   1330
Benedictio patris et fili et SPIRITUS sanctus discendat super te...   367
Mentes nostras, qs, dne, SPIRITUS sanctus divinis praeparet (reparet)
   sacramentis...   2088
non habites ubi SPIRITUS sanctus habitat...   1529
... SPIRITUS sanctus habitet in domo hac...   1532
et SPIRITUS sanctus habitit in aeo, in remissionem omnium peccatorum.
   1533
... Deus tibi imperat, pater et filius et SPIRITUS sanctus ille tibi
   imperat...   1852
imperat tibi deus pater, imperat tibi filius et SPIRITUS sanctus imperat
   tibi apostolorum...   1355, 1437
... Hic SPIRITUS sanctus in eadem qua pater et filius deitate indiscretus
   accipitur...   1706
VD. Per quem discipulis SPIRITUS sanctus in terra datur ob dilectionem
   proximi...   3830
Illo nos igne qs dne SPIRITUS sanctus inflammet...   1855
cui tantum gratia (tantam gratiam) SPIRITUS sanctus infundit...   4185,
   4186
Atque idem SPIRITUS sanctus ita vos hodie sua habitatione dignos efficiat
   ...   345
inhabitet in eo SPIRITUS sanctus per dominum nostrum...   1363
Benedicat vos SPIRITUS sanctus qui...   352, 363
venit SPIRITUS sanctus tuus qui fontem baptismi...   1366

et quoaeternus SPIRITUS sanctus tuus qui illius viscera... nos ab omni
   facinore delictorum emundet benignus.   2203
Descendat qs dne ds noster SPIRITUS sanctus tuus super hoc altare...   721
et comis nobis dignetur esse SPIRITUS sanctus.   1360
sanet te deus (filius), inluminit te SPIRITUS sanctus.   335
et requiescat super eum SPIRITUS sapienciae et intellectus...   1312, 1339
... SPIRITUS scientiae et piaetatis...   1312, 3192
Non ego tibi impero neque peccata mea, inmundissime SPIRITUS sed imperat
   ...   2180
Exorcizo te creatura aqua in nomine domini iesu christi... et sancti
   SPIRITUS si qua incursio...   1530
ds, cuius SPIRITUS super aquas inter ipsa mundi primordia ferebatur...
   1045, 1047
cuius SPIRITUS super te ferebatur, qui te de paradiso manare...   1046
et in virtute sancti SPIRITUS tui ad effugandum...   327
in totam mundi latitudinem SPIRITUS tui dona diffunde.   1198a, 1199
qui sancti SPIRITUS tui dono succensus...   4148
ut SPIRITUS tui eruditione forma (formandos)...   3480
Discendat in hanc plenitudinem (hac plenitudine) fontis virtus SPIRITUS
   tui et totam (totamque) huius...   720, 1045
ut SPIRITUS tui fervore concepto...   846
sancti SPIRITUS tui gratiam ad mundiciam revocet adque purificit...   1365
sed infusa sancti SPIRITUS tui gratiam in hodorem suavitatis...   1342
O. s. ds, hoc baptisterium... SPIRITUS tui inlustracione sanctifica...
   2345
qui virtute sancti SPIRITUS tui inbecillarum mentium rudimenta confirmas
   ...   838, 1240
ut huic fonti virtutem SPIRITUS tui indesinenter praesedere concedas...
   3836
ut nos SPIRITUS tui lumen infundat...   3751
... SPIRITUS tui munere ad sacramentorum tuorum plenitudine poscimus
   praeparari.   1796
et SPIRITUS tui muneris fidem nostram corrobora...   2109
et sancti SPIRITUS tui operatione mundandis...   1240
ut omnes gentes... SPIRITUS tui participatione regenerentur.   1178
ac SPIRITUS tui potencia in hereditarium populum clementer adnumera...
   3055, 3056
... Sit in eis, dne, per donum SPIRITUS tui prudens modestia...   758,
   759, 760
influente gratia tua SPIRITUS tui sancti digneris ad munditiam...   893
in totam mundi latitudinem SPIRITUS tui sancti dona defunde...   1199
ut SPIRITUS tui sanctificatione muniti perpetua fruge ditentur.   2442
Ds qui caritatis dona per gratiam sancti SPIRITUS tuorum cordibus fidelium
   infudisti...   921
ut idem SPIRITUS veritatis aecclesiae tuae dona multiplicet.   2350
ex hoc fonte aquae vitae perennis qui est SPIRITUS veritatis et enutri
   eos...   304
virtus ignitus SPIRITUS vinceretur amore.   3694
ut tui SPIRITUS virtus et interiora horum (interiorum ora) repleat et
   exteriora circumtegat...   819, 820
non carnis voluntate aditi, sed sancti SPIRITUS virtute generati.   1706
Ds apud quem mortuorum SPIRITUS vivunt...   746
et in septenario inter beatorum SPIRITUUM agmina requiescatis...   2242
beatorumque SPIRITUUM coheredes effici mereantur.   3913
Unde quesumus famulus ill. beatorum tabernaculis SPIRITUUM constitutus...
   3862

et beatorum SPIRITUUM efficiamini coheredes.   2260
ut si quae illis (maculae) adversantium SPIRITUUM inherere reliquiae...
   838, 839, 1240
et imperium habeat SPIRITUUM inmundorum cohercendo...   1338
... SPIRITUUM tibimet placitorum pia semper veneratione laetetur.   2593
beatorum numero digneris inserere SPIRITUUM.   1742

           SPIRO
veniat super eos SPIRANTE (SPIRATA) a te benedictionis ubertas...   2909
ut beatae castitatis habitum, quem te SPIRANTE suscipiunt, te protegente
   custodiant...   743

           SPLENDEO
ut ad intellegentiam verbi eius per quem nobis SPLENDIT suffragiis
   accedamus.   904

           SPLENDIDUS
et illus lumen SPLENDIDUM infundae (in) cordibus nostris...   828

           SPLENDOR
O. s. ds, fidelium SPLENDOR animarum...   2341
pontificalem gloriam... commendat... sed SPLENDOR animorum...   819
ut claritatis tuae super nos SPLENDOR effulgeat...   2752
Corda nostra, qs, dne, venturae festivitatis SPLENDOR inlustret...   537
Ds, qui es omnium sanctorum tuorum SPLENDOR mirabilis...   982, 983
Ds lumen aeternum, SPLENDOR siderum...   852
miserator (miseratus) inlustra, proprio (propicius, propitio) SPLENDORE
   clarifica...   1249, 1733, 1777
flammae sevientes incendium sanctis tribus pueris in SPLENDORE demutatum
   est animarum...   776
... Quibus non solum praesentem vitam suo SPLENDORE dirigeret...   4056
et SPLENDORE gratiae (gloriae) tuae cor eius semper accende...   1856,
   1927
huius noctis miraculo SPLENDORE libertatis inradiat.   861
ut SPLENDORE luminis tui semper gaudeamus.   1238
... Gaudeat se tellus inradiata fulgoribus, et aeterni regis SPLENDORE
   lustrata...   1564
tribus pueris in SPLENDORE mutatum est animarum...   776
spiritus... qui illius viscera SPLENDORE suae graciae veritatis (virtutes)
   replevit...   2203
et ob praemium passionis niveo liliorum SPLENDORE vestivit.   3727
non iam nobis honorem commendat vestium sed SPLENDOREM animarum...   820
dum SPLENDOREM gemmarum duodicem totidem apostulorum nomina presignasti...
   1330
et SPLENDOREM gratiae (tuae) cor aeius semper haccende...   1175, 1927
et hunc nocturnum SPLENDOREM, invisibilis regnator, intende...   3588
tot charismatum SPLENDORIBUS consecrari...   4095
in medio (iustorum) in SPLENDORIBUS sanctorum in sede maiestatis...   57,
   2217
beate mariae viscera SPLENDORIBUS suae virtute (virtutis) replevit.   170

           SPOLIO
... O noctem in qua tartara SPOLIANTUR...   4160
Et aeam multorum fuere divitem morte tua SPOLIATAM traxisti...   1073

           SPONDEO
Grande mundo SPONDEBATUR auxilium...   3635
O. s. ds, multiplica in honore nominis tui quod patrem fidei SPONDISTI
   (SPOPONDISTI) et promissionis...   2363

SPONSIO

adepta est promissum SPONSIONIS aeternitatis.   3781

SPONSUS

Ds qui ecclesiam tuam SPONSAM (SPONSA) vocare dignatus es...   976
... SPONSI filios usque ad eius abscessum non posse ieiunare...   3996
ad huius SPONSI thalamum (cuius resurrectionem) cum prudentibus virginibus intrare possitis.   948
ut cum eis caelestis SPONSI thalamum valeatis ingredi.   2264
caelesti SPONSO cum lampadibus inextinguibilibus fiducialiter occurrere. 1297
et veniente SPONSO filio tuo unigenito...   382
ut tibi domino ac SPONSO suo venienti...   1727
ut tibi SPONSO venienti cum lampade suo inextinguibile possit occurrere... 1727, 1728
ut caelestem SPONSUM accensis lampadibus cum oleo praeparacionis expectet ...   759
ut eum (ipsum) filium tuum inviolabilem SPONSUM cum ornatis... meruissent habere...   3805, 3853
... SPONSUM sibi, qui perpetuus est, praesumpto praemio castitatis adhibuit...   3775
qui tamquam SPONSUS procedens de talamo suo deus dominus et inluxit nobis...   3763
qui sic perpetuae virginitatis est SPONSUS quemadmodum...   758, 759

SPONTE

dum pro testimonio creatoris (creatoris testimonio) SPONTE susciperent (suscipiunt)...   3956

SPULSUS = EXPULSUS

SPURCITIA

et domo forisque SPURCITIAM contrahentes...   3879

SPURIUS

cuius potentiam guliam SPURIUM david fortis manu prostravit lapidis hictu suo...   3473

SQUALEO

fidelem quamvis peccatis SQUALENTEM sacerdotii dignitate donasti...   3893
ut SQUALENTIS agri secundis imbribus inrigentur...   3824

SQUALIDUS

et terram SQUALIDAM et ariditatem pulveream laeto ymbre fecunda...   895

SQUALOR

ut huic famulo tuo longo SQUALORE paenitenciae macerato...   2042
ut spinarum et tribulorum SQUALORE resecato...   1034
te quaeso ut facinorum meorum SQUALORES abstergas...   815
ut et hostem antiquum devincat, et vitiorum SQUALORES expurget...   760
principiis cunctis vetustatis SQUALORIBUS emundetur...   720, 1045
vos dignetur et vitiorum SQUALORIBUS expurgare...   2264
per eum vitiorum SQUALORIBUS expurger...   3898

STABILIO

hic fides sancta STABILIATUR.   3828
ita et auctoris nostri e(s)t lapsa restituere, mutantia STABILIRE.   841

STABILIS

et in fide inveniantur STABILES et in opere efficaces.   846, 962

in Christo firmi et STABILES perseverent...   136, 137, 138
ut aecclesia tua... STABILI fide in confessionem tui nominis perseveret.
  2395

          STABILITAS
et solium regni firma STABILITATE conecti.   842

          STABULUM
fide STABULUM, misericordiam habundantem...   3281

          STADIUM
ita in praesentis vitae STADIO redemptorem nostrum possitis sequi...   346
In praesentis vitae STADIO vos ab omni adversitate defendat...   2241

          STAGNUM
Qui convertit solidam petram in STAGNUM aque...   2378

          STATIM
ubi inimicus celatus fuerit, STATIM areptus effugiat...   1346
qui peccantem non STATIM iudicas, sed ad paenitentiam miseratus exspectas
  ...   815
... STATIM prodeundi ad laborem cura succedit...   3791

          STATUA
nabochodanosor rex fecit STATUAM auream...   1867

          STATUO
ut quae STATUISSET in terris, servaretur in caelis...   3728
Cui ad vite substantiam et ceteris STATUISTI temporum vices...   3592

          STATUS
ut reparato STATU tibi subdite libertatis...   1140
quam ad STATUM maturitatis et ad diem nupciarum perducere dignatus es...
  94
quam perducere dignatus es ad STATUM mensurae, et ad diem nuptiarum...
  1737
et STATUM Romani nominis ubique defende...   2868
ut STATUS condictionis humane qui per felicitatis insolentiam...   3767,
  4088
qui nec hereticis blandimentis, nec sui STATUS potuit diversitatibus
  inmutari...   3684
nec saeculi blandimentis a sui STATUS rectitudine potuit inmutari...
  3683

          STATUTUM
... Reus omnipotente deo cuius STATUTA transgressus es...   574, 1355

          STELLA
qui unigenitum tuum hodierna die STELLA duce gentibus voluit revelare...
  853
ut salvatoris mundi STELLA duce manifestata nativitas...   2791
Ds qui... unigenitum tuum gentibus STELLA duce revelasti...   1004
ut salvatoris mundi STELLA famulante manifestata nativitas...   1856
qui STILLA in die clarificatus es rex salutis.   1175
ut semper in mentibus nostris tuae appareat STELLA iustitiae...   2462
clarior ceteris sideribus STELLA perduceret...   4058
... Hancque enim (etenim) festivitatem (dominicae apparationis) index
  puerpera virginalis STELLA praecessit...   3726, 4157
ut qui se tunc mundi lumen STILLA prodidit lumine...   855
in STELLARUM innumerabilem numerum (nominum) novi testamenti heredibus
  adoptatis...   758, 759

... Vincit te ille... qui novit numerum STELLARUM vincit te...   3259
sicut multiplicavit semen aeorum tamquam STILLAS caeli...   319, 320

STEPHANUS

et beati martiris STHEPHANI depositione sustentas. 1663
et beati martyris STEPHANI depraecatione sustentas. 1663
Beati martyris tui STHEPHANI dne qs... suffragator accedat... 295
VD. Beati STEFANI levitae simul et martyris natalicia recolentes... 3617
Ds qui nos beati STEPHANI martyris tui atque pontificis annua sollemnitate
   laetificas... 1106
quam beati STEFANI martyris tui commemoratio gloriosa depromit. 1649
ut sicut divina laudamus in sancti STEPHANI passione magnalia... 2794
VD. Tu enim nobis hanc festivitatem beati STEFANI passione sacrasti...
   4186
VD. Tu enim nobis hanc festivitatem... STEFANI passione venerabilem
   consecrasti... 4185
ds, qui primitias martyrum (in sancti) (beati, gloriosi) levitae STEFANI
   sanguine dedicasti... 2238, 2443, 2444, 2453
beato STEFANO duci (hac) (atque) previum (praevio)... 1372
et intercedente beato STEPHANO martyre tuo atque pontifice caelestibus...
   1700
et intercedente beato STEPHANO martyre tuo atque pontifice per eadem nos
   ... 2125
intercedente beato STEPHANO martyre tuo sempiterna... 247
cum Iohanne STEPHANO Matthia Barnaban... 2178
et beatum STHEFANUM confessionem ita succendisti... 1230
Et beatum STHEPHANUM in confessionem ita succendisti fide... 1230
Habeat sanctus tuum STHEPHANUM pius iste populus patronem... 1230
Ds qui beatum STEPHANUM proto martyrem coronavit... 915
Beatus martyr STEPHANUS, dne, qs, pro fidelibus tuis suffragator accedat
   ... 295
... Inter quos beatus levita STEFANUS gloriosus effulsit... 4193
ut beatus STEFANUS levita magnifica (magnificus)... 2751
quo dicata nomini tuo basilica beatus STEFANUS martyr suo honore signavit
   ... 3761
qualis laevita aelaectus ab apostolis sanctus STHEPHANUS meruit perdurare.
   2303
sanctus STEFANUS novi testamenti levita primus et martyr... 4096, 4110
qua sanctus STEFANUS primitibus tuae fidei candidatus... 3777a

STERILIS

sicque perveniamus per filium STERILIS ad filium virginis... 3869
materque pariter STERILIS aevoque profeta (confecta)... 3754, 3755
ut sanarentur STERELIS aquae... 1547
ut precis famule tuae ill. ne STERELIS permaneat... 3918
Ds, cuius oculto consilio ideo Helisabeth STERELIS uterus (uterum)
   extitit... 794
Ds, qui anxietate STERELIUM pie respiciens... 901

STERILITAS

in aquam mitti iussit ut sanaretur STERILITAS aquae... 1546
si vitiorum STERILITAS optanda pro veniat... 3827
qui te per Heliseum in aqua mitti iussit ut sanaretur STERELITAS qui
   divini oris... 1545
Ds, qui famulum tuum Isaac pro STERILITATE coniugii (coniuge suae et)
   te depraecante exaudire... 990

praeces famulae tuae illius pro sua STERILITATE depraecantes propitius
    respice...   977
... Cuiusque genetrix senio confecta, STERELITATE multata...   3755
in eius conceptu non solum STERILITATEM amisit, fecunditatem adquisivit...
    3755
qui (te) (et) genetricis STERELITATEM conceptus abstersit (abstulit)...
    3688, 3772
ne STERELITATEM humanum genus funditus interiret...   3918
matris STERILITATEM nascendo abstulit...   342
Ds, qui obprobrium STERILITATIS a Rachel auferens...   1145
et eius uterum vinculum STERELITATIS absolvens...   1772
ab ea obprobrium STERILITATIS benignus averte.   2381
Ds qui obproprium STERELITATIS rachel auferens...   1145

        STIGMA
et crucis STIGMATA preferentem remunerasti...   4149

        STIMAMUR = ESTIMATOR

        STIMOLO
aut ira conmittit, aut STIMULAT haebriaetas...   782

        STIMULUS
durum tibi est contra STIMULUM calcitrare...   1355, 1859
vim consuetudinis et STIMULOS (STIMULUS) aetatis evinceret...   758, 759

        STIPENDIUM
dominus noster diversa utriusque intulit STIPENDIA meritorum...   731
et crescentibus STIBENDIIS meritorum...   297, 3556

        STIPO
... Aliae liquantia mella STIPANT, aliae vertunt flores in ceram...   3791

        STIRPS
... De Liae quippe sunt STIRPE progeniti...   3603
Ut dum regales non defecit de STERPE successio...   395

        STO
ut humana fragilitas... per te semper muniatur ad STANDUM...   826
... STANTEM a dextris virtutis tuae...   4193
ab eo quem ille a dextris dei vidit STANTEM mereamini benedici. Amen.
    915
... Da fiduciam servis tuis contra nequissimum draconem fortiter STARE ne
    contempnat...   1354, 1355
nec STARE, nec discurrere, nec latere, nec servire in corpore istius...
    1888
in nullo ibi STARE non possis, diabule...   1551
super famulo isto non posseas STARE.   3474
favella et vade et intus tu non possis STARE.   1551
quid STAS et resistis, cum scis eum tuas perdere vires...   744
... STATE cum disciplina et cum silentio, audientes intente...   3310
Signate illus, STATE cum disciplina et silentio.   3278
Et adnuntiat diaconus dicens : STATE cum silentio, audientes intente...
    3311
ut sicut ecclesiae tuae beatus andreas apostolus STETIT praedicator...
    2052
STETIT sub incerte lumine dies dies clausus...   3661

        STOLA
veste quoque caelesti et STOLA inmortalitatis indui...   1263

et inter lavantes STOLAS in fonte (fontem) luminis vestem lavet...   3391

STRATUM
lacrimis STRATUM rigavit...   58

STRENUUS
ut eum sacrario tuo sancto (sacrarium tuum sanctum) STRINUUM sollicitumque
caelesti miliciae instituas...   1339
... Qui sic in ministrando STRENUUS et fidelis apparuit...   4193
ad id peragendum reddar STRENUUS et inter eos...   815

STRICTUS
quia STRICTIS corporibus animae saginantur...   4179, 4183

STRIDEO
... Prunis namque superposita STRIDEBANT membra viventia...   3776, 3777
... Nesciat quod territ in tenebris, quod STRIDIT in flammis...   822, 823

STUDEO
et cum necessaria STUDEAMUS amare censura...   3796
ut eodem nos replente STUDEAMUS amare quod amavit...   1516
haec STUDEAMUS exercere quae praecipis...   4210
si ad meliora iugiter transeuntes paschale mysterium STUDEAMUS habere
perpetuum.   3701, 4191
quasi ipsi tua praecepta STUDEAMUS implere...   3652
nec praeteriti (precipitati) STUDEAMUS voluntate (voluntatem) peccare...
2796
ut ad conscienciae suae fructum non gravare STUDEANT miseros sed iuvare.
1228
et inter apostolos Christum sequi STUDEAT...   3391
declinemus, in qua STUDENT perseverare, malitiam...   3981
ut nos divinis rebus tribuas STUDERE veraciter...   3808
et tantos dignae STUDERIS celebrare rectores.   4002
mente devota venerari STUDETIS...   343
et praesentium dierum observatione placare STUDETIS. Amen.   343
quas in viris hac muliaeris copulas STUDIRENT conubium...   759
ut sicut ei cum ramis plamarum ceterarumque frondium praesentari
STUDUISTIS...   343
qui hanc STUDUIT etiam inter lapidantium impetus obtinere. Amen.   915
... Et pro eo temporalem STUDUIT sustinere poenam...   3866

STUDIUM
Concede nobis, m. ds, et STUDIA perversa deponere...   449
ut hostis antiquus, qui excellentiora STUDIA subtilioribus infestat
insidiis...   758, 759
ut eandem STUDIIS conpetentibus exsequamur.   440
ita nostris et STUDIIS dat profectum...   4094, 4116
medicinalis parsimoniae STUDIIS reformetur.   2754
melioribus ornamentis STUDIO eorum locus iste refulgeat.   1777
sed STUDIO piae devotionis intendis...   2420
ac vigilanti STUDIO quae sunt nutrita custodias.   1259
medicinalis parssimoniae STUDIO reformemur.   2754
medicinalibus parsimoniis STUDIO reformetur.   2754
ut in eo semper oblationes famulorum suorum STUDIO suae devocionis inposi-
tas...   707, 718
Sit in vobis castitas STUDIUM, modesti amorem...   359
ut subrie(ta)tis STUDIUM, non aebrietatis sectentur incommodum.   2441
ac vigilantia STUDIUM qs nutrita custodias.   1259

STULTITIA
... STULTITIAM nostri cordis emunda...   2370

STULTUS
quae sint spiritus dei, STULTA mente non capiunt...   3879
Exorcizo te... vane, STULTE, impii, mutus...   1551
ut praecidencium choro iungatur occurrat nec excludatur cum STULTIS...
   759

STUPEO
quae natum in terra caeli dominum magis STUPENTIBUS nuntiaret...   3726,
   4157

STUPOR
et sensum mentes humane STUPORE defugit (defigit)...   763, 764
ne forte sine ac ordines ratione vel causa STUPOREM vobis in mentibus
   relinquamus...   203

SUAVIS
Iugum aenim meum SUAVE est et honus meum leve.   1446
et SUAVI odore (SUAVEM odorem) praeceptorum tuorum laeti tibi in aecclesia
   deserviant...   2369
et odore SUAVISSIMO spiritus sancti percepto (praecepto)...   2299

SUAVITAS
Familiam tuam, ds, SUAVITAS illa contingat et vegitet...   1589
O. et m. ds, sempiterna dulcido et aeterna SUAVITAS, te humiliter...
   2293
qui te in deserto amaram SUAVITATE indita fecit esse potabilem...   1045,
   1046
tua semper SUAVITATE pascantur.   1624
ut mentibus nostris... solemnitate spiritalis laetitiae tribuas iugiter
   SUAVITATEM concedasque nobis...   3748
et SUAVITATEM corporis et sanguinis domini... nostris infunde pectoribus.
   2376
qui te in deserto amaram SUAVITATEM inditam fecit esse potabilem...   3565
ut mentibus nostris beati Laurenti martyris tui tribuas iugiter SUAVITATEM
   qua et nos amemus...   4195
ut mentibus nostris... tribuas iugiter SUAVITATEM quam nobis dne...   3748
... SUAVITATEM verbi tui penetralibus nostri cordis infunde...   1307
in odorem SUAVITATIS acceptus, supernis luminaribus misceatur...   3791
ut me sacrificium tuum... in hodorem (odore) SUAVITATIS haccipias...
   3476
in hodorem SUAVITATIS ascendat, ut...   1342
sicut incensum in conspectu tuo cum hodore SUAVITATIS ascendat.   1709
et dulcedine mentibus nostris tuae SUAVITATIS infundant.   6
exultatione per organum, SUAVITATIS per timpanum...   308
... Effeta, quod est adaperire, in odorem SUAVITATIS tu autem effugare...
   1397

SUAVITER
et disponit omnia SUAVITER, cuius providentiam...   3637

SUBDIACONATUS
quem ad SUBDIACONATUS officium dignatus es elegere (eligere dignatus es)
   ...   1339
quem ad SUBDIACONATUS officium evocare (vocare) dignatus est...   2498

SUBDIACONUS

Oremus et pro omnibus... diaconibus, SUBDIACONIBUS, acolytis, exorcistis
   ... 2517
elegimus in ordine diaconi sive praebyterii SUBDIACONUM sive diaconum...
   237
SUBDIACONUS, cum ordinatur, quia manus inpositione non accepit... 3313

SUBDITUS

tibi SUBDITA mente servire... 1583
Auxilium tuum, dne, nomini tuo SUBDITA poscunt corda fidelium... 248
sed SUBDITA tibi semper affectum, nec in tribulatione... 4006
ut reparato statu tibi SUBDITE libertatis... 1140
et (sibi) SUBDITAE (sibi) subderetur. 4203
Plebem nomini tuo SUBDITAM, dne, propitius intuere... 2591
Conserva, qs, dne, filiorum tuorum tibi SUBDITAM servitutem... 524
Respice SUBDITAM tibi, dne, familiam tuam... 3119
Protector in te sperantium, ds, et SUBDITARUM tibi mentium custos...
   2908, 2909
Protector fidelium, ds, et SUBDITARUM tibi mentium frequentator... 2906
ut deus omnipotens SUBDITAS illis faciat omnes barbaras nationes... 2514
et documento simul et exemplo SUBDITIS ad caelestia regna pergendi ducatum
   praebuit... 3655
ut quae SUBDITIS celebramus officiis... 2231
que hodiae materna in cathedra universis SUBDITIS sibi abbatissa esse
   constituaetur... 1317
et SUBDITIS tibi populis (populus) per luminis tui appare claritatem.
   2341
Perceptis, dne, sacramentis SUBDITO corde rogamus et petimus... 2565,
   2566, 2567
diem gloriosae passionis eorum SUBDITO corde veneramur. 3972
et sibi SUBDITU famulatu deserviant. 2610
sed SUBDITO tibi semper affectu... 4005
et (per) sacrificia gloriosa SUBDITORUM tibi corda purifica (purificent).
   1816
... SUBDITORUM (tibi) corpora, (tibi) mentesque sanctificet. 1690
et SUBDITORUM tibi fidelium corda purifica... 1377
Protector fidelium ds SUBDITORUM tibi pectorum habitator... 2907
tuaque gratia tribuatur et moderatio gubernantum et oboedientia
   SUBDITORUM. 639
et moderatio gubernantum, et oboedientia proveniat SUBDITORUM. 620
... Docensque SUBDITOS praedicando... 3643
et (romanorum) (christianorum) regnum tibi SUBDITUM protege principatum...
   797, 798, 799
si qui regat SUBDITUS conmendatus... 561
et liberare SUBDITUS passioni. 1233

SUBDO

ut tuis mysteriis perfruentes nullis SUBDAMUR adversis. 3029, 3030
... Et qui loco ceteris praesidemus, cunctis rationabili SUBDAMUR affectu
   ... 4171
sed tuae SUBDAMUR clementer et incessabiliter voluntati. 4211
sincera tibi voluntate SUBDAMUR. 1299
nullis SUBDAMUS adversis. 3030
ut nec propriis iniquitatibus implicentur nec SUBDANTUR alienis. 3051
et mentes credentium praeparentur et non credentium corda SUBDANTUR.
   2679

ut evangelicae veritati revellantium corda SUBDANTUR.   4236
ut soli tibi SUBDAT propria colla...   529
sed SUBDATUR semper falsitas veritati (veritatis).   530
tuae gratiae intemerata SUBDATUR.   3741, 4184
SUBDE tibi nostras, qs, dne, voluntates...   3312
nullis SUBDEMUR hostibus...   3888
et (sibi) subditae (sibi) SUBDERETUR.   4203

SUBDOLUS
nulla iuris inferni SUBDOLA doctrina subvertat (commaculet)...   4190
... De his sunt SUBDOLI operarii...   3879

SUBEO
non reatum de neglecto domini SUBEAMUS aumento...   3796
ut nos denuo, ne deteriora SUBEAMUS, errare prohibeat...   3981
et SUBEATUR quidquid temporaliter est acervum...   4059
Propter quod multum a terris in dextera sua nomen (nostrum) SUBIIT caput.
  3847
... Deinde capitalem sententiam SUBIIT et ad inferna...   4000
in qua sancta dei genetrix mortem SUBIIT temporalem...   3586
quia aeternarum rerum non vis SUBIRE dispendium et quoniam facilis...
  3972, 3973
quia aeternarum rerum non vis SUBIRE dispendium meliusque est...   3812
non timemus lucis huius SUBIRE dispendium quia misericordiae...   3915,
  3016
tribuisti sacerdotalem SUBIRE famulatum...   1754
salvatorem nostrum (et) carnem sumere et crucem SUBIRE fecisti...   1019
VD. Pro cuius amore gloriosi martyres... martyrium non sunt cunctati
  SUBIRE quos in nascendi...   3852
et crucis SUBIRE tormentum.   3101
Ds qui pro nobis filium tuum crucis patibulum SUBIRE voluisti...   1181

SUBIACEO
nec eos ullis mentis et corporis patiaris SUBIACERE periculis...   67
humanis non sinas SUBIACERE periculis.   2968
non potentibus SUBIACERET, sed eos potius salubri rete concluderet...
  4055
nec visibili dedecori SUBIACEVIT...   3888
Praesta nobis, o. ds, ut quia viciis SUBIACIT nostra mortalitas...   2694
Digni aei arrianorum SUBIACUIT feritas...   4148

SUBICIO
ut nostrae fragilitati (fragilitatis) et manifesti SUBICIANTUR hostes...
  2528, 2529
... SUBICIENS ei principatus et potestates...   2507, 2508
cum vel a te devians homo diabolicae SUBICITUR potestati...   4054
mortem SUBIECIT, et salute nobis contullit et triumphum.   2406

SUBIECTIO
ut et dignitas regia fulgiat gentium de SUBIECTIONE, et regio...   3501

SUBIECTOR
ut quorum tibi SUBIECTOR est humilitas...   1250
et superasti passiones tua SUBIESSOREM peccati...   309

SUBIECTUS
hoc in oris SUBIECTA decurrat...   819, 820
ut quorum tibi SUBIECTA est humilitas, eorum ubique excellentior sit
  potestas.   1250

quae a conditione sui tuis SUBIECTA servitiis probabilis extitit...   3809
Apis ceteris quae SUBIECTA sunt homini, animantibus antecellit...   3791
et potestatis et dominationis SUBIECTA sunt qui cerubin...   1354
ut maiestati tuae plena sit devotione SUBIECTA ut salvatione...   3303
et toto tibi corde SUBIECTAE presta conversationis effectum...   240
cui virtutes caelorum et potestatis et dominaciones SUBIECTAE sunt...
   141, 1355
Moveat pietatem tuam, qs, dne, SUBIECTAE tibi plebis effectus (affectus)
   ...   2107
et toto tibi corde SUBIECTAM praesidiis invicte pietatis attolle.   3093
aut nitamur vexare SUBIECTAM sed evangelii...   3796
Respice dne super hanc familiam tuam SUBIECTAM tibi, benedictionum...
   3102
tu propitius tuere SUBIECTAM tu guberna...   3508
propensius tibi redde SUBIECTAM ut gratiam tuam...   3546
Ds, qui SUBIECTAS tibi glorificas potestates...   1217, 4030
... Tui (famuli famulaeque) sunt, dne, tibique SUBIECTI benedictiones
   tuas...   286, 3534
ut sancto ieiunio et tibi toto corde SUBIECTI et in tua nobis...   1161
et tibi toto corde simus SUBIECTI et inter mundanae...   3831
... SUBIECTI populi augmento prosperitate et securitate exhilaratus...
   3912
Presta, dne, qs, ut toto tibi corde SUBIECTI tumentium...   2675
sed propitiationis tuae capiamus dona SUBIECTI.   2455
quanta toto tibi corde SUBIECTIS conferre possis, ostendis...   3883
et quam SUBIECTIS cordibus expedunt, largiter consequantur.   366
Da auxilium, dne, qs, maiestati tuae potestatique SUBIECTIS et quidquid
   suis...   568
ut divinis SUBIECTIS officiis et temporalis viriliter et aeternae donae
   perficiat.   523
et toto tibi corde SUBIECTIS praesidiis...   3093
sed ut etiam SUBIECTIS sibi ministris aeclesiae proficeret contulisti...
   4015
Gratias tibi referat, dne corde SUBIECTO tua semper aecclesia...   1671
ut quos non deseris in tribulatione SUBIECTOS cupiosius foveas...   3355
Fac nos, dne, qs, prumpta volunte SUBIECTOS et ad supplicandum...   1572
... SUBIECTOS ignes et crudeli ingenio persequentum mutata tormenta...
   4114
si tibi nos facias toto corde SUBIECTOS tu (et) spiritum...   3664, 4214
ut famulos tuos... tibi facias toto corde SUBIECTOS ut tuae caritatis...
   3624
quos tuo cultui prestiteris esse SUBIECTOS.   54
Fac nos dne prompta volunte SUBIECTUM et ad supplicantem...   1572
Exaudi dne populum tuum tota tibi mente SUBIACTUM et beati...   1453
Audi, dne, populum tuum toto tibi corde (mente) SUBIECTUM et (apostolicam)
   tuitionem...   220, 221
et toto tibi corde SUBIECTUM prosequere sustenta, circumtege...   1587
SUBIECTUM tibi populum qs dne propitiatio caelestis amplificet...   3315
Exaudi dne populum tuum tota tibi mente SUBIECTUM ut corpore et mente...
   1452
et toto tibi corde SUBIECTUS obtineat, ut...   504
ut divinis SUBIECTUS officiis, et temporalia viriliter et aeterna dona
   percipiat.   523
qui peccatorum merito expulsus a facie tua potestati est SUBIECTUS satane
   ...   1363

SUBIGO

inveterata renovari et ad culmen SUBACTA reduci... 4042
quae signo crucis erecta mortem SUBEGIT... 2726

SUBITO

diviso SUBITO rubro mari grassotoque liquore constrigens... 880

SUBIUGO

per hominem quem SUBIUGARAT elideret... 3785
ut eum non solum virilis sexus tuorum deincep fidelium SUBIUGARET...
3788
... Illius enim te suburguet (perurget) potestas, qui te adfigens cruce
(crucis, cruci) suae SUBIUGAVIT illius brachium... 142, 1354, 1355
a nobis ieiunantibus SUBIUGENTUR. 2651

SUBJUNGO

ut cum exultantibus sanctis tuis in caelestis regni cubilibus gaudia
nostra SUBIUNGAS... 3626, 3682
beati cypriani sacerdotis et martyris mox praeclara SUBIUNGITUR. 3155

SUBLEVO

beati apostoli tui Andreae intercessionibus SUBLEVARI... 611
beati Machahelis archangeli fac supplicem depraecacionibus SUBLEVARI.
123, 124
quam hodierne festivitatis ploratam exortu ineffabile (ineffabilem)
munere SUBLEVASTI. 119
Laetetur, dne, qs, populus tuus tua dextera SUBLEVATUS... 1984
ut eius semper et patrociniis SUBLEVEMUR... 609
eius aput te praecibus SUBLEVEMUR. 900
piaetatis tuae moderatione SUBLEVENTUR, adque pro... 3637
consolationibus SUBLEVENTUR qui in tua pietate confidunt. 1614, 1615
et copiosis beneficiorum tuorum SUBLEVETUR auxiliis... 2597
adversis et prosperis SUBLEVETUR ne vel inpugnatione... 4005, 4006

SUBLIMIS

iube haec (et) perferri per manus angeli tui in SUBLIME altare tuum...
3375
et quem fecisti gradu aepiscupale SUBLIMEN, fac operum... 1165
in SUBLIMI solio patrum praeelectorum... 2217
et quaelibet infima per te docerentur esse SUBLIMIA cum tua dispensante...
4055
Erectis sensibus et oculis (oculos) cordis ad SUBLIMIA elevantes... 1410
et ad SUBLIMIA exempla patientiae... accendis. 4108
eorum nos gaudere suffragiis, quorum SUBLIMIA merita recensemus. 1880
exsisterent tamen SUBLIMIORES animae... 758
ut qui in artificum cordibus fabricandis vasibus SUBLIMIS artifex extetis-
ti... 770
... Animae (spiritui) eius subveniat SUBLIMIS dominus... 2217
... Quamvis enim illius SUBLIMIS gloriosaeque substantiae sit habitatio
semper in caelis... 4170
cum SUBLIMIS illa substantia, quae similem se iactabat altissimo... 4103
... SUBLIMIS solutio patrum prelictorum... 57
et memorande passionis refulsit martyrio SUBLIMIS. 4220
et memoranda (memoria) refulsit passione SUBLIMIS. 3848
mens humiles, vita SUBLIMIS. 1319
VD. Congaudet... de SUBLIMIUM glorificatione membrorum... 3632
quia nihil SUBLIMIUS collatum aeclesiae tuae probamus exordiis... 3762
quanto SUBLIMIUS esse voluisti... 1320

SUBLIMITAS

... Quatenus illius nos a malis omnibus defendat SUBLIMITAS cuius nos ad
    vitam...   3650
que sit latitudo, longitudo, (longitudo, latitudo) SUBLIMITAS et profundum.
    346, 3847
Quamvis aenim nobis sit (omnis) angelica veneranda SUBLIMITAS quae in
    maiestatis tuae...   4128
... Ut quod angelica nuntiavit SUBLIMITAS virginea crederet...   3870
... SUBLIMITATIS tuae potentiae (potentia) ita aemundare digneris...
    2352

SUBLIMO

O. s. ds qui famulum tuum ill. regni fastigio dignatus es SUBLIMARE...
    2393
famulum tuum illum regalis dignitatis fastigio voluisti SUBLIMARI...
    3912
piaetatis tuae vocationem ad cornu apostolice apicis SUBLIMASTI, da huic
    ...   166
ut quos caelesti gloria SUBLIMASTI, tuis adesse concide fidelibus.   2061
quam tanto munere SUBLIMASTI, ut ei conferres et virginitatis coronam...
    3716
sic eius principes SUBLIMASTI, ut minimos quosque non deseras...   1186
... Postremo martyrii gloria SUBLIMATUM...   4127
sed beata confessio SUBLIMAVIT.   3654
in tranquillitatem SUBLIMET, infundat gratiam...   360
in iniquitate emendet, in tranquillitate SUBLIMET.   360

SUBLINGUA

Recedo ergo... a lingua, a SUBLINGUA, a brachyum...   2180
Exite... de lingua, de SUBLINGUA, de dentibus...   1888

SUBMINISTRATIO

cum praesentium rerum SUBMINISTRATIONE locopletit.   360

SUBMINISTRO

de iustis laboribus suis victum indigentibus SUBMINISTRAT...   2509
et sanctis altaribus (tuis) fideliter SUBMINISTRET...   1339, 1364

SUBMOVEO

ut omni perturbatione (omnem perturbationem) SUBMOTA liberis tibi mentibus
    ...   2301, 2916
merorem infecunditatis ab ea SUBMOVEAS et ad concipiendam...   3407
ut noxia cuncta SUBMOVEAS et omnia nobis profutura concedas.   795
Muneris divini perceptio, qs, dne, semper a nobis et peccata nostra
    SUBMOVEAT...   2154
nec captivitatem, quam extrinsecus SUMMOVISTI...   3804

SUBNIXUS

... SUBNIXE rogamus pro fratres nostros ill. ut...   2475
innocentia pariter ac patientia virtute SUBNEXI, non tumencant...   854
Tibi SUBNEXIS precibus christo domino supplicamus...   3479
et tibi SUBNIXIS precibus deprecamur...   1298

SUBOLES = SOBOLES

SUBREPTIO

ut in eadem non praevaleat inimica SUBREPTIO...   933
et a culparum SUBREPTIONE nos expiet...   462

Tua nos misericordia ds et ab omni SUBREPTIONE vetustatis expurget...
3524

SUBRIPIO
necessitas hostilis et diabuli fraude SUBREPTUM est... indulgentiae...
1007
... SUBRIPENTIUM delictorum laqueos evadamus.   502
et nihil (e)os inimicus aut violentia SUBRIPIAT, aut fraude decipiat.
1227
et indiscreta non SUBRIPIAT facilitas caritati.   3980
ut nullus viae nostrae SUBRIPIAT inimicus.   1360
non latendo SUBRIPIAT, non inficiendo corrumpat...   1045, 1047

SUBROGO
quos per tui muneris largitate, sacrae familiae SUBROGAMUS antistites...
4141
... Deinde magistri sui vicarium per ordinem SUBROGANDO...   4127
vicarium sui matri virgini filium SUBROGARET...   3608, 3609, 3610
Ds, qui laboribus hominum eciam de mutis animalibus solacia SUBROGASTI...
1057
hac temporal vite SUBROGATUR aeternitas.   3767, 4088
decidentibus aliis quique dignissime SUBROGENTUR, per corum...   3281

SUBRUO
ut nullis errorum SUBRUATUR incursibus...   968
et in hominis casu dei opus SUBRUISSE plaudebat...   4103

SUBSEQUOR
spiritali observantiae disciplinis illorum sunt vestigia SUBSECUTI.   3959
praeceptorum tuorum rectitudinem SUBSEQUAMUR et qui deviis...   452
mysteria, quae...   frequentamus (sumpsimus) actu, SUBSEQUAMUR et sensu.
2960,2962
ut beatae Agnes... etiam fidei constanciam SUBSEQUAMUR.   2655, 2718
ut via tibi placite oboedientia... sine errore SUBSEQUAMUR.   2237
si et actus (actum) illorum pariter SUBSEQUAMUR.   3294
Praeveniat nos, qs, dne, gratia tua semper et SUBSEQUANTUR, et has
oblationes...   2813
Praeveniat nos, qs, dne, gracia tua semper et SUBSEQUATUR et has
oblationes...   2813
et piaetas illius SUBSEQUATUR vobis. Quod ipse praestare.   319
Praeveniat nos, qs, o. ds, tua gracia semper et SUBSEQUATUR ut cum
adventum...   2815
Esto nobis propitius ds, ut tua nos misericordia SUBSEQUATUR.   1421
et SUBSEQUENTE comitare digneris...   2875
VD. Ut divinam iugiter gratiam SUBSEQUENTES...   4205
ieiunii SUBSEQUENTIS primitias dedicavit...   3996
in quo tibi optime conplacuisse testimonio SUBSEQUENTIS vocis ostenderis
...   3945
tribue SUBSEQUI in sancta professione victoriam.   1302
sic tua virtute et hereditatem SUBSEQUI mereatur in corde.   2374
illo SUBSEQUI tuorum membra fidelium...   668
nativitatem filii tui merito prae ceteris passionis suae festivitate
SUBSEQUITUR cuius gloriae...   3617
VD. Cuius nos misericordia... SUBSEQUITUR ne frustra agamus...   3659
quae et dispensante devota SUBSEQUITUR quidquid sedis...   4021

SUBSICIVUS
si facultas eidem potius subtrahatur SUBSICIVA laedendi...   3981

... Nihil ex hac SUBSITIVUS ille auctor praevaricationes usurpet...   2542
... Nihil ex hac SUBSICIBUS ille auctor praevaricationis usurpet...   2541

        SUBSIDIUM

ut haec divina ieiuniorum SUBSIDIA a viciis expiatus... ad festa ventura
    nos praeparent...   1863
ut huius operatione vegetati tam praesentia quam aeterna SUBSIDIA capiamus.
    3484
et praesentis nobis vitae SUBSIDIA conferat...   2789
contulisti SUBSIDIA copiosa iustorum...   3859
quia multo amplius continuata SUBSIDIA devotis mentibus ministrabis.
    3802
et praesentis vitae SUBSIDIA et futurae etiam consequamur.   2815
... Per quae tua possimus adipisci SUBSIDIA, et pervenire ad praemia
    repromissa.   4154
et qui neglegentibus etiam SUBSIDIA ferre non desinis...   3800
Inter innumera, dne, pietatis tuae SUBSIDIA hinc fragilitatem...   1940
ut per haec salutis humanae SUBSIDIA in tuorum numero...   1743
Ds qui famulantibus tibi mentis et corporis SUBSIDIA misericorditer
    largiris...   987
et temporalia SUBSIDIA nobis tribuas et aeterna.   2439
quia pietatis tuae SUBSIDIA non negabis...   230
per eos SUBSIDIA perpetuae salutis inpendas.   611
et aquarum SUBSIDIA plebae caelestium...   1285
et praesencia nobis SUBSIDIA postulent et aeternam.   2810
et aquarum SUBSIDIA praebe caelestium...   713, 714
et praesentia nobis SUBSIDIA praebeas et aeterna (futura).   2439
in sanctis nobis collata martyribus salutaris tui SUBSIDIA praedicantes.
    1808
et vitae SUBSIDIA praesentis accipiat...   534
et SUBSIDIA propriae fragilitatis adquirat.   1565
et eorum percipiat intercessione votiba SUBSIDIA quorum patrociniis
    gratulantur.   2598
ut reparationis nostrae collata SUBSIDIA te iugiter inspirante sectemur.
    824
et fragilibus sanctorum omnium praetende SUBSIDIA ut ad promissiones
    tuas...   3034
et fragilitati nostrae congrua praeparasti SUBSIDIA ut quos ad te...
    4155
... Sicque praesentibus SUBSIDIIS consolemur...   3744
cum SUBSIDIIS corporalibus profectum capiamus animarum.   3717, 3758
fac, (qs, nos) (nos qs) et temporalibus gaudere SUBSIDIIS et aeternitatis
    ...   1114
Diversis plebs tua, dne, gubernata SUBSIDIIS et praesentia...   1293
et humanis non desinis fovere SUBSIDIIS et reformare divinis...   4074
ut et praesentis vitae SUBSIDIIS gaudeat, (et) aeternae.   1679
ut congruis SUBSIDIIS in confessione tui nominis perseveret.   3083
sacramentum et praesentes vitae SUBSIDIIS nos foveat et aeternae.   3352
ut et transitoriis SUBSIDIIS nostra sustentetur mortalitas...   3636
Protege, dne, famulos tuos SUBSIDIIS pasce corporeis (pacis et corporis)
    ...   2924, 2925
ne exterioribus mereamur egere SUBSIDIIS praesta qs ut donis...   1182
qui nos et temporalibus SUBSIDIIS refovis et pacis aeternae.   2056
ut secura semper et necessariis adiuta SUBSIDIIS spirituum tibimet...
    2593
ut praesentibus SUBSIDIIS sufficienter adiuti...   832
ut conpetentibus adiuti SUBSIDIIS te largiente possimus...   1231

et pro singulis quibusque SUBSIDIIS tuam munificentiam praedicare...
    4132
et beatorum apostolorum defende SUBSIDIIS tui famuli...   3534
et sic praesentibus consolare SUBSIDIIS ut ad superna...   516
ne exterioribus mereamur egere SUBSIDIIS.   3493
et aeternae reperite SUBSIDIIS.   1451
et pro temporale nobis conlata SUBSIDIO ad vitam converte...   3388
Talique vos in praesenti saeculo SUBSIDIO muniat...   1268
Ut ab eo et praesentis et futurae vitae SUBSIDIUM capiatis...   425
quas ad fragilitatis nostrae SUBSIDIUM condedisti...   1306
et fragilitatis nostrae SUBSIDIUM dignanter exoret.   3237
sicut fuisti israheliticis, premonentem moysen, in SUBSIDIUM, et
    aegyptiis...   122
ut nobis et praesentis vitae SUBSIDIUM, et aeternae tribuas praemium
    sempiternum...   3707
Sentiamus, dne, qs, tui perceptione (tuae perceptionem) sacramenti
    SUBSIDIUM mentis et corporis...   3277
nisi tuae firmitatis SUBSIDIUM minestrares...   4168
... SUBSIDIUM nobis tuae pietatis inpende.   1467
... SUBSIDIUM nobis tuorum concede sanctorum.   1466
ut eorum et corporibus nostris SUBSIDIUM non desit et mentibus.   1018
SUBSIDIUM nostrae salutis accepto supplices, dne, te rogamus...   3316
Respice, dne, qs, pietatis tuae SUBSIDIUM postulantes...   3098
Perpetuum nobis, dne, tuae miseracionis praesta SUBSIDIUM quibus et
    angelica...   2582
sit fragilitatis nostrae SUBSIDIUM sempiternum.   3115
ut indulgentiae tuae speremus nos percipere SUBSIDIUM sic nos instituis
    ...   4024
Intercidentibus sanctis tuis, dne, plebi tuae praesta SUBSIDIUM ut ab
    omnibus...   1942
Percepta nobis, dne, praebeant (tua) sacramenta SUBSIDIUM ut et tibi grata
    ...   2560
nostrae quoque fragilitati divinum praetende SUBSIDIUM ut misericordiam...
    2450
Perfice (qs) dne benignus in nobis observantiae sanctae SUBSIDIUM ut
    quae te auctore...   2572
famulo tuo illo continuae tranquillitatis largire SUBSIDIUM ut quem
    incolumem...   2366
et praesentis qs vitae pariter et aeternae tribue conferre SUBSIDIUM.
    4251
et presentis vitae nobis et pariter aeterne tribuas ferre SUBSIDIUM.
    4254
ut quod offerimus... sit nostrae fragilitati (fragilitatis) SUBSIDIUM.
    3116
et ad perpetuum nobis (semper) pervenire SUBSIDIUM.   1812, 1832
quae famulis tuis in utroque voluisti praevere SUBSIDIUM.   2961
sic nobis qs indulgentiae praesta SUBSIDIUM.   3579
et ad perpetuum nobis tribue provenire SUBSIDIUM.   1832
et aeternae repperire SUBSIDIUM.   1451

            SUBSISTO
ac simul alimonia carni non desit unde SUBSISTAT et adsit observantia...
    4033
quo et fragilitas humana SUBSISTAT et divina supplici...   1985a
tua consolatione SUBSISTAT tua gratia...   15

Misericordiae tuae remediis, qs, dne, fragilitas nostra SUBSISTAT ut quae
  sui (sua) conditione...   2100, 2101
quibus terrena condicio (condictionem) vegitata SUBSISTAT.   713, 1285
Ds qui nos conspicis in tot perturbationibus non posse SUBSISTERE
  afflictorum...   1110
Ds qui scis genus humanum nulla sua virtute posse SUBSISTERE concede
  propitius...   1207
Ds qui nos... pro humana scis fragilitate non posse SUBSISTERE da nobis
  salutem...   1122
te miserante fragile in corpore quamdiu SUBSISTERE, devote...   2475
nulla poterit creatura SUBSISTERE sed admirabile...   1391
Ds qui conspicis quia ex nulla nostra virtute SUBSISTIMUS concede propitius ut...   928
Ut qui te autore SUBSISTIMUS, te dispensante dirigamur...   4210
ut cuius aedificatione SUBSISTIT, huius fiat habitationis praeclara.
  1378
per corum doctrinam fides chatolica et relegio christiana SUBSISTIT, ne
  ovile...   3281
nos pura tenere mensuram qua SUBSISTIT universitas...   2717

          SUBSTANTIA
... Ipse est enim panis verus et vivus qui SUBSTANTIA aeternitatis... est.
  3786
maxima quaeque sacramenta in aquarum SUBSTANCIA condedisti...   896
sic nobis haec terrena SUBSTANTIA conferat quod divinum est.   2130
O. s. ds, qui in terrena SUBSTANTIA constitutos divina tractare concedis
  ...   2412
quod humana SUBSTANTIA contra voluntatem sui creatoris agendo...   3956
hoc totum non solum de caelo SUBSTANTIA deferret et nomine...   4074
(..) SUBSTANTIA dignitatem et mirabiliter condedisti...   1011
et de pinguidine terre vite SUBSTANTIA, et desideria...   3461
multo magis in angelicae veneratione SUBSTANTIA grata...   3235
perciperet humana SUBSTANTIA huiusque muneris...   4096, 4110
ut sicut unigenitus... cum nostrae carnis SUBSTANTIA in templo est
  praesentatus...   2356
ut humana conditio... nova caelestisquae (caelestique) SUBSTANTIA
  mirabiliter restaurata profertur...   3714, 3814
sic beati martyris sancta SUBSTANTIA non consumitur incendiis...   3615
Ds, cuius unigenitus in SUBSTANTIA nostrae carnis apparuit...   803
VD. Quia cum unigenitus tuus in SUBSTANTIA nostrae mortalitatis apparuit
  ...   4043
... Qui cum a tua SUBSTANTIA nullo modo sit diversus...   3751
cum sublimis illa SUBSTANTIA, quae similem se iactabat altissimo...   4103
Repleti SUBSTANTIA reparationis et vitae...   3075
In quo invisibilis ex SUBSTANCIA tua...   3647
quibus humana SUBSTANCIA vinculis praevaricaciones exuta...   3712, 4118,
  4119
illuc tendat (nostrae) (christianae) devotionis affectus, quo tecum est
  nostra SUBSTANTIA.   3498, 3499
in illius inveniamur forma, in quo tecum est nostra SUBSTANTIA.   1652,
  2460
quo in tuo unigenito (unigenitus) tecum est nostra SUBSTANTIA.   2477
ut perpetuae vitae sumentibus procurent SUBSTANCIA.   2397
Ds, qui humanae SUBSTANTIAE dignitate (dignitatem) et mirabiliter
  condedisti...   1010, 1011, 1032

quod de SUBSTANTIAE genere peccatricis immaculata hostia gigneretur...
4081

multo magis in angelicae veneratione SUBSTANTIAE grata tuis aspectibus
esse confidimus. 3235

nostrae SUBSTANTIAE in gloriae tuae dextera conlocavit... 410, 411

Cum igitur huius SUBSTANCIAE miramur exordium... 861

ut inimicus humanae SUBSTANTIAE non tantum filium... 4203

VD. Quia cum unigenitus tuus in SUBSTANTIAE nostrae mortalitatis apparuit
... 4043

quae initiis humanae sunt conlata SUBSTANTIAE quod eam scilicet... 4090

non in unius singularitate personae, sed in unius trinitatis SUBSTANTIAE
quod enim de tua gloria... 3887

Exultationem nostrae condicionis (humanae SUBSTANTIAE) respice, ds...
1556

quibus nostrae SUBSTANCIAE sempiternae remedia providisti. 821

... In quo diversitate SUBSTANTIAE sic tuo moderamine nos gubernas...
4033

quo caelestis terrenaeque SUBSTANTIAE significatur unitio in Christo...
304

... Quamvis enim illius sublimis gloriosaeque SUBSTANTIAE sit habitatio
semper in caelis... 4170

... SUBSTANTIAE spiritalis inimico fortior redderetur... 3788

et humanam reduceret ad superna dona SUBSTANTIAE. 3785

veniam quoque SUBSTANTIAM habundantem... 1369

ut qui percepimus caelestis mensae SUBSTANTIAM ad vitam pertineamus...
3373

benedicere alimentorum panis SUBSTANTIAM adque multiplicare digneris...
2386

Ds qui... maxima quaeque sacramenta in aquarum SUBSTANTIAM condidisti
adesto invocationibus... 896

mirabilius operaris, quam SUBSTANTIAM condedisti tribue qs... 1196

Cui ad vite SUBSTANTIAM et ceteris statuisti temporum vices... 3592

unitam sibi fragilitatis nostrae SUBSTANTIAM in gloriae tuae... 411

qui humanam SUBSTANTIAM in primis hominibus diabolicae fraudis (diabolica
fraude) vitiatam... 758, 759

ut pie devotionis effectus SUBSTANTIAM nobis et mentium prestet et
corporum. 2422

ad cuius nos SUBSTANTIAM paschalibus remediis transtulisti. 501

Ds, qui humani generis utramque SUBSTANTIAM praesentium munerum et
alimento vegetas... 1018

quam in SUBSTANCIAM praetiose huius lampadis apis mater aeduxit. 3791,
4206

et totam huius aquae SUBSTANTIAM regenerandis fecundet effectu... 720,
1045, 1046

quam ad SUBSTANTIAM servorum tuorum trinuisti... 1335

quo humanam de varia superstitione SUBSTANTIAM spiritu vere... 3778

sic in spiritu sancto tocius cognoscamus SUBSTANCIAM trinitatis. 450

et (in) huius aquae (aquam) SUBSTANTIAM tua inmitte (inmisce virtutem)
virtutem... 1503

da aei dne exorantibus nobis, aeam ex tuam benedictionem SUBSTANTIAM ut
cuiuscumque... 3191

et humana (huamanam) reduceret ad superna dona SUBSTANTIAM. 3692, 3784

et fragilitati (fragilitatem) nostrae necessariam (necessaria) praebe
SUBSTANCIAM. 2932

ut et perpetuae vitae sumentibus procurrant SUBSTANTIAM. 2397

SUBSTERNO

Toto tibi, dne, corde SUBSTRATI bonitatem tuam supplices exoramus...
3482

SUBSTRATORIUM

Palle vero que sunt in SUBSTRATURIO in alio vase debent lavi...   4228,
4231

SUBTILIS

ut hostis antiquus, qui excellentiora studia SUBTILIORIBUS infestat
insidiis...   758, 759

SUBTRAHO

eadem miseris consolendo non SUBTRAHAS...   1009
si facultas eidem potius SUBTRAHATUR subsiciva laedendi...   3981
etsi humano generi corpore conspectu SUBTRAHITUR negatur aspectu...   4167
ut quod ex his pro nostrae conversationis qualitate SUBTRAHITUR omnipotentiae tuae...   2427

SUBVEHO

Quatenus oratio vestra ieiunii et elemosinae alis SUBVECTA...   18

SUBVENIO

SUBVENI, dne, servis tuis pro sua iugiter iniquitate gementibus...   3317
et calamitatibus constitutis velociter SUBVENI.   2609
(quia) hoc irasceris ut SUBVENIAS ad hoc minaris...   1322, 4048
... Da indulgentiam reis, ut nobis SUBVENIAS propitiatus adflictis.   3098
sed fragilitati nostrae invicta bonitate SUBVENIAS.   3750, 4216
SUBVENIAT dne plebi tuae dei genetricis oratio...   3318
SUBVENIAT nobis, dne, misericordia tua...   3319, 3320
SUBVENIAT nobis, dne, qs, sacrificii praesentis operatio...   3321
... Animae huius SUBVENIAT sublimis dominus...   2216, 2217
martyrum tuorum nobis supplicatio beata SUBVENIAT.   2668
indulgentia lapsis continuata SUBVENIAT.   2706
qua mundo SUBVENIENS clementer praedixit...   3757
qui fragilitati nostrae SUBVENIENS non solum...   2035
qui sacratissimo advento suo SUBVENIRE dignatus est mundo...   1375, 2296
VD. Qui saluti humanae SUBVENIRE dignatus est (es) nascendo etenim...
4013
vel illis correctionem suppliciter exorando SUBVENIRE possimus...   3922
ds, qui SUBVENIS in periculis, qui temperas flagella dum verberas...
2064
VD. Qui humano generi nascendo SUBVENIT...   3929

SUBVERSIO

nec tantum pro SUBVERSIONE protoplasti...   4034

SUBVERTO

nisi qui pestifera (destructa) SUBVERSA tyranni iura calcarit.   4215
nulla iuris inferni subdola doctrina SUBVERTAT...   4190
sepe SUBVERTERE conati sunt et conantur...   3879
cum ille noster inimicus, qui hominem... viperea calliditate SUBVERTIT
nunc inter huius...   4079
aut stimulat haebriaetas, aut libido SUBVERTIT, sustenit...   782

SUCCEDO

ne ad dissimulationem tui cultus prospera nobis collata SUCCEDANT sed ad
gratiarum...   2983
ut conversationis ornatum cantis venerande aetatis SUSCEDANT.   898

tanto diebus nostris prospera cuncta SUCCEDANT.   616
... Sic temporalis laetitiae tempora transeant, ut eis gaudia sempiterna
  SUCCEDANT.   3707
temporalique letitiae gaudia sempiterna SUCCEDANT.   3825
et mentibus desideratus virtutum SUCCEDAT affectus.   1838
tribuli spinaeque deficiant, et fruges pura SUCCEDAT si vitiorum...   3827
ut necessaria temporum vicissitudine SUCCEDENTE nostra reficiatur
  infirmitas.   2956
... SUCCIDENTE sequente illa feria circa oram diei sexta convenire
  dignimini...   3269
praesentis sacrificii gratia SUCCEDENTE sic gloriemur...   648
... Quarta igitur et sexta feria SUCCEDENTE solitis...   182
statim prodeundi ad laborem cura SUCCEDIT...   3791
hereditaria morte, in qua posteritatis genus omne SUCCESSERAT...   1148

SUCCENDO
temporalemque laetitiam et gaudia sempiternam SUCCENDANT.   3825
Idioque solicita devotionem SUCCENDENTEM.   3269
Et beatum sthephanum in confessionem ita SUCCENDISTI fide...   1230
et beatum sthefanum confessionem ita SUCCENDISTI, ut durus...   1230
qui discipulorum christi tui per sanctum spiritum (spiritum sanctum) corda
  SUCCENDIT.   3140
VD. Cuius inspiratione SUCCENSI beati martyres...   3654
da nobis caritatis tuae flamma ardere SUCCENSI ut antistitum...   956
sed cera oleo atque papiro constrictum in tui nominis honore SUCCENSUM...
  861
qui sancti spiritus tui dono SUCCENSUS, ita...   4148

SUCCESSIO
Ut dum regales non defecit de sterpe SUCCESSIO, sed indeficiens...   395
... SUCCESSIONIS dignitate conspicuus...   3690

SUCCESSOR
qui apostolici pontificatus dignus in sua aetate SUCCESSOR et passione...
  3810
in honore SUCCESSOR, in passione secutor.   4219
ut, in locum defuncti, talis SUCCESSOR preparetur aecclaesiae...   3281
et cuius formae SUCCESSOREM nomini prestitisti...   3670

SUCCESSUS
ut filiorum SUCCESSIBUS fecundentur...   1353
dignisque SUCCESSIBUS in (de) inferiori gradu...   136, 137, 138
... Denique commonemur anni docente SUCCESSU de praeteritis (praeteriti)
  ...   4059, 4060
ut et gregis tui proficiat ubique SUCCESSUS...   1392

SUCCINGO
ut per hoc amoneamor in hactu nostro debere SUCCINCTUS spiritaliter...
  4176

SUCCRESCO
... Da, qs, ut gaudia nobis sancta SUCCRESCANT...   2848
fides sancta SUCCRESCAT, redemptio sempiterna firmetur.   3354
in nostrae fidei augmento SUCCRESCIMUS.   3620

SUCCUMBO
nec SUCCUMBAMUS viciis nec obpraemamur adversis.   2777
ne vel inpugnatione memores SUBCUMBAT, vel securitate torpiscat...   4005,
  4006

sic noxia cuncta SUCCUMBENT, si nosmet ipsos ante vincamus.   3888
memento SUBCUMBERE tuae clementiae lecit indigni lamentabili preconiam...
  3473

SUCCURRO

ut non solam mortalibus tua deitate SUCCURRAS...   3593
Unigeniti tui dne nobis SUCCURRAT humanitas...   3569
indulgentia tua laboranti continuata SUCCURRAT.   3178
Huius nobis, dne, qs, sacrificii placationis SUCCURRE cuius remediis...
  1838
SUCCURRE, dne, (qs), populo supplicanti...   2606, 3322
SUCCURRE, dne, qs, populo tuo, et nullum...   3323
et laborantibus multiplice miseratione SUCCURRE et qui per te...   1322
... SUCCURRE lapsis, miserere confessis...   2288
sed laborantibus celeri SUCCURE placatus auxilio.   2171
sed propter gloriam nominis tui tribulantibus SUCCURRE placatus.   2172
tuae nobis indulgenciae SUCCURRE praesidiis.   2587
et ubi nulla suppetunt suffragia meritorum tuis nobis SUCCURRE praesidiis.
  2587
tu necessitatibus populi tui benignus SUCCURRE tu hoc tintannubulum...
  2262
Caeleri nobis qs dne pietate SUCCURRE ut devotio...   377
et magna nobis virtute SUCCURRE ut per auxilium...   1517, 1519
et nihil de sua conscientia praesumentibus ineffabilem (ineffabile)
  miseratione SUCCURRE ut quod non habet...   102, 110
et magna nobis SUCCURRE virtute...   1519
et fidelibus postulatis consueta pietate SUCCURRE.   1301
Vide dne infirmitates nostras et caelebri (caeleri) nobis pietate
  SUCCURRE.   4229
ita et nobis in praesenti tribulatione SUCCURRE.   400
sed gratia tua illi SUCCURRENTE mereatur evadere iudicium ultionis...
  2181
tuae nobis indulgentiae SUCCURRERE praesidiis.   2587
ut SUCCURRERIS homini, terras caelitus visitasti...   955
ut non solum mortalibus tua deitate (pietate) SUCCURRERIS sed de ipsa
  etiam...   3593
nos ad laudis tuae supplementum plene SUCCURRES, dum tuo moderamine...
  4143
quibus SUCCURRIS indignis, propitieris acceptis.   4121
quod et singulis prodest et omnibus in commune SUCCURRIT.   58

SUDO
quod sacerdus SUDAVIT in fide.   981

SUFFICIENS
ut SUFFICIENTE pasto habitantes repleti...   742
tribuas SUFFICIENTEM gratiam ministrandi.   1731, 2156, 2157
et paschalis (paschalibus) observantiae SUFFICIENTEM nobis tribuant
  (tribue) facultatem.   3218, 3227
et oportunum tribue nobis (nobis tribue) pluviae SUFFICIENTIS auxilium.
  2210

SUFFICIENTER
ut fructum terrenorum commodis SUFFICIENTER adiuti ad te omnium...   3362
ut praesentibus subsidiis SUFFICIENTER adiuti sempiterna...   832
cum tibi SUFFICIENTER appareat, quae bene meritis dona conferrent...
  4002
et oportunum tribuae nobis pluviae SUFFICIENTER auxilium.   2210

ut quas numquam SUFFICIENTER exsolvimus... 4104
altaris sancti ministerium SUFFICIENTER implere... 762
quibus uberiore dono spiritus sancti SUFFICIENTER instructi... 3996
ut misericordiam tuam iugiter nobis concedas SUFFICIENTER mensium copias
    ... 1369
et ut eam SUFFICIENTER recolamus efficiat.   273

SUFFICIENTIA
... Da mihi famulo tuo SUFFICIENTIAM commissi moderaminis... 1358
Concede, qs, o. ds, fragilitati nostrae SUFFICIENTIAM conpetentem...   474
Ds, qui pro nostrorum fructibus animorum prodire facis SUFFICIENTIAM
    corporalem... 1182
sed (ad) fragilitatis nos SUFFICIENTIAM percipisse...   3969, 3970
et consequentes SUFFICIENTIAM temporalem...   111

SUFFICIO
ad depraecandum te conscientiae nostrae prespicis non SUFFICERE facultatem
    ... 893
tantum debet in altari poni, quantum populo possit SUFFICERE ne aliquid
    putridum... 4228
quantum populo possit SUFFICERE, ne aliquo... 4231
quando enim humana fragilitas SUFFICERE passioni...   4168
... SUFFICERENT meritum sacerdotum.   2549
officii sacramenta SUFFICERET meritum sacerdotum...   1348, 1349, 1350
Quando aenim vel humana fragilitas SUFFICERIT passione...   4168
... Quando enim humana fragilitas vel passionem aequanimiter ferre
    SUFFICERET vel hostis...   4168
et aeternitatis SUFFICIANT sacramentum.   1306
paenitentiam desideranter voluisse SUFFICIAT.   2268
Quanto te, dne, praedicare SUFFICIMUS qui perire...   3012
Opus misericordiae tuae est... ds, rogare pro aliis, qui nobis non
    SUFFICIMUS suscipe... 2493
ut beneficia tua, quae propriis obsecrationibus obtinere non SUFFICIT...
    3272
conditi laudare non SUFFICIUNT conditorem.   4143
si mala respexeris mea, tartarea huius turmenta SUFFICIUNT si pietate...
    219

SUFFOCO
Nullis sensibus SUFFUCETUR, nec inpurtuna...   2188

SUFFRAGATIO
Eorum vos efficiat SUFFRAGATIO felices...   3232

SUFFRAGATOR
Beatus martyr Stephanus, dne, qs, pro fidelibus tuis SUFFRAGATOR accedat
    ... 295
Sacrificium... gratum tibi beatus ill. SUFFRAGATOR accedat.   3156
Sacrificium... gratum tibi beatus ill. SUFFRAGATOR efficiat.   3156
ut cuius perpetuus doctor existit, semper esse non desinat SUFFRAGATOR.
    159
ita sit (pro nobis) perpetuus SUFFRAGATOR.   2050, 2053
magistros, SUFFRAGATORES et praesules...   3943
ut hisdem SUFFRAGATORIBUS dirigatur aeclesia quibus principibus gloriatur.
    206
ut propiciacionem tuam... pii SUFFRAGATORIS intercessionibus adsequamur.
    3162

SUFFRAGIMEN
Effuge... de genibus, de SUBFRAGINIBUS vel suribus...   1888

SUFFRAGIUM
Prosint nobis, dne, qs, tuorum SUFFRAGIA collata sanctorum...   2901
ita iugiter SUFFRAGIA comitentur.   2672
cunctam familiam tuam ad aulae huius SUFFRAGIA concurrentem benignus
    exaudi...   1733, 1777
ut vitalis ligni praecio aeternae vitae SUFFRAGIA consequamus (consequamur).
    1035
et nos adquisisse gaudemus SUFFRAGIA gloriosa.   1793
ita ad nostrae parvitate (parvitatis) SUFFRAGIA, huic orreo...   2280
et ubi nulla suppetunt SUFFRAGIA meritorum...   2587
reparare voluisti spiritalis gratia aeterna SUFFRAGIA mittendo nobis...
    4129
... SUFFRAGIA nobis perpetuae redemptionis exsistant.   2575
quibus et angelica praestetisti SUFFRAGIA non deesse.   2582
Da dne famulo tuo illo sperata SUFFRAGIA optinere...   569, 641
ut per SUFFRAGIA orationum sanctorum tuorum...   4126
et infirmitati nostrae talia praestitisti SUFFRAGIA per quae tua possimus
    ...   4154
et infirmitati nostrae talia praeparasti SUFFRAGIA, quae possis audire
    pro nobis.   4156
et infirmitati nostrae talia prestetisti SUFFRAGIA, que pro...   3724
votorum sentiat obtinuisse SUFFRAGIA.   782
et beneficiis refferre SUFFRAGIA.   451
agentes gratias et de remedii largitate et de provisione SUFFRAGII.   1941
ut ad intellegentiam verbi eius per quem nobis splendit (resplendit)
    SUFFRAGIIS accedamus.   904, 911
quos tantis voluisti sanctorum tuorum SUFFRAGIIS adiuvari.   2957
Laetetur aeclesia tua, ds, confisa SUFFRAGIIS adque eorum precibus...
    1985
ut eius SUFFRAGIIS apud te semper reddar acceptus...   4213
ut SUFFRAGIIS beati apostoli Thomae in nobis tua munere tuearis...   700
ita iugiter SUFFRAGIIS comitentur.   2672
tantum de sanctorum SUFFRAGIIS confidentes...   2227
ita eorum SUFFRAGIIS consequamur.   1191
ut beati (Andreae) (mathaei evangelistae) SUFFRAGIIS cuius natalicia
    praeimus...   208
ut aecclesia tua et martyrum tuorum Abdo et Senis confisa SUFFRAGIIS
    devota permaneat...   2723
ipsorum nunc quoque SUFFRAGIIS divinae pareat unitati.   2330
ut SUFFRAGIIS eius in nobis tua munera tuearis...   703
... SUFFRAGIIS eius reddamur accepti.   46
Tuis sem(per) auxiliantibus SUFFRAGIIS et crescentibus...   297, 3556
Benedicat vobis dominus beatorum martyrum suorum ill. SUFFRAGIIS et libe-
    ret...   338
Munera plebis tuae dne qs beatorum sanctorum illorum fiant grata
    SUFFRAGIIS et pro...   2132
Beati illius martyris dne SUFFRAGIIS exoratus...   265
Sanctorum gervasi et protasi SUFFRAGIIS imploramus...   3236
sanctorum tuo(ru)m SUFFRAGIIS imploratam...   1658, 2682
Sanctorum Gerbasi et Protasi SUFFRAGIIS imploremus...   3236
ut beati sancti Laurenti SUFFRAGIIS in nobis tua munera tuearis...   2722
ut beneficia tua... iustorum tuorum SUFFRAGIIS incessanter accipiat.
    3272

quibus etiam cum innumeribus sanctorum SUFFRAGIIS laboremus...   3860
et quorum SUFFRAGIIS nitimur, nataliciis gloriemur.   3005
aeiusdem SUFFRAGIIS nos praeter, adiectam carnis sarcina...   2461
quae venerabilis Andreae SUFFRAGIIS offeruntur.   1915
quorum SUFFRAGIIS protectionis tuae dona sentimus (sentiamus).   1579
cuius SUFFRAGIIS que largiaris ut...   3339
quorum SUFFRAGIIS, qs, largiaris...   3339, 3340
... Presta, qs, eorum nos gaudere SUFFRAGIIS, quorum sublimia merita
   recensemus.   1880
Munera... beatorum (apostolorum) fiant grata SUFFRAGIIS ut pro quorum...
   2132
sanctorum tuorum concede SUFFRAGIIS ut quae humiliter...   3068
et quanto fragiliores sumus, tanto magis necessariis adtolle SUFFRAGIIS.
   2580
sanctorum tuorum nobis concede SUFFRAGIIS.   192
solemnia celebrare fac gaudere SUFFRAGIIS.   2133
... Iohannis, cuius nos tribuis praeire solemnia, fac gaudire SUFFRAGIIS.
   2133
et nobis peccatoribus ipsius propitiare SUFFRAGIIS.   2102
et beneficia (beneficiis) referre SUFFRAGIIS.   451
et de gloriam martyrii foveat ubique SUFFRAGIIS.   3210
et multiplici nos SUFFRAGIO consolentur.   1638
ut easdem angelico pro nobis interveniente SUFFRAGIO et placatus accipias
   ...   1825
ut quorum circumdamur SUFFRAGIO, foveamur auxiliis.   2935
reparare voluisti spiritalis gratiae aeterno SUFFRAGIO mittendo...   4129
et apostolico interveniente SUFFRAGIO perfice miseratus...   2912
laqueos aeternae SUFFRAGIO plebs absolvat.   426
... SUFFRAGIO relevetur optato.   1566
nullo praeditum SUFFRAGIO sanctitatis...   4172
ad propria revertendo SUFFRAGIO tui mereantur adipisci custodiam.   4008
clementissime per aeorum SUFFRAGIUM digneris indulgere.   3379
per merita vel SUFFRAGIUM aeorum, tu nos, ds...   4004
spei SUFFRAGIUM, in adversis deffensis...   903
cuius nobis est (hodie) facta SUFFRAGIUM in tua virtute (virtutem) confessio.   162
ut iam digneris fluctuantibus in adversis prebere SUFFRAGIUM, nec plebs...
   3501
ad sanctorum tuorum annua festa recolimus singulare SUFFRAGIUM per eos
   tuam...   2550
... Unicum itaque est paenitentiae SUFFRAGIUM quod et singulis...   58
experiatur devota SUFFRAGIUM.   973
eorum merita nobis augeat te donante SUFFRAGIUM.   3159
ad salutis aeternae tribuas provenire SUFFRAGIUM.   2967

       SUFFRAGO
nobis quoque eo SUFFRAGANTE emundationem ac veniam concede peccati...
   3729, 4163
beatissimo Petro apostolo SUFFRAGANTE et praesentibus...   182
sic eo SUFFRAGANTE nobis emundationem ac veniam concedas peccati...   3695
... indulgentiam nobis hisdem SUFFRAGANTIBUS consequatur.   3356
ita hisdem SUFFRAGANTIBUS intemerata perduret.   4076
et beati (Laurenti) (marcelli) SUFFRAGANTIBUS meritis ad nostrae salutis
   ...   36
eorum SUFFRAGANTIBUS meritis divinae serviat unitati.   2331
et sanctorum tuorum SUFFRAGANTIBUS meritis preces nostras...   2878

quatenus apostolicis SUFFRAGANTIBUS meritis propitiationem... 1682
et me famulum, quem nullis (nullum) SUFFRAGANTIBUS meritis sed inmensa
    largitate... 863
Ds, qui non propriis SUFFRAGANTIBUS meritis, sed sola ineffabili... me
    familiae tuae praeesse iussisti... 1089
ut SUFFRAGANTIBUS sanctis, quod ad honorem... 28
et SUFFRAGANTIBUS sanctis tuis tribue nobis veniam peccatorum... 1422
... SUFFRAGANTIUM meritis consequatur (consequamur). 75
Repleti, dne, caelesti mysterio et benedictionibus SUFFRAGANTUM gratias
    agimus... 3069
sed quia non SUFFRAGANTUR verba vel merita solita... 3282
cui sanctorum tuorum merita SUFFRAGANTUR. 2611, 3360
quia non diffidimus eum fidelibus tuis specialiter SUFFRAGARI qui
    dominicae... 2443, 2453
fac tuis fidelibus SUFFRAGARI. 69
Sancti martyres, dne,qs, et nominibus suis nobis SUFFRAGENTUR et praecibus
    ... 3204
ita SUFFRAGETUR et meritum. 216
Beati Clementis, dne, natalicio fidelibus tuis munere SUFFRAGETUR et que
    tibi placuit... 260, 261

SUFFULCIO
Beati archangeli Michael interventione (intercessione) SUFFULTI supplices,
    dne, te praecamur... 260

SUGGERO
et diabolum... per hominem quem SUBGERAT elideret... 3692
et ad SUGGERENDUM vinum et aqua... 1364
qui SUGGERIS tolerantiae firmitatem... 4109

SUMMA
qui ex SUMMA caeli archae (arte) discendens... 222, 223
in quo totius salutis humanae SUMMA consistit. 2407
et victuriae SUMMA coronam ad te pervenientes. 1924
ita SUMMA debent humilibus unitatis affectum. 3632
Haec SUMMA est fidei nostrae, dilectissimi nobis, haec verba sunt symbuli
    ... 1706
ut sicut in eo solo consistit totius nostrae salvationis SUMMA ita per eum
    ... 3669
quia et omnium nobis hodie SUMMA votorum... exhorta est. 1561
... Conple (dne) in sacerdotibus tuis mysterii (ministerii) tui SUMMAM.
    819, 820

SUMMUS
ad SUMMA bona pervenire concede. 3540
SUMMA ds qui hima et media SUMMAQUE custodis... 3332
de quibus Iohannis Baptista in SUMMA natus est senectute... 2031
ad SUMMA perveniat senectutem. 2325
VD. Qui cum SUMMA sis ratio nosque rationales efficeris... 3885
adventum unigeniti tui cum SUMMA vigilancia expectare... 475
Da, nostrae SUMME conditionis reparator, ut semper... 630
... SUMMAE divinitati cederet vocata gentilitas... 3613
unius SUMME divinitatis participes effecti (efficis)... 1124, 1125
ut tenorem SUMMAE iustitiae pariter et pietatis imitemur... 3937
... Et nos quidem tamquam homines divini sensus et SUMMAE rationis ignari
    ... 136, 137, 138
quod cunctis animantibus SUMMAE rationis participatione praetuleris...
    4090

et mentibus clementer humanis nascente Christo SUMMAE veritatis lumen
  infunde (ostende).   3107
et SUMMAM recipit civitatis propriae dignitatem...   3616
... Per quem te SUMME pater cum ieiuniorum obsequiis obsecramus...   3658
spiritalem tibi, SUMME pater, hostiam supplici servitute deferimus...
  3054
... Per quem te SUMME pater poscimus, ut eius institutione edocti...
  3829
Ds, fidelium pater SUMME, qui in toto orbem terrarum...   812
contrita te, SUMME rerum omnium conditor...   3466
in SUMMI pontificis proficiendo membra transferimus...   4028
ut apertis ianuis SUMMI regis adventu (adventum) cum laeticia mereatur
  intrare.   2211
ita nunc manens in aeternum SUMMI sacerdos sacerdotum...   1283
ad SUMMI sacerdotii ministerium deligisti (elegisti)...   819
quia nemo potest SUMMI virique regis celsitudine delectari...   4215
... SUMMIQUE trinitate concinnunt alleluia...   3736
ut cum adventum unigeniti tui quem SUMMO cordis desiderio sustenimus...
  2815
... SUMMO pro nobis antestitem (antestite) interpellante solvatur...
  4221
ut cum pontifices SUMMOS regendis populis praefecisses...   1348, 1349,
  1350
famulorum tuorum, quibus SUMMUM sacerdotium contulisti...   1776
quem constat esse verum SUMMUMQUE pontificem... iesum christum...   3898
ubi etiam beatus SUMMUS confessor tuus ille sociatus exultat...   3723
ut interpellans pro nobis pontifex SUMMUS quos per id quos...   1183
ut cum ponteficis SUMMUS regendis populus preficisces...   2549
seipsum tibi sacram hostiam... SUMMUS sacerdos pro salute nostra immolavit.   3986
et quod tibi obtulit SUMMUS sacerdos tuus Melchisedech...   3383

                SUMO
damus temporalia, ut SUMAMUS aeterna.   172
... Ut et hic devotorum actuum SUMAMUS augmentum...   3752
bona praesentia SUMAMUS et aeterna.   4025
... SUMAMUS et depraecandi fiduciam...   2725
ut sancta tua tibi placito corde SUMAMUS et quidquid in nostra...   444
ut et venerando gloriam nuntiantis SUMAMUS gratiam nuntianti.   51
sic per illum tuae SUMAMUS indulgenciae largitatem (effectum).   1990
ut eadem et SUMAMUS iugiter et incessabiliter ambiamus.   3076
ut eum praesentibus immolemus sacrificiis et SUMAMUS quem venturae...
  3497
sic per gratiam tuam et bene velle SUMAMUS sic per gratiam tuam...   3797
ut bona tua et fiducialiter imploremus et sine difficultate SUMAMUS.
  2659
sed ad praesidium sempiternum caelestia dona SUMAMUS.   2963
ut huius participatione mysterii, quae speranda credimus, expectata
  SUMAMUS.   1939
diversis terrae aedendis germinibus SUMAMUS.   3459
sic per illum tuae sumamus indulgentiae SUMAMUS.   1990
ut tua sancta pura mente SUMAMUS.   4
et fideli semper mente SUMAMUS.   599
quod imaginem contingimus sacramenti manifesta percepcione (participatione) SUMAMUS.   164
et iugiter postulata SUMAMUS.   591

beneficia potiora SUMAMUS.   2753
ut percipienda securius uberiusque SUMAMUS.   3149
et victoriae SUMANT coronam ad te pervenientes.   1924
... Cuius est muneris ut non existentia SUMANT exordia...   3893
Ad te ocolus tendant, de te caelestia SUMANT ut te votis...   359
et continuate devotionis SUMAT augmentum.   1528
SUMAT aecclesia tua, ds, beati Iohannis baptistae generacionis laeticiam
   ...   3324
ut creatura... divinae gratiae SUMAT effectus (effectum)...   896
ut tuae maiestatis imperio SUMAT unigeniti tui gratiam de spiritu sancto
   ...   1045, 1047
... SUME fidem caelestium praeceptorum...   39
et saluti credentium perpetua sanctificatione SUMENDA concaede.   3088
ut quae visibilibus mysteriis SUMENDA percepimus...   2702
in omni verbo quod de ore eius procedit spiritalem SUMENTES alimoniam...
   347
munus, quod sicut duplici SUMENTES corde condemnat...   2232
SUMENTES dne caelestia sacramenta quaesumus clementiam tuam...   3325
SUMENTES dne gaudia sempiterna de participatione sacramenti...   3330
SUMENTES dne perpetuae sacramenta salutis, tuam deprecamur clementiam...
   3326
SUMENTES dona caelestia gratias tibi referimus...   3327
SUMENTES dona caelestia suppliciter deprecamur ut...   3328
caelestia dona SUMENTES gratias tibi referimus.   3072
SUMENTES pignus caelestis arcani...   3329
Tua sanctam SUMENTES qs dne ut beati...   3530
Munerum tuorum, dne, largitate SUMENTES supplices deprecamur...   2157
Tua dne sancta SUMENTES suppliciter deprecamur...   3512
ut hactipientibus hac SUMENTIBUS nobis legitima permaniat aeucharistia...
   1342
non inde SUMENTIBUS nobis vertatur ad poenam...   3036
ut perpetuae vitae SUMENTIBUS procurent substancia (procurrent substantiam).   2397
ut sit omnibus SUMENTIBUS salus mentis et corporis...   1929
et sis omnibus te SUMENTIBUS sanitas animae et corporis...   1546
ut tanti mysterii munus indultum non condemnatio sed sit medicina
   SUMENTIBUS.   663
SUMENTIS, (dne), gaudia sempiterna de participacione sacramenti...   3330,
   3331
Tuere nos, dne, qs, tua sancta SUMENTIS et ab omnibus...   3543
Tua sancta SUMENTIS quaesumus, dne, ut...   3530
qui et populi tui dona sanctificet et SUMENTIUM corda diganter emundet.
   721
perfecta medicina permanens in visceribus SUMENTIUM in nomine domini...
   327
salvatorem nostrum et carnem SUMERE et crucem subire fecisti...   1019
... Quae dum duplicem vult SUMERE palmam in sacri certaminis agone...
   3866
a te converso ordine SUMERE vita principium.   950
et quod ex his parcius SUMEREMUS, agentium proficerit alimentis...   3970
ac temperie SUMI praecipias, qua utrumque vegetetur...   4033
Propteraea ipsi quidem SUMIMUS conmunionem...   3739, 4181
a quo omne bonum, (ut simus), SUMIMUS, omnem...   3741, 4184
quae in sanctorum tuorum celebritatibus et frequentamus et SUMIMUS.   3080
ut gratiam tuam, quam SUMIT indebita, cupiosius devota percipiat.   3546

VD. Quoniam a te constantiam fides, a te virtutem SUMIT infirmitas...
    4083
Plebs tua, dne, sacramentis purificata caelestibus, quod SUMIT, intellegat
    ... 2600
de hac SUMIT sollemnitate principium...   4100
... Vetus homo deponitur et novus SUMITUR peccator...   1706
sed hisdem muneribus declaratur immolatur et SUMITUR.   1389
ut quae SUMPSERE fideliter et mente...   127
et per ipsum redire omnia in integrum, a quo SUMPSERET principium.   837
sacrosanctum filii tui corpus et sanguinem SUMPSEREMUS...   3375
quia tanto nobis salubrius aderit, quanto id devotius SUMPSERIMUS.   3305
ut quicumque ex ea SUMPSERINT, incolumes esse valeant.   998
ut omnes qui te SUMPSERINT, sis eis animae tutamentum...   1545
quicum(que) ex aea SUMPSERIT, accipiat...   301
ut quicumque ex ea SUMPSERIT, corporis sanitatem et animae tutelam
    percipiat.   301
ut quae SUMPSERUNT fideliter et mente sibi et corpore beatae Mariae
    intercessione costodiat.   126
ei devotionem suam offerunt, a quo ipsa vota SUMPSERUNT quando enim...
    758
omnium charismatum spiritalis dona SUMPSERUNT.   416
sacrosancta misteria que SUMPSIMUS actus (actu) sequamur et sensu.   2962
Ut haec misteria sancta que SUMSIMUS ad beate...   2835
sacramenta sancta, quae SUMPSIMUS, ad tuae nobis proficiant placacionis
    augmentum.   2974
per ea quae SUMPSIMUS aeterna remedia capiamus.   254, 3242
ut per haec sancta que SUMPSIMUS desimulatis lacerationibus...   2667
SUMPSIMUS, dne, celebritatis annuae votiva (votivae) sacramenta...   3333
SUMPSIMUS dne corporis et sanguinis devotionis remedia...   3334
Sacramenta quae SUMPSIMUS dne ds noster et spiritalibus nos repleant
    alimentis...   3124
SUMPSIMUS, dne, divina mysteria, beati...   3335
Sacramenta que SUMPSIMUS dne et spiritalibus nos excipiant...   3125
Hodiernae sollemnitatis effectum SUMPSIMUS, dne, gaudia magna de parvis...
    1792
SUMPSIMUS, dne, pignus redemptionis aeternae...   3336
SUMPSIMUS dne pignus salutis aeternae...   3337
Sacramenta que SUMPSIMUS dne qs et spiritalibus...   3124
Quod ore SUMPSIMUS, dne, (qs), mente capiamus...   3020
SUMPSIMUS, dne, quorum suffragiis... caelestia sacramenta...   3340
SUMPSIMUS, dne, sacri dona mysterii...   3338
SUMPSIMUS, dne sancti (Fabiani) solemnitate (solemnitatem) caelestia
    sacramenta...   3339
SUMPSIMUS dne sanctorum tuorum solemnia celebrantes sacramenta caelestia
    ... 3340
SUMPSIMUS, dne, votiva mysteria...   3341
Purificent nos, dne, sacramenta quae SUMPSIMUS et a cunctis...   2944
Adiuvent nos, qs, (qs dne) dne, haec mysteria sancta quae SUMPSIMUS et
    beatae agnae...   151
Ab omni errore nos, dne, qs,expient sacramenta quae SUMPSIMUS et dulcedine
    ... 6
Purificent nos qs dne (dne qs) sacramenta quae SUMPSIMUS et famulum tuum
    ... 2943
Tua sancta nobis, o. ds, quae SUMPSIMUS, et indulgentiam praebeant...
    3529
ut sacramenta quae SUMPSIMUS et praesentis...   3212

Adesto, dne ds noster ut per haec quae fideliter SUMPSIMUS et purgemur...
61

Tribuae, qs, (dne), ut (per) haec sacra quae SUMPSIMUS illuc tendat...
3498, 3499

sacramenta quae SUMPSIMUS, nec nostris excessibus...   120

et tua sancta, quae SUMPSIMUS, non ad iudicium nobis provenire patiaris
...   1447

ut quod participatione SUMPSIMUS, plena redemptione capiamus.   2084

ad perpetuam vitam profutura quae SUMPSIMUS praeficiant.   1555

Sacramenta quae SUMPSIMUS qs dne et spiritalibus nos excipiant (expient)
...   3125

Concede nobis dne qs (ut) sacramenta que SUMPSIMUS quicquid in nostra mente...   442, 443

Laeti, dne, SUMPSIMUS sacramenta caelestia.   1987, 1988

Tua, dne, sperantibus in te, que SUMPSIMUS sacramenta custodiant...   3513

ut munera divino quod SUMPSIMUS salutari nobis prosit effectu.   2997

Tua nos, qs, dne, quae SUMPSIMUS sancta purificent...   3526

ut magnifica sacramenta quae SUMPSIMUS significata veneremur...   505

quem corporaliter SUMPSIMUS, spiritaliter sentiamus.   514

ut caelestis mensae participacio quae SUMPSIMUS tribuat aecclesiae tuae
... laeticia.   3304

nobis ad perpetuam vitam censura (profutura) quae SUMPSIMUS.   1555

Ds, a quo... et confessionis suae latro praemium SUMPSIT concede nobis...
731

per quam aeadem SUMPSIT exordia.   1151

ds, per quem ineffabili potentia omnia claritas SUMPSIT exordium...   861

per quos religionis SUMPSIT exordium.   1006

ut quae SUMPSIT fideliter, et mente sibi et corpore... custodiat.   79,
125

ut cuius per te SUMPSIT inicium, per te consequatur augmentum.   2115

... Tuo quippe respectu satisfaccionis SUMPSIT inicium tuum munere...
2297

de quo martyrium SUMPSIT omne principium.   1894

per quos SUMPSIT religionis (relegiosi) exordium.   1023, 2402, 2403

Sacramenti tui, dne, qs, SUMPTA benediccio corpora nostra mentesquae
sanctificet...   3127

SUMPTA munera, dne, nostra sanctificacione proficere...   3342

SUMPTA munera dne ad nostram sanctificationem tuorum valere...   3342

Sanctificent nos, dne, SUMPTA mysteria et paschalis...   3227

Auxilientur nobis, dne, SUMPTA mysteria et sempiterna...   247

Prosint nobis, dne, qs, SUMPTA mysteria pariterque nos...   2900

Sacramentorum (tuorum) dne communio SUMTA nos salvet...   3133

Muniat, qs, dne, fideles tuos SUMPTA vivificatio sacramenti...   2158

Sancta tua nos, dne, SUMPTA vivificent...   3183

votiva recolimus SUMPTAE primordia dignitatis...   2492

SUMPTI sacrificii, dne, perpetua nos (tuitio non) (tutione nostrae)
relinquat...   3343

... Apes vero sunt frugalis in SUMPTIBUS, in procreatione castissimae...
861

SUMPTIS, dne, caelestibus sacramentis ad redemptionis...   3344

SUMTIS, dne, remediis sempiternis tuorum mundentur corda fidelium...
3345

SUMPTIS dne sacramentis ad redemptionis aeternae qs proficiamus augmentum.
3344

SUMPTIS, dne, sacramentis intercedente beata... Maria...   3346

SUMPTIS, dne, sacramentis quaesumus ut intercidente...   3347

SUMPTIS dne salutaribus sacramentis...   3344
SUMPTIS muneribus, dne, qs, tuam frequentationem mysterii...   3348
SUMPTIS sacreficii dne perpetua nos tui conditionem relinquat...   3343
SUMPTO, dne, sacramento beatis apostolis intervenientibus depraecamur...
  3349
SUMPTO, dne, sacramento suppliciter depraecamur...   3350
SUMPTUM dne caelestis remedii sacramentum...   3351
SUMPTUM, qs, dne, venerabile sacramentum et praesentes vitae subsidiis nos
foveat...   3352
Benedic, dne, dona tua, quae de tua largitate sumus SUMPTURI.   303
quia non difidimus tua nos dona SUMPTUROS pro quibus...   1560
multo potiora dona SUMPTUROS si praeceptionum...   4045

      SUPERABUNDO
tantumque SUPERABUNDANTIS gratiae tuae largitas emineret...   4096
... SUPERHABUNDENT in vos divitiae gloriae eius...   350

      SUPERBE
Da ecclesiae tuae, dne, qs, (sancto Viti intercedente) SUPERBE non
saperet (sapere)...   571
sententia, quam SUPERBAE quondam turris extructio meruit, solveretur...
  3762
Da aeclesiae tuae, dne, non SUPERBAE sapere...   570

      SUPERBIA
humilitatis, que SUPERBIA nostri hostis deiecit...   634
in humilitatibus principatum, in SUPERBIA odium...   2303
... In quibus et antiqui hostis SUPERBIA triumphatur...   3669
Aufer a nobis dne spiritum SUPERBIAE cui resistis...   228
... Odiant SUPERBIAM, diligant veritatem...   820
Hostium nostrorum, qs, dne, elide SUPERBIAM et dexterae tuae...   1833
Elide omnium adversariorum nostrorum SUPERBIAM, et virtute...   2610
Hoderit SUPERBIAM, humilitatem dilegant...   820
ut sic loquar ne SUPERBIAM, sic taceam nec turpiscam...   1296

      SUPERBUS
ut qui SUPERBA inpetimur hostium feritatem...   834
quoniam sicut SUPERBIS in sua virtute praesumentibus semper obsistis...
  585
ds, qui SUPERBIS resistis et gratiam prestas humilibus...   2455
dum SUPERBORUM archum conteris armaque confringes...   4143
ut non tam nos exagitet inepta laceratio SUPERBORUM quam potius...   3922
dum iustitia SUPERBUS humilias...   4145
nosque contra SUPERBOS spiritos humilitate tribuas rationabilem custodire
  ...   3834

      SUPERCILIUM
Exite... de fronte, de SUPERCILIIS, de oculis...   1888

      SUPERIMPONO
uti acceptum habeas et benedicas haec SUPERINPOSITA munera...   4181
cum oblacionibus hostiarum SUPERIMPOSITIS...   3417

      SUPERIOR
quia sicut SUPERIORIBUS ima conexa sunt...   3632
Rege aeam de SUPERIORIBUS tuis, et ubertatem...   3102
ut redemptorem mundi quam SUPERIUS digito demonstraverat...   4000

SUPERMITTO

tu tuam sanctam de caelis spiritalem SUPERMITTE super famulo tuo illo...
755

SUPERNUS

qui te de SUPERNA caelorum in inferiora terrae demergi precaepit.   744
ne gaudis quaerere SUPERNA cessemus...   3845
et gaudia SUPERNA concilias...   2149
qua beata gloriosaque Caecilia... ad consortia SUPERNA contendens...
3993, 3994, 3995
apostolicae confessioni SUPERNA dignatione largiaris...   4021
apostolicae confessioni SUPERNA dispensatione largiris...   4020
et humanam reduceret ad SUPERNA dona substantiae (substantiam).   3692,
3784, 3785
quia tunc propitiatio SUPERNA non deerit...   4139
ut ad SUPERNA perducas dona propitius.   516
quem nec SUPERNA pietas ab scelere revocaret.   3868
filius a SUPERNA sede pronos salvandus discendit.   352
sic nos tua moderatione disponis, ut ad SUPERNA tendentes...   3827
sed et SUPERNA virtutes adque angelicae potestates...   3876
ut per haec sancta SUPERNAE beatitudinis gratiam obtineant...   2099
fac nos atria SUPERNAE civitatis et te inspirante semper ambire...   2266
cum SUPERNAE dispositionis ignari...   4022
et mentibus nostris SUPERNAE gratiae dent vigorem.   3142
... SUPERNAE lucis possit perstringere claritatem.   3964
et sue coheredibus redemptoris iam nunc SUPERNAE pignos hereditatis
inpendis...   4011, 4012
ad SUPERNE plenitudine sacramenti...   2674
... Sed et SUPERNAE virtutes atque angelicae concinunt potestates...
4159
sed et SUPERNAE virtutes atque angelicae potestates hymnum...   3876
auxilium nobis SUPERNE virtutis inpende.   1614, 2620
ad SUPERNAE vocationis ascendis...   1091
ad pravium SUPERNE vocationis multiplicati...   2303
vestramque ad SUPERNAM excitet intentionem...   349
ad SUPERNAM vitam te perducat.   335
... SUPERNARUM virtutum cohortes indesinenti.   4184
quem SUPERNARUM virtutum plene valent nec angeli...   4143
Tuere nos SUPERNAE moderator, et fragilitatem...   3545
ut per quos aeclesiae tuae SUPERNI muneris rudimenta donasti...   611
a SUPERNI plenitudinem sacramenti cuius libavimus sancta tendamus.   2674
O. s. ds totifix et totiger angelicatum SUPERNI populi phangum...   2475
... Ipse tibi imperat qui te de SUPERNIS caelorum in inferiora terrae
dimergi praecepit...   744
... SUPERNIS civibus mereamur coniungi.   3741
animos parvulorum, SUPERNIS eruditionibus inbuendos...   3996
in odorem suavitatis acceptus, SUPERNIS luminaribus misceatur...   3791
... SUPERNIS promissionibus reddat acceptos.   3228
et metalli huius expoliatam materii SUPERNIS sacrificiis inbuenda...
3292
et in terris positi iam SUPERNO pane satiati...   3329
quo egregii martyres tui ad capiendam SUPERNORUM beatitudinem praemiorum
...   3721
... et SUPERNORUM civium consortes efficiat.   18
et ad SUPERNORUM civium societatem perducat...   3752

... SUPERNORUM nos, qs, praesidiis refove propitius (propitiatus)
  ministrorum.   1027
... Et per inmanitatem tormentorum pervenit ad societatem civium
  SUPERNORUM.   3689
cumque finito mundi termino SUPERNUM cunctis inluxerit regnum...   3470

        SUPERO
sensusque nostros ad inpugnationum certamina SUPERANDA confortes...   1049
Ad hostes nostros, dne, SUPERANDOS presta...   47
promissiones tuas quae omni desiderio (omnem desiderium) SUPERANT
  consequamur.   959
criminum flammas operumque carnalium incendia SUPERANTES...   884
nos mereamur et invisibilem hostem SUPERARE et unigenito...   3854
quia tunc exteriores hostes SUPERARE poterimus, si vincamus internos.
  2711
qui beato laurentio tribuisti, tormentorum suorum incendia SUPERARE.   628
vos possitis... et antiqui hostis machinamenta SUPERARE. Amen.   341
sed etiam feminea SUPERARET infirmitas...   3788
ut etiam a sanctis martyribus SUPERARETUR effecit...   3873, 3874
ut qui se dextera tua expetunt protegi, nulla possint adversitate
  SUPERARI fidelem quoque...   4030
et antiqui hostis facis SUPERARI machinamentum...   3721
nulla possint adversitate SUPERARI.   1217
nominis tui facis confessione SUPERARI.   4083
qui inimici rugientis sevitiam SUPERAS...   848
... Ut ad te coronandus perveniret, qui persecutorum minas intrepidus
  SUPERASSET...   3643
et SUPERASTI passiones tua subiessorem peccati...   309
quae reliquam spiritalem SUPERAT dignitatem...   2307
... Quae nec minis est territa nec SUPERATA suppliciis (supplicis
  SUPERATA)...   3856
et per te SUPERATA vitae praesentis (presenti) efficit gloriosam.   4071,
  4073
ut SUPERATI (inimicorum) viribus roborentur.   2609
nec eam umquam deserant aut lassitudinem aut timore SUPERATI non ponant...
  820
nec aeam umquam deserint, aut lassitudinem timorem SUPERATI.   820
sed sanctis tuis, adversantur SUPERATIS, deducatur...   3392
ut SUPERATIS pacis inimicis secura tibi serviat christiana (romana)
  libertas.   3405
... A quo perpetuae mortis SUPERATUR acervitas...   3976
cum sublimis illa substantia... feminea condicione SUPERATUR cuius
  gloriae...   4103
ut aeius quem ipse SUPERAVERAT etiam...   3933
Fragmenta panis que SUPERAVERUNT servis suis...   1637
mutata tormenta immutabili virtute SUPERAVIT...   4114
cuncta nobis adversantia, te adiuvante, SUPEREMUR.   3775
cuncta nobis adversantia, te adiuvante, SUPEREMUS.   2775
et SUPERENT in bonis actibus inimicum.   312
que operiat ac SUPERET omnem multitudinem peccatorum.   1327
molestius sustinetur hostis occultus, quam SUPERETUR infestus...   3866
quo nullis adversitatibus obruta SUPERETUR.   4010

        SUPERPONO
Altare tuo dne SUPERPOSITA munera spiritus sanctus benignus assumat...
  170
... Prunis namque SUPERPOSITA stridebant membra viventia...   3776, 3777

Sanctis altaribus dne hostias SUPERPOSITAS...   3166

SUPERSTITIO
quo humanam de varia SUPERSTITIONE substantiam...   3778
iudaici SUPERSTICIONIS foeditate detersa...   2406
ut cum vanae SUPERSTITIONIS ipsos quoque removeris sectatores...   4139

SUPERSUM
nec ulla SUPEREST expectatio futurorum...   877
gedeon SUPERSIT in proeliis...   924
illorum nulla SUPERSUNT regiae potestatis insignia...   3951

SUPERUS
tercia diae ad SUPEROS resurrexisti...   4217

SUPERVENIO
Non SUPERVENIENS vigilantem, nec dormientem...   2180
ut SUPERVENTURE noctis (vigiliarum suarum) (officiis nos) ita pervigelis
   reddat...   3647

SUPPETO
et spes nobis SUPPETAT et facultas.   2817, 3939
cui parva fiducia SUBPETIT actionem...   2103
ut ubi nulla fiducia SUPPETIT actionum...   3284
qui cum lingua non SUPPETIT meritis exoreris.   4148
ut in eo cui adhuc intelligentia (tua) integra non SUPPETIT nihil
   reputetur...   825
et ubi nulla SUPPETUNT suffragia meritorum...   2587

SUPPLEMENTUM
nos ad laudis tuae SUPPLEMENTUM plene succurres...   4143

SUPPLEO
omnipotentiae tuae copia SUPPLEATUR.   2427
hoc in horis SUBPLECTA decurrit...   820
ut quod fragili SUPPLEMUS officio, tuo potius perficiatur effectu.   2786
ut quod merita nostra non SUPPLENT...   1948
et passionem suam pro saeculi redemptione SUPPLERET...   3867, 3868
et quod conscientia nostra non SUPPLET sanctorum tuorum...   86
intercessio SUPPLET tibi grata iustorum.   3958
et apostolicae numerum dignitatis simul passione SUPPLEVIT et gloria...
   3595

SUPPLEX
te SUPPLEX depraecor, dominator dne...   2299
te SUPPLEX deprecor dne, ut liberes (et) hanc famulam tuam...   739
unde maiestatem tuam SUPPLEX exoro...   1777
... Tuam igitur omnipotentiam SUPPLEX exposco, ut me a praeteritis...
   3893
ac praeclarae maiestatis tuae clementiam SUPPLEX exposco ut mihi auxilium
   ...   744
Te lecit anxiat tota SUPPLIX gemensque...   3466
auxilium, quod SUPPLEX poscit aeclesia...   515
... Simul eciam illud SUPPLEX quaeso...   4050
... Inde est quod SUPPLEX tuus, postea quam in varias formas criminum...
   58
beati Michahelis archangeli fac SUPPLICEM depraecacionibus sublevari.
   123, 124
Benedic clementissime pater et dne, hanc (hunc) SUPPLICEM populum tuum...
   296, 297

SUPPLICEM tibi, dne, plebem placatus intende...   3359
SUPPLICEM tibi populum, dne, tua munitione custodi...   3360
exaudi propitius familiam SUPPLICEM tui amatoris...   1230
quas et pro reverentia paschali SUPPLICES adhibemus...   3426
te SUPPLICIS confitentes peccata nostra depraecamur...   1329
et perennibus quandoquidem SUPPLICIS depotandus...   782
te dne trementes et SUPPLICES deprecamur ac petimus...   848
O. et m. ds, pater domini nostri Iesu Christi, te SUPPLICES depraecamur
    impera diabulo...   2275
te SUPPLICIS deprecamur pro fidele famola ill...   1317
Te dne... SUPPLICES deprecamur pro spiritu famuli tui illius...   3462
... Per ipsum te, dne, SUPPLICES deprecamur, supplici confessione
    dicentes.   3867
te SUPPLICIS deprecamur ut ad te elevatio manuum nostrarum...   1666
VD. Per quem te SUPPLICES deprecamur, ut altare hoc...   3844
preces nostras quibus misericordiam tuam SUPPLICES deprecamur ut anima
    famuli tui...   1899
Salutari tuo, (Salutaris tui, salutare munere) dne, (munere) satiati
    SUPPLICES depraecamur ut cuius laetamur (laetantur)...   3173, 3176
O. et m. ds, maiestatem tuam SUPPLICES depraecamur ut famulum tuum...
    2274
per sanctum et tremendum fili tui nomen, SUPPLICIS deprecamur ut hanc
    creaturam...   849
te SUPPLICIS deprecamur ut hoc singulare signum...   2321
Maiestatem tuam, dne, SUPPLICES depraecamur ut huic famulo tuo...   2042
Deum patrem omnipotentem SUPPLICES deprecamur ut hunc famulum suum...
    727
te ergo dne SUPPLICES deprecamur, ut hunc famulum tuum eruas ab hac
    valitudine...   2064
Refecti cibo potuque caelesti ds noster te SUPPLICES depraecamur ut in
    cuius haec...   3040
te SUPPLICES deprecamur, ut in hac nave...   1224, 1225
te SUPPLICIS deprecamur ut in huius tabernaculi...   782
Maiestatem tuam, dne, SUPPLICES depraecamur, ut nos...   2043
te SUPPLICIS deprecamur ut placatus accipias.   23
... Pro quibus maiestatem tuam SUPPLICES depraecamur ut propositum
    castitatis...   1709a
Munerum tuorum, dne, largitate gaudentes (sumentes) SUPPLICES depraecamur
    (deprecor) ut quibus donasti...   2156, 2157
Maiestatem tuam, dne, SUPPLICES depraecamur ut sicut nos corporis...
    2044
Maiestatem tuam, dne, SUPPLICES depraecamur ut sicut nos iugiter...   2045
te SUPPLICES deprecamur ut suscipi iubeas animam famuli tui illius...
    747, 771
fratres karissimi, SUPPLICIS deprecamus.   841
Deum omnipotentem ac misericordem... fratres karissimi, SUPPLICES
    deprecemur ut converso...   724
Deum omnipotentem... SUPPLICES deprecaemur ut habitaculum...   725
Deum patrem omnipotentem SUPPLICES deprecemur, ut hunc famulum tuum...
    726
SUPPLICES, dne, depraecamur, ut per haec dona...   3361
Sacro munere satiati SUPPLICES, dne, depraecamur ut quod debitae...   3170
Beati archangeli Michael interventione suffulti SUPPLICES, dne, te
    praecamur...   260
SUPPLICES, dne, te rogamus, ut fructum terrenorum...   3362
SUPPLICES dne te rogamus, ut his sacrificiis...   3363, 3364

... SUPPLICES, dne, te rogamus ut inplorantibus pro nobis...   514
SUPPLICES, dne, te rogamus, ut quamvis...   3365
... SUPPLICES, dne, te rogamus ut quorum gloriamur...   387
Subsidium nostrae salutis accepto SUPPLICES, dne, te rogamus ut quos tanti
   ...   3316
Munera SUPPLICES, dne, tuis altaribus adhibemus...   2138
Totoque corde de prostrati SUPPLICIS exoramus o. ds ut et praeteritorum...
   3598
iteratis praecibus te SUPPLICES exoramus pro quibus apud te...   1353
te SUPPLICIS exoramus, super huius famuli...   898
... SUPPLICES exoramus, ut ad tuam misericordiam conferendam...   2844
Maiestatem tuam, dne, SUPPLICES exoramus, ut anima...   2046, 2047
pro quibus misericordiam tuam SUPPLICES exoramus ut animas famulorum...
   1901
... Per quem tuam maiestatem SUPPLICES exoramus, ut cuius caelebramus...
   4007
Salutaribus tui dne munere satiati, SUPPLICES exoramus, ut cuius
   laetamur...   3176
O. s. ds, maiestatem tuam SUPPLICES exoramus, ut famulo tuo abbate...
   2355
te tui famuli SUPPLICIS exoramus, ut hii has aquas...   1365
O. s. ds, misericordiam tuam SUPPLICES exoramus ut hoc tuum dne...   2361
... Hinc tuam misericordiam, pater sanctae, SUPPLICES exoramus ut hunc
   famulum tuum ad sancta...   2297
te SUPPLICES exoramus, ut hunc famulum tuum respicere...   875
Refecti cibo potuque caelesti, ds noster, te SUPPLICES exoramus ut in
   quorum haec...   3040
Maiestatem tuam, dne, SUPPLICES exoramus ut nec terreri...   2048
... Per ipsius itaque maiestatem te SUPPLICES exoramus ut nos ab omnibus
   ...   3739
Toto tibi, dne, corde substrati bonitatem tuam SUPPLICES exoramus ut nos
   et temporalibus...   3482
te SUPPLICES exoramus, ut noxia cuncta submoveas...   795
maiestatem tuam SUPPLICES exoramus ut pia ieiunantium...   2439
... Totoque corde prostrati SUPPLICES exoramus ut praeteritorum...   3598
Repleti, dne, sacri muneris gratia SUPPLICES exoramus ut quae gustu...
   3073
... Cuius nos pietatem SUPPLICES exoramus, ut (..) qui ieiuniis...   3962a
Magnificantes, dne, clementiam tuam, SUPPLICES exoramus ut qui nos
   sanctorum...   2036
Ds mirabiliorum et virtutum actur, te SUPPLICIS exoramus, ut qui se tunc
   mundi...   855
maiestatem tuam SUPPLICES exoramus ut quod nostris meritis...   1494
Salutaris tui dne munere saciati SUPPLICES exoramus ut quorum laetamur...
   3176
et magnificentiam tuam SUPPLICES exoramus ut quorum sumus...   3602
Maiestatem tuam, dne, SUPPLICES exoramus ut quos viam...   2049
... Per quem tuam pietatem SUPPLICES exoramus, ut sic nos hodie...   3950
... Pro qua maiestatem tuam SUPPLICES exoramus ut sicut eam ad aetatem...
   1729
Maiestatem tuam, dne, SUPPLICES exoramus, ut sicut aeclesiae...   2050
O. s. ds, maiestatem tuam SUPPLICES exoramus ut sicut unigenitus...   2356
Te, dne, SUPPLICES exoramus, ut visitacioni...   3463a
Per ipsius maiestatem te SUPPLICIS exoramus uti acceptum habeas...   4181
VD. Per quem SUPPLICES exposcimus, ut cuius muneris pignus...   3843

... Tuam igitur inmensam bonitatem SUPPLICES exposcimus, ut quos ille iugi
... 3940
Tibi igitur clementissime pater precis SUPPLICIS fundimus et maiestatem...
3837, 3915, 3916
tibi SUPPLICIS fundimus preces teque devotis...   561
... Pro quo maiestati tuae SUPPLICES fundimus praeces ut adicias...
1715, 1719
pro qua maiestati tuae SUPPLICES fundimus preces ut eam propitius...
1737
... Pro qua maiestati tuae SUPPLICES fundemus preces ut (eam, eum) in
numero...   1728, 1740, 1755, 1759
... Pro quibus maiestati tuae SUPPLICES fundimus praeces ut nomina eorum
...   1773
... Pro qua maiestate tuae SUPPLICES fundimus praeces ut oracionem eius
...   1772
... Pro quibus traemendae pietati tuae SUPPLICES fundimus praeces ut
pariter bene...   1719a
maiestatem tuam SUPPLICIS fundimus precis ut super...   2386
quae nomini tuo... SUPPLICES immolamus.   1655
Semper (sempiternae) piaetatis tuae habundantiam, dne, SUPPLICIS imploramus ut nos beneficiis...   3274
... Unde SUPPLICES inploramus ut sicut illos manet...   4155
... SUPPLICES implorantes, ut...   51
te, dne, SUPPLICES invocamus super (hunc) famulum tuum...   1359
te itaque SUPPLICES invocamus ut tibi sit acceptabile ieiunium nostrum...
3941
Intende, dne, qs, SUPPLICES nos et pariter...   1934
Proficiat qs dne haec oblatio quam tuae SUPPLICES offerimus maiestati...
2854
... Pro quibus SUPPLICIS praeces effundimus...   1735
Tibi ergo, dne, SUPPLICES praeces, tibi fletum cordis effundimus
(effundimur)...   822, 823
SUPPLICES, qs, dne, pro animabus famulorum tuorum praeces effundimus
sperantes...   3366
SUPPLICES quaesumus, dne, ut munus...   3367
... SUPPLICES quaesumus ineffabilem clemenciam tuam...   769
te SUPPLICES quaesumus ut hunc fructum novum (novum fructum) benedicere et
sanctificare digneris...   1357
Te igitur... SUPPLICES rogamus et petimus...   3464
SUPPLICES rogamus o. ds ut...   2446
hostiam SUPPLICES servitute introire...   3055
Repleti cibo spiritali alimoniae SUPPLICES te depraecamur o. ds ut huius
...   3065
Salutari tuo munere, dne, saciasti SUPPLICES te depraecamur ut cuius
laetamur...   3176
Dne sancte pater o. ae. ds, SUPPLICIS te deprecamur ut misericordiam tuam
...   1369
... SUPPLICES te, ds omnipotens, depraecamur...   388
Sancti Iohannis natalicia caelebrantes SUPPLICES te, dne, depraecamur ut
hoc idem nobis... indulgentiae...   3199
Caelestis doni benedictione praecepta SUPPLICES te, dne, depraecamur ut
hoc idem nobis... sacramenti...   388
Repleti cibo spiritalis alimoniae SUPPLICES te dne deprecamur ut huius
participatione...   3065
Annuae festivitatis cultum, SUPPLICIS te, dne, deprecamur ut quicumque
intra...   186

Sacro munere saciati SUPPLICES te dne depraecamur ut quod debitae...
     3170
... SUPPLICES te dne deprecamur ut quorum...   387
... SUPPLICES te, dne, depraecamur, ut quos...   260
SUPPLICES te rogamus, ds : conpetentibus gaudiis diem nos celebrare
     concedas...   3368
SUPPLICES te rogamus, ds, ne aut malis propriis adgravemur...   3369
refectione vegetati SUPPLICES te rogamus ds ut hoc remedio...   3172
SUPPLICES te rogamus, ds, ut interventu beati Laurenti martyris...   3370
SUPPLICES te rogamus, ds, ut munera...   3371
SUPPLICES te rogamus, ds, ut quos tuis reficis sacramentis...   3372
SUPPLICES te rogamus, dne ds noster, ut qui percipimus...   3373
SUPPLICES te rogamus, dne ds noster, ut sicut...   3374
... SUPPLICES te rogamus dne ut quorum...   387
SUPPLICES te rogamus, o. ds, iube haec perferri...   3375
... SUPPLICES te rogamus, omnipotens ds, ut hoc remedio...   3172
SUPPLICES te rogamus o. ds, ut intervenientibus sanctis tuis...   3370
SUPPLICES te rogamus o. ds, ut quos donis...   3376
SUPPLICES te rogamus omnipotens ds, ut quos tuis reficis...   3377
adque ideo SUPPLICES te rogamus ut et perseverantiam...   4187
Perceptis, dne, sacramentis SUPPLICES te rogamus ut intercedentibus beatis
     ...   2568
Quo magis SUPPLICES te rogamus ut quia sine te...   3639
... SUPPLICES te rogamus, ut quod ad honorem...   2166
VD. Per quem maiestatem tuam SUPPLICIS te rogamus ut quod sancta tibi...
     3832
Martirum tuorum... natalicia praeeuntes SUPPLICES te rogamus, ut quos
     caelesti...   2061
SUPPLICIS te rogamus ut reperire...   3637
... SUPPLICIS te rogamus, ut sine quibus...   1057
... SUBPLICES tibi hoc sacrificium laudis offerimus...   3836
SUPPLICES tuam, dne, clementiam depraecamur.   3378
tuere SUPPLICES, tuere misericordiam postulantes...   550
inmanissima SUPPLICES tui remittatur impietas...   2297
protege ab omnibus inpugnationibus SUPPLICES tuis...   749
exaudi SUPPLICIS tuos et matutinis laudibus repraesenta.   3483
Intende dne qs SUPPLICES tuos et pariter...   1934
Tuere, dne, SUPPLICES tuos sustenta fragiles...   3540
protege ab omnibus inpugnationibus SUPPLICIS tuos, ut qui defensione...
     749
quatenus inpetrare clementiam tuam valeamus SUPPLICIS, ut iam digneris...
     3501
Sacrificium, dne, pro filii tui SUPPLICES venerabili nunc ascensione
     deferimus...   3153
supplices depraecamur, SUPPLICI confessione dicentes.   2556, 3589, 3867
Nos aenim adoramus SUPPLICI corde...   4217
et apostolicam tuitionem SUPPLICI decerne propitiatus...   220
VD. Et pietatem tuam SUPPLICI devotione deposcere, ut...   3709
O. ae. ds tuae gratiae pietatem SUPPLICI devotione deposco...   2239
VD. Et maiestatem tuam SUPPLICI devotione exorare, ut beatorum confessorum
     ...   3702
VD. Et te SUPPLICI devotione exorare, ut per ieiunia...   3730
VD. Et pietatem tuam SUPPLICI devotione exposcere, ut...   3710
et cum voce SUPPLICI exorare (exoramus) ut superventure...   3647
quas pro famula tua illa clementiae tuae SUPPLICI mente deferimus...
     3407

populos tuos conspectu (respectui) tuo et SUPPLICI oratione curvantes
    (curvante)...   318, 319, 320
et divina SUPPLICI redemptio non negetur.   1985a
spiritalem tibi, summe pater, hostiam SUPPLICI servitute deferimus...
    3054
VD. Et tuam inmensam clementiam SUPPLICI voto deposcere\...   3744
Parce, dne, parce SUPPLICIBUS ; da propitiationis auxilium...   2534
et tua SUPPLICIBUS dona largiris.   3927
qui cum sis institutor vitae, et de SUPPLICIBUS esto moderator...   745
Adveniat, qs, dne, misericordia sperata SUPPLICIBUS et eisdem caelestis...
    163
Tuis, qs, dne, (dne qs) adesto SUPPLICIBUS, et inter mundanae pravitates
    ...   3555
conversis a te propiciare SUPPLICIBUS et quos fecisti...   994
Adesto, dne, fidelibus tuis, adesto SUPPLICIBUS et terrestribus...   63
VD. Et tuam clementiam votis SUPPLICIBUS implorare...   3742
praesta SUPPLICIBUS indulgentiam peccatorum...   1140
miserire SUPPLICIBUS, parce peccantibus...   2387
ut pietate perpetua SUPPLICIBUS potiora defendas.   1072
et da veniam confitentibus parce SUPPLICIBUS qui nostris meritis...   243
Gratiae tuae qs dne SUPPLICIBUS tribuae largitatem...   1660
Adesto, dne, SUPPLICIBUS tuis et nihil...   110
Adesto, dne, SUPPLICIBUS tuis, et spem...   111
Adesto, dne, supplicationibus nostris (SUPPLICIBUS tuis) et sperantes...
    105
Gratiae tuae, qs, dne, SUPPLICIBUS tuis tribue largitatem...   1658, 1659,
    1660
presta SUPPLICIBUS tuis, ut et tranquillitatis...   2426
Adesto, dne, SUPPLICIBUS tuis, ut hoc...   112
Auxiliare, dne, SUPPLICIBUS tuis, ut opem...   244
presta SUPPLICIBUS tuis ut qui vere eam...   946
miserere SUPPLICIBUS tuis, ut reatus...   984
Ds, a quo bona cuncta procedunt, largire SUPPLICIBUS, ut cogitemus...
    730
Propitiare dne iniquitatibus nostris et exorabilis tuis esto SUPPLICIBUS
    ut concessa venia...   2863
propitius esto SUBPLICIBUS, ut humana fragilitas...   826
parce metuentibus, propitiare SUPPLICIBUS ut post innoxios (noxiis)...
    1252, 2568
misericordiam tuam effunde (ostende) SUPPLICIBUS ut qui de meritorum...
    2360, 2457
O. ds propitiare dne confitentibus parce SUPPLICIBUS ut quid enim meritis
    ...   2253
potius ad indulgentiam convertere SUPPLICIBUS.   2173
Exaudi preces SUPPLICUM ad dona tuae clementiae fideliter occurentum.
    1162
Suscipe, qs, dne, praeces nostras cum oblacionibus SUPPLICUM et concede
    propitius...   3447
O. s. ds, qui habundanciam pietatis tuae et meritis SUPPLICUM excedis et
    vota...   2375
miserere SUPPLICUM in tua protectione fidentium...   810a, 2359
praeces quoque SUPPLICUM libenter exaudi...   852
ut ipse oracionum domus SUPPLICUM mentes ad invocacionem tui nominis
    incitarent...   3886
et orationes SUPPLICUM occultorum cognitor benignus exaudi...   2834

Ds inmortale praesidium omnium postulantium, liberatio SUPPLICUM pax
  rogantium...   829
Exaudi qs dne SUPPLICUM preces et confitentium...   1511
Exaudi, dne, SUPPLICUM praeces et devoto tibi pectore...   1477
Exaudi, dne, SUPPLICUM praeces et quae merita...   1478
Suscipe, m. dne, SUPPLICUM praeces et secundum multitudinem...   3434
propitius suscipe SUPPLICUM praeces ut animae quae promissiones...   1261
Exaudi, dne, SUPPLICUM praeces, ut quod...   1479
respice praecis SUPPLICUM qui te post longas tenibras...   1090
respice vota SUPPLICUM, quia tua...   1180
Inflae spiritum sanctum pectoribus nostris SUPPLICUM, quod felicium...
  908
Exaudi praecis SUPPLICUM, remuneratio gentium...   1509
Ds qui SUPPLICUM tuorum vota per caritatis officia suscipere dignaris...
  1218
Matutina SUPPLICUM vota, dne, propitius intuere...   2063
Ad aures misericordiae tuae, dne, SUPPLICUM vota perveniant...   43
Propitiare, dne, SUPPLICUM votis...   2881

      SUPPLICATIO
Maiestati tuae nos, dne, martyrum SUPPLICATIO beata conciliet...   2057
haec nobis dona martyrum tuorum SUPPLICATIO beata sanctificet.   380
martyrum tuorum nobis SUPPLICATIO beata subveniat.   2668
eis SUPPLICATIO commendet aecclesiae.   2306
quem tibi vera SUPPLICATIO fidei christianae commendat...   2181
et misericordiam tuam SUPPLICATIO fidelis optineat...   2107
eorum SUPPLICATIO pro quorum gloria deferuntur obtineat.   3293
pia SUPPLICATIO reddat acceptum.   60
SUPPLICATIO tibi nostra, dne, et grata pariter exsistat oblatio...   3356
et pietate tua (pietatem tuam, pietati tuae) nos pia SUPPLICACIONE
  commendet.   2750
et beati martini pontificis SUPPLICATIONE custodi...   1453
ita semper SUPPLICATIONE defendas.   2045
Hostias tibi, dne, humili SUPPLICATIONE deferimus...   1822
ut et in tua sint SUPPLICATIONE devoti et mutua dilectione sinceris.
  506, 521, 722
... Presta, qs, ut eorum SUPPLICATIONE muniamur...   211
et eorum perpetua SUPPLICATIONE muniri.   642
dne SUPPLICATIONE placatus et veniam (nobis) tribue...   270, 3238
VD. Et clementiam tuam cum omni SUPPLICATIONE precari, ut...   3679
Beati andreae apostoli SUPPLICATIONE qs dne...   256
ut eorum nobis fiat SUPPLICATIONE salutaris...   19, 26
et grata tibi SUPPLICATIONE tuearis.   4026, 4064
... SUPPLICACIONEM nostram benignus exaudi (exaudi benignus)...   757
SUPPLICATIONEM servorum tuorum ds miserator exaudi...   3357
... SUPPLICATIONES nostras clementer exaudi...   797, 798, 799
... SUPPLICATIONES nostras placatus intende.   1476
... SUPPLICATIONES populi tui clementer exaudi...   1245, 2379
SUPPLICATIONIS servorum tuorum ds miserator exaudi...   3357
SUPPLICATIONIBUS apostolicis beati Iohannis (mathaei) evangelistae, qs,
  aeclesiae tuae...   3358
ut indulgenciam quam semper optaverunt, piis SUPPLICACIONIBUS consequantur.
  1629, 2806, 3008
Sancti dne confessoris tui ill. tribuae nos SUPPLICATIONIBUS foveri...
  3194
Cum sanctorum tuorum, dne, SUPPLICATIONIBUS imploramus...   557

ut aeorum SUPPLICATIONIBUS muniamur quorum regimur principatu. 287

cum per SUPPLICACIONIBUS nostris annua devocione venerandus... 4120, 4122

Propiciare, dne, SUPPLICATIONIBUS nostris et animam... 2870

Propitiare dne SUPPLICATIONIBUS nostris, et animarum... 2871

Adesto, dne SUPPLICATIONIBUS nostris ; et apostolicis... 89

Ds, fidelium lumen animarum, adesto SUPPLICACIONIBUS nostris et da omnibus quorum... 811

... Propiciare SUPPLICACIONIBUS nostris et aeclesiae tuae... 3633, 3634

Propiciare, dne, vespertinis SUPPLICATIONIBUS nostris et fac nos sine ullo... 2882

Adesto, dne, SUBPLICACIONIBUS nostris et famulos... 90, 91

inclina aurem tuam SUPPLICATIONIBUS nostris et famulum tuum... 986

Adesto, dne, SUPPLICACIONIBUS nostris et hanc domum... 92

Adesto dne SUPPLICATIONIBUS nostris, et hanc famuli tui ill. oblationem benignus adsume... 93

Adesto, dne, SUPPLICATIONIBUS nostris et hanc oblacionem... 94, 95, 96

Propiciare, (Adesto) dne, SUPPLICACIONIBUS nostris et has oblationes... 2872, 2873, 2874, 2875

Propiciare, dne, SUPPLICACIONIBUS nostris et has populi tui oblationes... 2876

Adesto, dne, SUPPLICATIONIBUS nostris, et hoc... 112

Adesto dne SUPPLICATIONIBUS nostris, et hunc famulum tuum benedicere dignare... 97

Adesto qs dne SUPPLICATIONIBUS nostris, et in tua misericordia... 130

Propitiare, dne, SUPPLICATIONIBUS nostris, et inclinato... 2877

Adesto, (Propitiare) dne, SUPPLICATIONIBUS nostris, et institutis... 98

Adesto, dne, SUPPLICATIONIBUS nostris, et intercedentibus... 99

Adesto, dne, SUPPLICATIONIBUS nostris, et intercessione... 100

Propitiare dne qs SUPPLICATIONIBUS nostris et interveniente... 2869

Adesto, dne, SUPPLICATIONIBUS nostris, et me qui etiam... 101

Adesto, dne, SUPPLICATIONIBUS nostris et nihil... 102

inclina aurem tuam SUPPLICATIONIBUS nostris et pia... 2908

Propitius esto dne SUPPLICATIONIBUS nostris, et populi... 2891

Propitiare m. ds SUPPLICATIONIBUS nostris et populum tuum pervigili... 2383

Adesto, dne, SUPPLICACIONIBUS nostris et populum tuum qui te factore... 103

Adesto, dne, SUPPLICACIONIBUS nostris et praesentis... 104

Propitiare, dne, SUPPLICATIONIBUS nostris, et sanctorum tuorum... 2878

propiciare SUPPLICACIONIBUS nostris et super... 1078

Adesto, dne, SUPPLICATIONIBUS nostris, et ut nos... 106

Adesto, dne, SUBPLICATIONIBUS nostris et viam... 107

VD. Quoniam SUPPLICATIONIBUS nostris misericordiam tuam confidemus... 4105

Adesto, dne, SUPPLICACIONIBUS nostris, nec sit ab hoc famulo tuo... 108

Adesto SUPPLICATIONIBUS nostris o. ds, et (ut) quibus... 139

Adesto SUPPLICATIONIBUS nostris omnipotens ds et quod humilitatis... 140

Propitiare dne SUPPLICATIONIBUS nostris pro anima et spiritu famuli tui illius... 2879

Propiciare, dne, SUPPLICACIONIBUS nostris pro anima famuli tui illius... 2880

Adesto dne SUPPLICATIONIBUS nostris quae (quas) in sanctorum (sancti)... 81

Ds, qui iustis SUPPLICATIONIBUS nostris semper presto es... 1052

Adesto, dne, SUPPLICATIONIBUS nostris (supplicibus tuis) et sperantes...
  105

Adesto qs dne SUPPLICATIONIBUS nostris, ut esse te largiente...   131
propitius esto SUPPLICATIONIBUS nostris, ut humana...   826
propitiare SUPPLICATIONIBUS nostris ut interpellans...   1183
Adesto qs dne SUPPLICATIONIBUS nostris, ut qui ex iniquitate...   132
Adesto, dne, SUPPLICATIONIBUS nostris, ut sicut humani...   109
et ut tibi grata sint, placentium tibi SUPPLICATIONIBUS offerantur.   2201
... SUPPLICATIONIBUS populi tui clementer exaudi...   1245
Ds, qui iustis SUPPLICATIONIBUS praesto es...   1053
beatorum apostolorum (tuorum) SUPPLICATIONIBUS propitiatus adsume.   2954,
  2058

Ds qui iustis SUPPLICATIONIBUS semper praesto es...   1053
Sanctorum (sanctae)... SUPPLICATIONIBUS tribue nos foveri ut quorum
  (cuius) venerabilem...   3187, 3234
et exorabilis tuis esto SUPPLICATIONIBUS ut concessa veniam...   2863
Da nobis, qs, dne, piae SUPPLICACIONIS effectum...   619

          SUPPLICATOR
exoramus, pro quibus apud te SUPPLICATOR est Christus...   1353

          SUPPLICITER
VD. In hoc ieiunium nostrum SUPPLICITER adorare...   3785
... Presta, qs, ut nos etiam SUPPLICITER celebrata purificet...   2038
quos tuis sacrariis (Sacris) servituros in officium diaconii (diaconatus)
  SUPPLICITER dedicamus...   136, 137, 138
... SUPPLICITER deprecamur pro spiritum cari nostri ill...   2583
Per ipsum te, dne, SUPPLICITER deprecamur supplici confessione...   3868
aquarum spiritalium sanctificator, te SUPPLICITER depraecamur ut ad hoc
  ministerium...   1336
... Per ipsum te, dne, SUPPLICITER deprecamur, ut anima famuli tui...
  3840
Dne sanctae pater o. aeternae ds, te SUPPLICITER deprecamur ut benedicere
  ...   1370
O. s. ds, vespere et mane et meridiae maiestatem tuam SUPPLICITER
  deprecamur (o. ds) ut expulsis...   2479
... SUPPLICITER depraecamur ut famulo tuo...   1512, 3662
maiestatem tuam SUPPLICITER deprecamur, ut famulum tuum de tua...   1051
Maiestatem tuam, dne, SUPPLICITER depraecamur ut haec sancta...   2051
O. et m. ds, qui ubique praesens es, maiestatem tuam SUPPLICITER deprecamur ut huic promptuario...   2294
Deum patrem omnipotentem SUPPLICITER deprecamur ut hunc famulum tuum...
  728, 729
Tuam... omnipotentiam tuam SUPPLICITER depraecamur ut infundere...   3521
Sumpto, dne, sacramento SUPPLICITER depraecamur ut intercedentibus...
  3350
VD. Per quem maiestatem tuam SUPPLICITER deprecamur ut nos ab operibus...
  3833
te SUPPLICITER depraecamur ut nostra deleas peccata...   1374
O. s. ds, misericordiam tuam SUPPLICITER deprecamur ut oblationis populi
  ...   2362
... SUPPLICITER depraecamur, ut quae sidula...   3328, 3330, 3331
Aeius misericordiam SUPPLICITER deprecamur ut qui ex gentibus...   2441
Tua dne sancta sumentes SUPPLICITER deprecamur ut quorum veneramur...
  3512
et pro concedendis SUPPLICITER deprecamur.   2224
quaeso placatus accipias, maiestatem tuam SUPPLICITER depraecans...   1753

maiestatem tuam SUPPLICITER depraecantes ut cum temporalibus...   181
Hostias tibi, dne, laudis offerimus SUPPLICITER depraecantes ut easdem
   angelico...   1825
VD. Maiestatem tuam dne SUPPLICITER deprecantes ut expulsi...   3799
VD. Maiestatem tuam SUPPLICITER deprecantes ut mentibus nostris...   3800
VD. Maiestatem tuam SUPPLICITER deprecantes ut opem tuam...   3801
VD. Maiestatem tuam SUPPLICITER depraecantes ut qui rei sumus...   3802
... SUPPLICITER depraecantes, ut sicut ille praebuisti sacri fidei
   largitatem...   1827
et pro concedendis (semper) SUPPLICITER depraecantes.   2224
te SUPPLICITER deprecor ut concedas mihi veniam delectorum meorum...
   1264
SUPPLICITER ds pater omnipotens qui es creator noster...   3379
SUPPLICITER, dne, sacra familia munus tuae miserationes expectat...   3380
quas SUPPLICITER et indesinenter expectant.   3534
VD. Per quem maiestatem tuam SUPPLICITER exoramus ut ab ecclesia tua...
   3834
clemenciam tuam SUPPLICITER exoramus ut haec indumenta...   743, 1237
Perceptis dne sacramentis SUPPLICITER exoramus ut intercedente...   2568
Sacris reparati mysteriis SUPPLICITER exoramus ut intervenientibus...
   3169
Clementiam tuam, dne, SUPPLICITER exoramus ut paschalis muneris...   402
maiestatem tuam SUPPLICITER exoramus, ut pia ieiunantium...   2439
O. s. ds, clementiam tuam SUPPLICITER exoramus ut qui mala nostra...
   2311
Magnificantes, dne, clemenciam tuam SUPPLICITER exoramus ut qui nos
   sanctorum...   2036
Maiestatem tuam, dne, SUPPLICITER exoramus, ut sicut ecclesiae tuae...
   2052, 2053
vel illis correctionem SUPPLICITER exorando subvenire possimus...   3922
VD. Maiestatem tuam SUPPLICITER exorantes ne perire patiaris...   3803
hostiam tibi laudis offerimus SUPPLICITER exorantes ut cuius ministerii...
   46
... SUPPLICITER exorantes, ut cuius sollemnia gerimus...   365
offerimus, SUPPLICITER exorantes, ut eadem nos et digni venerari...   3052
... SUPPLICITER exorantes, ut eius interventionibus adiubemur...   3114
VD. Te toto corde prostrati SUPPLICITER exorantes, ut et praeteritorum...
   4165
VD. SUPPLICITER exorantes, ut et securitatem nobis temporum tribuas...
   4137
VD. SUPPLICITER exorantes, ut gregem tuum...   4138
... SUPPLICITER exorantes, ut hanc abundantiam...   1792
misericordiam tuam SUPPLICITER exorantes ut hoc tuum dne...   1668
VD. SUPPLICITER exorantes, ut omnis a nostro discedat corde profanitas...
   4139
... SUPPLICITER exorantes, ut quod ad illorum pertinet gloriam...   2225
VD. Te SUPPLICITER exorantes, ut sic nostra sanctificentur ieiunia...
   4163
... SUPPLICITER exorantes, ut sicut eadem nobis...   2234
... SUPPLICITER exorantes, ut sicut ipse nostrorum auctor est munerum...
   1830
VD. Clementiam tuam SUPPLICITER exorantes ut sicut nobis...   3625
VD. Donari nobis SUPPLICITER exorantes ut sicut sancti tui...   3675
Debitum (dne) nostrae reddimus servitutis SUPPLICITER exorantes
   (exoranter) ut suffragiis...   700, 703
tua misericordia SUPPLICITER exorare et tuis iugiter...   1583

VD. Nos tibi semper et ubique gratias agere SUPPLICITER exorare sic nos
   bonis...   3822
VD. SUPPLICITER exorare ut cum ab corporale mens quoque...   4140
VD. Et te SUPPLICITER exorare, ut cum abstinentia...   3731, 3732
et de venturis SUPPLICITER exorare ut cum de perceptis...   3717
VD. Et maiestatem tuam SUPPLICITER exorare, ut ecclesiam tuam...   3703
VD. Nos te SUPPLICITER exorare, ut fidelibus dignanter inpendas...
   3733, 3817
VD. Nos clementiam tuam SUPPLICITER exorare ut filius tuus...   3811
VD. Te dne SUPPLICITER exorare, ut gregem tuum pastor aeterne non deseras
   ...   4146
VD. Tuamque misericordiam SUPPLICITER exorare, ut ieiuniorum nostrorum...
   4199
VD. Et maiestatem tuam SUPPLICITER exorare, ut mentibus nostris medicina-
   lis...   3801
VD. Teque SUPPLICITER exorare, ut mentibus nostris tua inspiratione...
   4173
VD. Et maiestatem tuam SUPPLICITER exorare, ut non nostrae malitiae...
   3704
VD. Et maiestatem tuam SUPPLICITER exorare, ut qui beati andreae...   3705
VD. Et te SUPPLICITER exorare, ut sic nos bonis...   3734
VD. Et maiestatem tuam SUPPLICITER exorare, ut spiritus paraclytus...
   3706
Per hunc te, sanctae pater, SUPPLICITER exoro...   4003
ut perhactu diaei tibi SUPPLICITER gratias agentes...   2497
hostias tibi, dne, SUPPLICITER immolamus eius oratione placituras...
   2846
Hostias, dne, SUPPLICITER immolamus in sanctis nobis...   1808
quas tibi pro commemoracione animarum in pace dormiencium SUPPLICITER
   immolamus qs dne benignus...   1757
quam in sancti Silvestri... commemoratione SUPPLICITER immolamus ut et
   nobis proficiat...   1739
et pro requiem famuli tui illius episcopi SUPPLICITER immolamus.   2202
pro solemnitate sanctae martyre sabinae SUPPLICITER immolamus.   1655
et pro anima famuli tui illi sacerdotis tibi SUPPLICITER immolamus.
   3439
Repleti benedictione caelesti SUPPLICITER imploramus ut quae fragili...
   3064
et nobis indulgentiam SUPPLICITER inploramus.   2207
sed de tua virtute SUPPLICITER inploramus.   468
maiestatem tuam SUPPLICITER inplorans ut opera manuum...   1724
Hostias tibi dne laudis exsolvo SUPPLICITER implorans ut quos inmerito...
   1823
VD. SUPPLICITER implorantes, ut nostram...   4141
Magnificentiam tuam, dne, praedicamus SUPPLICITER inplorantes ut qui nos
   ...   2039
et opem tribue SUPPLICITER imploranti...   3083
tua misericordia SUPPLICITER implorare...   1583
benedictionem SUPPLICITER inploratam devota tibi familia consequatur...
   3511
et tuae (se) dexterae SUPPLICITER inclinantes...   74
pro famuli SUPPLICITER invocamus, ut...   770
VD. Et tuam SUPPLICITER misericordiam implorare, ut...   3752
et tuorum vota fidelium munera SUPPLICITER oblata concilient...   214
VD. SUPPLICITER obsecrantes, ne nos ad illum sinas redire actum...   4142
VD. Clementiam tuam SUPPLICITER obsecrantes ut cum exultantibus...   3626

... SUPPLICITER obsecrantes ut et indulgentiam... 1831
VD. Nos te SUPPLICITER obsecrare, et Iesu... 3818
VD. Et te SUPPLICITER obsecrare, ne nos ad illum sinas redire actum...
3735
VD. Et clementiam tuam SUPPLICITER obsecrare, ut cum exultantibus... 3682
VD. (Et) Clementiam tuam SUPPLICITER obsecrare ut spiritalis lavacri...
3627
de donis tuis caereum tuae SUPPLICITER offerimus maiestati... 861
VD. Per quem pietatem tuam SUPPLICITER petimus, ut... 3839
... SUPPLICITER rogamus dne ut quorum... 387
Perceptis, dne, sacramentis SUPPLICITER rogamus ut intercedentibus...
2568
VD. Et te SUPPLICITER rogare pro amantissimus carusque nostros ill...
3736
SUPPLICITER te ds pater omnipotens qui es creator... depraecor... 3381
SUPPLICITER te rogamus dne ds noster, ut huius operationem mysterii...
3382

SUPPLICIUM

pro qua sancti tui inter SUPPLICIA dimicando (dimicantes) sempiternam
    gloriam sunt adepti. 2893
et inter acerva SUPPLICIA nec sinso potuit terreri... 3618
qui eum suscepit per SUPPLICIA passionis. 275
prius deficimus, quam merita SUPPLICIA perferamus... 1209
inter saeculi blandimenta, inter SUPPLICIA persequentum... 3993, 3994,
3995
... SUPPLICIA quae nostris meremur operibus potenciae tuae pietatis averte.
1475
diversa SUPPLICIA spiritu fervente suscipiens... 4114
qui manifestis acerva SUPPLICIA sustinuere tormentis... 3959
pro confessione... diversa SUPPLICIA sustinuit... 3720, 3858, 4151
inminere tibi diem iudicii, diem SUPPLICII, diem qui venturus est...
2174
diem iudicii, diem SUPPLICII sempiterni... 2175, 2176, 2177
... Quae nec minis est territa nec superata SUPPLICIIS de diaboli sevitia
... 3856
quam SUPPLICIIS deputemur aeternis. 538
Tuis qs dne adesto SUPPLICIIS et inter mundane... 3555
... Quae nec minis territa, nec SUPPLICIIS superata... 3856
et nos ea contrario per iustitiae meritum merebamur SUPPLICIUM et tu
    clementissime... 3837
ut quod praenuntiatum est ad SUPPLICIUM, in remedium transferatur aeternum.
817
quia quanto tardius exis, tanto tibi SUPPLICIUM maius crescit... 1355
quia quicquid tardius exis, SUPPLICIUM tuum crescit... 1859

SUPPLICO

superno pane satiati SUPPLICAMUS, dne depraecantibus... 3329
quia tanto fiducialius tuo nomine SUPPLICAMUS quanto frequencius... 3252
Tibi subnexis precibus christo domino SUPPLICAMUS ut qui in ora... 3479
Et qui vobis tribuit SUPPLICANDI affectum tribuat... 425
et cui tribuis SUPPLICANDI benignus affectum praebe... 2622
hanc ipsum, quam nobis tribues perseverantiam SUPPLICANDI certi sumus...
4041
Praesta, o. ds, SUPPLECANDI indulgentiam... 3662
et quibus SUPPLICANDI (tibi) prestas affectum... 146, 719
SUPPLICANDI tibi, qs, dne, da nobis sine cessatione constantiam... 3355

et quibus SUPPLICANDI tribues miseratus affectum...   64

Adiuvet ecclesiam tuam tibi dne SUPPLICANDO beatus andreas apostolus... 152

Adiuvet familiam tuam tibi, dne, SUPPLICANDO venerandus Andreas... 152

et ad SUPPLICANDUM nostras semper excita voluntates.   1572

dum ad SUPPLICANDUM tibi mens humana fit promptior...   3656

et ad SUPPLICANDUM tibi nostras semper excita voluntates.   1572

qui sacerdotum ministerio ad tibi serviendum et SUPPLICANDUM uti dignaris ...   2292

ut pro nobis tibi SUPPLICANS, copiosius audiatur.   3295

pro quibus et sancti tui et angelicae tibi SUPPLICANT potestates.   704

pro solemnitate sanctae martyre sabinae SUPPLICANTE immolamus.   1655

Benedictio tua, dne, super populum SUPPLICANTEM copiosa descendat...   370

Protector in te sperantium, ds, respice populum SUPPLICANTEM et aspotolico...   2912

plebem tuam cum sanctorum tuorum patrocinio SUPPLICANTEM et in tua pietate...   2927

populum tuum de tua misericordia malorum suorum veniam SUBPLICANTEM et quia potens es...   1475

populum tuum cum sanctorum tuorum tibi patrocinio SUPPLICANTEM et temporalis vitae...   1451

Praesta, o. ds, SUPPLICANTEM indulgentiam...   3662

Familiam tuam, dne, SUPPLICANTE oculis tuae miserationis intende...   1595

et ad SUPPLICANTEM tibi nostram semper excita voluntatis.   1572

Libera, dne, (qs), a peccatis et hostibus tibi populum SUPPLICANTEM ut in sancta...   2024

exaudi populum tuum cum sanctorum tuorum (tibi) patrocinia SUPPLICANTEM ut pacis...   2365

Protegat dne qs tua dextera populum SUPPLICANTEM ut praesentem vitam... 2920

Exaudi, dne, populum cum sanctorum tuorum tibi patrocinio SUPPLICANTEM ut temporalis...   1451

populum tuum, qs, ne dispitias SUPPLICANTEM, ut tuae virtutes...   991

Exaudi dne populum tuum cum sancti... andreae patrocinio SUPPLICANTEM ut tuo semper...   1450

domino purificatis mentibus SUPPLICANTES beatissimo petro...   182

Fiant, dne, tua grata conspectui munera SUPPLICANTES aecclesiae...   1617

Suscipe, dne, praeces populis SUPPLICANTES et nostris vota...   3411

pro salute famuli tui illius SUBPLICANTES et protectione...   3405

SUPPLICANTES libens protege dignanter exaudi...   1249, 1718, 1720

et quod ad laudem tui nominis SUPPLICANTES offerimus...   1782

ut omni tempore in hoc loco SUPPLICANTES tibi familiae tuae auxilietates releves...   866

exaudi nos pro universis ordinibus SUPPLICANTES ut gratiae tuae...   2323

exaudi pro illius famuli tui animam SUPPLICANTES ut illum gratia...   783

... SUPPLICANTES, ut indulgentiam nobis pariter conferant et salutem. 1829

VD. Maiestatem tuam SUPPLICANTES ut mentibus...   3800

Offerimus tibi, dne, munera SUPPLICANTES, ut quae subditis...   2231

et aeris serenitatem nobis tribuae SUPPLICANTES ut qui pro peccatis... 55

cum sanctorum tuorum tibi patrocinio SUPPLICANTES ut quorum celebramus... 1487

VD. SUPPLICANTES, ut tibi nos placatus devoto facias corde sectari... 4136

Benedictionem tuam, dne, populo SUPPLICANTI benignus adcumula... 372
... Quo ita SUPPLICANTI et misericordiam dei adflicto corde poscenti...
58
Succurre, dne, (qs), populo SUPPLICANTI et opem tuam... 2606, 3322
Perfice, dne, misericordias tuas populo SUPPLICANTI quem tuorum... 2573
Veniat, dne, qs, populo tuo SUPPLICANTI tuae benediccionis infusio...
3587
Praesta qs dne familiae SUPPLICANTI ut dum a cibis... 2714
et concede misericordiam tuam cum sanctorum tuorum patrociniis SUPPLICANTI
ut quia tua... 76
auxiliare populum SUPPLICANTI, ut quod aecclesiae... 951
Adesto dne populo tuo cum sanctorum patrocinio SUPPLICANTI ut quod
propria... 75
Adsit, dne, qs, propitiatio tua populo SUPPLICANTI ut quod te inspirante
... 158
et perpetuam largire misericordiam SUPPLICANTI ut sine qua nihil... 3092
tibi ieiunans et hymnis innixius SUPPLICA(N)TI. 3102
populo tuo cum sanctorum patrocinio SUPPLICANTI. 75
et praesidia corporis copiosa tribue SUPPLICANTI. 1626
Beatis martyribus SUPPLICANTIBUS, dne... 286
ut omnibus hic genum flectentibus hac tuae SUPPLICANTIBUS maiestate...
2321
praesta SUPPLICANTIBUS nostris ut anima... 746
praebe SUPPLICANTIBUS pium benignus auditum. 2248, 3219, 3226
Respice dne munera SUPPLICANTIS eclesiae et saluti credentium... 3088
Fiant, dne, tuo grata conspectui munera SUPPLICANTIS aeclesiae et ut
nostrae... 1617
Suscipe dne preces et hostias ecclesiae tuae pro salute famuli tui
illius SUPPLICANTIS et in protectione... 3405
Exaudi qs dne gemitum populi SUPPLICANTIS et qui de meritorum... 1510
Vota qs dne SUPPLICANTIS populi caelesti pietate prosequere... 4250
praeces populi SUPPLICANTIS propitius respice... 939
ut omni tempore in hoc loco SUPPLICANTIS tibi familiae tuae anxietates
releves... 866
gratiora fiant patrocinio SUPPLICANTIS. 205
ut devotio SUPPLICANTUM ad gratiarum transeat actionem. 377
Suscipe, qs, dne, precibus nostris cum oblationibus SUPPLICANTIUM, et
concede... 3447
et mitte custodem angelum in circuitu SUPPLICANTUM qui in lateribus...
325
et quod non habent merita SUPPLICANTUM tua nos semper... 1449
Animabus, qs, dne, famulorum... oracio proficiat SUPPLICANCIUM ut eas et
a peccatis... 175
Pateant aures misericordiae, (tuae) dne, precibus SUPPLICANCIUM ut et
(et ut) petentibus... 2540
quam miseratio (misericordia) tua (semper) indulta fletibus SUPPLICANTUM.
1474
fiant gratiora patrocinio SUPPLICANTUM. 212
nec in tribulatione SUPPLICARE deficiat... 4005, 4006
non desinamus tuo nomini SUPPLICARE et cum propitiatio... 2712
cum tuorum sensibus dignanter infundis totis tibi mentibus SUPPLICARE nec
humanis... 3642
ut non desinant sancti tui pro nostris SUPPLICARE peccatis a quibus...
2964
da sanctos martyres tuos pro nostris SUPPLICARE peccatis quos digne...
2428

et illos tibi iugiter SUPPLICARE pro nobis.   1133
tibi adtencius pro nostris offensionibus SUPPLICARE ut mala quae...   3821
VD. Et te devotis mentibus SUPPLICARE, ut nos interius...   3718
intercessio SUPPLICARET tibi grata iustorum.   3958
O. s. ds, cui numquam sine spe misericordiae SUPPLICATUR...   2317
et de prestandis necessariae SUPPLICATUR.   3903
ut si quis in aea nomini tuo SUPPLICAVERIT, libenter...   3828
qui dominicae caritatis imitator etiam pro persecutoribus SUPPLICAVIT.
   2443, 2453
qui pro suis etiam persecutoribus SUPPLICAVIT.   2238, 2444
pro calumniantibus SUPPLICEMUS...   3980

        SUPRA
Et SUPRA chorus virginum paradisi sedibus collocasti...   2461
... SUPRA cuius pectus carus iohannes accubuit.   1229
quia super pauca fuisti fidelis, SUPRA multa te constituam...   561
Ds, qui humanam naturam SUPRA primae originis praeparas dignitatem...
   1012, 2400
SUPRA quae propitio ac sereno vultu respicere digneris...   3383

        SUPRADICTUS
ut SUPRADICTE famulae tua illa haec sit vestis salubris protectio...
   1508
ita et qui innocens de hanc SUPRADICTUM furtum...   850
sicut tres puerus SUPRADICTUS de camino ignis...   850

        SUPREMUS
seraque in (SUPPREMA) parentum aetate concretus et editus...   3754
et aeternam unitatem in SUPRAEMO meatu sine fine constare credimus.   1283

        SURA
Effuge... de subfraginibus vel SURIBUS, de cruribus...   1888

        SURDUS
mortuos suscitate, SURDI audiant...   1852
te adiuro qui fecit... caecum inluminantem, SURDUM audientem...   1881

        SURGO
et inter surgentes SURGAT, et inter suscipientes...   3433
et inter SURGENTES resurgat (surgat)...   3433
iacta terrae semina SURGERE facis cum venire (fenore) messis...   2280
et dum moritur omnis SURREXERUNT...   3661

        SURRIPIO
ut SUBRIPIENTIUM delictorum laqueos salubriter evadatis.   722

        SURSUM
... SURSUM corda. Habemus ad dominum...   1978, 2556, 3384, 3791
VD. Nos SURSUM cordibus erectis divinum adorare mysterium...   3714, 3814
VD. Tibi etiam immolationem offerrere que est mira SURSUS...   4181

        SUSANNA
et SUSANNA de falso crimine liberasti...   738, 739, 850
sicut liberasti SUSANNAM de falso testimonio...   2023

        SUSCEPTIO
... Quem in SUSCEPTIONE mortalitatis deum maiestatis agnoscimus...   4162

        SUSCEPTOR
ipse sit misericors et SUSCEPTOR, Iesus Christus dominus noster.   1830

SUSCIPIO

sed etiam quo beatae mariae fructum sedola voce benedictionem SUSCEPERAT
... 3755

et beatae castitatis habitum quem te inspirante SUSCEPERIT te protegente
custodiat. 1237

ut virginitatis sanctae propositum quod te inspirante SUSCEPERUNT...
1601

... Et qui altaris tui ministerium SUSCEPI indignus, perago trepidus...
815

... Illiusque frequentatione efficiar dignus, quod ut frequentarem
SUSCEPI indignus. 3145

et quorum praedicatione haec credenda SUSCEPIMUS eorum patrociniis...
3813

tibi gratias agimus pro his qui te largiente, SUSCEPIMUS, obsecrantes...
3262

ut unigenitum tuum quem redemtorem laeti SUSCEPIMUS venientem quoque...
1127

et sicut Melchisedech sacerdotis praecipuae oblacionem digancione mirabili
SUSCEPISTI ita inposita... 3844

hostiam tibi placitam casti corporis (corpore) glorioso certamine
SUSCEPISTI prunis namque... 3776

et casto corporis glorioso certamine SUSCEPISTI. 3777

... Confessio itaque fidem quam SUSCIPISTIS hoc incoatur exordio. 1287

carissimam nobis hodie suae resurrectionis vixillam (vexilla) SUSCEPIT
atque hominem... 3596

O. ds cuius unigenitus... corporalem SUSCEPIT circumcisionem... 2242

... Et eo nascente, et sermonis usum, et prophetiae SUSCEPIT donum...
3755

Quique eos primitivum fructum sanctae suae SUSCEPIT ecclesiae... 2252

qui mortem vestram SUSCEPIT et perdedit. 335, 4241

victoriae suae clara vexilla SUSCEPIT et triumphato... 4160

persecutoris gladium intrepida cervice SUSCEPIT gaudens pro eo... 3810

qui eum SUSCEPIT per supplicia passionis. 275

Qs o. ds, ut famulum tuum illum tua miseratione SUSCEPIT regni gubernacula
... 2993

ut sanctae virginitatis propositum quod te inspirante SUSCEPIT, te
gubernante custodiat. 3096

et lapsus nostros aliaena ruina SUSCEPIT. 3661

et SUSCEPITUR ille qui reduxit ad vitam... 1706

qui pro nomine eius confessionem morte SUSCEPTA caelestia praemia
meruerunt... 1286

qui domini nostri... vocatione SUSCEPTA factus ex piscatore discipulus...
3608

ac non solum nostra a verbo tuo SUSCEPTA fragilitas perpetui fit honoris
... 4093

quia tunc nobis proderint SUSCEPTA ieiunia... 1619

ut filii tui incarnatione SUSCEPTA inter ipsius mereamur membre numerare.
2315

et hostiae (hostia) spiritalis oblatione (observatione) SUSCEPTA nosmet
ipsos... 2888

Magnificasti, dne, sanctos tuos SUSCEPTA passione pro Christo... 2038

sicut per eos ab ipsa veritate SUSCEPTA posterisque mandata est... 4076

episcopalis officii SUSCEPTA principia celebramus... 4028

et SUSCEPTA pro te fecisti passione gloriosos... 4069, 4070

et SUSCEPTA sollemniter castigatio corporalis... 646, 3495

... Qui domini nostri Iesu Christi filii tui vocatione SUSCEPTA terrenum
  respuit...   3608, 3609a, 3610
huius creaturae novitate SUSCEPTA vetustates... 1150
sed per (pro) offerentum fuerat devocione SUSCEPTA. 1734
ut anima famuli tui illi ab angelis lucis SUSCEPTAM... 2747
ut huius creaturae novitate SUSCEPTI... 1150
Oblationibus, (oblationis qs) dne, placare SUSCEPTIS et ad te nostras...
  2208
Muneribus nostris, (qs) dne, praecibusque SUSCEPTIS et caelestibus...
  2150
ut oblationibus nostris sancti illius interveniente (intercessione)
  SUSCEPTIS et indulgentiam... 2887
et populi tui oblationibus praecibusque SUSCEPTIS omnium nostrum...
  2881, 2891
eum (quem fuerat SUSCEPTURA coniugio)... 4034
qui electos tuos SUSCEPTURI sunt ad sanctam gratiam baptismi tui...
  2069
signus poenas SUSCEPTURUS, latro damnabilis exterminetur... 1547
in nomine omnis humanu generis quod a deo SUSCEPTUS est, in nomine...
  2856
salvator et dominus noster a Symione (symionem) SUSCEPTUS in templo...
  3648, 3649
et hic omnium dormiencium hostiam, dne, SUSCIPE benignus oblatam... 2845
Ergo SUSCIPE clemens ieiunantium preces... 1412
SUSCIPE clementissime pater hostias placationis et laudis... 3385, 3386,
  3387
SUSCIPE, creator omnipotens ds, que ieiunantes... 3388
Ds cui proprium est misereri semper et parcere, SUSCIPE depraecationem
  nostram... 773
gemitus SUSCIPE, dolentes paterna piaetate iube consolare. 323
SUSCIPE, dne, animam famuli tui ill. revertente ad te... 3392
SUSCIPE, dne, animam servi tui ille ad te revertentem... 3389
SUSCIPE, dne, anima servi tui ill. in aeternum tabernaculum... 3433
SUSCIPE dne animam servi tui illius quam de ergastulo huius saeculi vocare
  dignatus es... 3390
SUSCIPE, dne, animam servi tui ille revertentem ad te... 2493, 3391
... SUSCIPE, dne, creaturam tuam non ex diis alienis creatam... 3389
SUSCIPE dne fidelium preces cum oblationibus hostiarum... 3394
SUSCIPE dne munera dignanter oblata... 3393
SUSCIPE, dne, munera familiae tuae... 3395
SUSCIPE, dne, munera passionibus tuorum dicata sanctorum... 3396
SUSCIPE, dne, munera plebis tuae... 3397
SUSCIPE dne munera populi tui pro... 37
SUSCIPE dne munera pro tuorum commemoratione sanctorum... 3398
SUSCIPE, dne, munera propiciatus (propitius) oblata... 3399, 3400
SUSCIPE dne munera quae in eius sollemnitate (solemniatem) deferimus...
  34
SUSCIPE dne munera quae pro filii tui gloriosa ascensione deferimus...
  3401
SUSCIPE, dne, munere quae tibi offerimus pro famulo tuo Illo... 3402
SUSCIPE, dne, munera tuorum votiva populorum (populorum votiva)... 3404
SUSCIPE dne oblationis familiae tuae ut... 3446
SUSCIPE, dne, praeces et hostias aecclesiae tuae... 3405
SUSCIPE dne praeces et munera, quae ut tuo sint digna conspectui... 3406
SUSCIPE, dne, praeces nostras cum muneribus hostiarum... 3407

SUSCIPE dne preces nostras et clamantium ad te pia corda propitius intende.
  3408
SUSCIPE, dne, praeces nostras et muro...   3409
SUSCIPE dne praeces nostras pro anima famuli tui illius...   3410
SUSCIPE, dne, praeces populi supplicantes...   3411
SUSCIPE, dne, preces populi tui cum oblationibus hostiarum...   3412
SUSCIPE, dne, propitiatus hostias...   3413
SUSCIPE, dne, propitius aeclesiae tuae munera...   3414
SUSCIPE, dne, propicius hostia, quibus...   3413
SUSCIPE, dne, propicius munera famulorum tuorum...   3415
SUSCIPE, dne, propitius oblationes nostras...   3416
SUSCIPE dne propitius orationem nostram cum oblacionibus...   3417
SUSCIPE, dne, qs, devotorum munera famulorim...   3418
SUSCIPE, dne, qs, hostiam redemptionis humane...   3440
SUSCIPE, dne, qs, hostias famuli tui et laeviti tui ill...   3438
SUSCIPE, dne, qs, hostias laetantis aeclesiae...   3419
SUSCIPE, dne, qs, hostias mentium tuo nomini devotarum...   3420
SUSCIPE, dne, qs, hostias placacionis et laudis...   3421
SUSCIPE, dne, qs, hostias pro animam famuli tui illius episcopi...   3422
SUSCIPE, dne, qs, hostias, quas maiestati...   3423
SUSCIPE, dne, qs, hostias, quas tibi pro salute tuae plebis offerimus...
  3424
SUSCIPE, dne, qs, munera famuli tui illius...   3425
SUSCIPE, dne, qs, munera populi tui pro martyrum festivitate sanctorum...
  37
SUSCIPE, dne, qs, oblationes et praeces...   3426
SUSCIPE, dne, qs, praeces et hostias famulorum tuorum...   3427
SUSCIPE, dne, qs, praeces nostras...   3428
SUSCIPE dne qs preces populi tui cum oblationibus hostiarum...   3412
SUSCIPE, dne, qs, pro sacra lege coniugii munus oblatum...   3429
SUSCIPE, dne, sacrificium, cuius te voluisti dignanter immolatione
  placari...   3430
SUSCIPE, dne, sacrificium placationis et laudis...   3431, 3432
SUSCIPE, dne, servum ill. in bonum habitaculum aeternum...   3433
SUSCIPE, dne, servum tuum illum in aeternum tabernaculum...   3433
SUSCIPE, dne, servum tuum in bonum.   2856
praeces nostras placatus et benignus SUSCIPE et hoc sacrificium...   756
Hostias dne quas tibi offerimus propitius SUSCIPE et intercedente...
  1807
Munera dne... propitius SUSCIPE et mala omnia...   2121
... SUSCIPE gratiarum propitius actionem...   2492
... Ergo SUSCIPE ieiunantium preces...   3715
SUSCIPE, m. dne, supplicum praeces...   3434
SUSCIPE munera dne quae in beatae agathe... sollemnitate deferimus...   34
SUSCIPE munera, qs, dne, exultantis ecclesiae...   3435
SUSCIPE munera, qs, dne, quae tibi de tua largitate deferimus...   3436
Hostias, dne, (dne qs, qs dne) SUSCIPE placatus oblatas...   1804, 1809
... SUSCIPE praeces et hostias famulorum et famularumquae tuarum...   1253
... SUSCIPE pro anima famuli tui illi episcopi praeces nostras...   791
SUSCIPE propitius familiae tuae praeces humilimas...   1073
... SUSCIPE propicius oblationes nostras...   1217
... SUSCIPE propicius orationem nostram et libera eos...   2419
... SUSCIPE propicius oracionem nostram et tribue misericordiam tuam...
  1037
... SUSCIPE propicius praeces nostras et praesta...   989
... SUSCIPE propitius praeces nostrae et romani imperii...   835

Oblata tibi, dne, munera populi tui pro tuorum honore sanctorum SUSCIPE
  propitius qs et eorum...   2191
SUSCIPE, qs, dne, devotorum munera famulorum...   3418
SUSCIPE, qs, dne, et plebis tuae et tuorum hostias renatorum...   3437
SUSCIPE, qs, dne, hostias famuli et levitae tuae illius...   3438
SUSCIPE, qs, dne, hostias placacionis et laudis...   3421, 3439
SUSCIPE, qs, dne, hostias (hostiam) redemptionis humanae...   3440
SUSCIPE qs dne munera dignanter oblata...   36
SUSCIPE, qs, dne, munera plebis tuae...   3441
SUSCIPE qs dne munera populi tui pro martyrum festivitate sanctorum...
  37
SUSCIPE qs dne munera populorum tuorum propitius...   3415
SUSCIPE, qs, dne, munera pro sanctorum...   3442
SUSCIPE, qs, dne, munera, quae de tuis offerimus collata beneficiis...
  3443
SUSCIPE, qs, dne, munus oblatum et dignanter operare...   3444
SUSCIPE qs dne nostris oblata servitiis...   3445
SUSCIPE, qs, dne, oblationes familiae tuae...   3446
SUSCIPE qs dne preces famulorum tuorum cum oblationibus hostiarum...
  3450
SUSCIPE, qs, dne, praeces nostras cum oblacionibus supplicantum...   3447
SUSCIPE qs dne praeces nostras et ad aures...   3448
SUSCIPE, qs, dne, praeces nostras et clamantium...   3449
SUSCIPE, qs, dne, praeces populi tui cum oblationibus hostiarum...   3450
SUSCIPE, qs, dne, precibus nostris cum oblationibus supplicantium...
  3447
SUSCIPE, qs, dne, pro animam famuli et sacerdotes tui illi quas offerimus
  hostias...   3422
SUSCIPE qs dne pro sacra conubii lege munus oblatum...   3429
SUSCIPE, qs, dne, tuorum munera famulorum...   3451
... SUSCIPE qs propitius preces nostras...   4030
... In huius igitur noctis gratia SUSCIPE sancte pater incensi huius
  sacrificium...   3791
propitius SUSCIPE supplicum praeces...   1261
Ds qui supplicum tuorum vota per caritatis officia SUSCIPERE dignaris da
  famulis tuis...   1218
quas tibi de suis primiciis offerunt, SUSCIPERE digneris tribue aeis dne
  ...   2362
per quam meruimus auctorem vitae SUSCIPERE dominum nostrum.   1214
sacrificium... benigniter digneris (dignare) SUSCIPERE et peccata...
  856, 857
ereptionis nostrae SUSCIPERE laetitiam mereamur.   2782
... Dignumque est pro honorificentia nos eorum tuam SUSCIPERE maiestatem
  ...   4167
aereptionis nostrae letitiam SUSCIPERE mereamur.   2782
sancti spiritus gratiam purificatis mentibus SUSCIPERE mereamur.   1130
ex cuius intemerato utero auctorem vitae SUSCIPERE meruistis.   1149
quod SUSCIPERE misteriis.   1160
... Iube venientes ad te saereno vultu SUSCIPERE ne de eis inimicus...
  2658
degnare praecibus et hostiis decate tibi plebis SUSCIPERE ut pax (a)
  tua pietate...   936, 938
Ds qui de beatae virginis utero verbum tuum... carnem SUSCIPERE voluisti
  ...   946
paschale sacramentum secura (placida) tribuisti mente SUSCIPERE.   2128
per quem meruemus auctorem vitae (nostrae) SUSCIPERE.   1214, 2461

dum pro testimonio creatoris sponte SUSCIPERENT...   3956
ut post eius crucem primus SUSCIPERET passionem...   4193
quo beatae Mariae fructum sedula voce (benedictione) SUSCIPERET spiritu...
    3754
et beate castitatis habitu, quem te aspirante SUSCIPERIT, te protegente...
    743
quod in hac diae de sacris misteriis tuis SUSCIPERUNT in aures.   122
ut SUSCIPI iubeas animam famuli tui illius per manus sanctorum angelorum
    ...   747, 771
intencionem qua SUSCIPIAM profundam bonitatem tuam in humilitatem.   575
salvationis tuae SUSCIPIAMUS augmentum.   3170
SUSCIPIAMUS dne misericordiam tuam in medio templi tui...   3452
sollemnia, quae cultu tibi debito praevenimus, prospero SUSCIPIAMUS
    effectu.   194
sed nativitatem panis aeterni purificatis SUSCIPIAMUS mentibus honorandam.
    4101
ut ieiuniorum veneranda solempnia et congrua pietate SUSCIPIANT et secura
    devotione...   2653, 2715
et anima famuli tui illius gaudea aeterna SUSCIPIANT ut quem fecisti...
    215
et venturum cum illaretatem (helaritate) SUSCIPIANT.   318, 1332
... SUSCIPIAS clemens cum pace benignus...   3832
Hanc igitur oblationem... placatus SUSCIPIAS depraecamur cui tu dne...
    1714
Hanc igitur oblacionem... placatus SUSCIPIAS depraecamur ob hoc igitur...
    1719
Hanc igitur oblationem... placatus SUSCIPIAS depraecamur pro quo in hac
    habitatione...   1717
Hanc igitur oblacionem... placatus SUSCIPIAS depraecamur pro quo
    maiestati...   1715, 1716
Hanc igitur oblationem, dne, ut propitius SUSCIPIAS deprecamur quam tibi
    offerimus...   1726
aeos placatus SUSCIPIAS deprecamur.   1719
ad portum beatitudinis tui nos ut SUSCIPIAS deprecamur.   880
placatus SUSCIPIAS deprecatur.   1713
vota SUSCIPIAS, desiderata confirmes...   866
ut placatus SUSCIPIAS diesque nostros. 1771
ut sacrificium de manibus meis placide ac benigne SUSCIPIAS electorumque
    ...   2239
... Hodie ieiuniorum nostrorum vota SUSCIPIAS et eras nos...   3950
inmensa benignitate SUSCIPIAS et piissima propiciatione...   2297
Hanc igitur oblationem... qs, dne, placatus SUSCIPIAS et quod eis...
    1748
ut cari nostri illius animam... blande leniterquae SUSCIPIAS et si quas
    illa...   1289
quaesumus dne ut dignanter SUSCIPIAS et tua pietate...   1751
ut fletus ac gemitus eius piae SUSCIPIAS eumque de tenebris...   1368
quam tibi offerat pro salute tui ill. placatus SUSCIPIAS, fundimus...
    1716
ut spiritum et animam famuli tui illius... blande et misericorditer
    SUSCIPIAS non ei dominentur...   2215
Hanc igitur oblacionem... quaesumus, dne, placatus SUSCIPIAS pro qua
    maiestate...   1772
pius ac propicius (cuius) clementi vultu SUSCIPIAS tibique supplicantes...
    1718, 1720
obsecro, dne, placatus SUSCIPIAS unde maiestatem tuam...   1777

Sicque ieiunii vestri et precum vota SUSCIPIAT et a vobis adversa...
2243

ut eum in aeterna requie SUSCIPIAT et beatae resurrectione repraesentet.
201

et inter suscipientes corpora in die resurrectionis corpus SUSCIPIAT et
cum benedictis... 3433

ut anima fratri nostri illius... requies aeterna SUSCIPIAT et eam beata
(aeum in beate)... 2483, 2484

natalicia veneranda, dne, qs, aeclesia tua devota SUSCIPIAT et fiat
magnae... 262

vestrum SUSCIPIAT ieiunium, omneque vos repleat bono. 357

ut et dignis mentibus SUSCIPIAT pascale mysterium... 1528

sed ut potius tui corporis ubique devota conpago te dispensante SUSCIPIAT
quod sedis illa... 4077

SUSCIPIAT, te largiente, hodiae, dne, hi bono opere et perseverantiam...
2303

Et ita devotionem vestram placatus semper SUSCIPIAT, ut quicquid... 356

ut sui reparationis affectum... et cum exultatione SUSCIPIAT. 474

emundatis dilectis omnibus me angelus sanctitatis SUSCIPIAT... 1264

ut SUSCIPIENDO muneri tuo per ipsum munus aptemur. 1131

qui SUSCIPIENDO quod nostrum est, dignatus est nobis conferre quod suum
est. 3677

ut ad SUSCIPIENDUM filii tui singulare nativitatis mysterium... 2679

Praepara sensus aeorum ad te SUSTIPIENDUM, ut ipse... 1162

ut beati nicomedis martyris tui merita praeclara SUSCIPIENS ad impetrandam
... 78

qua beata Agnes pretiosam mortem... pro Christi confessione SUSCIPIENS cum
praemio... 3781

et pretiosam mortem... pro christi confessione SUSCIPIENS simul est facta
... 3686

diversa supplicia spiritu fervente SUSCIPIENS subiectos ignes... 4114

et inter SUSCIPIENTES corpora in die resurrectionis corpus suscipiat...
3433

accedite SUSCIPIENTES evangelicae symbuli sacramentum... 1287, 1288

SUSCIPIMUS dne misericordiam tuam... 3452

quae prumptis cordibus ambientes oblatis muneribus et SUSCIPIMUS et
praeimus. 2033

ut quae visibilibus mysteriis celebrando SUSCIPIMUS invisibili... 2697

tibi gratias agimus pro his quae te largiente SUSCIPIMUS obsecrantes...
3262

quem redemptorem (nostrum) laeti SUSCIPIMUS venientem quoque... 1031,
1127

VD. Qui dum libenter nostrae paenitudinis satisfactionem SUSCIPIS ipse...
3898

quod SUSCIPIS ut misteriis. 1160

ut omnis generacio adpraehendat meritis quod SUSCIPIT mysteriis. 1160

sed quia terra SUSCIPIT terram, et pulvis convertitur in pulverem...
3470

SUSCIPITE, venerabiles martyres, etsi indigni cultoris officium... 3454

Confessio itaque fidaei quam SUSCIPITES hoc inchoatur exordio. 1288

quibus quod eius dignatione SUSCIPIUNT, eius exsequantur auxilio. 2500

dum pro creatoris testimonio sponte SUSCIPIUNT fieret eis... 3956

ut virginitatis sancte propositum, quod te inspirante SUSCIPIUNT te
gubernante... 3096

ut beatae castitatis habitum, quem te spirante SUSCIPIUNT, te protegente
custodiant... 743

SUSCITO

... SUSCITARE aeum, digneris, dne, una cum sanctis et aelectus tuos.
3462
et imitatione SUSCITAS ad profectum...   1134
si misericordiam respexeris, phetentem SUSCITAS de sepulchro...   219
adtolle quod SUSCITAS et guberna quos eriges...   1358, 1362
Ds, qui in praeclara salutifere crucis invencione passionis tuae miracula
SUSCITASTI concide...   1035
aeternitatis tuae lumen cunctis gentibus SUSCITASTI da plebi tuae...
1151
mortuos SUSCITATE, surdi audiant...   1852
et ebrietatem, quae SUSCITAVIT furor male desiderii...   3389
et quartum diem Lazarum de monumento SUSCITAVIT qui dixit...   1852
et quatriduanum Lazarum de monumento SUSCITAVIT.   1550
et quatriduanum lazarum de monumentum SUSCITAVIT.   1550
Ipse vos ad caelestia SUSCITET, qui pro vobis inferus penetravit.   335,
4241

SUSPENDIUM

ut sicut passione sua Christus... diversa utrisque intulit SUSPENDIA
meritorum...   731
tam ille pastur SUSPENDIO, quam iste doctur per gaudium in congressu.
1033

SUSPENDO

severitate quoque iudicii tui ab aeum clementer SUSPENDAS, et miserationis
...   3920
ut a peccatis nostris tuae severitatis SUSPENDAS vindictam...   3892
debitam, qs, peccatis nostris, dne, SUSPENDE vindictam...   952
cui devotum pectore decrevit ad alta contemplatione SUSPENDERE.   4126
in montes fatiem latera erecta SUSPENDENS...   880
VD. Qui ideo praesentium rerum prospera plerumque SUSPENDES...   3938
vetorum flabra fiant salubriter ac moderatae SUSPENSA...   1154
... Dispersaeque per agros libratis paululum pennis cruribus SUSPENSIS
insidunt...   3791

SUSPIRIUM

... Moveat pietatem tuam, qs, dne, huius famuli tui lacrimosa SUSPIRIA.
822, 823

SUSTENTACULUM

et SUSTENTACULIS sic transeuntibus gubernemur...   3827

SUSTENTATIO

sed universa mereamur SUSTENTATIONE privari...   3652
non haec ad exuberantiam corporalem sed ad fragilitatis SUSTENTATIONEM nos
percipisse...   3970
O. s. ds, qui nos et SUSTENTATIONIBUS annuis et sollemnitatibus consolaris
...   2427
ut terrenis SUSTENTATIONIBUS expediti...   4060

SUSTENTATOR

tu vitae praesentis SUSTENTATOR et rector, tu conlator aeternae.   3504

SUSTINEO

et temporalibus (praesentibus) SUSTENTA beneficiis et (futuris) aeternis.
3094
et toto tibi corde subiectum prosequere, SUSTENTA, circumtege...   1587
... SUSTENTA fragiles, purga terrenos...   3540

quos sacramentis reficis, SUSTENTA praesidiis...   2959
Quaesumus, dne ds noster, diei molestias noctis quiete (quietem) SUSTENTA
ut necessaria...   2956
et opulenciae tuae largitate SUSTENTA.   3046
dne, qui nos parcendo SUSTENTAS et ignoscendo sanctificas...   2104
et (martyrum beatorum) (beati martyris stephani) depraecatione SUSTENTAS.
1663
nisi conpetentibus SUSTENTATA cibis membra non serviont...   4033
dextera tua populum depraecantem, purificet et SUSTENTET (erudiat)...
3532
quae inopem SUSTENTET et foveat.   3587
populum tuum depraecantem purificet et SUSTE(NTE)T, ut consolatione...
3532
et transitoria SUSTENTETUR humanitas...   2454
ut et transitoriis subsidiis nostra SUSTENTETUR mortalitas...   3636
et nullum redempcionis aeternae SUSTENEANT detrimentum.   922
... Nullam laesionem SUSTENEAT anima eius...   3462
et nullum redemptionis aeternae SUSTENEAT detrimentum.   922
nec grex tuus detrimentum SUSTENEAT ne de familiae...   822, 823
Nullam laesionem SUSTENIAT spiritus eius...   3462
Si iniquitates (nostras) observaberis, dne, quis SUSTINEBIT ?...   2103,
3284
ut cum adventum unigeniti tui quem summo cordis desiderio SUSTENIMUS...
2815
Doce me dne queso paciencia ad SUSTINENDUM adversa...   1296
et in carne SUSTINENS poenam patibuli...   955
quanto magis duriora certamina SUSTENENTES.   3897
non timemus lucis huius SUSTINERE iacturam.   3862, 4099
sed humana fragilitate SUSTINERE non possumus...   1959
nec captivitatem... SUSTINERE nos patiaris internam...   3804
... Et pro eo temporalem studuit SUSTINERE poenam...   3866
laboriosius duxit longa antiqui hostis SUSTINERE temptamenta...   3866
pro qua dignatus es propria SUSTINERE turmenta.   330
et SUSTINET (in mensam) (pius) crudelem convivam...   3867, 3868
aut stimulat haebriaetas, aut libido subvertit, SUSTENIT, ut ante...   782
molestius SUSTINETUR hostis occultus, quam superetur infestus...   3866
qui manifestis acerva supplicia SUSTINUERE tormentis...   3959
qui pro confessione iesu christi... diversa supplitia SUSTENUIT et eadem
vincens (et ea devincens)...   3720, 3858, 4151
VD. Qui non solum pro salute mundi persecutionem SUSTINUIT impiorum...
3963
... Qui igne accensus tui amoris constanter ignem SUSTINUIT passionis...
3689
interritus adiit, modestus SUSTINUIT, securus inrisit...   3855

         SUSTOLLO
non tantum martyrum intercessione SUSTOLLES...   3960

         SYMBOLUS
haec verba sunt SYMBULI, non sapientiae humano sermone facta...   1706
accedite suscipientes evangelicae SYMBULI sacramentum...   1287, 1288
... Diabulus... munitos vos hoc SYMBULO semper inveniat...   1706
... Intentis itaque animis SYMBULUM discite...   1287
praefatum SYMBULUM fidei catholicae in praesente cognovistis...   1706
Fili karissimi : audistis SYMBULUM graecae, audi et latinae...   1631

SYMPRONIANUS
martyres... SYMPRONIANUM, castorium adque simplicio... 2772

TABERNACULUM
sicque tota effecta aeterna recipiatur TABERNACULA. 3392
sive etiam ea quae Maria texuit et fecit in usum ministerii TABERNACULI
faederis... 1318
VD. Per annua devotione TABERNACULI huius honorem tibi... 3828
ut huius TABERNACULI receptaculum placatus accipias... 782
et quemadmodum sanctificasti officia TABERNACULI testimonii olim cum
arca... 1283
ut famulus tuus ill. beatorum TABERNACULIS constitutus... 4099
Unde quesumus famulus ill. beatorum TABERNACULIS spirituum constitutus...
3862
quam aaron in TABERNACULO, haeliseus in fluvio... 924
Ingredientis, dne, in hunc TABERNACULUM ancillarum tuarum tibi servientium
... 1924
protege familiam tuam in hac TABERNACOLUM commanentes... 567
Suscipe, dne, anima servi tui ill. in aeternum TABERNACULUM, et da aei...
3433
Da... custodiam tuam in hunc TABERNACULUM famuli tui illi... 635

TABESCO
Terram tuam, dne, quam videmus nostris iniquitatibus TABESCENTEM... 3472

TABULA
argenteis vasibus, TABULAS deauratas... 1283
argenteis basibus, TABULIS deauratis, holochaustis... 1283
qui condam lapidias legem scripsit in TABULIS. 3292

TACEO
ut sic loquar ne superbiam, sic TACEAM nec turpiscam... 1296
Laudes tuas, dne, non TACEMUS quia nos a malis... 2004
beati Andreae sollemnia celebrantes tua, dne, praeconia non TACEMUS.
3908, 4047
nec TACENTEM nec in publicum nec in privatum non communicabis... 394
intellegere TACENTIS non possimus. 3021
cum et prestitorum praeconia non TACENTUR... 3903
VD. Multoque magis in archangelis angelisque tuis tuae praeconia non
TACERE quia ad excellentiam... 3809
VD. Et confessionem sancti felicis memorabiliter non TACERE quia nec
hereticis... 3683, 3684
... Ut id quod libera praedicaverat voce, nec pendens TACERET in cruce...
4084
qui dominator vivorum et mortuorum est, cui universitas TACIT... 1859

TACTUS
invisibilia aeos ad TACTU sancti... 567
ut per illius TACTUM fidelis invitentur ad premium. 1154
dum ad TACTUM sacri corporis sanctificasti per lavacrum... 893
ad TACTUM sanctificati olei huius abscedant... 838, 1240

TALENTUM
sed divinorum nobis multiplicata proveniat dispensatio TALENTORUM. 3796

TALIS
pacem tuam TALE fidere nexuisti... 3924
Fac aeos (illos) TALE subole germinare... 316, 541, 1932

... O felix culpa, quae TALEM ac tantum meruit habere redemptorem...
3791
... TALEM ei exhibeatis servitutem...   2244
Instar modo renatorum infantium TALEM innocentiam habeatis...   345
Quis aenim te TALEM non timeat...   4217
Ideo te ammoneo tu TALEM te exhibe, ut deo placere possis.   4228
... TALES ante te representetur in iudicium...   1073
... TALES cavere nos iubes per apostolum tuum docens...   3879
da nobis tua gratia TALES existere, in quibus habitare digneris (dignaris).
1221, 1222
... Per ipsum te petimus ut TALES in eius inveniamur iustissima
examinatione...   3949
et TALES nos esse perficere, ut propicius fovere digneris.   2603
... TALESQUE nos concede fieri tuae graciae largitate...   2659
... TALI eloquio TALIQUE brevitate salutiferam condidit fidem...   1287
veram pacem tuam TALI foedere nexuisti...   4146
ut christiana plebs quae TALI gubernatur auctore...   2318, 2319
Et ut TALI vitae aeos fines inveniat...   947
ut qui TALIA dona pretas inmeritis, praeveas maiora devotis.   2474
et te indignante TALIA flagella producere et te miserante cessare.   619
In tuo conspectu (In conspectu tuo), dne, qs, TALIA nostra (sint)
munera (efficiantur)...   1865, 1892, 1893
... TALIA igitur, dne, dignae sacris altaribus tuis munera offeruntur...
861
et infirmitati nostrae TALIA praeparasti (praestitisti) suffragia, quae
possis audire pro nobis.   3724, 4154, 4156
quos TALIBUS auxiliis concesseris adiuvari.   285
cum hoc ipso magnum beneficium TALIBUS conferatur...   3981
da nobis sub patronis TALIBUS constitutis...   2394
ut christiana plebs quae TALIBUS gubernatur auctoribus...   2318
quia TALIBUS iugiter quicquid est prosperum ministrabis.   599
gloriosa in TALIBUS membris aeclesia...   3764
salutaribus proficiant institutis, qui TALIBUS praesidiis adiuvantur.
644
ut TALIBUS tuae gratiae muniti praesidiis...   324
TALIQUE intentione repleri valeatis, qua ei in perpetuum placeatis.   2117
TALIQUE vos in praesenti saeculo subsidio muniat...   1268
quia ad tuae praeconia recurrit ad laudem, quod vel TALIS adsumpta est.
33
quod vel TALIS orta est vel TALIS assumpta.   27
tua mirabilia pertractantes, per quam TALIS est perfecta victoria.   2850
... TALIS esto moribus, ut templum dei esse iam possis...   39
ut tuo munere TALIS existat, cui tu perpetua beneficia largiaris.   2595
iube nos qs TALIS fieri qui a tua non mereamur bonitate privari.   1213
Te munerante, dne, TALIS hunc ministerium perseverit...   2303
ne nos TALIS patiaris exsistere, quibus merito dominentur adversa...
2971
ut, in locum defuncti, TALIS successor preparetur aecclaesiae...   3281
ut universalis aecclesiae TALIS tibi representetur...   1059
... TALISQUE perficiat qui et martyrum honorificent passionis...   368
... Invicta est enim semper (super) TALIUM armorum potestas...   1706,
1707
da aeclesiam tuam dignae TALIUM celebrantes sollemnia...   1133
... TALIUM dixisti esse regnum caelorum.   396
qui TALIUM praesidis confidimus patronorum.   3542

TALUS
Effuge... de quatuor TALONIBUS, de pedibus...   1888

TAM
... Christi filii tui domini dei nostri TAM beatae passionis...   3567
nec ullum sibi finem in TAM brevi termino...   2541, 2542
... Postea enim esuriit non TAM cibum hominum quam salutem...   3880
longius enim a te TAM conlatae fidei negacione... disceditur...   2297
gustantesque ex aeo accipiant TAM corporis quam animae sanitatem.   299,
   300
Populum tuum... aeternumque perficiant TAM devotionibus acta (apta)
   sollempnibus...   2615
ds qui TAM excellenti mysterio coniugalem copulam consecrasti...   1171
ut TAM fecunda quam speciosa non utile decore luxorient...   1155
et respice ad hoc altaris tui holocaustum, quod non TAM ignae probatur...
   1342
... TAM ille pastur suspendio, quam iste doctur per gaudium in congressu.
   1033
utque TAM inmensis beneficiis devictis hostium...   4143
Accipe signum crucis TAM in fronte quam in corde...   39
auctoremque vite perennis TAM in hac vita sequi...   3595, 4084
ut TAM in nobis quam in aliis quae sunt iusta servemus.   3833, 4083
... TAM in praesenti saeculo quam futuro...   4127
migranti in tuo nomine de hac instabili et TAM incerta (incertam)...
   404
cuius TAM insignis nuntius appareret...   3774
... TAM maiestatis tuae presencia consecrare...   2343
ad TAM miram sancti huius luminis claritatem...   1564
ut non TAM nos exagitet inepta laceratio supernorum...   3922
... Andreas germanum se... Petri TAM praedicatione Christi tui quam
   confessione (conversatione) monstravit...   3595, 4084
ut huius operatione vegetati TAM praesentia quam aeterna subsidia capiamus.   3484
... TAM profundis ac mysticis (est) revelationibus inspiratus (est
   imbutus)...   3608, 3609
non TAM referti sunt ossibus mortuorum, quam magis ipsi sunt mortui...
   3879
et abstinentiam TAM salubrem ut nec caro escis...   357
haec TAM salubria neglegens sit medicamina...   3837
et TAM viventibus quam defunctis proficiad ad salutem.   2646

TAMEN
a terrenis TAMEN ad caelestia provehitur, tuo inenarrabili munere.   3640
nos TAMEN beatae confessionis initia recolentes...   3599, 3600
... TAMEN clementiae tuae dona (dono, donum), spe futurae inmortalitatis
   aeregimur...   3862, 3915, 3916, 4099
propensius TAMEN confidemus ad futuram...   4053
ne de fide TAMEN conubii promissa discederet...   4034
copiosius TAMEN eius munere gratulamur...   3864
... Nobis TAMEN eorum festa annuis recursibus tribus frequentare...   3601
nec TAMEN erat poena patientis, sed piae (sepiae) confessionis incensum...
   3776, 3777
tui TAMEN est operis, ut (ad terrena) (terreni) generati ad caelesti
   renascantur.   3968, 4204
illa TAMEN est propensius honoranda...   4128
grata tibi TAMEN est tuorum devotio famulorum...   4040

ut TAMEN et fragilitatis humanae semper cavenda mutatio...   3639
nunc TAMEN et largitor est per indulgentiam remissio peccatorum...   58
quorum adhuc latentem gloriam iam TAMEN etiam in huius vitae regione
  manifestas.   3971
tuorum TAMEN fidelium praesumit affectus...   4170
licit in doloribus, TAMEN generare filios precepisti.   3918
ut etsi cum dolore, TAMEN genetricis vel docentes volunt...   3918
mirabilia TAMEN gloriosius operaris in minimis...   1060, 1061
tu TAMEN gratiae tuae dono (dona) non deseres (deserens)...   1045, 1047
predicto in rebus TAMEN humanis etiam...   3918
tu TAMEN inmensa pietate concedas...   3860
tu TAMEN iudicium ad correptionem temperas...   3884, 4009
recordatione TAMEN martyrum tuorum munus nostrum non sit ingratum.   3365
longe TAMEN mirabiliora sunt opera...   4090
nec TAMEN mortis nexibus deprimi potuit...   3586
potenter TAMEN nobis clementi providentia contulisti...   3865
propensius TAMEN nobis confidimus profuturam...   4053
ut eorum TAMEN non incidamus insidias...   3981
patrem et filium et spiritum sanctum TAMEN non negavit...   3389
ita TAMEN nostrum non habet, qui dum piaetate conpletus...   782
etiam isti TAMEN occultae proposito castigationis adflicti...   3959
diversitate TAMEN operis replet tuorum corda fidelium.   3751
indesinenter TAMEN permanet gloriosa.   271
nunc TAMEN populum tuum gratia habundantiore multiplicas...   944
et TAMEN pro salute generis humani signa tuae potentiae visibiliter
  ostendis...   1048
... TAMEN quia non solum diem mortis, sed et qualitatem (qualitate)
  pectoris (peccatoris) ignoramus...   2297
... TAMEN quia per sanctum adque sanctificatum fili tui nomen...   1709
Scimus TAMEN quod est acceptabilis deo...   3021
in nobis TAMEN, quod merito debeant lacerare, non habeant.   1189
illi TAMEN redemptionis tuae sint filii...   4021
de beati TAMEN sollemnitate Laurenti pecularius prae ceteris Roma
  laetatur...   3863
in his TAMEN speciale tuum munus agnoscimus...   4052
exsisterent TAMEN sublimiores animae...   758, 759
in cunctis TAMEN te sine dubio praedicamus...   4188
sacrari TAMEN tibi loca tuis mysteriis apta voluisti...   3886
aeclesiae TAMEN tuae speciali dispensatione moderaris...   1062
VD. In die... quo licet sacramentum, TAMEN utrumque conveniens editur
  sacramentum...   3779
fidei TAMEN videtur intuitu...   4167

TAMQUAM

et TAMQUAM ad benedictione pristina se excludi decernerent...   3918
universos homines, sicut nosmet ipsos TAMQUAM consortes nostri generis
  diligamus...   4025
qui habit potestatem... et vocare ea quae non sunt, TAMQUAM aea que sunt
  ...   2481
... Et nos quidem TAMQUAM homines divini sensus et summae rationis ignari
  ...   136, 137, 138
dominus caelum plicavit TAMQUAM librum in manu sua...   3563
... TAMQUAM luminaribus caeli sanctorum tuorum exemplis...   3975
VD. Qui nos TAMQUAM nutrimentis instituens parvulorum...   3982
... Sed filius tuus dominus noster TAMQUAM pia hostia...   3867, 3868
in atriis domus tuae TAMQUAM potamina viva plantati...   1155

qui TAMQUAM sponsus procedens de talamo suo deus dominus et inluxit nobis
... 3763
sicut multiplicavit semen aeorum TAMQUAM stillas caeli... 319, 320

TANDEM
ut TANDEM aliquando confugeremus ad lamenta et penitentiae remedium...
3837

TANGO
et quicquid eo TACTUM vel respersum fuerit, careat omni inmunditia...
1929
... Et tua sancta benedictio (benedictione) sit omni unguenti, gustanti,
TANGENTI... 1407
ut plaga egypti ad domum illam non TANGERET quam cruore sacrificiis
egelaret... 1059
et non TANGET illos tormentum mortis... 3723
Ut cum presens vasculum... sacro crismate TANGITUR, oleo sancto... 2378

TANTUMMODO
et TANTUMMODO filii veritatis exsisterent... 3947

TANTUS
... TANTA aequitate percipitur. 1197
quod TANTA brevitate concluditur... 1197
... TANTA gloria, TANTA claritate adiurasse te, maledicti satanas... 225
Ds, cuius TANTA est excellentia pietatis... 801a
VD. Qui dum confessores tuos etiam nunc TANTA festivitate glorificas...
3896
qui sacerdotibus tuis pre ceteris TANTA gratiam contullisti... 2291
Audi TANTA virtute, TANTA maiestate, per quem te adiuro... 224, 225
pro quibus inpetrandis TANTA nobis patrocinia contulisti. 1560
quia TANTA nobis placentium tibi patrocinia sunt provisa. 1940
VD. Qui dum confessores tuos TANTA pietate glorificas... 3897
quibus TANTA remedia providisti tribuas... 3623, 3803
ut quamvis TANTA sint nostra facinora... 3860
cum TANTA sit gloria nuntiantis. 2388
Ds qui... martinum TANTA tibi familiaritate uncxisti... 906
tu spiritum nobis (in nobis) TANTE devotionis infundas... 3664, 4214
da aecclesiae tuae de natalicia TANTAE festivitatis laetare... 982
et TANTAE fidei proficiamus exemplo. 687
VD. TANTE maiestatis potentiam invistigabile... 4143
ut quem TANTAE sedis honore decorasti... 3670
sed TANTAE virtutis intuitu potius incitemur. 232
cui TANTAM gratiam spiritus sanctus infudit... 4186
aut quis TANTAM maiestatem non prostratus adoret ? 4217
... TANTAQUE felicior ultione... 4055
ut de TANTI agone certaminis discat populus christianus... 438
de natalicia TANTI apostoli tui festivitate laetari... 983
per quam TANTI doni particeps devotio quieta proficiat... 3625
et cui causam TANTI gaudii praestetisti... 3435
... Laetetur et mater ecclesia, TANTI luminis adornata fulgoribus...
1564
... TANTI muneris capaces efficiat. 1662
ut TANTI mysterii munus indultum non condemnatio sed sit medicina
sumentibus. 663
ut quos TANTI mysterii tribues esse consortes, eosdem dignos efficias.
3316
et licit ego sim indignus TANTI officii... 2907

conditoribus mercedem TANTI operis promissae (promisit) retribucionis
inpendas.   1744

populum ad TANTI preconis occursum.   910

et pro TANTI regis victoria tuba insonet (intonet) salutaris.   1564

qui TANTI remedii (remediae) participatione munimur.   3296, 3301

respice propitius ad TANTI solemnia piscatoris...   1022

quos TANTIS deputare dignaris officiis.   239

de TANTIS dignae gaudere principibus...   2741, 2742

Quos TANTIS, dne, largiris uti mysteriis...   3033

TANTIS, dne, repleti muneribus, ut salutaria semper dona capiamus...
3455

... Hic ergo, dum ad paenitudinis (plenitudinis) actionem TANTIS
excitatur exemplis...   58, 59

et quam TANTIS facis patrociniis adiuvare...   2594

Presta, dne, qs, aeclesiam tuam sub TANTIS gaudere principibus...   2657

Gaudiat te TANTIS illius inradiata fulgoribus...   1564

quae TANTIS intercessionum depracacionibus adiuvatur.   2597

nec TANTIS mysteriis collata dona sentimus...   401

et licet nos TANTIS misteriis exequendis (exsequendi) simus indigni...
1045, 1046, 1047

quos TANTIS mysteriis tribues esse consortes.   560

et mitigatis sensibus corporis puriores TANTIS nataliciis praeparemur.
3990

et de TANTIS nos absolvas, quibus involvimur, propitiatus peccatis...
4287

ut populus tuus sub TANTIS patrociniis constitutus...   1471

Ds qui nos in TANTIS periculis constitutos...   1122

quos TANTIS sanctorum martyrum praesidiis munire dignaris.   48

qui TANTIS sanctorum tuorum meritis commonemur.   3369

quo possit pro laboribus TANTIS sexagisimum gradum percipere munus
delectabile sanctitatis.   529

quos TANTIS voluisti sanctorum tuorum suffragiis adiuvari.   2957

digno TANTO amore martyrii persecutoris turmenta non timuit.   4148

... TANTO devotius ad eius digne celebrandum proficiamus paschae
(paschale) mysterium.   3798

... TANTO diebus nostris prospera cuncta succedant.   616

quanto maiestati tuae fit gratior, TANTO donis potiora (potioribus)
augeatur.   2855

quia TANTO fiducialius tuo nomine supplicamus...   3252

Da aecclesiae tuae qs dne TANTO gaudere patrono...   3944

qui quanto magis fragiliores sumus, TANTO his pluribus indigemus...
1348, 1349, 1350, 2549

VD. Quoniam TANTO iucunda sunt, dne, beati Laurenti... crebrius repetita
solempnia...   4106

... TANTO magis de eorum culmine inferiora congaudeant.   1557

et quanto fragiliores sumus, TANTO magis necessariis adtolle suffragiis.
2580

VD. Qui precorsore fili tui TANTO munere dedicasti (dicasti, ditasti).
4000

quam TANTO munere sublimasti, ut ei conferres et virginitatis coronam...
3716

... TANTO nobis certi propensius iugiter adfuturam...   3732, 4140

quia TANTO nobis salubrius aderit, quanto id devotius sumpserimus.   3305

... TANTO nobis tua magis dona conciliat.   3591

quae TANTO nobis uberius credimus profutura...   3266

et TANTO nos a tua participatione discedere...   3885

TANTO nos, dne, qs, promptiore servitio haec praecurrere concede sollemnia
    ... 3456
que TANTO nos huberius credimus profutura... 3266
TANTO placabiles, qs, dne, nostrae sint hostiae... 3457
quia quanto fragiliores sumus, TANTO placencium tibi praesidiis indigemus.
    2902
sub TANTO pontifice credulitatis suae meritis augeatur. 2318, 2319
sedem tamen beati apostoli tui Petri TANTO propensius intueris... 1320
sed TANTO propensius veniam debeat postulare... 4135
TANTO qs, dne, placatus adsume... 3458
ut TANTO secretius ad eam confidant esse venturos... 4011, 4012
... Maerebat ergo, quod de eius subule non venirent, qui TANTO sunt munere
    coronati... 3603
... TANTO tibi placentibus praesidiis indigemus. 2899
quia quanto tardius exis, TANTO tibi supplicium maius crescit... 1355
ut quanto fragiliores sumus, TANTO validioribus auxiliis foveamur. 209
discipulis suis visu conspicuus TANTOQUE palpabilis... 3998
VD. TANTOQUE propensius agere... 4144
et TANTOS dignae studeris celebrare rectores. 4002
ut christiana plebs... sub TANTOS pontifices credulitatis suae meritis
    augeatur. 2318
... Memineritque (se), (meminerereque) dne, non TANTUM ad licentiam
    (licentium) coniugalem... delegatam... 2541, 2542
... TANTUM beati Petri et Pauli, pro quorum sollemnibus offeruntur...
    2138
... TANTUM de sanctorum suffragiis confidentes... 2227
... TANTUM de tua gratia, quae virtutem perficit in infirmitate confidimus
    ... 3670
De ipsis oblationibus TANTUM debit in altario poni... 4228, 4231
... Nec TANTUM aepulando, sed etiam ieiunando pascamur... 3889
sed TANTUM etiam caelestis magnificabat gloriae claritudo... 4193
pectora TANTUM fidei ardore inflammasti... 1198
... In TANTUM filii tui confessione flammatus... 4193
cui TANTUM gratia spiritus sanctus infundit... 4185
TANTUM habeat fervorem catholicae fidaei... 955
et TANTUM in tua similitudine permaneamus... 3885
non TANTUM martyrum intercessione sustolles... 3960
... O felix culpa, quae talem ac TANTUM meruit habere redemptorem...
    3791
omne TANTU mirabilibus praestantiorem caeteris animantibus... 3918
VD. Qui non TANTUM nos a carnalibus cibis... praecipis ieiunare... 3964
non TANTUM per filium tuum dominum nostrum... 4203
et reis non TANTUM poenam relaxas, sed donas (dona largiris) et praemia.
    3962a
et non TANTUM pro peccatis nostris non retribues quae meremur... 3919
nec TANTUM pro subversione prouoplasti... 4034
id in homine TANTUM quod ante factum est, relinquatur. 3191
qui TANTUM retia carnalia contempserat genitoris... 3609
... TANTUMQUE superabundantis gratiae tuae largitas emineret... 4096

TARDE
quia quicquid TARDIUS exis, supplicium tuum crescit... 1859
quia quanto TARDIUS exis, tanto tibi supplicium maius crescit... 1355
et TARDIUS postulata prestando fidelium tuorum mentibus... 3935

TARDO
Ds qui sensus nostros terrenis actionibus prospicere TARDARI... 1208

Festina, ne TARDAVERIS, dne ds noster... 1613

Festina, (qs), ne TARDAVERIS, dne, et et praesidium (auxilium)... 1614, 1615

TARDUS

quia nullius animae in hoc corpore constituti difficilis apud te aut TARDA curatio est... 858

nec TARDIOR est secuta victoria. 4015

si usque nunc fuisti TARDUS ad aecclesiam... 4228, 4231

TARTAREUS

aevadant supplicia TARTARIA, adipisci... 879

si mala respexeris mea, TARTAREA huius turmenta sufficiunt... 219

TARTARUS

Ds qui TARTARA fregisti resurgens... 1219

ingressus inferi TARTARA, in hac nocte... 1073

O noctem in qua TARTARA spoliantur... 4160

in cuius conspectu contremiscunt TARTARA, tellusque... 2475

rumpens legem TARTARI, ad caelus ab inferis ascendisti. 955

uti locum paenalem et gehenne ignem (ignis) flammamquae TARTARI in regione (regionem) vivencium evadat. 3035, 3507

TEGO

nec TEGAT eum chaos et caligo tenebrarum... 2215

in usum altaris tui ad TEGENDUM involvendumque corpus et sanguinem filii tui... 1318

aut pro herbas diabolicas peccatum TEGERE voluaerit... 850

TEGUNT pedibus floribus... 862

ut christus TEXISSET in paupere... 4148

TELLUS

sic integro TELLORE diricamur ad illius semper ordinem recurrentes. 2267

... Gaudeat se TELLUS inradiatam fulgoribus... 1564

... TELLUSQUE tremit quassata... 2475

TELUM

Quo signo inimici pellimus TELA cunctataque iacula... 3847

haec contra omnia TELA inimici robusta defensio... 1508

quarum clangore ortatus ad bellum TELA prosterneret adversancium... 1154

... Expelle itaque ab eo cuncta contrariae valitidinis TELA ut ad gratiam tuam... 1931

accipiat virtute (virtutem) nominis tui adversus omnem TELAM et iaculam inimici. 1670

TEMERARIE

... Sed quid nunc, turbolente (truculente), recogitas ; quid, TEMERARIE, retractas ?... 574, 1355

TEMERITAS

... De quibus ita nos miseranda TEMERITATE conquaerimur... 3652

... Nam patrem suum deum quam (qua) TEMERITATE dicere praesumit... 1695, 2543

remittat omnes lubricae TEMERITATIS offensas... 2583, 2584

TEMERITATIS quidem est dne, ut homo hominem... tibi domino... audeat commendare... 3470

TEMERO

et salutem quam per Adam in paradiso ligni clauserat TEMERATA praesumptio ... 1265, 3364

TEMPERAMENTUM
ut has primicias... quas aeris (sacris) et pluviae TEMPERAMENTO
  (TEMPERAMENTUM) nutrire dignatus es...   2525

TEMPERANTIA
vivendi TEMPERANTIAM, monendi doctrinam.   740

TEMPERATIO
Ut vos in fide firmit, in TEMPERATIONE adiubet...   360

TEMPERIES
ac TEMPERIE sumi praecipias, qua utrumque vegetetur...   4033

TEMPERO
ut sicut ab escis corporalibus TEMPERAMUS (TEMPERAMUR)...   539
ut a terrenis intentionibus TEMPERANTES...   2314
et quos ab escis carnalibus praecipis TEMPERARE...   2896
ds, qui subvenis in periculis, qui TEMPERAS flagella dum verberas...
  2064
tu tamen iudicium ad correptionem (correctionem) TEMPERAS non...   3884
Ut a nostris excessibus dne TEMPEREMUR tua nos praecepta concede iugiter
  operari.   3570
a noxiis voluntatibus TEMPEREMUR.   3157
a noxiis quoque voluptatibus TEMPEREMUR.   3154
intrinsecus a pravis intentionibus TEMPEREMUS...   4072
... TEMPERENTUR infesta tonitrua...   1154
indulgeat offensa, TEMPERIT disciplina.   360
in prosperitate TEMPERIT, in iniquitate haemendit...   360
sed TEMPERETUR, qs, tuorum intercessione sanctorum...   2852
ut TE(M)PERIRE sereno caeli nobis praestis opportunitatis officium...
  3637

TEMPESTAS
dum aborta TEMPESTAS maria conturbasset...   2262
et pax aecclesiarum nullo turbetur TEMPESTATE bellorum.   1172
famulum tuum qui ab infesta saeculi TEMPESTATE demersus...   1368
quae fragilitatem nostram et inter mundi TEMPESTATES gubernet et protegat
  (protegat et gubernet)...   3057, 3584
qui ventus (ventis) et mare vel TEMPESTATIBUS imperavit.   744
nec a TEMPESTATIS fatiae terreatur.   1961
adque ab his omnibus pestiferum sidus TEMPESTATIS, universas...   1369
recedat... calamitas TEMPESTATUM, omnis spiritus procellarum...   308
expellantur... impetus TEMPESTATUM, temperentur infesta tonitrua...   1154
effugiantur... impetus lapidum, lesio TEMPESTATUM ut ad interrogationem...
  2378
et haerearum discendat (discedat) malignitas TEMPESTATUM.   3

TEMPLUM
quibus honorarentur altaria, honorificarentur et TEMPLA...   3997
ut quicumque intra TEMPLI huius cuius anniversarium... ambitum continemur
  ...   193
ut quicumque intra TEMPLI huius, cuius natalis est odiae...   186
introitum TEMPLI istius spiritus sancti luce perfunde...   4227
quam tibi in huius TEMPLI sanctificacionem (sanctificatione) offerint
  immolandas...   1734
Ds qui nobis per singulos annos huius sancti TEMPLI tui consecrationis
  reparas diem...   1085
in aumentum TEMPLI tui crescere dilatarique largiris...   136, 137, 138

Suscipiamus dne misericordiam tuam in medio TEMPLI tui et reparationis...
3452
et hoc in TEMPLO aedificacionis appare...   2037
et ecclesia tua in TEMPLO cuius anniversarius dedicationis dies celebratur
tibi collecta...   976
qui mediante die festo ascendit in TEMPLO docere...   3829
ut sicut unigenitus... cum nostrae carnis substantia in TEMPLO est
praesentatus ita nos facias...   2356
Ds, qui... unigenitus tuus in nostra carne... in TEMPLO est praesentatus
praesta ut quem...   1031
deo TEMPLO et habitum perficiant...   223
salvator et dominus noster a Symione (symionem) susceptus in TEMPLO
(TEMPLUM) plenissimae...   3648, 3649
quatenus invitare valeant in TEMPLO sancto tuo suis obsequium...   308
dignatus es in TEMPLO uteri virginalis includi...   805, 945
O. ds qui unigenitum suum... in adsumpta carne in TEMPLO voluit
praesentari...   2256
heliae in herimo, samuel meruit crinitus in TEMPLO.   842, 924
sanctum uniuscuiusque TEMPLUM acceptabilis vitae innocens odor redolescat
...   3627
ut si quis hoc TEMPLUM beneficia petiturus ingreditur...   1085
et aecclesia tua in TEMPLUM, cuius natalis est hodiae, tibi collecta...
976
talis esto moribus, ut TEMPLUM dei esse iam possis...   39
et cum (qui ex aea) baptizatus fuerit, fiat TEMPLUM dei vivi in
remissione peccatorum...   1530, 1531, 1533
et soli deo pateat, cuius TEMPLUM esse cognoscitur...   1373
sanctificata deo TEMPLUM et habitum perficiat...   222
... TEMPLUMQUE hoc in honore... sacris mysteriis institutum clementissimus
dedica...   1733
... TEMPLUM hoc potentiae tuae inhabitationis inlustra...   1048
ut spiritus... TEMPLUM nos gloriae suae dignanter habitando perficiat.
2799
ut fiat eius TEMPLUM per aquam regenerationis...   2174, 2177
ut TEMPLUM sancti spiritus ipso tribuente esse possitis.   345
... Sit illud pristinum TEMPLUM sanctum quod fuit in baptismum...   1363
et nos inhabitando TEMPLUM suae maiestatis efficiat...   3706
reple, qs, hoc TEMPLUM tuae gloria maiestatis...   1260
ut ipse tibi propriae mereantur effici TEMPLUM.   1162
ut idem (ipse) tibi (et) ara adque (et) sacrificium idem (et) sacerdos
esset et TEMPLUM.   3694, 3745, 3878

          TEMPORALIS
dilata sancta huius congregationis habitaculum TEMPORALE caelestibus bonis
...   1195
desiderium nos TEMPORALE doceant habere contemptum...   3010
dilata sanctae huius congregationis TEMPORALE habitaculum caelestibus
bonis...   1195
Sit aeternae lucis habitaculum TEMPORALE, nihil...   1734
et pro TEMPORALE nobis conlata subsidio...   3388
simulque nobis TEMPORALE remedium conferant et aeternum.   3528
priusquam lumen TEMPORALE sentiret...   3774
simplicii faustini et beatricis TEMPORALE solemnitate...   2671
hac TEMPORALE vite subrogatur aeternitas.   3767, 4088
dilata sanctae huius congregationis habitaculum TEMPORALEM caelestibus
bonis...   1195
et TEMPORALEM consolationem non desseras...   1420

Hostias... quae TEMPORALEM consolationem significent... 1820
desiderium nos TEMPORALEM doceant habere contemptum... 3000
... TEMPORALEM et praesentem nobis misericordiam conferant et aeternam.
2022
ut per TEMPORALEM filii tui mortem quam mysteria veneranda testantur...
2001
per cuius TEMPORALEM mortem aeternam vos evadere creditis. 2255
in qua sancta dei genetrix mortem subiit TEMPORALEM nec tamen mortis...
3586
... Sit aeternae lucis habitaculum TEMPORALEM nihil hic mundanae... 1734
et TEMPORALEM nobis misericordiam conferant et aeternam. 2022
et TEMPORALEM nobis tranquillitatem tribuat... 2762
et consequentes sufficientiam TEMPORALEM promissionis tuae... 111
simulque nobis TEMPORALEM remedium conferant et aeternum. 3528
... Et pro eo TEMPORALEM studuit sustinere poenam... 3866
ipsumque TEMPORALEM virum, cui mortali fuerat more nectenda... 3994,
4103
qui et TEMPORALEM vitam muniat et prestet aeternam. 3297
... TEMPORALEMQUE laetitiam et gaudia sempiternam succendant. 3825
... Quae dum humanis devota nuptiis, talamos TEMPORALES contemneret...
3775
ut in eo sic TEMPORALES hostiae consecrentur... 2397
contra inlecebras TEMPORALES spes caelestium (promissio) praemiorum...
3861
ut quae TEMPORALI caelebramus accione, (actionem) perpetua salvacione
capiamus. 3243
ut TEMPORALI consolatione fultus semper exerceat... 2894
et TEMPORALI consolatione non deseras, quam vis ad aeterna contendere.
84, 1420
qui TEMPORALI consolatione significas... 1820
ut quae TEMPORALI devotione percepimus... 1307
ut cum praesidio TEMPORALI et vitae nobis praeveant incrementa perpetuae.
3185
et de munere TEMPORALI fiat (nobis) remedium (sempiternum). 3020
ut sicut tuorum commemoratione sanctorum TEMPORALI gratulamur officio...
637
et pro TEMPORALI nobis conlata praesidia (praesidio) ad vitam converte
propitiatus aeternam. 3388
anima famuli tui illius quae TEMPORALI per corpus visionis huius luminis
caruit visu... 746
et TEMPORALI securitate relevemur... 199
ut sicut populus christianus martyrum tuorum TEMPORALI sollemnitate
congaudet... 2671
et a TEMPORALI tribulatione nos eripe... 1128
ac TEMPORALI vitae subrogatur aeternitas... 4088
... TEMPORALIA benignus praeve solacia... 1423
O. et m. ds qui... adminicula TEMPORALIA contulisti... 2284
... TEMPORALIA dona ditasti habunde... 2290
concide propicius, ut per TEMPORALIA festa quae agimus... 1129
et TEMPORALIA nobis subsidia praebeas et eterna. 2439
... TEMPORALIA relinquere atque ad aeterna (aeternam) festinare. 1084
non carnem sed spiritum, non TEMPORALIA sed aeterna. 311
et TEMPORALIA subsidia nobis tribuas (et) aeterna. 2439
Ds, qui ad imaginem tuam conditos ideo das TEMPORALIA, ut largiaris
aeterna. 894
sic transeamus per bona TEMPORALIA, ut non amittamus aeterna. 2915

te omnia in omnibus operante sic utatur TEMPORALIA ut praemia...   1730
damus TEMPORALIA, ut sumamus aeterna.   172
et TEMPORALIA viriliter et aeterna dona percipiat.   523
Guberna, qs, dne, TEMPORALIBUS adiumentis...   1681
et TEMPORALIBUS adtolle praesidiis, et renova sempiternis.   3559
sicque TEMPORALIBUS auxiliis foveantur...   3538
ut et TEMPORALIBUS beneficiis adiuvetur et erudiatur aeternis.   1642,
   1643
... TEMPORALIBUS beneficiis conpetenter instructum...   2454
... Ideo bonis TEMPORALIBUS consolaris, ut de sempiternis facias certiores
   ...   4009
VD. Qui fragilitatem nostram non solum misericorditer donis TEMPORALIBUS
   consolaris ut nos ad aeterna...   3928
... Ideo bonis TEMPORALIBUS consolaris ut sempiternis efficias...   3890,
   3936
sic nos bonis tuis instrui sempiternis, ut TEMPORALIBUS consoleris sic
   praesentibus...   3822
a TEMPORALIBUS culpis dignanter absolve.   398, 3117
ne TEMPORALIBUS debita bonis ad praemia sempiterna non tendat (contendat)
   ...   4010
nec TEMPORALIBUS destituatur auxiliis...   3511
qui nos a TEMPORALIBUS facis respirare pressuris...   1672
VD. Nos enim TEMPORALIBUS flagellas incommodis...   3812
fac, qs, nos et TEMPORALIBUS gaudere subsidiis...   1114
pro TEMPORALIBUS gestis aeternam provehis ad coronam.   4127
tuis beneficiis TEMPORALIBUS gubernetur...   3359
ut cum TEMPORALIBUS incrementis prosperitatis...   181
et TEMPORALIBUS non destituatur auxiliis...   1038, 2673, 3049
et TEMPORALIBUS (praesentibus) sustenta beneficiis et (futuris) aeternis.
   3094
exoramus, ut nos et TEMPORALIBUS praesidiis fovere non desinas...   3482
... TEMPORALIBUS proveat adiumentis...   157
ut TEMPORALIBUS quoque consolari digneris...   3734
et quos beneficiis TEMPORALIBUS refobis, pasce divinis (perpetuis).   2959
VD. Qui nos ideo TEMPORALIBUS salubriter flagellas incommodis...   3972,
   3973
recipiatquae... pro TEMPORALIBUS sempiterna.   1008
ac TEMPORALIBUS solaciis incitati promptius aeterna desiderent.   3061
qui nos et TEMPORALIBUS subsidiis refovis et pacis aeternae.   2056
et TEMPORALIBUS usquequaque non deseramur alimentis...   3827
sicque donis TEMPORALIBUS uteremur, ut disceremus inhiare perpetuis.
   3969, 3970
... TEMPORALIQUE letitiae gaudia sempiterna succedant.   3825
ut observantia TEMPORALIS ad vitam proficiat sempiternam.   1211
... Quo per TEMPORALIS festi observationem...   3708
sed quidquid laetitiae TEMPORALIS inpenditur.   3845
... Sic TEMPORALIS laetitiae tempora transeant, ut eis gaudia sempiterna
   succedant.   3707
et quod nostrae devotioni concedis effici TEMPORALIS tuae nobis fiat...
   3443
ut divinis subiectis officiis et TEMPORALIS viriliter et aeternae donae
   perficiat.   523
Ds, et TEMPORALIS vitae auctor et aeternae...   810a
ut et TEMPORALIS vitae nobis remedia praeveant (praeveniant) et aeternae.
   3333
et TEMPORALIS vitae nos tribue pace (tribuas pacem) gaudere...   1451

ut et TEMPORALIS vitae remedio praeveniant et aeterne. 3333
VD. Qui nos de donis bonorum TEMPORALIUM ad perceptionem provehis
   aeternorum... 3968
et singulis quibusque TEMPORALIUM aptanda dispensas... 136
ut sacrificia... desideriorum nos TEMPORALIUM doceant habere contemptum...
   3000
et temporaliter procreatus signorum TEMPORALIUM ministerio panderetur.
   3726, 4157
... TEMPORALIUM necessitatum consolatione respiret... 515

       TEMPORALITER
et quas vestibus venerandae (venerandum) promissionis induis TEMPORALITER
   beata facias... 743
et quae TEMPORALITER celebrare desiderant, sine fine percipiant. 1997
ut eadem sic TEMPORALITER celebremus... 793
et subeatur quidquid TEMPORALITER est acervum... 4059
ut (inde post) (postmodum) in perpetuum gaudeat, unde nunc TEMPORALITER
   exultat. 1146
ut eius sacrata (sacra) natalicia et TEMPORALITER frequentemus (frequentemur)... 1946
quod TEMPORALITER gerimus ad vitam capiamus aeternam. 3350
ut quod TEMPORALITER gerimus, aeternis gaudiis consequamur. 3325, 3339,
   3340
ut quod TEMPORALITER gerimus, capiamus aeternum. 3349
ut et TEMPORALITER his patrociniis nos foveri... 3631
adeptum TEMPORALITER hunc honorem potius fieri speramus aeternum. 4028
et TEMPORALITER nobis tranquillitatem tribuat... 2762
... TEMPORALITER nos offerre docuisti... 2596
... TEMPORALITER potius maceremur... 538
et TEMPORALITER procreatus signorum temporalium ministerio panderetur.
   3726, 4157
ut hoc eodem sacramento quo nos TEMPORALITER vegetas... 3263

       TEMPUS
... Quem semper filium et ante TEMPORA aeterna generatum (genitum)
   praedicamus... 3638
Qs, o. ds, aeclesiae tuae TEMPORA clementi gubernatione dispensa... 2979
qui conversum peccatorem non longa TEMPORA deferendum... 858
et diuturna TEMPORA diffusis nubibus siccitatem. 2586
cuius sacerdocii nobis TEMPORA dignatus es donare praecipua. 1764
ut TEMPORA quibus post resurrectionem dominus noster iesus christus...
   pia devotione tractemus. 3753, 3673
et munerum memoria, praesentis vitae TEMPORA exornat... 3719
per diuturna TEMPORA faciat feliciter gubernari. 337
pariterque nobis devotionis huius TEMPORA largiora tribuas et profectum.
   3368
ut tuae pacis abundantia TEMPORA nostra cumulentur. 954, 2860
et tua in nobis dona multiplices, et TEMPORA nostra disponas. 3370
et tuae pacis habundantia TEMPORA nostra et episcopi nostri tua gracia
   benignus adcomula. 954a
et pacis a tuae habundantiae TEMPORA nostra praetende et conserva. 1165
TEMPORA nostra qs dne pio favore prosequere... 3471
Dirigat corda vestra per TEMPORA, qui dixit... 1158
Praesta aeis semper TEMPORA salutis... 202
per rorem caeli et inundantiam pluviarum et TEMPORA serena atquae
   tranquilla... 317
et TEMPORA sint tua protectione tranquilla. 734, 2300

et da aeis TEMPORA tranquilla adque pacifica...   3102

quibus TEMPORA tranquilla restitues...   4143

... Sic temporalis laetitiae TEMPORA transeant, ut eis gaudia sempiterna succedant.   3707

ut adicias ei (annos et) TEMPORA vitae...   1715, 1719a

pro qua dignatus hoc TEMPORE carnem induere virginalem.   1518

VD. Et te in omni TEMPORE conlaudare et benedicere...   3719

conservis civaria ministrantes TEMPORE conpetenti dominico repperiamur adventu...   3796

et presente TEMPORE consistant securi...   3102

sed perenni TEMPORE continua lamentatione redevivos...   2297

Vespertino sub TEMPORE depraecamur, dne...   4226

ut in illo tremendo discussionis TEMPORE aeorum defensentur praesidio...   971

pro quo in mundo hoc TEMPORE ex virgine dignatus es nasci.   2616

ac TEMPORE frumenti vini et olei mox peracto ineffabiliter ederetur...   4074

tecumque unus non TEMPORE genitus, non natura inferior...   3647

ut nos omni TEMPORE habeas laudatores.   1665

ut omni TEMPORE in hoc loco supplicantes tibi familiae tuae auxilietates (anxietates) releves...   866

... TEMPORE licet discreto...   3666a

ad nos venit ex TEMPORE natus, ihesus christus dominus noster.   3647

ut dent illis cibum in TEMPORE necessario...   820

glorifices populi in hoc TEMPOREM noctis initum cordis...   3017

quod TEMPORE nostrae mortalitatis exsequimur...   3044

VD. Et in omni loco hac TEMPORE omnipotentiae tuae gloriam celebrare.   3694

et quos aut sexus in corpore aut aetas discernit in TEMPORE omnis in una ...   1045, 1047

et iterato TEMPORE oportuno omnibus rite perfectis...   1714

ut... sint tuis fidelibus TEMPORE pacis atque tranquillitatis utenda.   2352

ut omni TEMPORE praesidio huius confessionis utamini...   1706

In illo TEMPORE, respondens iesus dixit...   1446

quae dum laevitae TEMPORE sacrificii clangerent...   1154

VD. Te quidem omni TEMPORE, sed in hac potentissimam noctem gloriosius praedicare...   4159

VD. Te quidem omni TEMPORE, sed in hac potis simum nocte gloriosius conlaudare...   4160

VD. Te quidem omni TEMPORE sed in hanc potissimam noctem...   4161

VD. Te quidem omni TEMPORE, sed in hoc potissimum gloriosius praedicare...   4161

VD. Te quidem omni TEMPORE, sed in hoc praecipue die laudare...   4162

fructiferum nobis omni TEMPORE sentiamus.   433

Christe dne qui huius noctes TEMPORE triumphantes...   397

et singulis quibusque TEMPORIBUS aptanda dispensas...   136, 137, 138

opem tuam nostris TEMPORIBUS clementer impende.   3147

una fide eademque die diversis licet TEMPORIBUS consonante...   4196

singulis quibusque TEMPORIBUS convenienter aptanda (adhibenda) dispensas ...   1029, 4028

Exite... de oculis, de TEMPORIBUS, de auribus...   1888

quam recurrentibus date lege TEMPORIBUS etiam in huius diei...   4098

ut culpam que precesserat, futuris TEMPORIBUS exibiaretur per munera...   3997

procreandum novissimis TEMPORIBUS humani generis disseruit redemptorem.
3754
Ds, qui primis TEMPORIBUS impleta miracula novi testamenti luce reserasti
... 1178
reddamur et intenti caelestibus disciplinis et de nostris TEMPORIBUS
laetiores. 483
Quod in novissimis TEMPORIBUS manifestis (manifestum) est effectibus
declaratum... 3945, 3946
et salutare TEMPORIBUS nostris propitius da quietem. 424
Auxiliare, dne, TEMPORIBUS nostris ut tua nos ubique... 245
Ds, qui singulis quibusque conpetenter aptanda TEMPORIBUS sempiterno
cernis intuitu... 1210
et pacem tuam nostris concede TEMPORIBUS, ut defensis... 781
et tranquillitatem pacis praesentibus concede TEMPORIBUS ut in laudibus...
765
Nostris dne qs propitiare TEMPORIBUS ut tuo munere dirigatur... 2186
et pacem tuam nostris concede TEMPORIBUS. 2379
respice propicius a nostri TEMPORIS aetatem... 779
et cum provectu TEMPORIS bonorum mihi potius operum des profectum...
4172
et post istius TEMPORIS decursum, ad aeternam perveniat hereditatem.
1685
et oportuni TEMPORIS iteratu repetito... 4008
et glaciali senio verni TEMPORIS moderata deterserint... 3791
Ds, qui absque ulla TEMPORIS mutabilitate cuncta disponis... 886
ut inunctum sibi TEMPORIS officium suum administrare... 3531
ita et famulo tuo ill. praesentis TEMPORIS uberius tua dona largire.
2110
... Quamvis enim a divitiis bonitatis et pietatis Dei nihil TEMPORIS
vacet... 58
post spatia TEMPORUM a voragine terrae abstracte... 899
quem nec spatia locorum nec imtervalla TEMPORUM ab his quae tueris
abiungunt... 844
ut nos... quiete TEMPORUM concessa, in his paschalibus gaudiis conservare
digneris. 3791
qui prophaetarum tuorum praeconio praesentium TEMPORUM declarasti
mysteria... 2473
augmenta eis annos vitae et TEMPORUM felicitatem... 1733, 1777
qui multitudinem indulgentiarum tuarum nulla TEMPORUM lege concluderis
... 858
qui indulgentiam tuam nullum TEMPORUM lege concludis... 858
Ds, qui dierum nostrorum numerus mensurasque TEMPORUM nostra et episcopi
... 954a
et licet accione paenitenciae metas TEMPORUM preficiamus... 2297
Et licit actione penitentiam aetas TEMPORUM proficiamus... 2297
ut quod in membris suis copiosa TEMPORUM prorogatione veneratur... 1385
Presta, qs, dne, cum accessu TEMPORUM recti moderaminis incrementum...
2708
Ds, qui saeculorum omnium rerum ac momenta TEMPORUM regis... 1202
et det vobis tranquillitatem TEMPURUM, salubritatem corporum... 354
et TEMPORUM serenitate atque tranquillitate... 305
qui conversum peccatorem non longa TEMPORUM spatia differendum... 858
et TEMPORUM tranquillitate (tranquillitatem) semper exultet. 2257
ut et securitatem nobis TEMPORUM tribuas et religionis aumentum... 4137
ut quibuslibet alternationibus TEMPORUM tua semper... 80

explorata TEMPORUM vicem (vice) cum caniciem pruinosa hiberna posuerint...
    3791, 4206
Cui ad vite substantiam et ceteris statuisti TEMPORUM vices...   3592
ut necessaria TEMPORUM vicissitudine succedente nostra reficiatur
    infirmitas.   2956
O. s. ds, nostrorum TEMPORUM vitaeque dispositor...   2366
(qui dierum) (et quid ieiuniorum) nostrorum numeros TEMPORUMQUE mensuras
    maiestatis tuae...   954, 1165
Ds, dierum TEMPORUMQUE nostrorum potens et benigne moderator...   808
Adest, o venerabilis pontifex, TEMPUS acceptum...   58
respice propitius ad nostrae TEMPUS aetatis...   779
vel permanentis boni TEMPUS agnoscentes...   3719
praesens TEMPUS cum felicitate percurrant...   1332
VD. Adest enim nobis optatissimum TEMPUS et desideratae noctis...   3596
nox que sola meruit scire TEMPUS et hora (horam) in qua christus...
    3791, 4206
... Et nullum TEMPUS et nullum momentum est quod a beneficiis pietatis
    tuae vacuum transigamus...   3719
... Ante TEMPUS venisti perdere nos ?...   224

TENAX

caritatem habentem, TENACEM, cunctisque in sacerdotibus aelegenda...
    3281
... Ibique aliae inaestimabili arte, cellulas TENACI glutino instruunt...
    3791

TENDO

et in excelsa TENDAMUS, quae in beati archangeli Michael contemplamur
    affectu.   4027
a superni plenitudinem sacramenti cuius libavimus sancta TENDAMUS.   2674
Ad te ocolus TENDANT, de te caelestia sumant...   359
ne temporalibus debita bonis ad praemia sempiterna non TENDANT, ea
    dispensatione...   4010
ut illuc (semper) TENDAT christianae (nostrae) devotionis affectus...
    3498, 3499
ne temporalibus debita bonis ad praemia sempiterna non TENDAT ea
    dispensatione...   4010
sic nos tua moderatione disponis, ut ad superna TENDENTES...   3827
ad nova TENDERE christiane legis exordia...   1953
sic TENDERE congruenter, ut ad eam pervenire possimus.   1569
quibus modis ad invisibilia TENDERE debeamus...   4060
fac nos eodem resurgenti pervenire quod TENDIMUS.   881
... TENSO nutriaebat ventre precordia...   3635

TENEBRAE

Ds qui in membris aecclesiae geminatum lumen co caveantur TENIBRAE,
    fecisti...   1033
diem sibi introductum TENEBRAE inveteratae senserunt...   861, 862
Inlumina cecum quem TENIBRE peccatorum caliginis obscuraverunt.   4003
et lumen quod in te est TENEBRAE sunt, ipsae TENEBRAE quantae sunt ?...
    3879
... Aperi ei portas iusticiae et repelle ab ea principes TENEBRARUM
    agnosce depositum...   3389
inflate inanis, filius TENEBRARUM, angelorum iniquitas...   3259
Ds... claritas noctium, inluminatio inconprehensa TENEBRARUM da nobis dne
    noctem...   852
actos nostros a TENEBRARUM distingue caligine...   953

... Libera eam, dne, de principibus TENEBRARUM et de locis poenarum...
    2493, 3390
... Nam ut praecedente huius luminis gratia TENEBRARUM horror excluditur
    ... 861
immo et hos famulos tuos ab ignorantia TENEBRARUM liberatus...   2290
... Liceat ei transire portas infernorum et vias TENEBRARUM maneatque...
    3462
nec tegat eum chaos et caligo TENEBRARUM sed exutus...   2215
exprobator gencium, laqueus mortis filius TENEBRARUM.   755
... TENEBRAS ab ea repellat, lumen infundat...   725
eumque de TENEBRAS ad lumen revoces...   1368
ut expulsis de cordibus nostris peccatorum TENEBRAS ad veram lucem...
    2479
Oreatur, dne, nascentibus TENEBRAS aurora iusticiae...   2497
quo mundi huius TENEBRAS carere valeamus...   537
ad repellendas TENEBRAS cogitacionum iniquarum.   3561
... Haec igitur nox est, quae peccatorum TENEBRAS columnae inluminatione
    purgavit...   3791
... TENEBRAS de cordibus nostris auferre digneris...   1238
ut digneris a nobis TENEBRAS depellere viciorum...   3467
Dne ds o. qui TENEBRAS diurno lumine mundus inluxit...   1316
O. ds qui incarnatione unigeniti sui mundi TENEBRAS effugavit...   2254
VD. Qui inluminatione suae fidei TENEBRAS expulit mundi...   3949
qui te proiecit in TENEBRAS exteriores...   574, 1355
Ds, qui inluminas noctem et lumen post TENEBRAS facis...   1024
et mentis nostrae TENEBRAS gratiae tuae visitationis inlustra.   234
qui te post longas TENIBRAS hodiae natum agnuscunt...   1090
Ds, qui TENEBRAS ignorantiae verbi tui luce depellis...   1223
quomodo seperatum est... lux a TENEBRAS, iusticia ab iniquitate...   394
ds qui iacentem mundum in TENEBRAS luce perspicua retexisti...   861, 862
et cordis nostri TENEBRAS lumine tuae visitacionis inlustra.   4246
et inter mortalium TENEBRAS mortales ambulantes...   3540
et suas TENIBRAS mundus invenit.   3661
... Non ponant lucem ad TENEBRAS nec tenebris lucem...   820
Inlumina, qs, dne, TENEBRAS nostras...   1857
... Nox ubi nulla suas defendit atra TENEBRAS securus de salute...   3770
sicut separavit deus... lucem a TINIBRAS, veritatem ad mendatium.   2180
ut, discussis TENEBRAS viciorum ambulare mereamur...   1558
effuget a vobis TENEBRAS vitiorum et inradiet corda...   2254
eumque de TENEBRIS ad lumen revoces...   1368
ut expulsis de cordibus nostris peccatorum TENEBRIS ad veram lucem...
    2479
Oriatur dne nascentibus TENEBRIS aurora iustitiae...   2497
Praebe, dne, exercitui tuo aeonti in TENEBRIS claritatem...   2640
universus mundus in TENEBRIS conversus est...   1328
ut agnita veritatis tuae luce, quae Christus est, a suis TENEBRIS eruantur.
    2389
et a negutio perambulantem in TENEBRIS, et ne nocturnas...   567
ut nos de TENEBRIS et umbra mortis regnum perpetuae lucis efficeret.
    3763
qui redemit de TENEBRIS infernorum...   3650
Et qui pro legis eius preconio carceralibus est retrusus in TENEBRIS
    intercessione sua...   1242
qui de caelo descendit mundum ab ignorantiae TENEBRIS liberarae...   3829
ut (quos) de infidelitatis TENEBRIS liberasti...   810, 847
... Non ponant lucem ad tenebras nec TENEBRIS lucem...   820

mentes vestras peccatorum TENEBRIS mundatas...   948
... O noctem quae finem TENEBRIS ponit, et aeternae lucis viam pandit...
   4160
... Nesciat quod territ in TENEBRIS, quod stridit in flammis...   822, 823
ut discussis TENEBRIS viciorum...   1558

TENEBROSUS

ut desideria TENEBROSA non teneant...   2063
... TENEBROSA praesumptione fuerat in servitute damnatum...   861
ut contempnentes TENEBROSAM profunditatem vitiorum...   3872
O. s. ds apud quem nihil obscurum est nihil TENEBROSUM emitte lucem...
   2308
hac si quid in nobis TENIBROSUM est, discute...   1316
intercessione sua a TENEBROSORUM operum vos liberet incentivis.   1242

TENEO

iam non TENEAMUR obnoxiis sentenciae (obnoxii sententia) damnacionis
   humanae...   2981
Filii karissimi, ne diucius ergo vos TENEAMUS exponamus vobis...   1633
si pacem TENEAMUS internam...   3888
nullius humilitatis arma TENEAMUS.   749
ut ea quae devote agimus te adiuvante fideliter TENEAMUS.   1126
ut quod recordatione percurrimus, semper in opere TENEAMUS.   877
haec te largiente moribus et vita TENEAMUS.   2780
ut hoc quod devote agimus etiam rectitudine vitae TENEAMUS.   836
ut festa paschalia... etiam vivendo TENEAMUS.   480
ut fraternitate TENEANT conpagine caritatis...   1195
Rectissimum catholice fidaei tramite TENEANT, et in una...   329
Et praesta ut gentes illae TENIANT fidem...   842
... TENEANT firmam spem, consilium rectum... doctrinam sanctam...   165
ut sacramentum (tuum) vivendo TENEANT, quod fide perciperint (perceperunt).
   974
ut desideria tenebrosa non TENEANT quos (quod) lux caelestis...   2063
(manus suas iuxta manum episcopi super caput illius TENEANT).   2838
ut fraternae TENEANTUR conpagine caritatis uni animae...   1195
ut sacramentum vivendo TENEANTUR quod perciperunt.   974
Catholice fidei anchora TENEANTUR, ut andas...   1961
portu semper abtabile cursuque lucifero TENEARIS.   1224
et transitorii regni gubernacula inculpabiliter TENEAT et ad aeterni
   infinita...   3912
voce concinat, corde TENEAT, et vota requirat.   431
... TENEAT firmam rectum, consilium rectum, doctrinam sanctam...   165
ut desideria tenebrosa non TENEAT, quod...   2063
Te oculis intendat, corde TENEAT, voce concinat...   950
ut carnalibus vitiis non TENEATUR obnoxia...   3303
inmaculatis cordibus TENEATUR.   2077
... Fecitque filios adoptionis, qui TENEBANTUR vinculis iustae damnationis
   ...   3949
quo idem non TENEBATUR, exsolvens pro devitoribus repensavit...   3956
Illius mensis ieiunia in hac (ebdomada) (nobis) sunt ebdomatae TENENDA...
   1832, 1853
... De his sunt enim inflati sensu carnis suae, et non TENENTES caput...
   3879
diabuli quibus capti TENENTUR laqueis resepiscant.   992
... Romanae urbis... TENERE constitues principatum...   4127
ne diucius praesumat captivum TENERE hominem...   1354, 1355
Praesta, qs, dne, illam nos pura TENERE mensuram qua subsistit...   2717

da nobis legitimae dilectionis TENERE mensuram ut qui a iuste... 1189
Discat aecclesia tua, ds, Infantum... sinceram TENERE pietatem... 1292
et quem in corpore constitutum sedis apostolicae gubernacula TENERE
   voluisti in electorum... 2070
quam TENERE voluisti totius aeclesiae principatum. 4021, 4077
et praetereontibus non TINERE. 3968
ideoque hac nos TENERI lege merito censuisti... 3641
in filii tui membra venientes paternis fecisti praeiudiciis non TENERI
   praesta qs ut... 1150
... Ut et mansuris iam incipiamus inseri, et praetereuntibus TENERI tuum
   est enim... 3968
quos sub peccati iugo vetusta servitus TENET. 497, 500
per quorum doctrinam TENETIS fidei integritatem. 1243
animam famuli tui illius quam vera dum in corpore maneret TENUIT fides...
   1013
Cuius typum virga TENUIT in separatas aequoris undas... 3847
qui tuam in votis TENUIT voluntatem... 1584

     TENER
sed potius TENERA aetas malignis (maligno, maligni) opraessionibus libera
   ... 1371
quasi TENERA firmitate nascentia in se plenissima contenebat. 2031
cui admirandam gratiam in TENERO adhuc corpore... 3618

     TENOR
sic integro TENORE dirigamur... 2267
sed evangelii TENORE monstrante... 3796
et ea iuxta TENOREM praecidentium patrum... 977
ut TENOREM summae iustitiae pariter et pietatis imitemur... 3937

     TENTAMENTUM
inter huius mundi TEMPTAMENTA constantiam veritatis... 1205
inania adversariae potestatis TEMPTAMENTA aevaniscant (vanescant). 763,
   764
laboriosius duxit longa antiqui hostis sustinere TEMPTAMENTA quam vitam
   praesentem... 3866
... Item pluraliter quo diabuli TEMPTAMENTA vincentes... 2187
quibus... devincere valeatis antiqui hostis sagacissima TEMPTAMENTA. 347

     TENTATIO
quem a tui corporis unitate nulla TEMPTATIO separavit. 1828
Ut vos in fide firmat, in TEMPTATIONE adiuvet... 360
et liberentur ab omni TEMPTATIONE diabuli. 298
tuae desideria... nulla possint TEMPTATIONE mutari. 960
et ne unducas nos in TEMPTATIONE sed libera nos... 2543
ne adversario liceat usque ad TEMPTACIONEM animae pervenire... 3463
Et ne nos inducas in TEMPTACIONEM id est... 1847
ut non praevaleat inimicus usque ad animae TEMPTATIONEM sicut in iob
   terminum ei pone... 2064
nec adversario liceat usque ad animae TEMPTACIONEM sicut in iob terminum
   pone... 3463a
Et ne nos inducas in TEMPTATIONEM. 1847
vigilate et orate, ne intretis in TEMPTACIONEM. 1847
quod diaboli TEMPTACIONES exuberans... 2187
ad expellendas et excludendas omnes daemonum TEMPTACIONES in nomine dei
   patris... 1545
ut tibi iugiter famuletur, et nullis TEMPTATIONIBUS a te separetur. 1051
nullis TEMTACIONIBUS ab eius integritate vellantur. 573

quem dominus de TEMPTACIONIBUS huius saeculi adsumpsit...   2583, 2584
ut ab omnibus quae nos pulsant TEMPTACIONIBUS liberemur.   851
ab omnibus inimici TEMPTATIONIBUS liberes...   2378
nullis TEMPTACIONIBUS possit extingui.   1223
et nullis TEMPTACIONIS a te separetur.   1051
nullis TEMPTATIONIS ab aeius integritate velantur.   573
et ita ex eo fugare digneris omnem diabolicae TEMPTATIONIS incursum...
   717
confusio malignitatis hac fraudis diabolicae TEMPTATIONIS infuderit...
   3191
nulla possint TEMPTACIONUM mutari.   960

        TENTATOR
... Diabulus vero est TEMPTATOR ad quem invincendum...   1847
... Procul impius TEMPTATOR aufugiat...   764
et ab omne TEMPTATORIS incursu, te protegente, custodiat.   849

        TENTO
redde animae sanitatem ; non TEMPTABIS aeam...   2180
quem TEMPTARE ausus es et crucifigere presumpsisti...   574, 1354, 1355
... Diabulus, qui hominem TEMPTARE non desinit...   1706
... Id est : ne nos patiaris induci ab eo qui TEMPTAT pravitatis auctore
   ...   1847

        TENTORIUM
aereo altare cum aeneis vasis, TENTURIIS, funibus...   1283

        TENUIS
Huius tutillam confisi, calleam adgredimur TENUEM (TENUE)...   3847

        TENUITAS
ut eorum TENUITATE correpti proficiamus aeternis.   3827

        TENUITER
deum a nobis infirmis saltim TENUITER laudare...   4143

        TER
Ds qui famulo tuo ezechiae TER quinos annos ad vitam donasti...   988

        TERGO
et lacrimas ab omni faciae TERGAT, alternam...   169
Huius dne perceptio sacramenti peccatorum meorum maculas TERGAT et ad
   peragendum...   1834
et lacrimas ab omni fatiae TERGAT.   169

        TERMINUS
in omnibus creaturae tuae TERMINIS a solis...   3841, 3842
et ne sine TERMINIS operum fragilitas humana deficiat...   1507
nec ullum sibi (sine) finem in tam brevi TERMINO quamvis esset caduca...
   2541, 2542
cumque finito mundi TERMINO supernum cunctis inluxerit regnum...   3470
sicut in iob TERMINUM ei pone...   2064
et prospere vide praesentis vitae incedant, et vivant TERMINUM, illius...
   3736
paenitentis etiam sub ipso vitae huius TERMINUM non relinquis (repellit)
   ...   858
sicut in Iob TERMINUM pone...   3463

        TERRA
a faciae domini mota est TERRA, a faciae dei iacob.   2378
quae natum in TERRA caeli dominum magis stupentibus nuntiaret... 3726,4157

cuius devotis mentibus in TERRA celebratis triumphum.   275
ut cuius lucis mysterium in TERRA cognovimus eius quoque...   1000
ut cuius mysterium in TERRA cognovimus, eius redempcionis praemia
  consequamur.   1119
VD. Per quem discipulis spiritus sanctus in TERRA datur ob dilectionem
  proximi...   3830
et filios Israhel de TERRA Aegypti eduxisti (deduxisti)...   737
et populum tuum de TERRA aegypti per manu moysi et aaron liberasti...
  2066
qui te in principio verbo separavit a TERRA et in quattuor fluminibus...
  1535
quem dominus iesus christus misit in TERRA et voluit vehementer...   1855
... Pleni sunt caeli et TERRA gloria tua. Osanna in excelsis...   3258,
  3589
Fiat voluntas tua sicut in caelo et in TERRA id est in eo...   1846
cui nihil incognita in caelo et in TERRA, in cuius...   2475
cuius potestas in caelo et in TERRA in mare et inferis... plene adsistit
  ...   2481
Ibi TERRA indutus tremiscit diabolicum virtutis dei...   1860
quatenus fecunditatis tuae alimoniis omnis TERRA laetetur.   2320
sicut separavit deus pater omnipotens caelum (a) TERRA lucem a tenebras
  ...   2180
... Sepera te ab hanc plasma, quomodo seperatum est caelum a TERRA lux a
  tenebras...   394
ds, qui caelum et TERRA, mare et omnia creasti...   1357
confregit TERRA, montes ardebunt, sicut caera exiat amare...   2552
ab his in TERRA nostra vita muniatur.   1068
ut mundetur eorum in TERRA peccatorum...   296
ut quod tu vis in caelo, hoc nos in TERRA positi inrepraehensibiliter
  faciamus.   1846
quae de TERRA servitutis populo exeunti salutifero lumine ducatum exibuit
  ...   861
sicut separavit deus caelum a TERRA sic...   2552
sed quia TERRA suscipit terram, et pulvis convertitur in pulverem...
  3470
montes sicut cera liquescunt, TERRA tremit...   2299
Ds qui de TERRA virgine adam pridem condere voluisti...   950
Fiat voluntas tua sicut in caelo et in TERRA.   1846
post spatia temporum a voragine TERRAE abstracte...   899
nullum periculum per spatia TERRAE, aut per iuga montium...   4008
ut presentia vascula que olim sunt TERRAE baratro addita...   770
qui te de superna caelorum in inferiora TERRAE demergi precaepit.   744
Ds caeli, ds TERRE, ds angelorum, ds archangelorum...   752, 753
et caeli ac TERRAE dominum corporaliter natum radio suae lucis ostenderet.
  4058
diversis TERRAE aedendis germinibus sumamus.   3459
ut a fertilitate (ad fertilitatem) TERRAE aesurientium animas bonis
  affluentibus repleas...   2525
et apustulus suos ait : vos estis sal TERRAE et apostolos...   1547
et apostulus suos ait : Vos est sal TERRE, et : Cor vestrum...   1547
qui divini oris sui voce discipulis ait : Vos estis sal TERRAE et per
  apostolum...   1545
et aridam TERRAE faciem fluentis (aquis) caelestibus dignanter infunde.
  588
qui adam primum hominem de limo TERRAE formavit...   1551
ut transactis TERRAE fructibus caeleste semen oreretur...   4074

VD. Qui nos ideo collectis TERRAE fructibus per abstinentiam... 3969, 3970

Ds, qui de his TERRAE fructibus tua sacramenta constare voluisti... 949
a pinguidine TERRAE, frumenti, vini et olei... 167
in qua ex iacto TERRAE interiora per spiracula... 331
ut faciem tocius TERRAE largioris ymbribus inrigare digneris... 2371
et paras TERRAE pluviam... 895
confiteor tibi, dne, pater caeli et TERRAE, qui abscondedisti... 1446
Ds caeli TERRAE qui dominatur, auxilium... 754
per olivae ramum pacem TERRAE redditam nuntiavit. 3946
iacta TERRAE semina surgere facis cum venire messis... 2280
et fructos TERRAE tuae usque ad maturitatem perducas... 2525
da aeis... de pinguidinem TERRE ubertatem... 395
factorem caeli et TERRAE, visibilium omnium et invisibilium... 554
et de pinguidine TERRE vite substantia... 3461
... Credis in deum omnipotentem creatorem caeli et TERRAE. 3019
Ds caeli TERRAEQUE dominator auxilium nobis tuae defensionis benignus
impende. 754
et TERRAM aridam aquis fluentibus (fluenti) caelestis dignanter infunde. 2448
... In illius virtutibus te adiuro qui fecit caelum et TERRAM caecum... 2134
dominus de caelo discendit confringere TERRAM et tunc apparebunt... 3563
qui respicit super TERRAM et facis aeam tremere... 850
sed quia terra suscipit TERRAM, et pulvis convertitur in pulverem... 3470
quem dominus noster iesus christus misit in TERRAM et voluit... 1855
... TERRAM fluentem melle et lacte... 304
ut cuius in TERRAM gloriam praedicamus, praecibus adiuvemur in caelis. 601
qui fecit caelum et TERRAM in sapiencia sua (sapientiam suam)... 319
ds, qui caelum et TERRAM mare et omnia creasti... 1357
qui fecit caelum et TERRAM, mare et omnia quae in eis sunt... 1538, 3566
... Vincit te qui firmavit caelum et TERRAM, mare et omnia quae in eis
sunt. 3259
nisi granum trittici cadens in TERRAM mortuum fuerit... 3757
et inriga TERRAM nostram, ut germinet fructum spiritalem. 202
... TERRAM producere fructifera ligna iussisti. 3945
introducere te eos in TERRAM promissionis... 304
et in quattuor fluminibus (dividens) totam TERRAM rigare praecepit...
1045, 1535, 3565
... Quodcumque ligaverint super TERRAM, sint ligata et in caelis... 820
et quodcumquae solverint super TERRAM, sint soluta et in caelis... 820
Quod solverent super TERRAM, sit solutum et in caelis... 820
quod in omnem TERRAM sonus eius exeat... 4037
et TERRAM squalidam et ariditatem pulveream laeto ymbre fecunda... 895
TERRAM tuam, dne, quam videmus nostris iniquitatibus tabescentem... 3472
iesum christum omnes caeli TERRAQUE vix capere valuaerint... 2461
... Moriuntur abiecti, et orbis TERRARUM capiunt principatum... 3678
ut quod in orbem TERRARUM eorum praedicatione manavit... 2413, 3947
fontemque baptismatis aperis toto orbre TERRARUM gentibus innovandis...
1045, 1047
totus in orbe (orbem) TERRARUM mundus exultat... 3876, 4159
da aeclesiae tuae (aeclesiam tuam) toto TERRARUM orbe diffusae... 1023,
1106, 2402, 2403
... Ex quo videmus uberem pullulasse toto TERRARUM orbe sationum... 3757

quos discretis (directus, diversis) TERRARUM partibus greges sacros divino
  pane pascentes...   4196, 4197
qui in toto orbem TERRARUM promissionis tuae filios diffusa adoptione
  multiplicas...   812
pacificare adunare et custodire dignetur (per universum) (totum) orbem
  TERRARUM subiciens ei...   2507, 2508
et primatum omnium qui in orbem TERRARUM sunt sacerdotum... dedisti...
  818
adunare et regere digneris toto orbe TERRARUM una cum famulo...   3464
qui pugno prehendit orbem TERRARUM.   1860
ut succurreris homini, TERRAS caelitus visitasti...   955
pro quibus ipse TERRAS dignatus inlustrare.   1180
et post odorem tui nominis TERRAS mariaque transmittens...   4127
propter quam ad TERRAS tua pietate discenderas...   404
Ds qui inter orbis primordia... TERRAS vario germine fecundasti...   1044
sed etiam nascentem voluisti hominem de TERRIS ad astra transire...   1090
Ds, qui nos gloriosis remediis in TERRIS adhuc positus...   1117
quoddam retinere pignus in TERRIS adstantium in conspectu iugiter
  ministrorum.   4170
ut per quo nunc in te gaudemus in TERRIS cum eodem apud te...   2355
et tu nobiscum semper in TERRIS et nos tecum in caelo vivere mereamur.
  892
ut quorum perpetuam dignitatem sacro mysterio frequentamus in TERRIS et
  praesencia...   2810
qui dum finiuntur in TERRIS, facti sunt caelesti luce perpetui.   2145
qui (quia) dum finitur in TERRIS, factus est caelesti sede perpetuus...
  2142, 2144
ut cuius in TERRIS gloriam praedicamus, eius precibus adiuvemur in caelis.
  601
ut aetiam cum adhuc corpore habitaret in TERRIS, iam tunc...   906
Ut qui tibi tribuit in TERRIS imperium...   874
Propter quod multum a TERRIS in dextera sua nomen subiit caput.   3847
et amissos parentes alienis invenit in TERRIS in exteris regionibus...
  3616
qui deiectus in TERRIS, levatur in caelum...   4055
quem dispectis ignibus consummavit in TERRIS, perpetua...   690
et in TERRIS positi iam superno pane satiati.   3329
mysteria, quibus in TERRIS positos iam caelestium facis esse consortes...
  2559
quod in TERRIS positus iam caelestium praestas esse particepes.   2570
pacem TERRIS redditam nunciavit.   3945
ut quae statuisset in TERRIS, servaretur in caelis...   3728
ut adhuc constitutus in TERRIS stantem a dextris...   4193
propter quam ad TERRIS tua piaetate discenderas...   404
sic ei serviatis in TERRIS, ut ei coniungi valeatis in caelis.   2951
vos venire dignatus es redemere in TERRIS.

          TERRAEMOTUS
Prae TERREMOTU aeis sis lux, tu salus...   124

          TERRENUS
Et qui per eius incarnationem TERRENA caelestibus sociavit...   2254
ds, qui caelestia simul et TERRENA conplecteris...   1249
quibus TERRENA condicio (condicionem) vegitata subsistat (appetamus).
  713, 714, 1285
si etiam TERRENA condicione mitigata, mens ab iniquitatibus non quiescit
  ...   4072

nondum TERRENA conspiciens... 3774

ut quidquid TERRENA conversatione contraxit... his sacrificiis emundetur ... 1738

ut a (ad) TERRENA cupiditate mundati... 2942

... Et quae TERRENA delectatione carnalibus aepulis abnegamus... 3732

quo TERRENA desideria mitigantes discamus habere caelestia. 1781

ut TERRENA desideria respuentes discamus iniare caelestia. 2530

doceas nos TERRAENA dispicere et amare caelestia adque omni nexu... 3065

Presta, nobis, qs, dne, TERRENA despicere et amare caelestia ut per haec sacra... 2700

ut omnem TERRENA dispiciam, de caelestia abpedam. 3476

Deus qui in auxilium generis humani caelestia simul et TERRENA dispensas ... 1027

ut dominus caelestis sua misericordia TERRENA helimosina conpensit... 3256

ut non solum TERRENA fertilitate (felicitate) laetemur... 4101

renova in eo... quicquid TERRENA fragilitate corruptum est... 859

tui tamen est operis, ut ad TERRENA generati ad caelestia renascantur (renascamur). 4204

quo sic TERRENA generatione processit... 3604

Altaribus tuis, dne, munera TERRENA gratanter offerimus... 172

... Et cuius praecepto TERRENA in semetipso crucifixerat desideria... 3907, 4084

Ds, qui providencia tua caelestia simul et TERRENA moderaris propiciare romanis... 1188

O. s. ds, qui caelestia simul et TERRENA moderaris supplicationes populi ... 2379

... TERRENA regaminum a vobis pondera offerat. 351

Da nobis, dne, non TERRENA sapere... 583

... De his sunt, qui TERRENA sapientes ideo de praecantium te verba fastidunt... 3879

sic nobis haec TERRENA substantia conferat quod divinum est. 2130

O. s. ds, qui in TERRENA substantia constitutos divina tractare concedis ... 2412

et TERRENAE delectationis insolentia refrenata... 4039

et que TERRENAE felicitati carnales epulis abnegamus... 4140

Ut modulum TERRENAE fragelitatis aspiciens... 3699, 4207

... Et quae TERRENAE fragilitatis carnalibus epulis abnegamus... 3731

quos TERRENAE generationis amiserat, divinae reddis naturae participes... 4127

quae TERRENAE generositates oblectamenta despiciens... 3686

quidquid TERRENAE labis incurrit expelle... 1399

quo caelestis TERRENAEQUE substantiae significatur unitio in Christo... 304

TERRENE transituria dispiciant... 1297

ut a TERRENAE vetustatis conversatione mundati... 1275

ut ab omnibus quae TERRENAM conversacionem traxerunt, his sacrificiis emundentur. 1758

ut dominus caelestia sua misericordia TERRENAM aelymosinam conpenset... 3256

ut TERRENAM mortalemque materiam... 4090

veteri TERRENAQUAE lege cessante... 3714, 3814

et ad TERRENAS sustentationibus expediti... 4060

ut qui sunt generatione TERRENI, fiant regeneratione caelestis. 894, 2338

sicut imaginem TERRENI naturae necessitate portavimus... 1148

similitudinem TERRAENI parentis aevasimus...   1581
nulla inpediant (opera) actus TERRINI sed caelestis...   1616
ut qui TERRENIS abstinent cibis, spiritalibus pascantur alimoniis.   3110
Ds, qui sensos nostros TERRENIS actionibus perspicis retardari (prospicere
   tardari)...   1208
nosque de TERRENIS affectibus (effectibus) ad caelestem transferat
   institutum.   1862
Praesta, dne, qs, ut TERRAENIS affectibus expiatis...   2674
quae nos a TERRENIS affectibus incessanter expediat...   160
ut TERRENIS affectibus (effectibus) mitigatis facilius caelestia capiamus.
   2788, 3028
ut mentes nostras quas conspicis TERRENIS affectibus praegravari...   3745
mentesque nostras TERRENIS affectibus praegravatas...   3317
ne TERRENIS adfectionibus inherendo...   4215
qui in caelestibus et TERRENIS angelorum ministeriis ubique dispositis...
   1372
... Nox in qua TERRENIS caelestia iunguntur...   3791
pro TERRENIS caelestia, pro temporalibus sempiterna.   1008, 3256
a TERRENIS conserva periculis.   65
ut si que (in aeum) (ei) maculae de TERRENIS contagiis adheserunt...
   3410
quibus nos et a TERRENIS contagiis expiari...   3420, 3438
O. s. ds, qui TERRENIS corporibus verbi tui... mysterium coniungere
   voluisti...   2456
ut a TERRENIS cupiditatibus in caelestia desideria transeamus.   1413
ut a TERRENIS cupiditatibus liberi...   2891
qui nos docuit operari non cibum qui TERRENIS dapibus apparatur...   3880
ut a TERRENIS delectationibus abstinentes...   2471
libera nos a TERRENIS desideriis et (a) cupiditate carnali...   1036
... TERRENIS eatenus consolationibus gratulemur...   3845
et a TERRENIS effice contagiis expiatos...   2821
et a TERRENIS erroribus expeditos...   3538
mysteria, quae nos a cupiditatibus TERRENIS expediant et instituant amare
   ...   2898
Mensa (munera) tua nos, ds, a delectationibus TERRENIS expediat (expediant)
   et caelestibus semper...   2078, 2148, 2149
ut anima famuli tui illius TERRENIS exuta contagiis...   775
Consecra, qs, dne, quae de TERRENIS fructibus nomini tuo dicanda mandasti
   ...   510
ut a TERRENIS generati, ad caelestia renascamur.   3968, 4204
et de carnalibus spiritales, de TERRENIS incipitis esse caelestes...
   1706, 1707
ut a TERRENIS intentionibus temperantes...   2314
e TERRENIS mundentur cupiditatibus...   3624
nec in TERRENIS nec a caelestibus possimus excludi.   810a
quae nupta deputata TERRENIS nubsit in caelo...   4103
quae nos et a (ad) TERRENIS purget vitiis...   3223
nulla inpediant actus TERRENIS sed caelestis...   1616
ut TERRENIS sustentationibus expediti...   4060
a TERRENIS tamen ad caelestia provehitur, tuo inenarrabili munere.   3640
ut per ipsos a TERRENIS viciis expediti...   1063
que TERRENO generositatis oblectamenta dispiciens...   3686
... Neque TERRENO liberari (liberato) cruciatu martyr optabat...   3776,
   3777
ut fructum TERRENORUM commodis sufficienter adiuti...   3362
Ut nobis, dne, TERRENORUM frugum tribuas ubertatem...   3576

ut ad conversacionem carnali et ad inmundicia actum TERRENORUM infusa
   mihi...   3476
sustenta fragiles, purga TERRENOS...   3540
nihil (habeat) in dilectione TERRENUM, nihil (habeat) in confessione
   diversum.   82, 2688
... TERRENUM respuit patrem ut possit invenire caelestem (caeleste)...
   3608, 3609a, 3610
ut nec TERRENUS lacerationibus paciaris iniustis...   2729

TERREO

ut ad confessionem nominis tuis nullis properare TERREAMUR adversis...
   232
... Quoniam cum in martyrio proponantur ea quae TERREANT...   3866
hostile TEREATUR exertitus...   2262
nec teror TERREATUR fortitudinum partis adverse...   3392
nec a tempestatis fatiae TERREATUR.   1961
ut qui hucusque TERREBAT, territus abeat et victus abscedat...   764
ut nec TERRERE nos lacerationibus pateris iniustis...   2729
nulla prorsus arma TERRERENT...   4002
et inter acerva supplicia nec sensu potuit TERRIRI nec aetate...   3618
ut nec TERRERI nos lacerationibus patiaris iniustis...   2048
... Nesciat quod TERRIT in tenebris, quod stridit in flammis...   822, 823
... Quae nec minis est TERRITA nec (superata suppliciis) (suppliciis
   superata)...   3856
... TERITI de conscientiam (conscientia), sed fidem (fidi) de tua
   misericordia...   3662
... TERRITUS habeat, et victus abscedat.   763, 764

TERRESTRIS

et TERRESTRIBUS non deseras adiumentis...   63
deum caelestium et TERRESTRIUM et infernorum dominum depraecemur...   723
ds cui omnis lingua confitetur caelestium TERRESTRIUM et infernorum te
   invoco dne...   752, 753
O. s. ds caelestium TERRESTRIUMQUE moderator...   2309

TERRIBILIS

O. s. ds, cuius sanctum et TERRIBILE nomen... benedicere non cessant...
   2321
quicquid in mortem TERRIBILE nominis tui...   4083
... Tu TERRIBILIS non evadebis poenas quas tibi praeparatae sunt...   1852

TERROR

sit tibi TERROR corpus hominis, sit tibi formido imago dei...   142, 1355
et neglegentiae TERROR inlatus ad fidei transferatur aumentum.   3625
nec TEROR terreatur fortitudinum partis adverse...   3392
ut remoto TERRORE bellorum et libertas securae religio sit quieta.   1070
ut nos ad tuae reverentiae cultum et TERRORE cogas et amore perducas.
   3737, 3961
et sensum mentis humanae stupore defigit, TERRORE conturbat...   764
sine TERRORE copia, proeliandi voluntas...   2640
non in TERRORE discutiat, sed in gloria remunerandus adsummat.   1375,
   2296
ut cum advenerit non in TERRORE discutiat.   1375
TERRORE omnium conditorem deum in cuius manu regum corda consistunt...
   3473
ab infernarum (erues) (non vincatur) TERRORE portarum (praesta) ut in tua
   veritate...   2383, 3904, 4202
... TERRORE volitantium licenter in aere...   3392

et TERROREM cogas, et amore perducas. 4174
... Da, dne, TERROREM tuum super bestiam quae exterminat (exterminavit)
   vineam tuam... 1354, 1355
et da laetitiam mitigando TERROREM ut omnium peccatis... 761
tribuendo beatitudinem offerendo TERROREM ut quod praenuntiatum... 817
nec ariditatis aut TERRORES aut insidias ullas ingerere presumas. 1888
per quam et TERRORES declinet humanos... 2619
et iube TERRORES inundantium cessare pluviarum flagellumquae huius...
   1324
quae TERRORES nostros semper amoveat... 2986
Ds, qui credentes in te populis nullis sinis (in his) nocere (concuti)
   TERRORIBUS dignare praecibus... 936, 938
et ne nocturnas hac diaerum inimici TERRORIBUS fatigentur caelestia super
   eos... 567
et nec nocturnis TERRORIBUS fatigentur invisibilia... 44
populum tuum et ab iracundiae tuae TERRORIBUS libera... 1482
tranquillitatem nobis misericordiae tuae remotis largire TERRORIBUS ut
   cuius iram... 1144
... TERRORQUE venenosi serpentis procul pellatur... 848

         TERTIANUS
... Non facies cotidianas, non TERCIANAS, non quartanas... 394

         TERTIUS
qui ora diaei TERTIA ad crucem poenam per mundi salutem ductus es...
   1374
... TERCIA diae ad superos resurrexisti... 4217
discendit ad inferna, TERTIA diae resurrexit a mortuis... 551
et resurgentem TERTIA die secundum scripturas... 554
Et resurrexit TERCIA diae secundo scripturas. 555
... Hic eiusdem crucifixo et sepultura ac die TERTIA resurrectio
   praedicatur... 1706
in ora diaei TERTIA spiritum sanctum... emisisti... 3479
et videant filios filiorum suorum usque in TERCIAM et quartam progeniem...
   1171, 1719
... Paulum TERCIO naufragantem de profundo pelagi liberavit... 785, 786
illum autem TERCIO naufragantem pelagi fecit aevitate discrimina. 3823
ob diem depositionis TERTIUM, septimum vel tricesimum... 95

         TESTAMENTUM
quia duo cornua duo TESTAMENTA... 2031
in stellarum innumerabilem numerum novi TESTAMENTI heredibus adoptatis...
   758, 759
novi TESTAMENTI inter contradicentes promptus adsertor... 3761
sanctus Stefanus novi TESTAMENTI levita primus et martyr... 4096, 4110
Ds, qui primis temporibus impleta miracula novi TESTAMENTI luce reserasti
   ... 1178
hic est enim calix sanguinis mei novi (et) aeterni TESTAMENTI mysterium
   fidei... 3014
Ds, qui nos... utriusque TESTAMENTI paginis inbuisti (instruis)... 1092
... Adsit ei angelus TESTAMENTI tui Michahel... 2493
ut novo TESTAMENTO sobolem novi prolis adscribe... 1017
gemina TESTIMENTORUM lege servata... 166

         TESTIFICATIO
ut quae manifestavit TESTIFICATIO nuntii... 2459
praesertim dum prestitorum TESTIFICATIO spem tribuat petendorum. 4144
et tuae TESTIFICATIO veritatis nobis proficiat ad salutem. 3086

et habeat plenitudo adopcionis quod pertulit TESTIFICACIO veritatis.
3633
et plenitudo adoptionis optineat, quod praedixit TESTIFICATIO veritatis.
1470, 1472
et TESTIFICATIONE filii tui... praebuit martyr beatus exemplum. 3644
sanguis in veritatis tuae TESTIFICATIONE profusus (profusius)... 3605,
3606, 3607, 4177, 4180
in veritatis tuae TESTIFICATIONEM profusus... 4177
nostri salvatoris infantia coetaneis TESTIFICATIONIBUS exsisteret
gloriosa. 3603
parvularum mentium fidem eorum et TESTIFICATIONIBUS instrues... 3978
aeclesiasticae pietatis et TESTIFICATIONIS filii tui domini nostri...
3614

TESTIFICO
... Quod sancta Caecilia hodierna confessione TESTIFICANS... 4034
quae salutaris mysterii veritatem toto atiem mundo TESTIFICANTE non
sequitur... 4115
ut et creationis tuae circa mortalitatem nostram TESTIFICENTUR auxilium...
2230

TESTIMONIUM
ut TESTIMONIA legis tuae piis cordibus exquirentes... 1258
... Per trea TESTIMONIA te adiuro... adiuro te per patrem... 225
et quemadmodum sanctificasti officia tabernaculi TESTIMONII olim cum arca
... 1283
qui verbi tui incarnationem praeclari TESTIMONII sideris indicasti...
2462
quod ministerio gessit, TESTIMONIO conprobavit... 2409
dum pro TESTIMONIO creatoris sponte susciperent... 3956
O. s. ds, qui verbi tui incarnationem praeclari TESTIMONIO sideris
indicasti... 2462
dum pro creatoris TESTIMONIO sponte suscipiunt... 3956
in quo tibi optime conplacuisse TESTIMONIO subsequentis vocis ostenderis
... 3945
sicut liberasti susannam de falso TESTIMONIO. 2023
Hunc ergo... TESTIMONIUM boni operis aelectum dignissimum sacerdocium...
3281
qui filio tuo domino nostro TESTIMONIUM praebuerunt etiam non loquentes.
1061
et bonum conscientiae TESTIMONIUM praeferentes... 136, 137
... TESTIMONIUM presbiterorum et tocius claeri... 3281
et bonum conscientiae TESTIMONIUM proferens... 138
ut huic TESTIMONIUM sacerdote magis pro merito... 3021
in quo tibi obtime conplacuisse TESTIMONIUM subsequentis vocis... 3946
qui... TESTIMONIUM tribuaere etiam non loquentes. 1061

TESTIS
quid de meritu censeatis, deo TESTE, consolemus. 3021
... TESTES (Christi), qui eius nondum fuerant agnitores... 3696, 3851
illi advocandus TESTES divinae legis scientiae contullisti. 3823
Et mundus ipse TESTIS esse non potuit... 3661
... TESTIS veritatis, antequam visus... 3774

TESTOR
Sicut gloriae divinae potenciae munera pro sanctis oblata TESTANTUR sic
nobis effectum... 3289

ut per temporalem filii tui mortem quam mysteria veneranda TESTUANTUR
  vitam nobis...   2001
vitam nobis dedisse perpetuam TESTANTUR.   2001
non hoc te ieiunium deligisse profetica voce TESTARIS...   4072
agnuscimus sicut prophaeta dum voce TESTATUM est, ad peccantium...   3598
nemus ore columbae TESTATUM Noe oculis ostendisti...   3955
sicut profetica dudum voce TESTATUS es...   3598

       TESTUDO
Sub tuae diffensionis TESTITUDINE insidiis inimici totus permaniat...
  2475

       TEXO
sive etiam ea quae Maria TEXUIT et fecit in usum ministerii tabernaculi
  faederis...   1318

       THADDEUS
... Matthei Simonis et TADDEI Lini Cleti...   417, 418

       THALAMUS
herodem a fraternis THALAMIS prohibendo...   4000
et aemula integritatis angelicae, illius THALAMO, illius cubiculo se
  devovit (sed de vobis)...   758, 759
qui tamquam sponsus procedens de TALAMO suo deus dominus et inluxit
  nobis...   3763
qui nobis processit (processisti) mariae de THALAMO, ut pietate...   996,
  3109
... Quae dum humanis de vota nuptiis, TALAMOS temporales contemneret...
  3775
ad huius sponsi THALAMUM cuius resurrectionem... cum prudentibus
  virginibus intrare possitis.   948
... Et quae unigeniti tui intrare meruit THALAMUM intercessione...   3866
ut regium THALAMUM non solum virgo sed etiam martyra intraret.   3505,
  3506, 3507
ut cum eis caelestis sponsi THALAMUM valeatis ingredi.   2264

       THEODORUS
et sancti martyres tui THEODORI cuius nos dedisti...   2808
Sancti nos qs dne THEODORI martyris oratio...   3208
Ds qui nos beati THEODORI martyris tui confessione gloriosa circumdas et
  protegis...   1107
et intercedente beato THEODORO martyre tuo per haec piae...   3394
intercedente beato THEODORO martyre tuo ut quae ore...   2686

       THEODULUS
ut qui sanctorum tuorum alexandri, eventi et THEODULI natalicia colimus...
  2771

       THESAURUS
et caelestium THAESAURORUM dona tua perveniat.   2303
Nec fur nocturnis patrisfamiliae THAESAURUS absconditus... effodeat...
  3089
et noster in tua sit confessione THESAURUS.   2462

       THOMAS
Et qui eum cum THOMA deum et dominum creditis...   802
de quorum collegio beati THOMAE apostoli tui solemnia celebrantes...
  3908
et intercedente pro nobis beato THOMAE apostolo tuo...   117

... Iacobi Iohannis THOMAE (item) Iacobi Philippi...   417, 418, 419
ut suffragiis beati apostoli THOMAE in nobis tua munera tuearis...   700
de quorum collegio beati THOMAE solempnia caelebrantes...   3908
Da nobis, qs, dne, beati apostoli THOMAE solempnitatibus gloriari...   609

THRONUS

de excelsa TRONI tui respicere digneris...   4050
archangelorum, THRONIQUE sedum cherubin et syraphyn...   3736
Tibi coniuro... per septem TRONIS dei...   3474
Et cum angelis et (cum) archangelis, (cum) THRONIS et dominationibus...
3792, 4061
excommunico te diabuli per confessoris et TRONIS et dominationis...   1551
respice propicius de THRONO gloriae tuae...   2397
... THRONO tuae maiestatis oblatus...   3953
in nomine THRONUM et dominationum...   2856
ut ante TRONUM gloria christi tui segregatus cum dextris...   1684
THRONUM regni tui iugiter firmit...   874
alto caelum TRONUM sedens...   2475
qui sedis in alto caelorum THRONUM te falanges...   3736
quia per deum te coniuro qui septem TRONUS sedit quia in supore.   1860

THUS

quibus non (nos) iam aurum, TUS, et murra (myrra) profertur...   1389

TIBURTIUS

Prosit nobis, dne, sancti TIBURTI caelebrata solemnitas...   2902
Respice, dne, munera quae in sancti TIBURTI commemoracione deferimus...
3087
O. s. ds, qui nos sancti martyris tui TIBURTI festivitate laetificas...
2431
VD. Qui dum beati TIBURTII martyris merita gloriosa veneramur...   3895
Beati TIBURTII nos dne foveant continuata praesidia...   285
ut qui sanctorum tuorum TIBURTII, valeriani, et maximi sollemnia
colimus...   2783
interveniente beato TIBURTIO martyre tuo...   3336
ut coniugmen suum valerianum adfinmeque suum TIBORTIUM tibi fecerit
consecrare...   758

TIMEO

... Audi ergo et TIME satanas victus et prostratus...   744
qua nomen tuum TIMEAMUS et amemus...   1299
ut qui defensione tua fidemus, nullius hostilitatis arma TIMEAMUS.   749
... Amore te TIMEANT, amore tibi serviant...   758
prumpti adorent, honorificent, et TIMEANT gloriosa...   326
ut te TIMEANT, te diligant, te sapiant...   2310
... Amore te TIMEAT, amore tibi serviat...   759
Quis aenim te talem non TIMEAT aut quis...   4217
Quis te talem non TIMEAT dominum...   4217
et aecclesia tua... tibi collecta te TIMEAT, te dilegat, te sequatur...
976
te TIMEAT, tibi amore serviat...   760
in qua te semper TIMEAT, tibique iugiter placere contendat.   772
non TIMEMUS lucis huius subire dispendium.   3915, 3916
non TIMEMUS lucis huius sustinere iacturam.   3862, 4099
et diligendo timuit et TIMENDO dilexit...   3866
ut te, sub quo sunt omnia, non TIMENTES cuncta paveamus...   3641
non TIMENTES qui corpus occiderent...   3654
TIMENTIUM te, dne, salvator et custus (iustus)...   1262, 3480

... TIMENTIUM voluntatum respuamus affectus.   2675
et quem fecisti non TIMERE de culpa, fac gaudere de gracia.   1141
ut non desiderare que ipse contempsit, nec TIMERE que pertullit.   4176
ut durus hymbre lapides non TIMERET, exaudi...   1230
ut imbrem lapidum ne TIMERET.   1230
et diligendo TIMUIT et timendo dilexit...   3866
digno tanto amore martyrii persecutoris turmenta non TIMUIT.   4148

TIMOR
non poenalis TIMOR excruciet...   746
sed perenni TIMORE continua lamentacione redevivus...   2297
Sed ita sit vobis sanctificatum in divino TIMORE ieiunium...   357
ordo aecclaesiam et credentium fides in dei TIMORE melius convaliscat.
3281
Sancti nominis tui dne TIMORE pariter et amore fac nos habere perpetuum...
3207
O. s. ds, qui TIMORE sentiris, dilectione coleris, confessione placaris...
2457
nec eam umquam deserant aut lassitudinem aut TIMORE superati...   820
et quae pro TIMORE tuo continenciae pudiciciam (continentiam fiduciam)
vovit...   757
ut aeorum sermo in TIMORE tuo ignitus adque sale conditus...   2282
Sanctae nominis tui, dne, TIMOREM pariter et amorem fac nos habere
perpetuum...   3207
nec aeam umquam deserint, aut lassitudinem TIMOREM superati.   820
aeadem est vel securitatis ratio vel TIMORIS, cummunis...   3021
adimple eum spiritum TIMORIS dei et domini nostri Iesu Christi...   869
adimple eos (dne) spiritum (spiritu) TIMORIS dei in nomine domini...
867, 868, 1313
adimple famulum tuum spiritum TIMORIS dei.   3192
adimple eos spiritu TIMORIS domini...   2445
et gratiam TIMORIS et amoris tuae tribuae mihi.   1296
et sensum mentis humanae... et metu trepidi TIMORIS exagitat...   764
et in TIMORIS tui observatione defunctis...   3915, 3916
repleas eum spiritum TIMORIS tui ut eum ministerio...   1339
adimple aeum, dne, spiritum TIMORIS tui, ut in nomine...   1312

TIMOTHEUS
quam beati THIMOTEI martyris tui sanguis...   4177
beati martyris tui TIMOTHAEI precibus adiuvemur.   2235
et intercedente beato TIMOTHEO martyre tuo dexteram super nos...   249
ut intercedente beato TIMOTHEO martyre tuo eius semper...   1295
his instituti (institutis) disciplinis quas Tito et TIMOTHEO Paulus
exposuit (disposuit)...   3225

TINGUO
ut cum hec vasculum... in aea fuaerit TINCTUM...   308
dum TINGUIRET Iohannes in paenitentia confitentes peccata sua...   2818
pro aeodem (hodiae) proprio sanguinem (sanguine) TINGUERETUR.   4000
cuius auctorem lavacri sacra dextera TINCXIT in fonte.   910

TINTINNABULUM
tu hoc TINNIBULUM caelaesti benedictione perfunde...   2378
ubicumque sonuerit aeius TINNIBULUM, longe recedat...   308
ut haec audientes TINNIBULUM tremiscant...   1154
tu hoc TINTINABULUM sanctum spiritum rore perfunde...   2262

TIROCINIUM
ita in ipso TIROCINIO fidei perfectus inventus est... 4148

TITULUS
qui dispecto diabulo confugiunt sub TITULO Christi... 2658
elegimus... subdiaconum sive diaconum de TITULUM illum si quis autem habet
... 237
cuius prefiguratum patriarcha iacob lapidem aerexit in TITULUM quo fiaerit
... 3292
dehinc aelectus iacob aerexit et unxit in TITULUM. 3997

TITUS
his instituti (institutis) disciplinis quas TITO et Timotheo Paulus
exposuit (disposuit)... 3225

TOBIAS
et famulo tuo TOBI angelum praevium praestitisti... 3590
necnon et TOBI famulo tuo angelum tuum ducem previum praestetisti...
4008
quem TUBIAE deputare dignatus es... 737
sicut misiti famulo tuo TUBIAE Rafahel angelum... 1714
et sicut visitasti dne TOBIAM et sarram socrum petri puerumque centurionis
... 2277

TOLERABILIS
vel TOLERABILIORA fiant ipsa turmenta. 2481

TOLERANTIA
VD. Quoniam tu sanctis tuis et patientiam TOLERANTIAE et in beati fine...
4111
qui suggeris TOLERANTIAE firmitatem qui largiris... 4109
in tribulationibus TOLLERANTIAM, in ieiuniis desiderium... 2303
quibus et in persecutione TOLERANTIAM tribuis et in passione... 4107
et TOLERANTIAM tribuis passionum... 3721

TOLERO
dum pro iustitia TOLERATUR, transiret ad praemium... 4096

TOLLO
et hostium SUBLATA formidine... 734
sed intellegentes SUBLATAM nobis peccati materiam potius gaudeamus. 3674
peccatum omnem TOLLE a me... 1296
... TOLLE nocencia cuncta, doce praestancia vite... 1895
... TOLLE ocansionem diabulo (diabolum) triumphandi... 3463
totum TOLLE quod nocet, ipsut praesta quod nocit... 1895
quem mundi TOLLERE dixerat venisse peccatum. 3774
Et qui odierna diae, ut legis TOLLERIT iugum... 2441
... Agnus dei qui TOLLIS peccata mundi miserere nobis. 2547
TOLLITE iugum meum super vos... 1446
fidelibus vita mutatur, non TOLLITUR, et in timoris... 3915, 3916
Quoniam beneficiae (beneficio) gratiae tuae fidelibus vita non TOLLITUR,
sed mutatur... 3862, 4099

TONDEO
famulum tuum ill. quem ad nova TONDENDI gratiae vocare dignatus es...
2465

TONITRUUM
temperentur infesta TONITRUA... 1154
Concuciat corda aeorum flagor ille TONITRUI cuius apostolus... 166

recedat... lesio TONITRUORUM, calamitas tempestatum...   308

TONSURA

super huius famuli tui barbam non ferro prius artis TUNSURIS, sed coram...
898

TORMENTUM

ut viciis et carnis TURMENTA contempserint...   1198
per quam sanctus martyr ill. omnia corporis TORMENTA devicit.   2649
Nec te lateat, satanas, inmineri tibi poenas, inmineri tibi TORMENTA diem
    iudicii...   2175, 2176
Nec te latet, satanas, inminere tibi poenas, inminere tibi TORMENTA
    inminere tibi...   2174, 2177
subiectos ignes et crudeli ingenio persequentum mutata TORMENTA inmutabili
    virtute...   4114
digno tanto amore martyrii persecutoris TURMENTA non timuit.   4148
qui per TORMENTA passionis aeternam pervenit ad gloriam.   3742
et cum fraudibus suis diabuli TURMENTA perpellatur.   782
... Tibi TORMENTA super TORMENTA, poenas super poenas, plagas super
    placas...   1529
saltim vel inter ipsa TURMENTA que forsitanpstitur...   2273
quam vitam praesentem cito amittere per TORMENTA quoniam tu...   3866
si mala respexeris mea, tartarea huius TURMENTA sufficiunt...   219
Ds, qui sanctis tuis dedisti piae confessionis inter TORMENTA virtutem...
    1205
vel tolerabiliora fian ipsa TURMENTA.   2481
quo marthyres meruaerunt accedere per TURMENTA.   1509
pro qua dignatus es propria sustinere TURMENTA.   330
qui manifestis acerva supplicia sustinuere TORMENTIS...   3959
sicut liberasti petrum et paulum de carceribus TURMENTIS.   2023
Ut sicut illi per diversa genera TORMENTORUM caelestis regni sunt sortiti
    ...   338
nec TORMENTORUM inmanitate vincatur...   3942
sic beatus martyr non consumitur TORMENTORUM incendiis...   3615
... Et per inmanitatem TORMENTORUM pervenit ad societatem civium
    supernorum.   3689
qui beato laurentio tribuisti, TORMENTORUM suorum incendia superare.   628
non eum TORMENTUM mortis attingat...   746
et non tanget illos TORMENTUM mortis quos te custodiente...   3723
et crucis subire TORMENTUM.   3101

TORPESCO

ne vel inpugnatione subcumbat vel securitate TURPISCAT, sed subdita...
    4006
ne vel inpugnatione memores subcumbat, vel securitate TORPISCAT sed
    subdito...   4005

TORQUEO

qui culpa suae reatu tristi TORQUEBATUR in poena.   2298

TORRENS

Per quod de TORRENTE in via bibit salvator...   3847
per quod de TURRENTEM in via bibit salvator.   3847

TORREO

Repleatur ille spiritu qui martyre adfuit cum TORRIRET ignis...   3216

TORUS

coniugalis TORI iussa consortia... humani generis foedera nexuerunt...
    2541, 2542

... Uni TORO iuncta contactos (vitae) incitos (inlicitos) fugiat...
1171, 2541, 2542

TOT

ut qui in TOT adversis ex nostra infirmitate deficimus...   682
... TOT charismatum splendoribus consecrari...   4095
... TOT donis mirabilis nasceretur.   4098
qui tibi placuit TOT donorum praerogativis.   3643
ut cum TOT aelegeris miraculis inlustrare...   1175
quem ab exordio sui usque in finem TOT honorum insignibus...   4095
ut qui eum TOT meritorum donasti praerogativis...   3722
et iniustitias nostras TOT oratio beatorum pro nobis fusa dissolvat.
2897

Ds qui nos conspicis in TOT perturbationibus non posse (possit) subsistere
...   1110
TOT sensibus hodiernum, dne, sacrificium celebramus...   3481
ut quos in huius vitae cursu gratia tua TOT vinculis pietatis
obstrinxerat...   3782, 4084

TOTIDEM

dum splendorem gemmarum duodicem TOTIDEM apostulorum nomina presignasti...
1330

TOTIES

sed exhibita TOCIENS (TOTIES) solemni devotioni ieiunii (ieiunia)...
3717, 3758

TOTIFEX

O. s. ds TOTIFIX et totiger angelicarum superni populi phangum...   2475

TOTIGER

O. s. ds totifix et TOTIGER angelicarum superni populi phangum...   2475

TOTUS

TOTA ab odia diabolica conversatione dispitiat...   2303
remissionem sibi omnium peccatorum TOTA cordis confessione poscentem
(poscentes).   858, 859
et quae tibi placita sunt, TOTA dilectione perficiant.   921
sicque TOTA effecta in aeterna recipiatur tabernacula.   3392
VD. Tibi domino deo nostro TOTA flagrantis fidei firmitate servire...
4176
ut hoc loco TOTA graciae tuae potencia caelebretur...   3836
ut et te... TOTA mente cognoscat, et quae tibi sunt placita toto corde
sectetur.   632, 633, 657
Da nobis, dne, qs, in te TOTA mente confidere...   585
ut ex toto corde et ex TOTA mente tibi deserviat...   3914
Concede nobis, dne ds noster, ut et te TOTA mente veneremur...   436
quod TOTA mundi possessione ditaris...   4090
unde se evangelica veritas per TOTA mundi regna diffunderet...   3947,
2413
procul TOTA nequitia diabolicae fraudis absistat...   1045, 1047
O. s. ds, TOTA nos ad te mente converte...   2474
et illis aeclesia TOTA numeretur...   4020
et secura concelebret, et TOTA semper mente sectetur.   3486
Te lecit anxiat TOTA supplix gemensque...   3466
Audi (Exaudi), dne, populum tuum TOTA tibi mente subiectum...   220, 1452,
1453
ut te TOTA virtute diligant, et quae tibi placita sunt, tota dilectione
perficiant.   921

... Et te solum semper TOTA virtute diligat et ad tuae...   3768
ut te donante tibi placita cupiat, et TOTA virtute perficiat.   2358
et TOTAM huius (aquae) substantiam regenerandis (regenerandi) fecundet
   effectu...   720, 1045, 1046
et sereno vultu TOTAM in nobis lucem piaetatis tuae infunde...   1316
... Quibus praeceptis duobus TOTAM legem sine difficultate conplentes...
   4025
in TOTAM mundi latitudinem spiritus tui (sancti) dona defunde...   1198a,
   1199
... TOTAM nequiciam diabolicam tuam potenciam sint purgati...   3270
quia mortis et vitae TOTAM obtinis potestatem.   4217
et in quattuor fluminibus TOTAM terram rigare praecepit...   1045, 1535,
   3565
Ut TOTI semper ab infestationis inimici maneamis inlesi...   357
... TOTIS aeos defensus qui praestat...   167
virtutem tuam TOTIS exoro gemitibus pro huius a diabolo opraessa
   infantia...   1371
VD. Et tuam misericordiam TOTIS nisibus exorare, ne...   3750
... Et maiestatem tuam TOTIS nisibus implorare, ut...   3913
Effuge... de TOTIS quinque sensibus, de genitalibus locis.   1888
VD. Maiestatem tuam TOTIS sensibus depraecantes...   3804
cum tuorum sensibus dignanter infundis TOTIS tibi mentibus supplicare...
   3642
et nos a TOTIUS adversitatibus incursu perpeti protectione custodis.
   1029
... Quia sicut TOTIUS adversitatis est causa tuis non oboedire praeceptis
   ...   4136
... Cibus eius est, TOTIUS bonae voluntatis affectus...   3880
VD. misericordiae dator et TOTIUS bonitatis amator...   3807
Ds, omnium misericordiarum ac TOTIUS bonitatis auctor...   873
VD. Qui es fons vitae, origo luminis, et auctor TOTIUS bonitatis et
   maiestatem...   3913
testimonium presbiterorum TOCIUS claeri...   3281
sic in spiritu sancto TOCIUS cognoscamus substanciam trinitatis.   450
per legem mirabilem TOTIUS compagis unitam...   138
Ds TOTIUS conditor creaturae famulos tuos...   1255
O. s. ds, TOCIUS conditor creaturae preces nostras...   2476
hoc in TOTIUS corporis extrema descendat...   819
per deum vivum, per deum sanctum, per deum TOTIUS dulcidinis creatorem
   (creaturae)...   1535
in TOTIUS aeclesiae confidimus corpore faciendum...   1484
venientes ecce nunc veniunt in exultatione TOTIUS aeclesiae fructum
   victoriae...   4085, 4102
quos TOTIUS aeclesiae prestitisti filii tui vicarios esse pastores.   1678
ut hii TOTIUS ecclesiae praece... laeviticae benedictionis ordine
   clarescant...   405
quam tenere voluisti TOTIUS aeclesiae principatum.   4021, 4077
respice propicius ad TOCIUS aeclesiae (tuae) mirabile sacramentum...
   836, 837
VD. Qui, ut hanc sedem regimen aeclesiae TOTIUS efficeris...   4035
et a TOCIUS eripiat perdicionis incursu.   3321
... Eluceat (et luceat) in eis TOTIUS forma iustitiae...   1348, 1349,
   1350, 2549
... Abundet in eis TOTIUS forma virtutis...   136, 137, 138
et ornamentis TOTIUS glorificationis instructos...   819, 820

ac TOTIUS habitaculi huius habitator appareas.   2353

et ad omnem rectam observantiae plenitudinem TOTIUS onestatis instituat.
359

et TOTIUS hostilitatis a nobis erroris averte...   2608, 2610

Qua oblatione TOTIUS mecum gratulantis aeclesiae tu, ds, in omnibus.
2953

per legem TOTIUS mirabilem conpagis unitam...   136, 137

qui hominem paradisi felicitate conspiquum et TOTIUS mortis ignarum...
4079

hinc ad TOTIUS multitudinis incrementum...   2541, 2542

et in Abrahae filios et in israheliticam dignitatem TOCIUS mundi transeat
plenitudo.   777

quem immolando TOTIUS mundi tribuisti relaxari delicta.   190

per quod TOTIUS mundi voluisti relaxari peccata...   3145

et TOCIUS nequitiae purgata discessu...   1045, 1047

et TOCIUS noctis insidiis (insidias tu) repelle propicius.   1857

ut sicut in eo solo consistit TOTIUS nostrae salvationis summa...   3669

quibus et aeclesiae TOTIUS observantiae devota concurrit...   4028

... TOTIUS orbis se sentiat amisisse caliginem...   1564

et de obnoxia generatione peccato TOTIUS peccati nescia proles
exoritur...   4093

et vota TOTIUS populi praecantis adtendite...   3458

et ad eadem muniant ad TOCIUS pravitatis incursu.   8

O. s. ds, aput quem, cum TOTIUS rationabilis pia merita creaturae
semper accepta sint...   2307

tribuisti TOTIUS religionis initium perfectionemque constare...   2407

in quo TOTIUS salutis humanae summa consistit.   2407

sed exhibeta TOTIUS sollemni devotione ieiunii...   3758

ut faciem TOCIUS terrae largioris ymbribus inrigare digneris...   2371

... TOTIUS virtutis ac sanitatis dulcedine perfruatur...   717

si (te) TOTIUS vitae sequamur auctorem (auctore).   1568, 1573

ut ad te TOTO corde clamantes... tuae pietatis indulgentiam consequamur.
2746

fidem, quam credentes iustificandi estis, TOTO corde concipite...   1287

Da qs dne populum tuum (dne qs) ad te TOTO corde converte...   658

post salutaris tua TOTO corde curramus.   3027

TOTOQUE corde de prostrati supplicis exoramus...   3598

Ut tuam dne misericordiam consequamur, fac nos tibi TOTO corde esse
devotos.   3583

ut ex TOTO corde et ex tota mente tibi deserviat...   3914

tuis TOTO corde inhaereat mandatis...   3768

ut te TOTO corde perquirant et quae dignae postolant adsequantur.   2802,
2803, 2805, 2806

ut te TOTO corde perquirant.   1802

VD. Clementiam tuam TOTO corde poscentes...   3628

... TOTOQUE corde prostrati supplices (suppliciter) exoramus...   3598,
4165

Fac nos, dne, qs, (qs dne ds noster) mala nostra TOTO corde respuere...
1570, 1571

et quae tibi sunt placita TOTO corde sectantes (sectemur, sectetur).
632, 633, 657

et tibi TOTO corde simus subiecti...   3831

ut sancto ieiunio et tibi TOTO corde subiecti...   1161

si tibi nos facias TOTO corde subiectos...   3624, 3664, 4214

ut te principaliter TOTO corde venerantes...   4025

... TOTO cordis ac mentis affectu ut (et) vocis misterio (ministerio)
   personare...   3791, 4206
et hoc secuturus (securus) in TOTO corpore, quod praecessit in capite...
   1706, 1707
quae salutaris mysterii veritatem TOTO etiam mundo testificante non
   sequitur...   4115
Exite... de TOTO homine, de ceribro trisido...   1888
VD. Quoniam intet innumeras TOTO mundo martyrum palmas...   4089
... TOTO nos tribue tibi corde servire.   3108
... TOTO orbe clara sit gloria...   3863
ut aecclesia tua TOTO orbe diffusa...   2395
VD. Qui aeclesiae tuae TOTO orbe propagandae...   3901
et TOTO orbe salutaria verba decurrant.   4037
fontemque baptismatis aperis TOTO orbe terrarum gentibus innovandis...
   1045, 1047
qui in TOTO orbem terrarum promissionis tuae filios diffusa adoptione
   multiplicas...   812
ut eam deus... pacificare et custodire dignetur TOTO orbe terrarum
   subiciens ei...   2507, 2508
adunare et regere digneris TOTO orbe terrarum una cum famulo tuo...   3464
cuius meritum cerneret TOTO orbe venerandum regnare post mortem...   4055
Exi de omne pane suo, de TOTO potu...   1888
quae dum cotidiae TOTO resplendeant...   3616
Effuge... de omni carne, de TOTO sanguine suo, de omni humore illius...
   1888
Fac, qs, dne, famulos tuos TOTO semper ad te corde concurrere...   1583
da aeclesiae tuae TOTO terrarum orbe diffusae (diffusam)...   1023, 1320,
   2402, 2403
... Ex quo videmus uberem pullulasse TOTO terrarum orbe sationum...   3757
ut a suis pravitatibus liberatus et TOTO tibi corde deserviat...   2884
ut plebs tua TOTO tibi corde deserviens...   3000
fac nos TOTO tibi corde devotus.   2583
Da, qs, o. ds, ut TOTO tibi corde famulemur...   689
et TOTO tibi corde prosterni.   651
et TOTO tibi corde prostratam ab hostium tuere formidine (formidinem)...
   704
et TOTO tibi corde subiectae presta conversationis effectum...   240
et TOTO tibi corde subiectam praesidiis invincte pietatis attolle.   3093
Presta, dne, qs, ut TOTO tibi corde subiecti tumentium voluntatum...
   2675
quanta TOTO tibi corde subiectis conferre possis, ostendis...   3883
Audi, dne, populum tuum TOTO tibi corde subiectum et tuitionem...   221
et TOTO tibi corde subiectum prosequere... sustenta, circumtege...   1587
et TOTO tibi corde subiectus obtineat, ut...   504
TOTO tibi, dne, corde substrati bonitatem tuam supplices exoramus...
   3482
ut universa familia tua et TOTO tibi sit corde devota...   972
dum ad te vitae cunctore TOTO vigore animae festinarent...   1198
cui facile est ex nihilo TOTUM condere...   770
VD. Congaudet namque TOTUM corpus aecclesiae de sublimium...   3632
Ds, cuius spiritu TOTUM corpus aecclesiae multiplicatur (multiplicat) et
   regitur...   801
O. s. ds, cuius spiritu TOTUM corpus ecclesiae sanctificatur et regitur...
   2323
... TOTUM ineffabili pietate ac benignitate sua conpensit.   2583

... TOTUM ineffabili pietate ac benignitate sua deleat et abstergat...
2584
coniugalis tori iussa consortia, quo TOTUM inter se saeculum colligarent
... 2541, 2542
hoc TOTUM non solum de caelo substantia deferret et nomine...   4074
adunare et custodire dignetur TOTUM orbem terrarum...   2507
Ds virtutum, cuius est TOTUM quod est optimum...   1259
quibus illi orbem TOTUM secundis praedicatoribus impleverunt...   1348,
1349, 1350
TOTUM tolle quod nocet, ipsut praesta quod docit...   1895
... TOTUMQUE servitium delegatum rationabiliter exsequentes...   3796
iam tunc corde TOTUS essit in caelis.   906
ut qui ubique TOTUS est, (es) etiam hic adesse te in nostris (his)
praecibus senciamus.   2343
et in singolis porcionibus TOTUS est nec per singulos minuitur...   3739,
4181
sed in nominis tui signo famulus tuus, et animo TOTUS et corpore.   763
VD. Qui cum ubique sit TOTUS et universa tua maiestate conteneas...   3886
et habitasti TOTUS in nobis, qui traditori...   1180
... TOTUS in orbe (orbem) terrarum mundus exultat...   3876, 4159
... TOTUS mundus ardebit ab oriente usque ad occidentem...   3563
VD. Quia, cum TOTUS mundus experiatur et cernat...   4042
... TOTUSQUE mundus experiatur et videat deiecta erigi...   837
Sub tuae diffensionis testitudine insidiis inimici TOTUS permaniat...
2475

        TRACTO
Ab omni reatu nos, dne, sancta quae TRACTAMUS absolvant...   8
VD. Quoniam salubri meditante ieiunio necessaria curatione TRACTAMUS et
per observantiae...   4101
Iterata misteria, dne, pro sanctorum martyrum devota mente TRACTAMUS quibus nobis et...   1977
ut quod sancta est devotione TRACTANDO...   1153
ut quo sancta est devotione TRACTANDUM, senseris mentibus exequamur.
1153
ut quod sancta devotione est TRACTANDUM.   1153
O. s. ds, qui in terrena substantia constitutos divina TRACTARE concedis
...   2412
et dignae semper TRACTARE mysteria et conpetenter honorare primordia.
666
Da nobis, qs, dne, tua digne TRACTARE mysteria ut et miserationibus...
623
et sencero TRACTARE servicio et cum perfecto salutis implere.   603
ut sancta tua... sinceris TRACTEMUS (TRACTEMUR) obsequiis...   599
sic ipso opitulante pia devotione TRACTEMUS...   3753
cum discipulis corporaliter habitavit pia devotione TRACTEMUS.   3673
a fidelibus tuis diabolica figmenta TRACTENTUR...   4139

        TRADITIO
humilitas erigit, TRADITIO absolvit, poena redimit...   3658
qui a principali nullatenus TRADITIONE discederent.   3947
qui discipulis suis... hoc fieri hodierna TRADITIONE monstravit.   1956
qui ab electorum tuorum principali TRADITIONE non dissonant.   4020, 4021
ut in eorum TRADITIONE sollemniter honoranda conpedens deferamus obsequium.
806
ut in eorum TRADICIONE sollempniter honorum tibi placitum deferimus
obsequium.   4235

TRADITOR
qui es benedictione omnium largitur et TRADITOR, praesta ut...   326
qui TRADITORI perfido pium dedisti oculum...   1180
mens sibi conscia TRADITORIS ferre non potuit...   3867, 3868

TRADO
oblivione (oblivionem) in perpetuum TRADAS atque hanc eandem laudes...
    1289
... Ne TRADAS bestiis animas confitentium tibi.   1886
non moechaberis, non violabis, non mortem TRADAS non permittas...   1529
redde animae sanitatem ; non temptabis aeam ; non mortem TRADAS.   2180
et nos qui vobis misterium fidaei catholicae una TRADEDIMUS...   226
predicasti prophaetis, TRADEDISTI apostolis...   924
animas legandi adque solvendi pontificium TRADEDISTI concede ut
    intercessionis...   907
da spiritum sapientiae quibus TRADEDISTI regnum discipline...   1165
iesus christus TRADEDIT discipulis suis corporis et sanguis...   1712
regno tibi deo patri in resurreccione TRADENDOS.   2108
a quo se noverat continuo esse TRADENDUM...   3868
et quibus eum TRADERET persecutores advocabat...   3868
... Qui (ac die) (in hac die, hanc diem) antequam TRADERETUR, accepit
    panem in suis sanctis manibus, elevatis...   1972, 3013
pro qua dominus... non dubitavit manibus TRADI nocentium...   3101
dominus... non dobitavit manibus TRADIDI nocencium...   3101
et non qui vobis misterium fidei catholicae una TRADIDIMUS vobiscum...
    3310
... O inestimabilis dilectio caritatis, ut servum redimeres filium
    TRADIDISTI...   3791
... Christus TRADIDIT discipulis suis corporis et sanguinis (sui)
    mysteria caelebranda...   1712, 1736, 1771
et amando quod TRADIDIT et praedicando quod docuit...   2246
et quod vobis sicut accipimus TRADIMUS non alicui materie...   1287, 1288
et nos qui vobis mysteria TRADIMUS una vobiscum...   1706
et zenonis qua nobis TRADIS adsiduae debita tibi...   2928
et festivitatem martyrum tuorum... quam nobis TRADIS assiduae debita
    tibi...   2928
Omnia mihi TRADITA sunt ad patre meo...   1446
... Nam beatissimi Petri mox TRADITO disciplinis...   4127
per apostolos TRADITUM, ipsius resurrectionis exemplo sit firmatum.   3668
... TRADITUR cunctis credentibus disciplina...   3835
Vidio cuius ministerium tibi TRADITUR ; et idio...   4231
cuiaque corpusculum hodie sepulturae (sepultura) TRADITUR ut eum domini
    (domine)...   2521, 2522, 2523
Vide cuius mysterium tibi TRADITUR.   4228
a quo se noverat continuo TRADITURUM...   3867, 3868
quo TRADITUS est (pro nobis) dominus noster ihesus christus, sed...   412
quo dominus noster iesus christus pro nobis est TRADITUS, sed et memoriam
    venerantes.   409
nescientes, quod TRADUNTUR in reprobum sensum...   3653

TRAHO
Ut resurrectionem victrici TRAHERIS illum ad gloriam...   2298
captivam se TRAHI dominicis triumphis obstipuit...   861
ut ab omnibus quae terrenam conversacionem TRAXERUNT, his sacrificiis
    emundentur.   1758

Et aeam multorum fuere divitem morte tua spoliatam TRAXISTI, piae...
1073

... Ille abicitur qui TRAXIT ad mortem...　　1706

TRAMES

quantum ab aequitatis TRAMITE deviamus...　　3885

quam prosperitate mundana a beatitudinis sempiternae TRAMITE deviare...
3812

et hi, qui ab illorum TRAMITE deviassent... haberentur externi...　　3947

ad veritatem tuam concessae nobis divinitus viae TRAMITE dirigamur.　　2965

Et in beneplatito conspectui tuo TRAMITE gradientes...　　1332

quatenus a tuae veritatis TRAMITE non recedat.　　2393

Rectissimum catholice fidaei TRAMITE teneant...　　329

quoniam sicut eius praeteriuntes TRAMITEM deviamus...　　2267

ut in beneplacitu conspectu tuo TRAMITEM gradientem...　　318

sed ad (a) tuae reducti semper TRAMITEM veritatis...　　4210

TRANQUILLITAS

dum gratior redit post adversa TRANQUILLITAS...　　3656

et sacris sollemnitatibus famuletur concessa securitas (TRANQUILLITAS).
4192

et temporum serenitate atque TRANQUILLITATE ad maturitatem...　　305

ut in aeclesiasticae gubernationis TRANQUILLITATE consisteret...　　3610

et mentes vestras in suae vobis pacis TRANQUILLITATE consolidet.　　2245

et in praesenti saeculo pacis TRANQUILLITATE fruantur...　　337, 4198

et quos exteriore tribuis TRANQUILLITATE gaudere...　　3628

ut TRANQUILLITATE percepta devota tibi mente deserviat.　　525

et temporum TRANQUILLITATE semper exultet.　　2257

ut tua TRANQUILLITATEM clementei tua sint semper virtute victores.　　1190

quatinus et ecclesiasticae pacis obtineat TRANQUILLITATEM et post istius
temporis...　　1685

... TRANQUILLITATEM nobis misericordiae tuae remotis largire terroribus...
1144

et TRANQUILLITATEM pacis praesentibus concede temporibus...　　765

ut TRANQUILLITATEM pacis tua potestate firmati...　　1247

ut TRANQUILLITATEM percepta devota tibi mente deserviat.　　520

et temporum TRANQUILLITATEM semper exultit.　　2257

in iniquitate haemendit, in TRANQUILLITATEM (TRANQUILLITATE) sublimet...
360

et det vobis TRANQUILLITATEM tempurum, salubritatem corporum...　　354

et temporalem (temporaliter) nobis TRANQUILLITATEM tribuat...　　2762

sic etiam TRANQUILLITATEM vitae praesentis indulgeas...　　3625

ut et TRANQUILLITATIS huius optate consolacionis laetemur...　　2426

famulo tuo illo continuae TRANQUILLITATIS largire subsidium...　　2366

ut et TRANQUILLITATIS (TRANQUILLITATIBUS huius) optatae consolatione
(consolationis) laetemur...　　2426

ut... sint tuis fidelibus tempore pacis atque TRANQUILLITATIS utenda.
2352

TRANQUILLUS

per rorem caeli et inundantiam pluviarum et tempora serena atquae
TRANQUILLA ad maturitatem...　　317

et da aeis tempora TRANQUILLA adque pacifica...　　3102

quia per haec turbatur TRANQUILLA concordia...　　3934

et aeclesia tua TRANQUILLA devotione laetetur.　　581

quibus tempora TRANQUILLA restitues...　　4143

ut a cunctis perturbationibus liberati TRANQUILLA tibi servitute
   famulemur.   1481
(et) tempora sint tua protectione TRANQUILLA.   734, 2300
detque nobis TRANQUILLAM et quietem (quietam) vitam...   2507
da nobis dne noctem hanc dominicam quiaetam TRANQUILLAM et securam.   852
detque nobis quietam et TRANQUILLAM vitam...   2508
purior atque TRANQUILLIOR appetitus... fidelium reddatur animarum.   4039
ut haec dona caelestia TRANQUILLIS cogitationibus capere valeamus.   2116
ut TRANQUILLO cursu portum perpetuae securitatis inveniat.   1489
ut in hac navi famulos tuos... portu semper optabili, cursuque
   TRANQUILLO tuearis.   1225
et opus salutis humanae perpetuae disposicionis effectu TRANQUILLUS operare...   837

        TRANSCURRO
ut praesentem vitam sub tua gubernatione TRANSCURRENS...   2920

        TRANSEO
ut hanc noctem sine inpedimento (impedimentum) satane TRANSEAMUS atque
   matutinis...   1024
sic TRANSEAMUS per bona temporalia, ut non amittamus aeterna.   2915
ita nunc diem absque ullis maculis peccatorum TRANSEAMUS quatenus ad
   vesperum...   741
ut a terrenis cupiditatibus in caelestia desideria TRANSEAMUS.   1413,
   2891
in caelestibus desideriis TRANSEAMUS.   2891
ut per haec piae devotionis officia ad caelestem gloriam TRANSEAMUS.
   3394
castigatio corporalis ad fructum cunctarum TRANSEANT animarum.   3495
ad patrem aeterni luminis TRANSEANT in regnum hereditarii claritatis.
   1248
... Sic temporalis laetitiae tempora TRANSEANT, ut eis gaudia sempiterna
   succedant.   3707
ut devotio supplicantum ad gratiarum TRANSEAT actionem.   377
... TRANSEAT ad consolationis effectum.   705
ut quod ad perpetuum meremur exitium, TRANSEAT ad correptionis auxilium.
   2531, 2532
castigatio corporalis ad fructum cunctis TRANSEAT animarum.   3495
ut castigatio carnis adsumpta ad nostrarum vegetatione (vegetationem)
   TRANSEAT animarum.   649
ut servilis metus in effectum TRANSEAT filiorum.   3919
... TRANSEAT in numerum sapiencium puellarum...   759
quod denuntiatum est in ultionem TRANSEAT in salutem.   761
in materiam (materia) TRANSEAT laudis communicatio (comminatio) potestatis.   1252, 2368
et in Abrahae filios et in israheliticam dignitatem tocius mundi TRANSEAT
   plenitudo.   777
et ad gaudium nobis TRANSEAT sempiternum.   3428
praesidium nobis inesse gaudemus et inter ista quae TRANSEUNT et eorum
   quae mansura...   2021
ea quae nobis sunt ignota non TRANSEUNT, (te nota) occulta non fallunt...
   136, 137, 138
in huius quoque saeculi TRANSEUNTES excursu...   1028
si ad meliora iugiter TRANSEUNTES paschale mysterium studeamus habere
   perpetuum.   3701, 4191
et sustentaculis sic TRANSEUNTIBUS gubernemur...   3827

in huius quoque seculi TRANSEUNTIS excursu...   1028
ut TRANSEUNTIUM rerum necessaria consolatione foveant...   1293
meritoque TRANSEUNTIUM rerum potius consolationibus adiuvemur...   4132
ut sicut de praeteritis ad nova (novam) (sacramenta) TRANSIMUS...   2739
in mysterii salutaris faciat TRANSIRE consortium.   3552
patres nostros... rubrum mare sicco vestigio TRANSIRE fecisti haec
   igitur nox...   3791
confitentem latronem infra ainima paradisi TRANSIRE fecisti te supplices
   confitentes...   1329
ad tuorum facias auxilium TRANSIRE fidelium.   3965
Ds qui nos cursum diei laetis mentibus TRANSIRE iussisti...   1111
ille de morte ad vitam TRANSIRE mereamur.   634
et in nostrae salutis potenter efficis TRANSIRE mysterium.   1386
... Liceat ei TRANSIRE portas infernorum et vias (poenas) tenebrarum...
   3462
ut in numero eam sanctarum virginum TRANSIRE praecipias...   1728
quem domini pietas de incolatu mundi huius TRANSIRE praecipit...   2483,
   2484
ut donis nobis diem hunc sine peccato TRANSIRE quatenus ad vesperum...
   1667
in nostrum TRANSIRE remedium gratulemur.   1580
sed etiam nascentem voluisti hominem de terris ad astra TRANSIRE, ut
   nativitatis...   1090
et ad novitatem vitae de vetustate (de vetustate in novitatem vitae)
   TRANSIRE ut (et) terrenis...   4060
et poena TRANSIRET ad gloriam.   3956
dum pro iustitia toleratur, TRANSIRET ad praemium...   4096
ita dum huius vasculi sonitum TRANSIT per nubila...   2262
et a TRANSITURIS desideriis expiari mereamur...   2700
et sic rebus foveas TRANSITURIS ut tribuas potius...   2592
et sic rebus foveas TRANSITURUS ut...   2592

TRANSFERO
sed ad redemptoris nostri consortia TRANSFERAMUR.   1021
ut de merore in gaudio perpetuam misericordiam TRANSFERAMUR.   2287
ad formam caelestis TRANSFERAMUS auctores.   1581
ut de merore in gaudium per tuam misericordiam TRANSFERAMUS.   2287
et de die in diem ad caelestis vitae TRANSFERAT actionem.   2194
sacramenti (tui) veneranda perceptio in novam TRANSFERAT creaturam.   7
nosque de terrenis affectibus ad caelestem TRANSFERAT institutum.
   1862
ad locum refrigerii et quietis in sinu TRANSFERATUR Abrahae.   2493
da, qs, ut indignatio debita reis praecantibus TRANSFERATUR ad veniam.
   1169
ut quod praenuntiatum est ad supplicium, in remedium TRANSFERATUR
   aeternum.   817
et neglegentiae terror inlatus ad fidei TRANSFERATUR aumentum.   3625
in summi pontificis proficiendo membra TRANSFERIMUS adeptum temporaliter
   ...   4028
cum haec in tui nominis cultum TRANSFERIMUS promptiorem.   3938
ut sicut de praeteritis ad nova sumus sacramenta TRANSLATI...   184
quos velut vineam ex aegipto per fontem baptismi TRANSTULLISTI nullae
   peccatorum...   2442
Ds, qui TRANSTULLISTI patres nostros (per) mare rubrum...   1224, 1225
quam idcirco de praesenti seculo TRANSTULISTI ut pro peccatis nostris...
   2032

ad cuius nos substantiam paschalibus remediis TRANSTULISTI.   501

TRANSFORMO
corpus et sanguinem filii tui inmaculata benedictione TRANSFORMENTUR...
3225
corpus et sanguine fili tui inmacolata benedictione TRANSFORMIT, et
inviolabilem...   3225

TRANSFUNDO
... Sic in Eleazar et Ithamar... paternae plenitudinis abundantiam
TRANSFUDISTI ut ad hostias...   1348, 1349, 1350, 2549

TRANSGREDIOR
ut omnem TRANSGREDIENS creaturam excelsa mente conspiceret...   3608,
3609, 3613
... Reus omnipotente deo cuius statuta TRANSGRESSUS es...   574, 1355

TRANSGRESSIO
et morum inprobabilium TRANSGRESSIONE caecidit...   58
ut dignitate pristinae quam originali TRANSGRESSIONE perdiderant...   638
per originalis peccati TRANSGRESSIONE poenae obnoxium...   1611

TRANSGRESSOR
... Exi, TRANSGRESSOR, exi, seductor...   1355, 1437

TRANSIGO
qui nos, TRANSACTA noctis spatio...   1667
ut TRANSACTIS terrae fructibus caeleste semen oreretur...   4074
TRANSACTO diei et consummate noctis arbiter ds...   3483
qui nos TRANSACTO noctis spatio ad matutinis horis perducere dignatus es
    ...   1667
et sene vicio in hoc seculo TRANSAGANT vitam...   3081, 3082
nullumque momentum est quod a beneficiis pietatis tuae vacuum TRANSIGAMUS
    ...   3719
et praesentem vitam TRANSIGATIS inlaesi...   2245
ita TRANSIGERE praesentis vitae dispensationem...   347
Praesta tuae familiae ita hanc vitam TRAN(S)IGERE, ut in illam...   955

TRANSITORIUS
proquae TRANSITURIA claritate caelesti facis honore conspiquum...   4127
Terrene TRANSITURIA dispiciant...   1297
et TRANSITORIA sustentetur humanitas...   2454
et TRANSITORII regni gubernacula inculpabiliter teneat...   3912
... Et sic in rebus TRANSITORIIS foveas, ut perpetuis inherere concedas
    ...   3718
ut de TRANSITURIIS operibus abstenentis ea potius operemur...   2817
ut de TRANSITORIIS opibus ea potius operemur...   2817
ut et TRANSITORIIS subsidiis nostra sustentur mortalitas...   3636
... Sicque donis uteremur TRANSITORIIS, ut disceremus inhiare perpetuis.
3970

TRANSITUS
(beati confessoris tui ill.) TRANSITU sacro (beati confessoris tui ill.)
consecrasti.   3692, 3944
ac mortis vinculis absolutis TRANSITUM mereatur ad vitam.   1721, 1738,
1756, 3915, 3916
et cui donasti celerem et incontaminatum TRANSITUM post baptismi
sacramentum...   890
usque est enim phase, id est, TRANSITUS domini.   1874

TRANSMITTO
et post odorem tui nominis terras mariaque TRANSMITTENS...   4127

TRANSVARICO
nec TRANSVARICABIS nec impedis competentem vitam, vitam aeternam...   1529

TRANSVEHO
et TRANSVEXASTI per aquam nimiam...   1224, 1225

TRECENTI
ut qui gedeon cum TRECENTIS adfuisti trinitas...   3466

TREMEFACIO
ut diabulus inpugnatus, expugnatus, TREMEFACTUS expaviscat.   1547

TREMENTER
humiliter TREMENTERQUE deprecemur pro anima famuli tui ill...   2481

TREMISCO
ut haec audientes tinnibulum TREMISCANT...   1154
... TREMISCAS diabuli et exeas desuper famulo isto.   1551
Ibi terra indutus TREMISCIT diabolicum virtutis dei...   1860

TREMO
... Pro quibus TRAEMENDAE pietati tuae supplices fundimus praeces...
1719
Ut cum ante TREMENDI diem iudicii in conspectu tuo adstiterint...   1319
illius TREMENDI examinis diem exspectetis interriti.   2241
qualiter in TREMENDI iudicii die, sententiam damnationis aeternae evadat
...   823
ut in illo TREMENDO discussionis tempore aeorum defensentur praesidio...
971
per sanctum et TREMENDUM fili tui nomen, supplicis deprecamur...   849
quatenus in illo TREMENDUM tuae maiestatis examine...   634
cum tua victus invidia TREMENS gemensque discede...   222, 223
... Contremisce et effuge invocato nomen domini illius, quem inferi
TREMENT cui virtutes...   141
adorant dominationes, TREMENT potestates...   3589
ut quod TREMENTE servitio nos vovemus oblatum...   207, 2159
te dne TREMENTES et supplices deprecamur ac petimus...   848
gementes et TREMENTES exibimus et dabimus honorem...   224
qui respicis super terram et facis aeam TREMERE, tu, ds omnipotens...
850
montes sicut cera liquescunt, terra TREMIT cui patent abysi...   2299
tellusque TREMIT quassata...   2475
TREMUAERUNT aelementa mundi sub uno percusso...   3661
et aeventum dominici vulneris aelementa TREMUERUNT.   3661
... Contremesce et effuge, invocato nomine domini illius quem inferi
TREMUNT cui virtutes...   1355
adorant dominationes, TREMUNT potestates...   2556, 3589

TREMOR
... Inmundissime daemoniorum, non facias nec pavore nec TREMORE...   1529

TREPIDO
Ds sub cuius oculis omne contrepitat (= cor TREPIDAT) et omnes...   1254

TREPIDUS
ut munus TREPIDA servitute propositum non de nostris meritis aestimemur...
3367

quantum de nostro merito TREPIDI tantum de sanctorum...   2227
et sensum mentis humanae... et metu TREPIDI timoris exagitat...   764
VD. Cum exultatione TREPIDOS et cum pavore laetantes...   3670
et mortalitatis conscientia TREPIDOS pietatis eruditione confirma...
   1343
... Et qui altaris tui ministerium suscepi indignus, perago TREPIDUS...
   815

          TRES
sicut liberasti TRES puerus de camino ignis ardentis...   2023
ut sicut TRES puerus de camino ignis incendii non solum inlesos...   884
Qui TRES puerus, id est sidrac, misac et abdenago...   850
sicut TRES puerus supradictus de camino ignis...   850
... Per TREA testimonia te adiuro : adiuro te per patrem...   225
quae TRIBUS pueris in camino sentencia tyranni depositis vitam
   blandimentis mollioribus reservavit...   861
flammae sevientes incendium sanctis TRIBUS pueris in splendore demutatum
   est animarum...   776
Ds, qui TRIBUS pueris mitigasti flammas igneas...   1226
et illus lumen... quod TRIUM magorum mentibus aspersisti (aspirasti).
   828

          TRIBULATIO
ex quacumque TRIBULATIONE ad te clamaverint...   1048
quorum meritis semper coepisse in TRIBULACIONE agnoscit auxilium.   25
in TRIBULATIONE (TRIBULATIONEM) clamantes respiremus auditi.   1938
perveniant ad te praeces de quacumque TRIBULATIONE clamantium...   2354
quorum (se) meritis (semper) percepisse (cepisse) de TRIBULATIONE
   cognoscit auxilium.   24, 25
Da nobis, qs, dne, de TRIBULATIONE laeticiam...   610
et a temporali TRIBULATIONE nos eripe...   1128
tu in iniuria defensio, in TRIBULATIONE patientia...   758, 759, 760
ut dum dona tua in TRIBULATIONE percipimus...   4248
et a TRIBULATIONE respirans continuis protegatur auxiliis...   1984
ut quos non deseris in TRIBULATIONE subiectos...   3355
ita et nobis in praesenti TRIBULATIONE succurre.   400
nec in TRIBULATIONE supplicare deficiat...   4005, 4006
TRIBULATIONEM nostram qs dne propitius respice...   3500
sollemnia nec inter praeteritas mundi TRIBULATIONES omittere voluisti...
   3630
et continuis TRIBULATIONIBUS laborantem caeleri propitiatione laetifica.
   2096
et continuis TRIBULATIONIBUS laborantem propitius respirare concede.
   2095
et de laqueis poenarum et omnibus TRIBOLATIONIBUS multis.   2023
et ab omnibus TRIBULATIONIBUS propitiatus absolve.   3106
in adversis constantiam, in TRIBULATIONIBUS tollerantiam...   2303

          TRIBULO
et TRIBULANTIBUS multiplicem miserationem serventur...   4048
sed propter gloriam nominis tui TRIBULANTIBUS succurre placatus.   2172

          TRIBULUS
... TRIBULI spinaeque deficiant... et fruges pura succedat...   3827
ut spinarum et TRIBULORUM squalore resecato...   1034

TRIBUO

et vobis TRIBUANT astutiam mentis que non iam alimentum desiderit lactis
    ...   355
et paschalis observantiae sufficientem nobis TRIBUANT facultatem.   3227
... Andreae caelestem nobis TRIBUANT martyria praeventa laetitiam.   1417
et aeternam vitam TRIBUANT nobis deprecantibus.   527
Conservent nos qs dne munera tua, et aeternam nobis TRIBUANT vitam.   526
ut inbicillitate nostrae TRIBUANTUR auxilium...   1838
dignos fieri quibus meliora TRIBUANTUR hortaris.   3883
... TRIBUAS ad eam (eius) plenitudinem pervenire.   1937
et temporalia subsidia nobis TRIBUAS aeterna.   2439
et per augmenta corporea profectum clementer TRIBUAS animarum...   3825
auresque salubres TRIBUAS atque aegris restituas...   2371
ut pariter nobis indulgentiam TRIBUAS benignus et pacem.   1511
ut praesenti famulo tuo a nobis egrediente angelicum TRIBUAS comitatu...
    897
et praesentis vitae nobis pariter et aeternae TRIBUAS conferre praesidium.
et parcendo spatium TRIBUAS corrigendi...   4009
ut et perseverantiam nobis TRIBUAS depraecandi...   4187
frequenti TRIBUAS devocione gaudere...   3600
tibi etiam placitis moribus dignanter TRIBUAS deservire.   3377
ad complendum indefessam TRIBUAS efficaciam...   3807
TRIBUAS eis, dne, cathedram episcopalem (pontificalem) ad regendam
    aecclesiam tuam...   818, 819, 820
ut famulo tuo ill... remissionem peccatorum TRIBUAS eiusque viam...   3660
ut animam famuli... sanctorum tuorum coetui TRIBUAS esse consortem.   594
et temporalia subsidia nobis TRIBUAS et aeterna.   2439
et fecunditatem TRIBUAS et filium que donaveris benedicas.   977
et indulgentiam nobis TRIBUAS et postolata concedas.   1616, 2864
pariterque nobis devotionis huius tempora largiora TRIBUAS et profectum.
    3368
ut et securitatem nobis temporum TRIBUAS et religionis aumentum...   4137
et indulgentiam nobis TRIBUAS et salutaria dona concedas.   2887
... Quem TRIBUAS evadere flammas poenae aeternae...   3770
et intellegendi que recta sunt, et exsequendi TRIBUAS facultatem.   4112,
    4212
exequendi gratiae tuae TRIBUAS facultatem.   2157
et presentis vitae nobis et pariter aeterne TRIBUAS ferre subsidium.
    4254
perpetuis TRIBUAS gaudere consortiis (consortes).   2036
ut veniam TRIBUAS humanis excessibus...   2836
... TRIBUAS id secundum tuam voluntatem exsequendi efficatiam...   3913
ut mentes nostras... medicinalibus TRIBUAS ieiuniis exonerari...   3745
et tua clementia TRIBUAS impetrare quod poscimus.   3697
ita nobis eorum TRIBUAS intercessione refoveri...   3859
ut spiritu sancto renatos regnum tuum TRIBUAS introire...   2334
ut TRIBUAS iugiter nos eorum confessione benedici...   3306
ut mentibus nostris... TRIBUAS iugiter suavitatem concedasque...   3748
ut mentibus nostris beati Laurenti martyris tui TRIBUAS iugiter suavitatem
    qua et nos...   4195
ac TRIBUAS nobis aeterna gaudia...   3832
et famulos tuos... huius sacrificii TRIBUAS operatione mundare.   1502
remissione peccatorum TRIBUAS, opus perficias...   3662
ut (et) temporalis vitae nos TRIBUAS pace (pacem) gaudere...   1451

... TRIBUAS per unctionem istius creaturae purgationem mentis et corporis
... 838, 839, 1240
et mihi... TRIBUAS perseverantem in tua voluntate famulatum... 1311
quem TRIBUAS poenae aeterne aevadere flammas... 3770
... TRIBUASQUAE populo (tuo) de tuis muneribus tibi semper gratias agere
... 2525
ut TRIBUAS potius inherere perpetuis. 2592
et aeternae TRIBUAS praemium sempiternum... 3707
et desiderantibus benignus TRIBUAS profutura. 3801
ad salutis aeternae TRIBUAS provenire suffragium. 2967
sed huiusmodi potius effici TRIBUAS qui beneficiis tuis... 2971
nosque contra superbos spiritos humilitate TRIBUAS rationabilem custodire
... 3834
sic quoque TRIBUAS rationabilis obsequii propitius incrementum... 4213
ita fieri TRIBUAS remedium sempiternum. 2234
perpetuae nobis TRIBUAS salutis augmentum. 547
et cui donasti baptismi sacramentum, longeva TRIBUAS sanitatem. 2274
quantocumque etiam bonae conversationis adnisu fieri TRIBUAS sectatorem.
3670
habere TRIBUAS sempiternae beatitudinis porcionem. 1766
Ut nobis dne TRIBUAS solemne tibi deferre ieiunium... 3578
et cras TRIBUAS spiritalium incrementa donorum... 3950
ut nos divinis rebus TRIBUAS studere veraciter... 3808
... TRIBUAS sufficientem gratiam ministrandi. 1731, 2156, 2157
altaris sancti ministerium TRIBUAS sufficienter implere... 762
Ut nobis, dne, terrenorum frugum TRIBUAS ubertatem... 3576
quibus tanta remedia providisti TRIBUAS ut eorum per tuam... 3623
haec deinceps sanctificatas familiae tuae potabilis TRIBUAS ut et
potantium... 1365
et nobis optatam misericorditer TRIBUAS veniam nec iniquitatum... 3892
et fructum omnium largiter TRIBUAS, veniam quoque substantiam... 1369
ut ad beneficia recolenda, TRIBUAS venire gaudentes. 145
ut quod tua piaetas largienter aeis TRIBUAT, clementer conservit. 2290
Et qui vobis tribuit supplicandi affectum, TRIBUAT consolationis auxilium.
425
suae vobis benedictionis TRIBUAT dona gratissima. 2252
ut caelestis mensae participacio... TRIBUAT aecclesiae tuae recensita
laeticia (recensitam laetitiam). 3304
... TRIBUAT ei magna pro parvis... 3256
et aeternae felicitatis TRIBUAT esse consortem. 337
et caelestis gaudii TRIBUAT esse consortes. 1700
et caelestis gaudii TRIBUAT esse participes... 1684
et purificationem nobis TRIBUAT et medellam. 3130
et pariter nobis expiationem TRIBUAT et munimen. 4245
et temporalem (temporaliter) nobis tranquillitatem TRIBUAT et vitam
conferat sempiternam. 2762
et continentiae (promptioris) nobis TRIBUAT facultatem (promptiores).
3151, 3152
et TRIBUAT gratiam quam semper rogastis. 356
in aeum virtutem perfectionis bonis operis TRIBUAT in hactu... 2503
ut hoc sacrificium... nobis TRIBUAT in devotione praesidium. 2221
ut sicut inmutatur in vultu, ita manus dexterae eius ei virtutis TRIBUAT
incrementa... 2503
et benedictionis suae vobis TRIBUAT incrementa. 2951
nativitatis eius votiva sollemnitas pacis TRIBUAT incrementum. 1602

pacem TRIBUAT, inimici insidias (insidiis) longe repellat.   169
benignitas omnipotentis dei graciam suam TRIBUAT largitatem.   2510
quibus b(e)ati apostoli andreae caelestem nobis TRIBUAT martyria...
   1417
TRIBUAT nobis, dne, qs, sanitatem mentis et corporis sacramenti tui
   medicina caelestis...   3484
et per adventum unigeniti tui aeternam vitam TRIBUAT nobis.   528
prospera TRIBUAT, pacem concedat...   340, 356
praesertim dum prestitorum testificatio spem TRIBUAT petendorum.   4144
nullam seviente (servientem) adversario TRIBUAT potestatem...   725
... TRIBUAT que oportit, adque omnem...   360
cuique in iudicio misericordiam TRIBUAT quemque morte...   701
Vitam suam vobis dominus TRIBUAT, qui mortem...   335
Et praestit vobis velle que praecepit, TRIBUAT quod oportit...   360
ut et securitatem TRIBUAT recte curata religio...   4192
Tui nobis, dne, communio sacramenti et purificationem conferat et TRIBUAT
   unitatem.   3550
ita manus dexterae tuae in eum virtutis TRIBUAT, ut...   2761
Ipse vobis TRIBUAT veniam peccatorum...   1158
et TRIBUAT veniam quam ab eo deposcitis.   2243
non suis TRIBUAT viribus...   2640
Illius ontentu TRIBUAT vobis dei et proximi caritate semper exuberare...
   915
TRIBUAT vobis dominus caritatis donum...   3485
... TRIBUAT vobis et eadem devotis mentibus celebrare...   1242
secerdote magis pro merito, quam pro affectionem aliqua TRIBUATIS.   3021
indulgentia TRIBUATUR ab iniquitate cessantibus.   4205
ita ad peragenda ea quae docuit eius obtentu fidelibus TRIBUATUR efficacia
   ...   3703
tuaque gratia TRIBUATUR et moderatio gubernantum et oboedientia subditorum.   639
consolatio TRIBUATUR, fides sancta succrescat...   3354
ut in Christo renatis et aeternam (aeterna) TRIBUATUR hereditas et vera
   libertas.   878
et eisdem caelestis munificentia TRIBUATUR qua et recte...   163
nisi per te omnium peccatorum TRIBUATUR remissio...   2181
salutare tuo munus inviolabilem TRIBUATUR ut omne quod sorde...   313
consuetae misericordiae TRIBUE benignus effectum.   139
et pariter nobis indulgentiam TRIBUE benignus et gaudium.   1934
et opem (tua, tuam) TRIBUE benignus infirmis...   3322
et praesentis, qs, vitae pariter et aeternae TRIBUE conferre praesidium
   (subsidium).   4251
pluviam nobis TRIBUE congruentem...   832
... TRIBUE consequi, quod sperare donasti.   328
spiritum nobis TRIBUE corrigendi.   2530
et bona, que suis utilitatibus TRIBUAE cubire a consorte nature...   3924
... TRIBUE defensionis auxilium.   719
Pacem nobis TRIBUE, dne, mentis et corporis...   2528
TRIBUE, dne, qs, familiae tuae, ut exultationem...   3486
TRIBUE, dne, qs, fidelibus tuis : ut, sicut ait apostolus...   3487
Pacem nobis TRIBUAE, dne, qs, mentis et corporis...   2529
Propitius TRIBUE, dne, ut hac oblatione mundemur...   2893
... TRIBUAE ei continuam (continua) sanitatem ad agnoscendam (agnoscendum)
   unitatis tuae veritatem.   2446
... TRIBUAE aei pro operibus gloriam...   674
... TRIBUAE aei qs divitias gratiae tuae...   2269

... TRIBUE ei qs ut ita in praesenti collecta multitudine...   2393
... TRIBUE eis brachium infatigabilem (infatigabile) auxilii tui...   2658
... TRIBUAE aeis de rore caeli et habundantia...   3461
... TRIBUAE aeis, dne, in hoc seculo habundantia tritici, vini et olei...
    2362
... TRIBUE aeis in fide credulitatem...   318
TRIBUAE aeis ut sectentur non interitum sed vitam...   311
... TRIBUE et magistrati tuae iugiter exoret pro nobis.   2808
et veniam nobis TRIBUE et remedia sempiterna concede.   270
medicinalibus TRIBUE exhonerare ieiuniis...   3317
et paschalis (paschalibus) observantiae sufficientem nobis TRIBUE
    facultatem.   3218
Dne iesus christe TRIBUE familiam tuam in fide credulitatem...   1332
huius, qs, fidei famulis tuis TRIBUAE firmitate (firmitatem)...   1167
vitam nobis TRIBUE fructificare perpetuam.   3095
perpetuis TRIBUE gaudere beneficiis (et) mentis et corporis.   517
perpetuis TRIBUAE gaudire remediis.   518
Gratiae tuae, qs, dne, supplicibus tuis TRIBUE largitatem...   1658, 1659,
    1660
... TRIBUE maiestatem tuam iugiter exorare pro nobis.   2808
salutem nobis TRIBUE mentis et corporis.   2911
eius nos TRIBUE meritis adiuvari.   1104
et gratiam timoris et amoris tuae TRIBUAE mihi.   1296
sic indulgentiam TRIBUE miseratus optatam.   733, 735, 736
suscipe propicius oracionem nostram et TRIBUE misericordiam tuam...   1037
TRIBUE nobis, dne, caelestis mensae virtute satiatis (societatem,
    sotiaetati)...   3488
TRIBUE nobis, dne, misericordiam tuam...   3489
TRIBUE nobis, dne, qs, ut mysterii salutaris...   3490
et TRIBUAE nobis misericordiam tuam...   2316
... TRIBUE nobis munere festivitatis hodiernae...   2477
TRIBUE nobis, omnipotens ds, ut dona caelestia... sencera professione
    sentiamur.   3491
... TRIBUE nobis perseverantem in tua voluntate famulatum...   1325
et oportunum TRIBUE nobis pluviae sufficientis (sufficienter) auxilium.
    2210
TRIBUE nobis, qs, dne, indulgentiam peccatorum...   1914
et suffragantibus sanctis tuis TRIBUE nobis veniam peccatorum...   1422
TRIBUE nos, dne, qs, donis tuis libera mente servire...   3492
apostolicis TRIBUE nos, dne, qs, praecibus adiubari.   3572
(Sanctorum), (Sanctae) (dne), (martyrum tuorum) (mariae dne) supplicatio-
    nibus TRIBUE nos foveri...   2717, 3187, 3234
Sancti dne confessoris tui ill. TRIBUAE nos supplicationibus foveri...
    3194
et anima famuli tui illius remissionem TRIBUAE omnium peccatorum...   1910
et temporalis vitae nos TRIBUE pace gaudere...   1451
et veniam nobis TRIBUE peccatorum et remedia sempiterna concede.   3238
eique depraecantibus sanctis tuis remissionem TRIBUE peccatorum praesta
    vitae...   1423
Animae famuli tui, qs, dne... remissionem TRIBUE peccatorum ut devotio...
    177
animarum famulorum famularumquae tuarum remissionem cunctorum TRIBUE
    peccatorum ut indulgentiam...   1629, 2806, 3008
Indulgentiam nobis, dne, TRIBUE peccatorum ut instituta paschalia...
    1914

famulo tuo cunctorum remissionem TRIBUE peccatorum ut quam semper...
   1628
et animabus famulorum famularumque tuarum... remissionem cunctorum TRIBUE
   peccatorum.   2949
... TRIBUE per haec (sancta), qs, ut sicut animae famuli tui illius...
   734, 735, 736
illam nobis lucem in animam et corpore nos semper TRIBUAE per quam ad
   aeternam...   1328
... TRIBUE permanentem peractae quae recolimus (quam colimus) solemnitatis
   effectum (affectum)...   877
et ad perpetuum nobis TRIBUE pervenire subsidium.   1812
et oportunum nobis TRIBUE pluviae sufficientis auxilium.   2210
... TRIBUE populis tuis qui et vinearum...   1034
... TRIBUE pro amore tuo prospera mundi despicere...   914
et ad perpetuum nobis TRIBUE provenire subsidium.   1812, 1832
et sinciram nobis TRIBUAE puritatem.   957
TRIBUE, qs, dne ds noster, ut donis interioribus fecundemur...   3493
TRIBUE, qs, dne, donis tuis libera nos mente servire...   3494
TRIBUE, qs, dne, fidelibus tuis, et ieiunium mensis septimi...   3495
TRIBUE qs dne fidelibus tuis ut ieiuniis paschalibus...   3495
TRIBUE, qs, dne, sanctos tuos (et) iugiter orare pro nobis...   3496
TRIBUAE, qs, dne, ut eum praesentibus immolemus sacrificiis et sumamus...
   3497
TRIBUE, qs, dne, ut illuc (semper) tendat christianae (nostrae) devotionis
   ...   3498, 3499
... TRIBUE, qs, eorum nos semper et beneficiis praeveniri et oracionibus
   adiuvari.   1082
TRIBUE, qs, et eorum emundemur effectu et muniamur auxilio.   3079
... TRIBUE, qs, ill. famulo tuo adeptam bene gerere dignitatem...   2487
TRIBUE qs o. ds ut illuc tendat christianae...   3498
TRIBUE, qs, omnipotens ds, ut munere festivitatis hodiernae...   2477
... TRIBUAE qs populis tuis ut...   1034
... TRIBUE, qs, ut animae famulorum famularumque tuarum ab omnibus
   exuitae peccatis...   774
... TRIBUE, qs, ut dona quae suis participibus contulit, largiat et nobis.
   787
... TRIBUE, qs, ut eorum et corporibus nostris subsidium non desit et
   mentibus.   1018
... TRIBUE, qs, ut eorum nobis indulta refectio vitam conferat
   sempiternam.   1132
... TRIBUE, qs, ut et corporeis non destituamur alimentis...   1177
... TRIBUE, qs, ut et eorum emundemur effectu et muniamur auxilio.   3079
... TRIBUE, qs, ut et vitae nobis praesentis auxilium... efficiant...
   1306
TRIBUAE qs ut haec sacra que sumpsimus...   3598
... TRIBUAE, qs, ut in nostra constientia fiducia non habentes...   918
... TRIBUAE, qs, ut ipsam pro nobis (aput te) intercedere senciamus...
   1214
... TRIBUE, qs, ut non indignationem tuam provocemus elati...   2455
... TRIBUE, qs, ut nostrae conscientiae fiduciam non habentes...   918
... TRIBUAE, qs, ut piis sectando quae tua sunt universa nobis salutaria
   condonentur.   1112
... TRIBUE, qs, ut pro nobis intercessor exsistat...   2238, 2444
... TRIBUE, qs, ut simul perficiatur in nobis et quod creavit...   1196
... TRIBUE, qs, ut tua nobis misericordia conferatur...   4239
aumentum nobis TRIBUE religionis et pacis...   2276

et bene placitum fieri TRIBUE sacratarum tibi mentium famulatum...   3099
Cotidianis, dne, qs, munera sacramenti perpetuae nobis TRIBUE salutis
     augmentum.   547
... TRIBUE subsequi in sancta professione victoriam.   1302
et aeris serenitatem nobis TRIBUAE supplicantes...   55
et praesidia corporis copiosa TRIBUE supplicanti.   1626
et opem TRIBUE suppliciter imploranti...   3083
toto nos TRIBUE tibi corde servire.   3108
... TRIBUE tibi digne persolvere ministerium (ministeriorum) sacerdotalis
     officii...   1089
secura TRIBUE tibi mente servire.   3097
... TRIBUE tuae propitiationis effectum.
... TRIBUE, ut ad promissiones tuas sine offensione curramus.   2270
et TRIBUE, ut divina (beata) mysteria castis iucunditatibus celebremus.
     3059
et TRIBUE, ut natalitio eius munere gratulantes...   1022
et TRIBUAE ut qui terrenis abstinent cibis...   3110
et ad beneficia recolenda... TRIBUE venire gaudentes.   144, 145
Tibi placitam, ds noster, populo tuo TRIBUE voluntatem...   3478
da indulgentiam reis et medicina (medicinam) TRIBUE vulneratis...   922,
     923
... TRIBUENDO beatitudinem offerendo (auferendo) terrorem...   817
... TRIBUENS eis remissionem omnium peccatorum...   1752, 1773, 1774, 2465
ut templum sancti spiritus ipso TRIBUENTE esse possitis.   345
Ut, te TRIBUENTE, populo crescat in numero...   981
Ita, te, dne, TRIBUANTE, ut in omnibus mandatis...   2303
ut iumente, que necessitatibus humanis TRIBUERE dignatus es...   849
ut ipse ei TRIBUERE dignetur placitam et quietem mansionem...   2583, 2584
testimonium TRIBUAERE etiam non loquentes.   1061
ut (et) nos divinitatis suae TRIBUERET esse participes.   3793, 3999
merita sub una TRIBUES caelaebritate venerari...   2430
et mentem nobis TRIBUES depraecandi...   3927
VD. Tu etenim TRIBUES, dne, ut praedicationis...   4190
VD. Qui sic TRIBUES aeclesiam tuam sanctorum martyrum...   4026
ut quos tanti mysterii TRIBUES esse consortes, eosdem dignos efficias.
     560, 3316
... TRIBUES esse praesentem...   4037
et quam martyrum tuorum adsidua TRIBUES festivitate devotam...   2929
quia tunc vera nobis TRIBUES et mentis et corporis sanitatem.   3363
utantur nec glorientur potestatem quam TRIBUES in aedificacionem...   820
et quorum nos TRIBUES interesse mysteriis...   1310
et quibus supplicandi TRIBUES miseratus affectum...   64
per haec eadem TRIBUES nos inherere caelestibus.   3075
ut quos divina TRIBUES participatione gaudere...   2968, 3002
cum nos vel in hac devotione TRIBUES permanere...   3642
hanc ipsam, quam nobis TRIBUES perseverantiam supplicandi...   4041
Et quam divinis TRIBUES reficere sacramentis...   3110
VD. Qui non solum peccantibus nobis veniam TRIBUES sed hostibus...   3961
in tuo, dne, TRIBUES semper honore gaudere.   3966
et quorum nos TRIBUES sollemnia celebrare...   4249
et bona, quae suis utilitatibus TRIBUI cupiret a consorte naturae...
     3923
et quae desudantibus famulis nasci TRIBUIS ab hostibus...   3598
de quorum nos virtute TRIBUIS annua sollemnitate gaudere.   472
gaudium domini sui TRIBUIS benignus intrare.   3931
qui huius fidei TRIBUIS clementer ardorem...   4109

ut quorum nos TRIBUIS communicare memoriis...   3004

VD. Qui eclesiam tuam in apostolicis TRIBUIS consistere fundamentis...
3907

et parcendo spacium TRIBUIS corregendi (corrigendo)...   3884

qui perire meritis TRIBUIS de merore laetitiam.   3012

tibi etiam placitis moribus dignanter TRIBUIS deservire.   3377

et quae extrinsecus annua TRIBUIS devotione venerari interius adsequi...
1416

frequenti TRIBUIS devotione venerari ut crebrior...   3599

VD. Quia sic TRIBUIS ecclesiam tuam sancti gregorii... commemoratione
gaudere...   4064

et prospera TRIBUIS et adversa depellis...   1070

per quam nos expiare TRIBUIS et defendi (defendendi).   1805

His, qs, dne, sacrificiis, quibus purgationem et viventibus TRIBUIS et
defunctis...   1783

et haec TRIBUIS et illa promittis (largiris)...   3968

quibus et in persecutione tolerantiam TRIBUIS et in passione...   4107

qui offerenda tuo nomini TRIBUIS et oblata devotioni...   2433

VD. Qui TRIBUIS, et tibi fideles tui quod te inspirante devoverunt
impleantur...   4031

... Nobis tamen eorum festa annuis recursibus TRIBUIS frequentare...
3601

et quem sanctorum tuorum TRIBUIS frequentationibus interesse...   77

... TRIBUIS gloriosas indesinenter celebrare victorias...   3978

... Qui ieiuniis orationibus et elemosinis... virtutum omnium TRIBUIS
incrementa...   3807

quia tunc veram nobis TRIBUIS mentis et corporis sanitatem.   3363

et tolerentiam TRIBUIS passionum...   3721

et beati baptistae Iohannis, cuius nos TRIBUIS praeire solemnia...   2133

et quam divinis TRIBUIS profiteri (proficere) sacramentis...   3091

quia non solum peccantibus veniam TRIBUIS sed etiam premia...   3737

Ds, qui renatis baptismate mortem redimis et vitam TRIBUIS sempiternam...
1192

quos caelestibus TRIBUES servire mysteriis.   2821

ut (sicut nos) (nos dne, sic nos) TRIBUIS solemne tibi deferre ieiunium
...   434, 3578, 4024

et cui TRIBUIS supplicandi benignus affectum...   2622

et quos exteriore TRIBUIS tranquillitate gaudere...   3628

Dne ds noster, qui salutaria et praevidis et solus et TRIBUIS tu qs et
mentibus...   1309

quoniam tu eadem TRIBUIS ut placeris.   2972

ineffabilis gratiae munere familiae tuae praesidere TRIBUISTI adtolle
quod suscitas...   1362

qui et illis TRIBUISTI beatitudinem sempiternam...   4154, 4156

hanc creaturam salis quam in usum generis humani TRIBUISTI benedicere...
1929

ecclesiae tuae TRIBUISTI celebrare mysterium...   3989

merita sub una TRIBUISTI celebritate venerari...   2430

multo (multum) magis quos (quod) tuos (tui) esse (cesse) TRIBUISTI
clementi (clementer)...   4022

VD. Qui aeclesiam tuam in apostolicis TRIBUISTI consistere fundamentis...
971, 3339, 3908, 4047

O. s. ds, qui huius diei... laetitiam beati... Iohannis... festivitate
TRIBUISTI da aeclesiae tuae...   2399

Ds, qui nos per beatos apostolos ad cognicionem tui nominis venire
TRIBUISTI da nobis eorum...   1123

sed inmensa largitate clementiae caelestibus mysteriis servire TRIBUISTI
    dignum sacris...   863
Dne iesu christi qui discipulis tuis tuum spiritum TRIBUISTI, aecclaesiae
    ...   1327
quae et misericors offerenda TRIBUISTI et in nostrae salutis...   1386
et quos intercessores nostros esse TRIBUISTI fac eos et maiestatem...
    2682
Ds, qui nos exultantibus animis pascha tuum caelebrare TRIBUISTI fac qs
    nos...   1114
et quos pati pro tuo nomine TRIBUISTI fac tuis fidelibus...   69
quorum nobis ea TRIBUISTI magisterio praedicare.   809
paschale sacramentum secura (placida) TRIBUISTI mente suscipere.   2128
quibus per unigeniti tui consortium filius adopcionis esse TRIBUISTI per
    sanctum spiritum (spiritum sanctum)...   4011, 4012
Deus qui nos ad... Xysti natalicia TRIBUISTI pervenire laetantes...   1095
Ds, qui renatis fonte baptismatis delictorum indulgentia (indulgentiam)
    TRIBUISTI praesta misericors...   1193
sollemnitatem quo nobis indigni sacerdotalem infulis TRIBUISTI qs dne ut
    placatus...   1765
quem immolando totius mundi TRIBUISTI relaxari delicta.   190
... TRIBUISTI sacerdotalem subire famulatum...   1754
qui et illis... beatitudinem TRIBUISTI sempiternam...   3724
ut sicut eam ad aetatem nuptiis congruentem pervenire TRIBUISTI sic
    consorcio...   1729
et eosdem, quorum TRIBUISTI sollemnia celebrare...   210
qui nos... in hac ora vespertina pervenire TRIBUISTI te supplices
    deprecamur...   1666
qui beato laurentio TRIBUISTI, tormentorum suorum incendia superare.   628
filii tui (domini nostri)nativitate TRIBUISTI totius religionis initium
    perfectionemque constare...   2407
aeclesiam tuam inter adversa crescere TRIBUISTI ut cum putaretur...   4071,
    4073
quae sic ad honorem nominis tui deferenda TRIBUISTI ut eadem remedia...
    3477
beatique martyrii coruscare TRIBUISTI ut in conspectu...   3951
quam in husui humani generis TRIBUISTI ut qui ex ea gustaverit...   1370
virtute fidaei et patientiae fortitudinem TRIBUISTI ut saevitiae...   3618
quam ad substantiam servorum tuorum TRIBUISTI ut ubicumque...   1335
qui nobis hunc diem sancti Laurenti martyrio TRIBUISTI venerandum...
    3746
sic per Iesum Christum... sui TRIBUISTI victores esse victorem...   3788
mutuas mortes tibi inpendere praetiosa devotione TRIBUISTI.   3901
Deus qui vos in apostolicis TRIBUIT consistere fundamentis...   1243
... TRIBUIT efficatiam, qua haec ad perfectum perducere valeamus...   3659
O. ds qui unigeniti sui passione TRIBUIT humilitatis exemplum...   2255
Ut qui tibi TRIBUIT in terris imperium...   874
sicut illis magnificentiam TRIBUIT sempiternam...   1992
Et qui vobis TRIBUIT supplicandi affectum...   425
et aeternae vitae fidelibus TRIBUITUR integritas.   3976

        TRIBUS
ds qui TRIBUS israhel de aegyptia servitute liberatas...   739
ds, qui TRIBUS Israhel monuisti...   738

        TRIBUTOR
variarumque graciarum TRIBUTOR id est et unus effector...   4049

TRIDUUM

Et qui condam misericors miseratus es turbae tecum TRIDUO permanenti...
3102

TRIGESIMUS

et sicut fidelibus tuis TRICESIMUM atque sexagesimum vel centesimum
fructum donare...   2110
cuius deposicionis diem septimum vel TRIGESIMUM celebramus...   1721
quam tibi offeret ob diem TRECESIMUM coniunctiones suae vel annualem...
1719
quam tibi offerimus ob diem depositionis septimum vel TRIGESIMUM pro
anima famuli...   95, 96
cuius diem septimum vel TRIGESIMUM sive deposicione celebravimus...   2312

TRINITAS

Ds unitas, ds TRINITAS in cuius magna confido valde misericordia.   3792
TRINITAS individua, semper ubique patri maiestati defusa...   3501
prufisae clementia, ds, TRINITAS indivisa.   1514
gloriose, ineffabiles TRINITAS, inestimabilis...   3821
Omnipotens ds, TRINITAS inseparabilis...   2259
per invocationem sancti nominis tui, TRINITAS sancta, adiuva nos.   3468
ut qui gedeon cum trecentis adfuisti TRINITAS victrix hostium...   3466
et virtute sancti TRINITATIS et omnipotenciam aeius...   1888
constanter (instanter et) in sanctae TRINITATIS fide catholica perseverant
(perseverent).   1249, 1720
ut amborum meritis aeternam TRINITATIS graciam (gloriam) consequamur.
785, 786
summique TRINITATE concinnunt alleluia...   3736
Ipse vos in TRINITATE et unitate sanctificit...   352
et in TRINITATE quadriformis evangelii constare mysterium...   3943
Ipse vos in TRINITATE sanctificit...   363
non in hunius singolaritate personae, sed in unius TRINITATE substantiae
...   3887
per TRINITATEM insiparabilem...   1547
et in una TRINITATIS confessione consistant.   329
instanter in sanctae TRINITATIS confessione (confessionem) (et) fide
catholica perseverent.   1718
ut in nomine (sanctae) TRINITATIS efficiaris (efficiatur) salutare
sacramentum ad effugandum inimicum...   1542, 1544
per potentiam sanctae TRINITATIS et nominis dei omnipotentis.   1888
populis TRINITATIS in hunitate credentibus...   397
solusque TRINITATIS individuae deus in solatium vestrum...   2905
pia famulis tuis sanctae TRINITATIS invocatio perfecta sanctificit.   770
et in unoquoque evangeliorum TRINITATIS plenitudinem contineri...   3943
In nomine sanctae et unique TRINITATES quae nobis est allatum...   1890
non in unius singularitate personae, sed in unius TRINITATIS substantiae
...   3887
quia trina celebratio beatae conpetit mysterium TRINITATIS.   1986
qui dum viveret insignitus est signaculo TRINITATIS.   2181
sic in spiritu sancto tocius cognoscamus substanciam TRINITATIS.   450

TRINUS

... TRINA ablucione purgati indulgenciam omnium delictorum tuo munere
consequantur.   2345
quia TRINA celebratio beatae conpetit mysterium trinitatis.   1986
invistigabile misteria TRINE maxime maiestatis...   4143

ut in hanc invocationem TRINAE potestatis atque virtutem deitatis...
  1536, 1537
sacri muneris servitutem TRINIS gradibus ministrorum nomini tuo militare
  constituens...   136, 137, 138
dum TRINO vocabulo unicam credimus maiestatem.   3638

TRIPUDIO
ut semper permaneant TRIPUDIANTES in pace victoris.   842

TRISIDUS
Exite... de ceribro TRISIDO, de vertice, de fronte...   1888

TRISTIS
in quo hoc TRISTE seculum deserans...   3766
qui culpa suae reatu TRISTI torquebatur in poena.   2298
ut ille TRISTIS aculeus saevientis (evidentis) inferni...   4096
Hic si quando populus tuus TRISTIS mestusque convenerent...   3828

TRISTITIA
nec TRISTITIA eos secunda conmutent.   854
qui per felicitatis insolentiam venit ad TRISTITIAM humilis et molestus...
  3767, 4088

TRITICUM
nisi granum TRITTICI cadens in terram mortuum fuerit...   3757
tribuae aeis, dne, in hoc seculo habundantia TRITICI, vini et olei...
  2362

TRIUMPHALIS
... TRIUMPHALE nobis ostendisti aeterno...   2237
et eorum sanguinem TRIUMPHALEM... ad tuorum facis auxilium transire
  fidelium.   3965
aeius TRIUMPHALIBUS et infurmemur exemplis et meritis adiuvemur.   4149
vixilli preciosi fili tui sanguine TRIUMPHALIS famulos tuos...   2321
gaudia gloriae TRIUMPHALIS virginitas implevit et passio.   3783

TRIUMPHATOR
de visibilibus et invisibilibus hostibus TRIUMPHATOR effectus...   3912
Ds... inseparabilis imperii rex ac semper magnificus TRIUMPHATOR qui
  adversae...   848
... Illum metue qui... in homine crucifixus, deinde TRIUMPHATOR recede
  in nomine...   744

TRIUMPHO
... Tolle ocansionem diabulo (diabulum) TRIUMPHANDI et reserva...   3463
et de hostibus TRIUMPHANDI suis sequenda exempla monstravit.   3855
tibi domino gloria refferant TRIUMPHANTES, dum fidelissime...   4143
Christe dne qui huius noctes tempore TRIUMPHANTES iure victores...   397
Ds qui TRIUMPHANTIBUS pro te martyribus regiam...   1227
Ipse nobis misericorditer praestit TRIUMPHARE de mundum quem vicit...
  4176
ne inimicus de anima huius (ista) sine redemptione baptismatis incipiat
  TRIUMPHARE differ dne...   3463
et post certamen de hostibus TRIUMPHARE ita vos...   341
quos per lignum sanctae crucis filii tui... TRIUMPHARE iussisti.   3063
ne de eis inimicus valeat TRIUMPHARE tribue eis...   2658
ne inimicus de anima ista incipiat TRIUMPHARE !   3463a
qui de antiquo hoste... verum etiam per feminas voluit TRIUMPHARE.   2264
de hoste generia humani, qui aditum per illam mortis invenerat,
  TRIUMPHARET...   3788

sed de eo (idio) etiam per feminas TRIUMPHASTI.   4036
quod de eo etiam sexus fragilis iam TRIUMPHAT...   3854
et TRIUMPHATO diabolo victor a mortuis resurrexit...   4160
sic utroque confessione magnifica per tuam gratiam TRIUMPHATUR clariorque
   ...   4103
... In quibus et antiqui hostis superbia TRIUMPHATUR et nostrae redemptionis...   3669
de diaboli saevitia TRIUMPHAVIT...   3856

            TRIUMPHUS
et TRIUMPHI caelestis perpetuus sit natalis...   3599, 3600
... Huius igitur TRIUMPHI diem hodierna devotione celebrantes...   4169
ut cui dedisti caelestis palmam TRIUMPHI nobis quoque eo...   3729, 4163
... Ut sicut illi dedisti celestis palmam TRIUMPHI sic eo suffragante...
   3695
... TRIUMPHIQUE caelestis perpetua et aeterna sit celebritas...   3601
et reserva quem TRIUMPHIS conparis (conparare) Christi...   3354, 3463
VD. (Et) Te in omnium martyrum (tuorum) TRIUMPHIS laudare...   3720, 4151
quem in beatorum TRIUMPHIS martyrum mirabilia cuncta pronuntiant.   4188
pro beatorum apostolorum TRIUMPHIS oblata...   3397
captivam se trahi dominicis TRIUMPHIS obstipuit...   861
ut quorum gaudemus TRIUMPHIS, proficiamus exemplis (proficiamur exempli).
   2411
ut quorum gloriamur TRIUMPHIS, protegamur auxiliis.   387
ut pro quorum TRIUMPHIS tuo nomini deferuntur (offeruntur)...   2132
VD. Merito etenim, dne, de TRIUMPHIS tuorum martyrum gloriamur...   3806
deducatur cum TRIUMPHO choro coniuncta angelico...   3392
... TRIUMPHO nos sancti Laurenti, quem hodie celebramus, accendis.   4108
Sit plebi huius gloria pro aeius TRIUMPHO, obteniat...   1227
sed victori domino gratias referat de TRIUMPHO qui fuit...   2640
quam resurrectionis suae TRIUMPHO suis fidelibus preparavit...   4176
tuorum praedicatur potentia TRIUMPHORUM...   4193
quorum praedicamus TRIUMPHOS, eorum fidem veraciter imitemur.   608
ut quorum celebramus TRIUMPHOS, possimus retinere constantiam.   1487
... Petri et Pauli TRIUMPHOS prestet insignem...   3666
ut TRIUMPHUM beati laurentii martyris tui... fervore fidei veneremur.
   690
et meruit TRIUMPHUM beatitudinis sempiternae.   3616
VD. Qui ad maiorem TRIUMPHUM de humani generis hoste capiendum...   3873,
   3874
da aeis... de inimicis TRIUMPHUM, de lumbis sobolem regnatorem.   395
ut quotiens TRIUMPHUM devinae humilitatis... oculus intuaemur...   634
qui est arma christianorum et TRIUMPHUM domini iesu...   1888
cuius TRIUMPHUM in diae quo sanguine suo signavit colentes...   3933
sicut eis perpetuum dat TRIUMPHUM ita nobis continuum...   2698
adque contra inimicos... aeclesiae TRIUMPHUM largiatur victoriae.   2506
neque vacuari passionis TRIUMPHUM mundi morte paciaris.   3038
... Concedasque nobis ut venerando passionis eius TRIUMPHUM obtentu
   illius...   3748
et in cruce passionis suae TRIUMPHUM sanguine et aqua...   1364
et ad potiorem TRIUMPHUM secum ad regna caelestia, cui fuerit nuptus,
   perduxit.   3993, 3995
... Xysto... non solum propriae passionis TRIUMPHUM sed ut etiam...   4015
atque perpetuum eis largiris TRIUMPHUM ut aeclesiae tuae...   4016
atque perpetuum largiaris TRIUMPHUM, ut in exemplum...   4016
geminatae gloriae TRIUMPHUM virginitas implevit et passio.   3783

da servis tuis... TRIUMPHUM virtutis tuae scienter excolere...   1246
cuius devotis mentibus in terra celebratis TRIUMPHUM.   275
et in beati fine certaminis das TRIUMPHUM.   4111
unigeniti a iudaeis abditum gloriosum inventum est TRIUMPHUM.   3847
et salutem (salute) nobis contulit et TRIUMPHUM.   2406, 2726
qui per gloriosa belle certaminis ad inmortalis TRIUMPHUS martyres
   extollisti...   2440

          TRIVIUM
non adgrediens in bivio, non in TRIVIO, non in quatrivio...   394

          TROPHAEUM
... Mortemque quae per lignum vetitum venerat, per ligni TROPHAEUM devicit
   ...   3992

          TRUCIDO
cunctaque iacula calliditatis salubriter TRUCIDANTES...   3847
... TRUCIDATIS etiam nescientibus meritum gloriae perire non patitur...
   3851
cum pro suo nomine TRUCIDATIS meritum (merito) gloriae suae perire non
   patitur (patimur)...   3696, 3851

          TRUCULENTUS
Sed qui nunc TRUCULENTE recogitas, quid temerarie retractas...   1355

          TRUNCO
gaudens pro eo se capite TRUNCARI, a quo non possit abscidi.   3810

          TRUX
sit ab aestuantis gehennae TRUCI incendio segregatus...   3470

          TUBA
Et pro tanti regis victoria TUBA insonet (intonet) salutaris.   1564
... Quattuor TUBAE canebunt a quattuor cardinibus mundi...   3563
ad vocem TUBAE, dispersa ossa, menbra ad iuncturas corporum...   3668
in aecclaesia sanctorum differentis in sono TUBAE preconium...   308
O. s. ds qui ante archam federis per clangorem TUBARUM...   2378
Ds qui per moysen legiferum TUBAS argenteas fiaeri precepisti...   1154

          TUEOR
Illius obtentu ab omnibus adversis TUEAMINI...   342
et ab omnibus TUEANTUR adversis.   576
et corporalibus TUEANTUR auxiliis.   2165, 3124, 3125
Sanctorum... Corneli et Cypriani nos, dne, qs, festa TUEANTUR et eorum
   commendet...   291
quae fragilitatem nostram et praecibus TUEANTUR et meritis.   3253
qui fragilitatem nostram et meritis TUAEANTUR et precibus.   276
Sancti martyris Agapiti merita nos, dne, praeciosa TUEANTUR in quibus tuae
   ...   3206
et contra adversa TUAEANTUR incursus.   3513
TUAEANTUR qs dne dextera tua populum deprecantem...   3533
Sanctorum tuorum nos, dne ; Marci et Marcelliani natalicia TUEANTUR quia
   tanto...   3252
Populum tuum, dne, qs, TUEANTUR sanctificent et gubernent...   2615
et contra diabolicos TUEANTUR semper incursus.   3522
Mysteria nos, dne, sancta purificent et suo (tuo) munere TUEANTUR.   2164
virtute (virtutem) confirmes, potestate (potestatem) TUEARIS eclesiae tuae
   ...   1356
ut et collata nobis remedia TUEARIS, et conferenda perficias.   2153
emacules a delicto, TUAEARIS in seculo...   4184

ut suffragiis (eius) (beati apostoli thomae) in nobis tua munera TUEARIS
   (pro) cuius honoranda...   700, 703
ut beati sancti Laurenti suffragiis in nobis tua munera TUEARIS propicius
   ...   2722
virtute custodi, potestate TUEARIS ut per multa...   2466
continua protectione TUEARIS.   975
et grata (grataque) tibi supplicatione TUEARIS.   4026, 4064
ut in hac navi famulos tuos... portu semper optabili, cursuque tranquillo
   TUEARIS.   1225
hac regale potentiae TUEAS, nostrisque...   3736
et ab omnibus TUEATUR adversis.   161, 576, 1685, 1703
ut ita a monastica nurma TUAEATUR cunctas famulas tuas...   1317
TUEATUR, dne, dextera tua populum depraecantem...   3532
Sancti Laurenti nos, dne, sollemnitas repetita TUEATUR et misericordiae...
   3202
qui fragilitatem nostram et meritis TUEATUR et precibus.   276
Sancti Laurenti nos, dne, (sancta) praecatio (iusta) TUEATUR et quod
   nostra...   3200, 3201
sua TUEATUR gratissima defensione.   348
et ab omnibus TUEATUR inimicis.   161
quorum nos etiam mors preciosa laetificet et TUAEATUR quapropter martyrum
   ...   3629
TUEATUR qs dne dextera tua populum (tuum) deprecantem...   3532, 3533
et pia iugiter intercessione TUEATUR.   283
tua nos et medicina purificet et potentia TUEATUR.   2694
te TUENTE prospera agant.   2475
quae bene meritis dona conferrent, qui TUENTUR etiam peccatores.   4002
salva populum tuum, TUERE, dispone...   2913
TUERE, dne, plebem tuam et beatorum apostolorum defende subsidiis...
   3534
TUERE, dne, plebem tuam, et sacram...   3535
TUERE, dne, populum tuum, et ab omnibus peccatis clementer emunda...
   3536
TUERE, dne, populum tuum et salutaribus...   3537
TUERE dne qs familiam tuam et...   3547
TUERE, dne, qs, famulos tuos et a terrenis terroribus...   3538
TUERE, dne, qs, famulos tuos ut a peccatis omnibus...   3539
TUERE, dne supplices tuos sustenta fragiles...   3540
Apostolico, dne, qs, beatorum Petri et Pauli patrocinio nos TUERE et eodem
   quorum...   210
et mittas aei auxilium de sancto, et de sion TUAERE aeum.   2155
et toto tibi corde prostratam (et) ab hostium TUERE formidine (formidinem)
   ...   704
TUERE nos, dne, divinis propicius sacramentis...   3541
TUERE nos, dne, praecibus sancti Laurenti martyris tui...   3542
TUI (TUERE) nos, dne, qs, tua sancta sumentes...   3543, 3551
TUERE nos, misericors ds, et beati Andreae...   3544
TUERE nos supernae moderator, et fragilitatem nostram tuis defende
   praesidiis...   3545
et corda sacris decata mysteriis pietate TUERE pervigili...   4240
et corda sacris dicata mysteriis pervigili TUERE pietate...   4240
Perpetuis (perpetuae) nos, dne, (sanctorum) (sancti iohannis) TUERE
   praesidiis et quanto fragiliores...   2580
Sancti confessoris tui ill. nos qs dne TUAERE praesidiis et semper...
   3193
et apostolorum (tuorum nos) TUERE praesidiis quorum donasti...   1480,2930

et continues TUERE praesidiis.   9
et sanctorum martyrum nos TUERE praesidiis.   1461
et sanctorum tuorum nos ubique TUAERE praesidiis.   1504
Quos munere, (dne), caelesti reficis, (dne) divino TUERE praesidio...
    3029, 3030
TUERE propitius, dne, qs, familiam tuam...   3546
et spem suam in tua misericordia conlocantes TUERE propitius ut a
    peccatorum...   111
TUERE, qs, dne familiam tuam et spiritalibus instrue disciplinis.   3547
TUERE qs dne familiam tuam ut salutis...   3548
TUERE, qs, dne, plebem tuam, et...   3535
et sanctorum praecibus nos TUERE qui tuae iustitiae...   3414
Tuorum nos, dne, qs, praecibus TUERE sanctorum...   3563
tu propitius TUERE subiectam...   3508
... TUERE supplices, TUERE misericordiam postulantes...   550
et eius praecibus nos TUERE.   3423
ab eo et in hoc saeculo a malis omnibus TUERI...   802
quem nec spatia locorum nec intervalla temporum ab his quae TUERIS
    abiungunt...   844
ut qui nos a corporalibus TUERIS adversis...   3628
maiore pietate TUERIS et sencera mente devotos.   658
Ds, qui aeclesiam tuam innumeris sanctorum patrociniis et glorificas et
    TUERIS praesta ut quorum...   973
maiore pietate TUERIS sincera (tibi) mente devotos.   658
grataque tibi supplicatione TUERIS.   4064
Sancti Laurentii nos, dne, sollemnitas repetita TUETUR, et
    misericordiae...   3202
quorum nos (etiam) mors preciosa laetificat et TUETUR quapropter...   3629

          TUITIO
Sumpti sacrificii, dne, perpetua nos TUITIO non relinquat...   3343
ut cum martyrum sollemnitate sanctorum perpetua TUITIONE laetemur.   624
Sumpti sacrificii dne perpetua nos TUTIONE nostrae relinquat...   3343
et TUITIONEM mentis et corporis eidem... presta continuum.   221
et TUITIONEM nobis praebeant et medillam.   217
et apostolicam TUITIONEM suppli decerne propitiatus...   220
ut illorum saepius iterata sollemnitas nostrae sit TUITIONIS aumentum.
    2423, 2425

          TUMEO
TUMEBATUR virginis sinus...   3635
... TUMENTIUM voluntatum (volumptatum) respuamus adflatus.   2675

          TUMESCO
non TUMENCANT prosperis, non fragantur adversis...   854

          TUMULUS
... TUMULO ex more (umore) conposito...   2216, 2217

          TUNC
ut qui TUNC adfuisti israheli ne peririt victus...   3473
et TUNC apparebunt corpora sanctorum...   3563
Sit aput te exoratus, qui contra hereticus pro te extetit TUNC adsertur.
    981
quia et illa, quae TUNC carnalibus blandiebantur obtutibus...   819, 820
... TUNC circa eos verum probantes affectum...   4025
iam TUNC corde totus essit in caelis.   906
... Quia TUNC defensionem tuam (non) diffidimus adfuturam...   3598, 4165

qui dedit discipulis TUNC doctrinam.   1173
quia TUNC eadem in sanctorum tuorum digna commemoratione deferimus...
   3294
et TUNC eadem magis benignus inpendis...   3938
quia TUNC exteriores hostes superare poterimus, si vincamus internos.
   2711
quia TUNC illi prospera cuncta prestabis...   3478
ut qui se TUNC mundi lumen stilla prodidit lumine...   855
quia TUNC nobis proderint (proderunt) suscepta ieiunia...   1619
quia TUNC nobis prospera cuncta praeveniant (proveniunt, provenient)...
   1568, 1573
quia TUNC nos salvare posse confidimus...   459
... TUNC per ordinem flueret deiesta posteritas et priores ventura
   sequerentur...   2542
ut cum puteratur oppresse, TUNC potius exaltata praevaleret...   4073
... Ut cum putaretur oppressa, TUNC potius praevaleret exaltata...   4071
ac TUNC potius recte sentire cognoscimur...   4022
quia TUNC propitiatio superna non deerit...   4139
... TUNC proximos nostros sicuti nosmet ipsos vere diligimus...   3980
quia TUNC veram (vera) nobis tribuis mentis et corporis sanitatem.   3363
ut iam TUNC virtutem sanctificationis aquarum natura conciperet...   1047

          TUNICA
aurum inductum ab eas TONICAM accinctus sedeas...   1860

          TURBA
Exultet iam angelica TURBA caelorum, exultent divina mysteria...   1564
Et populorum stio TURBA cumveniens...   782
Ut aeorum interventu, haec TURBA illius refitiatur dulcedine...   1229
et quia infidelium TURBA in isto loco conveniebat adversa...   1260
... In qua baptismate delictorum TURBA perimitur, filii lucis oriuntur...
   4161
Et qui condam misericors misertus es TURBAE tecum triduo permanenti...
   3102
frangor aurarum TURBAM repellet adversantem...   2262

          TURBIDO
et aeclesiam tuam inter mundi TURBIDINES fluctuantem...   1489
et inter seculi TURBIDINIS constituta...   1396
recedat... incursio TURBIDINUM, percussio fluminum...   308

          TURBO
nec TURBATA inprovisi regis adventu sequitura cum lumine...   759
nec TURBATE inprovisi regis adventum...   759
regis TURBATI, parvoli gloriosa passione coronati...   3646, 3648
quia per haec TURBATUR tranquilla concordia...   3934
Non aeum pelagi furentes unda TURBET, nec a tempestatis...   1961
et pax aecclesiarum nullo TURBETUR tempestate bellorum.   1172
hostili nullatenus incursione TURBETUR.   664

          TURBO
ab ellorum nos, qs, TURBINE fac quietos...   2265
ut inter saeculi TURBINES constituta...   1396
ut post innoxios ignis nubium et TURBINIS procellarum...   1252
expellantur... procella TURBINUM, impetus tempestatum...   1154

          TURBULENTUS
... Sed quid nunc, TURBOLENTE, recogitas ; quid, temerarie, retractas ?
   ...   574

TURGESCO
sed laetis christo palmibus vivida prole TURGUISCANT, et dulcibus...
1155

TURMA
ut sicut hic cum vera fides iunxit fidelium TURMIS... 1584

TURPESCO
sic taceam nec TURPISCAM, sic contine, ut non cadam... 1296

TURPIS
satis evidenter apparet haec eos in occulto gerere, quae etiam TURPE sit
dicere... 3879
ut eam secum in TURPEM redigant servitutem... 3879
Averte ab his inhonesta et TURPIA libidinum propra... 1248
quem liberasti de errore gentilium et conversatione TURPISSIMA
(conversionem TURPISSIMAM)... 1359
nihil inlicitum vellent, nihil TURPO desiderant... 854

TURRIS
sententia, quam superbae quondam TURRIS extructio meruit, solveretur...
3762
Conrobora gregem tuum, TORRES fortitudinis... 546

TURTUR
Quo ei et pro TURTURIBUS castitatis seu caritatis munera offerre valeatis
... 2256

TUTAMEN
gerolum benediccione, sanctificacionis TUTAMINE, defensionis... 2524

TUTAMENTUM
ut omnes qui te sumpserint, sis eis animae TUTAMENTUM atque huic domui...
1545
... Et tua sancta benedictio sit... TUTAMENTUM corporis animae et spiritus
... 1407
sit omni unguenti tangenti TUTAMENTUM mentis et corporis... 1404

TUTELA
Huius TUTILLAM confisi, calleam (callem) adgredimur tenuem... 3847
sit... perfectio hac TUTILLA contra seva iacula inimicorum. 3120
quae te ad TUTELAM humani generis procreavit... 1542, 1543, 1544
ut quicumque ex ea sumpserit, corporis sanitatem et animae TUTELAM
percipiat. 301
integritatem corporis, TUTILLAM salutis... 2654
accipiat corporis sanitatem et animae TUTILLAM. 301

TUTUS
salutarem TUTO munus inviolabilem tribuatur... 313
sit nominis tui signo famulus tuus et animo TUTUS et corpore... 764

TYMPANUS
inter aequorias undas cum THYMPHANIS et choris... 1317
suavitatis per TIMPANUM, iucunditatem per cimbalum... 308

TYPUS
Cuius TYPUM virga tenuit in separatas aequoris undas... 3847
duodecem cophani fragmentorum, quod est TYPUS XII apostolorum. 1881

TYRANNIS
non solum per Christum dominum nostrum diabolicam destrueres TYRANNIDEM...
4034

TYRANNUS

quae tribus pueris in camino sentencia TYRANNI depositis vitam... 861
nisi qui pestifera (destructa) subversa TYRANNI iura calcarit. 4215
qui illum refugam TYRANNUM gehennae deputasti... 1354, 1355

TYRANNIZO

numquam in suis sensibus in se TYRANNIZANTEM sentiat inimicum. 1073

UBER

hoc in nos resplendeat UBERE quem per fidem fulgeat in mente. 685
... Ex quo videmus UBEREM pullulasse toto terrarum orbe sationum... 3757
presentis sacrificii UBERIS fundimus precis... 3501
et hanc vestem... HUBERIMI benedictionis imbre perfunde... 1508
ardoris inlecebriarium omnium HUBERIMUS fletibus indisinenter
    extinguaere... 4176
sed ut miseris UBERIORA dona concedas (concedis)... 3958
quibus UBERIORE dono spiritus sancti sufficienter instructi... 3996
et donis UBERIORIBUS prosequaris. 403
sacramenta caelestia, quae nobis... UBERIUS confidemus profutura. 1988
que tanto nos HUBERIUS credimus profutura... 3266
dum multipliciter UBERIUS meritum praedicatur et gloria... 4153
ita et famulo tuo ill. praesentis temporis UBERIUS tua dona largire.
    2110

ut percipienda securius UBERIUSQUE sumamus. 3149

UBERTAS

et UBERTAS adsit iucunda virtutum... 3827
veniat super eos spirante a te benedictio(nis) UBERTAS, et (ut) pietatis
    ... 2909
veniat... sperate (sperata) benedictionis UBERTAS ut (et) repleti...
    2113, 2114, 2364
et sui roris UBERTATE fecundet. 3211
ipse suae dotare sanctificationibus HUBERTATE precipiat... 3292
et benedictionum tuarum propitius UBERTATE purifica... 519
da aeis... de pinguidinem terre UBERTATEM, de inimicis... 395
caelestis doni capiamus desiderabilius UBERTATEM et per eum civum...
    4060
Ut nobis, dne, terrenorum frugum tribuas UBERTATEM fac mentes nostras...
    3576
et UBERTATEM fructuum largire aeis. 3102
et benedictionem tuarum propitius HUBERTATEM purifica... 519
et cottidianam fac de botribus UBERTATEM. 2188

UBI

... UBI alimenta panis preparantur... 2386
UBI corpuralis palle lavate fuaerint... 4231
UBI ergo tu latebis, quando dominus... discendit cum multitudinem
    angelorum ?... 3563
VD. Orantes potentiam tuam, ne dicant gentes : UBI est deus eorum ?...
    3826
... UBI etiam beatus summus confessor tuus ille sociatus exultat... 3723
et ibi excommunico te ut hominem istum non noceris, et UBI excommunico te
    ... 1551
... UBI felices parvuli (perfusi) rore sanguinis... 465
... UBI gratiam tuam semper meretur habere semper praesentem. 1088
et vobis UBI ille est ascendendi aditum patefecit. 344
... UBI inimicus celatus fuerit, statim areptus effugiat... 1346

et tu, UBI latebis, maledicte satanas ?...   3563
... UBI lux permanet et vita regnat in secula seculorum.   756
in deserta loca, UBI non aratur nec seminatur...   224, 1852
... UBI nox nulla suas defendit atras tenibras...   3770
ut UBI nulla conscientiae meae te digna sunt merita...   1066
ut UBI nulla fiducia suppetit actionum...   3284
... Nox UBI nulla suas defendit atra tenebras...   3770
et UBI nulla suppetunt suffragia meritorum...   2587
UBI pallae corporales lavatae fuerint...   4228
... UBI perpetua semper exultatione laetantur...   3723
ut illuc adtollamur mente, UBI quos veneramur adsistunt...   4027
ut in homine condito UBI requiesceris tibi domicilium consecraris.   1162
... UBI sole divinitatis tuae lumine servaretur.   4000
carceris obscuritate detruditur, UBI solius divinitatis tuae lumine
    frueretur...   4000
non habites UBI spiritus sanctus habitat...   1529
... UBI te apostoli cum gloriam viderunt intrare.   1219
perveniebat... UBI te caelos apertis ipse vidit in gloria.   1230
... UBI tibi cum ministris tuis erat praeparatus interitus...   574, 1355
et deficiant te ante conspecto dei UBI tu potes caelare...   2552
... UBI tu potest fugire ante iracundiae domini.   2552
non solum UBI venerabiles eius reliquiae conquiescunt...   4037
ibi nostra fixa sint corda UBI vera sunt gaudia...   993

        UBICUMQUE
ut UBICUMQUE asparse fuaerint (per agros) aut angulus domus...   1346,
    1351
ut UBICUMQUE asparsa fuaerint, omnis spiritus...   1352
... UBICUMQUE aspersa fuerit, vel a quolibet potestate...   313
... UBICUMQUE audiaeritis inimici exorcissimo isto domini nostri...   1551
ut UBICUMQUAE effusa fuerit, vel aspersa, sive in domo, sive in agro...
    1532
ut UBICUMQUE fuerit aspersa, per invocationem sancti tui nominis...   848
ut UBICUMQUE in hac creatura fusum fuaerit...   1335
ut UBICUMQUE intercesserit, ad animo (anima) et corpore proficiat
    sanitatem.   2676
ut UBICUMQUE latet, audito nomine tuo velociter exeat vel recedat...   744
et UBICUMQUE nomen tuum audierimus, gementes et trementes exibimus...
    224
sed UBICUMQUE praetiosa reverentia fuerit invocata...   4037
... UBICUMQUE sonuerit aeius tinnibulum, longe recedat virtus inimicorum
    ...   308

        UBIQUE
et praesentia sancti spiritus nobis... UBIQUE adesse dignetur.   848
VD. Nos tibi semper et UBIQUE agere et suppliciter exorare...   3822
tuis donis exultent, te semper et UBIQUE conlaudent...   2937
evangelico UBIQUE conpleatur effectu...   1472
cum cernitur UBIQUE conspicuum.   4115
et statum Romani nominis UBIQUE defende...   2868
et hic et UBIQUE defensionis tuae auxilio muniantur.   314
sed ut potius tui corporis UBIQUE devota conpago te dispensante suscipiat
    ...   4077
ut tua nos UBIQUE dextera protegente...   245
ut tua providentia eius vita inter adversa et prospera UBIQUE dirigatur.
    2854

qui in caelestibus (et terrenis) (aeternis) angelorum ministeriis
   (misteriis) UBIQUE dispositis...   1372
Semper et UBIQUE dominum propitium habeatis...   1903
atque misericordiam tuam sicut UBIQUE es ita UBIQUE largire...   1457
cuique possis UBIQUE est et potestas innumirabilis habens divicias
   spiritales...   2216, 2217
eorum UBIQUE excellentior sit potestas.   1250
qui beati Petri apostoli dignitatem UBIQUE facis esse gloriosam...   905
adesto famulis tuis in te UBIQUE fidentibus...   844
nos tibi semper (hic) et UBIQUE gratias agere, dne...   3589, 3945
VD. Nos tibi semper et UBIQUE in honore apostulorum... gratias agere...
   3823
Sancti tui nos qs dne UBIQUE laetificent...   3214
intercessio nos... et omnium electorum tuorum UBIQUE letificet ut dum
   eorum merita...   482
Tuus sanctus martyr georgius qs dne UBIQUE laetificit ut aeius dum merita
   ...   3562
sicut UBIQUE est, ita UBIQUE largire...   1458
VD. Nos tibi semper et hic UBIQUE laudis canere...   3821
super intercessionum omnium sanctorum UBIQUE locupleta...   842
qui in sanctis tuis semper es UBIQUE mirabilis...   2410
et tua nos UBIQUE miseratione custodi.   715
semper UBIQUE patri maiestati defusa unius potentiae deum verum...   3501
Eiusque semper et UBIQUE patrocinia sentiatis...   1149
VD. Qui aeclesiam tuam in tuis fidelibus UBIQUE pollentem...   3909
O. et m. ds, qui UBIQUE praesens es, maiestatem tuam suppliciter
   deprecamur...   2294
sic te auxiliante nobis eorum sentiamus UBIQUE praesentiam.   688
(misericordiam tuam) qui semper (es) UBIQUE praetende ut ab omnibus
   adversitatibus...   1460
misericordiam tuam UBIQUE praetende ut ab omnibus impugnationibus...
   3247
horum obeuntium mors UBIQUE praetiosa fulget et nomen...   3951
Caelesti lumen, qs, dne, semper et UBIQUE praeveni...   379
(et Romani nominis UBIQUE protege principatum)...   2868
... UBIQUE providus eventus...   2640
Protege, (qs, dne), Romani nominis UBIQUE rectores...   2347, 2936
qui UBIQUE sanctis tuis depraecantibus exoramus...   2182
Pasce nos dne tuorum gaudiis UBIQUE sanctorum...   2536
et quod haec praedicasset ostenderis UBIQUE servandum...   4035
VD. Qui cum UBIQUE sit totus et universa tua maiestate conteneas...   3886
ut et gregis tui proficiat UBIQUE successus...   1392
et de gloriam martyrii foveat UBIQUE suffragiis.   3210
ut qui UBIQUE totus est, (es) etiam hic adesse te in nostris praecibus
   senciamus.   2343
et sanctorum tuorum nos UBIQUE tuaere praesidiis.   1504
VD. Per quem sanctum et benedictum nomen maiestatis tuae UBIQUE veneratur
   ...   3841
ipsaque sit sacri corporis UBIQUE vera conpago...   4021

         ULCISCO
deceptionemque Evae matris ULCISCENS...   3788

         ULLATENUS
... Nec potest ULLATENUS explicari, quibus modis haec interfectio gloriosa
   pensetur...   3678
clementer ULLATENUS gubernatione distituas.   4022

ULLUS

qua per manus haelisaei prophaete in ULLA heremica gustus amarissimos
   dulcorasti...   742
sine ULLA fine in secula seculorum.   3017
Et sine ULLA offensione maiestati tuae dignum exhibeant famulatum.   312
Et sine ULLA offensione maiestatis tuae praecepta adimpleant...   1845
nec ULLA superest expectatio futurorum...   877
Ds, qui absque ULLA temporis mutabilitate cuncta disponis...   886
Ne ULLA umquam peccatorum contagione sordiscant...   854
ne herudicia doctrinae tuae ULLE deesset aetati...   820
nec ariditatis aut terrores aut insidias ULLAS ingerere presumas.   1888
ne eruditio doctrinae tuae ULLI deesset aetati...   819, 820
Cursum vite suae impleant sine ULLIS maculis delictorum...   312
ita nunc diem absque ULLIS maculis peccatorum transeamus...   741
nec eos ULLIS mentis et corporis patiaris subiacere periculis...   67
ne iam ULLIS primae nativitatis vel ignoranciae confundatur erroribus...
   2493
nec minis adversantium, nec ULLO perturbemur (conturbemur) incursu.   89
et fac nos sine ULLU reatu matutinis tibi laudes (laudibus) praesentare.
   2882
te opitulante, ULLUM patiantur habere dispendium...   3501
nec ULLUM sibi finem in tam brevi termino...   2541, 2542

ULTERIUS

Nihil in his ULTERIUS de ostis amari veneno remaneat...   2298
Et ne ULTERIUS graventur mole peccaminum...   122
ne ULTERIUS in aeo loco habeat potestatem commorandi.   1351, 1352
futura mala non senciat neque iam ULTERIUS lugenda committat...   850a

ULTIMUS

finem ULTIMUM pervenire possit aetatis.   924

ULTIO

et de inimicis suis correctione magis cupiant quam ULTIONE gaudere.   1344
tantaque felicior ULTIONE particeps divinorum meruit esse...   4055
et virilem sexum martyrum beatorum meritum deceptori reciprocas ULTIONEM
   sed etiam in aevae...   4034
... Nec iniquitatum nostrarum moles te provocet ad ULTIONEM sed ieiunii
   observatio...   3892
et presta propitius, ne dissimulatio cumulet ULTIONEM sed ut potius
   emendatio...   952
quod denuntiatum est in ULTIONEM transeat in salutem.   761
dum ad ULTIONEM tuae rediguntur iniuriae...   3948
sed gratia tua illi succurrente mereatur evadere iudicium ULTIONIS...
   2181

ULTOR

Ds protectur depraessorum et ULTOR contomacium...   880

ULTRA

ut nulla in eum ULTRA cicatricum signa remaneant.   724
... Nec ULTRA inimicus in eius habeat animam potestatem...   1368
ita ut in eo ULTRA locum non habiat contrarii virtutes admixtio.   3566
nequaquam ULTRA (novis) vulneribus saucietur...   822, 823

ULTRO

sic que ULTRO (ambit), vel inportunus se ingerit est procul dubio
   repellendus...   3290

UMBRA

ut sub UMBRA alarum tuarum protegatur... 1500
Per diem vos salutaris domini UMBRA circumtegat... 2905
longe recedat virtus inimicorum, UMBRA fantasmatum... 308
ut nos de tenebris et UMBRA mortis regnum perpetuae lucis efficeret.
3763
accusator veritatis, UMBRA vacua... 3259
protegat vos sub UMBRA virtutis suae. 351
non ei dominentur UMBRAE mortis... 2215
Per cuius quoque UMBRAM aspera mors populis lignum deducta cucurrit...
3847

UMQUAM

et nullam UNQUAM ad (a) te es commutacione diversus... 3633, 3634
nec grege desit UMQUAM cura pastoris. 1165
nec eam UMQUAM deserant aut lassitudinem aut timore superati... 820
confessio nec capiatur UMQUAM falsis nec perturbetur adversis... 4076,
4077
Ne ulla UMQUAM peccatorum contagione sordiscant... 854

UNA

... UNA cum beatissimo famulo tuo papa nostro illo. 3464
... UNA cum famulo tuo papa nostro illo et antestite nostro illo
episcopo... 3464
ut habitaculum istum UNA cum habitatoribus benedicere atque custodire
dignetur... 725
... UNA cum patre nostro beatissimo viro papa nostro illo... 3791, 4206
per quem UNA cum patre sanctoque spiritu facta sunt universa, Christe
Iesu... 1283
cleri ac populi multitudinem UNA cum praelato principe iubeas conservare
... 4198
resuscitare (suscitare) eum digneris, dne, UNA cum sanctis et electis
tuis (electus tuos)... 3462
qui te UNA cum sanguine de latere suo produxit... 1045, 3565
qui regnat UNA cum spiritu sancto per infinita secula seculorum. Amen.
1637
per quem UNA dei cum patre sanctoque spiritu... 1283
... UNA mecum quaeso dei omnipotentis misericordiam invocate... 1564
... UNA nobiscum sancto nomini tuo gratias agere mereatur. 1368
et non qui vobis misterium fidei catholicae UNA tradidimus vobiscum...
3310
et nos... UNA vobiscum ad regna caelestia faciat pervenire. 1706

UNANIMIS

... UNANIMES continentiae praecepta custodiant... 1195
Ds, qui UNIANIMIS nos in domo tua praecipis habitare... 1231

UNANIMITAS

ut UNANIMITAS inoffensa permaneat... 3934

UNANIMITER

... UNANIMITER continentiae tuae praecepta custodiant... 1195
... Nobis haec quoque UNIANIMITER et crebrae petentibus ipse praestabis,
o. ds. 1720
Aeternum adque omnipotentem deum UNIANIMITER orantis petamus... 167
nobis haec quoque UNIANIMITER petentibus ipsa praesta nobis o. ds. 1720

UNCTIO
ut fiat haec UNCTIO divinis sacramentis purificata...   1536
haec olei UNCTIO vultos nostros iocundos efficiat ac serenos (effecit et
    serenos)...   3945, 3946
non profana UNCTIONE viciatum, non sacrilego igne contactum...   861
Consecrare... patenam hanc per istam UNCTIONEM et nostra benediccionem...
    513
Consecrentur manus istae per istam UNCCIONEM et nostram benediccionem...
    507
tribuas per UNCTIONEM istius creaturae purgationem mentis et corporis...
    838, 1240
Ds, qui famulum tuum... sanctificas UNCTIONEM misericordiae tuae...   989
oleo UNCCIONIS et ceteris aliis in figura nostri...   1283
sit UNCTIONIS huius praeparatio utilis ad salutem...   838, 839, 1240
ut sanctificatione UNCTIONIS infusa...   3627

UNDA
Et quicumque meruaerunt purgare UNDA baptismi...   955
quae post sacri lavacri UNDA contraxit...   724
plena camporum, UNDA flumina, secreta silvarum.   2905
quae in finem istius vitae regenerationis UNDA mundavit...   1141
... Sit fons vivus, aquae (aqua) regenerans, UNDA purificans...   1045,
    1047
ut quicquid (in loci vel in domibus fidelium) (in domibus in locis
    fidelibus) haec UNDA resperserit...   896
Et quos veteribus maculis baptismatis emundavit UNDA sacrata per
    lavacrum...   1073
Non aeum pelagi furentes UNDA turbet...   1961
angusta vallium, UNDAQUE fluminum...   4008
inter aequorias UNDAS cum thymphanis et choris...   1317
Cuius typum virga tenuit in separatas aequoris UNDAS et viam populo...
    3847
ut UNDAS seculi sevientes securi pertranseant.   1961
cum filius tuus... lavare a Iohanne UNDIS Iordanicis exigisset...   3945

UNDE
... UNDE benedicimus te dne in operibus tuis...   4083
... UNDE benedicimus te, dne, teque debita servitute laudamus.   3902
UNDE benedico te, creatura aquae, per deum vivum...   1045, 3565
quid est evangelium, et UNDE discendat...   203
ad regalem mensam, UNDE eiectus fuerat, mereatur intrare.   2042
UNDE ergo, maledicte, recognosce sentenciam tuam...   3566
UNDE et deus omnipotens ita a nobis orandus est...   1789
UNDE et memores sumus, dne, nos tui servi sed et plebs tua sancta...   3567
... UNDE et nos vel innovante laetitia praeteriti gaudii...   3719
... UNDE et sacerdotales gradus atque officia levitarum... instituta
    creverunt...   1348
... UNDE exorcizo te, creatura aquae, per deum verum...   1531, 1532
... UNDE exsuperaverunt duodecem cophani fragmentorum...   1881
UNDE iam vobis conceptis prignans gloriatur (gloriaetur) ecclesia...
    1953, 1954
... UNDE laetantes inter altaria tua, dne virtutum...   3877
... UNDE maiestatem tuam supplex exoro...   1777
et adsit observantia UNDE mens polleat.   4033
ut UNDE mortem peccatum contraxerat...   3635
ut inde post in perpetuum gaudeat, UNDE nunc temporaliter exultat.   1146

sed UNDE peccatum mortem contraxerat... 4032
et perditos UNDE perierant, inde salvaris. 3593
... UNDE petimus dne inmensam pietatem tuam, ut... 3722
... UNDE poscimus tuam inmensam clementiam, ut... 3669
UNDE quesumus famulus ill. beatorum tabernaculis spirituum constitutus...
   3862
... UNDE quaesumus ut famulus tuus ill. beatorum tabernaculis constitutus
   ... 4099
... UNDE quaesumus, ut secundum multitudinem miseracionum tuarum... 2297
... UNDE resistere diabulum et insidiis ipsius possimus... 1670
... UNDE sacerdotales grados et officia levitarum sacramentis mysticis
   instituta creverunt. 1349, 1350
... UNDE se evangelica veritas per tota mundi regna diffunderet... 2413,
   3947
... UNDE sicut illi ieiunando orandoque certarunt... 4069, 4070
ut quod prestas UNDE sit meritum... 2433
ac simul alimonia carni non desit UNDE subsistat... 4033
... UNDE supplices inploramus... 4155
et peragenda decernat, UNDE tibi in perpetuum placere valeat. 1069
... UNDE tuam clementiam petimus, ut... 3655
... UNDE tuam imploramus clementiam, ut... 3939
... UNDE uncxisti sacerdotes reges et prophetas et martyres... 1404,
   1407, 1408, 3945
... UNDE vos, dilectissimi, dignos exibete adoptione divina... 1697

       UNDIQUE
Ds qui conspicis quia nos UNDIQUE mala nostra contristant (conturbant,
   perturbant)... 930, 931

       UNGO
ita UNGUANTUR et consummentur... 3568
UNGUANTUR manus iste de oleo sanctificato et de crismate sanctificationis
   ... 3568
ut fiat omnibus qui ex eo UNGENDI sunt in adoptione filiorum per spiritum
   sanctum... 1538
quod eum oleo laeticiae prae consortibus suis UNGENDUM David propheta
   caecinisset. 3945, 3946
... Et tua sancta benedictio sit omni UNGUENTI, gustanti, tangenti...
   1407, 1408
ut tua sancta benedictione sit omni UNGUENTI tangenti... 1404
benedictione profluentem a capite in barba UNGUENTI. 1508
in adoptione carnis et spiritus eis, que ex eo UNGUERE habent... 1536,
   1537
Ut cum presens vasculum... oleo sancto UNGUETUR... 2378
unde UNCXISTI sacerdotes reges (et) prophetas et martyres... 1404, 1407,
   1408, 3945
Ds qui... martinum tanta tibi familiaritate UNCXISTI, ut aetiam... 906
dehinc aelesctus iacob aerexit et UNXIT in titulum. 3997
sicut UNXIT samuhel david in regem et prophetam... 3568

       UNGUENTUM
per infusionem huius UNGENTI constituere sacerdotem. 3946
per infusione (infusionem) huius UNGUENTI constituerit sacerdotem...
   3945, 3946
caelestis UNGUENTI fluore (flore) sanctifica... 819, 820
caelestis UNGENTIS florem sanctifica. 820
barbam aeius sicut sanctum aaron UNGUENTUM pinguidinis... 898

UNGULA
cum torriret ignis, cum UNGULA raderent...   3216
et quattuor pedum UNGULAS quattuor evangelii...   2031
Effuge... de interarticulis, de UNGULIS omnibus... de medullis...   1888

UNICUS
O. s. ds, spes UNICA mundi...   2473
In nomine sanctae et UNIQUE trinitates...   1890
dum trino vocabulo UNICAM credimus maiestatem.   3638
per inlustratione UNICI filii tui redemptoris dei ac domini Iesu Christi
   ...   3459
qui hominem... UNICI filii tui sanguine redemisti...   822, 823
... Credis et in Iesum Christum filium eius UNICUM dominum nostrum natum
   ...   551, 553
... Benedico te et per Iesum Christum filium eius UNICUM dominum nostrum
   qui te in chana...   1045, 3565
et per iesum christum filium tuum UNICUM dominum nostrum te obsecramus
   ...   3918
... Adiuro te per Iesum Christum filium eius UNICUM dominum nostrum ut
   efficiaris...   1535
ut UNICUM filium eius dominum nostrum non loquendo sed moriendo
   confiterentur...   2252
O. s. ds, qui per UNICUM filium tuum aecclesiae tuae demonstrasti te
   esse cultorem...   2442
convertantur ad deum verum et UNICUM filium eius Iesum Christum dominum
   nostrum.   2518, 2519
... UNICUM itaque est paenitentiae suffragium...   56
quibus fuit UNICUM, quod te humiliasti, remedium.   1219
in quo nobis UNICUM salutis nostrae praesidium...   3978

UNIGENITUS
in figuram UNIGENITAE sapientiae tuae...   2321
in qua fili tui UNIGENITI a iudaeis abditum...   3847
cuius UNIGENITI adventum et praeteritum creditis et futurum exspectatis...
   2241
... UNIGENITI corpus et sanguis fiat remedium sempiternum.   2119, 2120
Quique UNIGENITI filii eius passionem puro corde creditis...   343
qui per UNIGENITI filii sui passionem vetus pascha in novum voluit
   converti...   353
Ex quibus beatum petrum ob confessionem UNIGENITI filii tui apostolorum
   principem...   4158
ad celebrandam UNIGENITI filii tui domini nostri passiones facias esse
   devotos.   3659
... UNIGENITI filii tui nos adventu laetifica.   1910
corporis et sanguinis domini nostri Iesu Christi UNIGENITI filii tui
   nostris infunde...   2376
expectata UNIGENITI filii tui nova nativitate liberemur.   496
... Quatenus adpropinquante UNIGENITI filii tui passione bonorum operum...
   4163
intercedente UNIGENITI filii tui passione respiremus.   682
adque intercedente ipsa victoriosissima UNIGENITI fili tui passionem et
   tibi placitam...   2321
qui praeparamur ad celebrandam UNIGENITI filii tui passionem.   3730
beatum petrum apostolorum principem ob confessionem UNIGENITI filii tui
   per os eiusdem...   3728

Ex quibus beatum petrum confessionis UNIGENITI fili tui principem...
4158
Da nobis dne qs UNIGENITI filii tui recensita nativitate respirare...
590
non solum tui UNIGENITI passionem sempiterna providentia contulisti...
3901
corporibus verbi tui veritatis filii UNIGENITI per venerabilem...
mysterium coniungere voluisti...   1265
Et qui hos dies incarnatione UNIGENITI sui fecit solemnes...   2261
ds qui per UNIGENITI sui iesu christi domini nostri passionem et crucis
patibulum...   346
O. ds qui incarnatione UNIGENITI sui mundi tenebras effugavit...   2254
O. ds qui UNIGENITI sui passione tribuit humilitatis exemplum...   2255
Et qui ad aeternam vitam in UNIGENITI sui resurrectione vos reparat...
361
et in resurrectione UNIGENITI sui spem vobis resurgendi concessit.   362
Deus qui per resurrectionem UNIGENITI sui vobis contulit...   1157
... UNIGENITI tua voce pronuntias...   3879
et per adventum UNIGENITI tui aeternam vitam tribuat nobis.   528
ut qui UNIGENITI tui celebramus adventum...   4014
Deus, qui nos UNIGENITI tui clementer incarnatione redimisti...   1136
quibus (per) UNIGENITI tui consortium filius adopcionis esse tribuisti...
4011, 4012
ut et nobis UNIGENITI tui corpus et sanguis fiant...   2123
adventum UNIGENITI tui cum summa vigilancia expectare...   475
... UNIGENITI tui divina vestigia comitatus...   3907
UNIGENITI tui dne nobis succurrat humanitas...   3569
Ds qui UNIGENITI tui domini nostri iesu christi praetioso sanguine
humanum genus redemere dignatus es...   1232
per sanguinem UNIGENITI tui domini nostri iesu christi redemisti de duro
servitio inimici...   3837
ieiunando et orando UNIGENITI tui domini nostri imitatione (imitationem)
...   1116
manifestans plebi tuae UNIGENITI tui et incarnationis mysterium...   3634
ut in cognoscenda UNIGENITI tui gloria...   4169
et UNIGENITI tui gloriosus praecursor exsisteret...   2459
ut tuae maiestatis imperio sumat UNIGENITI tui gratiam de spiritu sancto
...   1045, 1047
ut ita nos UNIGENITI tui in praesenti saeculo inlustret respectus...
3700
... Et quae UNIGENITI tui intrare meruit thalamum...   3866
manifestans plebi tuae UNIGENITI tui mirabile sacramentum...   3633
ut non solum UNIGENITI tui nativitate corporea... salvaretur...   1167
Oblata dne munera nova UNIGENITI tui nativitate sanctifica...   2189
... UNIGENITI tui nobis gratia declaravit...   3789
... UNIGENITI tui nos adventu laetifica.   1910
ut UNIGENITI tui nova per carnem nativitas liberet...   500
(expectata) UNIGENITI tui nova nativitate liberemur (liberet).   495, 497,
500
per UNIGENITI tui passionem liberemur.   2778
ut qui ieiuniis et votis solemnibus nativitatem UNIGENITI tui praevenimus
...   3962a
ut cum adventum UNIGENITI tui quem summo cordis desiderio sustenimus...
2815
praestante aeodem domino nostro iesu christo UNIGENITI tui, quem tecum...
4176

sed eiusdem UNIGENITI tui redemptoris nostri resurrectione...   3668
per ipsos (quos) UNIGENITI tui sacrum corpus exornans (exornas).   3728,
   4158, 4169
... Quos UNIGENITI tui sanguis in praelio confusionis roseo colore
   perfudit...   3727
ut qui de adventu UNIGENITI tui secundum carnem laetantur...   2831
amorem UNIGENITI tui semper ardere...   4176
ut et te per adventum UNIGENITI tui tota mente cognuscat...   657
Excita, dne, (qs), corda nostra ad praeparandas UNIGENITI tui vias...
   1515, 1522
et in nomine nazareni iesu christi fili dei vivi UNIGENITI ut sis
   purgatio...   1540
Omnipotens deus pro cuius UNIGENITI veneranda infantia...   2252
et veniente (sponso) filio tuo UNIGENITO accensis lampadibus...   382
... Quod cum UNIGENITO filio tuo clementi respectu semper digneris
   invisere...   3706
VD. Qui cum UNIGENITO filio tuo et sancto spiritu unus es deus...   3887
et UNIGENITO filio tuo legis et prophetarum nostrorumque omnium domino
   exornasti...   3940
quo in tuo UNIGENITO tecum est nostra substantia.   2477
sed tibi et UNIGENITO tuo consubstantialis et coaeternus...   3751
nos mereamur... et UNIGENITO tuo domino nostro adherere.   3854
O. s. ds, qui UNIGENITO tuo novam creaturam nos tibi esse fecisti...
   2460
... ab UNIGENITO tuo sic familiariter est dilectus (electus)...   3608,
   3609, 3613
... Et hominem quem UNIGENITUM creaveras, per filium tuum deum et hominem
   recreares...   3930
... Et in unum dominum Iesum Christum filium dei UNIGENITUM de patre
   natum...   554
et UNIGENITUM dei prescia exultatione praenuntians...   3774
filiumque UNIGENITUM dominum nostrum iesum christum... personare...   3791
O. s. ds qui UNIGENITUM filium dominum nostrum iesum christum...   2461
mittendo nobis UNIGENITUM filium tuum dominum et salvatorem nostrum.
   3988
qui per HUNIGENITUM filium tuum dominum nostrum iesum christum mundum
   salvasti...   850
ut UNIGENITUM filium tuum quem redemptorem laeti suscipimus...   1127
O. ds qui UNIGENITUM suum hodierna die in adsumpta carne in templo voluit
   praesentari...   2256
Deus lumen verum qui UNIGENITUM suum hodierna die stella duce gentibus
   voluit revelare...   853
qui super UNIGENITUM suum spiritum sanctum demonstrari voluit per
   columbam...   853
Ds, qui per UNIGENITUM tuum aeternitatis nobis aditum devicta morte
   reserasti...   1003, 1159
Ds, qui per UNIGENITUM tuum devicta morte aeternitates nobis aditum
   reserasti...   1160
qui per UNIGENITUM tuum dominum Iesum Christum...   2297
Ds qui... UNIGENITUM tuum gentibus stella duce revelasti...   1004
ut qui UNIGENITUM tuum in carne nostri corporis deum natum esse fatentur
   ...   2383
qui UNIGENITUM tuum in hunc mundum misisti...   1354, 1355
et spiritu sancto in columbae similitudine de super misso UNIGENITUM tuum
   in quo tibi...   3945, 3046
ut qui UNIGENITUM tuum in tua tecum gloria sempiternum...   655

verbum UNIGENITUM tuum per virginis uterum dedisti lumen in seculum.
2441
ut UNIGENITUM tuum quem redemtorem laeti suscepimus...   1127
ut qui... UNIGENITUM tuum redemptorem nostrum ad caelos ascendisse
credimus...   489
... Quae et UNIGENITUM tuum sancti spiritus obumbratione concepit...
3725
hodie UNIGENITUM tuum virgo sacra concaepit...   4062
... Hic UNIGENITUS dei de Maria virgine et spiritu sancto secundum carnem
natus ostenditur...   1706
que nobis oblatum est UNIGENITUS dei filius benedicat.   269
ut sicut UNIGENITUS filius tuus hodierna die cum nostrae carnis substantia
in templo est praesentatus...   2356
quo dominus noster UNIGENITUS filius tuus unitam sibi fragilitatis...
411
quo dominus noster UNIGENITUS filius tuus unitum sibi hominem...   410
ds, cuius UNIGENITUS hodierna die caelorum alta penetravit...   344
Deus cuius UNIGENITUS hodierna die discipulis suis ianuis clausis dignatus
est appaerere...   802
O. ds cuius UNIGENITUS hodierna die ne legem solveret quam adimplere
venerat...   2242
Ds, cuius UNIGENITUS in substantia nostrae carnis apparuit...   803
quam UNIGENITUS in hutero perpetue virginitatis adsumpsit...   2315
quod in tuo UNIGENITUS tecum est nostra substantia.   2477
Ds, qui in hodierna die UNIGENITUS tuus in nostra carne quam adsumpsit
pro nobis...   1031
VD. Quia cum UNIGENITUS tuus in substantiae nostrae mortalitatis apparuit
...   4043
quo UNIGENITUS tuus in tua tecum gloria sempiternus (quoaeternus)...
413, 414
naturae, quam UNIGENITUS tuus in utero perpetuae virginitatis adsumpsit...
2315
quem UNIGENITUS tuus ita sanctificavit ut...   3785
Ipse ergo UNIGENITUS tuus qui nobis iam dona...   4176
ut UNIGENITUS tuus semper maneat in cordibus nostris...   3698

        UNIO
nec confusionem praetenderet UNIONIS...   3613

        UNIO
et sacri participatione mysterii fideliter sensibus UNIAMUS.   750
et electorum tuorum virginum consortium, te donante mereatur UNIRI.   760
per legem totius mirabilem conpagis UNITAM in aumentum...   136, 137, 138
... UNITAM sibi fragilitatis nostrae substantiam...   411
substantiam spiritu vere perficis religionis UNITAM.   3778
... UNITUM sibi hominem nostrae substantiae...   410

        UNITAS
Ds UNITAS, ds trinitas, in cuius magna confido valde misericordia.   3792
et in personis proprietas et essentiae (essentia) UNITAS et in maiestate
adoretur aequalitas.   3887
in gremio matris ecclesiae fidei UNITAS in passionis...   3852
et UNITATE corporis aeclesiae membrum tuae redemptionis adnecte...   858
in UNITATE corporis aecclaesiae tuae menbrum perfecta remissione restituae.
859
populis trinitatis in HUNITATE credentibus...   397
qui fraude diabolicae malignitatis a baptismi UNITATE discedunt...   2297

qui tecum vivit et regnat deus in UNITATE eiusdem spiritus sancti...   848
Exultemus, qs, dne ds noster, omnis recti corde in UNITATE fidei congregati...   1562
da populis tuis in UNITATE fidei esse ferventes...   962
in HUNITATE fidei ferventes...   801
et per diversitatem linquarum gentes in UNITATE fidei solidaret...   4029
quem a tui corporis UNITATE nulla temptatio separavit.   1828
Ipse vos in trinitate et UNITATE sanctificit...   352
qui tecum vivit et regnat deus in HUNITATE spiritui sancto.   3946
cum quo vives et regnas in UNITATE spiritus sancti in saecula.   404, 2818
est tibi deo patri omnipotenti in UNITATE spiritus sancti omnis honor...
   2555
cum quo vivis et regnas deus in UNITATE spiritus sancti per omnia seccula.
   850, 3465
cum quo vivis et regnas in UNITATE spiritus sancti.   851
vivit et regnat deus in UNITATE spiritus sancti...   727, 729, 2498, 2518,
   3588
in UNITATEM corporis aecclesiae tuae membrum perfecta remissione restitue
   ...   859
in UNITATEM fidei ferventes tibi, dne, servire mereantur.   801
aeternam UNITATEM in supraemo meatu sine fine constare credimus.   1283
adque pro aecclaesiae tuae UNITATEM iubeas amovere decursum.   3637
sed augeret potius UNITATEM.   3762
et ad veritatis tuae redeant UNITATEM.   2449
tui nobis, dne, communio sacramenti et purificationem conferat et tribuat
   UNITATEM.   3550
ipsorum nunc quoque suffragiis divinae pareat UNITATI.   2330
eorum suffragantibus meritis divinae serviat UNITATI.   2331
ita summa debet humilibus UNITATIS affectum.   3632
Sed in aeadem UNITATIS fidem manentes...   329
tribuae ei continuam sanitatem ad agnoscendam UNITATIS tuae veritatem.
   2442, 2446
in diversitate donorum mirabelis operatur UNITATIS variarumque...   4049

          UNITIO
quo caelestis terrenaeque substantiae significatur UNITIO in Christo...
   304

          UNIVERSALIS
ut omnes in hoc fonte regenerandos UNIVERSALI adopcione (adoptionem)
   custodi.   2859
ut UNIVERSALIS aecclesiae talis tibi repraesentetur...   1059
ac UNIVERSALIS ecclesiae tuae doctorem dedisti...   818

          UNIVERSITAS
... UNIVERSITAS creatori gloriosa passione coniunctus est.   2187
christianae devotionis sequeretur UNIVERSITAS salubrique...   3947
qui dominator vivorum et mortuorum est, cui UNIVERSITAS tacit...   1859
nos pura tenere mensuram qua subsistit UNIVERSITAS, ut in mentibus...
   2717
christianae devotionis sequatur UNIVERSITAS.   2413
... Ut in UNIVERSITATE nationum constet esse perfectum...   3634
ut in UNIVERSITATE nacionum perficiatur quod per verbi tui evangelium
   promisisti...   3633
... UNIVERSITATIS creatori gloriosa passione coniuncti sunt...   2187
Deum iudicem UNIVERSITATIS, deum... depraecemur pro spiritu cari nostri...
   723

Et qui te simel agnovit principem UNIVERSITATIS et dominum...   1073
qui dispositis UNIVERSITATIS exordiis homini ad imaginem dei facto...
   1171

          UNIVERSUS
Omnipotens deus UNIVERSA a vobis adversa excludat...   2260
quibus fatiant UNIVERSA bella prostrata.   2609
per quem una cum patre sanctoque spiritu facta sunt UNIVERSA, Christe
   Iesu...   1283
VD. Quia vetustate distructa renovantur UNIVERSA deiecta...   4078
Ds qui miro ordine UNIVERSA disponis et ineffabiliter gubernas...   1062
ut UNIVERSA familia tua et toto tibi sit corde devota...   972
O. s. ds, cuius (aeterno) iudicio UNIVERSA fundantur...   2318, 2323
VD. Cuius et protentia sunt creata et providentia reguntur UNIVERSA ideoque hac nos...   3641
sed UNIVERSA mereamur sustentatione privari...   3652
O. s. ds, qui hanc sacratissimam noctem per UNIVERSA mundi spatia...
   2398
O. et m. ds, UNIVERSA nobis adversantia (adversa) propitiationis exclude
   ...   2295
ut piis sectando quae tua sunt UNIVERSA nobis salutaria condonentur.
   1112
... UNIVERSA obstacula qui servis tuis adversantur expugna...   1070
... UNIVERSA peccata pariter adque pericula corporis et mentis evadere...
   2687
per quem proficiunt UNIVERSA per quem cuncta...   1348, 1349, 1350
quamque UNIVERSA praecipua viderentur in saeculo...   3707
Ds qui UNIVERSA profondissimae vides...   1233
Ds... et cuius nutu reguntur UNIVERSA qui etiam necessariis...   742
qui in caelestia regna super caerubin sedens UNIVERSA, qui regna...   395
VD. Qui cum ubique sit totus et UNIVERSA tua maiestate conteneas...   3886
cuius providentiam pia moderatione inponuntur UNIVERSA.   3637
Ds patrum nostrorum, ds UNIVERSAE conditor veritatis...   875
Ds, cuius UNIVERSAE viae misericordia est semper et veritas...   805
Ds, qui sacramentum festivitatis hodiernae UNIVERSAM aecclesiam tuam...
   sanctificas...   1198a, 1199
Benedic qs dne HUNIVERSAM hanc familiam tuam...   329
ad regendam aeclesiam tuam et plebem UNIVERSAM sis eis auctoritas...
   818, 819, 820
Ds o., UNIVERSARUM rerum rationabilis artifix...   871
... Abraham puerum tuum UNIVERSARUM, sicut iurasti, gencium efficis
   patrem...   812
... UNIVERSAS procellas et grandinis amovere digneris.   1369
Ds UNIVERSI carnis, qui noae et filiis suis de mundis...   1257
in quo tibi atque UNIVERSIS angelis tuis aeternus veniat interitus...
   2174, 2177
Effuge... de medullis UNIVERSIS, de venis...   1888
ut deus et (ac) dominus noster eruat eos ad erroribus UNIVERSIS et ad
   sanctam matrem...   2516
da, qs, UNIVERSIS famulis tuis penius adque perfectius omnia festi
   paschalis introire mysteria...   2332
exaudi nos pro UNIVERSIS ordinibus supplicantes...   2323
quae nos et ab erroribus UNIVERSIS potenter absolvat...   3321
et virtutibus UNIVERSIS, quibus tibi servire oportit, instructi conplaceant.   1372

ut destructis adversantibus (adversitatibus) UNIVERSIS secura tibi
   serviat libertate. 1388
que hodiae materna in cathedra UNIVERSIS subditis sibi abbatissa esse
   constituaetur... 1317
de UNIVERSIS terrae aedendis germinibus summamus. 3459
propiciare UNIVERSO ordini sacerdotalis officii... 967
Benedic hunc, clementissime, regem illum cum UNIVERSO populo suo... 395
Ds, qui UNIVERSORUM creator et conditor es... 1234
ab UNIVERSORUM crimenum contagiis emundati (emundati)... 3836
sacerdos omnium, pontifex UNIVERSORUM per quem una cum... 1283
consequenter et UNIVERSOS homines... diligamus... 4025
... UNIVERSOS reperiat sospites ac debitas exsolvat tuo nomine gratis.
   897
certus te UNIVERSIS aeclesis collaturum... 1320
Ds, qui licet UNIVERSUM genus humanum caelesti lege disponas... 1062
... Nam cum filius tuus... mundum diceret UNIVERSUM in suum nomen esse
   cessurum... 3957
Ds qui UNIVERSUM mundum beati pauli apostoli predicatione docuisti...
   1235
... Haec nox est, quae hodie in UNIVERSUM mundum in christo credentes...
   3791
... UNIVERSUM mundum inluminare dignatus es... 1494
pacificare adunare et custodire dignetur per UNIVERSUM orbem terrarum...
   2507
Benedic qs dne UNIVERSUM populum ad caene tuae convivium evocatum. 330
... UNIVERSUS mundus in tenebris conversus est... 1328

          UNUS
... Hic dei patris et filii UNA aequalis pronuntiatur potestas... 1706
recurrens una dies in aeternum et UNA corona sociavit. 3666a
ut quibus erat UNA causa certaminis, UNA retributio esset et praemii.
   3595, 4084
fieret semet ipsam diligens (esset) mens UNA cunctorum. 3923, 3924
recurrens UNA dies in aeternum et una corona sociavit. 3666a
Et hic dei patris et fili UNA et aequalis pronuntiatur potestas. 1707
... UNA facias pietate concordes. 3308
... UNA fide eademque die diversis licet temporibus consonante... 4196
... UNA fide eademque die pari nominis tui confessione coronasti. 4197
apostoli mente UNA locuti sunt, ore diverso. 1173
omnis in UNA pareat gratia mater infantia... 1047
... UNA sit fides mentium (cordium) et pietas actionum. 964, 965, 1142
et nos qui vobis misterium fidaei catholicae UNA tradedimus... 226
merita sub UNA tribuisti (tribues) celebritate venerari... 2430
et in UNA trinitatis confessione consistant. 329
... Sic dispensatione diversa UNAM Christi familiam congregantes...
   3666a
ad UNAM (UNAE) confessionem (confessione) tui nominis caelesti munere
   congregetur. 2436, 2437
... In UNAM sanctam catholicam et apostolicam ecclesiam... 554, 555
sed UNAM sub pinna, et illius erant capilli sicut lana alba... 1860
et UNAM te cum filio tuo patefecit habere deitatem... 3613
... UNA(M) vobiscum ad regna caelestia faciet pervenire. 1707
ut fraternae teneantur conpagine caritatis UNI animae... 1195
dum quod UNI populo a persecutione aegyptia liberando... 777
... UNI toro iuncta contactos vitae incitos fugiat... 1171, 2541, 2542
in passionis acervitate ferenda UNIUS amoris societas... 3852

Ds, qui fidelium mentes UNIUS efficis voluntati (voluntatis)... 993
ut UNIUS eiusdemque elimenti mysterio et finis esset viciis et origo
  virtutum... 1045, 1046, 1047
pro UNIUS exorantem non abnuas... 4143
Quique dignatus est diversitatem linquarum in UNIUS fidei confessione
  adunare... 1002
et linguarum diversitatem in UNIUS fidei confessione sociaret... 4007
qui gregalium deferencias hostiarum in UNIUS huius sacrificii perfecciones
  sancxisti... 2397
ut quorum doctrinis ad confessionem deitatis UNIUS institutus est mundus
  ... 2330, 2331
semper ubique patri maiestati defusa UNIUS potentiae deum verum... 3501
ut qui diversitatem gentium UNIUS sacrae fidei confessione... congregare
  ... 4198
Ds, qui legalium diferentias hostiarum UNIUS sacrificii perfectione
  sancsisti... 1058
non in UNIUS singularitate personae, sed in UNIUS trinitatis (trinitate)
  substantiae... 3887
... UNIUS summe (summeque) divinitatis participes effecisti (effices)...
  1124, 1125
ut quos UNO caelesti pane satiasti... 3308
in UNO eodemque homine suum cuique convenienter adtribuis... 4033
adque UNO eodemque modo contumax tuus et vindictam sensit et gratiam...
  4055
ut in UNO eodemque spiritu sit tibi grata devotio et plebis et praesulis.
  1358
quasi UNO ore laudent, proclamant et dicant Sanctus, sanctus. 4143
ut quos UNO pane caelaesti saciasti... 3308
omnes in UNO pariat gratia mater infantia... 1045
ut UNO peccatore converso maximum gaudium facias in caelis habere...
  801a
docens quod ex UNO placuisset institui, numquam liceret disiungi... 1171
Tremuaerunt aelementa mundi sub UNO precusso... 3661
passionis aequalitate consimiles, in UNO semper domino gloriosi... 3612
... Confiteor UNUM baptisma in remissionem (remissione) peccatorum...
  554, 555
qui sumimus communionem huius sancti panis et calicis, UNUM christi
  corpus efficimur... 3739
et UNUM christi corpus sancti spiritus infusione perficitur... 3739
que offertur a plurimis et UNUM christo corpus... 4181
quem tecum et cum spiritu sancto UNUM deum caeli caelorum... 4176
te UNUM deum patrem in filio et filium in patre cum sancto spiritu
  recognoscat... 3460
Credo in UNUM deum patrem omnipotentem... 554
... Et in UNUM dominum (nostrum) Iesum Christum filium dei unigenitum...
  554, 555
in confessione tui nominis UNUM effecisti... 965
additus fortiori sexus infirmior UNUM efficeret (efficieris, efficiaris)
  ex duobus... 2541, 2542
Ds, qui diversitatem omnium gentium in confessione tui nominis UNUM esse
  fecisti... 965
conplete orationem vestram in UNUM, et dicete : Amen. 2496, 2629, 3573
Sed ne UNUM fortasse vel paucus aut decipiat aut fallat affectio... 3021
... UNUM in christo corpus efficimur. 4181
si UNUM te fideliter omnium revereamur autorem. 3641

Ecce quam bonum et quam iocundum habitare fratres in HUNUM.   3612
Exi, inmunde... aut UNUS aut plures, qualecumque vobis nomen sit.   1888
ut UNUS Christus in dei adque hominis veritate...   2710
... UNUS deus omnipotens ita a nobis orandus...   1789
qui cum patre et filio UNUS deus vivit et regnat...   345
variarumque graciarum tributor id est UNUS effector...   4049
VD. Qui cum unigenito filio tuo et sancto spiritu UNUS es deus, UNUS es
   dominus...   3887
Fac plebem tuam imitari quod UNUS exorando formavit...   1229
et in his natura artifex et UNUS magister gignentium...   3191
visibilis per carnem apparuit in nostra tecumque UNUS, non tempore...
   3647
adaerit per spiritum sanctum consensus UNUS omnium animarum.   3021

         UNUSQUISQUE
sanctum UNIUSCUIUSQUE templum acceptabilis vitae innocens odor redolescat
   ...   3627
et in UNOQUOQUE evangeliorum trinitatis plenitudinem contineri...   3943
sub cuius lege sibi UNUSQUISQUE formidat...   201
exponamus vobis, quam rationem et quam figuram UNUSQUISQUE in se
   conteneat...   1633

         URBANUS
Beati URBANI martyris tui adque ponteficis dne intercessione placatus...
   3243
ut qui beati URBANI martyris tui atque pontificis sollemnia colimus...
   680
intercedente beato URBANO...   2125

         URBS
... Romanae URBIS cuius propter te... tenere constitues principatum...
   4127
... URBIS istius ambitum coronares...   3865

         URGEO
URGUEANT te angeli, URGEANT te archangeli, URGEANT te prophetae, URGEANT
   te apostoli, URGEANT te martyres, URGEANT te confessores.   2180
... URGUAT illum, dne, dextera tua potens discedere a famulis tuis...
   1354, 1355

         URO
et omnibus in conmune sua URRIT.   59
Nam sicut aurum flammis non URITUR sed probatur...   3615

         USQUE
ut non praevaleat inimicus USQUE ad animae temptationem... defer...   2064
nec adversario liceat USQUE ad animae temptacionem... incipiat...   3463a
et ad beatorum requiem USQUE ad caelestia regna perveniat.   2542
ita USQUE ad consummationem saeculi manere nobiscum...   109
Ds qui in aeclesiae tuae USQUE ad consummationem te saeculi...   1029
... USQUE ad contemplandam speciem tuae celsitudinis perducamur.   1004
devote et probabiliter USQUE ad diem obitus vivat...   2475
sponsi filios USQUE ad eius abscessum non posse ieiunare praemonuit...
   3996
sic enim ab exordio sui USQUE ad finem beati certaminis extetit gloriosa
   ...   1651
qui protingit a fine USQUE ad finem fortiter...   3637
ita et has famulas tuas facias permanere inmaculatas USQUE ad finem per
   inmaculatum...   3465

ita aeas famulas tuas facias permanere inmaculatas USQUE ad finem.   3465
qui eum salvum atquae incolomem perducat USQUE ad loca distinata...   1714
et fructos terrae tuae USQUE ad maturitatem perducas...   2525
dones ei delicta atque peccata USQUE ad novissimam quadrantem...   3462
a solis ortu USQUE ad occasum in gloria semper et laude est...   3841,
3842
... Totus mundus ardebit ab oriente USQUE ad occidentem...   3563
benignitate ab homine USQUE ad pecus praestare dignetur.   167
... USQUE ad plenitudinem gloriamque promissam te moderante perveniat.
1291
et USQUE ad promissum glorie tue premium... perveniant.   1167
ut USQUE ad resurrectionis diem in lucis amoenitate requiescat.   1910
et USQUE ad sanguinem nominis tui confessor eximius...   3644
ne adversario liceat USQUE ad temptacionem animae pervenire...   3463
huic famulo tuo ill. qui hac domo tua nunc USQUE fideliter laboravit...
1331
qui es et eras et permanes USQUE in finem cuius origo...   1359
gratiam (integram) incorruptam et inmaculatam USQUE in finem ipso (ipsum)
(quem) confitemini...   1706, 1707
per eos USQUE in finem saeculi capiat regni caelestis aumentum.   3909
et quod ecclesiae tuae promisisti USQUE in finem saeculi clementer operare.
1520
confessio USQUE in finem saeculi nobis capiat regni caelestis augmentum.
4067
et quod aecclesiae tuae USQUE in finem saeculi promisisti, clementer
operare.   1520
... USQUE in finem saeculi secundum suam promissionem sentiatis.   344
... Christus, qui se USQUE in finem saeculi suis permisit fidelibus
adfuturum...   3811
quem ab exordio sui USQUE in finem tot honorum insignibus...   4095
Deleas aeius delicta adque peccata USQUE in novissimo quadrantem...   3462
... USQUE in quadragensimum diem manifestus apparuit...   3998
et corroboret amodo et USQUE in semp(it)ernum.   3677
et videant filios filiorum suorum USQUE in terciam et quartam progeniem...
1171, 1719
si USQUE nunc ebriosus, amodo sobrius...   4228, 4231
si USQUE nunc fuisti tardus ad aecclesiam...   4228, 4231
si USQUE nunc inhonestus, amodo castus.   4228, 4231
si USQUE nunc somnolentus, amodo vigilis...   4228, 4231

USQUEQUAQUE
et temporalibus USQUEQUAQUE non deseramur alimentis...   3827
nisi quod ideo tua nos clementia USQUEQUAQUE non deserit...   3652
et peragendum iniunctum officium te largiente USQUEQUAQUE proficiant.
2123

USURPATIO
Sed peccatum matres antique quod inlicita vetustate USURPATIONE conmisit.
4182

USURPO
... Nihil ex (hac subsicibus) (subsitivus, sub cuius) (in ea ex actibus
suis) ille auctor praevaricationis USURPET...   1171, 2541, 2542

USUS
et nunc humanis USIBUS adlata...   770
ut hii hanc humanis USIBUS admixta conderit...   3191

et humanis USIBUS da tua largitate perennis USIBUS contullisti...   770
gratiam humanis USIBUS fluenta fontibus influxisti...   1365
vel in quibuslibet necessariis USIBUS hausta aqua usus fuerit...   717
nostris facias USIBUS non perire.   1057
ut altare hoc sanctis USIBUS praepratum caelesti dedicacione sanctifices
    ...   3844
vascula que indulgentiae piaetatis... humanis USIBUS reddedisti...   899
relictis retibus suis, quorum USU actuque vivebat...   3907
quam in HUSUI humani generis tribuisti...   1370
haec lenteamina in USUM altaris tui ad tegendum...   1318
... Et eo nascente, et sermonis USUM, et prophetiae suscepit donum...
    3755
hanc creaturam salis quam in USUM generis humani tribuisti...   1929
et in longiorem USUM incorrupta servaret...   3191
sive etian ea quae Maria texuit et fecit in USUM ministerii tabernaculi
    faederis...   1318
calicem istum in USUM ministerii tui pia (famuli tui) devocione formatum
    ...   1281, 1282
paulus est USUS dogmate.   924
ut quae hic pietas tua in USUS et necessaria corporum famulorum tuorum
    contulit...   987
vel in quibuslibet necessariis usibus hausta aqua USUS fuerit...   717
Benedic dne has aquas quas ad HUSUS humani generis... praestetisti...
    313
quibus ille adiutoribus USUS in populo...   1348, 1349, 1350, 2549
et dedisti ea ad USUS nostros cum gratiarum actione percipere...   305

                    UTERQUE
manu per quem UTERQUE sexus... accipiant.   397
inter UTRAQUE discrimina veritatis adsertur...   3683, 3684
in UTRAQUE parte persecurata cont(in)entia ditetur.   1508
Ds, qui humani generis UTRAMQUE substantiam praesentium munerum et
    alimento vegetas...   1018
... UTRIQUE igitur germani piscatores, ambo cruce elevantur ad caelum...
    4084
Quatenus petrus clave, paulus sermone, UTRIQUE intercessione...   348
et quid de UTRISQUE geratur...   3951
ut sicut passione sua Christus... diversa UTRISQUE (UTRIUSQUE) intulit
    suspendia meritorum...   731
sed ab UTRISQUE libera tibi semper et purgata deserviat.   1593
hac dilatatis UTRISQUE marginibus...   880
Ds, qui nos... UTRIUSQUE testamenti paginis inbuisti (instruis)...   1092
sic UTROQUE confessione magnifica per tuam gratiam triumphatur...   4103
... In UTROQUE domini ac magistri sui vestigia sequens...   3855
In utrumque veras, in UTROQUAE misericors...   3884
nunc ab UTROQUE per tuam gratiam calcaretur...   4034
ut in UTROQUE salvati (de) caelestis remedii plenitudine gloriemur.   3277
et in UTROQUE sanctae ecclesiae consulat.   1337
VD. Quoniam sicut humanum genus in UTROQUE sexu diabolus... elisit...
    4103
in UTROQUE sexu fidelium cunctis aetatibus contulisti...   3856
Conferat nobis dne sancti iohannis UTROQUE solemnitas ut...   505
ut de UTROQUE tibi gratias semper referre valeamus.   958
... Cum ergo in UTROQUE tui sit muneris quod vicit...   3866
in UTROQUE veras, in UTROQUE misericors...   3884, 4009
quae famulis tuis in UTROQUE voluisti praevere subsidium.   2961

tamen UTRUMQUE conveniens editur sacramentum...   3779
... Tus enim, dne, providencia tuaque (tua) gracia (ineffabilibus modis)
  UTRUMQUE dispensat...   3925, 3926
ut UTRUMQUE et iustitia non desit et pietas.   661
ut qui male in sua paradisi felicitate fidentem sexum UTRUMQUE
  prostraverat...   4034
Dne ds aeterne qui UTRUMQUE sexu de interitu perpetuae mortis...   1297
Conferat nobis, dne, sancti Iohannis UTRUMQUE solemnitas, ut...   505
ac temperie sumi praecipias, qua UTRUMQUE vegetetur...   4033
In UTRUMQUE verax, in utroquae misericors...   3884

                    UTERUS
... UTERE es vita adtrahe me ad te...   1296
qui per beatae Mariae sacri UTERI divinae graciae obumbracionem...   1494
VD. Qui genus humanum... per florem virginalis UTERI reddere dignatus es
  absolutum...   3930
et ab UTERI virginalis arcano ineffabili editione promisisti...   3763
dignatus es in templo UTERI virginalis includi...   805, 945
virgo in UTERO accepit et peperit filium...   3677
et adhuc clausus UTERO (ad) adventum salutis humanae prophetica exultatione significavit...   3688, 3772
es cuius intemerato UTERO auctorem vitae suscipere meruistis.   1149
quem adhuc UTERO clausus agnovit...   3774
qui ex UTERO fidelis amici tui patriarchae nostri habrahae...   842
mox puelle credentis in HUTERO fidelis verbi mansit aspirata conceptio...
  3635
ut sanctificatione concepta ab immaculato divini fontis UTERO in novam
  renatam...   1045, 1047
Deus qui de ecclesiae suae intemerato UTERO novos populos producens...
  948
naturae, quam unigenitus tuus in UTERO perpetuae virginitatis adsumpsit...
  2315
per florem virginalis UTERO reddere dignatus es absolutum...   3930
Qui clausus in UTERO reddedit obsequium dominum...   910
habitasti domo muliaeris in HUTERO, respice...   996
Ds qui de beatae virginis UTERO verbum tuum... carnem suscipere voluisti
  ...   946
qui nasci dignatus est de UTERO virginis matris...   3698
que sine simine humano redemptorem virginalis firmavit in HUTERO.   945
quae sine simine humanum redemptorem virginis firmavit in HUTERO.   805
in HUTEROQUE sexu fidelium cunctis aetatibus contullisti...   3856
Da qs o. ds, intra sanctae ecclesiae UTERUM constitutos...   669
unigenitum tuum per virginis UTERUM dedisti lumen in seculum.   2441
adque benignissimus aeius UTERUM fecundare digneris...   3918
et eius UTERUM vinculum sterelitatis absolvens...   1772
Ds, cuius oculto consilio ideo Helisabeth sterelis UTERUS (UTERUM)
  extitit...   794
et genus humanum quod primae matris UTERUS profuderat caecum...   3949

                    UTILIS
ut tam fecunda quam speciosa non UTILE decore luxorient...   1155
quia cum haec dona contuleris, cuncta nobis UTILIA non negabis.   464
et quae nobis sint UTILIA placatus inpende.   1309
sit unctionis huius praeparatio UTILIS ad salutem...   838, 839, 1240
                    UTILITAS
ut his viris ad UTILITATEM aecclesiae providendis...   2510

a creatura olei ad UTILITATEM hominum constituta... 1536
... UTILITATEM (UTILITATEM) proximae (proximi) plenus ut cum hinc
  advenientes recesserunt... 2282
et UTILITATEM servorum tuorum, te auxiliante, perfectissime expleat...
  3531
ut hii qui adiutorium et UTILITATEM vel salutis aelegitur... 3300
ut hii qui in adiutorium et UTILITATEM vestrae salutis eleguntur... 3300
et bona, quae suis UTILITATIBUS tribui cupiret a consorte naturae...
  3923, 3924
originis, nationum, UTILITATISQUE virtutum... 3191

        UTILITER
si fideliter et UTILITER impleveris officium... 31

        UTIQUE
... Quae UTIQUE adnuntiatio est Iesu Christi domini nostri (domini nostri
  ihesu christi)... 203, 204
quam UTIQUE dominus sequi dignatus... 861
per eos UTIQUE in finem saeculi capiat regni caelestis augmentum. 3909
non UTIQUE, ut cuiquam noxii sumus... 3981
non UTIQUE ut in hisdem nequitiis perseverent... 3980

        UTOR
ut omni tempore praesidio huius confessionis UTAMINI... 1706
ad ermedia correctionis UTAMUR. 1247
et ad correctionis effectum donum tuae pacis UTAMUR. 2426
et dona tuae pietatis semper UTAMUR. 2426
... UTANTUR nec glorientur potestatem quam tribues in aedificacionem...
  820
et animis vestris veram conversationem UTATIS ad deum... 1288
cum aeis affectu gedionis proeliante UTATUR et dicat... 4143
te omnia in omnibus operante sic UTATUR temporalia... 1730
ut... sint tuis fidelibus tempore pacis atque tranquillitatis UTENDA.
  2352
ut his exterius UTENTES, interius indumento amicti iustitiae... 987
et cum salubritate UTENTIBUS aea ipse... mereantur efficere vasa munda...
  2907
sicque donis (temporalibus) UTEREMUR, (transirotiis) ut disceremus
  inhiare perpetuis. 3969, 3970
Dne ds, qui in regenerandis plebibus tuis ministerium UTERIS sacerdotum...
  1325
qui sacerdotum ministerio ad tibi serviendum et supplicandum UTI dignaris
  ... 2292
Quos tantis, dne, largiris UTI mysteriis... 3033
sic bonis praetereuntibus nunc UTIMUR... 3954
quibus UTITUR (te) constituente principibus. 459
ut hii qui UTUNTUR ex aeo, sint sanctificati. 322

        UVA
Exite... de altera gula, de UVA, de palato... 1888
Benedic dne et hos fructus novos UVAE quos tu dne rore caeli... 305
Benedic, dne, hos fructos novos UVAE sive fabae... 317

        VACO
... Sed cum in ipsis nostris observationibus a noxiis et inlicitis non
  VACAMUS... 4072
ut huic famulo tuo, qui in saeculo huius nocte VACATUR incertus et dubius
  ... 3460

ut non VACET dictum illud : Iuda filius meus catulus leonis...   2059
... Quamvis enim a divitiis bonitatis et pietatis Dei nihil temporis
   VACET nunc tamen...   58

           VACUO
neque VACUARI passionis triumphum mundi morte paciaris.   3038
quod in nobis pascali mysterio per resurrectionem tui filii VACUASTI.
   711

           VACUUS
accusator veritatis, umbra VACUA inflate inanis...   3259
ut sit nullius (nullius sit) irritum votum et nullius VACUA postulacio...
   2873, 2876
Sed ut non essent VACUI sapientiae tuae opera...   3666
nullumque momentum est quod a beneficiis pietatis tuae VACUUM transigamus
   ...   3719
per quem victus et ligatus es, ut passer solitudinis VACUUS...   1888

           VADO
favella et VADE et intus tu non possis stare.   1551

           VAGATIO
exclude a mentibus aeorum noxias animae VAGATIONIS, sanctas...   567

           VALDE
Ds unitas, ds trinitas, in cuius magna confido VALDE misericordia.   3792

           VALENTINUS
ut qui beati VALENTINI martyris tui natalicia colimus...   2771
Ad martirum tuorum VALENTINI Vitalis et Filiculae, dne, festa venientes...
   50
et festivitatem martyrum tuorum VALENTINI Vitalis et Filiculae quam nobis
   tradis...   2928
festa martyrum tuorum VALENTINI Vitalis et Feliculae sine cessatione...
   3563
et intercedente beato VALENTINO martyre tuo...   2213

           VALEO
ut ad eorum qui tibi placuerunt sacerdotum, consortium VALEAM pervenire...
   3893
et remedium sempiternum VALEAMUS adquirere.   2233
competenti ieiunio VALEAMUS aptari.   3731, 3732, 4140
non VALEAMUS adtollere, quo salvator noster ascendit...   4215
dignae quae tua sunt et cogitatione VALEAMUS et facere.   2685
quo mundi huius tenebras carere VALEAMUS et perveniamus...   537
et Iesu Christi domini nostri... manifesta dona conpraehendere VALEAMUS
   et quae nobis feliciter (fideliter)...   3818, 3843
et convenienter intellegere VALEAMUS et veraciter confitere.   2756
te opitulante eius sanctitatis imitari VALEAMUS exempla...   3687
ut continentiam VALEAMUS exercere perfectam.   4072
bonorum operum tibi placere VALEAMUS exhibitione.   4163
nos adimplere VALEAMUS illius adiuti largissima miseratione...   3940
inlumina corda vestra, ut tuis VALEAMUS implere praeceptis.   1138
ut observantiam... mentibus VALEAMUS implere senceris.   1897
ut secundum VALEAMUS interriti exspectare.   3663
quia sicut in nobis nulla iusticia reperitur de qua praesumere VALEAMUS
   ita te fontem...   1459
ut ad promissam hereditatem adgredi VALEAMUS per debitam servitutem.   882
... Tuamque percipere VALEAMUS propitiationem...   3730

ut te annuente VALEAMUS quae mala sunt declinare... 3749
ut cum omnibus sanctis conprehendere VALEAMUS que sit... 3847
quibus capere VALEAMUS salutaris mysterii portionem. 1136
ut per haec ad incommutabilia dona pervenire VALEAMUS sic temporalis...
 3707
quatenus inpetrare clementiam tuam VALEAMUS supplicis... 3501
et monitis inherere VALEAMUS te largiente caelestibus. 3679
tribuit efficatiam, qua haec ad perfectum perducere VALEAMUS tuam ergo
 clementiam... 3659
et quae recta sunt agere VALEAMUS. 2086
ut haec dona caelestia tranquillis cogitationibus capere VALEAMUS. 2116
ut venienti filio tuo domino nostro bona (eius) (tua) capere VALEAMUS.
 1570, 1571
ut observantiam... mentibus etiam sinceris exercere VALEAMUS. 1898
exempla aeorum imitare VALEAMUS. 2025
ut quae a te iussa cognovimus implere caelesti inspiratione VALEAMUS.
 1084
inculpabilem (inculpabile) deo iubante ministerio (deum iubentem)
 peragere VALEAMUS. 3269
ut tuam semper misericordiam percipere VALEAMUS. 266
fac nos ita peragere ut tibi placere VALEAMUS. 1005
ut qui sine te esse non possumus, secundum te quaerere VALEAMUS. 1993
ut de utroque tibi gratias semper referre VALEAMUS. 958
ut qui sine te esse non possumus, secundum te vivere VALEAMUS. 1993,
 1994, 1995
ut portum salutis tuae VALEANT adpraehendi (adprehendere). 114
ut et digni sint et tua VALEANT beneficia promereri. 3505, 3506
ut noctis aeternae VALEANT caliginem evadere... 3917
placare semper VALEANT coram oculis tuis... 4227
quae et placere te VALEANT et nos tibi placere perficiant. 1892, 1893
ut corda nostra ita pietates tuae VALEANT exercere mandata... 1139, 3984
ut tibi famulari VALEANT in aeternum. 122
quatenus invitare VALEANT in templo sancto tuo suis obsequium... 308
quia non plus ad perdendum VALEANT nostra delicta... 3826
et ad aeternum beatitudinem... feliciter VALEANT pervenire. 2441
et tibi placitam postolare et cicius VALEANT postolata percipere. 2321
presentari VALEANT tibi pio iudicii candidati. 955
ut quicumque ex ea sumpserint, incolumes esse VALEANT. 998
tibi semper domino (domino semper) VALEAT adherere. 108
ut et hic VALEAT bene vivere... 1749
et sempiternis VALEAT consortiis sotiata laetari. 256
quatenus quibus potuit praeesse VALEAT et prodesse. 1207
ut et tibi placere VALEAT, et utilitatem... 3531
ut tui muneris praeceptione (perceptionem) in aeternam vita VALEAT exultare. 1611
et regio devinctis hostibus VALEAT obtinere quiaeti. 3501
aeius depraecatio nobis indulgentiam VALEAT obtinere. 1949
quod postulat, munus VALEAT obtinere. 3918
nec plus apud te VALEAT offensio delinquentum... 1474
ut reatus nostri confessio indulgentiam VALEAT percipere delictorum. 984,
 2387
et ad aeternam beatitudinem VALEAT pervenire. 1512
et ad te qui via veritas et vita es gratiosus VALEAT pervenire. 2993
ne de eis inimicus VALEAT triumphare... 2658
ut hic bene VALEAT vivere... 1767

et peragenda decernat, unde tibi in perpetuum placere VALEAT.   1069
quibus... devincere VALEATIS antiqui hostis sagacissima temptamenta.   347
... VALEATIS et antiquum hostem devincere et ad regna caelestia pervenire.
341
Quo ei et pro turturibus castitatis seu caritatis munera offerre VALEATIS
et pro pullis colombarum...   2256
et innocentiam VALEATIS imitari...   342
sic ei serviatis in terris, ut ei coniungi VALEATIS in caelis.   2951
ut cum eis caelestis sponsi thalamum VALEATIS ingredi.   2264
ad aeternam patriam redire VALEATIS per viam virtutum.   853
servitutem, per quam suam consequi VALEATIS propitiationem.   2244
Talique intentione repleri VALEATIS, qua ei in perpetuum placeatis.   2117
ad paschalia festa purificatis cordibus accedere VALEATIS.   2249
et in futuro sanctorum coetibus adscisci VALEATIS.   802
ei post obitum apparere VALEATIS.   343
et sempiterna gaudia conprehendere VALEATIS.   2240
eiusdem spiritus dono capere mente VALEATIS.   2246
et quia sine ipso nihil recte VALEMUS efficere...   3747, 3849
ut quod nostris meritis non VALEMUS, aeius patrocinio adsequamur.   1945
et qui placere de actibus nostris non VALEMUS genetricis...   1604
quod meritis non VALEMUS ianuam misericordiae...   4187
ut quod nostris meritis non VALEMUS obtinere...   1494
ut quod merita nostra non VALENT aeius...   1949
quem supernarum virtutum plane VALENT nec angeli...   4143
te dixisti adsistere, corona VALENTE, da gratiam...   924
ad nostram sanctificationem tuorum VALERE praecibus concede sanctorum.
3342
quia nihil VALET humana fragilitas, nisi tua hanc adiuvet pietas...   3866
ut famula tua illa de percipienda sobole, quod per se non VALET servi tui
...   901
iesum christum omnes caeli terraque vix capere VALUAERINT, infra alvum...
2461

VALERIANUS
ut qui sanctorum tuorum tiburtii, VALERIANI, et maximi sollemnia colimus
...   2783
ut coniugem suum VALERIANUM adfinemque suum tibortium tibi fecerit consecrare...   758
ut VALERIANUM cui fuerat... secum duceret ad coronam.   3775

VALETUDO
et famulorum tuorum ex adversa VALITUDINE corporis laborantem...   986
ut hunc famulum tuum eruas ab hac VALITUDINE ut non praevaleat...   2064
et famulum tuum ex adversam VALETUDINEM corporis laborante placidus
respice...   986
... Expelle itaque ab eo cuncta contrariae VALITIDINIS tela...   1931

VALIDUS
et in nostris cordibus aeam dilectionem VALIDAM infundant...   2649
ut quanto fragiliores sumus, tanto VALIDIORIBUS auxiliis foveamur.   209
ds, sine quo nihil est VALIDUM, nihil sanctum...   2915
invalidum robora, VALIDUMQUE confer (confirma)...   3081, 3082
contrita conliga, conforta invaledum VALEDUMQUE custodi.   1333

VALLIS
pro suis menbris in VALLEM lacrimarum gemit angusta...   3501
convexa VALEUM, plena camporum...   2905
angusta VALLIUM, undaque fluminum...   4008

VALLO
ut felici muro VALLATI mundum se gaudeant evasisse.   2658

VANESCO
in anima adversariae potestatis temptamenta VANESCANT...   764
procul omnis pollucio nequitiae abstersa VANISCAT.   2907

VANITAS
ne VANITAS mendatiorum decipiat quos erudicio veritatis inluminat.   3480
Ds, qui nos a seculo VANITATEM conversus...   1091
ut aeclesia tua a profanis VANITATIBUS expiata...   2329

VANUS
ut cum VANAE superstitionis ipsos quoque removeris ectatores...   4139
Exorcizo te inimice diabule, demonii, VANE, stulte...   1551

VARIETAS
et vocum VARIETAS aedificationi aeclesiaticae non difficultatem faceret...
   3762
aeclesiam tuam, caelestium gratiarum VARIETATE (VARIETATEM) distinctam
   (distincta)...   136, 137, 138
ipsa mutabilium rerum VARIETATE nos refove.   1507
in multimodi (multis modis) operis VARIETATE (VARIETATEM) signabant...
   819, 820
quam ex gentibus congregari linguarum VARIAETATE signasti.   1173
eumque inter vitae et viae huius VARIETATES digneris custodire...   3590
ut inter mundanas VARIETATES ibi nostra sint fixa...   993
ut inter omnes viae et vitae huius VARIETATES, tuo semper protegatur
   auxilio.   107
in luxuriam abstinentiam, in VARITATEBUS moderatione...   2303
ut inter omnes vitae huius VARIETATIS tuo semper protegatur auxilio.
   107, 1975
ut omnem VARIAETATUM saculorum casus, tuo semper protegamur auxilio.
   1490

VARIUS
quo humanam de VARIA superstitione substantiam...   3778
... VARIARUMQUE graciarum tributor (distributor) (id est et) (idem) unus
   effector...   4049
... Inde est quod supplex tuus, postea quam in VARIAS formas criminum...
   58
... VARIIS etenim sollemnitatum causis... praesentia vitae tempora
   exornat...   3719
et VARIIS virtutum donis exuberavit, et miraculis coruscavit...   3655
Ds qui inter orbis primordia... terras VARIO germine fecundasti...   1044

VAS
quem hodiae VAS factum electionis magistrum...   3908a
... VAS factus electionis adstruxit...   3666a
inter VASA aecclaesiae candelabra fidaei praeparasti.   1229
benedicere consecrare et sanctificare digneris VASA haec...   1283
aea ipse per gratiam tuam mereantur efficere VASA munda...   2907
Ut cum presens vasculum, sicut reliqua altaris VASA sacro chrismate...
   2378
ut redempta VASA sui domini passione...   2937, 2941
qui te vinctum (victum) ligavit et VASA tua disrumpit...   574, 1354, 1355
Palle vero que sunt in substratorio in alio VASE debent lavi (lavari)...
   4228, 4231

ut qui in artificum cordibus fabricandis VASIBUS sublimis artifex
    extetisti...   770
argentis VASIBUS, tabulas deauratas...   1283
altare cum haeneis VASIBUS, tentoriis...   1283
vasa haec cum hoc altare lentiaminibus ceterisque VASIS et quemadmodum...
    1283
aereo altare cum aeneis VASIS, tenturiis, funibus...   1283

          VASCULUM
et haec VASCULA arte fabricata gentilium...   2352
ut serenis oculis tuae piaetatis haec VASCULA ita inlustrare digneris...
    2907
et VASCULA mentium vestrarum exemplo praesentium luminum inlustretis...
    948
et haec VASCULA quae indulgentiae... gratiae tuae largitate aemunda.   899
ut presentia VASCULA que olim sunt terrae baratro addita...   770
ita dum huius VASCULI sonitum transit per nubila...   2262
ut cum hec VASCULUM ad invitandus filius aecclaesiae preparatum...   308
Ut cum presens VASCULUM sacro crismate tangitur...   2378
ut per nostram benediccionem hoc VASCULUM sanctificetur...   2259
ut hoc VASCULUM tuae aecclesiae preparatum sanctificetur ab spiritu sancto
    ...   1154

          VASTATIO
nec inpurtuna aviam VASTATIONE vexetur.   2188

          VASTATOR
adque mortifero VASTATORE defendas.   1088
Media nocte ab angelo VASTATORE sanguis agni israel defenditur...   2065
Deus, qui VASTATORIS antiqui perfidiam... destruendo...   1236

          VASTITAS
tua nobis parcendo clemencia cessare iubeas VASTITATEM (VASTITATE).   1009

          VASTO
ne aeclesia tua aliqua sui corporis porcione VASTETUR...   822, 823

          VATUM
quod VATUM oraculis fuit ante promissum...   3634

          VEGETATIO
qui mentes omnium spiritali VEGITATIONE disponat...   156
ut quae sui condicione defecit, tua VEGETATIONE reparetur.   2101
ut castigatio carnis adsumpta ad nostrarum VEGETATIONE (VEGETATIONEM)
    transeat animarum.   649

          VEGETO
Dne ds noster, qui nos VEGETARE dignatus es caelestibus alimentis...
    1307
famulum tuum ill. pontificale fecisti dignitate VIGITARE, praesta...
    1040
spiritali facias VEGITARE proposito...   2592
Da nobis, dne, qs, ipsius recenseta nativitate VEGETARI cuius caelesti...
    586
ut hoc eodem sacramento quo nos temporaliter VEGETAS efficias perpetuae...
    3263
praesentium munerum et alimento VEGETAS et renovas sacramento...   1018
qui nos corporis et sanguinis dilectissimi... communione VEGETASTI...
    1668
quibus terrena condicio (condictionem) VEGITATA subsistat.   713, 714,1285

et caelestis mensae dulcedine VEGETATI gratias tibi referimus...   3074
Redemptionis nostrae munere VEGETATI quaesumus dne ut hoc nobis...   3037
Caelestis vitae munere VEGETATI qs dne ut quod est...   390
sacramenti munere VEGETATI qs ut bonis...   1436
ut divinis VEGITATI sacramentis...   233
Praesta, qs, dne, (dne qs) ut sacramenti tui participacione VEGITATI
    sancti (sanctae)...   2734, 2775
Sacrosancti corporis et sanguinis domini nostri I. C. refectione VEGETATI
    supplices te rogamus...   3172
ut huius operatione VEGETATI tam praesentia quam aeterna subsidia
    capiamus.   3484
Gracias tibi referimus, dne, sacro munere VEGITATE (VEGITATEM) tuam
    misericordiam...   1674
ut corpore et mente VEGETATI tuis semper inhereamus officiis.   2910
Sacro munere VEGITATO sanctorum martyrum...   3171
Sacro munere VEGETATOS sanctorum martyrum...   3171
ut salutaribus remediis pietatis tuae corpora nostra et membra VEGITENTUR
    ...   1361
VEGETET nos, dne, semper et innovet tuae mensae (sacrata) libatio...
    3584, 3585
Familiam tuam, ds, suavitas illa contingat et VEGITET qua in martyre tuo
    ...   1589
ac temperie sumi praecipias, qua utrumque VEGETETUR...   4033

          VEHEMENTER
quem dominus... et voluit VEHEMENTER accendi.   1855
in quibus magnificatus (glorificatus) est VEHEMENTER per ipsos unigeniti
    ...   3728, 4169

          VELAMEN
ut deus et dominus noster auferat VELAMEN de cordibus eorum...   2520
quia ad requiem laboris nostri operum tuorum VELAMEN ostendis...   3483
et quidquid illa VELAMINA in fulgore auri, in nitore gemmarum...   819,
    820
in quo eam (tibi) (socians) sacro VELAMINE protegere dignatus es...
    1727, 1728

          VELAMENTUM
caelestia super aeos VELAMENTA praetende.   44

          VELLO
nullis temtacionibus (temptationis) ab eius integritate VELLANTUR.   573
et excubiis VELLATA spiritalibus...   1163

          VELO
quia, ut se VELARE contendant, volumina divina percurrunt...   3653

          VELOCITER
... VELOCITER adtente et accelera, ut eripias hominem...   1354, 1355
ut VELUCITER currens interius sermo tuus...   1330
Exite VELOCITER de capite illius et de capillis aeius...   1888
ut ubicumque latet, audito nomine tuo VELOCITER exeat vel recedat...   744
et calamitatibus constitutis VELOCITER subveni.   2609

          VELUM
cherubin, alosis, VELIS, columnis, (columnas) candilabra, altare...   1283

          VELUT
quam VELUT boni odoris flagrare fecisti.   947

ante conspectum venientis Christi filii tui VELUT clara lumina fulgeamus. 178

et sit illi, dne, hanc aquam asparsionis VELUT clybanus ardens ignis inextinguibilis... 1346

diem qui venturus est VELUT clibanus ardens in quo tibi et universis... 2174, 2175, 2176, 2177

... VELUT de voragine ignis aeripias... 884

... VELUT fulgentes lampadas in eius occursum nostras animas praeparemus. 475

et VELUT indignis donare que poscimus (possimus). 136

in praesepio positum VELUT piorum cybaria iumentorum... 3648

fidelibus tuis, quos VELUT vineam ex Aegypto per fontem baptismi pertulisti... 2442

VELUTI
quis non VELUTI putaret absurdum ?... 3957

VENA
iniuriam non facias... neque in VENAS, neque in iuncturas... 1551

Effuge... de medullis universis, de VENIS, de ossibus cunctis... 1888.

VENENOSUS
terrorque VENENOSI serpentis procul pellatur... 848

VENENUM
... Omnes nequissimi spiritus ab eo VENENA depelle... 1611

omnibus intercedentibus (in te credentibus) dira serpentis VENENA extingui... 769

Ut callidi serpentis VENENA possent aevadere... 2441

undaque fluminum, VENENA serpentium... 4008

Nihil in his ulterius de ostis amari VENENO remaneat... 2298

VENERABILIS
... Par mundo VENERABILE apostolatus ordine primus et minimus... 3666a

qui ieiunium nobis VENERABILE dedicati... 3794, 3889

et qui in hoc loco VENERABILE requiescunt... 1751

Sumptum, qs, dne, VENERABILE sacramentum et praesentes vitae subsidiis nos foveat... 3352

ut sacri muneris VENERABILE sacramentum nihil amplius nihil minus... 3943

per VENERABILEM ac gloriosam semper (semperque) virginem Mariam... 2456

VD. Tu enim nobis hanc festivitatem... Stefani passione VENERABILEM consecrasti... 4185

ut quorum VENERABILEM diem annuo frequentamus obsequio... 3234

etiam hunc nobis VENERABILEM diem beati Xysti... sanguine consecrasti. 4089

VD. Et in hac die quam beati clementis passio consecravit, et nobis VENERABILEM exhibuit... 3690

per VENERABILEM mariam servare docuisti... 3974

Sanctum ac VENERABILEM retributorem bonorum operum dominum depraecamur... 3256

ut cuius VENERABILEM solempnitatem pervenimus obsequio... 3187

inclina, qs, VENERABILES aures tuas ad exiguas preces nostras... 2273

non solum ubi VENERABILES eius reliquiae conquiescunt... 4037

accepit panem in sanctas ac VENERABILES manus suas... 3014

accipiens et hunc praeclarum calicem in sanctas ac VENERABILES manus suas ... 3014

Suscipite, VENERABILES martyres, etsi indigni cultoris officium... 3454

in loco sanctae memoriae ill. nomine vero VENERABILI ill. testimonium...
  3281
Sacrificium, dne, pro filii tui supplices VENERABILI nunc ascensione
  deferimus...   3153
quae VENERABILIS Andreae suffragiis offeruntur.   1915
ut cras VENERABILIS caenae dapibus sacies...   3950
... Sit verecundia gravis, pudore VENERABILIS doctrinis caelestibus
  erudita...   1171, 2541, 2542
quibus in confessionem tui nominis VENERABILIS eius sanguis effusus est...
  4178
Pro familia tua, dne, qs, sanctorum martyrum VENERABILIS intercedat oratio
  ...   2847
ut adveniente die VENERABILIS paschae...   1953
quam VENERABILIS pater benedictus inlesus antecedebat...   2237
sub conspectu ingemiscentis aeclesiae, VENERABILIS pontifex, protestatur
  ...   58
Adest, o VENERABILIS pontifex, tempus acceptum...   58
quibus ipsius VENERABILIS sacramentum (sacramenti) celebremus (celebramus)
  exordium.   1576
pro confessione tui nominis (nominis tui) VENERABILIS sanguis effusus...
  4094, 4116
in VENERABILIUM commemoratione sanctorum...   3163
VD. VENERABILIUM martyrum praeconia recolentes...   4218

        VENERANTER
Mysteriis (tuis), (dne), VENERANTER adsumptis qs dne...   2168
quam tibi pro animabus famulorum famularumque tuarum VENERANTER deferimus
  ...   1756

        VENERATIO
ut et illorum passioni sit VENERATIO ex nostra devotione...   3601
ut omnibus mandatorum tuorum imperio piae VENERATIO famulentur officii.
  1248
nosque eius VENERACIO tuae maiestati reddat acceptos.   1947
et mirabilium tuorum inenarrabilia praeconia devotae mentis VENERATIONE
  celebrare...   3738
et quae gustu corporeo dulci VENERATIONE contingimus...   3060, 3073
qui nos de virtute in virtutem devita VENERATIONE currentes...   2105
ut quod in eius VENERACIONE deposcimus, te propiciante consequi mereamur.
  2456
grata tibi sit, (dne) qs, nostra festivitas, pro VENERATIONE eius oblata...
  1653, 2307
... In cuius VENERATIONE hodierna die maiestati tuae haec festa persolvimus...   3728
... Andreae simul fiat et VENERATIONE iucundus et intercessione securus.
  3045
Da qs dne fidelibus populis sanctorum tuorum semper VENERATIONE laetari...
  642
spirituum tibimet placitorum pia semper VENERATIONE laetetur.   2593
ut exultationem cordis sui, quam de beati Andreae... VENERATIONE percepit
  ...   3486
VD. Beatae ceciliae natalicium diem debita VENERATIONE prevenientes laudare...   3605, 3606, 3607
VD. Et te in VENERATIONE sacrarum virginum exultantibus animis laudare...
  3725
digna salutis VENERATIONE sectemur.   2693
multo magis in angelicae VENERATIONE substantiae...   3235

et quae in martyrum VENERATIONE te praedicant...   2575
Da nobis, dne ds noster, sanctorum martyrum palmas incessabili VENERACIONE
    venerari...   580
ut quod in aeius VENERATIONEM deposcimus...   2456
... VENERATIONEMQUE sanctorum nobis remedia mirabiliter operaris...   3990
debitae VENERATIONIS contingamus affectu (effectu).   3626, 3682
Porrege nobis, dne, dexterae tuae VENERACIONIS (et veni) et peccata...
    2621

                    VENEROR
cuius patientiae VENERAMINI documenta.   2255
ut qui per carnalem originem mortalis in hoc seculum VENERAMUR, ad spem...
    3836
etiam in huius diei festivitate VENERAMUR agnoscentes ad magnum...   4098
ut illuc adtollamur mente, ubi quos VENERAMUR adsistunt...   4027
ut quorum obsequio VENERAMUR auxilio.   290
VD. Qui dum beati (tiburtii) martyris merita gloriosa VENERAMUR auxilium
    nobis...   3895, 4044
ut quorum VENERAMUR confessionem, presidia sentiamus.   3512
cuius solemnia VENERAMUR eius semper muneamur auxilium (auxilio).   606
tuam magnificentiam VENERAMUR et per eam nobis...   4252
... Infantum quos hodie VENERAMUR exemplum...   1292
ut qui beati benedicti confessoris tui VENERAMUR festa...   3687
quorum tibi dicatam (decanda, dicata) VENERAMUR infantiam.   70
ut quos VENERAMUR obsequio, adesse nobis sentiamus auxilio.   1983
ut quos VENERAMUR officio etiam piae conversationis...   1097, 1134
ut quos obsequio VENERAMUR, pio iugiter experiamur auxilio.   289
Itarata festivitate beati Laurenti natalicia VENERAMUR quae in caelesti...
    1976
beati Laurenti (martyris) passionem hodierna sollemnitate VENERAMUR qui
    pro confessione...   3720, 4114, 4151
quorum passionis hodie festum VENERAMUR poscentes ut sicut...   3905
ut omnes qui martyrii eius merita VENERAMUR proteccionis tuae...   784
tua dne miracula VENERAMUR quia (que) peperit...   3646, 3648, 3649
ut sicut te solum credimus auctorem, et VENERAMUR salvatorem...   3681
ut omnes qui martyrii eius merita VENERAMUR ut intercessionibus...   1077
diem gloriosae passionis eorum subdito corde VENERAMUR.   3972
diem gloriosae passionis eorum multiplici sollemnitate VENERAMUR.   3973
VD. Quia dum beati illius merita gloriosa VENERAMUS auxilium nobis...
    4044
et tuam magnificentiam (magnificentia) VENERAMUS et per eam nobis
    inploramus...   4252
de cuius nos VENERANDA assumptione tribuis annua solemnitate gaudere.
    472
et eorum commendet oratio VENERANDA adque laetificet.   291
cuius VENERANDA caelebramus festivitatem...   814
VD. VENERANDA Clementis sacerdotis et martyris solemnia recurrentes...
    4219
... O noctis istius mystica et VENERANDA conmercia o sanctae matris...
    3596
Ds, qui nos per huius sacrificii VENERANDA commercia unius summae...
    1124, 1125
Exultantes, dne, cum muneribus ad altaria VENERANDA concurrimus...   1561
quorum VENERANDA confessio et mirabilia tuae virtutis explevit...   4063
quam nobis... Eufymiae VENERANDA confessio fecit insignem.   3765
VD. Pro cuius nominis VENERANDA confessione...   3858

Adiuvet nos qs dne sanctae mariae intercessio VENERANDA cuius etiam diem
    ... 153
Ad altaria, dne, VENERANDA cum hostiis laudis accedimus...   42
Exercitatio VENERANDA, dne, ieiunia (ieiunii) salutaris pupuli tui corda
    disponat... 1528
Beati Clementis... natalicia VENERANDA, dne, qs, aeclesia tua devota
    suscipiat... 262
et confessio VENERANDA et beata commendet oratio.   1799
et beatae Agnae... VENERANDA festivitas augeatur.   556
Sancti (martyris Agapiti) dne, qs, VENERANDA festivitas salutaris auxilii
    ... 3203, 3205, 3198
quae pro illorum VENERANDA gerimus passione...   2568
Pro beati Laurenti martyris passione VENERANDA hostias tibi dne...   2846
ut exercitatio VENERANDA ieiunii salutaris...   3752
Tua nos, dne, qs, gratia et sanctis exerceat VENERANDA ieiuniis...   3519
Omnipotens deus pro cuius unigeniti VENERANDA infantia...   2252
Beati Laurenti nos faciat, dne, passio VENERANDA laetantes...   273
ut per haec VENERANDA misteria pane caelesti refeci mereamur.   1387
VD. Beati apostoli tui evangeliste iohannis VENERANDA natalicia recensen-
    tes...   3608, 3609a
VENERANDA nobis dne huius est diei festivitas...   3586
ut etiam VENERANDA nostri salvatoris infantia...   3603
sacramenti VENERANDA perceptio in novam transferat creaturam.   7
Sacramenti tui, dne, VENERANDA peremptio et mistico nos mundet effectu...
    3128
Hic eut est dne VENERANDA potestas...   4148
qui confessionis ac patientiae (paciencia) nobis exempla VENERANDA
    proposuit...   3617
... natalicia VENERANDA, qs, dne, aecclesia tua devota suscipiat...   262
que sacris virtutibus VENERANDA refulsit (refulgit).   3197
ut ieiuniorum VENERANDA solempnia et congrua pietate suscipiant...   2653,
    2715
ut sanctorum tuorum VENERANDA sollemnia securo possint frequentare
    conventu.   2804
ut beati Laurenti martyris tui VENERANDA sollemnitas (devotionis) (et)
    devotionem augeat et salutem.   604
Laetificet nos, qs, dne, sacramenti VENERANDA sollemnitas pariterque
    mentes...   1991
Quamvis aenim nobis sit angelica VENERANDA sublimitas...   4128
ut per temporalem filii tui mortem quam (qua) mysteria VENERANDA testantur
    ... 2001
et beatae (Agnae) intercessio VENERANDA.   151
cuius solemnitatem quam prehimus, intercessio VENERANDA.   151
et eorum commendet oracio VENERANDA.   291
ut conversationis ornatum cantis VENERANDE aetatis suscedant.   898
et simul esset (esse) et VENERANDAE (VENERANDA) gloria genetricis...
    4052
... Cuius VENERANDAE nativitatis proximae ventura solemnitas...   3869
et quas vestibus VENERANDAE promissionis induis temporaliter...   743
beati Marcelli... cuius VENERANDAM caelebramus festivitatem...   814
huius diei VENERANDAM sanctamque laetitiam...   2399
praecibus exoratus VENERANDI martyris Gregori...   216
que pro illius VENERANDO agimus obitu, nobis proficiat ad salutem.   2563
ut festa paschalia quae VENERANDO colimus...   480
ut qui festa paschalia VENERANDO egimus...   488

quo beatae aeufemiae... passionem consummata recolimus VENERANDO et ad
   gloriam...   3781a
ut VENERANDO gloriam nuntiantis sumamus gratiam nuntiati.   51
Pro sanctorum Cyrini Naboris et Nazari sanguine VENERANDO hostias tibi
   dne...   2850
... Concedasque nobis ut VENERANDO passionis eius triumphum...   3748
VD. Et gloriosi illius martyris pia certamina VENERANDO praevenire...
   3759
qua beatae eufemiae martyris tuae passionem VENERANDO recolimus...   3693
et quibus vestibus VENERANDUM promissionis induis temporaliter...   743
qui nobis hunc diem sancti Laurenti martyrio tribuisti VENERANDUM quem
   ita omni genere...   3746
cuius meritum cerneret toto orbe VENERANDUM regnare post mortem...   4055
qui huius diaei VENERANDUM sanctamque leticiam... tribuisti...   2399
Adiuvet familiam tuam tibi, dne, supplicando VENERANDUS Andreas apostolus
   tuus.   152
quo VENERANDUS Andreas germanum se... Petri... monstravit...   3595, 4084
beatus Stefanus... levita VENERANDUS castitatis exemplum...   3761
qui levita simul martyrque VENERANDUS et proprio claruit...   3685, 3848,
   4220
cum per supplicacionibus nostris annua devocione VENERANDUS etiam matri
   ...   4122
quo beati Andreae apostoli tui VENERANDUS sanguis effusus est...   3782
... Ut quorum sumus martyria VENERANTES, beatitudinis mereamur esse
   consortes.   3602
ut te principaliter toto corde VENERANTES consequenter et universos...
   4025
quam tibi pro animas famulorum famularumquae tuarum VENERANTES deferimus
   ...   1756
sed et memoriam VENERANTES eiusdem gloriosae semper virginis mariae...
   420
ut festa martyrum tuorum... sine cessatione VENERANTES et fideli muniamur
   ...   3560, 3563
ut te solum sincera mente VENERANTES et fiducialius...   592
quam annua recursione VENERANTES hostias tibi laudis offerimus.   3597
quod suo sanguine signavere VENERANTES in tua exaltare potentia...   3966
Communicantes et memoriam VENERANTIS inprimis gloriosae semper virginis
   Mariae...   417, 418
VD. Beati apostoli tui Iohannis evangelistae natalicia VENERANTES qui
   domini nostri...   3610
et perpetua merita VENERANTES.   3337
quo dominus... pro nobis est traditus, sed et memoriam VENERANTES.   409
... Quas ineffabilis gloriae tuae vices in... Eufymiae passione VENERANTES.
   3788
ita eius merita VENERANTIUM accepta tibi reddatur (reddat) oblatio.   2699
Misteriis tuis VENERANTUR adsumptis qs dne ut...   2168
et apostolorum natalicia nos tuorum continua devotione VENERARI et in suis
   crebrius...   2709
ut eadem nos et digni VENERARI et pro salvandis congruenter exhibere
   perficias.   3052, 3053
et quorum prestas sollemnia VENERARI fac eorum et consideratione...   1415
et quae extrinsecus annua tribuis devotione VENERARI interius adsequi...
   1416
merita sub una tribuisti celebritate VENERARI qs ut celerem...   2430
mente devota VENERARI studetis...   343
et cum illa sit digna VENERARI tu quam sis inmensus...   3909

frequenti tribuis devotione VENERARI ut crebrior honor... 3599
praecipuorum apostolorum (petri et pauli) natalem diem plena devotione
　VENERARI ut quorum doctrinis... 2330, 2331
sanctorum (tuorum) martirum palmas incessabile devotione VENERARI ut
　quos digna mente... 579, 580
et nunc reddita prestas libertate VENERARI. 3630
... Per quem nos petimus eorum praecibus adiuvari, quorum festa noscimur
　VENERARI. 3852
VD. Per quem sanctum et benedictum nomen maiestatis tuae ubique VENERATUR
　adoratur predicatur... 3841
qua in martyrum commemoratione sanctorum tibi mirabilia VENERATUR et
　eorum tibi... 1563
quos praesenti VENERATUR obsequio... 2657
ut quod in membris suis copiosa temporum prorogatione VENERATUR
　spiritalium capiat... 1385
ut magnifica sacramenta quae sumpsimus significata VENEREMUR et in nobis
　pocius... 505
Concede nobis, dne ds noster, ut et tota mente VENEREMUR et omnes homines
　... 436
ut et maiestatem tuam convenienter hoc munere VENEREMUR et sacri
　participatione... 750
perpetua caelorum luce conspicuum digno fervore fidei VENEREMUR. 690
humilibus saltim frequentibus obsequiis VENEREMUS. 580
gloriam tuam plebs devota VENERETUR. 672

　　　　　VENIA　　　　　　　　　　.
Defende, dne, plebem tuam in sola tuae misericordiae VENIA confidentem...
　705
miseracionis tuae VENIA deleantur. 129
et quos VENIA feceris innocentes, auxilio facias efficaces. 3434
de tua mereantur VENIA gratulare. 2617
tu VENIA misericordissimae pietatis absterge. 3475
sed concessa sibi delictorum omnium VENIA optatae quietis... 746
ut recipisse nos VENIA peccatorum cessante iam correpcione laetemur. 895
ut indulta VENIA peccatorum, de tuis semper beneficiis gloriemur. 168
ut percepta VENIA peccatorum liberis tibi mentibus serviamus. 11
ut percepta VENIA peccatorum te fiat operante... 4257
fac eos gaudere propitius de suorum VENIA peccatorum. 1074
ut concessa VENIA plenae indulgenciae... 2583, 2584
bonitatis tuae pacientia faciat VENIA promereri. 792
non nos aliter peccatorum posse VENIA promereri... 1791
remissionis tuae nos VENIA prosequaris. 2705
ut concessa VENIA quam precamur... 2863
et praeteritorum criminum culpas VENIA remissionis evacuas... 859
ita nemo sit alienus a VENIA. 1254
nec disperamus de VENIAE largitate quam... 3895, 4044
sed VENIAE qs largitor admitte... 1951, 2178
Inveniat apud te, dne, locum VENIAE quicumque sastisfaciens confugierint
　.. 3828
... VENIA(M) a te merear accipere. 856
et si ad plenam VENIAM animae ipsius obtinere non possimus... 2273
lapidantibus VENIAM Christi verus sectator inplorans... 4186
sic eo suffragante nobis emundationem ac VENIAM concedas peccati... 3695
nobis quoque eo suffragante emundationem ac VENIAM concede peccati...
　3729, 4163
nostris, qs, VENIAM concede peccatis... 872

et peccatis nostris VENIAM condonaret.   3785
... Presta, qs, ut nobis et VENIAM conferant et salutem.   2227
et da VENIAM confitentibus parce supplicibus...   243
Sacris, dne, mysteriis expiati, et VENIAM consequamur et gratiam.   3168
ut qui te contemnendo culpa incurrimus, confitendo VENIAM consequamur.
  2251
ut illis reverentiam deferentes nobis VENIAM consequamur.   49
piaetatis tuae VENIAM consequamur.   1049
ut ecclesiae tuae... admissorum (reddatur innoxius) VENIAM consequendo
  (reddatur innoxius).   2716
et peccatorum VENIAM consequentis a noxios liberemur incursibus.   2690
ut omnium delictorum (peccatorum) meorum (suorum) VENIAM consequi
  mereamur (mereatur).   1749, 1768, 3386
ut huic famulo tuo peccata et facinora sua confitenti VENIAM dare...
  2837
sed tanto propensius VENIAM debeat postulare...   4135
miserationis tuae VENIAM deleantur.   129
VD. Cui proprium est VENIAM dilectis inpendere...   3635
ut praeteritorum concedas VENIAM delictorum et ab omni mortalitatis...
  3598, 4165
ut fiat ei ad VENIAM delictorum et actuum emundationem...   1749
ut fiat aei ad VENIAM delictorum et ad obtata aemendacione...   1767
Concede nobis, dne, VENIAM delictorum et eos qui umpugnare...   445, 446
et facinora sua confidenti VENIAM delictorum et praeteritorum...   2837
te suppliciter deprecor ut concedas mihi VENIAM delectorum meorum ut et
  admissam...   1264
tuorum nobis praecibus VENIAM donare sanctorum.   3287
et ut de praeteritis malis nostris semper aput te inveniamus VENIAM et
  de futuris iugiter...   1374
et perducat ad VENIAM, et in perpetua gratiarum constituat actione
  (actionem).   3431, 3432
et peccatorum nobis concedas VENIAM et nos a noxiis...   3709
da huic famulo tuo illo plenam indulgenciae VENIAM et paenitenciae loco...
  850a
ut quos VENIAM feceris innocentes...   3434
lapidantibus VENIAM fervore caritatis inplorans...   4185
de tua mereantur VENIAM gratulare.   2617
peccatorum nostrorum VENIAM impetrare.   3895
ut illis reverenciam deferentes nobis VENIAM inpetremus.   50
ut huic famulo tuo... miserationes tuae VENIAM largire digneris...   2042
nec disperamus de VENIAM largitatem...   3895
et nobis optatam misericorditer tribuas VENIAM nec iniquitatum...   3892
et VENIAM nobis tribue peccatorum et remedia sempiterna concede.   270,
  3238
ut vel VENIAM opera manuum tuarum sentiatur in inferis...   2103
... Da VENIAM peccatis et cor eius ab iniquitate custodi...   2706
da VENIAM peccatis nostris... et sacramentis caelestibus...   2104
qui et VENIAM peccatoribus et miseris prestas auxilium.   2034
et suffragantibus sanctis tuis tribue nobis VENIAM peccatorum concedas
  placatus...   1422
ut indulta VENIAM peccatorum de tuis semper beneficiis...   168
ut percipientes (paschali) (hoc) munere VENIAM peccatorum deinceps peccata
  vitemur (vitemus).   2692
Concede qs dne populo tuo (populum tuum) VENIAM peccatorum et quod meritis
  ...   466
Concede, dne, populo tuo VENIAM peccatorum et religionis aumentum...   428

ut percepta VENIAM peccatorum, liberis...   11
Ipse vobis tribuat VENIAM peccatorum qui pro salute humana...   1158
da propitius VENIAM peccatorum ut a cunctis reatibus...   789
da famulis tuis suorum VENIAM peccatorum ut sanctorum tuorum...   1204
et per eos nobis inplorando VENIAM peccatorum.   1800
fac eos gaudere propitius de suorum VENIAM peccatorum.   1075
ut concessa VENIAM plenae indulgentiae...   2583
Praesta... postulanti VENIAM, poscenti vota pinguisce.   3662
ut et delictis VENIAM postulemus...   401
Sancti tui, qs, dne, iugiter nobis a te et VENIAM postulent et profectu.
   3215
Sancti tui dne qs (qs dne) iugiter nobis a te VENIAM postulent et profectu
   (profectum).   3215
et peccatoribus per ieiunium (erroris sui) VENIAM praebis...   984, 2387
... Tuum est... et VENIAM prestare peccantibus...   1308
ut omnes isti in te credentes obteneant VENIAM pro delictis...   4227
obteniat ipsius passio VENIAM pro delicto.   1227
quae sicut tuis sanctis ad gloriam, ita nobis, qs, ad VENIAM prodesse
   perficias.   3335
non nos aliter peccatorum posse VENIAM promereri nisi prius nos...   1791
Da, qs, o. ds, sic (nostram) (nos tuam) VENIAM promereri ut nostros
   corrigamus...   670
et post flagella VENIAM propitiatus condonas...   3952
misericordiae suae VENIAM propiciatus indulgeat...   724
... VENIAM propitiatus inpende.   1989
sed perducas ad VENIAM que hic tibi adoptasti per gratiam.   3082
intra quorum nos consortia non stimamur meritis sed VENIAM, qs, largitor
   admitte...   2178
ita eum devotio perducat ad VENIAM qualiter hac oblatione...   3710
et tribuat VENIAM quam ab eo deposcitis...   2243
et peccatorum VENIAM quam quaesivit inveniat.   3267
Indulge horum obtentu populi VENIAM qui iustus...   879
ut beati yppoliti intercessio peccatorum nostrorum obtineat VENIAM qui
   per tormenta...   3742
Ut aeius intercessione plebis haec consequantur VENIAM, qui te
   remunerante felice...   1176
Aeorum intercessione haec plebs consequatur VENIAM, qui, te remunerante
   fideli...   908
ut mereatur post obitum VENIAM qui vivens meruit baptismatis gratiam.
   3837
illuc grex sibi conmissus introducatur qui per VENIAM, quo pastur...   913
ut et mortuis prosit ad VENIAM quod cunctis viventibus...   1763
... VENIAM quoque substantiam habundantem...   1369
et preteritorum criminum cuplas VENIAM remissionis evacuas...   859
sed fiat intercessio salutaris ad VENIAM sit abolitio peccatorum...   2361
ut famulo tuo ill. VENIAM suorum largiri digneris peccatorum...   3768
populum tuum de tua misericordia malorum suorum VENIAM subplicantem...
   1475
ut VENIAM tribuas humanis excessibus...   2836
quia non solum peccantibus VENIAM tribuis sed etiam praemia...   3737
VD. Qui non solum peccantibus nobis VENIAM tribues sed hostibus nostris...
   3961
ita aeum devotionem te iubente perducat ad VENIAM, ut mereatur...   3920
pietatis indulgentia ad VENIAM vitamque revocasti...   3988
quam indulgentia tuae pietatis ad VENIAM.   2313
sed ut potius emundatio prosit ad VENIAM.   952

sed fideliter libantibus prosit ad VENIAM.   3036
ut quod pro illorum gloria celebramus, nobis prosit ad VENIAM.   1390
ut quod ad illorum pertinet gloriam, nobis prosit ad VENIAM.   2225
et quae ad honorem tui nominis immolatur, nobis prosit ad VENIAM.   2922
et quae per se prona est ad offensam, per te semper reparetur ad VENIAM.
  826
sed fiat intercessio salutaris ad VENIAM.   1668
da, qs, ut indignatio debita reis praecantibus transferatur ad VENIAM.
  1169
quae et nobis opem semper adquirat et VENIAM.   1656
per quem consequamur et VENIAM.   883
ut et viventibus sint tui illa et defunctis obteneant VENIAM.   3334

          VENIALIS
munus VENIALIS indulgentiae praestetisti...   3635

          VENIO
ut qui per carnalem originem mortales in hoc saeculo VENERAMUS ad spem
    vitae aeternae...   3836
O. ds cuius unigenitus... ne legem solveret quam adimplere VENERAT
    corporalem...   2242
... Mortemque quae per lignum vetitum VENERAT, per ligni trophaeum
    devicit...   3992
ut qui ante peccatorum (veternoso) in mortis VENERAT senio...   2618
in secundo, cum VENERIT in maiestate sua, praemium aeternae vitae
    percipiat.   2831
ut cum dies agnicionis tuae VENERIT inter sanctos et electos tuos...
  2312
ita iustificet cum ad iudicandum VENERIT manifestus.   3869
in secundo cum in maiestate VENERIT praemiis aeternae vitae ditemini.
  2261
ut dum VENERIT pulsans, non dormientis peccatis... inveniat...   1575
et VENI ad salutationem populi tui...   1518
Excita dne potentiam tuam et VENI et ab...   1523
Excita dne potentiam tuam et VENI, et magna...   1519
et VENI et peccata nostra propiciatus absolve.   2621
Excita, dne potenciam tuam et VENI, et quod...   1520
Apere dne ianuas caeli, et VENI, et viseta...   202
Excita dne qs potentiam tuam et VENI, ut ab imminentibus...   1523
Excita, qs, dne, potenciam tuam et VENI, ut hii.   1526
Excita, dne, potenciam tuam et VENI, ut tua propiciacione salvemur.   1521
ut sicut per quiete noctis ad lucem VENIAMUS ita nunc diem...   741
que inmutabilis (inmutabile) bonum ad (per) mutabilia dona VENIAMUS
    temporalique...   3825
VENIANT dne qs populo tuo sipplicanti tuae benedictionis infusio...   3587
nec ante conspectum tuum VENIANT parentum delicta...   1371
indulgentia VENIAT, consolatio tribuatur...   3354
VENIAT, dne, qs, populo tuo supplicanti tuae benediccionis infusio...
  3587
Per haec, qs, (dne) VENIAT, (dne), sacramenta nostrae redemciones effectus
    ...   2553
VENIAT ergo, omnipotens ds, super hunc incensum larga tuae benedictionis
    infusio...   3588
et cum benedictis ad dexteram dei patris venientibus VENIAT et inter
    possidentes...   3433
ut spiritus paraclytus ad nos VENIAT et nos inhabitando...   3706

in quo tibi atque universis angelis tuis aeternus VENIAT interitus...
2174
qualiter tecum et cum spiritu sancto ad nos VENIAT nobiscum perpetim
permansurus. 3871
ita VENIAT qs super hanc aream speratae benedictionis ubertas... 2114
... Sed cum dicimus : VENIAT regnum tuum : nostrum regnum petimus
advenire... 865
Per haec VENIAT sacramenta qs dne nostrae redemptionis effectus... 2553
... Ita VENIAT, (qs), sperate benedictionis ubertas... 2113, 2364
... VENIAT super eos spirante a te benedictionis ubertas... 2909
Separe te, inimici, et dominus ihesus christus VENIAT super nos... 2552
ad ea festa... ipso opitulante exultantibus animis VENIATIS. Amen. 361
ad... et vestrae remunerationis praemia ipsius fulti munimine VENIATIS.
Amen. 343
qui illis (abdon et sennen) ad hanc gloriam VENIENDI copiosum munus gratiæ
contulisti... 872, 1204
Illa feria VENIENDO collegite vos ad ecclesiam illam vel illam. 1635
quam dominus noster Iesus Christus ad te VENIENS dereliquid... 2438
ut VENIENS filius tuus... paratam sibi in nobis inveniat mansionem. 509
ut VENIENS hic populus tuus suae consequatur oraciones effectum... 1734
ita vobis in iudicium VENIENS videatur placatus. 344
et populo VENIENTE ad credulitatem per servos suos consecrare praecepit...
1542
ut tibi domine hac sponso suo VENIENTE cum lampada sua... 1727
ut VENIENTE (domino) filio tuo paratam sibi in nobis inveniat mansionem.
508, 509
ut VENIENTE domino nostro iesu christo filio tuo... 2643
ut VENIENTE filio tuo unigenito... 382
in christo filio tuo domino nostro VENIENTE in operibus iustis... 667
ut VENIENTE salvatore nostro filio tuo... 1562
et VENIENTE sponso filio tuo unigenito... 382
et populum VENIENTEM ad credolitatem... 1543
omnemque hominem VENIENTEM adorare in hoc loco plagatus admitte... 1249
ut VENIENTEM dominum nostrum Iesum Christum filium tuum... 2643
... Lacta, mater, cybum nostrum, lacta panem de caelo VENIENTEM in
praesepio... 3648
VD. VENIENTEM natalem beati laurencii... 4220
... VENIENTEM quoque iudicem securi videamus. 1031, 1127
qui VENIENTES ad te innocentes sancti manus inpositionis tuae inponens...
2310
... Iube VENIENTES ad te saereno vultu suscipere... 2658
Ad martirum tuorum (dne) (Valentini Vitalis et Filiculae) festa VENIENTES
cum muneribus... 49, 50
... VENIENTES ecce nunc veniunt in exultatione totius aeclesiae... 4085,
4102
qui VENIENTES parvulus tuus munus benedictionis tuae inponis... 396
in filii tui membra VENIENTES paternis fecisti praeiudiciis non teneri...
1150
... Isti non solum ad tuam gratiam VENIENTES sui foeditate deterrent...
3879
et populo VENIENTI ad credulitatem per servos suos consecrari praecepit...
1544
ut tibi (domino ac) sponso suo VENIENTI cum lampade suo... 1727, 1728
ut VENIENTI filio tuo domino nostro bona eius capere valeamus. 1570
in Christo... VENIENTI in operibus iustis aptos occurrere... 667

et ab inminentibus peccatorum nostrorum periculis te mereamur VENIENTI
  salvari.   3319
ut VENIENTI te salvatore nostro filio tuo...   1562
sed VENIENTIBUS ad fidem servis tuis...   838, 1240
qui ad te VENIENTIBUS claritatis gaudia contullisti...   4227
et cum benedictis ad dexteram dei patris VENIENTIBUS veniat...   3433
magis de longinquo VENIENTIBUS visibilis et corporalis apparuit.   413
ante conspectum VENIENTIS Christi filii tui velut clara lumina fulgeamus.
  178
et cum benedictis ad dextera dei patris VENIENTIS inveniat...   3433
in quo tibi atque adversis (angelis) angelis tuis aeternus VENIET
  interitus.   2174, 2177
pro quibus dignatus es VENIRE ad celo.   1090
pro quos dignatus es VENIRE de caelo.   3109
vos VENIRE dignatus es redemere in terris.   3109
laetam ad litus maris VENIRE fecisti...   1317
ut ad beneficia recolenda... tribuas VENIRE gaudentes.   145
et ad beneficia recolenda... tribue VENIRE gaudentes.   144
O. et m. ds, qui nos ad celebritatem VENIRE huius diei contulisti...
  2285
ut faciant quae non conveniunt, iam de poena divini VENIRE iudicii...
  3653
ad aeterna proemia te adiuvante VENIRE mereamur.   193
ad aeternam premiam VENIRE mereamur.   186
adque ad aeterna dona gratiarum VENIRE mereantur.   1370
et perpetua lucis aeterne premia VENIRE mereretur.   3766
iacta terrae semina surgere facis cum VENIRE messis...   2280
Haec sacrificia nos... ad suum faciant (suam faciat) puriores VENIRE
  principium.   1705
quos ad veritatis tuae praemia VENIRE promittis.   3582
Ds, qui nos per beatos apostolos ad cognicionem tui nominis VENIRE
  tribuisti...   1123
... Maerebat ergo, quod de eius subule non VENIRENT, qui tanto sunt
  munere coronati...   3603
Et festivitatem hanc VENISSE beneficiis inter sentiant...   906
quem mundo tollere dixerat VENISSE peccatum.   3774
... Inventum VENISTI, inventum exi. Integra relinque.   3563
... Ante tempus VENISTI perdere nos ?...   224
et quia ad hoc VENISTIS, ut aures vobis aperiantur...   203
... Qui sicut VENIT ad nos redimendum occultus...   3869
qui per felicitatis insolenciam VENIT ad tristitiam...   3767, 4088
reus humano generi cui mors tuis persuasionibus VENIT adiuro ergo te...
  1355
quae mortalitatis nostrae VENIT curare languores.   4242
Ds, per quem nobis et redemptio VENIT et praestatur adoptio...   878
ad nos VENIT ex tempore natus, iesus christus dominus noster.   3647
quod his qui per prophetas loquebatur VENIT in carnem (carne)...   203,
  204
... Benedictus qui VENIT in nomine domini. Osanna in excelsis...   3258,
  3589, 3763
qui per servum suum gregorium ad cognicione tui nominis VENIT, quo
  cercius...   3918
... VENIT spiritus sanctus tuus qui fontem baptismi...   1366
Omnipotens et misericors ds, de cuius munere VENIT ut tibi a fidelibus...
  2270
reus humano generi cui mors tuis persuasionibus VENIT.   574, 1354

VENITE ad me omnes qui laboratis et honorati estis...   1446
nunc VENITE occurrere populum mereatur cum gaudio.   1158
Oblationis que VENIUNT in altare, panis proposicionis vocantur.   4228,
   4231
venientes ecce nunc VENIUNT in exultatione totius aeclesiae...   4085,
   4102
senceris quoque mentibus ad tua sancta VENTURA facias pervenire.   659,
   686
a viciis expiatus ad festa VENTURA nos praeparent.   1863
dum per ordinem flueret digesta posteritas (et) ac priores VENTURA
   sequerentur...   2541, 2542
quae pariter praedicata sunt esse VENTURA sicut autem...   3957
et reparationis nostrae VENTURA sollemnia congruis (congruas) honoribus
   praecedamus.   3452
ut magnae festivitatis VENTURA sollemnia prospero caelebremus effectu...
   483
Praesta, qs, o. ds, ut filii tui VENTURA solempnitas et praesentis nobis
   vitae remedia...   2760
ut redempcionis nostrae VENTURA solempnitas et praesentis nobis vitae
   subsidia conferat...   2789
... Cuius venerandae nativitatis proximae VENTURA solemnitas ita nos qs
   tibi...   3869
prumpcius quae VENTURA sunt praestanda (speranda) confidemus...   4120,
   4122
et desideranter expectare (exspectent) VENTURA ut (in) mysteriis quibus
   ...   643, 3733
rationabiliter credimus et prudenter, quae promittuntur esse VENTURA.
   4100
et desideranter exspectent VENTURA.   3817
Ad haec igitur date sint legis institutam VENTURA.   2542
Corda nostra, qs, dne, VENTURAE festivitatis splendor inlustret...   537
... Ad haec igitur VENTURAE huius famulae, pater, rudimenta sanctifica...
   2541
contra vitae praesentis adfectum VENTURAE salutis aeternitas...   3861
quem VENTURAE sollempnitatis pia munera praeloquuntur.   3497
... Ad haec igitur date sint leges instituta VENTURAE.   2542
et prioris VENTURAM sequerentur...   2542
ad iram VENTURI iudicii declinandam...   665
ut VENTURIS ad (a) beatae regenerationis lavacrum...   838, 839, 1240
creatorem et de VENTURIS fructibus exorantes...   3758
ut tanto secretius ad aeum confidant esse VENTURIS quanto in aeius
   participatione...   4011
et de VENTURIS suppliciter exorare...   3717
ut tanto secretius (se certius) ad eam confidant esse VENTUROS...   4011,
   4012
et iterum VENTURUM cum gloria iudicare vivos et mortuos...   554
et VENTURUM cum illaretatem (helaritate) suscipiant.   318, 1332
et quem VENTURUM esse praedixit...   267, 268
quem omnes gentes VENTURUM expectant iudicem.   352, 363
ut sinceris mentibus eius percipere mereamur natale VENTURUM in quo
   invisibilis...   3647
Ds qui per tuum angelum nuntiasti christum VENTURUM in seculo...   1158
cum ad hoc sacramentum genus humanum diceretur esse VENTURUM sic opus
   maiestatis...   4115
et desideranter expectent VENTURUM.   3817
ut sinceris mentibus aeius percipere mereamur natale VENTURUM.   3647

Et iterum VENTURUS est cum gloria iudicare vivos et mortuus...   555
qui VENTURUS est in spiritu sancto iudicare vivos et mortuos...   720,
    1535, 1536, 1537, 3270
qui VENTURUS est iudicare saeculum per ignem.   725, 838, 1363, 1545, 1859
qui VENTURUS est iudicare vivos et mortuos et saeculum per ignem.   222,
    725, 896, 1045, 1240, 1355, 1371, 1529, 1530, 1531, 1532, 1539, 1541,
    1542, 1544, 2174, 2176, 2177, 2180, 3955
qui VENTURUS est iudicare vivos et mortuos.   839, 1370, 1546, 1547, 1931
qui VENTURUS est iudicare.   1354
qui VENTURUS est super famolo isto...   507
diem qui VENTURUS est velut clibanus ardens...   2174, 2175, 2176, 2177
ut sanctificatos nos possit dies VENTURUS excipere.   3835
nos possit dies sanctus VENTURUS excipere.   3835
inde VENTURUS iudicare vivos et mortuos.   551
Per eundem dominum nostrum iesum christum qui VENTURUS.   1537
ihesu christi fili sui nazaraei, qui VENTURUS.   1540
... VENTURUSQUE ad iudicandos vivos et mortuos declaratur...   1706, 1707

        VENTER
sicut liberasti ionam de VENTRE coeti.   2023
Effuge liquefactus de VENTRE, de visceribus, de femoribus...   1888
tenso nutriaebat VENTRE precordia...   3635
... In gregem porcorum, in deserta loca... VENTREM tuum et pectore...
    1852

        VENTUS
... Ipse tibi imperat diabole qui VENTIS et mari vel tempestatibus
    imperavit...   744
... VENTORUM flabra fiant salubriter ac moderatae suspensa...   1154
qui VENTUS et mare vel tempestatibus imperavit.   744
Nec aeos iam pervaga nobile VENTUS maris haestus inpellat...   166

        VENUMDO
qui in isahac ammolatus, in io(se)ph (isaac) VENUNDATUS, in agno occissus
    ...   744

        VEPRES
flamma que cunctas VAEPRAES peccatorum exurat...   1895

        VERACITER
ut semper aeadem per que vivimus VERACITER adpetamus.   385
ut salvatorem suum et incessanter agnoscat et VERACITER adpraehendat.
    1927
ut effectibus nos eorum VERACITER aptare digneris.   3033
sed potius amare concedas qui VERACITER arguunt...   2048
... VERACITER adque fideliter eos proposito christianae sinceritatis
    ambires...   4002
quia nulla nobis praevalebit hostilitas, si in te, dne, VERACITER
    confidamus.   689
Da nobis, dne, qs, ut in tua gratia VERACITER confidentes...   591
et convenienter intellegere valeamus et VERACITER confitere.   2756
et nomini tuo perfice VERACITER consequentes.   3105
quem resurrexisse a mortuis VERACITER creditis.   362
et tibi sacrate Felicitas nos poscat VERACITER esse felices.   3204
Fac, omnipotens ds, ut quae VERACITER facta recurrimus...   1580
et tuam VERACITER gratiam conprehendat.   2616
nos etiam iustificet VERACITER hanc sequentes.   582
quorum praedicamus triumphos, eorum fidem VERACITER imitemur.   608

sicut nos convenit praecavere ne VERACITER inpetamur...   3922
ut quod in nobis mysticae geritur, VERACITER inpleatur.   3329
... VERACITER impleverunt quod davidica voce canitur...   3612
tu VERACITER in eis caeleste potes adhibere iudicium...   136, 137
et nosmetipsos VERACITER libereque diligere quos fecisti.   3937
ut nos divinis rebus tribuas studere VERACITER nec sub specie...   3808
Respice nos m. ds et nomini tuo perfice VERACITER obsequentes.   3105
ut in resurrectionem domini nostri... inveniamus et nos VERACITER
   portionem.   577
ut in resurrectione domini nostri... percipiamus VERACITER portionem.
   2696
et convenienter intellegere valeamus et VERACITER profiteri.   2756
ut semper eadem (quo) (per quae) VERACITER vivemus adpetamus.   385

       VERAX
... VERACES paenitenciae satisfactione reparantur...   2297
...(VERACI fidelique proposito)...   4002
ditas pauperis, custodis VERACIS.   395
In utrumque VERAX, in utroquae misericors...   3884, 4009
Dne ds noster, VERAX promissor, propitiare operi tuo...   1311

       VERBERA
qua nec VERBERA multiplicata metuimus...   401
da nobis et de VERBERE tuo proficere...   941
et correptio ab iniquitate et cessatio fiat a VERBERE.   1140
Ds qui culpa nostras piis VERBERIBUS percutis...   941
ut quos iustitia VERBERUM fecit afflictos...   1245

       VERBERO
et qui iuste VERBERAS peccatores, parce propitiatus afflictis.   2076
ds, qui subvenis in periculis, qui temperas flagella dum VERBERAS te ergo
   dne...   2064
VD. Qui famulo tuos ideo corporaliter VERBERAS, ut mente proficiant...
   3921

       VERBUM
et toto orbe salutaris VERBA decurrant.   4037
nobis prophetica et apostolica potius instituta quam filosophiae VERBA
   delectent...   3480
qui terrena sapientes idei depraecantium te VERBA fastidunt...   3879
Si VERBA hominum mitteris dne nimo adloquendo invenitur idoneus...   3282
Auribus percipe qs dne VERBA oris nostri...   236
et cuius in eo VERBA ponantur, et quare quattuor sint qui haec iesta
   scripserunt...   203
per orationem quam nos docuit VERBA sanctis orare et dicere...   3282
cuius pauca quidem VERBA sunt sed magna mysteria...   1287
haec VERBA sunt symbuli, non sapientiae humano sermone facta...   1706
sed quia non suffragantur VERBA vel merita solita...   3282
Benedicat vos deus pater qui in principio VERBI cuncta creavit.   352
... Cuius genitor et VERBI dei nuntium dubitans... nasciturum...   3754
Accipe et esto VERBI Dei relator...   31
cuius genitor (et) VERBI domini nuncium (nuntius) dubitans nasciturum...
   3755, 3756
ut ad intellegentiam VERBI eius per quem nobis splendit suffragiis
   accedamus.   904
mox puelle credentis in hutero fidelis VERBI mansit aspirata conceptio...
   3635
VD. Quia per incarnati VERBI mysterium...   4061

ut quod tui VERBI sanctificatione promissum est... 1472
qui per eum archana VERBI sui voluit ecclesiae revelare... 2246
beatum petrum... per os eiusdem VERBI tui confirmatum... 3728
et quod creavit VERBI tui divina generatio... 1196
O. s. ds, qui hunc diem per incarnationem VERBI tui et (per) partum...
    2404, 2405
ut in universitate nacionum perficiatur quod per VERBI tui evangelium
    promisisti... 3633
suavitatem VERBI tui in penetralibus nostri cordis infunde... 1307
O. s. ds, qui VERBI tui incarnationem praeclari testimonio sideris
    indicasti... 2462
Ds, qui tenebras ignorantiae VERBI tui luce depellis... 1223
ut qui nova incarnatione (incarnationem) VERBI tui luce perfundimur...
    684, 685
Ds, qui per os... Iohannis evangelistae VERBI tui nobis arcana
    reserasti... 1156
... VERBI tui potentia Iudaicam destruens constanti voce perfidiam...
    4186
... VERBI tui potentia perfidiam destruens Iudaeorum... 4185
ut in omni natione, quod VERBI tui promissum est evangelio, conpleatur
    ... 1470
ut excellentiam VERBI tui quam beatus... et convenienter intellegere
    valeamus... 2756
VD. Qui per ineffabilem potentiam VERBI tui sicut humani generis... 3991
corporibus VERBI tui veritatis filii unigeniti... mysterium coniungere
    voluisti... 2456
per os ipsius domini dei nostri VERBI tui vocatum in apostolatum... 4158
aliud profiteatur VERBIS, aliud exerceat actione. 2329
... Qui quod VERBIS edocuit, operum exhibitione complevit... 3655
populo tuo VERBIS odie misticis informato... 122
... Sit sermo eorum et praedicacio non in persuasibilibus humanae
    sapienciae VERBIS sed in ostensione... 820
... Fidelis enim es in VERBIS tuis qui conversum peccatorem... 858
non aliud profiteatur VERBO, aliud exerceat actione. 2329
Imperat tibi VERBO caro facto... 1354
... Non in solo pane vivit homo, sed in omne VERBO dei... 1881
doctrinam quam ille et VERBO docuit et opere complevit... 3692
... Da eis, dne, ministerium reconcilacionis in VERBO et in factis...
    820
Fructificet in populo quod seminavit iste VERBO, plantavit... 1229
et VERBO praedicationis erudias... 4064
Quo non in solo pane sed in omni VERBO quod de ore eius processit... 347
... Renova in eum... quod actione, quod VERBO quod ipsa denique cogotatio-
    ne... 858
Ds, sub cuius imperio nihil non VERBO regitur, nihil non oratione mutatur
    ... 1252
qui te in principio VERBO separavit a terra... 1535
per deum qui te in principio VERBO separavit ab arida... 1045, 1046,
    3565
et omnia in VERBO tuo fecisti in sapiencia... 769
qui humanam substantiam... ita in VERBO tuo per quod omnia facta sunt
    reparas... 758, 759
ac non solum nostra a VERBO tuo suscepta fragilitas perpetui fit honoris
    ... 4093
sed in omni VERBO tuo vitalem habeamus alimoniam... 3889
... VERBO veritatis instruat... 350

Ds qui pro mundi salute VERBUM caro factum es... 1180
quia VERBUM caro factum habitavit in nobis... 3677
Imperat tibi VERBUM caro factum, imperat tibi natus ex virgine...   1355,
1859
Benedicat vos pater qui in principio VERBUM cuncto creavit.   363
habiturus... partem cum his, qui VERBUM dei ministraverunt.   31
Accipe et esto VERBUM dei relator...   31
VERBUM aenim tuum in quo facta sunt omnia... 3786
quia in principio erat VERBUM et deus erat VERBUM qui hoc erat in
principio apud deum dicendo... 3613
addendo et deus erat VERBUM et hoc erat in rpincipio aput deum et
distinctionem... 3613
in principio erat VERBUM et VERBUM erat apud deum et deus erat VERBUM hoc
erat... 1953
quod in principio erat VERBUM et VERBUM erat apud deum et deus erat
VERBUM quem... 3608
et libera eos qui crediderunt in VERBUM liberatorem... 2275
et in principio VERBUM, quod deus erat apud deum... 3610
ille hunc eundem VERBUM sapientiam dei adque virtutem... 3666a
qui te in principio VERBUM separavit ab aridam... 1535
Ds qui de beatae virginis utero VERBUM tuum angelo adnuntiante carnem
suscipere voluisti... 946
Ds qui... VERBUM tuum beatae virginis alvo doadunare voluisti...   1005
VD. Vuius providentia cuncta, que per VERBUM tuum creata sunt, gubernatur.
3666
et galeam spem salutis et gladium spiritus quod est VERBUM tuum fortiter
oppugnatibus... 4149
Ds, qui per VERBUM tuum humani generis reconciliationem mirabiliter
operaris... 1161
... VERBUM unigenitum tuum per virginis uterum dedisti lumen in seculum.
2441
et cuncta disponis per VERBUM virtutem sapientiam...   136, 137, 138
Ds qui beatum iohannem baptistam... maximum declarasti per VERBUM.   910

        VERE
... O VERE beata et mirabilis apis, cuius nec sexum masculi violant...
3791
O VERE beata nox, quae expoliavit aegyptios, ditavit hebraeos...   3791
VERE dignum et iustum est, aequum et salutare... 3589, 3945
tunc proximos nostros sicut nosmet ipsos VERE diligimus...   3980
ut qui VERE eam genetricem dei credimus... 946
... VERE aenim huius honorandus (orandus) est dies (diesque)...   3604
qui VERE es lumen aecclesiae tuae... 1251
quos eadem fides et passio VERE fecit esse germanos. 2998
quae videntes cuncti VERE fideles tui te caelestem patrem... 3879
qui in tuorum VERE fidelium sint parte cognoscis... 4189
... Ecce VERE in qua, sicut scribtum est, fabricavit sibi sapientia domum
... 3780
VD. Inmensa sunt enim opera tua et VERE magna mirabilia... 3788
VD. Quoniam VERAE magnum, quod sine exemplo est singulare...   4115
substantiam spiritu VERE perficis religionis unitam. 3778
ut VERIUS metat suorum operum fructus... 1008

        VERECUNDIA
... Sit VERECUNDIA (VERECUNDA) gravis, pudore venerabilis...   1171, 2541,
2542

VERGO
ipsa aqua in baptisterio debet VERGI. 4228

VERITAS
ipsa sui manifestatione VERITAS eloquatur. 2415
O aeterna VERITAS, et vera karitas, et cara aeternitas. 3792
et ad te qui via VERITAS et vita es gratiosus valeat pervenire. 2993
tua iustissima VERITAS hoc declaretur... 850
Ds, cuius universae viae misericordia est semper et VERITAS operis tui
   dona... 805
unde se evangelica VERITAS per tota mundi regna diffunderet... 2413,
   3947
ds, cuius viae misericordia est semper et VERITAS praesta qs ut qui...
   2324
O. s. ds, qui es via, vita et VERITAS, qui ore... 2386
Tua nos dne VERITAS semper inluminet... 3523
VERITAS tua, qs, dne, luceat in cordibus nostris... 4222
Ds qui prope est invocantibus se in VERITATE benedicat vos... 1185
VD. Qui secundum promissionis suae incommutabilem VERITATE caelestis
   pontifex... 4019
ut quae nunc specie gerimus, rerum VERITATE capiamus. 2578
in VERITATE carnis nostrae visibiliter corporalis apparuit. 414
ut in tua VERITATE consistens nulla recipiat consortia perfidorum. 3904,
   4202
sed quos iure corripis a VERITATE digressos... 2184
ut sacris altaribus servientes et fidei VERITATE fundati... 52, 53
ut unus Christus in dei adque hominis VERITATE nec a nostra divisus...
   2710
in VERITATE nostrae carnis natus... 413
in VERITATE nostri corporis natum de matre virgine confitentur... 655
presta, ut in tua VERITATE persistens... 2383
Et qui pro VERITATE quae deus est caput non est cunctatus amittere...
   1242
sic eorum qui a VERITATE sunt devii flere debemus interitum... 3922
sicut per eos ab ipsa VERITATE suscepta posterisque mandata est... 4076
et ut in VERITATE tibi conplaceant... 2390, 2392
et ut conplaceant tibi, ds, in VERITATE tua... 2390, 2391
Prope esto dne omnibus expectantibus te in VERITATE ut in adventu...
   2857
sicut separavit deus... lucem a tinibras, VERITATEM ad mendatium. 2180
Qui secundum promissionis suae inconmutabilem VERITATEM caelestis pontifex
   ... 4019
et fidei VERITATEM fundati et mentes sint spiritale conspicui. 53
et miseratione gratissima in VERITATEM inducis... 3590
... Odiant superbiam, diligant VERITATEM nec eam umquam... 820
sacri nominis VERITATEM sancte conversationis in nobis monstret effectus
   ... 4171
ut sicut tuam cognoscimus VERITATEM sic eam dignis... 1124, 1125
ut sicut nomine patris et filii devino generis intelligimus VERITATEM
   sic in spiritu... 450
quae salutaris mysterii VERITATEM toto etiam mundo testificante non
   sequitur... 4115
ad VERITATEM tuam concessae nobis divinitus viae tramite dirigamur. 2965
huic loco sancti spiritus novitatem aecclesiae conferas VERITATEM. 886
loquantur iustitiam et custodiant VERITATEM. 842
et inducat in omnem sicut tuus promisit filius VERITATEM. 2083

nec consempiternitatis minueret VERITATEM.   3613
tribuae ei continuam (continua) sanitatem ad agnoscendam unitatis tuae
   VERITATEM.   2446
ut evangelicae VERITATI revellantium corda subdantur.   4236
sed subdatur semper falsitas VERITATI.   530
testis VERITATIS, antequam visus...   3774
... Quos ita spiritu VERITATIS armasti...   3727
etiam sanctos suos spiritu VERITATIS armatos...   4023
inter utraque discrimina VERITATIS adsertur...   3684, 3685
VERITATIS auctor et misericordiae ds...   4223
ut idem spiritus VERITATIS aecclesiae tuae dona multiplicet.   2350
ut huic famulo tuo... viam VERITATIS et agnicionis tuae iubeas demonstrare
   ...   3460
ex hoc fonte aquae vitae perennis qui est spiritus VERITATIS et enutri
   eos...   304
Da (qs dne) populo tuo, dne, qs, (qs dne) spiritum VERITATIS et pacis...
   632, 633, 657
et repleat vos spiritu VERITATIS et pacis.   722
et via VERITATIS et vita regni caelestis apparuit.   2200
et tantummodo filii VERITATIS exsisterent...   3947
corporibus verbi tui VERITATIS filii unigeniti... mysterium coniungere
   voluisti...   2456
sed ad tuae reducti semper tramitem VERITATIS haec (hoc) studeamus...
   4210
exi... VERITATES inimici, innocencium persecutor.   1355, 1437
ne vanitas mencaciorum decipiat quos erudicio VERITATIS inluminat.   3480
verbo VERITATIS instruat...   350
et in tuae VERITATIS luce confirmet.   3133
numquam a tuae VERITATIS luce discedant.   847
et mentibus clementer humanis... summae VERITATIS lumen ostende.   3107
Ds, qui errantes in via posse redire VERITATIS lumen ostendis...   978
et tuae testificatio VERITATIS nobis proficiat ad salutem.   3086
nulla praevaricatio VERITATIS offuscet.   4190
ut et VERITATIS praeconio capite plaecteretur...   4000
et nec sub praetextu nominis christiani VERITATIS praesidio nudet.   329
Praeco quidem VERITATIS que christus est...   4000
spiritus... qui illius viscera splendore suae graciae VERITATIS replevit
   ...   2203
sancte pater omnipotens aeterne ds luminis et VERITATIS super hos famulos
   tuos...   165
Ds patrum nostrorum, ds universae conditor VERITATIS te supplices exoramus
   ...   875
quatenus a tuae VERITATIS tramite non recedat.   2393
ut ad altaribus sacris recepta VERITATIS tuae communione (communionem,
   communio) reddatur.   1007
... VERITATIS tuae firmius inherere facias docimentum.   522
ut in VERITATIS tuae fundamine solidatae...   4020, 4021
ut agnita VERITATIS tuae luce, quae Christus est, a suis tenebris eruantur.
   2389
ut per eos huic mundo VERITATIS tuae lumen ostenderes...   3727
Ds, qui errantes ut in via possent redire VERITATIS tuae lumen ostendes...
   978, 979
quos ad VERITATIS tuae praemia venire promittis.   3582
et ad VERITATIS tuae redeant firmitatem.   2434
et ad VERITATIS tuae redeant unitatem.   2449

(sanguis) in VERITATIS tuae testificatione profusus magnifico nominis tui
   honore...   3605, 3606, 3607, 4177, 4180
accusator VERITATIS, umbra vacua...   3259
largire fidelibus populis... constantiam VERITATIS ut sicut illos sanctus
   ...   1205
... Percipiantque dignitatem adoptionis, quos exornat confessio VERITATIS.
   3634
sed subdantur semper falsitas VERITATIS.   530
quem tuae vis conplicem fieri VERITATIS.   3323
quantum non dibellimur ab ordine VERITATIS.   3885
et habeat plenitudo adopcionis quod pertulit testificacio VERITATIS.   3633
et plenitudo adoptionis optineat, quod praedixit testificatio VERITATIS.
   1470, 1472
sed ad tuae reducti semper tramite VERITATIS.   4210

                VERNUS
et glaciali senio VERNI temporis moderata deterserint...   3791

                VERO
... Ego baptizo vos aqua, ille VERO baptizavit vos spiritu sancto.   3311
in carnis VERO delectamentis ea quae mulceant...   3866
... Diabulus VERO est temptator...   1847
introitum VERO nostrum benedicere (..) dignatus es...   3461
Palle VERO que sunt in substraturio in alio vase debent lavi...   4228,
   4231
die VERO sabbati apud beatum Petrum... vigilias caelebrimus...   179, 180
... Apes VERO sunt frugalis in sumptibus, in procreatione castissimae...
   861

                VERSO
... Cum sit minima corporis parvitate, ingentes animos angusto VERSAT in
   pectore...   3791

                VERSUTIA
effugiat atque discedat... omnis fantasia et nequitia vel VERSUTIA
   diabolicae fraudis...   1546
et hereticorum confutata VERSUTIA nec confusionem...   3613

                VERTEX
Exite... de gencivis, de VERTICE, (de) collo...   1888
Exite... de VERTICE, de fronte, de superciliis...   1888

                VERTO
non inde sumentibus nobis VERTATUR ad poenam...   3036
... Aliae liquantia mella stipant, aliae VERTUNT flores in ceram...   3791

                VERUM
... VERUM etiam honore maiestate atque virtute aequalem...   3638
et non solum peccata dimittis, VERUM etiam ipsos peccatores iustificare
   dignaris...   3893
Ut operibus suis non solum obsoluti, VERUM etiam iustificati...   311
qui de antiquo hoste... VERUM etiam per feminas voluit triumphare.   2264

                VERUMTAMEN
... VERUMTAMEN memor sit communionis suae...   237

                VERUS
O aeterna veritas, et VERA karitas, et cara aeternitas.   3792
ipsaque sit sacri corporis ubique VERA conpago...   4021
cuius VERA consecratio plena benedictionem...   3225

sed VERA divinitus ratione disposita... 1706
animam famuli tui illius quam VERA dum in corpore maneret tenuit fides...
1013
... Vere enim Felicitatis filii et VERA est suorum felicitas filiorum...
4091, 4092
et aeterna tribuatur hereditas VERA et libertas. 878
... Haec namque gloriae pontificalis erit VERA festivitas... 4172
ut sicut hic cum VERA fides iunxit fidelium turmis... 1584
in VERA innocentia nova infantia renascatur... 720
ut in Christo renatis et aeternam tribuatur hereditas et VERA libertas.
878
qui es vitis VERA, multiplica super servos tuus... 1335
quia tunc VERA nobis tribues et mentis et corporis sanitatem. 3363
ut hoc nobis perpetuae salutis auxilium fides semper VERA perficiat.
3037
VD. Quia nostri salvatoris hodie lux VERA processit... 4056, 4057
quia nihil in VERA relegione manere censitur... 3906, 3908a
... Et sicut nihil in VERA religione manere dinoscitur quod non eius
condierit disciplina... 3703
ibi nostra fixa sint corda ubi VERA sunt gaudia. 993
quem tibi VERA supplicatio fidei christianae commendat... 2181
da aeis stientiam VERA ut digni... 165
da nobis, qs, et exercere quae recta sunt, et praedicare quae VERA ut
instructionem... 2367
in eodem Christo tuo, qui VERA vitis est... 2442
Ds, VERE beatitudinis auctor atque largitor... 1258
ad VERAE divinitatis salutaria mandata currentes... 4139
... VERE enim Felicitatis filii et vera est suorum felicitas filiorum...
4091
In mentibus nostris dne VERE fidei sacramenta confirma... 1887
in VERE innocentiae, novam (nova) infantiam renascatur... 1045, 1046
ut in confessione VERAE sempiternique deitatis... 3887
et animis vestris VERAM conversationem mutatis (itatis) ad deum... 1287,
1288
da servis tuis VERAM cum tua voluntate concordiam... 851
qui te vitem VERAM dignatus es nuncupari. 1960
Te lucem VERAM et lucis auctorem, dne, deprecamur... 3467
ad VERAM lucem quae Christus est nos fatias (fatiat) pervenire. 2479
ideo cum ad VERAM matrem aeclesiam catholicam... 2297
Detque vobis VERAM mentium innocentiam... 853
Ds qui per misticam vite VERAM nobis largius vitam... 1155
quia tunc VERAM nobis tribuis mentis et corporis sanitatem. 3363
... VERAM pacem tuam tali foedere nexuisti... 3923
ut fidem VERAM quam lingua vestra fatetur... 2252
da eis scientiam VERAM, ut digni efficiantur accedere ad gratiam baptismi
tui... 165
Deus, qui fidelium tuorum... ad VERAM vis innocentiam pervenire... 995
Ds, qui hanc sacratissimam noctem VERI luminis fecisti inlustratione
clariscere... 1000
in qua (ad) adorandam VERI reges infantiam... 3816, 4058
VD. Cuius aeclesia sic VERIS confessoribus falsisque permixta nunc agitur
... 3639
et da honorem deo vivo et VERO (et) da honorem... 1411, 2174, 2177
serviens deo VERO devota muniat infirmitatem suam robore discipline...
2542
et da honore deo vivo et VERO et recede ab hoc famulo tuo illo... 3566

pro hoc reddo tibi vota mea deo VERO et vivo maiestatem tuam...   1724
... Ob hoc igitur reddunt tibi vota tua deo VERO et vivo pro quibus
   tremendae...   1719a
creatam, sed a te deo solo VERO et vivo quia non est deus...   3389
da honorem deo vivo et VERO iesu christo filio aeius...   1411
lumen de lumine, deum verum de deo VERO natum non factum...   554
ob hoc igitur reddit tibi vota sua deo vivo et VERO pro quo maiestati...
   1719
in loco sanctae memoriae ill. nomine VERO venerabili ill...   3281
tibi reddunt vota sua aeterno Deo vivo et VERO.   2068
semper ubique patri maiestati defusa unius potentiae deum VERUM, a quos
   sancta...   3501
VD. VERUM aeternumque pontificem et solum sine peccati macula sacerdotem
   ...   4221
confundo te, demonae, per deum VERUM confundo te...   507
lumen de lumine, deum VERUM de deo vero...   554
Ad hoc igitur reddunt tibi vota sua, VERUM deo et vivo...   1719
ut qui conceptum de virgine deum VERUM et hominem confitemur...   1887
Exorcizo te, creatura salis, per deum vivum et VERUM, et patrem...   1547
... Unde exorcizo te, creatura aquae, per deum VERUM, et per deum...
   1532
et relictis idolis suis convertantur ad deum (vivum et) VERUM et unicum...
   2518, 2519
ad te cognoscendum deum VERUM et vivum...   1719a
qua idem inter VERUM falsumque dividentes...   2741
qui per iesum christum... lumen VERUM mundum inluminasti...   2342
Exorcizo te... per deum VERUM, per deum sanctum...   1546
per deum VERUM, per deum vivum, per deum sanctum, et per...   1531
Exorcizo te, creatura salis, per deum vivum et VERUM per patrem et filium
   ...   1547
tunc circa eos VERUM probantes affectum...   4025
... Exorcizo te per deum vivum et per deum VERUM quae te ad tutelam...
   1542
... Exorcizo te per deum vivum, per deum VERUM qui te ad tutelam...   1544
Deus lumen VERUM qui unigenitum suum... sua vos dignetur benedictione
   ditare.   853
quem constat esse VERUM summumque pontificem... iesum christum...   3898
sed potius peccatum mundi idem VERUS agnus abstersit.   4019
sed VERUS agnus (et) aeternus pontifex hodie natus Christus implevit.
   4194
... Ipse enim VERUS est agnus qui abstulit peccata mundi...   4159, 4161
... Ipse est enim panis VERUS et vivus qui substantia aeternitatis... est
   ...   3786
... Haec sunt enim festa paschalia, in quibus VERUS ille agnus occiditur
   ...   3791
salus esto infirmitatis meae et VERUS resuscitatur anime meae.   1895
lapidantibus veniam Christi VERUS sectator inplorans...   4186

         VESPER
Qui teipsum pro nobis in VESPERA mundi hostiam veram obtulisti...   3017
O. s. ds, VESPERE et mane et meridiae maiestatem tuam suppliciter
   deprecamur...   2479
quatenus ad VESPERUM (tibi) gratias referamus.   741, 1667

         VESPERTINUS
Exaudi dne famulos tuos VESPERTINA nomini tuo vota reddentes...   1448
VESPERTINA oratio ascendat ad aures clementiae tuae...   4224

qui nos... in hac ora VESPERTINA pervenire tribuisti... 1666
VESPERTINAE laudis officia persolventes... 4225
Propiciare, dne, VESPERTINIS supplicationibus nostris... 2882
VESPERTINO sub tempore depraecamur, dne... 4226
suscipe sancte pater incensi huius sacrificium VESPERTINUM... 3791
ut ad te elevatio manuum nostrarum sit... acceptabile sacrificium
  VESPERTINUM. 1666

VESTIGIUM

ne diabolica sectando VESTIGIA a Christi consortio recedamus... 4215
paterna intuens VISTIGIA ad perpetua lucis... 3766
unigeniti tui divina VESTIGIA comitatus... 3907
ad eius immidanda VESTIGIA festinare... 4176
... In utroque domini ac magistri sui VESTIGIA sequens... 3855
ut te per apostolorum tuorum VESTIGIA sequeretur... 4127
illorum sunt VESTIGIA subsecuti. 3959
et dum iugiter per VISTIGIA tua graditur... 976
ut apostolicae fidei doctrinaeque VESTIGIA vel longe sequamur imitando...
  1186
petrus premissis VESTIGIIS caput omnium nostrum secutus est christum.
  3823
qui claudo medella fuit pro dirigendis VESTIGIIS. 913
patres nostros... rubrum mare sicco VESTIGIO transire fecisti... 3791
nullumque VISTIGIUM tui... derelinquas. 1888

VESTIMENTUM

et quemadmodum VESTIMENTA pontificalia sacerdotibus et laevitis ornamenta
  ... 1318
... VESTIMENTI incorrupti muneris induantur. 3627
aut VESTIMENTO presumat, sed profugus abscedas... 1888
sicut perfundisti ora VESTIMENTORUM aaron... 1508
ut qui pollutam VESTIMENTORUM faciem calmus seculi ambitionis... 4176
ipse vos caelestium VESTIMENTORUM induat ornamentis. Amen. 349
qui VESTIMENTORUM salutare... promisisti... 743
qui VESTIMENTUM salutare et indumentum iocunditatis tuis fidelibus
  promisisti... 743, 1237

VESTIO

in ipsius adventu inmortalitatis vos gaudiis VESTIAT. Amen. 361
qui pro quantitate vestis exiguae et VESTIRE deum meruit et videre. 4148
ornamentum barbam aetiam vultum VESTIRE iussisti... 898
beata facias inmortalitate VESTIRE. 743
electum Aharon mystico amictu VESTIRI inter sacra iussisti... 819, 820
quos fecisti baptismo regenerare, facias beata inmortalitate VESTIRI.
  888
beata facias inmortalitatem VESTIRI. 743
ita virtutum lanis VESTIRI. 342
et ob praemium passionis niveo liliorum splendore VESTIVIT. 3727

VESTIS

... VESTE quoque caelesti et stola inmortalitatis indui... 1263
ut nuptiale VESTE recepta ad regalem mensam... mereatur intrare. 2042
ut hanc VESTEM benedicere et sanctificare digneris... 1298
... VESTEM caelestem indue eam... 3391
accipiat VESTEM incorruptam et inmaculatam... 1359
et inter lavantes stolas in fonte luminis VESTEM lavet... 3391

et hanc VESTEM quam famula tua illa pro se... benedicere et sanctificare
  digneris.   751
et hanc VESTEM, quem famula tua illa ad se operiendum exposcit...   1508
et VESTEM quam eginus acceperat, mundi dominus induisset.   4148
Et sicut benedixisti VESTES omnium re(li)giosorum...   1508
et quas VESTIBUS venerandae (venerandum) promissionis induis temporaliter
  ...   743
qui pro quantitate VESTIS exiguae et vestire deum meruit et videre.   4148
ut supradicte famulae tua illa haec sit VESTIS salubris protectio...
  1508
et pontificalem gloriam (pontificalis gloria) non iam nobis (nos) honor
  (honorem) commendet VESTIUM sed splendor (splendorem)...   818, 819, 820

          VETERNOSUS
ut qui ante peccatorum VETERNOSO in mortis venerat senio...   2618

          VETERNUS
Nulla VETERNI criminis aestifera paciaris inflammari contagia...   2298

          VETEX
... VETEX creator adversis et prosperis sublevetur...   4006

          VETO
qui nos VETITE arboris adtactu iuste morte aditus...   2321
Qui protoplasti facimus per ligni VETITI gustum...   3847
qui gaudebat in prevarigatione primi hominis per VETITUM lignum.   309
... Mortemque quae per lignum VETITUM venerat, per ligni trophaeum devicit
  ...   3992
Evitet quod VETUERIS, aelegat quod iusseris...   431, 950
Ds qui nos de praesentibus adiumentis esse VETUISTI sollicitus...   1112

          VETUS
Vos itaque, dilectissimi, ex VETERE homine in novum reformamini...   1706
... Quoniam humana conditio VETERE terrenaque lege cessante...   3714
ut VETEREM cum suis (rationibus) (actibus) hominem deponentes...   501
expoliatus VETEREM hominem induatur novum...   1359
cum et aput VETERES reverentiam ipsa significationum species optineret...
  819, 820
sicut VETERES sancti quod credidere faciendum cognoscit inpleri...   4042
cum de homine VETERI homo novus exsisteret...   4093
... VETERI terrenaquae lege cessante...   3814
Et quos VETERIBUS maculis baptismatis emundavit unda sacrata...   1073
expurgato VETERIS fermenti contagio...   353
ut pro VETERIS gratia sacramenti...   648
Ds, qui peccati VETERIS hereditaria morte... Christi tui... passione
  solvisti...   1148
... VETERIS hominis excubias deponat...   1611
et VETERIS piaculi cautionem pio cruore debitum...   3791
aeum et aput VETERIS reverentiam ipsam significationum species obtineret
  ...   820
... In hoc cerimoniarum VETERUM plenitudo est...   4100
quem VETUS adversarius, et hostis antiquus atrae formidinis horrorae
  circumvolat...   764
VETUS homo deponitur et iustus egreditur.   1707
... VETUS homo deponitur et novus sumitur...   1706
qui per unigeniti... passionem VETUS pascha in novum voluit converti...
  353

VETUSTAS

ita VETUSTATE deposita sanctificatis mentibus innovemur.   184, 2739
VD. Quia VETUSTATE distructa renovantur universa deiecta...   4078
ablato VETUSTATE errore...   731
de praeteritis ad futura, de VETUSTATE in novitatem vitae transire...
  4060
ut VETUSTATE iudaici errores expulsa...   886
Illum (Ille) vos renovit ad (a) VETUSTATE peccati...   335, 4241
et a VETUSTATE purgatos in mysterii...   3552
Ab omni nos, dne, qs, VETUSTATE purgatos sacramenti...   7
VD. Ut te postposita VETUSTATE ritus (ritu) sacrificium...   4217
de praeteritis ad futura et ad novitatem vitae de VETUSTATE transire...
  4060
Sed peccatum matres antique quod inlicita VETUSTATE usurpatione conmisit
  ...   4182
et VETUSTATEM iudaeicae erroris expulsa...   886
Huius sacrificii potencia, dne, qs, et VETUSTATEM nostram clementer
  abstergat...   1843
VD. Qui nos per paschale mysterium edocuit VETUSTATEM vitae relinquere...
  3976
cuius nobilitas singularis humanam repulit VETUSTATEM.   1841
omni ritu pestifere VETUSTATIS abolito...   4139
... VETUSTATIS antique contagiis exuamur.   1150
ut a terrenae VETUSTATIS conversatione mundati...   1275
et ab omnibus nos maculis VETUSTATIS emunda...   2460
ita nobis ablato VETUSTATIS errore...   731
ut nos ab omnibus emundes contagiis VETUSTATIS et in novitate...   3739
et ab omni subreptione VETUSTATIS expurget...   3524
ut expulsis azymis VETUSTATIS illius agni cibo satiemur et poculo...
  3799
ut purgetur et curatio VETUSTATIS quamvis enim...   58
principiis cunctis VETUSTATIS squaloribus emundetur...   720, 1045
munera per que nos ab omnibus aemundes contagiis VETUSTATIS.   4181

VETUSTUS

quos (quia) sub peccati iugo (ex) VETUSTA servitus (servitute) tenet
  (deprimimur).   496, 497, 500
depulsis atque abiectis VETUSTI hostis atque primi facinoris intentoris
  insidiis...   3459
qui aeos demigantes contra VETUSTI serpentis vitia...   4149

VEXATIO

ut omni VEXACIONE depulsa...   801a
ab huius famuli tui VEXATIONE inimicus confusus abscedat...   2299

VEXILLUM

carissimam nobis hodie suae resurrectionis VIXILLAM (VEXILLA) suscepit
  atque hominem remeans...   3596
victoriae suae clara VEXILLA suscepit et triumphato...   4160
signum, quod ad exemplum primi illius sacratissimi VIXILLI...   2321
per quem crucis est sanctificatus VEXILLUM qs dne ds noster...   1851
et per VIXILLUM sanctae crucis filii tui...   3158
cuius est armata VEXILLUM.   903
et fugiant ante sanctae crucis VIXILLUM.   1154
et credentibus in te perpetuum perfici VIXILLUM.   309

VEXO

et VEXARE molientium caveamus incursus.   4223
aut nitamur VEXARE subiectam...   3796
... Auxiliare, qs, inimici furore VEXATO...   1371
nec inpurtuna aviam vastatione VEXETUR.   2188

VIA

atque ab erroris VIA ad iter reversus iusticiae...   822, 823
per quod de turrentem in VIA bibit salvator.   3847
qui fideles tuos in tua VIA deducis...   3590
spiritu divinitatis vitae caelestis asseruit VIA domini praeparetur.
    3756
ut et in presenti VIA positi de omnibus inimicis...   1334
Ds, qui errantes in VIA posse (possent) redire veritatis lumen ostendis...
    978
et ambulare in VIA recta in mandatis tuis...   3468
sed per tua pietate in VIA recta semper disponas...   3750, 4216
VIA sanctorum omnium iesus christe...   4227
ut VIA tibi placite obeodientia... sine errore subsequamur.   2237
et in VIA tua ambulantes nihil patiamur errorem.   1405, 1406
et ad te qui VIA veritas et vita es gratiosus valeat pervenire.   2993
et VIA veritatis et vita regni caelestis apparuit.   2200
... Qui est origo salutis, VIA virtutis, et tuae propitiatio maiestatis.
    3841
O. s. ds, qui es VIA, vita et veritas...   2386
ipseque progenitus, utpote VIAE caelestis adsertor...   3754
cuique VIAE cursum curamque solicitudinemque dignatus es gerere...   4008
in praesentis VIAE et vitae circulo...   3590
ut inter omnes VIAE et vitae huius varietates, tuo semper protegatur
    auxilio.   107
eumque inter vitae et VIAE huius varietates digneris custodire...   3590
ut inter omnes VIAE huius variaetates semper protegamur et auxilium.   107
ds, cuius (universae) VIAE misericordia est semper et veritas...   805,
    2324
ut nullus VIAE nostrae subripiat inimicus.   1360
ad veritatem tuam concessae nobis divinitus VIAE tramite dirigamur.   2965
incipit dicens : Vox clamantis in deserto : parate VIAM domini...   2059
ita caelestis asseritur VIAM domini preparare.   3755
... Ut parando in cordibus nostris VIAM domino fructusque...   3869
... VIAM domino monuit praeparari...   3754
ut qui voluntatis tuae VIAM, donantem (donante) te, sequimur...   1071
et per omnem quam acturi sunt VIAM dux eis et comis esse dignare...   844
Dedisti aenim in mare VIAM et inter fluctus semitam...   3666
amove a nobis iniquitatis VIAM et nostri tua lege miserere...   1206
et VIAM famuli tui illius in salutis tuae prosperitatis dispone...   107
dirigi VIAM famuli tui illius in voluntate tua...   961
direge VIAM famuli tui ill. in voluntatem...   961
ut VIAM famuli tui ill. salutis dignare prosperitate diregere...   1490
ut quos VIAM fecisti perpetuae salutis intrare...   2049
ut VIAM illius et praecedente gracia tua dirigas...   2875
eiusque VIAM in voluntate tua dirigas...   3660
et VIAM iusticiae demonstra ei...   3389
ut non obliti iudicia tua VIAM mandatorum (tuorum) dilatato corde curramur.
    1206
... O noctem quae finem tenebris ponit, et aeternae lucis VIAM pandit...
    4160

et VIAM populo moysi praeparavit securam. 3847
ut in VIAM possint redire iustitiae... 978, 979
ut converso ad VIAM rectam famulo suo illo... 724
ut ad VIAM salutis aeternae secura mente curramus. 559
et dirige eum secundum tuam clementiam in VIAM salutis aeternae ut te
   donante... 2358
Quatenus sic per VIAM salutis devota mente curratis... 722
per VIAM salutis et pacis incidat... 2041
et omnium fidelium mentes dirige in VIAM salutis et pacis. 1174
ut familia tua per VIAM salutis incedat... 2757
ut qui voluntatis tuae VIAM te donante sequimur... 1071
Concede, qs, o. ds, ut VIAM tuam devota mente currentes... 502
dirige nos in eam quam inmaculati ambulant VIAM ut testimonia legis...
   1258
ut huic famulo tuo... VIAM veritatis et agnicionis tuae iubeas demonstrare
   ... 3460
ad aeternam patriam redire valeatis per VIAM virtutum. 853
et VIAM vobis pacis et caritatis ostendat. 2258
pateantque in VIAS directas arduam montium... 2905
mentem regat, VIAS diregat... 218, 319
... Liceat ei transire portas infernorum et VIAS tenebrarum... 3462
Excita, dne, (qs), corda nostra ad praeparandas unigeniti tui VIAS ut
   per eius adventum... 1515, 1522

          VIATRIX
ut sanctorum tuorum Simplici Faustini et VIATRICIS caelestibus mysteriis
   ... 3006
pro sanctorum martyrum Simplici Faustini et VIATRICIS commemoracione...
   1852
martyrum tuorum Simplici Faustini et VIATRICIS temporale solemnitate...
   2671

          VICARIUS
Ut qui beati Petri apostoli sedem VICARIO secutus officio... 1775
quos operis tui VICARIOS eidem contulisti praeesse pastores. 4138, 4146
quos eidem contulisti (praefecisti) operis tui VICARIOS esse pastores.
   1677, 1678
... Deinde magistri sui VICARIUM per ordinem subrogando... 4127
... VICARIUM sui matri virgini filium subrogaret... 3608, 3609, 3610

          VICINITAS
et domus haec careret aliquando frigorem a VICINITATE ignis... 2322

          VICE
... Haec explorata temporum VICE, cum caniciem pruinosa hiberna posuerint
   ... 3791
cuius me VICE hodie ecclesiae tuae praeesse voluisti. 4213
ut cuius ministerii VICE tibi servimus inmeriti... 46
explorata temporum VICEM cum caniciem pruinosa hiberna... 4206
ut factorum suorum in poenis non recipiat VICEM qui tuam in votis tenuit
   ... 1584
tu eas gratiae mitissimae lenitate indulge, nec peccati recipiat VICEM sed
   indulgentiae tuae... 3470
Cui ad vite substantiam et ceteris statuisti temporum VICES et alimoniam
   ... 3592
Quas ineffabili gloriae tuae VICES in sancte martyris... 3788
ut cuius ministerii VICIBUS tibi servimus inmeritis... 46

VICISSITUDO
ut cum rerum VICISSITUDINE mundanarum... 1210
ut necessaria temporum VICISSITUDINE succedente nostra reficiatur
  infirmitas. 2956
VD. Quia VICISSITUDO nobis est hodie collata mirabilis... 4079

     VICTIMA
ita per eum tibi sit ieiuniorum et actuum nostrorum semper VICTIMA grata.
  3669
sicut benedixisti... isaac in VICTIMA, iacob in pascua... 395
tibi laetare humiliati (libare humilitatis) VICTIMAM pectoris... 3741,
  4184
remotis sacrificiis carnalium VICTIMARUM seipsum tibi pro salute... 3985
Remotis obumbrationibus carnalium VICTIMARUM spiritalem tibi... 3054
O. ds ieiuniorum vestrorum VICTIMAS clementer accipiat... 2249
Sic ei parsimoniae VICTIMAS offeratis... 18
ut nos ieiunii VICTIMIS a peccatis mundatos... 3659

     VICTOR
et triumphato diabolo VICTOR a mortuis resurrexit... 4160
... Haec nox est, in qua christus ab inferis VICTOR ascendit... 3791
ut cum tuum duce angelum VICTUR exteterit... 2640
ne peririt victus, VICTOR in certamine... 3473
spoliatam traxisti, piae VICTOR, in predam. 1073
illa fide demicet qua caelis VICTUR marthyr intravit. 546
ac fluentibus membris solida parte VICTOR mente permansit. 4114
etiam beatum martyrem tuum magnum facere (faceret) esse VICTOREM ; cuius
  ... 3933
sic per Iesum Christum... sui tribuisti victores esse VICTOREM hunc
  eundem eius... 3788
reducite VICTOREM quasi uno ore laudent... 4143
sic per Iesum Christum... sui tribuisti VICTORES esse victorem... 3788
qui huius noctes tempore triumphantes iure VICTORES et egyptyorum... 397
cuius facti sunt virtute VICTORES quando enim... 4168
et beate inmortalitatis tuae VICTORES. 223
ut tua tranquillitatem clementei tua sint semper virtute VICTORES. 1190
In cuius facti sunt virtute VICTORES. 4168
sed VICTORI domino gratias referat de triumpho... 2640
et beate inmortalitatis VICTORIS da igitur honorem... 222
tradedisti apostolis, mandasti VICTORIS. 924
ut semper permaneant tripudiantes in pace VICTORIS. 842

     VICTORIA
adsis regibus nostris proeliantibus VICTORIA cum adversariis in affectum
  ... 3466
sacerdotum caterva pro exercitus tui VICTORIA custodiaque... 4143
VD. Qui ut de hoste generis humani maior VICTORIA duceretur... 4036
... Clariorque VICTORIA est cum sublimis illa substantia... 4103
Sit ergo in hoste VICTORIA, in civitate concordia... 903
etiam in sexo frageli VICTORIA martirae contullisti... 1042
regnantum VICTORIA, populi disciplinam... 740
nec gens perfida exultet de VICTORIA, qui se sine... 3466
adque in membris quoque suis VICTORIA sequeretur... 3873, 3874
ut sanctorum martyrum tuorum copiosa VICTORIA sicut eis perpetuum...
  2698
Et pro tanti regis VICTORIA tuba insonet (intonet) salutaris. 1564
et firma solidari patientia, et pia exultare VICTORIA. 995

tua mirabilia pertractantes, per quam talis est perfecta VICTORIA.   2850
nec tardior est secuta VICTORIA.   4015
VD. Tuae etenim, dne, VICTORIAE celebrantur...   4193
ut qui illis VICTORIAE coronam contulit...   2187
ita cum palma VICTORIAE et fructu... post obitum apparere valeatis.   343
sanctitatis et castitatis VICTORIAE et sanctimoniae...   302
dum saepius VICTORIAE revolvuntur...   4153
fructum VICTORIAE sempiternae et praesentibus referentes...   4085, 4102
... VICTORIAE suae clara vexilla suscepit...   4160
et VICTURIAE summa (sumant) coronam ad te pervenientes.   1924
adque contra inimicos... aeclesiae triumphum largiatur VICTORIAE.   2506
huiusque muneris VICTORIAEQUE principium sanctus Stefanus... initiaret
    post domini passionem.   4096, 4110
VD. Qui sanctorum martyrum tuorum certamina ad copiosam perducis
    VICTORIAM atque perpetuum largiaris...   4016
etiam in fragilem sexum VICTORIAM castitatis et martyrii contullisti...
    1043
dedisti nobis de captivitate VICTORIAM concede qs ut qui...   1236
et in persecutione tolerentiam tribuis et in passione VICTORIAM
    contulisti.   4107
et in confessione virtutem et in passione VICTORIAM contulisti.   4068,
    4147
ut hanc possent obtinere VICTORIAM ita nos eorum exemplis...   4070
ut hanc possent obtinere VICTORIAM ita nos potius quae...   4069
etiam in sexu fragili VICTORIAM martyrii contulisti...   1042
viri condicione nunc in Christo reparante VICTORIAM per muliebrem...
    4125
quo beatae Agnes caelestem VICTORIAM recensentes...   1793
qui praestetisti in certamine VICTORIAM sancto ill. tuo martyre.   1227
in quoluctationem VICTORIAM, ut in beneplacitu...   318
multiplicem VICTORIAM virgo casta martyr explevit (implevit)...   3993,
    3994, 3995
qui largiris in agone VICTORIAM.   4109
in conversationem gratiam, in luctatione VICTORIAM.   1332
tribue subsequi in sancta professione VICTORIAM.   1302
VD. Tuas enim, dne, virtutes tuasque VICTORIAS admiramur...   4201
tribuis gloriosas indesinenter celebrare VICTORIAS isti sunt enim...
    3978
ut sanctorum martyrum tuorum, quorum celebramus VICTORIAS participemur...
    498
ut sicut per cuncta mundi spatia martyrum tuorum facis VICTORIAS propagari
    ...   688
quia in VICTORIIS eorum tua mirabilia confitemur...   3806

VICTORIOSUS
et VICTORIOSISSIMA semper perseveret, te adiuvante devotio.   4071
adque intercedente ipsa VICTORIOSISSIMA unigeniti fili tui passionem...
    2321

VICTRIX
quem te vincente diaboli cernimus esse VICTRICEM.   3850
... Agathen quoque beatissimam virginem VICTRICI patientia coronares...
    3856
Ut resurrectionem VICTRICI traheris illum ad gloriam...   2298
sancti Iohannis et Pauli VICTRICIA membra reconderes...   3865
Mitte in aeis dne defensionis tuae semper arma VICTRICIA, quibus fatiant
    ...   2609

ut qui gedeon cum trecentis adfuisti trinitas VICTRIX hostium... 3466

VICTUALIS
... Parte ore legere flosculos, oneratis VICTUALIBUS suis, ad castra remeant... 3791

VICTUS
de omne VICTO illius abscedas. 1888
in hactu prosperitatem, in VICTU habundantiam... 1332
in hactu prosperitatem, in VICTUM habundanciam... 318
de iustis laboribus suis (suis iustis laboribus) VICTUM indigentibus subministrat (administrat)... 2509, 3256
perveniamus ad VICTUM sine fine mansurum. 4060
... VICTUM nobis spiritalem ne deficiamus inpende. 1028

VIDELICET
omnium VIDELICET fidelium catholicorum orthodoxorum quorum commemorationem agimus... 3247

VIDEO
VIDE cuius mysterium tibi traditur. 4228
VIDE dne infirmitates nostras et caelebri nobis pietate succurre. 4229
Respice, qs, de caelo, et VIDE, et visita domum istam... 3828
Respice dne de caelo, VIDE et visita viniam (i)stam... 3081, 3082
humilitatem VIDE, gemitus suscipe... 323
respice de caelo et VIDE oculos misericordiae tuae... 325
et prospere VIDE presentis vitae incedant et vivant terminum... 3736
VIDE, ut quod ore cantas, corde credas... 4230
venientem quoque iudicem securi VIDEAMUS. 1031, 1127
ut et quae agenda sunt VIDEANT et ad implenda... 4250
et VIDEANT filios filiorum suorum usque in terciam et quartam progeniem ... 1171, 1719
et VIDEAT deiecta erigi, inveterata novari... 837
ut quae agenda sunt VIDEAT, et adimplenda... 4250
et inter videntes deum facie ad fatiem VIDEAT et inter audientes... 3391
ut aeum cogitatione mens VIDEAT, lingua voce proferat... 354
quis, cum fieri VIDEAT, neget esse divinum ?... 3957
sub cuius lege sibi unsuquisque formidat quod aliis accedisse (alii caecedisse) VIDEAT omnipotentis... 201
merencium gemitus (gemitum) VIDEAT, vocem... 169
ita vobis in iudicium veniens VIDEATUR placatus. 345
Terram tuam, dne, quam VIDEMUS nostris iniquitatibus tabescentem... 3472
... Ex quo VIDEMUS uberem pullulasse toto terrarum orbe sationum... 3757
ut gravitate actuum et censura VIDENDI probent se esse seniores... 3225
et quia ipsi non VIDENT, aestimant nec ab aliis se videri... 3653
quae VIDENTES cuncti vere fideles tui te caelestem patrem... 3879
et inter VIDENTES deum facie ad fatiem videat... 3391
quod VIDENTES magi oblatis maiestatem tuam muneribus adorarent... 2462
vel quorum nomina ante sanctum altare tuum scripta adesse VIDENTUR electorum tuorum... 3247
et fulgora et sidera quae missa (inmissa) VIDENTUR in hanc arborem... 1539, 1541
quorum nomina ante sanctum altare tuum scripta adesse VIDENTUR nomini tuo ... 2874
... Nam cum in his quae VIDENTUR obscura sint et malae famae nigra dedecore... 3879
et quorum nomina ante sancto altario tuo scripta adesse VIDENTUR qs dne ut dignanter... 1751

vel quorum nomina ante sancto altario tuo scripta adesse VIDENTUR quorum
  numerum...   2806, 3385
vel quorum nomina ante sacro altario (tuo) scripta adesse VIDENTUR
  remissionem...   2806, 3008
VIDIO cuius ministerium tibi traditur...   4231
conversatio ill. quantum mihi nos sed VIDEOR, probata ac deo placita
  est...   3021
hac perpetuae beata resurrectionis gaudia VIDERE mereamur.   634
prius quam christum dominum VIDERE mereretur...   2576
... O noctem quae VIDERE meruit, et vinci diabolum et resurgere christum
  ...   4197
ut VIDERE possimus quae agenda sunt...   2086
quam VIDERE votis in caelis optant.   906
qui pro quantitate vestis exiguae et vestire deum meruit et VIDERE.   4148
quamque universa praecipua VIDERENTUR in saeculo...   4055
Paulus caecatus est ut VIDERET ; petrus negavit ut crederet.   3823
... Ut enim ut principio difficile VIDERETUR...   4115
ne sacrilegium cernere VIDERETUR.   3661
et quia ipsi se non vident, aestimant nec ab aliis se VIDERI cum enim
  idem...   3653
... Isti iam non iustos appetunt se VIDERI nec saltim deforis...   3879
et ad implenda quae VIDERINT convalescant.   4250
Exultent et letentur in te, dum se VIDERINT salvare per te.   2609
et adimplenda quae VIDERIT convalescat.   4250
ubi te apostoli cum gloriam VIDERUNT intrare.   1219
Ds qui universa profondissimae VIDES, prudentissimae disponis.   1233
quae secundum faciem sunt, VIDETE...   3653
... VIDETIS, quia non inmerito (huic) hominis adsignata persona est...
  1633, 1634
fidei tamen VIDETUR intuitu...   4167
captus oculis corporalibus, lucem VIDIT aeternam...   4055
ubi te, caelis apertis, ipse VIDIT in gloria.   1230
ut sicut ille mortem non VIDIT prius quam christum...   2576
ab eo quem ille a dextris dei VIDIT stantem mereamini benedici. Amen.
  915
etiam lux ipsa VISA est mori cum christo.   3661
ut sicut post resurrectionem suam discipulis VISUS est manifestus...   345

       VIDUITAS
Consolare, dne, hanc famulam tuam VIDUITATIS languoribus constrictam...
  529

       VIDUUS
sicut ad petitionem famuli tui haeliae non defuit VIDUAE farinae (farina)
  ...   2280
sicut consolare dignatus es sarapthenam VIDUAM per Heliam prophetam...
  529
ut VIDUARUM curam misericors et pudicus expleret...   4193
non solum VIDUARUM facultates, sed devorantes etiam maritarum...   3879
... VIDUARUM gubernaculo castitatis exemplum...   4185, 4186
in nomine virginum et fidelium VIDUARUM.   2856
Oremus et pro omnibus... virgenibus, VIDUIS et pro omni populo sancto dei.
  Oremus.   2517

       VIGEO
Ds, qui... famulum tuum illum fecisti VIGERE pontificem...   1041
ut pax salusque perpetua tuorum possit VIGERE populorum.   2868

famulum tuum illum pontificale fecisti dignitatem VEGERE praesta qs ut
   eorum...   1040
spiritali facias VIGERE proposito...   2592
absque continentia non VIGET mentis imperium...   4033

        VIGIL
Si usque nunc somnolentus, a modo VIGIL.   4228
si usque nunc somnolentus, amodo VIGILIS ; si usque nunc...   4231

        VIGILANTER
diabolicas cavere VIGILANTER insidias...   4176
ut aeum VIGILANTER mereamini agnuscere...   3485

        VIGILANTIA
Proficiant huic preceptis fidei VIGILANTIA amoris tuae...   3082
adventum unigeniti cum summa VIGILANCIA expectare (spectare)...   475
ac VIGILANTIA studium qs nutrita custodias.   1259
ut habeat clerus VIGILANTIAM, cingulare reverentiam...   740

        VIGILIA
in ac sacratissima noctis VIGILIA de donis tuis...   861
pastor bone, qui dormire nescis in VIGILIA, et nec nocturnis...   44
In diebus illis factum est in VIGILIA matutina usque moyses...   2016
qui agno... in VIGILIA paschae comedere precepisti...   1257
ut superventure noctis VIGILIARUM suarum ita pervigelis reddat...   3647
sanctas VIGILIAS christiana pietate caelebrimus...   179, 180
sabbatorum die hic sacras acturi VIGILIAS ut per observantiam...   182
sabbatorum die hic ipsum VIGILIIS sollemnibus expleamus...   1682

        VIGILO
et VIGILA super oves gregis tui.   3089
Non superveniens VIGILANTEM, nec dormientem nec mentem...   2180
non VIGILANTEM nec dormientem nec sedentem nec ambulantem...   394
sed VIGILANTES et in suis inveniat laudibus exultantes.   1575
Ds qui VIGILANTES in laudibus tuis caelesti mercede remuneras...   1238
... VIGILANTES in praeceptis tuis miditentur...   314
ut VIGILANTES seo dormientes sub tuae...   567
ac VIGILANTI studio quae sunt nutrita custodias.   1259
neque dum sedit, neque dum VIGILAT, neque dum dormit...   2552
... VIGILATE et orate, ne intretis in temptacionem.   1847
ut nobis dormientibus tua maiestas VIGILET in sensibus nostris.   3089

        VIGINTI
et inter VINGINTI quattuor seniores cantica canticorum audiat...   3391

        VIGOR
dum ad te vitae cunctore toto VIGORE animae festinarent...   1198
ut rationabiles voluntates... aut de caelesti nullatenus VIGORE causentur.
   4200
Sancta tua nos... et a caelestis vitae VIGORE confirment.   3181
spiritalium virtutum facias VIGORE muniri...   3718
tibique placuerunt et virginitatis decore et passionis VIGORE nos mereamur
   ...   3854
induique iubeas devicta morte VIGOREM, (VIGORE) semper...   3770
et mentibus nostris supernae gratiae dent VIGOREM.   3142

        VILIS
Quique eius infantiam VILIBUS voluit indui pannis...   349

VINCENTIUS
Hostias dne tibi beati VINCENTI martiris tui dicatas... 1832
beati VINCENTII martyris tui intercessione liberemur. 132
intercedente beato VINCENTIO martyre tuo... 3001
VD. Pro cuius nomine gloriosus levita VINCENTIUS, et miles invictus...
   3855

VINCIO
qui te VINCTUM ligavit et vasa tua disrupit... 574

VINCO
ut per earum intercessionem quae et sexum VICERUNT et saeculum... 3854
ut sicut sancti tui mundum in tua virtute VICERUNT ita nos a mundanis...
   3675
hostis, qui per antiquam virginem genus humanum se VICISSE gloriabatur...
   3854
Hic portas inferni, ille mortis VICIT aculeum... 3823
VD. Qui VICIT diabolum et mundum... 4038
VD. Qui VICIT diabolum, paradisum restituit... 4038
Ipse nobis misericorditer praestit triumphare de mundum quem VICIT,
   diabulum vincere... 4176
... Cum ergo in utroque tui sit muneris quod VICIT quia nihil valet...
   3866
patiendo diabulum VICIT resurgendo a mortuis... 4013
quia VICIT te christi potentia, quem tu vincere non potis... 2180
ut nec caro escis VICTA luxoriae sectet... 357
qui te VICTUM ligavit et vasa tua disrupit... 1354, 1355
laetetur in horis semperque VICTURUS, semperque in lucae futurus. 3770
territus habeat, et VICTUS abscedat. 763, 764
et conscio dolore VICTUS, altaria tua... 3828
Sit, sit ab omne VICTUS deo, condempnatus et reus... 1547
... VICTUS es, damnate. Vincit te qui vinci non potest... 3259
per quem VICTUS et ligatus es ut passer solitudinis vacuus... 1888
... Audi ergo et time satanas VICTUS et prostratus... 744
cum rua VICTUS invidia tremens gemensque discede (discende)... 222, 223
ut qui tunc adfuisti israheli ne peririt VICTUS, victor... 3473
presta, qs, ut nostros VINCAMUS errores. 246
ut contra omnes fremitus impiorum mentis puritate VINCAMUS et qui nos in
   sua... 2651
quia tunc exteriores hostes superare poterimus, si VINCAMUS internos.
   2711
cuncta nobis adversantia te adiuvante VINCAMUS. 2775
ut ea quae pro peccatis nostris patimur, te adiuvante VINCAMUS. 1122
sic noxia cuncta succumbent, si nosmet ipsos ante VINCAMUS. 3888
ut nocturni insidiatoris fraude (fraudes) te protegente VINCAMUS. 4225
... VINCAT misericordia quae redemit. 831
per sanctas nunc virgines sequaces potius mariae quam evae VINCATUR et in
   eo maior... 3854
nec tormentorum inmanitate VINCATUR sed servando... 3942
infernarum non VINCATUR terrore portarum... 4202
et in quo fuit peccandi facilitas, esset VINCENDI felicitas... 3854
et aeadem VINCENS coronam perpetuaetatis promeruit. 3720, 4151
per quam diabolus extetit filio suo VINCENTE captivus. 3735, 4142
que nobis, agno VINCENTE, conversa est in salute. 903
quam te VINCENTE diaboli cernimus esse victricem. 3850
Quod diaboli temptamenta VINCENTES... 2187

ut his tua virtute VINCENTIBUS...   2936
qui beatum VENCENTIUM prius armasti pectore...   546
quia vicit te christi potentia, quem tu VINCERE non potis...   2180
diabulum VINCERE quem patientiae suae mortis occidit...   4176
pro nobis qs tuam pietatem exoret, quae a te accepit ut VINCERET et quae
    unigeniti...   3866
nesciens elatus esse quod VINCERET in utroque domini...   3855
ut palam consilia VINCERET Iudaeorum...   4193
vel hostis aerii nequitias VINCERET nisi tuae firmitatis...   4168
conservata iustitia a deo, carne VINCERETUR adsumpta.   3930
virtus ignitus spiritus VINCERETUR amore.   3694
vel hostis aerii nequitiae VINCERETUR, nisi tuae firmitatis...   4168
virtuo ignitus spiritu VINCERETUR quia ita eum...   3694
virtuo ignitus spiritu VINCERETUR.   4082
Dne ds noster, qui offensionem nostram non VINCERIS, sed satisfactionem
    (satisfactione) placaris...   1308
dextera tua in eis demicante VICERUNT.   3861
... O noctem quae videre meruit, et VINCI diabolum et resurgere christum
    ...   4160
... Victus es, damnate. Vincit te qui VINCI non potest...   3259
et humani generis inimicum non solum per viros sed etiam per feminas
    VINCIS...   3942
... VINCIT te alpha et omega...   3259
... VINCIT te ille qui scit numerum capillorum famulorum famularumque
    suarum...   3259
... VINCIT te qui firmavit caelum et terram, mare et omnia quae in eis
    sunt.   3259
... Victus es, damnate. VINCIT te qui vinci non potest...   3259

            VINCULUM
et mortifera peccati VINCULA disrumpe...   831
aperiat carceres, VINCULA dissolvat...   2505
VINCULA dne qs humanae pravitatis abrumpe...   4232
erraticum college ad te, et VINCOLA mea tuae piaetatis adstringe.   1296
Haec hostia, dne, qs, et VINCULA nostrae iniquitatis absolvat...   1692,
    1696
et VINCULA nostrae pravitatis absolvat...   1696, 1798
Solve conpeditus quem VINCOLA peccatorum constringunt.   4003, 4004
nostrorum qs absolve VINCULA peccatorum et omnia mala...   912
Absolve qs dne (dne qs) nostrorum VINCULA peccatorum et quidquid pro eis
    ...   16
... VINCULA peccatorum nostrorum absolve.   1806, 1807
ut omnium malorum meorum VINCULA solvas...   2239
Omnium peccatorum vestrorum VINCULA solvat...   1903
lacrimas... que peccatorum possent exsolvere VINCOLA.   575
atque a peccatorum VINCULIS absolutos ab omni nos adversitate custodi.
    2823
beatum petrum apostolum a VINCULIS absolutum...   912
ut mortis VINCULIS absolutus transitum mereatur ad vitam.   1721, 1738,
    1756, 3915, 3916
spiritum eciam famuli tui... VINCULIS corporalibus liberatum...   3035,
    3507
... VINCOLIS corporis libem penalem...   3507
de manu saul regis et goliae et de omnibus VINCOLIS aeius.   2023
cuius nos VINCULIS haec redempcio paschalis absolvit.   2981
et hoc sacrificio singulare VINCULIS horrendae mortis exutae...   2845

... Fecitque filios adoptionis, qui tenebantur VINCULIS iustae damnationis
    ... 3949
... Ut ab omnibus inimici VINCULIS liberatus...   3768
... Haec nox est, in qua destructis VINCULIS mortis, christus ab inferis
    victor ascendit... 3791
per quod nos liberas a nostrorum VINCULIS peccatorum.   4145
ut quos in huius vitae cursu gratia tua tot VINCULIS pietatis obstrinxerat
    ... 3782, 4084
quibus humana substancia VINCULIS praevaricaciones exuta...   3712, 4118,
    4119
Absolve dne animam famuli tui ill. vel illa ab omni VINCULO delictorum...
    13
et accusantes suas conscientias ab omni VINCULO iniquitatis absolvis...
    922, 923
VD. Qui foedera nupciarum... et insolubile pacis VINCOLO nexuisti...
    3925, 3926
ut absoluta omnium VINCULO peccatorum...   3390
quo dies eos iugali VINCULO sociare dignatus es...   1719
patris linguam solvit a VINCULO.   910
et eius uterum VINCULUM sterelitatis absolvens (absolvens)...   1772

        VINDEMIO
ne malus VINDIMIATUR falcefera manu amputet simul et perdat.   4233

        VINDICO
ut quia nos de eorum sevitia VINDICARI pro nostris actibus non meremur...
    3948

        VINDICTA
ut a peccatis nostris tuae severitatis suspendas VINDICTAM et nobis
    optatam...   3892
debitam, qs, peccatis nostris, dne, suspende VINDICTAM et presta propitius
    ... 952
et noli diu retinere VINDICTAM nec ante conspectum...   1371
adque uno eodemque modo contumax tuus et VINDICTAM sensit et gratiam...
    4055
per femineam condicionem retorques iure VINDICTAM ut qui male...   4034

        VINEA
quando in VINIA domini sabaoth sic novorum plantatio facienda est...
    58
VINIA ex egypto propagata dextera tua...   4233
in VINIAE tuae ordinibus dirigantur.   1155
fidelibus tuis, quos velut VINEAM ex Aegypto per fontem baptismi
    pertulisti...   2442
Respice dne de caelo, vide et visita VINIAM (i)stam quam plantavit...
    3081, 3082
Inriga dne benedictionum caelestium imbrebus praesentem VINIAM, quam
    effusione...   1960
... Da, dne, terrorem tuum super bestiam quae exterminet VINEAM tuam da
    fiduciam...   1354, 1355
Numquam deseras dne quam plantare dignatus es VINIAM tuam, sed fatias...
    2188
qui et VINEARUM apud te nomine censentur et segitum...   1034

        VINUM
tribuae aeis, dne, in hoc seculo habundantia tritici, VINI et olei in
    futuro autem...   2362

ac tempore frumenti VINI et olei mox peracto ineffabiliter ederetur...
4074
a pinguidine terrae, frumenti, VINI et olei pace sanitate...   167
et benedicere et sanctificare digneris hanc creaturam VINI quam ad
substantiam...   1335
ut repleat aeorum cellaria cum fortitudine frumenti et VINI, ut laetantes
...   1357
qua in chana galileae lympha est in VINUM conversa.   853
tu permitte spiritum tuum super VINUM cum aqua mixtum...   549
et ad suggerendum VINUM et aqua...   1364
aquas mutare dignatus es in VINUM et sicut helisaeus...   893
in chana gallileae ex aqua VINUM fecisti...   1335
... Ille tibi imperat... qui aqua VINUM fecit in Canna Gallilea...   1881
qui te in Channa Gallileae signo ammirabili sua potencia convertit in
VINUM qui pedibus...   1045, 3565

          VIOLENTIA
et nihil (e)os inimicus aut VIOLENTIA subripiat...   1227
omnis inveterata malicia diabuli, omnis VIOLENCIAE (VIOLENTA) occursio...
1536, 1537

          VIOLENTUS
ne ovile dne predo VIOLENTUS inrumpat...   3281

          VIOLO
non moechaberis, non VIOLABIS, non mortem tradas...   1529
qui divina praecepta VIOLANDO (a) paradisi felicitate decidimus...   188
... O vere beata et mirabilis apis, cuius nec sexum masculi VIOLANT...
3791
VD. Qui aecclesiam tuam... nullas sinis falsitate VIOLARE quia nihil...
3908a
tu maledicte diabule numquam audeas VIOLARE.   1411, 3270
nulla sinis (sinas) fallacia VIOLARI, (quia) (et sicut) nihil...   3703,
3899
nec nostris excessibus, nec alienis nos permittas VIOLARI peccatis.   120
... Qui nos per primum adam abstinentiae lege VIOLATA paradyso eiectos...
3787
vel quicquid diabolica fraude VIOLATUM est...   858, 859

          VIPEREUS
cum ille noster inimicus, qui hominem... VIPEREA calliditate subvertit...
4079

          VIR
... VIR tuo ignitus spiritu vinceretur.   3694, 4082
animae, quae in VIRI (VIRIS) ac mulieris copula fastidirent conubium...
758, 759
... VIRI condicione nunc in Christo reparante victoriam...   4125
inserto VIRI fulgoris lumine...   861
quia nemo potest summi VIRIQUE regis celsitudine delectari...   4215
ut his VIRIS ad utilitatem aecclesiae providendis...   2510
et romanis VIRIS adde principibus...   1217
ds per quem mulier iungitur VIRO et societas...   1171
femine partus sine VIRO mysterium...   3635
una cum patre nostro beatissimo VIRO papa nostro illo...   4206
... Sit amabilis ut Rachel VIRO, sapiens ut Rebecca...   1171, 2541, 2542
ut eam propitius cum VIRO suo copulare digneris...   1737
et cum prima mulier VIRO suo dux fuisse referatur ad labsum...   4079

qui pavit in heremo quinque millia VIRORUM extra numero... de quinque
   panibus et duobus piscibus...   1881
Benedico te sicut benedixit dominus quinque millia VIRORUM extra numerum
   benedico te...   2180
per septuaginta VIRORUM prudentium mentes Mose spiritum propagasti...
   1348, 1349, 1350
ut si quid aeius VIROS a calliditatis cottidianas...   841
sequentis ordinis VIROS esse concede, quod dignitatis aelegeris.   2549
sequentis ordinis VIROS et secundae dignitatis elegeris...   1348, 1349,
   1350
... Si quia autem habet aliquid contra hos VIROS pro deo et propter
   deum...   237
et humani generis inimicum non solum per VIROS sed etiam per feminas
   vincis...   3942
qui de antiquo hoste non solum per VIROS verum etiam... voluit
   triumphare.   2264
non solum per VIROS virtute martirii... triumphasti.   4036
non solum per VIROS virtutem martyrii, sed de eo etiam per feminas
   triumphasti.   4036
ipsumque temporalem VIRUM, cui mortali fuerat more nectenda...   3994,
   4103
... Gloriosum denique VIRUM nec inferior beatitudo discipuli...   4015
quae VIRUM non cognovit, et mater est, et post filium virgo est...   3989,
   4062
qui VIRUM non novit et matrem et post filium virgo est.   3974
ut diabolus, qui VIRUM per inbecillitatem mulieris inpulerai in ruinam...
   4125
et inviolabile caritate (inviolabilem caritatem) in VIRUM perfectum...
   3225
nunc confessio puellaris VIRUM praecedens ducit ad praemium.   4079
In diebus illis adprehenderunt septem mulieris VIRUM unum...   1970
et consilium civium hac consistentium credimus aelegendum VIRUM, ut nostris...   3281

        VIRGA
Cuius typum VIRGA tenuit in separatas aequoris undas...   3847

        VIRGINALIS
Ds qui VIRGINALEM aulam beatae mariae in quam habitare eligere dignatus
   es...   1239
pro qua dignatus hoc tempore carnem induere VIRGINALEM.   1518
et ab uteri VIRGINALIS arcano ineffabili editione promisisti...   3763
que sine simine humano redemptorem VIRGINALIS firmavit in hutero.   945
dignatus es in templo uteri VIRGINALIS includi...   805, 945
... Hancque enim festivitatem index puerpera VIRGINALIS stella praecessit
   ...   4157
per florem VIRGINALIS utero reddere dignatus es absolutum...   3930

        VIRGINEUS
... VIRGINEA crederet puritas, ineffabilis perficeret deitas...   3870

        VIRGINITAS
quatenus beatae genetricis integritate probata dilecti (dilectique
   discipuli) VIRGINITAS deserviret...   3608, 3609
... Agnovit auctorem suum beata VIRGINITAS et aemula integritatis...
   758, 759

incontaminata (intemerata) VIRGINITAS huic mundo edidit salvatorem...
408, 420
geminatae gloriae triumphum VIRGINITAS implevit et passio.   3783
... Fecunda est in his sine partu VIRGINITAS quam utique dominus...   861
beatae Mariae VIRGINITATE fecunda...   1214
eam VIRGINITATE manente nova semper prole fecundat...   948
ad beata maria exemplum VIRGINITATIS accipientes...   3805, 3854
praesenti famulae tuae perseveranciam perpetuae VIRGINITATIS adcomoda...
2211
carnalem se matrem habere VIRGINITATIS amore constituit...   861
naturae, quam unigenitus (tuus) in utero perpetuae VIRGINITATIS adsumpsit
...   2315
nisi tu per liberum arbitrium hunc amorem VIRGINITATIS clementer accende-
ris...   759
cum praemio sanctae VIRGINITATIS consummavit palmam martyrii...   3781
ut ei conferres et VIRGINITATIS coronam, et martyrii palmam...   3716
... Quatenus centesimi fructus dono VIRGINITATIS decorari...   760
tibique placuerunt et VIRGINITATIS decore et passionis vigore...   3854
quemadmodum perpetuae VIRGINITATIS est filius...   758, 759
qui sic perpetuae VIRGINITATIS est sponsus...   758, 759
Et qui illis voluit centesimi fructus donum decore VIRGINITATIS et agone
martyrii conferre...   2264
cum VIRGINITATIS et martyrii palma aeternam mereretur adipisci
beatitudinem.   3942
... In cuius regni gloria cum coronis VIRGINITATIS et palmis florentibus
... fulgebunt.   3853
et VIRGINITATIS gloria permanente...   3725
Da, qs, dne, famulae tuae, quam VIRGINITATIS honore (honorem) dignatus es
decorare...   640
... Cuius munere beata caecilia et in VIRGINITATIS proposito... roboratur
...   3942
ut VIRGINITATIS (sancte) propositum, quod te inspirante suscipiunt...
1601, 3096
qui beatae virgini ill. concessit et decorem VIRGINITATIS.   341

          VIRGO
Ds qui de terra VIRGINE adam pridem conderae voluisti...   950
propicius redemptionem nasci dignatus es nasci de VIRGINE, complectere...
996
ab angelo nuntiatus, a VIRGINE conceptus...   3871
in veritate nostri corporis natum de matre VIRGINE confitentur...   655
angelico ministerio beate mariae semper VIRGINE declarasti...   2380
et intercedente (pro°nobis) beata et gloriosa semperque VIRGINE dei
genetrice maria...   1987, 2030, 2096, 3023, 3346
ut qui conceptum de VIRGINE deum verum et hominem confitemur...   1887
sed perfecte sine peccato de VIRGINE dignatus es nasci.   950
pro quo in mundo hoc tempore ex VIRGINE dignatus es nasci.   2616
Sanctifica plebem tuam, dne, qui datus es nobis ex VIRGINE, et benedic...
202
et incarnatum de spiritu sancto et Maria VIRGINE et humanatum...   554
... Hic unigenitus dei de Maria VIRGINE et spiritu sancto secundum carnem
natus ostenditur...   1706
etiam matri VIRGINE fructu salutaris intervenit Christus dominus noster.
4122
et maria VIRGINE homo natus.   555

Imperat tibi verbum caro factum, imperat tibi natus ex VIRGINE imperat
  tibi iesus... 1355, 1859
qs nos interveniente sancta tua semper VIRGINE maria cuius festivitatem...
  3432
intercedente beata semper VIRGINE maria et praesens nobis... 2970
O. s. ds, qui maternum affectum nec in ipsa sacra semper VIRGENE Maria
  qui redemptorem nostrum... 2417
et deus homo nasci dignatus congruentius non deberet nisi VIRGINE matre
  generari. 3779
ut qui natus de VIRGINE matris integritatem non minuit sed sacravit...
  3569
VD. Qui humanis miseratus erroribus de VIRGINE nasci dignatus est... 3932
VD. Qui de VIRGINE nasci dignatus per passionem... 3891
per iesum christum filium tuum de maria VIRGINE natum... 1297
natus ex maria VIRGINE, passus sub pontio pilato... 551
tibi etiam intercedente beata maria semper VIRGINE placitis moribus...
  3377
ut postquam virgo de VIRGINE prodiit, sexus fragilis esset fortis...
  3854
Per deum tibi coniuro qui natus est de maria VIRGINE qui super mare
  ambulavit... 2552
pro cuius redemptione dignatus es nasci de VIRGINE. 3109
hostis, qui per antiquam VIRGINEM genus humanum se vicisse gloriabatur...
  3854
per venerabilem ac gloriosam semper VIRGINEM Mariam... 2456
VD. Qui humanis miseratus erroribus per VIRGINEM nasci dignatus est...
  3932
... Agathen quoque beatissimam VIRGINEM victrici patientia coronares...
  3856
qui non es dedignatus nasci per VIRGINEM. 2461
istae et omnes sanctae VIRGINES a beata maria exemplum virginitatis
  accipientes... 3853, 3854
per sanctas nunc VIRGINES sequaces potius mariae, quam evae vincatur...
  3854
vicarium sui matri VIRGINI filium subrogaret... 3608, 3609, 3610
qui beatae VIRGINI ill. concessit et decorem virginitatis... 341
VD. Nos te in tuis sacratissimis VIRGINIBUS exultantibus animis... 3815
ad huius sponsi thalamum... cum prudentibus VIRGINIBUS intrare possitis.
  948
... Regalem ianuam cum sapientibus VIRGINIBUS licenter introeas... 759
intercedentibus sanctis VIRGINIBUS suis... 2264
Oremus et pro omnibus... confessoribus, VIRGENIBUS, viduis et pro omni
  populo... 2517
Ds qui... verbum tuum beatae VIRGINIS alvo coadunare voluisti... 1005
et beatae Agnae VIRGINIS adque martire tue veneranda festivitas augeatur.
  556
et per intercessionem beate et gloriose semperque VIRGINIS auxilium nobis
  ... 2620
ut qui in nativitate dei genetricis et VIRGINIS congregamur... 3357
qui hunc diem per... et partum beatae mariae VIRGINIS consecrasti...
  2405
in honore beatae et gloriosae semper VIRGINIS dei genetricis Mariae annua
  solempnitate... 2203
per intercessione beatae et gloriosae semperquae VIRGINIS dei genetricis
  Mariae auxilium... 2620

pro nativitate beatae et gloriosae semperquae VIRGINIS dei genetricis
Mariae et sanctis eius...   3421

Beatae et gloriosae semperquae VIRGINIS dei genetricis Mariae nos dne qs
...   264

Beatae et gloriosae semperquae VIRGINIS dei genetricis Mariae qs o. ds
intercessio...   255

Sanctae mariae semper VIRGINIS dne supplicationis (supplicationibus)
tribuae...   3187

... Et antiquae VIRGINIS facinus, nova et intemerata virgo maria piaret...
4032

quae sine simine humanum redemptorem VIRGINIS firmavit in hutero.   805

etiam matris VIRGINIS fructus salutaris intervenit christus...   4120

Concede... ad beatae Mariae semper VIRGINIS gaudia aeterna pertingere...
472

sicut est partus VIRGINIS in origine singularis...   1090, 3109

beate mariae semper VIRGINIS intercessione...   79

ad beate semper VIRGINIS mariae auxilium nobis intercessio nos adiobit...
2835

O. s. ds, qui hunc diem... per partum beatae VIRGINIS Mariae consecrasti
...   2404, 2405

infra alvum VIRGINIS mariae continere voluisti.   2461

et beate semperque VIRGINIS mariae cuius solempnitatem... intercessio
veneranda.   151

Communicantes et memoriam venerantis inprimis gloriosae semper VIRGINIS
Mariae genetricis dei...   417, 418

pro meritis beatae (matris) (dei genetricis) et perpetuae VIRGINIS Mariae
gratiae plene...   3819, 3820

sed et memoriam venerantes eiusdem gloriosae semper VIRGINIS mariae
intemerata virginitas...   420

et beatae semper VIRGINIS Mariae nos gaudia comitentur solemniis...   3469

ut beatae et sanctae VIRGINIS martyreque tuae illius adiuvemur meritis...
1043

in beatae et sacratissimae VIRGINIS martyraeque tuae ill. festivitate...
3805

Ds, qui nos hodie beatae et sanctae illius VIRGINIS martyrisque annua
solemnitate laetificas...   1118

qui nasci dignatus est de utero VIRGINIS matris...   3698

Sanctae dei genetricis mariae gloriosae et intemeratae VIRGINIS orationibus...   3186

VD. Qui per beatae mariae VIRGINIS partum ecclesiae tuae...   3989

Deus qui per beatae mariae VIRGINIS partum genus humanum dignatus est
redimere...   1149

Ds, qui per beatae sacrae VIRGINIS partum sine humana concupiscentia...
1150

ut quibus beatae VIRGINIS partus extitit salutis exordium...   1602

sicque perveniamus per filium sterilis ad filium VIRGINIS per iohannem
hominem...   3869

qui VIRGINIS promanserunt (permanserunt) et se cum mulieribus non
coinquinaverunt...   3465

Tumebatur VIRGINIS sinus...   3635

adsumptione sacratissime VIRGINIS tuae genetricis beate mariae...   2461

Ds qui de beatae VIRGINIS utero verbum tuum... carnem suscipere voluisti
...   946

unigenitum tuum per VIRGINIS uterum dedisti lumen in seculum.   2441

et electorum tuorum VIRGINUM consortium, te donante mereatur uniri.   760

ds martyrum, ds VIRGINUM, ds omnium bene viventium...   752, 753
ds confessorem, ds VIRGINUM, ds omnium sanctorum...   755
ds apostolorum, ds martyrum, ds VIRGINUM, ds pater domini nostri...   744
in nomine VIRGINUM et fidelium viduarum.   2856
VD. Et te in veneratione sacrarum VIRGINUM exultantibus animis laudare...
   3725
Et supra chorus VIRGINUM paradisi sedibus collocasti...   2461
Tibi coniuro... per castitate VIRGINUM, per animas iustorum...   3474
Ut in numerum sanctarum VIRGINUM permanentes...   1297
et rapiat de proposito VIRGINUM, quod etiam moribus decet inesse nuptarum
   ...   758, 759
Hanc etiam oblationem, dne, tibi VIRGINUM sacratarum...   1709a
gracias tibi referat choris sanctarum VIRGINUM sociata.   1728
ut in numero eam sanctarum VIRGINUM transire praecipias...   1728
multiplicem victoriam VIRGO casta et martyra implevit...   3995
virum... martyrii foedere secum VIRGO casta fecit aeternum.   3994, 4103
multiplicem victoriam VIRGO casta martyr explevit...   3993, 3994, 3995
miratur quod VIRGO concaepit laetetur quod edidit redemptorem.   4062
Laetatur quod VIRGO concepit quod caeli dominum...   3974, 3989
ut postquam VIRGO de virgine prodiit, sexus fragilis esset fortis...
   3854
quod VIRGO aedidit partum.   3974, 3989
et post filium VIRGO est duobus enim gavisa...   3989, 4062
quia qui peperit, et mater et VIRGO est quia natus est et infans...
   3646, 3648, 3649
ut regium thalamum non solum VIRGO est sed etiam martyr...   3607
qui virum non novit, et matrem, et post filium VIRGO est.   3974
... VIRGO in utero accepit et peperit filium...   3677
inter quas intemerata dei genetrix VIRGO maria cuius adsumptionis...
   gloriosa effulsit...   3725
beata dei genetrix intemerata VIRGO Maria gloriosissima...   3815
... Et antiquae virginis facinus, nova et intemerata VIRGO maria piaret...
   4032
... VIRGO maria spiritus sancti cooperatione concepit...   3870
... Sicut sancta concepit VIRGO maria, VIRGO peperit, et VIRGO permansit.
   3791
ut beata et sancta VIRGO martyra tua illis adiuvemur meritis...   1043
quia et mater VIRGO non posset nisi subolem proferre divinam...   3779
VD. Quem beata VIRGO pariter et martyr ill. et diligendo timuit...   3866
ut caelestia regna VIRGO pariter et martyr intraret.   3716
miratur quod VIRGO peperit...   3989
hodie unigenitum tuum VIRGO sacra concaepit...   4062
ut regium thalamum non solum VIRGO sed etiam martyra intraret.   3605,3606

          VIRIDIS
olei, quam de VIRIDE ligno producere (procedere) dignatus es ad refectionem mentis et corporis...   1404, 1407, 1408

          VIRILIS
Quo sicut illa sexu fragili VIRILE nisa est certamen adire...   341
per VIRILEM sexum martyrum beatorum meritum deceptori reciprocas ultionem
   ...   4034
in tenero adhuc corpore et necdum VIRILI amore (more) maturo...   3618
ut femineo corpore de VIRILI daris carnem principium...   1171
ut eum non solum VIRILIS sexus tuorum deinceps fidelium subiugaret...
   3788

VIRILITER

Donit aetiam VERILITER cepti operis consomatione perficere...   4176
... Ex quibus beatus lucas... et VIRILITER contra vitiorum hostes pugnavit
  ...   3722
ut divinis subiectis officiis et temporalis VIRILITER et aeternae donae
  perficiat.   523
spiritaliter lumbis ad deo nostrae opus VERILITER preparare...   4176

VIRTUS

Ds refugium nostrum et VIRTUS, adesto piis ecclesiae tuae precibus...
  1244
Omnis VIRTUS adversarii et omnis incursio diabuli...   1531
... Omnis VIRTUS adversarii, omnis exercitus diabuli, omnis incursus...
  1537, 3566
... Omnis VIRTUS adversarii, omnis incursio diaboli...   1531, 1532
Exorcizo te ut omnis VIRTUS adversarii omnis incursio satanae...   1533
omnis nequissima VIRTUS adversarii omnis inveterata...   1536
Per quem ita VIRTUS antiqui hostis elisa est...   3933
continentiae VIRTUS, benignitas affectus.   359
magnus dominus noster iesus christus, et magna VIRTUS aeius...   1330
ut tui spiritus VIRTUS et (interiora horum) (interiorum ora) repleat et
  exteriora circumtegat...   819, 820
Ds incommutabilis VIRTUS et lumen aeternum...   836
ut (hic et) (huic) sacramentorum VIRTUS et votorum obteneatur effectus.
  2304, 3886
... Imperat tibi sacramentum crucis, imperat tibi mysteriorum VIRTUS exi
  transgressor...   1355, 1437
nam quanto sit VIRTUS ieiunii...   3789
... VIRTUS ignitus spiritus vinceretur amore.   3694
quia cum geminatura sacrae legis non VIRTUS inditae consecrationis
  excluditur...   2297
si qua fantasma, si qua VIRTUS inimici, si qua incursio diaboli...   1530
longe recedat VIRTUS inimicorum...   308
Ds inconmutabilis VIRTUS, lumen aeternum...   837
per christum dominum nostrum, cuius VIRTUS magna, piaetas copiosa.   3828
ut hic sacramentorum VIRTUS omnium fidelium corda confirmet.   2339
cuique habitus, sermo, vultus, incessus, doctrina, VIRTUS sit ; qui vos...
  3281
Purificet nos qs dne VIRTUS spiritus sancti muneris praesentis...   2950
Adsit nobis, dne, qs, (qs dne) VIRTUS spiritus sancti qui et corda nostra
  ...   161
et adsistat super aeam VIRTUS spiritus sancti ut cum hoc vasculum...   308
Discendat (Descendat) in hanc plenitudinem (hac plenitudine) fontis
  VIRTUS spiritus tui...   720, 1045
expulsa diabolicae fraudis nequitia VIRTUS tuae maiestatis adsistat...
  3588
honore maiestate (maiestatis) atque VIRTUTE aequalem tibi cum sancto
  spiritu confitemur...   3638
ut per VIRTUTE brachii tui omnibus qui nobis adversantur revictis...
  810a
ut armata VIRTUTE caelestis defensionis...   548, 549
captivitatem nostram sua duxit VIRTUTE captivam...   787
... Sic percuciatur in VIRTUTE claritatis tuae...   755
et cunctis hostibus caelesti VIRTUTE conpressis augmentum...   2276
ut hostibus nostris tua VIRTUTE conpressis secura...   2229

cuius nobis est hodie facta suffragium in tua VIRTUTE confessio.   162
qui beatum ill. sibi adscivit VIRTUTE confessionis.   2263
nec humanis opibus, sed tua VIRTUTE confidere...   3642
ut qui infirmitatis nostrae conscii de tua VIRTUTE confidimus...   683
et gratiam miserationis tuae VIRTUTE confirma.   1364
graciae curacionum VIRTUTE confirmatus.   1338
... VIRTUTE confirmes, potestate tuearis...   1356
O. s. ds, fons omnium VIRTUTE consequatur...   2343
Ds qui beatum hermen... VIRTUTE constantiae in passione roborasti...   914
eius passio contulit hodiernum in tua VIRTUTE conventum (laetitiam)...
    216
et gratiae tuae VIRTUTE corrobora...   506, 521, 536
... VIRTUTE custodi, potestate tuearis...   1715
et hos electos tuos crucis dominicae... VIRTUTE custodi ut magnitudinis...
    2825
et ab externis erroribus perpetua VIRTUTE defendant.   5
sua vos semper protectione et VIRTUTE deffendat...   340, 356
et mistico nos mundet effectu et perpetua VIRTUTE defendat.   3128
percepti (percepta) sacramenti tui nos VIRTUTE defende.   265
et benedicere a te mereatur et tua semper VIRTUTE defende.   660
tua semper mereatur VIRTUTE defendi.   656
ut dexterae tuae VIRTUTE defensae liberis tibi mentibus serviamus.   2359
ut regnum maiestati (maiestatis) tuae deditum tua semper sit VIRTUTE
    defensum.   2861, 2862
Ds qui conspicis omni nos VIRTUTE destitui interius...   926
Ds qui conspicis familiam tuam omni humana VIRTUTE destitui paschali...
    925
et VIRTUTE dextere tuae prosterne hostium contumacium.   2610
ut te tota VIRTUTE diligant, et quae tibi placita sunt, tota dilectione
    perficiant.   921
... Et te solum semper tota VIRTUTE diligat...   3768
Ds qui mortem nostram... in hac nocte devicisti VIRTUTE devina...   1073
accipit tua VIRTUTE dominatum.   4054
per VIRTUTE domini nostri iesu christi qui venturus est iudicare vivos et
    mortuos.   1547, 3230
sic tua VIRTUTE et hereditatem subsequi mereatur in corde.   2374
ut hoc corpus... in VIRTUTE et ordina sanctorum resuscitet...   701
et VIRTUTE feminea rabiem diabolicae persecutionis elidens...   3783
... Sicque VIRTUTE fidei et decore pudicitiae polleret...   3716
ut in tua VIRTUTE fidentes et tibi placeant...   797, 799
ut in tua VIRTUTE fidentes omnibus sint hostibus fortiores.   798
perfidiam VIRTUTE filii tui et sancti spiritus destruendo...   1236
tua propicius (potius) VIRTUTE firmetur.   1479
non carnis voluntate editi, sed sancti spiritus VIRTUTE generati.   1706
VD. Quia in sanctorum tuorum semper es VIRTUTE gloriosus...   4051
tua VIRTUTE hoc manifestit...   850
ut quem fidaei VIRTUTE imitari non possumus...   2693
qui nos de VIRTUTE in virtutem devita veneratione currentes...   2105
beati cypriani sacerdotis et martyris in tua dne VIRTUTE laeticiam...
    3174
VD. Et te in sanctorum tuorum VIRTUTE laudare...   3723
que tibi grata extetit VIRTUTE martirii et merito castitatis.   1912
non solum per viros VIRTUTE martirii sed idio etiam... triumphasti...
    4036
eaque VIRTUTE mentes vestrae exerceantur ad intellegenda...   853

O. s. ds, qui in omnium sanctorum tuorum es VIRTUTE mirabilis da nobis...
   2409
VD. Qui non solum martyrum, sed etiam confessorum tuorum es VIRTUTE
   mirabilis licet enim...   3959
qui in eorum semper es VIRTUTE mirabilis.   4080
et qui nos confidentes VIRTUTE moliuntur adfligere...   2651
O. s. ds, qui sanctorum VIRTUTE multiplici aeclesiae tuae sacrum corpus
   exornans...   1381, 2453
in conversatione castiget, in VIRTUTE multiplicit...   360
et sua nos VIRTUTE mundando...   1662
Haec sacrificia (sacra) nos o. ds (dne) potenti (potentie) VIRTUTE
   mundatus...   1705
Huius dne qs VIRTUTE mysterii, et a propriis nos munda delictis...   1836
accipiat VIRTUTE nominis tui adversus omnem telam et iaculam inimici.
   1670
cum tua dispensante VIRTUTE non de gloriosis humilia...   4055
ut quod nostro gerendum est ministerio, tua potius VIRTUTE peragatur
   (firmetur).   1479
sed tibi nos placitos sacramenti VIRTUTE perficias.   2182
ut quod agit misterio VIRTUTE perficiat.   371
ut te donante tibi placita cupiat, et tota VIRTUTE perficiat.   2358
quae VIRTUTE perficit in infirmitate confidimus...   3670
Ds qui scis genus humanum nulla sua VIRTUTE posse subsistere...   1207
Praecinge... lumbos mentis nostrae divina tua VIRTUTE potenter...   2643
Praecinge, qs, dne ds noster, lumbos mentis nostrae divina tua VIRTUTE
   potencium...   2643
in cuius (nomine atque) VIRTUTE praecipio tibi ut exeas...   2174, 2175,
   2177
in tua sint VIRTUTE praesentia potenter tamen nobis...   3865
gratiae tuae operante VIRTUTE praesentis vitae...   3436
quoniam sicut superbis in sua VIRTUTE praesumentibus semper obsistis...
   585
Conspirantes... dexterae tuae VIRTUTE prosterne...   530
et adversantes ei tua VIRTUTE prosterne.   1168
et dexterae tuae VIRTUTE prosterne.   1833
qua (ineffabilibus modis) (ipsius) domini VIRTUTE prostratus est...
   3873, 3874
ut diabolo, quem sua VIRTUTE prostraverat...   4023
O. ds, (romani) (christiani) nominis inimicos VIRTUTE, qs, tuae conprime
   maiestatis...   2257
beate mariae viscera splendoribus suae VIRTUTE replevit.   170
inexpugnabile VIRTUTE rex gloriae roborasti.   3722, 4149
adsis nunc te tuis invocationibus fidelibus belliger in VIRTUTE, robor...
   3473
ut tua VIRTUTE roboratis...   2469
ut quod nostra fragilitas defertur, tua VIRTUTE sacretur.   2892
sed sancti spiritus operante VIRTUTE sacrificium iam...   2160
VIRTUTE sancti spiritus, dne, munera nostra continge...   4234
et in VIRTUTE sancti spiritus tui ad effugandum...   327
Ds qui VIRTUTE sancti spiritus tui inbecillarum mentium rudimenta
   confirmas...   838, 1240
et VIRTUTE sancti trinitatis et omnipotenciam aeius...   1888
ut mysteriorum VIRTUTE sanctorum Gerbasi et Protasi vita nostra firmetur.
   677
yt mysteriorum VIRTUTE sanctorum vita nostra firmetur.   677
Ds qui in deserti regione multitudinem populi tua VIRTUTE satiasti...   1028

ut mysteriorum VIRTUTE satiati, vita nostra firmetur.   677
Tribue nobis, dne, caelestis mensae VIRTUTE satiatis...   3488
clarus VIRTUTE signorum...   4185, 4186
Tribuae nobis dne caelestis mense VIRTUTE sotiaetati...   3488
Det vobis leges suae precepta VIRTUTE spiritus sancti adprehendere...
   1375, 2296
et in VIRTUTE spiritus sancti exorcizo te...   1542, 1544
... Coniuro (Adiuro) te non meam infirmitatem (mea infirmitate) sed
   VIRTUTE spiritus sancti ut desinas...   142, 1354, 1355
innocentia pariter ac patientia VIRTUTE subnexi...   854
Ds qui conspicis quia ex nulla nostra VIRTUTE subsistimus...   928
Excita, dne, potenciam tuam et magna nobis VIRTUTE succurre ut per
   auxilium...   1517, 1519
mutata tormenta immutabili VIRTUTE superavit...   4114
sed de tua VIRTUTE suppliciter inploramus.   468
Audi tanta VIRTUTE, tanta maiestate, per quem te adiuro...   224, 225
de quorum nos VIRTUTE tribuis annua sollemnitate gaudere.   472
... VIRTUTE tuae benedictionis infunde...   896
tua nos salva VIRTUTE ut in hac diae ad nullum declinemus peccatum...
   1323
quia tua factum est operante VIRTUTE, ut nullis calumniis...   4082
tua in omnibus operante VIRTUTE, ut nullis incelebris...   3694
et magna nobis succurre VIRTUTE ut per auxilium...   1519
Qui beatum helarium ad hoc armasti VIRTUTE ut tibi militaret fidem.
   981
ut sicut sancti tui mundum in tua VIRTUTE vicerunt...   3675
ut tua tranquillitatem clementei tua sint semper VIRTUTE victores.   1190
in cuius facti sunt VIRTUTE victores.   4168
ut his tua VIRTUTE vincentibus...   2936
cuius nobis est facta suffragium in tua VIRTUTEM confessio.   162
gratiae curationum VIRTUTEM confirmatur.   1338
... VIRTUTEM confirmis, potestatem tuae aris...   1356
Ds qui beatum sebastianum... VIRTUTEM constantiae in passione roborasti...
   914
et sancti spiritus ei ammiscere VIRTUTEM cooperante...   3945
... VIRTUTEM custodi ut magnitudinis gloriae rudimenta servantes...   2825
qui nos de virtute in VIRTUTEM devita veneratione currentes...   2105
et perpetua VIRTUTEM deffendat.   3129
ut in hanc invocationem trinae poestatis atque VIRTUTEM deitatis...   1536
... Repelle dne VIRTUTEM diaboli, fallacesque eius insidias amove...
   764
et fugetur ab eo omnis inmundus spiritus per VIRTUTEM domini nostri iesu
   christi detur...   3230
per VIRTUTEM domini nostri iesu christi, qui venturus est...   1547
VD. Quia tu (semper in nostra perficiens) (nostra semper faciens) infirmitate VIRTUTEM aeclesiam tuam...   4071, 4073
et in confessione VIRTUTEM et in passione victoriam contulisti.   4065,
   4068, 4147
per VIRTUTEM et nomen domini nostri Iesu Christi...   725
quo perficis in infirmitate VIRTUTEM et nostris studiis...   4094
benedictionem spiritus sancti et gratias sacerdotalis effunde VIRTUTEM, et
   quem...   1483
per VIRTUTEM et signum sancti crucis redemptoris nostri ihesu christi...
   1888
... VIRTUTEM fidaei et patientiae fortitudinem tribuisti...   3618

auge in cordibus nostris VIRTUTEM fidei quam dedisti... 1223
quibus in tua omnem VIRTUTEM fidentes aspexeris... 4143
quam domini resurgentis praedicare VIRTUTEM ? hic namque... 3596
in opere VIRTUTEM, in hactu prosperitatem... 355
in labore VIRTUTEM, in affectu devotionem... 318
qui perficis in infirmitate VIRTUTEM ita nostris... 4116
Ds, qui sanctis tuis dedisti piae confessionis inter tormenta VIRTUTEM
  largire fidelibus... 1205
mentem elevas, VIRTUTEM largiris et praemia. 3881
quae tibi grata extitit VIRTUTEM martirii et merito castitatis. 1912
non solum per viros VIRTUTEM martyrii sed de eo etiam per feminas
  triumpasti... 4036
istorum VIRTUTEM monstrat effectus... 3951
Huius, dne, qs, VIRTUTEM mysterii et a nostris mundemur occultis...
  1835
Per invocationem, VIRTUTEM nominis dei omnipotentis... 1888
accipiat VIRTUTEM nominis tui adversus omnem telam et iaculam inimici.
  1670
et (in) sancti spiritus (aei) inmiscere VIRTUTEM per potenciam Christi
  tui... 3945, 3946
in aeum VIRTUTEM perfectionis boni operis tribuat in hactu... 2503
VD. Qui in infirmitate VIRTUTEM perficis... 3942
tantum de tua gratia, quae VIRTUTEM perficit in infirmitate confidimus...
  3670
VD. Qui perficis in infirmitate VIRTUTEM qua (quia) beata gloriosaque...
  3993, 3994, 3995
ut cuius natalicia colimus, VIRTUTEM quoque passionis imitemur. 1098
VD. Tuamque in... Cornelio simul etiam Cypriano praedicare VIRTUTEM
  quos discretia (diversis)... 4196, 4197
ut iam tunc VIRTUTEM sanctificationis aquarum natura conciperet... 1045,
  1047
per verbum, VIRTUTEM sapientiamque tuam Iesum Christum... 136, 137, 138
ut huic fonti VIRTUTEM spiritus tui indesinenter praesedere concedas...
  3836
VD. Quoniam a te constantiam fides, a te VIRTUTEM sumit infirmitas...
  4083
et elimento... VIRTUTEM tuae benedictionis infunde (effunde)... 896
... VIRTUTEM tuam totis exoro gemitibus pro huius a diabolo opraessa
  infantia... 1371
et in huius aquae (aquam) substantiam tua inmitte (tuam inmisce) VIRTUTEM
  ut abluendus... 1503
in nostra quoque perfice propitius infirmitate VIRTUTEM ut divinae...
  1029
auxilii tui super infirmos nostros ostende VIRTUTEM ut ope misericordiae
  ... 845, 2377
potentes misericordiae tuae ostende VIRTUTEM ut qui superba... 834
da mentibus nostris aeadem fidaei caritatisque VIRTUTEM ut quorum...
  2411
et gratiae sacerdotalis effunde VIRTUTEM ut quos tuae pietatis... 1483
ille hunc eundem verbum sapientiam dei adque VIRTUTEM vas factus...
  3666a
fraternitatis amore, abstinentiae VIRTUTEM. 980
benedictionis tuae in eos effunde VIRTUTEM. 2877
caeli caelorumque VIRTUTES ac beata syrafin sotia exultatione concaelebrant... 2556, 3589
ita ut in eo ultra locum non habiat contrarii VIRTUTES admixtio ! 3566

ambo igitur VIRTUTES aeterne praemia sunt adepti.   3823
... Sed et supernae VIRTUTES atque angelicae (concinunt) potestates...
    3876, 4159
ut tuae VIRTUTES auxilio, omnem hostilitate depulsa...   991
cui VIRTUTES caelorum et potestatis et dominaciones subiectae sunt...
    141, 1355
VD. Semperque VIRTUTES et laudes tuas, labiis exultationis effari...
    4131
eorum etiam VIRTUTES imitemur.   2783
inter ceteras VIRTUTES, quas filiis tuis... indidisti...   758, 759
qui illius viscera splendore suae gratiae VIRTUTES replevit...   2203
... Da eis, dne, ministerium reconciliacionis... et in VIRTUTES signorum
    et prodigiorum...   820
VD. Tuas enim, dne, VIRTUTES tuasque victorias admiramur...   4201
et spiritales in nobis extrui et plantarique VIRTUTES.   4029
sic ieiuniis et VIRTUTIBUS animae saginantur...   3889
O. s. ds, altare nomini tuo dicatum caelestis VIRTUTIBUS benedictione
    sanctifica...   2304
mentes quoque VIRTUTIBUS et calestibus institutis exornentur.   4199
In illius VIRTUTIBUS impero, qui aperit quod nemo claudit...   1881
in bonis operibus hac sanctis VIRTUTIBUS permanere...   4176
Ut qui in beatis confessoribus illis VIRTUTIBUS polles...   908
cum paventibus aelimentis caelorumque conmotis VIRTUTIBUS signum illud...
    634
nulla refugiis (refugis, refugii) VIRTUTIBUS sit facultas...   838, 839,
    1240
... In illius VIRTUTIBUS te adiuro qui fecit caelum et terram...   1881
et VIRTUTIBUS universis, quibus tibi servire oportit, instructi
    conplaceant.   1372
que sacris VIRTUTIBUS veneranda refulsit (refulgit).   3197
totius VIRTUTIS ac sanitatis dulcedine perfruatur...   717
Habundit in aeum totius forma VIRTUTIS, acto modesta...   136
nihil hic loci habeat contrariae VIRTUTIS ammixtio...   1045, 1047
... Sit nobis, dne, hanc aquam adsparsiones aqua VIRTUTIS, aqua
    refrigerans...   1346
Ds invictae VIRTUTIS auctor et inseparabilis imperii rex...   848
... Abundet in eis totius forma VIRTUTIS auctoritas modesta...   136, 137,
    138
Tibi coniuro... per VIRTUTIS caelorum...   3474
tuae VIRTUTIS conpleatur effectus (conpleantur effectu).   2302
... Sit sermo eorum et praedicacio... sed in ostensione spiritus et
    VIRTUTIS da eis dne...   820
Ibi terra indutus tremiscit diabolicum VIRTUTIS dei...   1860
divinae VIRTUTIS effectum...   514
... VIRTUTIS eius effectus in nostris cordibus operare...   1131
VD. Quia tuae VIRTUTIS esse cognoscimus...   4075
quoniam tui operis, dne, tuaeque VIRTUTIS est quod innumeris...   4218
VD. Quoniam tui operis tuaeque VIRTUTIS est quod sanctis tuis...   4113
VD. Quia tui operis tuaeque VIRTUTIS est ut beatorum...   4077
VD. Tui enim muneris tuaeque VIRTUTIS est ut aecclesia...   4202
VD. Tui enim operis, dne, tuae VIRTUTIS est ut inimicus...   4203
... Ipse est enim panis verus et vivus qui... et aesca VIRTUTIS est
    verbum enim...   3786
VD. Quia tibi e(s)t operis tuaequae VIRTUTIS, et beatorum...   4067
qui in chana gallileae te designavit dominum VIRTUTIS et gloriae...   855

... Qui est origo salutis, via VIRTUTIS, et tuae propitiatio maiestatis.
    3841
imperat tibi misteriorum VIRTUTIS. Exi...   1354
quorum veneranda confessio et mirabilia tuae VIRTUTIS explevit...   4063
et quos VIRTUTIS imitatione non possumus sequi...   3626, 3682
a dextris VIRTUTIS inmensae filium hominis cerneret (cerneret hominis)
    constitutum...   4185, 4186
et auxilium nobis supernae VIRTUTIS impende...   1614
auxilium nobis superne VIRTUTIS inpende.   2620
tuae VIRTUTIS impleatur effectu.   140, 2302
Mentes nostras et corpora, dne, qs, operatio tuae VIRTUTIS infundat...
    2084
sed tantae VIRTUTIS intuitu potius incitemur.   232
numquam a tuae VIRTUTIS luce discedat.   810
tuae semper VIRTUTIS mereantur (mereamur, mereatur) protectione defendi.
    656
Hanc igitur oblacionem VIRTUTIS nostrae quam tibi offerimus...   1768
Augeatur in nobis, dne, qs, tuae VIRTUTIS operatio...   233
inter caeteris VIRTUTIS, qua filius tuus...   759
beatae mariae viscera splendoribus suae VIRTUTIS replevit.   170
et finis esset vitiis et origo VIRTUTIS respice dne...   1045
Tribue nobis dne caelestis mensae VIRTUTIS societatem...   3488
spiritus consilii et VIRTUTIS, spiritus scientiae...   1312
protegat vos sub umbra VIRTUTIS suae.   351
ita manus dexterae (tuae in eum) (eius ei) VIRTUTIS tribuat, ut...   2761
Ds qui potestate VIRTUTIS tuae de nihilo cuncta fecisti...   1171
qui fragilitatem conditionis nostrae infusa VIRTUTIS tuae dignatione
    confirmas...   1361
VD. Cuius divinae nativitatis potentiam ingenitam VIRTUTIS tuae genuit
    magnitudo...   3638
stantem a dextris VIRTUTIS tuae ipsum...   4193
qui in chana gallileae initiorum tuorum ostenso VIRTUTIS tuae misterium
    ...   893
da servis tuis... triumphum VIRTUTIS tuae scienter excolere...   1247
VD. Quia tui (tibi) est operis tuaeque VIRTUTIS (et) ut beatorum...   4067,
    4076
quia tui est muneris tuaeque VIRTUTIS, ut et regendi...   2281
prosternat haereas potestates dextere tuae VIRTUTIS ut hoc audientes...
    1154
ambolare mereamur in luce VIRTUTIS.   2558
quae tibi grata semper existit... et tuae professione VIRTUTIS.   1911
Ds mirabiliorum et VIRTUTUM actur te supplicis exoramus...   855
sed similium tuarum VIRTUTUM agmine roborata...   4143
VIRTUTUM caelestium ds, de cuius gratiae rore discendit...   4235
VIRTUTUM caelestium ds, promissionis tuae munus exsequere...   4236
VIRTUTUM caelestium ds, qui ab humanis corporibus...   4237
VIRTUTUM caelestium ds qui nos annua...   4238
VIRTUTUM caelestium ds, qui plura prestas, quam petimus aut meremur...
    4239
Quaesumus, VIRTUTUM caelestium ds, ut dispectis falsitatibus...   3009,
    3010
in nomine principatum et potestatum et omnium VIRTUTUM caelestium in
    nomine...   2856
supernarum VIRTUTUM cohortes indesinenti iubilo...   4184
mentes vestras... VIRTUTUM copiis faciat coruscare.   948
Ds VIRTUTUM, cuius est totum quod est optimum...   1259

originis, nationum, utilitatisque VIRTUTUM cuius providentia...   3191
O. s. ds, origo cunctarum perfectioque VIRTUTUM da nobis qs...   2367
Ds bonorum VIRTUTUM dator et omnium benedictionum largus infusor...   751,
   1298
O. ds ieiunii ceterarumque VIRTUTUM dedicator atque amator...   2248
Omnium VIRTUTUM, ds, bonorumque largitor...   2491
et variis VIRTUTUM donis exuberavit, et miraculis coruscavit...   3655
conserva famulo tuo tuarum dona VIRTUTUM et concede ut medelam...   1015,
   1020
VD. Circumdantes altaria tua, dne VIRTUTUM et in ipsius agni...   3622,
   3760
quibus et in confessionem VIRTUTUM et in passione gloriam contulisti.
   4065
quae et fidei nostrae praebeant incitamenta VIRTUTUM et multiplici...
   1638
O. s. ds, fons omnium VIRTUTUM et plenitudo graciarum...   2343
... VIRTUTUM etiam omnium percipiat incrementa...   2993
spiritalium VIRTUTUM facias vigore muniri...   3718
... Unde laetantes inter altaria tua, dne VIRTUTUM hostias tibi laudis...
   3877
in labore VIRTUTUM, in affectu devotionem...   1332
Ds, cuius misericordiam caelestium quoque VIRTUTUM indigent potestates...
   792
et ubertas adsit iucunda VIRTUTUM inopia quippe...   3827
Detque vobis spiritalium VIRTUTUM invictricia arma...   347
... VIRTUTUMQUE lampadibus exornari...   760, 2264
ita VIRTUTUM lanis vestiri...   342
quis essis demonstrasti in operibus VIRTUTUM miraculis.   855
ut sancti spiritus sacerdotalia dona privilegio VIRTUTUM ne inparis loco
   ...   3300
... VIRTUTUM nutrimentis exorner...   3898
Quatenus VIRTUTUM oleo ita peccatorum vestrorum lampades...   2264
... Qui ieiuniis orationibus et elemosinis... et VIRTUTUM omnium tribuis
   incrementa...   3807
VD. Qui beatum augustinum... et VIRTUTUM ornamentis ditasti...   3878
sapientiae ceterarumque VIRTUTUM ornamentis facias decorari...   3912
quem supernarum VIRTUTUM plene valent nec angeli...   4143
Dne ds VIRTUTUM, qui, conlapsa reparas et reparata conservas...   1326
Ds, vita credencium et origo VIRTUTUM reple qs hoc templum...   1260
ut unius eiusdemque elimenti mysterio et finis esset viciis et origo
   VIRTUTUM respice dne...   1047
rex gloriae dominusque VIRTUTUM resurrectionis beatae...   3953
et cuncta disponis per verbum, VIRTUTUM, sapientiamque tuam...   136
patrocinia in augmentum (augmento) VIRTUTUM sentiamus.   3562
Dilectissimi fratres, inter cetera VIRTUTUM solemnia...   1286
et VIRTUTUM spiritalium ornamentis induamini.   2951
et VIRTUTUM spiritalium ornamentis induti...   3913
VIRTUTUM suarum merita multiplicet...   351
et mentibus desideratus VIRTUTUM succedat affectus.   1838
ad VIRTUTUM tuarum fac instituta proficere...   3538
Effunde super aeum spiritalia dona VIRTUTUM, ut nihil...   1227
nisi ex tua inspiratione proveniunt quarumlibet incrementa VIRTUTUM.
   2473
ambulare mereamur in luce VIRTUTUM.   1558
et clarificare nos luce VIRTUTUM.   3467
et inradiet corda vestra luce VIRTUTUM. Amen.   2254

et faciat perseverare in novitate VIRTUTUM. Amen.   2242
continentia fieret origo VIRTUTUM.   3996
ad aeternam patriam redire valeatis per viam VIRTUTUM. Amen.   853

        VIS
... VIM consuetudinis et stimulos aetatis evinceret...   758, 759
omnemque nefariam VIM diaboli pellendam...   1539
et caelo VIM faciens...   4193
ut post noxios ignis nubium et VIM procellarum...   2368
Accendat in vobis dominus VIM sui amoris...   18
et VIRES adde principibus nostris...   4030
quid stas et resistis, cum scis eum tuas perdere VIRES illum metue...
    744
ut VERES mittat suorum operum fructus...   1008
qui adversae dominationis VIRES reprimis...   848
qui se sine te suis VIRIBUS extollit inanem gloriam.   3466
... VIRIBUS inbecillis, sed fortis ingenio...   3791
omnis hostilitas nec VIRIBUS possit praevalere nec fraude.   2469
ut fugatis infirmitatibus et VIRIBUS revocatis...   4237
ut superati (inimicorum) VIRIBUS roborentur.   2609
non suis tribuat VIRIBUS, sed victori...   2640

        VISCERA
quo beatum iohannem intra VISCERA materna docuisti.   669
per VISCERA misericordiae tuae, in quibus visitavit nos oriens ex alto...
    3763
quia refacta sunt VISCERA nostra de sancto spiritali...   2003
ut cuiuscumque VISCERA penitraverit... fugiat...   3191
et tuae super nos VISCERA pietatis inpende...   2987, 2988
tu VISCERA regas, tu corda confirmes...   764
spiritus sanctus tuus, qui illius VISCERA splendore suae graciae veritatis
    replevit...   2203
beate mariae VISCERA splendoribus suae virtute (virtutis) replevit.
    170
qui maternis VISCERIBUS ante dominum meruit confiteri quam nasci.   910
sed etiam in ipsis VISCERIBUS civitatis...   3865
Effuge liquefactus de ventre, de VISCERIBUS, de femoribus...   1888
ut fiat... perfecta medicina permanens in VISCERIBUS eorum in nomine
    domini...   1542, 1544
ut accipientibus ex ea... sanctificetur in VISCERIBUS aeorum, salvator
    mundi.   1335
... Innova in VISCERIBUS eorum spiritum sanctitatis...   1348, 1349, 1350
VD. Ut te auctorem suum pronis VISCERIBUS humana fabulatio...   4216
quaem de maternis VISCERIBUS in hac vita prodere (vitae producere)
    iussisti...   2476
quo die cum de maternis VISCERIBUS in hunc mundum nasci iussisti...   95,
    1719a
ut quia affectum filiorum maximae in matrum VISCERIBUS indidisti...   3407
maternis VISCERIBUS latens...   3774
et rursus confessionibus sacrosancte VISCERIBUS martyr beata...   4091
et rursus confessionis sacrosanctis VISCERIBUS mater beata...   4092
ita in VISCERIBUS matrem, te disponente, est inditum...   3918
que ereat in VISCERIBUS nostris et vita concedat aeterna.   1342
chrisma tuum perfectum, a te, dne, benedictum permanens in VISCERIBUS
    nostris in nomine...   1404, 1407
crescat in VISCERIBUS nostris in sancto, in fide, in caritate.   2003

et caeli dominum clausis portavit VISCERIBUS o magna clementia...   4062
quod caeli dominum clausis (castis) portavit VISCERIBUS quod virgo edidit
    ...   3974, 3989
perfecta medicina permanens in VISCERIBUS sumentium...   327
et fecunditatem suorum VISCERUM corpus mirabatur intactum.   3635

VISIBILIS
O. s. ds, per quem... et factum est VISIBILE quod latebat...   2370
ut hoc salutari ministerio contra VISIBILES et invisibiles hostes reddatur
    invictus...   1686
nec VISIBILI dedecori subiacevit...   3888
ut VISIBILIBUS adiuta solaciis...   3535
de VISIBILIBUS et invisibilibus hostibus triumphator effectus...   3912
ut quae VISIBILIBUS mysteriis celebrando suscipimus (percepimus)...
    2697, 2702
inter caetheras VISIBILIS creaturas...   2321
magis de longinquo venientibus VISIBILIS et corporalis apparuit.   413
... VISIBILIS per carnem apparuit in nostra tecumque unus...   3647
has aquas... in huius materia furma VISIBILIS prebuisti...   1365
factorem caeli et terrae, VISIBILIUM omnium et invisibilium...   554

VISIBILITER
non solum fide cernitur, sed etiam VISIBILITER adprobatur.   3951
in veritate carnis nostrae VISIBILITER corporalis apparuit.   414
ut dum VISIBILITER deum cognoscimus...   4061
ut haec indumenta... quibus famula tua ill. sancto VISIBILITER est
    informanda proposito...1237
... VISIBILITER etiam monstraturus ceteris eius nuntiis...   4095
et quod VISIBILITER exsequuntur, invisibiliter adpraehendant.   3099
et tamen pro salute humani generis signa tuae potentiae VISIBILITER
    ostendis...   1048
quibus famuli tui sancto VISIBILITER sunt informandae...   743

VISIO
qui, etsi inlustrentur VISIONEM conditoris...   4143
et ad tuae quandoque beatitudinis VISIONEM pervenire mereatur.   3768
non dolor horrendae VISIONIS afficiat...   746
anima famuli tui illius quae temporali per corpus VISIONIS huius
    luminis caruit visu...   746

VISITATIO
Famulos et famulas tuas, dne, caelesti VISITATIONE circumda...   1606
concide propicius, ut ex tua VISITACIONE consolemur.   1187
ut qui iuste pro peccatis nostris affligimur pietatis tuae VISITATIONE
    consolemur.   2829
adventus tui nos VISITACIONE costodi.   1137
hoc baptisterium caelesti VISITACIONE dedicatum (dedicato)...   2345
ut VISITACIONE tua sancta erigas famulum tuum illum...   3463
ut VISITACIONI tua sancta erigas ad te hunc famulum tuum...   3463a
et omnem sensum est dignare tuis VISITATIONIBUS refovere...   1931
et humilitatis nostrae officiis gratiae tuae VISITATIONIS admisce...
    1492
pietatis tuae VISITACIONIS consolemur.   2829
et cordis nostri tenebras lumine tuae VISITACIONIS inlumina.   4246
Mentes nostras qs dne lumine tuae VISITATIONIS inlustra...   2087
et mentis nostrae tenebras gratiae tuae VISITATIONIS inlustra.   234
ut VISITATIONIS tua sancta eregas ad te hunc famulum tuum...   3463

VISITATOR

Ds, humilium VISITATOR, qui nos fraterna dignatione consolaris... 827

VISITO

Respice, qs, de caelo, et vide, et VISITA domum istam... 3828
VISETA aeum interventu sanctorum omnium... 842
et VISITA in salutari tuo et (ac) caelestis gratiae praesta medicina.
986
et VISETA plebem tuam in pace. 202
VISITA, qs, dne, familiam (plebem) tuam, et corda... 4240
Respice dne de caelo, vide et VISITA viniam (i)stam... 3081, 3082
et famulos tuos, quos caritatis VISITAMUS officiis... 91
ut quos nos humana VISITAMUS sollicitudine... 2906
ut quicquid modo VISITAMUS visites, quicquid benedicimus benedicas...
2292
Consciencias nostras, qs, o. ds, cotidie VISITANDO purifica... 508, 509
angelo tuo VISITANTE (aeas) custodias... 1924
Gregem tuum propitius VISITA(RE) dignare... 1333
ut ad introitum humilitatis nostrae hos famulos tuos... salutifere
VISITARE digneris... 2277
et sicut VISITASTI dne tobiam et sarram socrum petri puerumque
centurionis... 2277
ut succurreris homini, terras caelitus VISITASTI, et in carne... 955
ut quod modo VISITATURI sumus, visitis... 2291
per viscera misericordiae tuae, in quibus VISITAVIT nos oriens ex alto
... 3763
Auxilium tuum monentur omnibus VISITENTUR, ut superati... 2609
ut quod modo visitaturi sumus, VISITIS, quia quicquid... 2291
ut quicquid modo visitamus VISITES, quicquid benedicimus benedicas...
2292
qui custodiat, foveat, (protegat), VISITET et defendat omnes habitantes
(inhabitantes)... 1493

VISUS

anima famuli tui illius quae temporali per corpus visionis huius luminis
caruit VISU aeternae illius lucis... 746
discipulis suis VISU conspicuus tantoque palpabilis... 3998
quae clara nobis omnia et intellectu manifestavit et VISU quibus non
solum... 4056
quia clare nobis omnia et intellectum manefestavit et VISUM. 4057
testis veritatis, antequam VISUS... 3774

VITA

quomodo seperatum est... iusticia ab iniquitate, VITA a morte... 394
qua mors interitum et VITA accepit aeterna principium... 58, 59
in christo iesu domino nostro in VITA aeternam. 870
Accipe ill. sal sapientiae, proficiatus in VITA aeterna. 32
et in nomine domini nostri... signo crucis signetur in VITA aeterna.
1312
Corpus domini nostri Iesu Christi sit tibi in VITA aeterna. 545
utere es VITA adtrahae me ad te... 1296
spiritum divinitatis VITA caelestis asseritur viam domini preparare.
3755
que ereat in visceribus nostris et VITA concedat aeterna. 1342
ut his sacris altaribus vitales escas perpetua VITA conferat renatorum.
3596
Ds, VITA credencium et origo (origum) virtutum... 1260

pax rogantium, VITA credentium, resurrectio mortuorum...   829
et orta est VITA credentium.   3771
concordet illorum VITA cum nomine...   1195
ei in futura VITA eius retribucio condonetur.   2886
et ad te qui via veritas et VITA es gratiosus valeat pervenire.   2993
Laudent te, dne, ora nostra, laudet anima, laudet et VITA et quia tui
   muneris...   2002
O. s. ds, qui es via, VITA et veritas...   2386
ut fidem tuam quam lingua nostra loquitur etiam moribus VITA fateatur.
   788
Ds, VITA fidelium, gloria humilium, beatitudo iustorum...   1261
Ds, VITA fidelium, timentium te salvator et custus...   1262
illuc luce plebs radiat quale VITA fulsit in carcere...   546
tu, qs, in ista qua vivimus nos VITA guberna...   1117
per quem salus mundi, VITA hominum, resurrectio mortuorum.   3841
O. s. ds qui VITA humani generis... salvasti...   2463
ut qui de hac VITA in tui nominis confessione decessit (discessit)...
   2317
ut fidem veram... etiam mores probi et VITA inculpabilis fateatur.   2252
ut tua providentia eius VITA inter adversa et prospera ubique dirigatur.
   2854
ab his in terra nostra VITA muniatur.   1068
fidelibus VITA mutatur, non tollitur...   3915, 3916
ut (quod est) (quem) nobis in praesenti VITA mysterium, fiat aeternitatis
   auxilium.   390
et VITA nobis conferant praesentis auxilium...   1473
Quoniam beneficiae (beneficio) gratiae tuae fidelibus VITA non tollitur...
   3862, 4099
ut mysteriorum virtute sanctorum (satiati) VITA nostra firmetur.   677
VD. Per quem salus mundi, per quem VITA omnium per quem resurrectio...
   3840
dum pro VITA omnium pius vellis agnus occidi...   1180
sed ita in eorum actibus VITA perfecta...   1932, 1933
et te adiuvante, perfecta VITA, perfectis hactis placeunt tibi...   3736
Ut et in praesenti VITA positi...   2461
quo malis actibus vel in hac VITA possimus abscondi...   3653
... VITA praesentis auxilium pariter et future.   3336
a te converso ordine sumere VITA principium.   950
pro morte VITA, pro pena gloria...   4126
quaem de maternis visceribus in hac VITA prodere iussisti...   2476
dices : Accipe illum sal sapientiae in VITA propitiatus aeterna.   2638
Et ita praesentaes famulos in hac VITA protegas...   1162
ubi lux permanet et VITA regnat in secula seculorum.   756
et via veritatis et VITA regni caelestis apparuit.   2200
et VITA requiae noxia...   584
et in resurrectione eius omnium VITA resurrexit...   4162
quanta aput te sit praeclara VITA sanctorum quorum nos etiam...   3629
VD. Apud quem semper est praeclara VITA sanctorum quorum nos mors...
   3602
auctoremque vite perennis tam in hac VITA sequi...   3595, 4084
mens humiles, VITA sublimis.   1319
haec te largiente moribus et VITA teneamus.   2780
ut tui muneris praeceptione in aeternam VITA valeat exultare.   1611
VD. Ut quia in manu tua dies nostri VITAQUE consistit...   4213
eos in libro VITAE adscribi iubeas...   2108

ut qui in haec fluenta descenderint, in libro VITAE adscribi mereantur.
2109
ut cum extrema dies finesque VITAE advenerit...   1264
a cunctis praesentis et futurae VITAE adversitatibus vos reddat indemnes.
2261
per gloriam resurrectionis VITAE aeternae aditum patefecit...   3929
resurgendo a mortuis VITAE aeternae aditus (aditum) praestitit...   4013
indulgentiae fructum, et VITE aeternae consortium.   3485
panem sanctum VITAE aeternae et calicem salutis perpetuae.   3567
ad spem VITAE aeternae ex aqua et spiritu sancto renasceremur...   3836
Ds, qui humani generis et salutis remedii VITAE aeternae munera contulisti
...   1015
praemium VITAE aeternae percipiant.   2831
et qui per te redempti sunt ad·spem VITAE aeternae tua moderatione...
1322
et lava eam sanctum fontem (sancto fonte) VITAE aeternae ut inter
gaudentes...   3391
Ds, et temporalis VITAE auctor et aeternae miserere supplicum...   810a
et aeternae VITAE beatitudinis praemia largiatur.   2789
spiritu divinitatis VITAE caelestis asseruit via domini praeparetur.
3756
ut inter huius VITAE caliginis...   2796
Aeternae pignus VITAE capientes humiliter imploramus...   164
sacrificium tuum mortificacionum (mortificationem) VITE carnalis
effectu(m)...   3476
in praesentis viae et VITAE circulo...   3590
ut per haec caelestis VITAE commercia...   2965
ut opem nobis et praesentis VITAE conferas et futurae.   949
perpetuaque VITE conferat gaudium angelorum.   3485
et mortalis VITAE consolationibus gubernati...   1424
digni efficiamur aeternae VITAE convivio...   2643
dum ad te VITAE cunctore toto vigore animae festinarent...   1198
et peracto praesentis VITAE curriculo...   345
ut quos in huius VITAE cursu gratia tua tot vinculis pietatis obstrinxerat
...   3782, 4084
Ds VITE dator et humanorum corporum reparator...   1263
de praeteritis ad futura et ad novitatem VITAE de vetustate transire...
4060
ita transigere praesentis VITAE dispensationem...   347
... Differ, dne, exitum mortis et spacium VITAE distende...   3463
in secundo... praemiis aeternae VITAE ditemini.   2261
proinde longiore spatio VITE aei donare digneris...   898
ut dum ds qualitate VITE aeius deffidemus...   2273
Et ut tali VITAE aeos fines inveniat...   947
qui cum sis institutor VITAE, et de supplicibus esto moderator...   745
et te qui fons VITAE et origo bonitatis es semper sitiamus...   3872
augmenta eis annos VITAE et temporum felicitatem (felicitate)...   1733,
1777
eumque inter VITAE et viae huius varietates digneris custodire...   3590
defer dne exitum mortis et spatium VITAE extende...   2064
aeternae VITAE felicitati reddi...   3917
et aeternae VITAE fidelibus tribuitur integritas.   3976
super ipsum VITAE fontem aeternum pectus scilicet (scilicet pectus)
recubuerat salvatoris...   3608, 3609
Ut ex aea VITE frondiscant quam tu...   1155
Da... consolacionem VITAE gubernacionemque perpetuam...   572

eumque regeneracionis fontem purgatum et pericolis VITAE huius exutum...
    1742
et iter famulum tuum ill. inter VITAE huius pericula tuo semper regatur
    auxilio. 1491
ut te custode servati ab omnibus VITAE huius periculis liberemur. 1037
paenitentis etiam sub ipso VITAE huius terminum non relinquis... 858
ut inter omnes VITAE huius varietatis tuo semper protegatur auxilio.
    107, 1975
(et) VITAE ianuas (credentibus) patefecit. 4038
... Uni thoro iuncta contactus VITE inlicitus fugiat... 2542
et prospere vide praesentis VITAE incedant, et vivant terminum... 3736
... Uni toro iuncta contactos VITAE incitos fugiat... 2541
et iuste potius adipisci praemia VITAE induique iubeas... 3770
et novae VITAE indutus amictu resurgat... 1611
sanctum uniuscuiusque templum acceptabilis VITAE innocens odor redolescat
    ... 3627
huius VITE iter peragant... 2475
Ds, gloriatio fidelium et VITAE iustorum... 817
qui nobis ad revelandos istius VITAE labores... 4131
et aeternitatem VITAE maluit, quam ut mundo procrearet originem... 3775
presta VITAE melioris effectum... 1423
libro beatae (librum beati) VITAE mereantur adscribit (ascribe). 3836
et solacia VITAE mortalis accipiat... 2619
et alimonia VITAE mortalis expleta germen inmortalitatis exsisteret...
    4074
Ds qui humano generi et salutis remedium et aeternae VITAE munera
    contulisti... 1020
Caelestis VITAE munere vegetati, qs... 390
Caelestis (caelesti) VITAE munus accipientis quaesumus... 383, 391
Quo ab eo sempiternae VITAE munus percipiatis... 2255
et VITAE nobis conferant praesentis auxilium... 1473
et VITAE nobis in Christo reparatur integritas. 4078
et praesentis VITAE nobis pariter et aeternae tribuas conferre praesidium
    (subsidium). 4253, 4254
ut cum praesidio temporali et VITAE nobis praeveant incrementa perpetuae.
    3185
ut et VITAE nobis praesentis auxilium et aeternitatis efficiant
    sacramentum. 1306
et praesentis VITAE nobis remedia conferant et futurae. 3212
ut (et) temporalis VITAE nobis remedia praeveant (remedio praeveniant)
    et aeternae (aeterna). 3333
mysteria... praesentis VITAE nos conversacione (conversatio) sanctificent
    ... 3436
et temporalis VITAE nos tribue (tribuas) pace gaudere... 1451
Ds, sub cuius nutibus VITAE nostrae momenta decurrunt... 1253
per quem meruemus auctorem VITAE nostrae suscipere. 1214, 2461
... Promptiusque debemus... caelestis VITAE novitate gaudere... 4139
a VITAE numquam semitis deviemur. 1071
VD. Qui es fons VITAE, origo luminis et auctor totius bonitatis... 3913
tu qui es lignum VITAE, paradisi (paradisique) reparator... 769
et praesentis, qs, VITAE pariter et aeternae tribue conferre praesidium
    (subsidium). 4251
eosque aeternae VITAE participes et caelestis gloriae facias esse
    consortes. 3945
et perpetuae VITAE participes huius operacione reddamur. 1844
efficias perpetuae VITAE participes. 3263

illius VITE per angelica gradentur mandata... 3736
consolationem praesentis VITAE percipiant et futurae. 1659
aeternae VITE percipiant porcionem. 1751
praemium aeternae VITAE percipiant. 2393
in secundo... praemium aeternae VITAE percipiat. 2831
ex hoc fonte aquae VITAE perennis qui est spiritus veritatis... 304
auctoremque VITE perennis tam in hac vita sequi... 3595, 4084
et praesentis VITAE periculis exuantur... 2942
ut pariter ab omnibus VITAE periculis exuti... 3913
et ab huius VITAE periculis iugiter postulent expediri. 3213
et in novitate VITAE perseverare concedas. 3739
illius dono et praesentis VITAE perturbationibus careamus... 3962a
O. s. ds, qui contulisti fidelibus tuis remedia VITAE post mortem...
   2382
consolationibus presentis VITE praebeant et future. 1660
ut er sacramentum nobis aeternae VITAE praeveant et profectum. 2178a
aeternae VITAE praemia consequamur. 1022
et consolationem VITAE praesentis accipiant... 1658
contra VITAE praesentis adfectum venturae salutis aeternitas... 3861
... Percipiant, qs, dne, VITAE praesentis auxilium et gratiam... 74
... Sit nobis... VITAE praesentis auxilium pariter et futurae. 3336
et per te superata VITAE praesentis efficit gloriosam. 4071, 4073
ut inter innumeros VITAE praesentis errores tuo semper moderamine
   dirigamur. 2763
sic etiam tranquillitatem VITAE praesentis indulgeas... 3625
Ab omnibus VITAE praesentis periculis exuamini... 2951
tu VITAE praesentis sustentator et rector, tu conlator aeternae. 3504
et praesentis VITAE praesidiis gaudeat (et) aeternis (aeternae). 796
... Quoniam sicut fontem VITAE praeterire causa moriendi est... 4040
lignum VITAE principio a paradisum voluntatum ornasti... 2321
quo peccatis VITAE prioris abluti reataque deturso... 1336
quem de maternis visceribus in hac VITAE producere iussisti... 2476
caelestis VITAE profectibus innovemur. 1275
gratiam in eo VITE protectoris augmenta... 1262
Repleti substantia reparationis et VITAE qs dne ds noster... 3075
... VITAE quoque imitemur exempla. 909
per divinitatis potentiam VITAE reddidit... 3917
ut quem in finem istius VITAE regeneracionis fonte mundasti... 2858
quae in finem istius VITAE regeneracionis unda mundavit... 1141
quorum adhuc latentem gloriam iam tamen etiam in huius VITAE regione
   manifestas. 3971
VD. Qui nos per paschale mysterium edocuit vetustatem VITAE relinquere...
   3976
et praesentis nobis VITAE remedia conferat... 2760
et praesentis VITE remediis gaudeant adfuisse. 2606
et praesentis VITAE remediis gaudeant et futurae. 3322
ut et temporalis VITAE remedio praeveniant aeterne. 3333
tolle nocencia cuncta, doce praestancia VITE salus esto infirmitatis...
   1895
aeternae VITAE secutus est largitorem... 3907
si (te) totius VITAE sequamur auctorem (auctore). 1568, 1573
innocentes VITE sinceritas, continentiae virtus... 359
caelestibus desideriis accensi fontem VITAE sitiamus. 487, 494
Quatenus et in praesenti saeculo mortalis VITAE solatia capiatis... 2240
ita in praesentis VITAE stadio redemptorem nostrum possitis sequi... 346

In praesentis VITAE stadio vos ab omni adversitate defendat... 2241
Cursum VITE suae impleant sine ullis maculis delictorum... 312
et te benedicant omnibus diebus VITAE suae. 1719a
ac temporale VITAE subrogatur aeternitas. 3767, 4088
et praesentis nobis VITAE subsidia conferat... 2789
et praesentis VITAE subsidia et futurae etiam consequamur. 2815
et VITAE subsidia praesentis accipiat... 534
ut et praesentis VITAE subsidiis gaudeat, (et) aeternae. 1679
sacramentum et praesentes VITAE subsidiis nos foveat et aeternae. 3352
Ut ab eo et praesentis et futurae VITAE subsidium capiatis... 425
ut nobis et praesentis VITAE subsidium, et aeternae tribuas praemium
    sempiternum... 3707
et de pinguidine terre VITE substantia... 3461
Cui ad VITE substantiam et ceteris statuisti temporum vices... 3592
ut vitalis ligni praecio aeternae VITAE suffragia consequamus. 1035
ut perpetuae VITAE sumentibus procurent substancia. 2397
per quam meruimus auctorem VITAE suscipere dominum nostrum. 1214
ex cuius intemerato utero auctorem VITAE suscipere meruistis. 1149
per quam meruimus auctorem VITAE suscipere. 1214
et munerum memoria, praesentis VITAE tempora exornat... 3719
ut hoc quod devote agimus etiam rectitudine VITAE teneamus. 836
quia mortis et VITAE totam obtinis potestatem. 4217
et de die in diem ad caelestis VITAE transferat actionem. 2194
de praeteritis ad futura, de vetustate in novitatem VITAE transire...
    4060
ut adicias ei (annos et) tempora VITAE ut per multa curricula... 1715,
    1719a
Ds qui per misticam VITE veram nobis largius vitam... 1155
Ipse vos protegat adque deffendat omnibus diebus VITE vestrae... 319,
    320
Sancta tua nos... et (a) caelestis VITAE vigore confirment. 3181
quo possint, te auxiliante, ad praemiae adtingere aeternae VITE. 124
munera, quibus mysteria caelebrantur nostrae libertatis et VITAE. 1650
in sacramentum perfectae salutis VITAEQUE confirmes... 3627
O. s. ds, nostrorum temporum VITAEQUE dispositor... 2366
preces iuxta qualitem VITAEQUE meritum parva poscentes... 2305
sempiternam VITAM ac leticiam in caelestibus praesta, salvator mundi...
    404, 2090
ut fiat fons salientis (saliens) in VITAM aeternam et cum baptizatus fue-
    rit... 1530, 1531
... VITAM aeternam glorientior potestatem... 820
nec transvaricabis nec impedis competentem VITAM, VITAM aeternam non
    persuadebis... 1529
et iube eum consignari signum crucis in VITAM aeternam per eundem dominum
    ... 869
ut ad VITAM aeternam pervenire mereamur. 1304
et inter possidentes VITAM aeternam possideat. 3433
ut efficiaris... fons aquae sallientis in VITAM aeternam regenerans eum...
    1535
quos salutare lavacro spiritali et in VITAM aeternam regenerari dignatus
    es. 854
et ad VITAM aeternam, te auxiliante, perveniant. 1845
ut sexagesimum fructum continenciae VITAM aeternam te largiente percipiat.
    757
Corpus domini nostri iesu christi in VITAM aeternam. 545
Signum Christi in VITAM aeternam. 3291

ipse te linit chrisma salutis in Christo iesu domino nostro in VITAM
aeternam.   870
Accipe (ille) sal sapiencie propiciatur (propiciatus) in VITAM aeternam.
32

ipse te linet chrisma salutis, in VITAM aeternam.   870
Corpus domini nostri iesu christi custodiat te in VITAM aeternam. Amen.
544
nec impidias querentem VITAM aeternam.   2180
carnis resurrectionem, VITAM aeternam ?   551
hac est et VITAM ammoneris custodire perpetuam...   2321
mentem sanctificit, VITAM amplificit...   340, 356
quae tribus pueris in camino sentencia tyranni depositis VITAM blandimentis...   861
tu eius VITAM caelesti poteris examinare iudicio...   138
quod temporaliter gerimus ad VITAM capiamus aeternam.   3350
nobis ad perpetuam VITAM censura (profutura) quae sumpsimus.   1555
... Praesentem VITAM Christo postposuit...   3616
et ad communem VITAM concedas salubrem...   717
et VITAM conferat sempiternam.   2762
ut eorum (bonorum) nobis indulta refectio VITAM conferat sempiternam.
1132
et resurrectione sua aeternam nobis VITAM contulit.   3891
et pro temporali nobis conlata praesidia ad VITAM converte propitiatus
aeternam.   3388
Et praesentem VITAM cum honestate et relegiosa dilectione...   397
detque nobis tranquillam et quietem (quietam et tranquillam) VITAM
degentibus...   2507, 2508
Ds qui famulo tuo ezechiae ter quinos annos ad VITAM donasti...   988
Ds, qui ad VITAM ducis et confitentis in te paterna protectione custodis
...   897
Actus vestros corrigat, VITAM emendet, mores componat.   2117
cuius nos ad VITAM erexit humilitas.   3650
quos ad aeternam VITAM et beatum gratiae tuae...   1726
Ds qui per misticam vitae veram nobis largius VITAM et desertam...   1155
digni sint VITAM et gloriam promereri.   311
transitum mereantur ad VITAM, et in ovium...   3915, 3916
tecumque inmortalitatis (suae) VITAM et regnum (aeum) consequatur
aeternum.   202, 3462
... Per quem in aeternam VITAM filii lucis otiuntur...   4162
... Spero (et expecto) resurrectionem mortuorum et VITAM futuri saeculi.
554, 555
ad novam VITAM his operantibus (operibus) perducantur.   343, 3733, 3817
priusquam VITAM humanae condicionis auriret...   3774
O. s. ds, qui VITAM humani generis pro nobis filio tuo moriente salvasti
...   2463
qui ad aeternam VITAM in Christi resurrectione nos reparas...   887, 888,
2376
Et qui ad aeternam VITAM in unigeniti sui resurrectione vos reparat...
361
praesentemque VITAM inculpabilem ducere...   3663
horrendae mortis exutae VITAM mereantur aeternam.   2845
ut abluendus per eam et sanitatem simul et VITAM mereatur aeternam.   1503
innoxia morte ad VITAM misericorditer revocare dignatus est...   2321
qui et temporalem VITAM muniat et prestet aeternam.   3297
... VITAM nobis dedisse perpetuam confidamus.   2001
ad VITAM nobis proficiant sempiternam.   1987

... VITAM nobis tribue fructificare perpetuam.   3095
Tribuae aeis ut sectentur non interitum sed VITAM, non carnem...   311
dignare perpetuam praeclaro in corpore VITAM nox ubi nulla...   3770
ita et nos VITAM optineamus aeternam.   2576
per quem VITAM omnium, per quem resurrectio mortuorum.   3840
et suscepitur ille qui reduxit ad VITAM per cuius gratiam...   1706
et VITAM percipere mereatur aeternam.   97
ut VITAM perderet quam distraxit...   3867, 3868
Tua nos dne qs gratia benedicat, et ad VITAM perducat aeternam.   3518
intercessio nos gloriosa protegat et ad VITAM perducat aeternam.   255
et inculpabiles ad VITAM perducat aeternam.   1610
ad VITAM pertineamus aeternam.   3373
et ad VITAM perveniamus aeternam.   3401
ut te largiente ad VITAM perveniant sempiternam.   2834
lucem... per quam ad aeternam VITAM pervenire mereamur.   1328
inde VITAM piaetas repararet inmensam.   3635
ds qui dedisti VITAM post mortem...   755
... Et peccatorum VITAM potius volens quam mortem...   3952
quam VITAM praesentem cito amittere per tormenta...   3866
quae prius VITAM praestitit sempiternam, quam possit nosse praesentem.
  1292
ut observantia temporalis ad VITAM proficiat sempiternam.   1211, 1212
confidimus nobis ad perpetuam VITAM profutura quae sumpsimus.   1555
et consigna eos signo crucis in VITAM propitiatus aeternam.   2445
Refecti, dne, panae caelesti, ad VITAM, qs, nutriamur aeternam.   3042
(horum) VITAM quantum possumus (possimus) aestimamus...   136, 137, 138
(ad) VITAM qui numquam more sis.   3792
genusque humanum quadrifida peccatorum mole obrutum ad VITAM reducit...
  3917
et VITAM resurgendo reparavit...   4159, 4161
et VITAM resurgendo restituit, Iesus Christus dominus noster.   4162
ad aeternam VITAM sacrificiis caelestibus pascamur (pasceremur).   3622,
  3760
ut ad meliorem VITAM sanctorum tuorum exempla nos provocent...   476
ds, qui non mortem sed peccatorum VITAM semper inquiris...   2055, 2419
VITAM suam nobis (vobis) dominus tribuat...   335, 4241
et sine vitio in hoc seculo transagant VITAM suam, ut possint...   3081
ut praesentem VITAM sub tua gubernatione transcurrens...   2920
... Quibus non solum praesentem VITAM suo splendore dirigeret...   4056
ad superbam VITAM te perducat.   335
et praesentem VITAM transigatis inlaesi...   2245
Praesta tuae familiae ita hanc VITAM transigere...   955
ipse de morte ad VITAM transire... mereamur.   634
et aeternam VITAM tribuant nobis.   527
et per adventum unigeniti tui aeternam VITAM tribuat nobis.   528
Ds, qui renatis baptismate mortem redimis et VITAM tribuis sempiternam...
  1192
inde VITAM tua pietas inmensa repararet...   4032
et VITAM tuam longitudinem diaerum adimpleat.   874
Da aeis sic in diebus ieiuniorum suam conpore VITAM, ut non inveniantur...
  3110
et sene vicio in hoc seculo transagant VITAM, ut possint...   3082
ut tuae muneris perceptionem in aeternam VITAM valeat exultare.   1611
mortis vinculis absolutis (absoluti) transitum mereatur ad VITAM.   1721,
  1738, 1755
et in ovium placitarum benedictione numerentur ad VITAM.   3916

conversis, redemptis ad VITAM.   903
quod ad honorem tuae maiestatis offerimus, perpetuam nobis conferat VITAM.
  28
ac resurrectione sua aeternam nobis contulit VITAM.   3932
Conservent nos qs dne munera tua, et aeternam nobis tribuant VITAM.   526
pietatis indulgentia ad veniant VITAMQUE revocasti...   3988

VITALIS
sed in omni verbo tuo VITALEM habeamus alimoniam...   3889
ut his sacris altaribus VITALES escas perpetua vita conferat renatorum.
  3596
Dne ds o., sicut ab inicio hominibus VITALIA et necessaria creasti...
  1318
Refecti VITALIBUS alimentis quaesumus, dne...   3044
oblatio cuius VITALIBUS decorratur exemplis.   2544
ut VITALIS ligni praecio aeternae vitae suffragia consequamus.   1035

VITALIS
intercedente beato VITALE martyre tuo...   2764
Exultit qs dne populus tuus in sancti tui conmemorationem VITALIS et
  cuius...   1566
ut festa... VITALIS et felicule et zenonis sine cessatione venerantes...
  3560
Ad martirum tuorum Valentini VITALIS et Filiculae festa venientes...
  50
 et festivitatem martyrum tuorum Valentini VITALIS et Filiculae quam
  nobis tradis...   2928
festa martyrum tuorum Valentini VITALIS et Feliculae sine cessatione
  venerantes...   3563
Sancti nos qs dne VITALIS natalitia votiva laetificent...   3209

VITIO
quia licet peccati vulnere natura nostra VITIATA sit (sit VITIATA) tui
  tamen est...   3968, 4204
... Quamvis enim natura nostra peccati VITIATA sit vulnere...   3640
qui humanam substantiam in primis hominibus diabolica fraude VITIATAM...
  758, 759
... Renova in eum... quod ipsa denique cogitacione diabolica fraude
  VICIATUM est...   858
non profana unctione VICIATUM, non sacrilego igne contactum...   861

VITIOSUS
et quidquid in nostra mente VITIOSUM est...   442, 444

VITIS
qui te VITEM veram dignatus es nuncupari.   1960
et desertam iam exaustamque sarmenta praeciosis VITIBUS novellasti.   1155
in eodem Christo tuo, qui vera VITIS est...   2442
qui es VITIS vera, multiplica super servos tuos...   1335

VITIUM
adiuva contra VITIA certantes...   1924
VD. Qui corporali ieiunio VITIA comprimis...   3881
VICIA cordis humani haec, dne, qs, medicina conpescat...   4242
qui aeos demigantes contra vetusti serpentis VITIA et propria...   4149
si VITIA frenemus animorum...   3888
Mentes vestras ita parsimoniae bona contra VITIA muniat...   2249
Sanctificationibus tuis o. ds, et VITIA nostra curentur...   3224
ut sic VITIA nostra depellas...   3804

ut huius (dne) operationem (operationem) mysterii et VICIA nostra
  purgentur et iusta desideria...   2554, 3382
et VICIA nostri cordis expurgent.   378
Adque omnia amputare radicitus VITIA, ut subrietatis...   2441
a cunctis efficiant VITIIS absolutos (absolutis).   2944
a (noxiis) (omnibus) etiam VICIIS absetenentes...   2735, 2790
Quamvis aenim ad VITIIS bonitatis et piaetatis...   59
a noxiis quoque VICIIS cessare concede.   2612, 2895, 2896
peccata que latentibus VICIIS contraxi...   856
et purgemur a VICIIS et a periculis omnibus exuamur.   61
quae nos et a terrenis purget VITIIS et ad caelestia dona perducat.   3223
ut VICIIS et carnis turmenta contempserint...   1198
ut unius eiusdemque elimenti mysterio et finis esset (esse) VICIIS et
  origo virtutum (virtutis)...   1045, 1046, 1047
ut per haec semper emundemur a VITIIS, et periculis exuamur.   3132
ut per ipsos a terrenis VICIIS expediti...   1063
adque ab omnibus VITIIS expiata...   1385
a VICIIS expiatus ad festa ventura nos praeparent.   1863
et sicut ab alimentis in corpore, ita a VICIIS ieiunemus in mente (mentem).
  1896
ut a VITIIS inruentibus pariter ieiunemus.   2745
ut quemadmodum nos purgari desideramus a VITIIS ita et eorum quos...
  4025
ut dum a cibis corporalibus se abstinent, a VITIIS mente ieiunent.   2714
ut nos et a VITIIS mortalitatis expediat...   2903
... Quatenus purificati ieiuniis, cunctis purgati a VITIIS natalis eius...
  3870
ut nec suis infecta sit VITIIS, nec externis obligata peccatis...   1593
nec succumbamus VICIIS nec obpraemamur adversis.   2777
ut carnalibus VITIIS non teneatur obnoxia...   3303
quod et nos a VITIIS nostrae condicionis emundet...   3161
et peccata que labentibus VICIIS nostris contraximus et egimus...   857
ut dum digne VITIIS nostris irascimur...   1049
ita vos etiam a VITIIS omnibus abstinere concedat.   1241
et a VITIIS omnibus expeditos (expeditum) in sancta faciat devotione
  currentes.   2158
meque tua misericordia a VITIIS omnibus exuat...   1567
ut VITIIS pariter adque corporibus abstinentiae frena inponatis.   357
ut et nos in omnibus VICIIS potenter absolvat...   2193
Custodi nos dne qs ne in VITIIS proruamus...   564
in christo credentes a VITIIS saeculi segregatos, et caligine (caliginem)
  peccatorum...   3791, 4206
Praesta nobis, o. ds, ut quia VICIIS subiacit nostra mortalitas...   2694
qs, dne, ut per haec semper mundemur a VICIIS.   3131
et sene VICIO in hoc seculo transagant vitam...   3081, 3082
spreto antiquo hoste, spretisque contagiis VITIORUM ad aeternam patriam...
  853
ut discussis tenebris VICIORUM ambulare mereamur...   1558
ut digneris a nobis tenebras depellere VICIORUM et clarificare...   3467
exuat vos mortificatione VITIORUM et faciat perseverare...   2242
effuget a vobis tenebras VITIORUM et inradiet corda...   2254
ut contempnentes tenebrosam profunditatem VITIORUM et relinquentes...
  3872
et quicquid VITIORUM fallente diabolo contraxit...   771
... Ex quibus beatus lucas... viriliter contra VITIORUM hostes pugnavit...
  3722

spiritali circumcisone mentes vestras ab omnibus VITIORUM incentivis
   expurget... 2242
omnia in nobis VICIORUM mala mortifica... 788
et VITIORUM monstra devitare... 2993
Da nobis qs o. ds, ut VITIORUM nostrorum flammas extinguere... 628
fortiter oppugnantibus passionibus VITIORUM restitit. 4149
et quae in nobis sunt VITIORUM secreta purifica... 2370
fomes VITIORUM, seductor hominum, perditor gentium... 744
Resuscitet vos de VITIORUM sepulchris... 362
quatenus in his omnium VITIORUM sordibus careamus. 3753
ut et hostem antiquum devincat, et VITIORUM squalores expurget... 760
vos dignetur et VITIORUM squaloribus expurgare... 2264
per eum VITIORUM squaloribus expurger... 3898
si VITIORUM sterilitas optanda proveniat, et ubertas adsit iucunda
   virtutum... 3827
molis excepit VICIORUM ut his sacris altaribus... 3596
ut nos famulos tuos non exurat flamma VICIORUM. 1362
ut si qua eum saecularis macula invasit aut VICIUM mundiale infecit...
   128, 2495

VITO
et extrinsecus humanos quoque non VITAMUS aspectus... 3653
ut omnia VITANDO quae mala sunt... 2613
iniustitiamque praecipis esse VITANDUM... 3933
Da, qs, dne, populo tuo diabolica VITARE contagia... 652, 653
ut quicquid humana fragilitas cavere et VITARE non praevalet... 1789
ut tua inspiratione conpuncti noxias delectationes VITARE praevaleant...
   1624, 1625
Da nobis, dne, qs, ambire quae recta sunt et VITARE quae noxia... 584
nec doleamus VITARE quod inicum est... 3674
da nobis, qs, et amarae quae recta sunt, et perversa VITARE. 1054
ut percipientes paschali munere veniam peccatorum deinceps peccata
   VITEMUR (VITEMUS). 2681, 2692
et quod professione respuimus, actione VITEMUS quia nimis est... 4139

VITULUS
et facies VITULI et facies aquilae ad sinistris illius... 203
Lucas evangelista VITULI speciem gestat... 2031
et ideo Lucas VITULO conparatur... 2031
zacharias VITULU in inpetravit filio. 924

VITUS
Da ecclesiae tuae, dne, qs, sancto VITI intercedente superbe non saperet
   ... 571
VD. Beati VITI martyrio gloriantes... 3618
per intercessionem sancti VITI medicina sacramenti... 3041
sancto VITO intercedente... 571

VIVIDUS
sed laetis christo palmibus VIVIDA prole turguiscant... 1155

VIVIFICATIO
Muniat, qs, dne, fideles (tuos) sumpta VIVIFICATIO sacramenti... 2158
ut VIVIFICATIONEM tuam gratiae consequentes... 2695
ut VIVIFICATIONIS tuae gratiam consequentis in (eius munere semper)
   (tuo semper munere) gloriemur. 2695

VIVICATOR
... Et in spiritu sancto dominum et VIVIFICATOREM ex patre procedentem...
554

VIVIFICO
tua semper luce VIVIFICA adque a malis...   3540
... VIVIFICA hunc famulum tuum quem tibi nullatenus mori desideras...
823
et animam meam VIVIFICA in te.   219
... VIVIFICA itaque quem tibi nullatenus mori desideras...   822
et super has abluendis aquis et VIVIFICANDIS hominibus preparatas...
1336
Sancta tua nos, dne, qs, et VIVIFICANDO (semper) renovent...   3182
Et spiritum sanctum dominum et VIVIFICANTEM ex patre procedentem.   555
qui habit potestatem mortificare et iterum VIVIFICARE deducere...   2481
et quos spiritali civo VIVIFICARE dignatus es...   2926
et divino munere VIVIFICARE non desines.   2562
materiam non solum VIVIFICARIS extinctam, sed efficeris et divinam.   4090
bona creas sanctificas VIVIFICAS benedicis et praestas nobis.   2557
ut his muneribus... et te placemus exhibitis et nos VIVIFICEMUR
    (VIVIFICEMUS) acceptis.   454
Sancta tua nos, dne, sumpta VIVIFICENT et misericordiae...   3183
VIVIFICENT nos, dne, tui munera sacramenti...   4243
tua dne sacramenta VIVIFICINT ut terrenis...   3028
Sancta tua nos... et renovando VIVIFICENT.   3182
VIVIFICET nos, dne, sacra participationis infusio...   4244
VIVIFICET nos, dne, tui munera sacramenti...   4243
VIVIFICET nos, qs, dne, (huius) participatio (tui) (tua) sancta mysterii
    ...   4245
Oblatum tibi dne sacrificium VIVIFICET nos semper et muniat.   2214

VIVIFICUS
ut qui ad adorandam VIVIFICAM crucem adveniunt...   1232

VIVO
illius conversatione VIVAMUS ad cuius nos...   501
Concede, qs, dne ds noster, ut per tua semper sacramenta VIVAMUS quia
    protegere...   461
in tua semper sanctificatione VIVAMUS quo per temporalis...   3708
... Ut non in solo pane VIVAMUS sed in omni verbo...   3889
devoti semper in tua laude VIVAMUS.   2768
(iugiter) in tua iugiter luce (laude) VIVAMUS.   953
circumspecta moderatione VIVAMUS.   191
ut in huius semper participatione VIVAMUS.   1295
in tua semper sanctificatione VIVAMUS.   490, 2768
Ds, qui delinquentes perire non pateris, donec convertantur et VIVANT
    debitam qs...   952
Deum... qui non vult mortem peccatorum, sed ut convertantur et VIVANT
    fratres karissimi...   724
sed ut ad te convertantur et VIVANT hortaris...   3892
ut multa per miracula VIVANT in gloria praeter sepulchra.   908
laudabiliter VIVANT laudarique non appetant...   758
et prospere vide praesentis vitae incedant, et VIVANT terminum...   3736
devote et probabiliter usque ad diem obitus VIVAT, ad regni...   2475
Tibi dne commendamus animam famuli tui illius, ut defunctus seculo tibi
    VIVAT et si qua fragilitatem...   3475
laudabiliter VIVAT laudarequae (et laudari) non appetat...   759, 760

Quo sic in senarii numeri perfectione in hoc saeculo VIVATIS et in
   septenario...   2242
Et cum eo sine fine feliciter VIVATIS quem resurrexisse...   362
relictis retibus suis, quorum usu actuque VIVEBAT...   3907
ut semper eadem quo veraciter VIVEMUS adpetamus.   385
et quia tui muneris est quod sumus, tuum sit omne quod VIVEMUS per
   christum...   2002
VD. Tuum est omne quod VIVEMUS quia licet...   4204
et bene VIVENDI aliis exemplum praebere.   1464
instruens VIVENDI exemplo, confirmans patiendo...   3643
ipse vos innocentiam det VIVENDI, fiducia sperandi...   1185
et recti VIVENDI nobis operentur effectum.   2992
ut gravitatem actuum et censura VIVENDI probit se esse seniore...   3225
loquendi fiduciam, VIVENDI temperantiam...   740
sic eodem iugiter redundare effectus (affectus) est sine fine VIVENDI.
   4040
... Illique coniuncta est moriendo, cui se consecraverat caste VIVENDO
   et pro eo...   3866
et recte VIVENDO nobis operentur effectum.   2992
ut festa paschalia... etiam VIVENDO teneamus.   480
ut sacramentum tuum VIVENDO teneant, quod fide perciperint (perceperunt).
   974
adiungi mereamini in caelesti regione bene VIVENDO. Amen.   1157
... Ergo his vobis moribus est VIVENDUM...   1695
ne imago que ad similitudinem tui facta fuaerat VIVENS dissimilis...
   3635
ut mereatur post obitum veniam qui VIVENS meruit baptismatis gratiam.
   3837
... Dumque restrictius castigatiusque VIVENTES in summi pontificis...
   4028
ut per spacia longeva VIVENTES melioribus...   1777
ut (et) in sancta conversatione VIVENTES nullis adfligantur (efficiantur)
   adversis.   2024
qui nos VIVENTES per huius diei cursum in hac ora vespertina pervenire...
   1666
ita vos in hac mortalitate VIVENTES valeatis...   341
... Prunis namque superposita stridebant membra VIVENTIA...   3776, 3777
aliquis pro defunctis a VIVENTIBUS piae voluisti placere sacrificiis.
   3837
quod cunctis VIVENTIBUS praeparare dignatus es ad medillam.   1763
... VIVENTIBUS quae divinitus aeclesiae sunt collata permaneant.   3846
et tam VIVENTIBUS quam defunctis proficiad ad salutem.   2646
ut et VIVENTIBUS sint tui illa et defunctis obteneant veniam.   3334
His, qs, dne, sacrificiis, quibus purgationem et VIVENTIBUS tribuis et
   defunctis...   1783
ds martyrum, ds omnium bene VIVENTIUM deus cui (omnis) lingua...   752,
   753
uti locum paenalem et gehenne ignem flammamquae tartari in regione
   VIVENCIUM evadat.   3035, 3507
eorumque nomina (nomina aeorum) ascribi iubeas in libro VIVENTIUM.   1752,
   1773
quem nosse (nos se) VIVERE, cui servire regnare est...   749
VD. A quo deviare mori, coram quo ambulare VIVERE est...   3590
ut hic bene valeat VIVERE, et ad aeternam...   1749, 1767
fac aeos ante conspecto tuo (conspectum tuum) cum iustitia VIVERE, et
   cum...   318, 1333

et nos tecum in caelo VIVERE mereamur.   892
sub tuae nominis custodia mereamur VIVERE semper.   567
ut qui sine te esse non possumus, secundum te VIVERE valeamus.   1993, 1994, 1995
qui dum VIVERET insignitus est signaculo trinitatis.   2181
in Christo Iesu : cum quo VIVES et regnas in unitate spiritus sancti in saecula.   2818
nec aevacuare passionis triumphum mundi morte patiaris, qui cum patrem VIVES.   3038
qui cum patre et filio VIVET et regnat in saecula saeculorum. Amen.   2275
ut semper eadem per quae veraciter VIVIMUS appetamus.   385
quia in te VIVIMUS et movemur et sumus...   3719
VD. Simulque pro munere generali quo VIVIMUS et pro singulis...   4132
... Tu inter illa quae VIVIMUS guberna nos, dne, qs, ut ad illa perducas.   2559
Ds, in quo VIVIMUS movemur et sumus pluviam nobis...   832
Da qs clementissime pater, in quo VIVIMUS, movemur et sumus ut quotiens...   634
tu, qs, in ista qua VIVIMUS nos vita guberna...   1117
VD. Cuius est operis quod conditi sumus, muneris quod VIVIMUS pietatis quod...   3640
et quia tui operis est omne quod VIVIMUS praesta ut...   1414
VD. Tuum est enim (omne) quo VIVIMUS quia licet...   3968, 4204
ut semper aeadem per que VIVIMUS veraciter adpetamus.   385
qui cum patre VIVIS dominator et regnas deus...   404
qui cum patre et spiritu sancto VIVIS et regnas deus, per omnia saecula saeculorum.   3261
cum co VIVIS et regnas deus semper cum spiritu sancto...   867
cum quo VIVIS et regnas in unitate spiritus sancti.   869, 3465
qui VIVIT cum patre et spiritu sancto per omnia saecula saeculorum.   39
qui cum patre et spiritu sancto VIVIT et gloriatur deus...   18, 915, 2246
dominum nostrum, cum quo VIVIT et regnat cum spiritu sancto.   2519
cum quo VIVIT et regnat deus in unitate (eiusdem) spiritus (spiritui) sancti. Oremus.   848, 2498, 2518, 3588, 3946
qui cum patre et spiritu sancto, qui VIVIT et regnat deus per omnia saecula...   180, 345, 511
... VIVIT et regnat deus per omnia saecula saeculorum.   179, 2584
iseu christo qui cum patre et spiritu sancto VIVIT et regnat deus.   702, 850, 2522
in Christo Iesu Domino nostro, qui VIVIT et regnat.   513
absolvat, Iesus Christus dominus noster, qui tecum VIVIT et regnat.   1183
quem misisti filio tuo domino nostro qui tecum VIVIT et regnat.   2732
... Adiuvante domino nostro iesu christo qui cum eo VIVIT et regnat.   727, 729
... Non in solo pane VIVIT homo, sed in omne verbo dei...   1881
qui cum patrem et spiritu sancto VIVIT.   744
sed etiam mortua omnia cuncta VIVUNT cui facile est...   770
Ds, apud quem omnia moriencia VIVUNT cui non periunt...   747
Ds cui omnia VIVUNT, et cui non pereunt moriendo corpora nostra...   771
Ds apud quem mortuorum spiritus VIVUNT et in quo electorum...   746
deum cui omnia VIVUNT fideliter depraecemur...   701, 702
quos in nascendi lege VIXIT germanitas...   3852

VIVUS

Ds cui non solum VIVA omnia famulantur...   770
in atriis domus tuae tamquam potamina VIVA plantati...   1155

qua beatus laurentius hostia sancta VIVA tibi placens oblatus est... 3689

ad iordanis fontem fons aquae VIVE, discendere... 855, 1175

et qui ex aea baptizatus fuaerit, fiat templum dei VIVI et spiritus... 1533

fiat templum dei VIVI in remissione (remissionem) peccatorum... 1530, 1531

hic Christum filium dei VIVI pronuntiavit divinitus inspiratus... 3666a

et in nomine iesu christi fili dei VIVI qui pro te passus est... 2856

ihesu christi fili dei VIVI, regis et iudices nostri... 1548

et in nomine nazareni iesu christi fili dei VIVI unigeniti... 1540

in nomine domini nostri Iesu Christi Nazareni filii dei VIVI ut sis purgatio... 1539, 1541

Ds qui de VIVIS et electis lapidibus aeternum maiestati tuae condis habitaculum... 951

da honore deo VIVO, da honore (honorem) Iesu Christo filio eius... 1411, 2174, 2175, 2176, 2177

et da honore deo VIVO et vero et recede ab hoc famulo dei illo... 3566

da honorem deo VIVO et vero iesu christo filio aeius... 1411

ob hoc igitur reddit tibi vota sua deo VIVO et vero pro quo maiestati... 1719a

tibi reddunt vota sua aeterno Deo VIVO et vero. 2068

pro hoc reddo tibi vota mea deo vero et VIVO maiestatem tuam... 1724

... Ob hoc igitur reddunt tibi vota tua deo vero et VIVO pro quibus... 1719

creatam, sed a te deo solo vero et VIVO quia non est... 3389

nunc iam placere se domino in regione VIVORUM cum devicto... 58

sed illum, qui dominator VIVORUM et mortuorum est cui universitas... 1859

Adiuro te ergo, serpens antique, per iudicem VIVORUM et mortuorum per factorem... 142, 1355

sed illum qui dominator VIVORUM et mortuorum est qui venturus... 1355

Ds VIVORUM et salvatur omnium... 1264

et animam famuli tui illi... in VIVORUM regione aeternis gaudiis iubeas sociare. 2870

magno in lumine, in regione VIVORUM. 57, 2217

et iterum venturum cum gloria iudicare VIVOS et mortuos cuius regni... 554, 555

venturusque ad iudicandos VIVOS et mortuos declaratur... 1706, 1707

iudicare VIVOS et mortuos et saeculum per ignem. 222, 720, 1045, 1240, 1355, 1529, 1530, 1531, 1535, 1536, 1537, 1539, 1542, 1544, 1546, 2174, 2176, 2177, 2180, 3270, 3955

qui venturus est iudicare VIVOS et mortuos et saeculum. 1371, 1541

inde venturus iudicare VIVOS et mortuos. 551, 839, 1370, 1547, 1931

aego sum panis VIVOS qui de caelo discendi... 2386

Confundo te diabulae per deum VIVUM confundo te... 507

ita ad confitendum te deum VIVUM et dominum nostrum Iesum Christum... 4169

... Exorcizo te per deum VIVUM et per deum verum... 1542

et da honorem deum VIVUM et vero da honorem... 1411

convertantur ad deum VIVUM et verum et unicum filium... 2519

Exorcizo te, creatura salis, per deum VIVUM et verum per patrem... 1547

per deum verum et per deum VIVUM, per deum sanctum et per dominum... 1531, 1532

Unde benedico te, creatura aquae, per deum VIVUM, per deum sanctum per deum qui te... 3565 per deum VIVUM, per deum sanctum, per deum totius dulcidinis creatorem... 1535

Unde benedico te creatura aquae per deum VIVUM per deum sanctum qui te in principio... 1045

Exorcizo te creatura salis per deum VIVUM per deum verum per deum sanctum ... 1546

... Exorcizo te per deum VIVUM, per deum verum qui te... 1544

ad cognoscendum deum verum et VIVUM placatus suscipias... 1719a

... Sit fons VIVUS, aquae (aqua) regenerans, unda purificans... 1045, 1046, 1047

ut confessionis sacrae lapis VIVUS exsisteret... 3777a

... Ipse est enim panis verus et VIVUS qui subtantia aeternitatis... est ... 3786

VIX
iesum christum omnes caeli terraque VIX capere valuaerint... 2461

VOCABULUM
ut omnis haec plebs... huius VOCABULI consortio digna esse mereatur... 976

et quod insigni decoratis VOCABULO praeferebat... 3777a

dum trino VOCABULO unicam credimus maiestatem. 3638

VOCATIO
... Hic postremo ecclesiae VOCATIO... perducitur. 1706

... Paulum ad salutem gentium non inpari VOCATIONE consocias... 4169

et sanctificasti VOCATIONE misericordiae... 989

Ds qui ecclesiam tuam semper gentium VOCATIONE multiplicas... 975

... Qui domini nostri Iesu Christi filii tui VOCATIONE suscepta... 3608, 3609a, 3610

piaetatis tuae VOCATIONEM ad cornu apostolice apicis sublimasti... 166

de VOCATIONIBUS tibi ieiunium placeamur. 4183

ad supernae VOCATIONIS ascendis... 1091

da populis tuis digne ad graciam tuae VOCATIONIS intrare. 812

ad pravium superne VOCATIONIS, multiplicati... 2303

VOCO
et VOCABITUR admirabilis, consiliarius, deus fortis... 3677

et VOCAMUS nomen eius Emmanuhel et nobiscum deus est... 3677

magistrum et doctorem gentium VOCANDARUM mutato nomine conlocasti. 3908a

ille magister et doctor gentium VOCANDARUM sic dispensatione... 3666a

qui, te VOCANTE, hodiae penitravit caelos. 1176

Oblationis que veniunt in altare, panis proposicionis VOCANTUR. 4231

famulos tuos... quos ad officium levitarum VOCARE dignaris... 762

quos ad officium (officio) diaconii (diaconatus) VOCARE dignatur... 2499

quem in requiem VOCARE dignatus es donis sedem... 2355

Suscipe dne animam servi tui illius quam de ergastulo huius saeculi VOCARE dignatus es et libera... 3390

Ds qui aecclesiam tuam sponsa VOCARE dignatus es et quae haberet... 976

quos ad rudimenta fidei VOCARE dignatus es (omnem) caecitatem... 2369

... Et quia me indignum et peccatorem ad ministerium tuum VOCARE dignatus es sic me... 2239

famulum tuum ill. quem ad nova tondendi gratiae VOCARE dignatus es tribuens ei... 2465

benedictionem fontemque baptismatis dono VOCARE dignatus es ut fiat eius ... 2177

Ds qui ecclesiam tuam sponsam VOCARE dignatus es ut quae haberet... 976

dinumerare elegere atque VOCARE dignatus es.   1726
omnibus quos omnipotens deus ad gratiam suam VOCARE dignatus est cuius
  signum...   1548
ad suam gratiam et benedictionem VOCARE dignatus est in nomine domini...
  2176
ut super servum suum N. quem ad subdiaconatus officium VOCARE dignatus
  est infundat...   2498
et benedictionem fontemque baptismatis donum VOCARE dignatus est per hoc
  signum...   1411
et benedictionem fontemque baptismatis dono VOCARE dignatus est ut fiat
  eius...   2174
quoniam dominus noster... eum ad suam graciam et benedictionem VOCARE
  dignatus est !   2175
qui habit potestatem... et VOCARE ea quae non sunt, tamquam ea que sunt
  ...   2481
populus adquisitionis et sancta gens (gens sancta) VOCAREMUR agentes...
  3645
de diabolo et mortis aculeo ad hanc gloriam VOCAREMUR quia nunc genus...
  3645
populus adquisitionis et gens sancta VOCAREMUR.   3651
sed etiam ipsa misericordia et piaetas escensialiter iuste VOCARIS...
  2305
summae divinitati cederet VOCATA gentilitas...   3613
tua conlocetur in dextera cuius est aelectione VOCATA in gloria.   3216
a te VOCATI, ad patrem aeterni luminis transeant...   1248
ut populo ad aeternitatem VOCATO una sit fides...   965, 1142
Ds, qui omne meritum VOCATORUM donis tuae bonitatis anticipas...   1141
... Inde gaudium de adsumptione VOCATORUM hinc laetitiae...   58
per os ipsius domini dei nostri verbi tui VOCATUM in apostolatum...   4158
quos ad rudimenta fidei VOCATUS es.   2369
famuli tui ill. quem dominus VOCAVIT a presente seculo...   2481

          VOLITO
terrore VOLITANTIUM licenter in aere...   3392

          VOLO
custodi aeos a sagitta VOLANTE per diem...   567

          VOLO
sicut animae famuli tui paenitentiam VELLE donasti...   733, 734, 735, 736
da nobis et VELLE et posse quod (quae) praecepis...   965, 1142
omne ovium VELLE in tua voluntate plantari.   431, 950
et VELLE nobis largiaris et posse.   56
... Dum enim sine te nihil recti VELLE possimus aut agere aut perficere...
  3665
et praestit vobis VELLE que praecepit...   360
... Durum tibi est Christo VELLE resistere...   1355, 1859
sic per gratiam tuam et bene VELLE sumamus...   3797
nihil inlicitum VELLENT, nihil turpo desiderant...   854
dum pro vita omnium pius VELLIS agnus occidi...   1180
et ne VELLIS cum servis tuis adire iudicium...   1459
Deus, qui si VELLIS reddere quod meremur...   1209
quam VIS ad aeterna contendere.   84, 1420
O. et m. ds, qui peccantium non VIS animas perire sed culpas...   1363,
  2287
VD. Qui peccantium non VIS animas perire sed culpas...   3987
quem tuae VIS conplicem fieri veritatis.   3323

ut, quae corporeis non VIS delectationibus inpediri...   2592
VD. Qui nos sic pietate pariter adque iustitia VIS esse perfectos...
    3980
VD. Qui aeclesiam tuam a diabolica simulatione VIS esse purgatam...
    3902
... Et quos inlecebrosis delectationibus non VIS inpediri...   3718
ut quod tu VIS in caelo, hoc nos in terra positi inrepraehensibiliter
    faciamus. 1846
Deus, qui fidelium tuorum... ad veram VIS innocentiam pervenire...   995
... Quia non VIS invenire quod damnes, sed esse potius quod corones...
    4009a
... Et si nos perdere VIS, mitte nos in gregem porcorum...   224
qui non VIS mortem peccatoris...   1264
Ds qui iustificas impium et non VIS mortem peccatorum...   1051
O. s. ds, qui omnes salvas (salvas omnes) et neminem VIS perire respice...
    2434, 2448, 2449
Ds qui peccantium animas non VIS perire sed culpas...   1147
Si VIS, potens es mundare, dne...   3287
... Dum magis VIS salvos esse correctos quam perire deiectos.   3967
Tu es aenim deus nullum tibi perire VIS, sed omnibus...   4126
manere VIS simplices similitudine columbarum...   3981
ut quibus famulatum esse VIS sincere...   565
quia aeternarum rerum non VIS subire dispendium...   3812, 3972, 3973
... Et peccatorum vitam potius VOLENS quam mortem...   3952
... VOLENS ut in homine condito ubi requiesceris tibi domicilium
    consecraris. 1162
qui tibi VOLUERINT servire puris mentibus mundoque corde...   3465
quia si iniquitates nostras observare VOLUERIS...   1391
et cui VOLUAERIT filius revelare. 1446
aut pro herbas diabolicas peccatum tegere VOLUAERIT, tua dextera...   850
paenitentiam desideranter VOLUISSE sufficiat.   2268
sed pro ipso tu qui aeterna salus es VOLUISSES et mori.   2298
ut quod nobis ad inmortalitatis pignus esse VOLUISTI ad salutis aeternae
    ... 2967
ut qui diversitatem gentium... paraclyti spiritus dona VOLUISTI congregare
    ... 4198
quanto sublimius esse VOLUISTI da mihi famulo...   1320
Ds, qui prudentem sinceramque concordiam tuorum cordibus inesse VOLUISTI
    da nobis legitimae... 1189
Suscipe, dne, sacrificium, cuius te VOLUISTI dignanter (dignanti)
    immolatione placari... 3430
... Qui abrahae isaac et iacob... custos dux et comes esse VOLUISTI et
    famulo tuo... 3590
quibus et te placare VOLUISTI et nobis salutem potenti pietate restitui.
    3413
sollemnia nec inter praeteritas mundi tribulationes omittere VOLUISTI
    et nunc... 3630
ut mysterium cuius nos participes esse VOLUISTI et puro...   379
Ds qui de terra virgine adam pridem conderae VOLUISTI, et tu...   950
Ds... qui te a peccatoribus exorari VOLUISTI exaudi preces...   1263
Ds qui... verbum tuum beatae virginis alvo coadunare VOLUISTI fac nos ita
    ... 1005
sed etiam nascentem VOLUISTI hominem de terris ad astra transire...   1090
et quem in corpore constitutum sedis apostolicae gubernacula (gubernaculo)
    tenere VOLUISTI in electorum...   1747, 2070

qui pascale sacramentum quinquaginta dierum VOLUISTI mysterio contineri...
2436

accipe propitius, quae de tuis donis tibi nos offerre VOLUISTI non solum
nostrae... 942

Ds, qui hanc arboris pumma tua iussione et providencia progenitam esse
VOLUISTI nunc etiam... 998

quorum nos VOLUISTI patrociniis adiuvari. 2550

corporibus verbi tui veritatis filii... ineffabile mysterium coniungere
VOLUISTI petimus... 2456

aliquis pro defunctis a viventibus piae VOLUISTI placere sacrificiis.
3837

ut famulus tuus ill. quem populo tuo VOLUISTI preferri... 1207

qui nos et sollicitudine non pigros esse, et neminem laedere VOLUISTI
praesta qs ut nulli... 4223

Ds, qui de his terrae fructibus tua sacramenta constare VOLUISTI praesta
qs ut opem... 949

Ds qui de beatae virginis utero verbum tuum... carnem suscipere VOLUISTI
praesta supplicibus... 946

quae famulis tuis in utroque VOLUISTI praevere subsidium. 2961

a quibus te VOLUISTI pro peccatoribus exorari. 2964

et racionabile inditus intellectum te nosse VOLUISTI que fecisti. 3792

per quod totius mundi VOLUISTI relaxari peccata... 3145

Ds, qui misericordiam ianuam fidelibus patere VOLUISTI respice in nos...
1071

et per has hostias quibus te placari VOLUISTI, sanctifica misericors
immolantes. 2146

quos tantis VOLUISTI sanctorum tuorum suffragiis adiuvari. 2957

Ds, qui nos de praesentibus adiumentis esse VOLUISTI sollicitos... 1112

reparare VOLUISTI spiritalis gratiae aeterno (gratia aeterna) suffragio...
4129

famulum tuum illum regalis dignitatis fastigio VOLUISTI sublimari...
3912

quam tenere VOLUISTI totius aeclesiae principatum. 4021, 4077

et quia nos ad tua pertinere sacramenta VOLUISTI tu clementer... 3671

Per abstinentiam tibi gratias referre VOLUISTI ut ex ipsius... 3969,
3970

ita erudire populos tuos sacri carminis tui decantatione VOLUISTI ut illa
legis... 761

... Da aeclesiae tuae pacem, cui me praesse VOLUISTI ut in uno... 1358

Ds qui pro nobis filium tuum crucis patibulum subire VOLUISTI ut inimici
... 1181

sacrari tamen tibi loca tuis mysteriis apta VOLUISTI ut ipse oracionum...
3886

VD. Qui ideo nos imaginem tuam benignus exsistere VOLUISTI ut tenorem...
3937

infra alvum virginis mariae continere VOLUISTI. 2461

saxum sine manibus excisum nominare ipsum VOLUISTI. 3997

cuius me vice hodie ecclesiae tuae praeesse VOLUISTI. 4213

Benedicat vos dominus iesus christus, qui se a vobis VOLUIT benedici...
357

Et qui illis VOLUIT centesimi fructus donum decore virginitatis... conferre... 2263

qui per unigeniti... passionem vetus pascha in novum VOLUIT converti...
353

qui per eum archana verbi sui VOLUIT ecclesiae revelare. 2246

Et qui eum ut legem adimpleret ministrum VOLUIT effici legis...   2256
Et qui hanc... noctem redemptoris nostri resurrectione VOLUIT inlustrare
    ...   948
Quique eius infantiam vilibus VOLUIT indui pannis...   349
pedes VOLUIT lavare discipulorum.   353
gaudium magnum pastoribus ab angelo VOLUIT nuntiari...   2254
Clerum ac populum quem sua VOLUIT opitulatione tua sanctione congregari...
    337
qui vos eorum VOLUIT ornari et munerari exemplis et documentis.   1243
VD. Qui innocens pro impiis VOLUIT pati...   3950
qui super unigenitum suum spiritum sanctum demonstrari VOLUIT per columbam
    ...   853
O. ds qui unigenitum suum... in adsumpta carne in templo VOLUIT praesentari...   2256
qui unigenitum suum... stella duce gentibus VOLUIT revelare...   853
sicut te VOLUIT super populum suum constituere regem...   337
qui de antiquo hoste... verum etiam per feminas VOLUIT triumphare.   2264
quem dominus... et VOLUIT vehementer accendi.   1855
et bonum posse quod VOLUMUS.   3797
ut etsi cum dolore, tamen genetricis vel docentes VOLUNT, quia nec aliter
    ...   3918
ut eum maximo roboris VULT, finem...   924
... Non VULT habere quod perimat, sed cupit invenire quod redimat...
    3596
et quos VULT mittat cives in regno.   913
Deum... qui non VULT mortem peccatorum sed ut convertantur et vivant...
    724
... Quae dum duplicem VULT sumere palmam in sacri certaminis agone...
    3866
quam famula tua illa pro indictio cognuscendi rei induaere VULT, ut inter
    reliquas...   1298

        VOLUMEN
quia, ut se velare contendant,VOLUMINA divina percurrunt...   3653

        VOLUNTARIUS
ut peccata nostra castigatione VOLUNTARIA cohibentes...   538

        VOLUNTAS
ut paenitentiae fructum, quem VOLUNTAS eius optavit...   2272
... Fulget namque magis sola (sola magis) gratia quam VOLUNTAS et clara
    est...   3696, 3851
O. et m. ds, aput quem VOLUNTAS habetur humana pro factis...   2268
... Tu eis honor sis, tu gaudium, tu VOLUNTAS tu in merore...   758, 759
Fiat VOLUNTAS tua sicut in caelo et in terra...   1846
... Id est : in eo fiat VOLUNTAS tua, ut quod tu vis in caelo...   1846
sine terrore copia praeliandi VOLUNTAS, ut cum tuum duce...   2640
Tu eis honor sis, gaudium, tu VOLUNTAS.   758
direge francorum regnum in tua VOLUNTATE adque contra...   2250
non ex sanguinibus neque ex VOLUNTATE carnis, sed de tuo spiritu genitis
    ...   758, 759
et pura sibi VOLUNTATE concordet.   972
da servis tuis veram cum tua VOLUNTATE concordiam...   851
Ds qui fidelium mentis unius effices VOLUMPTATE da populis...   993
qui ab eius VOLUNTATE degenerat ?...   1695
Praesta, qs, dne, ut aecclesia tua prumta tibi VOLUNTATE deserviat...
    2724

maiestati tuae fiat etiam VOLUNTATE devotus.   647
quod nequaquem a tua VOLUNTATE discordet...   4198
presentium ordinem in tua VOLUNTATE disponens...   3898
ut non inveniantur voluntates aeorum a tua VOLUNTATE dissimilis...   3110
non carnis VOLUNTATE editi, sed sancti spiritus virtute generati.   1706
tribue (da nobis dne qs) (Tribuas) nobis perseverantem in tua VOLUNTATE
    famulatum...   587, 1311, 1325
prompta tibi VOLUNTATE famulemur.   3539
et in tua VOLUMPTATE intende in me.   219
quae eos et a tua VOLUNTATE numquam faciat discrepare...   1623
nec praeteriti studeamus VOLUNTATE peccare...   2796
omne ovium velle in tua VOLUNTATE plantari.   431, 950
Actur aeorum in tua direge VOLUNTATE, quo possint...   124
et omne quod bonum est prumta VOLUNTATE sectemur.   630
tuae maiestatis hanc VOLUNTATE semper obtemperare...   4126
sincera tibi VOLUNTATE subdamur.   1299
Fac nos, dne, (qs), prumpta VOLUNTATE subiectos...   1572
ut in exequendis mandatis tuis et VOLUNTATE tibi et actione placeamus.
    833
eiusque viam in VOLUNTATE tua dirigas...   3660
ut possimus placere coram te dne et perfecere in VOLUMPTATE tua et
    ambulare...   3468
dirigi viam famuli tui illius in VOLUNTATE tua ut te protectore...   961
ut quidquid iniuste vel nequiter... contra VOLUNTATE tuae admisimus...
    3379
ut recte faciendi VOLUNTATEM cognoscant...   4046
maiestati tuae fiat etiam VOLUNTATEM devotus.   647
Secundum VOLUNTATEM ergo domini...   3281
O. s. ds, fac nos tibi semper et devotam gerere VOLUNTATEM (et) maiestati
    ...   2247, 2340
proficiendi augeas VOLUNTATEM, et sicut...   2640
tribuas ei secundum tuam VOLUNTATEM exsequendi efficatiam...   3913
tribuae nobis perseverantem in tua VOLUNTATEM famolatum...   1325
Da, qs, o. ds, cunctae familiae tuae hanc VOLUNTATEM in christo...   667
nec precipitati studiamus VOLUNTATEM peccare...   2796
et ad regendum secundum tuam VOLUNTATEM populum idoneum reddat...   1686
Tibi placitam, ds noster, populo tuo tribue VOLUNTATEM quia tunc illi...
    3478
quod humana substantia contra VOLUNTATEM sui creatoris agendo...   3956
da nobis VOLUNTATEM tuam (et) fideli mente retinere...   2329
qui tuam in votis tenuit VOLUNTATEM ut sicut hic...   1584
direge viam famuli tui ill. in VOLUNTATEM, ut te protectorem...   961
ut rationabiles VOLUNTATES, aut inter ista proficiant ad salutem...   4200
Ds, qui per ineffabilem observantiam sacramenti famulorum tuorum praeparas
    VOLUNTATES donis...   1153
ut non inveniantur VOLUNTATES aeorum a tua voluntate dissimilis...   3110
Repelle, dne, qs, a nobis sacrilegas VOLUNTATES et tribue...   3059
Excita dne qs tuorum fidelium VOLUNTATES ut divini operis...   1524
Rege nostras, dne, propitius VOLUNTATES ut nec propriis...   3051
Subde tibi nostras, qs, dne, VOLUNTATES ut semper et fide...   3312
et ad tuorum observantiam mandatorum tu omnium dirige VOLUNTATES.   860
et ad ea quae recta sunt tuorum dirige VOLUNTATES.   2984
ipsorum primitus bonas esse concede (effice) VOLUNTATES.   3050
et ad supplicandum tibi nostras semper excita VOLUNTATES.   1572
et ad te nostras etiam rebelles conpelle propitius VOLUNTATES.   2208

Ds, qui fidelium mentes unius efficis VOLUNTATI da populis...   993
Eripe nos, dne, qs, ab his quae divinae sunt contraria VOLUNTATI et quia
   tui...   1414
inimici sunt, qui tuae VOLUNTATI nituntur esse contrarii...   3808
O. et m. ds, apta nos tuae propicius VOLUNTATI quoniam sicut...   2267
sed tuae subdamur clementer et incessabiliter VOLUNTATI.   4211
qui nos a noxiis VOLUNTATIBUS indesinenter expediat...   4208
in quibus nos facias quod ad tuis VOLUNTATIBUS perteneat.   394
ut ab inprobis VOLUNTATIBUS recedentes...   452
a noxiis VOLUNTATIBUS temperemur.   3157
... Cibus eius est, totius bonae VOLUNTATIS affectus...   3880
et idoneum me pro omnia ministrum tuae VOLUNTATIS efficias.   1724
humane VOLUNTATIS intentionibus amputemus...   4140
praes(en)tis seculi VOLUNTATIS omnes ac dilicias neglexerunt...   3805
humanae VOLUNTATIS pravis intentionibus amputemus...   3732, 4140
et nostrae VOLUNTATIS pravitatem frangere...   1025
per omnia elimenta VOLUNTATIS tuae defundas (defundit) affectum...   1372
ut qui VOLUNTATIS tuae viam te donante (donantem) sequimur...   1071
Reple aeos tuae stientiae VOLUNTATIS ut omnibus...   1248
internae pacis et bonae VOLUNTATIS vos nectare repleat...   2254
averte iocundas et noxias corporum VOLUNTATIS.   1248
et ad supplicantem tibi nostram semper excita VOLUNTATIS.   1572
ex operum qualitate fructus intellegi praecipis VOLUNTATUM ad te pertinere
   ...   3902
lignum vitae principio a paradisum VOLUNTATUM ornasti...   2321
timentium VOLUNTATUM respuamus affectus.   2675
tumentium VOLUNTATUM respuamus adflatus.   2675

VOLUPTAS
praesentis saeculo VOLUPTATES ac delicias contempserunt...   3854
et omnes sanctae virgines... praesentis saeculi VOLUPTATES ac dilicias
   neglexerunt...   3853
et inlecebrosas a nobis excludi VOLUPTATES et spiritales...   4029
qui nos a noxiis VOLUPTATIBUS indesinenter expediat...   3704, 4208
ne infimis VOLUPTATIBUS occupati mentes...   4215
a noxiis quoque VOLUPTATIBUS temperemur.   3154
praesentis seculi VOLUPTATIS omnes ac dilicias neglexerunt...   3805
humanae VOLUPTATIS pravis intentionibus amputetur...   3731
ut antiquarum non memineat VOLUPTATUM nesciat...   529
tumentium VOLUMPTATUM respuamus afflatus.   2675

VOMITUS
ut detrahentis VOMITUM aeorum cenosa contagia...   2027

VORAGO
animam quam de huius mundi VORAGINE caenulenta ducis ad patriam...   3470
velut de VORAGINE ignis aeripias...   884
post spatia temporum a VORAGINE terrae abstracte...   899

VOTIVUS
ut quos ieiunia VOTIVA castigant, ipsa quoque devotio sancta laetificet...
   2788
Quos ieiunia VOTIVA castigant tua, dne, sacramenta purificent...   3028
Intercessio nos qs dne sanctae luciae martyre tuae VOTIVA confoveat...
   1946
te, dne, mirabilem praedicantes munera VOTIVA deferimus...   1891
Oblatio tibi, dne, VOTIVA defertur...   2198
VOTIBA, dne, dona percepimus...   4251

VOTIVA, dne, munera deferentes in tuorum Petri et Marcellini martyrum
    passione... 4252
VOTIVA dne pro beati... commemoratione (passione) dona percipimus...
    4253, 4254
Suscipe, dne, munera tuorum populorum VOTIVA et sanctorum... 3403
Respice, dne, munera populi tui, sanctorum festivitate VOTIBA et tuae
    testificatio... 3086
ut quos VOTIVA ieiunia castigant... 2788
et cuius VOTIVA laetatur officio... 1566
Sancti nos, qs, dne, Hermis (vitalis, hyronimi) natalicia VOTIVA
    laetificent... 3209
ut semper nobis beati Laurenti laetificent VOTIVA martyria... 2738
VD. Adest enim dies magnifici VOTIVA martyrii... 3595
Perfice, dne, VOTIVA mysteria et quae in martyrum... 2575
VD. (quoniam) Adest aenim nobis diaei magnifici VOTIVA misteria (mysterii)
    qua venerandus... 3595, 4084
ut semper nos beati laurentii laetificent VOTIVA misteria quae semper esse
    ... 2738
Sumpsimus, dne, VOTIVA mysteria quaesumus clementiam... 3341
Suscipe, dne, munera tuorum VOTIVA populorum... 3404
eius natalicia VOTIVA praecurrens... 2577
et de aeclesiae praesolum et de suo referant gaudia VOTIVA profectu.
    3061
ut eorum VOTIVA prosperitas pax tuorum possit esse populorum. 2347
... VOTIVA recolimus sumptae primordia dignitatis... 2492
Sanctorum... qs dne natalicia nobis VOTIVA resplendeant... 3233
Sumpsimus, dne, celebritatis annuae VOTIVA sacramenta... 3333
Sint tibi placita, dne, populi tui VOTIVA sacrificia... 3293
caelebrantes (apostolorum Petri et Pauli) VOTIVA solemnia... 3337
caelebrantes beati bartholomei apostoli tui VOTIVA solemnia... 3337
nativitatis eius VOTIVA sollemnitas pacis tribuat incrementum. 1602
et eorum parcipiat intercessione VOTIBA subsidia... 2598
ut quorum (nobis) festivitate VOTIVA sunt sacramenta... 2652
Sumpsimus dne caelebritatis annuae VOTIVE sacramentum (sacramenta)...
    3333
VOTIVIS, qs, dne, famulae tuae illius adesto muneribus... 4255
et cuius de VOTIVO laetatur officio... 1566
ut ad VOTIVO magnae festivitatis effectu... 143
VOTIVOS nos dne qs beati martyris illi natalis semper excipiat... 4256
ut ad VOTIVUM magne festivitatis effectum... 143

                VOTUM
tibi devocionem suam offeret, a quo ipsa VOTA adsumpsit... 759
et pia populi tui VOTA benignus exaudi. 2908
et VOTA caelestium dignitatem ab ipso percipere mereamur. 2643
cuius annua VOTA celebramus... 4077
ieiunantium VOTA clementer adsume... 1301
et tuorum (sanctorum) tibi VOTA conciliet (famulorum). 1618
opus perficias, VOTA condonis. 3662
... Societatis humanae VOTA contempnens... 3686
Da nobis, qs, dne, semper haec tibi VOTA deferre... 622
Oblatio tibi dne VOTA defertur... 2198
hic plebs tua semper et sua VOTA depromat (depraemat) et desiderata
    percipiat. 208
ut ad VOTA desideriorum suorum perveniat. 3662
ut quae in praecum VOTA detulimus... 1410

qui pia VOTA dignaris (dignaris) intueri...   1052, 1053
Matutina supplicum VOTA, dne, propitius intuere...   2063
meritis (meriti, merita) supplicum excedis et VOTA effunde...   2375
et tuorum VOTA fidelium munera suppliciter oblata concilient...   214
Da nobis qs dne semper haec tibi VOTA gradanter persolvere...   622
Qs o. ds, VOTA humilium respice...   3007, 3008
et praesentis VOTA ieiunii placita tibi devocione exhibere concede.   104
et nostris VOTA ieiunii salutaris tui perfice sacramentum.   3411
Iugiter nos, dne, sanctorum tuorum VOTA laetificent...   1981
pro hoc reddo tibi VOTA mea deo vero et vivo...   1724
ut quibus annua caelaebritates huius VOTA multiplicas...   3825
... VOTA nostra quae praeveniendo adspiras, etiam adiuvando prosequere.
   1003
VOTA nostra qs dne pio favore prosequere...   4248
Ds qui supplicum tuorum VOTA per caritatis officia suscipere dignaris...
   1218
Tu, climentissime pater, VOTA perficias...   1975
et intercessione beati martyris tui illius omnium in te credentium VOTA
   perficias.   2344, 2472
ut ad tuam misericordiam conferendam perpetuam dignanter eius VOTA
   perficias.   2844
ut per eius merita VOTA perficiat...   1500
hic fidelis populus VOTA persolvant...   3828
atquae annua tibi VOTA persolvat.   1715
annua maiestati tuae VOTA persolvimus.   4178
laetus tibi hac sua VOTA persolvit...   1719a
Ad aures misericordiae tuae, dne, supplicum VOTA perveniant...   43
et ad bonorum desideriorum VOTA perveniat...   3660
Praesta... postulanti veniam, poscenti VOTA pinguisce.   3662
auge populi tui VOTA placatus...   2473
inclina aures tuas ad VOTA populi propitius...   920
Erige VOTA populi, qui pretullisti gloriose merita confessori.   1176
VOTA populi tui, dne, propitiatus (propitius) intende...   4249
et fidelium VOTA populorum tua potius dignatione firmentur.   2489
Deus, qui praevenis VOTA poscentium tribue qa...   1177
VD. Et ideo differs VOTA poscentium ut in ipsa quoque...   3935
Intuere propitius VOTA praesentes populi...   1227, 1233
et intercessione beati martiri Prisci omnium (intercedencium) (in te
   credentium) VOTA proficias.   2344
et clamantium ad te pia VOTA propitius intuere.   3449
Intende, praecamur, altissime, VOTA quae reddimus...   1936
VOTA qs dne supplicantis populi caelesti pietate prosequere...   4250
cum et salutis nostrae VOTA recolimus...   3121
Annua martyrum tuorum, dne, VOTA recurrimus...   181
Exaudi dne famulos vespertina nomini tuo VOTA reddentes...   1448
laudis canere, VOTA reddere...   3821
ut dum haec presentia VOTA reddimus...   186, 193
VD. Beati Laurenti annua VOTA repetentes...   3614
corde teneat, et VOTA requirat.   431
Sanctorum Cyrini Naboris et Nazari, qs, dne, natalicia nobis VOTA
   resplendeant...   3233
et benignus humilitatis nostrae VOTA sanctifica...   2859
etiam mane dignanter respicias VOTA solventes.   2497
tibi reddunt VOTA sua aeterno Deo vivo et vero.   2068
ob hoc igitur reddit tibi VOTA sua deo vivo et vero...   1719a

ut per multa curricula annorum laetus tibi haec VOTA sua persolvat...
   1719
Ad hoc igitur reddunt tibi VOTA sua, verum deo et vivo...   1719
ei devotionem suam offerunt, a quo ipsa VOTA sumpserunt...   758
respice VOTA supplicum, quia tua...   1180
praeces audias, VOTA suscipias desiderata...   866
... Hodie ieiuniorum nostrorum VOTA suscipias et eras nos...   3950
Sicque ieiunii vestri et precum VOTA suscipiat...   2243
et VOTA totius populi praecantis adtendite...   3454
... Ob hoc igitur reddunt tibi VOTA tua deo vero et vivo...   1719
dum peticionis ingeret VOTA, votorum...   782
et desideria VOTI aeorum ad affectum tuae miserationis perducas...   3461
Adesto, dne, qs, aeclesiae tuae VOTIS adesto muneribus...   86
et quod VOTIS celebrant, conpraehendant effectu.   2671
ut fidelium VOTIS eorum praeclaris reliquiis conlocatis...   1286
quam tibi offert pro VOTIS et disideriis suis...   1717
Mysteriis, dne, repleti sumus VOTIS et gaudiis...   2167
Propitiare, dne, supplicum VOTIS et populi tui...   2881
ut haec sancta mysteria, quae celebramus VOTIS, experiamur auxiliis.
   3070
ut quae VOTIS expetimus...   2809
et quae VOTIS expetit, salubriter adsequatur.   374
ut te VOTIS exspectent, se claris actibus orent.   359
quam videre VOTIS in caelis optant.   906
... Cuius ineffabilem clementiam VOTIS omnibus exoramus, ut...   3912
VD. Pietatem tuam VOTIS omnibus expetentes...   3845
Ecclesiae tuae dne VOTIS placatus amitte...   1388
O. s. ds, aeclesiae tuae VOTIS propitiatus aspira...   2337
ut qui ieiuniis et VOTIS solemnibus nativitatem unigeniti tui praevenimus
   ...   3962a
adesto VOTIS sollemnitatis hodiernae...   2271
VD. Et tuam clementiam VOTIS supplicibus implorare...   3742
qui tuam in VOTIS tenuit voluntatem...   1584
cunctaque familiam tuam pius adimple, VOTISQUE responde, augmente aeis
   ad aulae...   1733
desideria cordis conplacita tibi pius adimple VOTISQUE responde augmenta
   aeis annos...   1777
VD. Et tuam inmensam clementiam supplici VOTO deposcere...   3744
diemque iudicii cum fidutia VOTO glorificationis (gratulationis) exspectet.
   3862, 4099
voce concinat, et VOTO requirat.   950
praeces humilimas, VOTO sencerae mentes oblatas.   1073
gloriatur ecclesia omnem festivitatem (omni festivitate) VOTORUM ad nova
   tendere...   1953, 1954
et compos reddatur iustorum VOTORUM et de suorum...   3590
quia et omnium nobis hodie summa VOTORUM et causa... exhorta est.   1561
qui in honore sancti tui ill. VOTORUM munera offerat...   4126
ut (hic et) (huic) sacramentorum virtus et VOTORUM obteneatur effectus.
   2304, 3886
pro pena gloria, pro VOTORUM officia premiae sempiterna.   4126
et de suorum VOTORUM plenitudinem (plenitudine) gratiarum referant
   actiones (actionem).   3062
... VOTORUM sentiat obtinuisse suffragia.   782
a quo et ipsa eundem VOTUM adsumpsit...   760
Commune VOTUM communis oratio prosequatur...   405

ut sit nullius (nullius sit) irritum VOTUM et nullius vacua postulacio...
   2873, 2876
0. et m. ds cui redditur VOTUM in hyerusalem...   2269
ut nullius sit irritum VOTUM nullius vacua postolacio...   2873
... Et per eum tibi sit meum acceptabile VOTUM, qui se tibi obtulit in
   sacrificium...   3893
ut reportit per hoc praemium quicquid intullerit VOTUM sacrificare...
   3997
cui iacob VOTUM vovit et reddedit.   4126

         VOVEO
ut quod tremente servitio nos VOVEMUS eius praecibus...   207
ut quod tremente servitio nos VOVEMUS oblatum...   2159
VD. Tibi VOVERE contriti sacrificium cordis...   3741, 4184
que tibi VOVERUNT servire puris mentibus...   3465
cui iacob votum VOVIT et reddedit.   4126
et quae pro timore tuo continenciae (continentiam) pudiciciam VOVIT tuo
   auxilio...   757

         VOX
veraciter impleverunt quod davidica VOCE canitur...   3612
laudes eius sancta VOCE cantemus.   4139
humiliatus atque prostratus prophetica ad deum VOCE clamat dicens...   58
Te oculis intendat, VOCE concinat corde...   431
corde teneat, VOCE concinat et voto...   950
sed omnes habitantes interius VOCE, corde et opere decantent...   1330
ut quod mea celebrandum (celebranda) VOCE depromitur...   863
qui divini oris sui VOCE discipulis ait... Vos estis sal terrae...   1545

ut quandoque angelica pocius VOCE fecundaretur...   794
etaerica alta VOCE laudant et benedicunt...   3736
sanctorum prophaetarum VOCE manifestasti...   1034
ut (id) quod libera praedicaverat VOCE nec pendens...   3595, 4084
qui divina VOCE oris sui locutus est...   1547
verbi tui potentia Iudaicam destruens constanti VOCE perfidiam...   4186
sacramentum, quod profetica VOCE praedixerat...   4095
cerubin quoque et syraphyn incaessabile VOCE proclamant dicentes...   4004
lingua VOCE proferat, actio facti non offendat.   354
excelsa mente conspiceret et evangelica (angelica) VOCE proferret...
   3608, 3609, 3613
qui filium tuum humana necdum VOCE profitentes caelesti...   149
ut qui dominum sua VOCE pronuntiant...   1488
unigeniti tua VOCE pronuntias...   3879
et VOCE supplici exoramus, ut...   3647
et cum VOCE supplici exorare ut superventure...   3647
quo beatae Mariae fructum sedula VOCE (benedictione) susciperet...   3754,
   3755
non hoc te ieiunium deligisse profetica VOCE testaris...   4072
agnuscimus sicut prophaeta dum VOCE testatum est...   3598
sicut profetica dudum VOCE testatus es...   3598
iuxta VOCEM apostoli tui pauli...   3918
qui mox ut VOCEM domini salvatoris audivit...   3907
ut obtineamus VOCEM fili tui iesu christi domini nostri...   3282
qui VOCEM matris domini nondum aeditus sensit...   3688, 3772
evangelicam VOCEM non frustratoria aure capiens...   58, 59
qui divina VOCEM oris sui locutus est dicens...   1547

Et idio aelectionem vestram debitis VOCEM publica profideri.   3021
ad VOCEM tubae, dispersa ossa, menbra ad iuncturas corporum...   3668
... VOCEM vestri doloris exaudiat...   169
Quia nostrae VOCES, dne, non merentur audiri...   3018
et VOCES nostras clementiae tuae propitiationis anticipet.   2814
Aeclesiae tuae, dne, VOCES placatus admitte...   1388
... Cum quibus et nostras VOCES ut admitti iubeas depraecamur...   2556,
3589
VOCI nostrae, qs, dne, aures tuae pietatis accomoda...   4246
laudisque tuae dne fidenter intendas coniungere VOCIBUS angelorum...
4039

et magnis populorum VOCIBUS, haec aula resultet...   1564
misericordiam tuam, mundi redemptor, flevilibus VOCIBUS inploramus...
1289

et cernuis VOCIBUS invocatis...   802
quem cerubin et seraphin indefessis VOCIBUS laudant.   141, 1354, 1355
... Tuam ergo clementiam indefessis VOCIBUS obsecramus, ut...   3659
... Hoc patriarchae diversis actionibus et VOCIBUS signaverunt...   4100
... Deus autem noster fidei et non VOCIS auditor est...   1373
... VOCIS est privatus officio (officium)...   3754, 3755
Tui sunt, dne, populi, qui ministerium nostrae VOCIS expectant...   3553
Et quod officio VOCIS inplere non potuit...   1440
toto cordis ac mentis affectu ut VOCIS misterio (ministerio) personare
...   3791, 4206
... VOCIS nostrae exorandus (exorandum) officio praesenti benediccione
sanctificet...   707, 718
tuae maiestati VOCIS offerre.   1509
in quo tibi optime conplacuisse testimonio subsequentis VOCIS ostenderis
...   3945
et VOCUM varietas aedificationi aeclesiasticae non difficultatem faceret
...   3762
VOX clamantis aeclesiae ad aures, qs, dne, tuae pietatis ascendat...
4257
quam beati baptistae Iohannis VOX clamantis edocuit.   2326
incipit dicens : VOX clamantis in deserto...   2059
... VOX dei erant ut aquarum pedibus aeius...   1860
... Haec libertatis VOX est et plena fiducia...   1695
... VOX haec populi tui fideliter concinentes...   4050
Accedat ad te VOX illa intercedens pro populo...   1230
VD. Fulget enim VOX illa piissima domini Iesu Christi...   3757
Accedat ad te VOX illam intercedens pro populo...   1230
Ascendat VOX illius ad aures altissimi...   910
et quam VOX iniquitatis nostrae non obtinet...   3287
VOX nostra te dne semper deprecetur et ad aures tuae pietatis ascendat.
4258
Haec postquam prophetica sepius VOX praedixit...   3635

VULNERO

et in speciae VULNERATI medicus ambulabit (ambulavit).   4003, 4004
da indulgentiam reis et medicina tribue VULNERATIS...   922, 923
et VULNERATO auxilium sanitatis indulgeas...   1368
quicquid in nostra mente VULNERATUM est, ipsius miseracionis dono
curetur.   443
Ds qui genus humanum VULNERATUM protoplaustu novo recuperasti...   996

VULNUS

sana VULNERA eiusquae remitte peccata...   108

et VULNERA nostra qui tibi non sunt abscondita...   3821
et si qua sunt culparum suarum omnium VULNERA quae post sacri...   724
sana VULNERA, remitte peccata...   68
... Quamvis enim natura nostra peccati vitiata sit VULNERE a terrenis...
   3640
cuius VULNERE captivitas resoluta est.   3661
quia licet peccati (peccata) VULNERE natura nostra vitiata sit (sit
   vitiata)...   3968, 4204
nequaquam ultra novis VULNERIBUS saucietur...   822, 823
... Tu eius medere VULNERIBUS tu iacenti...   822, 823
propitiare omnium gemituum et cunctorum medere VULNERIBUS ut sicut nemo...
   1254
et aeventum dominici VULNERIS aelementa tremuerunt.   3661
Diri VULNERIS novitate perculsi...   1289
Et qui ab eorum pectoribus adtactu sui corporis VULNUS amputavit
   dubietatis...   802

          VULTUS
Cerne placato VULTU confrequetantem hodiae populum...   910
et hoc sacrificium... sereno VULTU digneris respicere...   756
ut sicut inmutatur in VULTU, ita manus dexterae tuae in eum virtutis
   tribuat...   2761, 2503
Inspice... VULTU potius remissoris quam iudices.   3048
Supra quae propitio ac sereno VULTU respicere digneris...   3383
et reconciliatur tibi per christum serenum VULTU respicias...   3920
Omnipotens deus vos placito VULTU respiciat...   2261
... Iube venientes ad te saereno VULTU suscipere...   2658
pius ac propicius clementi VULTU suscipias...   1718, 1720
et sereno VULTU totam in nobis lucem piaetatis tuae infunde...   1316
benedictionis tuae munere prostratu VULTUM poscentem.   329
Convertat dominus VULTUM suum ad vos et dit vobis pacem.   333, 336, 339
ornamentum barbam aetiam VULTUM vestire iussisti...   898
... Et similitudo VULTUS eorum ut facies hominis et facies leonis a
   dextris illius...   203
tuae claritatis VULTUS inlustret...   1734
cuique habitus, sermo, VULTUS, incessus, doctrina, virtus sit...   3281
et hilaritatem tui VULTUS nobis inpertire digneris.   2978
... VULTOS nostros in oleo exhilarandos esse cantavit...   3945
haec olei unctio VULTOS nostros iocundos efficiat ac serenos...   3945,
   3046
pius hac propitius cuius clementi VULTUS suscipias...   1720

          VULVA
Ds, qui emortuam VULVAM Sarrae ita per Abrahae semen fecundare dignatus es
   ...   977

          XYSTUS
... Cleti Clementis XYSTI Corneli Cybriani...   417
VD. Natalem diem sancti... XYSTI devita festivitate recolentes...   3810
VD. Adest enim nobis sancti... XYSTI desiderata festivitas...   3597
Sancti XISTI dne frequentata solemnitas...   3210
Beati XISTI dne tui sacerdotis et martyris annua festa recolentes...   284
que beati XISTI et caelebritate iubamur et precibus.   3078
Deus, qui nos ad sancti... XYSTI natalicia tribuisti pervenire laetantes
   ...   1095
qua sancti XYSTI praesulis apostolici natalicia praelibantes...   4178

etiam hunc nobis venerabilem diem beati XYSTI sacerdotis sanguine
    consecrasti...   4089
... XYSTI semper honoranda sollemnia...   3630
VD. Qui sancto martyri tuo XYSTO ac praecipuo sacerdoti...   4015
VD. Qui sanctum XYSTUM sedis apostolicae sacerdotem...   4017
qua beatus XYSTUS pariter sacerdos et martyr...   3773
que maiestati tuae beatus XISTUS sacerdos commendet et martyr...   3399

        ZACHARIA
... Hic enim Christi evangelium loquuturus sic coepit de ZACHARIA et
    Elisabeth...   2031
azechias in lecto, ZACHARIAS vetulu in inpetravit filio.   924

        ZEBEDEUS
Aeterne ds qui ZEBEDEI tui geminam prolem magnifica...   166

        ZELUM
et ZELUS dei habuit et deum fecisse omnia adoravit.   3389

        ZENON
Ad martyrum tuorum... et felicule et ZENONIS dne festa venientes...   50
et festivitatem martyrum tuorum... et felicule et ZENONIS quam nobis...
    2928
ut festa... et felicule et ZENONIS sine cessatione venerantes...   3560

        ZONA
continentia lumbos praetiosa oris ZONA circundet.   1163

SPICILEGIUM FRIBURGENSE

Textes pour servir à l'histoire de la vie chrétienne
édité par
G. G. Meersseman – A. Hänggi – P. Ladner

Vol. 1: A. Hänggi: Der Rheinauer Liber Ordinarius (Zürich Rh 80, Anfang 12. Jh.). lviii–322 S., 1957.   Fr. 36.—

Vol. 2: G. G. Meersseman OP: Der Hymnos Akathistos im Abendland. I. Akathistos-Akoluthie und Grußhymnen. xii–288 S., 1958.   Fr. 25.—

Vol. 3: G. G. Meersseman OP: Der Hymnos Akathistos im Abendland. II. Gruß-Psalter, Gruß-Orationen, Gaude-Andachten und Litaneien. xvi–392 S., 1960.   Fr. 42.—

Vol. 4: M.-A. van den Oudenrijn OP: Gamaliel. Äthiopische Texte zur Pilatusliteratur. lx–188 S., 1959.   Fr. 40.—

Vol. 5: G. Hürlimann: Das Rheinauer Rituale (Zürich Rh 114, Anfang 12. Jh.) xvi–179 S., 1959.   Fr. 30.—

Vol. 6: John C. Gorman SM: William of Newburgh's Explanatio Sacri Epithalamii in Matrem Sponsi. A Commentary on the Canticle of Canticles (12th-C.). x–370 p., 1960.   Fr. 48.—

Vol. 7: G. G. Meersseman OP: Dossier de l'Ordre de la Pénitence au XIIIe siècle. xvi–346 p., 1961; deuxième édition remaniée 1982.   Fr. 50.—

Vol. 8: Fr. Unterkircher: Das Kollektar-Pontifikale des Bischofs Baturich von Regensburg (817–848). Cod. Vindob. ser. n. 2762. x–194 S., 1962.   Fr. 35.—

Vol. 9: A. Ripberger: Der Pseudo-Hieronymus-Brief IX *Cogitis me*. Ein erster marianischer Traktat des Mittelalters von Paschasius Radbert. xv–150 S., 1962.   Fr. 25.—

Vol. 10: J. Siegwart OP: Die Consuetudines des Augustiner-Chorherrenstiftes Marbach im Elsaß (12. Jahrh.). xxii–418 S., 1965.   Fr. 47.—

Vol. 11: R. Quadri OFM Cap.: I Collectanea di Eirico di Auxerre. xvi–172 p., 1966.   Fr. 25.—

Vol. 12: A. Hänggi – I. Pahl: Prex Eucharistica. Textus e variis liturgiis antiquioribus selecti. xxiv–520 p., 1968; 2ª editio 1978.   Fr. 75.—

Vol. 13: B. Giovanni Dominici OP, Lettere spirituali. A cura di M.-T. Casella e G. Pozzi. viii–356 p., 1969.   Fr. 45.—

Vol. 14: W. von Arx: Das Klosterrituale von Biburg. (Budapest, Cod. lat. m. ae. Nr. 330, 12. Jh.). xxviii–357 S., 1970.   Fr. 53.—

Vol. 15: A. Hänggi – A. Schönherr: Sacramentarium Rhenaugiense. Handschrift Rh 30 der Zentralbibliothek Zürich. xvi–431 S., 4 Bildtafeln, 1970.   Fr. 60.—

Vol. 16: J. DESHUSSES OSB: Le Sacramentaire Grégorien. Ses principales formes d'après les plus anciens manuscrits. Tome I: Le sacramentaire, le supplément d'Aniane. 768 p., 2e édition revue et corrigée 1979.
Fr. 90.—

Vol. 17: J. F. HINNEBUSCH OP: The Historia occidentalis of Jacques de Vitry. A critical edition. XXII–314 p,, 1972. Fr. 40.—

Vol. 18: F. HUOT OSB: L'Ordinaire de Sion. Etude sur sa transmission manuscrite, son cadre historique et sa liturgie. 800 p., 1973. Fr. 96.—

Vol. 19: B. BISCHOFF – B. TAEGER: Johannis Mantuani in Cantica Canticorum et de sancta Maria Tractatus ad Comitissam Matildam. X–200 S., 2 Tafeln, 1973. Fr. 45.—

Vol. 20: F. UNTERKIRCHER: Die Glossen des Psalters von Mondsee (vor 788). Montpellier, Faculté de médecine Ms. 409. XVI–692 S., 16 S. Tafeln, 1974. Fr. 96.—

Vol. 21: G. G. MEERSSEMAN – E. ADDA – J. DESHUSSES: L'Orazionale dell'Arcidiacono Pacifico e il Carpsum del cantore Stefano di Verona. Studi e testi sulla liturgia del duomo di Verona dal IX all'XI secolo. XVI–382 p., 1974. Fr. 50.—

Vol. 22: St. J. P. VAN DIJK †: The Ordinal of the Papal Court from Innocent III to Boniface VIII and related documents. Completed by J. H. WALKER. LXIV–707 p., 1975. Fr. 118.—

Vol. 23: P. KÜNZLE OP: Heinrich Seuses Horologium Sapientiae. Erstmals kritisch herausgegeben unter Benützung der Vorarbeiten von D. PLANZER OP. XXIV–692 S., 1977. Fr. 96.—

Vol. 24: J. DESHUSSES OSB: Le Sacramentaire Grégorien. Ses principales formes d'après les plus anciens manuscrits. Tome II: Textes complémentaires pour la messe. 413 p., 1979. Fr. 65.—

Vol. 25: M. MEYER OSB: Die Pönitentiarie-Formularsammlung des Walter Murner von Straßburg. Beitrag zur Geschichte und Diplomatik der päpstlichen Pönitentiarie im 14. Jahrhundert. XVIII–614 S., 1979.
Fr. 95.—

Vol. 26: A. ODERMATT OSB: Ein Rituale in beneventanischer Schrift. Roma, Biblioteca Vallicelliana, Cod C 32, Ende des 11. Jahrhunderts. 376 S., 1980. Fr. 64.—

Vol. 27: M. WALLACH-FALLER: Ein alemannischer Psalter aus dem 14. Jahrhundert. Hs. A. IV. 44 der Universitätsbibliothek Basel, Bl. 61–178. 481 S., 1981. Fr. 81.—

Vol. 28: J. DESHUSSES OSB: Le Sacramentaire Grégorien. Ses principales formes d'après les plus anciens manuscrits. Tome III. Textes complémentaires divers. 375 p., 1982. Fr. 65.—

En préparation

I. PAHL: Coena Domini. Die Liturgie des Abendmahls seit der Reformation. Teil I: Texte des 16./17. Jahrhunderts.

Vol. 15 ss: ITER HELVETICUM
Edité par P. LADNER

Vol. 15: Teil I: Die liturgischen Handschriften der Kantons- und Universitätsbibliothek Freiburg. Beschrieben von JOSEF LEISIBACH. 256 S., 1976. Fr. 60.—

Vol. 16: Teil II: Die liturgischen Handschriften des Kantons Freiburg (ohne Kantonsbibliothek). Beschrieben von JOSEF LEISIBACH. 218 S., 32 Abb., 1977. Fr. 55.—

Vol. 17: Teil III: Die liturgischen Handschriften des Kapitelsarchivs in Sitten. Beschrieben von JOSEF LEISIBACH. 324 S., 48 Abbildungen, 1979. Fr. 68.—

En préparation

Vol. 18: Teil IV: Die liturgischen Handschriften des Kantons Wallis (ohne Kapitelsarchiv von Sitten). Beschrieben von JOSEF LEISIBACH (erscheint 1983).

Vol. 19: Partie V: Les manuscrits liturgiques du canton de Genève.

Vol. 20: Partie VI: Les manuscrits liturgiques des cantons de Vaud et de Neuchâtel.

ÉDITIONS UNIVERSITAIRES FRIBOURG SUISSE

SPICILEGII FRIBURGENSIS SUBSIDIA

édité par

G. G. Meersseman – A. Hänggi – P. Ladner

Vol. 1: K. Gamber:
CODICES LITURGICI LATINI ANTIQUIORES
(Reliquiae liturgiae africanae. Libri Liturgici celtici, gallicani, moza-
rabici, campani, beneventani et ambrosiani. Sacramentaria, Capitu-
laria, Lectionaria, Antiphonaria, Missalia, Collectaria, Pontificalia,
Ritualia.)

Zweite, durchgesehene und stark vermehrte Auflage (secunda editio
aucta). In 2 Halbbänden, 652 S., 1968.   Fr. 75.—

Vol. 2–8: Bénédictins du Bouveret:
COLOPHONS DE MANUSCRITS OCCIDENTAUX DES ORIGI-
NES AU XVIᵉ SIÈCLE

Vol. 2: Tome I: Colophones signés A–D (1–3561).
                   XXXIX–443 p., 1965.
                                                 Fr. 50.—
Vol. 3: Tome II: Colophons signés E–H (3562–7391).
                   VIII–480 p., 1967.
                                                 Fr. 56.—
Vol. 4: Tome III: Colophons signés I–J (7392–12130).
                   VI–584 p., 1973.
                                                 Fr. 70.—
Vol. 5: Tome IV: Colophons signés L–O (12131–14888).
                   IV–353 p., 1976.
                                                 Fr. 65.—
Vol. 6: Tome V: Colophons signés P–Z (14889–18951).
                   548 p., 1979.
                                                 Fr. 95.—
Vol. 7: Tome VI: Colophons lieux-anonymes (18952–23774).
                   env. 568 p., début 1983.
                                                 Fr. 98.—
Vol. 8: Tome VII: Tables (en préparation)

Vol. 9–14: J. Deshusses – B. Darragon:
CONCORDANCES ET TABLEAUX
POUR L'ÉTUDE DES GRANDS SACRAMENTAIRES

Vol. 9: Tome I: Concordance des pièces.
                   308 p., 1982.
                                                 Fr. 49.—
Vol. 10: Tome II: Tableaux synoptiques.
                   356 p., 1982.
                                                 Fr. 57.—
Vol. 11: Tome III, 1: Concordance verbale (A–D).
                   568 p., 1982.
                                                 Fr. 75.—
Vol. 12: Tome III, 2: Concordance verbale (E–L).
                   484 p., 1983.
                                                 Fr. 65.—
Vol. 13: Tome III, 3: Concordance verbale (M–P).
                   548 p., 1983.
                                                 Fr. 81.—
Vol. 14: Tome III, 4: Concordance verbale (Q–Z).
                   508 p., 1983.
                                                 Fr. 76.—